Ami

*Cette[...]
du Guide M[...]
sous sa forme actuelle
propose une sélection actualisée
d'hôtels et de restaurants.
Toutefois, la toute première édition
date de 1904.*

*Réalisée en toute indépendance
par nos inspecteurs,
elle offre au voyageur de passage
un large choix d'adresses
à tous les niveaux de confort et de prix.*

*Toujours soucieux d'apporter
à nos lecteurs l'information
la plus récente, nous avons mis à jour
cette édition avec le plus grand soin.*

*C'est pourquoi, seul, le Guide de l'année
en cours mérite votre confiance.*

*Merci de vos commentaires
toujours appréciés.*

MICHELIN vous souhaite « Bon voyage ! »

Sommaire

3
Ami lecteur

5 à 12
Comment se servir du guide

43
Indicatifs téléphoniques

44, 46, 50
La bière, les vins et les fromages

54 à 56, 260, 284 et 285
Carte des bonnes tables à étoiles,
repas soignés à prix modérés
établissements agréables, isolés,
très tranquilles

Hôtels, restaurants, plans de ville, curiosités :

53
Belgique

259
Grand-Duché de Luxembourg

283
Pays-Bas

460
Principales Marques Automobiles

465
Jours fériés 1995

466
Distances

470
Atlas des principales routes

474
Lexique

484
Cartes et Guides Michelin

Le choix
d'un hôtel, d'un restaurant

Ce guide vous propose une sélection d'hôtels et restaurants établie à l'usage de l'automobiliste de passage. Les établissements, classés selon leur confort, sont cités par ordre de préférence dans chaque catégorie.

CATÉGORIES

🏨	Grand luxe et tradition	ХХХХХ
🏨	Grand confort	ХХХХ
🏨	Très confortable	ХХХ
🏨	De bon confort	ХХ
🏨	Assez confortable	Х
🏨	Simple mais convenable	
Ⓜ	Dans sa catégorie, hôtel d'équipement moderne	
sans rest.	L'hôtel n'a pas de restaurant	
	Le restaurant possède des chambres	avec ch.

AGRÉMENT ET TRANQUILLITÉ

Certains établissements se distinguent dans le guide par les symboles rouges indiqués ci-après. Le séjour dans ces maisons se révèle particulièrement agréable ou reposant. Cela peut tenir d'une part au caractère de l'édifice, au décor original, au site, à l'accueil et aux services qui sont proposés, d'autre part à la tranquillité des lieux.

🏨 à 🏨	Hôtels agréables
ХХХХХ à Х	Restaurants agréables
« Parc fleuri »	Élément particulièrement agréable
🐾	Hôtel très tranquille ou isolé et tranquille
🐾	Hôtel tranquille
≤ mer	Vue exceptionnelle
≤	Vue intéressante ou étendue.

Les localités possédant des établissements agréables ou très tranquilles sont repérées sur les cartes placées au début de chaque pays traité dans ce guide.

Consultez-les pour la préparation de vos voyages et donnez-nous vos appréciations à votre retour, vous faciliterez ainsi nos enquêtes.

L'installation

Les chambres des hôtels que nous recommandons possèdent, en général, des installations sanitaires complètes. Il est toutefois possible que dans les catégories 🏦, 🏠 et 🏡, certaines chambres en soient dépourvues.

30 ch	Nombre de chambres
🛗	Ascenseur
🗔	Air conditionné
TV	Télévision dans la chambre
⇥✗	Établissement en partie réservé aux non-fumeurs
☎	Téléphone dans la chambre, direct avec l'extérieur
♿	Chambres accessibles aux handicapés physiques
🏠	Repas servis au jardin ou en terrasse
✚ᵟ	Salle de remise en forme
🏊 🏊	Piscine : de plein air ou couverte
🧖 🌳	Sauna – Jardin de repos
🎾 🐎	Tennis à l'hôtel – Chevaux de selle
🏛 25 à 150	Salles de conférences : capacité des salles
🚗	Garage dans l'hôtel (généralement payant)
🅿	Parking (pouvant être payant)
🐕	Accès interdit aux chiens (dans tout ou partie de l'établissement)
Fax	Transmission de documents par télécopie
mai-oct.	Période d'ouverture, communiquée par l'hôtelier En l'absence de mention, l'établissement est ouvert toute l'année.
✉ 9411 KL	Code postal de l'établissement (Grand-Duché de Luxembourg et Pays-Bas en particulier)

La table

LES ÉTOILES

Certains établissements méritent d'être signalés à votre attention pour la qualité de leur cuisine. Nous les distinguons par **les étoiles de bonne table**.

Nous indiquons presque toujours pour ces établissements, trois spécialités culinaires et, au Grand-Duché de Luxembourg, des vins locaux. Essayez-les, à la fois pour votre satisfaction et pour encourager le chef dans son effort.

❀❀❀	**Une des meilleures tables, vaut le voyage** Table merveilleuse, grands vins, service impeccable, cadre élégant... Prix en conséquence.
❀❀	**Table excellente, mérite un détour** Spécialités et vins de choix... Attendez-vous à une dépense en rapport.
❀	**Une très bonne table dans sa catégorie** L'étoile marque une bonne étape sur votre itinéraire. Mais ne comparez pas l'étoile d'un établissement de luxe à prix élevés avec celle d'une petite maison où à prix raisonnables, on sert également une cuisine de qualité.

REPAS SOIGNÉS A PRIX MODÉRÉS

Vous souhaitez parfois trouver des tables plus simples, à prix modérés ; c'est pourquoi nous avons sélectionné des établissements proposant, pour un rapport qualité-prix particulièrement favorable, un repas soigné. Ces maisons sont signalées par Repas.

Repas : environ 1 000 francs belges, 55 florins ou 1 000 francs luxembourgeois.

Consultez les cartes placées au début de chaque pays traité dans ce guide, elles faciliteront vos recherches.

Les prix

Les prix que nous indiquons dans ce guide ont été établis à l'automne 1994. Ils sont susceptibles de modifications, notamment en cas de variations des prix des biens et services. Ils s'entendent taxes et services compris. Aucune majoration ne doit figurer sur votre note, sauf éventuellement une taxe locale.

Entrez à l'hôtel le Guide à la main, vous montrerez ainsi qu'il vous conduit là en confiance.

Les hôtels et restaurants figurent en gros caractères lorsque les hôteliers nous ont donné tous leurs prix et se sont engagés, sous leur propre responsabilité, à les appliquer aux touristes de passage porteurs de notre guide.

Les exemples suivants sont donnés en francs belges.

REPAS

➔	Etablissement proposant un menu simple à moins de **800** francs ou **43** florins.
Repas *Lunch 700*	Repas servi le midi et en semaine seulement.
Repas 750/1200	**Menus à prix fixe** – minimum 750 et maximum 1200 des menus servis aux heures normales (12 h à 14 h 30 et 19 h à 21 h 30 en Belgique – 12 h à 14 h et 17 h à 21 h aux Pays-Bas).
Repas carte 800 à 1500	**Repas à la carte** – Le premier prix correspond à un repas normal comprenant : hors-d'œuvre, plat garni et dessert. Le 2e prix concerne un repas plus complet (avec spécialité) comprenant : deux plats et dessert.

CHAMBRES

☕ 150	Prix du petit déjeuner (supplément éventuel si servi en chambre).
ch 800/1200	Prix minimum 800 pour une chambre d'une personne prix maximum 1200 pour une chambre de deux personnes.
29 ch ☕ 1200/2000	Prix des chambres petit déjeuner compris.

DEMI-PENSION

½ P 1600/1800	Prix minimum et maximum de la demi-pension (chambre, petit déjeuner et l'un des deux repas) par personne et par jour, en saison. Il est indispensable de s'entendre par avance avec l'hôtelier pour conclure un arrangement définitif.

LES ARRHES – CARTES DE CRÉDIT

Certains hôteliers demandent le versement d'arrhes. Il s'agit d'un dépôt-garantie qui engage l'hôtelier comme le client. Bien faire préciser les dispositions de cette garantie.

AE ⓘ E 𝘝𝘐𝘚𝘈 JCB | Cartes de crédit acceptées par l'établissement

Les villes

1000	Numéro postal à indiquer dans l'adresse avant le nom de la localité
✉ 4900 Spa	Bureau de poste desservant la localité
✆ 053	Indicatif téléphonique de zone (De l'étranger, ne pas composer le 0)
Ⓟ	Capitale de Province
Ⓒ Herve	Siège administratif communal
④⓪⑨ ⑤	Numéro de la Carte Michelin et numéro du pli
G. Belgique-Lux.	Voir le guide vert Michelin Belgique-Luxembourg
4 283 h	Population (d'après chiffres du dernier recensement officiel publié)
BX A	Lettres repérant un emplacement sur le plan
⚑₁₈	Golf et nombre de trous
☀, ≼	Panorama, point de vue
✈	Aéroport
🚗 ✆ 425214	Localité desservie par train-auto Renseignements au numéro de téléphone indiqué
⛴	Transports maritimes
⛴	Transports maritimes pour passagers seulement
🛈	Information touristique

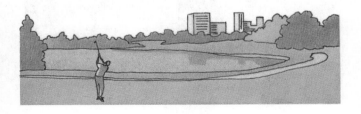

Les curiosités

INTÉRÊT

★★★	Vaut le voyage
★★	Mérite un détour
★	Intéressant

SITUATION

Voir	Dans la ville
Env.	Aux environs de la ville
N, S, E, O	La curiosité est située : au Nord, au Sud, à l'Est, à l'Ouest
②, ④	On s'y rend par la sortie ② ou ④ repérée par le même signe sur le plan du Guide et sur la carte
2 km	Distance en kilomètres

Les plans

		Hôtels
		Restaurants

Curiosités

Bâtiment intéressant et entrée principale
Édifice religieux intéressant :
  Cathédrale, église ou chapelle

Voirie

Autoroute, route à chaussées séparées
  échangeur : complet, partiel
Grande voie de circulation
Sens unique – Rue impraticable, réglementée
Rue piétonne – Tramway
Rue commerçante – Parc de stationnement
Porte – Passage sous voûte – Tunnel
Gare et voie ferrée
Passage bas (inf. à 4 m 20) – Charge limitée (inf. à 15 t.)
Pont mobile – Bac pour autos

Signes divers

Information touristique
Mosquée – Synagogue
Tour – Ruines – Moulin à vent – Château d'eau
Jardin, parc – Bois – Cimetière – Calvaire
Stade – Golf – Hippodrome
Piscine de plein air, couverte
Vue – Panorama
Monument – Fontaine – Usine – Centre commercial
Port de plaisance – Phare
Aéroport – Station de métro
Transport par bateau :
  passagers et voitures, passagers seulement
Repère commun aux plans et aux cartes Michelin
détaillées
Bureau principal de poste restante, Téléphone
Hôpital – Marché couvert
Bâtiment public repéré par une lettre :

H P	Hôtel de ville – Préfecture
J	Palais de justice
M T	Musée – Théâtre
U	Université, grande école
POL G	Police (commissariat central) – Gendarmerie

Les plans de villes sont disposés le Nord en haut.

La voiture, les pneus

Pour vos pneus, consultez les pages bordées de bleu ou adressez-vous à l'une de nos Agences Régionales.

En fin de guide figure une liste des principales marques automobiles pouvant éventuellement vous aider en cas de panne.

Vous pouvez également consulter utilement les principaux automobiles clubs du BENELUX :

BELGIQUE

Royal Automobile Club de Belgique (RACB),
   FIA, rue d'Arlon 53 – Bte 3, 1040 Bruxelles
   ✆ (02) 287 09 00

Royal Motor Union
   boulevard d'Avroy 254, 4000 Liège
   ✆ (041) 52 70 30

Touring Club Royal de Belgique (TCB)
   AIT, rue de la Loi 44, 1040 Bruxelles
   ✆ (02) 233 22 11

Vlaamse Automobilistenbond (VTB-VAB)
   Sint-Jakobsmarkt 45, 2000 Antwerpen
   ✆ (03) 253 63 63

LUXEMBOURG

Automobile Club du Grand Duché de Luxembourg (ACL)
   FIA & AIT, route de Longwy 54, 8007 Bertrange
   ✆ 45 00 45

PAYS-BAS

Koninklijke Nederlandse Automobiel Club (KNAC)
   FIA, Binckhorstlaan 115, 2516 BA Den Haag
   ✆ (070) 383 16 12

Koninklijke Nederlandse Toeristenbond (ANWB)
   AIT, Wassenaarseweg 220, 2509 BA Den Haag
   ✆ (070) 314 71 47

VITESSE : LIMITES AUTORISÉES (en km/h)

	Autoroute	Route	Agglomération
Belgique	120	90	50
GD Luxembourg	120	90	50
Pays-Bas	100/120	80	50

Beste lezer

Dit is de 18de editie van de
Michelingids BENELUX
Hij biedt in zijn huidige vorm
een bijgewerkte selectie van
hotels en restaurants.
De allereerste uitgave dateert echter uit 1904.

De gids werd op geheel onafhankelijke
manier gemaakt door onze inspecteurs.
Hij biedt de reiziger op doorreis
een uitgebreide keuze aan adressen
in alle categorieën van comfort en prijs.

Daar wij onze lezers zo goed mogelijk
wensen te informeren, hebben wij deze
editie met de grootste zorg bijgewerkt.

Gebruik daarom alleen de Gids van het
lopende jaar.

Alvast hartelijk dank voor uw waardevolle
op- en aanmerkingen.

Michelin wenst u een goede reis !

Inhoud

13
Beste lezer

15 t/m 22
Het gebruik van deze gids

43
Europese landnummers

44, 47, 50
Bier, wijn en kaas

54 t/m 56, 260, 284 en 285
Kaart waarop de sterrenrestaurants,
verzorgde maaltijden voor een schappelijke prijs
en de aangename,
afgelegen en zeer rustige bedrijven
zijn aangegeven

Hotels, restaurants, stadsplattegronden,
bezienswaardigheden

53
België

259
Groothertogdom Luxemburg

283
Nederland

460
Belangrijkste Auto-Importeurs

465
Feestdagen in 1995

466
Afstanden

470
Kaarten met de belangrijkste wegen

474
Woordenlijst

484
Michelinkaarten en -gidsen

Keuze
van een hotel, van een restaurant

De selectie van hotels en restaurants in deze gids is bestemd voor de automobilist op doorreis. In de verschillende categorieën, die overeenkomen met het geboden comfort, worden de bedrijven in volgorde van voorkeur opgegeven.

CATEGORIEËN

🏨🏨🏨	Zeer luxueus, traditioneel	XXXXX
🏨🏨🏨	Eerste klas	XXXX
🏨🏨	Zeer comfortabel	XXX
🏨🏨	Geriefelijk	XX
🏨	Vrij geriefelijk	X
🏠	Eenvoudig maar correct	
Ⓜ	Moderne inrichting	
sans rest.	Hotel zonder restaurant	
	Restaurant met kamers	avec ch.

AANGENAAM EN RUSTIG VERBLIJF

Bepaalde bedrijven worden in de gids aangeduid met de onderstaande rode tekens. Een verblijf in die bedrijven is bijzonder aangenaam of rustig. Dit kan enerzijds te danken zijn aan het gebouw, aan de originele inrichting, aan de ligging, aan de ontvangst en aan de diensten die geboden worden, anderzijds aan het feit dat het er bijzonder rustig is.

🏨🏨🏨 tot 🏠	Aangename hotels
XXXXX tot X	Aangename restaurants
« Parc fleuri »	Bijzonder aangenaam gegeven
🦢	Zeer rustig of afgelegen en rustig hotel
🦢	Rustig hotel
≤ mer	Prachtig uitzicht
≤	Interessant of weids uitzicht

Voorin elk gedeelte van de gids dat aan een bepaald land gewijd is, staat een kaart met de plaatsen met aangename of zeer rustige bedrijven.
Raadpleeg deze kaarten bij het voorbereiden van uw reis en laat ons bij thuiskomst weten wat uw ervaringen zijn. Op die manier kunt u ons behulpzaam zijn.

Inrichting

De hotelkamers die wij aanbevelen, beschikken in het algemeen over een volledige sanitaire voorziening. Het kan echter voorkomen dat deze bij sommige kamers in de hotelcategorieën 🏨, 🏠 en ⚘ ontbreekt.

30 ch	Aantal kamers
[⇕]	Lift
▤	Airconditioning
[TV]	Televisie op de kamer
⇔	Bedrijf dat gedeeltelijk gereserveerd is voor niet-rokers
☎	Telefoon op de kamer met rechtstreekse buitenlijn
⅚	Kamers toegankelijk voor lichamelijk gehandicapten
🛖	Maaltijden worden geserveerd in tuin of op terras
⅙	Fitness
🛝 ⊠	Zwembad : openlucht of overdekt
⊜ 🌳	Sauna – Tuin
✗ 🐎	Tennis bij het hotel – Rijpaarden
🏛 25 à 150	Vergaderzalen : aantal plaatsen
🚗	Garage bij het hotel (meestal tegen betaling)
℗	Parkeerplaats (eventueel tegen betaling)
🐕̸	Honden worden niet toegelaten (in het hele bedrijf of in een gedeelte daarvan)
Fax	Telefonische doorgave van documenten
mai-oct.	Openingsperiode ; door de hotelhouder opgegeven Het ontbreken van deze vermelding betekent, dat het bedrijf het gehele jaar geopend is
✉ 9411 KL	Postcode van het bedrijf (in het bijzonder voor Groothertogdom Luxemburg en Nederland)

Keuken

Bepaalde bedrijven verdienen extra aandacht vanwege de kwaliteit van hun keuken. Wij geven ze aan met één of meer sterren.

Bij deze bedrijven vermelden wij meestal drie culinaire specialiteiten en voor Luxemburg lokale wijnen. Wij adviseren u daaruit een keuze te maken, zowel voor uw eigen genoegen als ter aanmoediging van de kok.

ය ය ය | **Uitzonderlijke keuken : de reis waard**
Voortreffelijke keuken, beroemde wijnen, onberispelijke bediening, stijlvol interieur... Overeenkomstige prijzen.

ය ය | **Verfijnde keuken : een omweg waard**
Bijzondere specialiteiten en wijnen... Verwacht geen lage prijzen.

ය | **Een uitstekende keuken in zijn categorie**
De ster wijst op een goede etappe op uw route.
Maar vergelijk niet de ster van een luxueus bedrijf met hoge prijzen met die van een klein restaurant dat ook een verzorgde keuken biedt tegen redelijke prijzen.

VERZORGDE MAALTIJDEN VOOR EEN SCHAPPELIJKE PRIJS

Soms wenst u iets eenvoudiger te eten, voor een schappelijke prijs. Om die reden hebben wij eetgelegenheden geselecteerd die bij een zeer gunstige prijs-kwaliteit verhouding, een goede maaltijd serveren. Deze bedrijven worden aangeduid met Repas.

Repas : ongeveer 1 000 Belgische franken, 55 gulden of 1 000 Luxemburgse franken.

Raadpleeg de kaarten voorin elk gedeelte van deze gids, dat aan een bepaald land gewijd is. Dit zal u helpen bij uw speurwerk.

Prijzen

De prijzen in deze gids zijn in het najaar 1994 genoteerd. Zij kunnen gewijzigd worden, met name als de prijzen van goederen en diensten veranderen. In de vermelde bedragen is alles inbegrepen (bediening en belasting). Op uw rekening behoort geen ander bedrag te staan, behalve eventueel een plaatselijke belasting.

Als u met de gids in de hand een hotel of restaurant binnen gaat, laat u zien dat wij u dat bedrijf hebben aanbevolen. De naam van een hotel of restaurant is dik gedrukt als de hotelhouder ons al zijn prijzen heeft opgegeven en zich voor eigen verantwoording heeft verplicht deze te berekenen aan toeristen die onze gids bezitten.

Onderstaande voorbeelden zijn in Belgische franken gegeven.

MAALTIJDEN

←	Bedrijf dat een eenvoudig menu serveert van minder dan **800** Belgische franken of **43** gulden.
Repas *Lunch 700*	Deze maaltijd wordt enkel's middags geserveerd en meestal alleen op werkdagen.
Repas 750/1200	**Vaste prijzen voor menu's** – laagste (750) en hoogste (1200) prijs van menu's die op normale uren geserveerd worden (12-14.30 u. en 19-21.30 u. in België – 12-14 u. en 17-21 u. in Nederland).
Repas carte 800 à 1500	**Maaltijden « à la carte »** – De eerste prijs betreft een normale maaltijd, bestaande uit een voorgerecht, een hoofdgerecht en een dessert. De tweede prijs betreft een meer uitgebreide maaltijd (met een specialiteit) bestaande uit : twee gerechten, en een dessert.

KAMERS

⌐ 150	Prijs van het ontbijt (mogelijk wordt een extra bedrag gevraagd voor ontbijt op de kamer).
ch 800/1200	Laagste prijs (800) voor een eenpersoonkamer en hoogste prijs (1200) voor een tweepersoonskamer.
29 ch ⌐ 1200/2000	Prijzen van de kamers met ontbijt.

HALF PENSION

½ P 1600/1800	Laagste en hoogste prijs voor half pension (kamer, ontbijt en één van de twee maaltijden), per persoon en per dag, in het hoogseizoen. Het is raadzaam om van tevoren met de hotelhouder te overleggen en een goede afspraak te maken.

AANBETALING – CREDITCARDS

Sommige hotelhouders vragen een aanbetaling. Dit bedrag is een garantie, zowel voor de hotelhouder als voor de gast. Het is wenselijk te informeren naar de bepalingen van deze garantie.

AE ⓘ E VISA JCB | Creditcards die door het bedrijf geaccepteerd worden.

Steden

1000	Postcodenummer, steeds te vermelden in het adres voor de plaatsnaam
✉ 4900 Spa	Postkantoor voor deze plaats
✆ 053	Netnummer (vanuit het buitenland : de O weglaten)
Ⓟ	Hoofdstad van de provincie
Ⓒ Herve	Gemeentelijke administratieve zetel
409 ⑤	Nummer van de Michelinkaart en nummer van het vouwblad
G. Belgique-Lux.	Zie de groene Michelingids België-Luxemburg
4 283 h	Totaal aantal inwoners (volgens de laatst gepubliceerde, officiële telling)
BX A	Letters die de ligging op de plattegrond aangeven
18	Golf en aantal holes
☀, ≤	Panorama, uitzicht
✈	Vliegveld
🚗 ✆ 425214	Plaats waar de autoslaaptrein stopt. Inlichtingen bij het aangegeven telefoonnummer.
⛴	Bootverbinding
⛴	Bootverbinding (uitsluitend passagiers)
▯	Informatie voor toeristen - VVV

Bezienswaardigheden

★★★	De reis waard
★★	Een omweg waard
★	Interessant

Voir	In de stad
Env.	In de omgeving van de stad
N, S, E, O	De bezienswaardigheid ligt : ten noorden (N), ten zuiden (S), ten oosten (E), ten westen (O)
②, ④	Men komt er via uitvalsweg ② of ④, die met hetzelfde teken is aangegeven op de plattegrond in de gids en op de kaart
2 km	Afstand in kilometers

Plattegronden

□ ● **Hotels**
■ ● **Restaurants**

Bezienswaardigheden

Interessant gebouw met hoofdingang
Interessant kerkelijk gebouw :
    Kathedraal, kerk of kapel

Wegen

Autosnelweg, weg met gescheiden rijbanen
    knooppunt/aansluiting : volledig, gedeeltelijk
Hoofdverkeersweg
Eenrichtingsverkeer – Onbegaanbare straat, beperkt
    toegankelijk
Voetgangersgebied – Tramweg
Pasteur   Winkelstraat – Parkeerplaats
Poort – Onderdoorgang – Tunnel
Station spoorweg
Vrije hoogte (onder 4 m 20) – Maximum draagvermogen
(onder 15 t.)
Beweegbare brug – Auto-veerpont

Overige tekens

Informatie voor toeristen
Moskee – Synagoge
Toren – Ruïne – Windmolen – Watertoren
Tuin, park – Bos – Begraafplaats – Kruisbeeld
Stadion – Golf – Renbaan
Zwembad : openlucht, overdekt
Uitzicht – Panorama
Gedenkteken, standbeeld – Fontein
Fabriek – Winkelcentrum
Jachthaven – Vuurtoren
Luchthaven – Metrostation
Vervoer per boot :
    passagiers en auto's, uitsluitend passagiers
Verwijsteken uitvalsweg : identiek op plattegronden en
Michelinkaarten
Hoofdkantoor voor poste-restante – Telefoon
Ziekenhuis – Overdekte markt
Openbaar gebouw, aangegeven met een letter :
H   P   Stadhuis – Provinciehuis
J   Gerechtshof
M   T   Museum – Schouwburg
U   Universiteit, hogeschool
POL   Politie (in grote steden, hoofdbureau) –
G   Marechaussee/rijkswacht

Auto en banden

Raadpleeg voor uw banden de bladzijden met blauwe rand of wendt u tot één van de Michelin-filialen.

Achter in deze gids vindt u een lijst met de belangrijkste auto-importeurs die u van dienst zouden kunnen zijn.

U kunt ook de hulp inroepen van een automobielclub in de BENELUX :

BELGIË

Vlaamse Automobilistenbond (VTB-VAB)
Sint-Jakobsmarkt 45, 2000 Antwerpen
℘ (03) 253 63 63

Koninklijke Automobiel Club van België (KACB)
FIA, Aarlenstraat 53, – Bus 3, 1040 Brussel
℘ (02) 287 09 00

Royal Motor Union
boulevard d'Avroy 254, 4000 Liège
℘ (041) 52 70 30

Touring Club van België (TCB)
AIT, Wetstraat 44, 1040 Brussel
℘ (02) 233 22 11

LUXEMBURG

Automobile Club du Grand Duché de Luxembourg (ACL)
FIA & AIT, route de Longwy 54, 8007 Bertrange
℘ 45 00 45

NEDERLAND

Koninklijke Nederlandse Automobiel Club (KNAC)
FIA, Binckhorstlaan 115, 2516 BA Den Haag
℘ (070) 383 16 12

Koninklijke Nederlandse Toeristenbond (ANWB)
AIT, Wassenaarseweg 220, 2509 BA Den Haag
℘ (070) 314 71 47

MAXIMUMSNELHEDEN (km/u)

	Autosnelwegen	Wegen	Bebouwde kom
België	120	90	50
Luxemburg	120	90	50
Nederland	100/120	80	50

Lieber Leser

Die 18. Ausgabe des MICHELIN-Hotelführers BENELUX bietet Ihnen eine aktualisierte Auswahl an Hotels und Restaurants.
Die erste Ausgabe datiert jedoch aus dem Jahre 1904.

Von unseren unabhängigen Hotelinspektoren ausgearbeitet, bietet der Hotelführer dem Reisenden eine große Auswahl an Hotels und Restaurants in jeder Kategorie sowohl was den Preis als auch den Komfort anbelangt.

Stets bemüht, unseren Lesern die neueste Information anzubieten, wurde diese Ausgabe mit größter Sorgfalt erstellt.

Deshalb sollten Sie immer nur dem aktuellen Hotelführer Ihr Vertrauen schenken.
Ihre Kommentare sind uns immer willkommen.

MICHELIN wünscht Ihnen « Gute Reise ! »

Inhaltsverzeichnis

S. 23
Lieber Leser

S. 26 bis 32
Zum Gebrauch dieses Führers

S. 43
Telefon-Vorwahlnummern

S. 45, 48, 51
Biere, Weine und Käse

S. 54 bis 56, 260, 284 und 285
Karte : Stern-Restaurants, sorgfältig
zubereitete, preiswerte Mahlzeiten,
angenehme, sehr ruhige, abgelegene Häusern

Hotels, Restaurants, Stadtpläne,
Sehenswürdigkeiten :

S. 53
Belgien

S. 259
Großherzogtum Luxemburg

S. 283
Niederlande

S. 460
Wichtigsten Automarken

S. 465
Feiertage im Jahr 1995

S. 466
Entfernungen

S. 470
Atlas der Hauptverkehrsstraßen

S. 474
Lexikon

S. 484
Michelin-Karten und -Führer

Wahl
eines Hotels, eines Restaurants

Die Auswahl der in diesem Führer aufgeführten Hotels und Restaurants ist für Durchreisende gedacht. In jeder Kategorie drückt die Reihenfolge der Betriebe (sie sind nach ihrem Komfort klassifiziert) eine weitere Rangordnung aus.

KATEGORIEN

🏨	Großer Luxus und Tradition	🎭🎭🎭🎭🎭
🏨	Großer Komfort	🎭🎭🎭🎭
🏨	Sehr komfortabel	🎭🎭🎭
🏨	Mit gutem Komfort	🎭🎭
🏠	Mit ausreichendem Komfort	🎭
🏨	Bürgerlich	
M	Moderne Einrichtung	
sans rest.	Hotel ohne Restaurant	
	Restaurant vermietet auch Zimmer	avec ch.

ANNEHMLICHKEITEN

Manche Häuser sind im Führer durch rote Symbole gekennzeichnet (s. unten.) Der Aufenthalt in diesen Hotels und Restaurants ist wegen der schönen, ruhigen Lage, der nicht alltäglichen Einrichtung und Atmosphäre und dem gebotenen Service besonders angenehm und erholsam.

🏨 bis 🏠	Angenehme Hotels
🎭🎭🎭🎭🎭 bis 🎭	Angenehme Restaurants
« Parc fleuri »	Besondere Annehmlichkeit
🕊	Sehr ruhiges, oder abgelegenes und ruhiges Hotel
🕊	Ruhiges Hotel
≤ mer	Reizvolle Aussicht
≤	Interessante oder weite Sicht

Die den einzelnen Ländern vorangestellten Übersichtskarten, auf denen die Orte mit besonders angenehmen oder sehr ruhigen Häusern eingezeichnet sind, helfen Ihnen bei der Reisevorbereitung. Teilen Sie uns bitte nach der Reise Ihre Erfahrungen und Meinungen mit. Sie helfen uns damit, den Führer weiter zu verbessern.

Einrichtung

Die meisten der empfohlenen Hotels verfügen über Zimmer, die alle oder doch zum größten Teil mit Bad oder Dusche ausgestattet sind. In den Häusern der Kategorien 🏨, 🏠 und ⚘ kann diese jedoch in einigen Zimmern fehlen.

30 ch	Anzahl der Zimmer
📶	Fahrstuhl
🔲	Klimaanlage
TV	Fernsehen im Zimmer
✠	Haus teilweise reserviert für Nichtraucher
☎	Zimmertelefon mit direkter Außenverbindung
♿	Für Körperbehinderte leicht zugängliche Zimmer
🏠	Garten-, Terrassenrestaurant
🏋	Fitneß-Center
⚓ 🔲	Freibad – Hallenbad
🧖 🌿	Sauna – Liegewiese, Garten
✗ 🐎	Hoteleigener Tennisplatz – Reitpferde
🔺 25 à 150	Konferenzräume (Mindest- und Höchstkapazität)
🚗	Hotelgarage (wird gewöhnlich berechnet)
Ⓟ	Parkplatz (manchmal gebührenpflichtig)
🐕	Hunde sind unerwünscht (im ganzen Haus bzw. in den Zimmern oder im Restaurant)
Fax	Telefonische Dokumentenübermittlung
mai-oct.	Öffnungszeit, vom Hotelier mitgeteilt Häuser ohne Angabe von Schließungszeiten sind ganzjährig geöffnet
✉ 9411 KL	Angabe des Postbezirks (bes. Niederlande und Großherzogtum Luxemburg)

Küche

DIE STERNE

Einige Häuser verdienen wegen ihrer überdurchschnittlich guten Küche Ihre besondere Beachtung. Auf diese Häuser weisen die Sterne hin.

Bei den mit « **Stern** » ausgezeichneten Betrieben nennen wir drei kulinarische Spezialitäten (mit Landweinen in Luxemburg), die Sie probieren sollten.

✿✿✿ | **Eine der besten Küchen : eine Reise wert**
Ein denkwürdiges Essen, edle Weine, tadelloser Service, gepflegte Atmosphäre... entsprechende Preise.

✿✿ | **Eine hervorragende Küche : verdient einen Umweg**
Ausgesuchte Menus und Weine... angemessene Preise.

✿ | **Eine sehr gute Küche : verdient Ihre besondere Beachtung**
Der Stern bedeutet eine angenehme Unterbrechung Ihrer Reise.
Vergleichen Sie aber bitte nicht den Stern eines sehr teuren Luxusrestaurants mit dem Stern eines kleineren oder mittleren Hauses, wo man Ihnen zu einem annehmbaren Preis eine ebenfalls vorzügliche Mahlzeit reicht.

SORGFÄLTIG ZUBEREITETE, PREISWERTE MAHLZEITEN

Für Sie wird es interessant sein, auch solche Häuser kennenzulernen, die eine sehr gute Küche zu einem besonders günstigen Preis/Leistungs-Verhältnis bieten. Im Text sind die betreffenden Restaurants durch das Wort Repas vor dem Menupreis kenntlich gemacht.

Repas : ungefähr 1 000 belgische Franc, 55 Gulden oder 1 000 luxemburgische Franc.

Die den einzelnen Ländern vorangestellten Übersichtskarten helfen Ihnen bei der Suche nach besonders ausgezeichneten Häusern.

Preise

Die in diesem Führer genannten Preise wurden uns im Herbst 1994 angegeben. Sie können sich mit den Preisen von Waren und Dienstleistungen ändern. Sie enthalten Bedienung und MWSt. Es sind Inklusivpreise, die sich nur noch durch eine evtl. zu zahlende lokale Taxe erhöhen können.

Halten Sie beim Betreten des Hotels den Führer in der Hand. Sie zeigen damit, daß Sie aufgrund dieser Empfehlung gekommen sind.

Die Namen der Hotels und Restaurants, die ihre Preise genannt haben, sind fettgedruckt. Gleichzeitig haben sich diese Häuser verpflichtet, die von den Hoteliers selbst angegebenen Preise den Benutzern des Michelin-Führers zu berechnen.

Die folgenden Beispiele sind in belgischen Francs angegeben.

MAHLZEITEN

←	Restaurant, das ein einfaches Menu unter **800** belgischen Francs oder **43** Gulden anbietet.
Repas *Lunch* 700	Menu im allgemeine nur Werktags Mittags serviert.
Repas 750/1200	**Feste Menupreise** – Mindest- 750 und Höchstpreis 1200 für die Menus (Gedecke), die zu den normalen Tischzeiten serviert werden (12-14.30 Uhr und 19-21.30 Uhr in Belgien, 12-14 Uhr und 17-21 Uhr in den Niederlanden).
Repas carte 800 à 1500	**Mahlzeiten « à la carte »** – Der erste Preis entspricht einer einfachen Mahlzeit und umfaßt Vorspeise, Tagesgericht mit Beilage, Dessert. Der zweite Preis entspricht einer reichlicheren Mahlzeit (mit Spezialität) bestehend aus: zwei Hauptgängen, Dessert.

ZIMMER

⊝ 150	Preis des Frühstücks (wenn es im Zimmer serviert wird kann ein Zuschlag erhoben werden).
ch 800/1200	Mindestpreis 800 für ein Einzelzimmer, Höchstpreis 1200 für ein Doppelzimmer.
29 ch ⊝ 1200/2000	Zimmerpreis inkl. Frühstück.

HALBPENSION

½ P 1600/1800	Mindestpreis und Höchstpreis für Halbpension (Zimmer, Frühstück und 1 Hauptmahlzeit) pro Person und Tag während der Hauptsaison. Es ist ratsam, sich beim Hotelier vor der Anreise nach den genauen Bedingungen zu erkundigen.

ANZAHLUNG – KREDITKARTEN

Einige Hoteliers verlangen eine Anzahlung. Diese ist als Garantie sowohl für den Hotelier als auch für den Gast anzusehen.

Es ist ratsam, sich beim Hotelier nach ihren genauen Bestimmungen zu enkundigen.

AE ⓪ E *VISA* JCB | Vom Haus akzeptierte Kreditkarten

Städte

1000	Postleitzahl, bei der Anschrift vor dem Ortsnamen anzugeben
✉ 4900 Spa	Postleitzahl und zuständiges Postamt
☎ 053	Vorwahlnummer (bei Gesprächen vom Ausland wird die erste Null weggelassen)
Ⓟ	Provinzhauptstadt
Ⓒ Herve	Sitz der Kreisverwaltung
409 ⑤	Nummer der Michelin-Karte und Faltseite
G. Belgique-Lux.	Siehe Grünen Michelin-Reiseführer Belgique-Luxembourg
4 283 h	Einwohnerzahl (letzte offizielle Volkszählung)
BX A	Markierung auf dem Stadtplan
⌐18	Golfplatz und Lochzahl
☀, ≤	Rundblick, Aussichtspunkt
✈	Flughafen
🚗 ☎ 425214	Ladestelle für Autoreisezüge. Nähere Auskünfte unter der angegebenen Telefonnummer
⛴	Autofähre
⛵	Personenfähre
🛈	Informationsstelle

Sehenswürdigkeiten

BEWERTUNG

★★★	Eine Reise wert
★★	Verdient einen Umweg
★	Sehenswert

LAGE

Voir	In der Stadt
Env.	In der Umgebung der Stadt
N, S, E, O	Im Norden (N), Süden (S), Osten (E), Westen (O) der Stadt
②, ④	Zu erreichen über die Ausfallstraße ② bzw. ④, die auf dem Stadtplan und auf der Michelin-Karte identisch gekennzeichnet sind
2 km	Entfernung in Kilometern

Stadtpläne

□ ●	**Hotels**	
▣ ●	**Restaurants**	

Sehenswürdigkeiten

Sehenswertes Gebäude mit Haupteingang

Sehenswerter Sakralbau
  Kathedrale, Kirche oder Kapelle

Straßen

Autobahn, Schnellstraße
  Anschlußstelle : Autobahneinfahrt und/oder-ausfahrt,

Hauptverkehrsstraße

Einbahnstraße – Gesperrte Straße, mit
  Verkehrsbeschränkungen

Fußgängerzone – Straßenbahn

Einkaufsstraße – Parkplatz

Tor – Passage – Tunnel

Bahnhof und Bahnlinie

Unterführung (Höhe bis 4,20 m) – Höchstbelastung
(unter 15 t.)

Bewegliche Brücke – Autofähre

Sonstige Zeichen

Informationsstelle

Moschee – Synagoge

Turm – Ruine – Windmühle – Wasserturm

Garten, Park – Wäldchen – Friedhof – Bildstock

Stadion – Golfplatz – Pferderennbahn

Freibad – Hallenbad

Aussicht – Rundblick

Denkmal – Brunnen – Fabrik – Einkaufszentrum

Jachthafen – Leuchtturm

Flughafen – U-Bahnstation

Schiffsverbindungen :
  Autofähre – Personenfähre

Straßenkennzeichnung (identisch auf Michelin Stadt-
plänen und – Abschnittskarten)

Hauptpostamt (postlagernde Sendungen), Telefon

Krankenhaus – Markthalle

Öffentliches Gebäude, durch einen Buchstaben
gekennzeichnet :

H P	Rathaus – Präfektur
J	Gerichtsgebäude
M T	Museum – Theater
U	Universität, Hochschule
POL G	Polizei (in größeren Städten Polizeipräsidium) – Gendarmerie

Das Auto, die Reifen

Hinweise für Ihre Reifen finden Sie auf den blau umrandeten Seiten oder bekommen Sie direkt in einer unserer Niederlassungen.
Am Ende des Führers finden Sie eine Adress-Liste der wichtigsten Automarken, die Ihnen im Pannenfalle eine wertvolle Hilfe leisten kann.
Sie können sich aber auch an die wichtigsten Automobilclubs in den BENELUXSTAATEN wenden :

BELGIEN

Royal Automobile Club de Belgique (RACB)
FIA, rue d'Arlon 53 – Bte 3, 1040 Bruxelles
℘ (02) 287 09 00

Royal Motor Union
boulevard d'Avroy 254, 4000 Liège
℘ (041) 52 70 30

Touring Club Royal de Belgique (TCB)
AIT, rue de la Loi 44, 1040 Bruxelles
℘ (02) 233 22 11

Vlaamse Automobilistenbond (VTB-VAB)
Sint-Jakobsmarkt 45, 2000 Antwerpen
℘ (03) 253 63 63

LUXEMBURG

Automobile Club du Grand Duché de Luxembourg (ACL)
FIA & AIT, route de Longwy 54, 8007 Bertrange
℘ 45 00 45

NIEDERLANDE

Koninklijke Nederlandse Automobiel Club (KNAC)
FIA, Binckhorstlaan 115, 2516 BA Den Haag
℘ (070) 383 16 12

Koninklijke Nederlandse Toeristenbond (ANWB)
AIT, Wassenaarseweg 220, 2509 BA Den Haag
℘ (070) 314 71 47

GESCHWINDIGKEITSBEGRENZUNG (in km/g)

	Autobahn	Landstraße	Geschlossene Ortschaften
Belgien	120	90	50
Luxemburg	120	90	50
Niederlande	100/120	80	50

Dear Reader

*This 18th edition of the
Michelin Guide to BENELUX
in its current form offers the latest
selection of hotels and restaurants.
However the very first edition
dates from 1904.*

*Independently compiled by our
inspectors, the Guide provides
travellers with a wide choice of
establishments at all levels of comfort
and price.*

*We are commited to providing
readers with the most up to date
information and this edition has been
produced with the greatest care.*

*That is why only this year's guide
merits your complete confidence.*

*Thank you for your comments, which
are always appreciated.*

Bon voyage

Contents

33
Dear Reader

35 to 42
How to use this guide

43
European dialling codes

45, 49, 51
Beers, wines and cheeses

54 to 56, 260, 284 and 285
Maps of star-rated restaurants
good food at moderate prices,
and pleasant, secluded
and very quiet establishments

Hotels, restaurants, town plans, sights:

53
Belgium

259
Grand Duchy of Luxembourg

283
Netherlands

460
Main Car Manufacturers

465
Bank Holidays in 1995

466
Distances

470
Atlas of main roads

474
Lexicon

484
Michelin maps and guides

Choosing
a hotel or restaurant

This guide offers a selection of hotels and restaurants to help the motorist on his travels. In each category establishments are listed in order of preference according to the degree of comfort they offer.

CATEGORIES

🏨	Luxury in the traditional style	XXXXX
🏨	Top class comfort	XXXX
🏨	Very comfortable	XXX
🏨	Comfortable	XX
🏨	Quite comfortable	X
🏠	Simple comfort	
M	In its class, hotel with modern amenities	
sans rest.	The hotel has no restaurant	
	The restaurant also offers accommodation	avec ch.

PEACEFUL ATMOSPHERE AND SETTING

Certain hotels and restaurants are distinguished in the guide by the red symbols shown below.

Your stay in such establishments will be particularly pleasant or restful, owing to the character of the building, its decor, the setting, the welcome and services offered, or simply the peace and quiet to be enjoyed there.

🏨 to 🏠	Pleasant hotels
XXXXX to X	Pleasant restaurants
« Parc fleuri »	Particularly attractive feature
🌳	Very quiet or quiet, secluded hotel
🌳	Quiet hotel
≤ mer	Exceptional view
≤	Interesting or extensive view

The maps preceding each country indicate places with such very peaceful, pleasant hotels and restaurants.

By consulting them before setting out and sending us your comments on your return you can help us with our enquiries.

Hotel facilities

In general the hotels we recommend have full bathroom and toilet facilities in each room. However, this may not be the case for certain rooms in categories 🏨, 🏩 and ☙.

30 ch	Number of rooms
🛗	Lift (elevator)
▤	Air conditioning
TV	Television in room
🚭	Hotel partly reserved for non-smokers
☎	Direct-dial phone in room
♿	Rooms accessible to disabled people
🍽	Meals served in garden or on terrace
📕	Exercise room
⌿ ◫	Outdoor or indoor swimming pool
≋s 🌳	Sauna – Garden
✗ 🐎	Hotel tennis court – Horse-riding
🛎 25 à 150	Equipped conference hall (minimum and maximum capacity)
🚗	Hotel garage (additional charge in most cases)
P	Car park (a fee may be charged)
🐕‍🦺	Dogs are not allowed in all or part of the hotel
Fax	Telephone document transmission
mai-oct.	Dates when open, as indicated by the hotelier. Where no date or season is shown, establishments are open all year round
✉ 9411 KL	Postal code (Netherlands and Grand Duchy of Luxembourg only)

Cuisine

STARS

Certain establishments deserve to be brought to your attention for the particularly fine quality of their cooking. **Michelin stars** are awarded for the standard of meals served. For these establishments we indicate 3 speciality dishes (and some local wines in Luxembourg). Try them, both for your pleasure and to encourage the chef in his work.

✿✿✿	**Exceptional cuisine, worth a special journey** Superb food, fine wines, faultless service, elegant surroundings. One will pay accordingly !
✿✿	**Excellent cooking, worth a detour** Specialities and wines of first class quality. This will be reflected in the price.
✿	**A very good restaurant in its category** The star indicates a good place to stop on your journey. But beware of comparing the star given to an expensive « de luxe » establishment to that of a simple restaurant where you can appreciate fine cuisine at a reasonable price.

GOOD FOOD AT MODERATE PRICES

You may also like to know of other restaurants with less elaborate, moderately priced menus that offer good value for money and serve carefully prepared meals
In the guide such establishments bear Repas just before the price of the meals.
Repas : approximately 1 000 Belgian Francs, 55 Guilders or 1 000 Luxembourg Francs.

By consulting the maps preceding each country, you will find it easier to locate them.

Prices

Prices quoted are valid for autumn 1994. Changes may arise if goods and service costs are revised. The rates include tax and service and no extra charge should appear on your bill, with the possible exception of a local tax.

Your recommendation is self-evident if you always walk into a hotel Guide in hand.

Hotels and restaurants in bold type have supplied details of all their rates and have assumed responsability for maintaining them for all travellers in possession of this Guide.

The following examples are given in Belgian Francs.

MEALS

➜	Establishment serving a simple menu for less than **800** Francs or **43** Guilders.
Repas *Lunch 700*	This meal is served at lunchtime and normally during the working week.
Repas 750/1200	**Set meals** – Lowest price 750 and highest price 1200 for set meals served at normal hours (noon to 2.30 pm and 7 to 9.30 pm in Belgium – noon to 2 pm and 5 to 9 pm in the Netherlands).
Repas carte 800 à 1500	**« A la carte » meals** – The first figure is for a plain meal and includes hors-d'œuvre, main dish of the day with vegetables and dessert. The second figure is for a fuller meal (with « spécialité ») and includes 2 main courses and dessert.

ROOMS

⊐ 150	Price of continental breakfast (additional charge when served in the bedroom).
ch 800/1200	Lowest price 800 for a single room and highest price 1200 for a double.
29 ch ⊐ 1200/2000	Price includes breakfast.

HALF BOARD

½ P 1600/1800	Lowest and highest prices (room, breakfast and one of two meals), per person, per day in the season. It is advisable to agree on terms with the hotelier before arriving.

DEPOSITS – CREDIT CARDS

Some hotels will require a deposit, which confirms the commitment of customer and hotelier alike. Make sure the terms of the agreement are clear.

AE ⓞ E VISA JCB | Credit cards accepted by the establishment

Towns

1000	Postal number to be shown in the address before the town name
✉ 4900 Spa	Postal number and name of the post office serving the town
☎ 053	Telephone dialling code. Omit O when dialling from abroad
Ⓟ	Provincial capital
Ⓒ Herve	Administrative centre of the "commune"
409 ⑤	Number of the appropriate sheet and section of the Michelin road map
G. Belgique-Lux.	See Michelin Green Guide Belgique-Luxembourg
4 283 h	Population (as in publication of most recent official census figures)
BX A	Letters giving the location of a place on the town plan
🏌18	Golf course and number of holes
⋇, ≼	Panoramic view, viewpoint
✈	Airport
🚗 ☏ 425214	Place with a motorail connection ; further information from telephone number listed
⛴	Shipping line
⛴	Passenger transport only
🛈	Tourist Information Centre

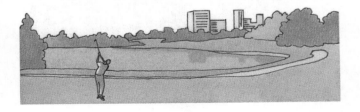

Sights

STAR-RATING

★★★	Worth a journey
★★	Worth a detour
★	Interesting

LOCATION

Voir	Sights in town
Env.	On the outskirts
N, S, E, O	The sight lies north, south, east or west of the town
②, ④	Sign on town plan and on the Michelin road map indicating the road leading to a place of interest
2 km	Distance in kilometres

Town plans

Hotels

Restaurants

Sights

Place of interest and its main entrance

Interesting place of worship :
   Cathedral, church or chapel

Roads

Motorway, dual carriageway
   Junction : complete, limited

Major through route

One-way street – Unsuitable for traffic, street subject
   to restrictions

Pedestrian street – Tramway

Pasteur   Shopping street – Car park

Gateway – Street passing under arch – Tunnel

Station and railway

Low headroom (13 ft. max.) – Load limit (under 15 t.)

Lever bridge – Car ferry

Various signs

Tourist Information Centre

Mosque – Synagogue

Tower – Ruins – Windmill – Water tower

Garden, park – Wood – Cemetery – Cross

Stadium – Golf course – Racecourse

Outdoor or indoor swimming pool

View – Panorama

Monument – Fountain – Factory – Shopping centre

Pleasure boat harbour – Lighthouse

Airport – Underground station

Ferry services :
   passengers and cars, passengers only

Refence number common to town plans and Michelin
maps

Main post office with poste restante – Telephone

Hospital – Covered market

Public buildings located by letter :

   H   P   Town Hall – Prefecture

   J   Law Courts

   M   T   Museum – Theatre

   U   University, College

   POL   G   Police (in large towns police headquarters) – Gendarmerie

North is at the top on all town plans.

41

Car, tyres

For your tyres, refer to the pages bordered in blue or contact one of the Michelin Branches.
A list of the main Car Manufacturers with a breakdown service is to be found at the end of the Guide.
The major motoring organisations in the Benelux countries are :

BELGIUM

Royal Automobile Club de Belgique (RACB)
    FIA, rue d'Arlon 53 – Bte 3, 1040 Bruxelles
    🕾 (02) 287 09 00

Royal Motor Union
    boulevard d'Avroy 254, 4000 Liège
    🕾 (041) 52 70 30

Touring Club Royal de Belgique (TCB)
    AIT, rue de la Loi 44, 1040 Bruxelles
    🕾 (02) 233 22 11

Vlaamse Automobilistenbond (VTB-VAB)
    Sint-Jakobsmarkt 45, 2000 Antwerpen
    🕾 (03) 253 63 63

LUXEMBOURG

Automobile Club du Grand Duché de Luxembourg (ACL)
    FIA & AIT, route de Longwy 54, 8007 Bertrange
    🕾 45 00 45

NETHERLANDS

Koninklijke Nederlandse Automobiel Club (KNAC)
    FIA, Binckhorstlaan 115, 2516 BA Den Haag
    🕾 (070) 383 16 12

Koninklijke Nederlandse Toeristenbond (ANWB)
    AIT, Wassenaarseweg 220, 2509 BA Den Haag
    🕾 (070) 314 71 47

MAXIMUM SPEED LIMITS

	Motorways	All other roads	Built-up areas
Belgium	120 km/h (74 mph)	90 km/h (56 mph)	50 km/h (31 mph)
Luxembourg	120 km/h (74 mph)	90 km/h (56 mph)	50 km/h (31 mph)
Netherlands	100 km/h (62 mph) 120 km/h (74 mph)	80 km/h (50 mph)	50 km/h (31 mph)

Indicatifs téléphoniques européens
Europese landnummers
Telefon-Vorwahlnummern europäischer Länder
European dialling codes

A	Österreich, Autriche, Autria	0043	I	Italia, Italie, Italy	0039
B	Belgique, België, Belgium	0032	IRL	Ireland, Irlande	00353
CH	Schweiz, Suisse, Svizzera, Switzerland	0041	L	Grand Duché de Luxembourg	00352
D	Bundesrepublik Deutschland, Allemagne, Germany	0049	MC	Monaco	0033
DK	Danmark, Danemark, Denmark	0045	N	Norge, Norvège, Norway	0047
E	España, Espagne, Spain	0034	NL	Nederland, Pays-Bas, Netherlands	0031
F	France	0033	P	Portugal	00351
GB	Great Britain, Grande-Bretagne et Irlande du Nord	0044	S	Sverige, Suède, Sweden	0046
GR	Hellás, Grèce, Greece	0030	FIN	Suomi, Finland	00358

Entre certains pays limitrophes, il existe des indicatifs spéciaux. S'informer.

Tussen bepaalde buurlanden geldt een speciaal kiesnummer. Informeer hiernaar.

Zwischen bestimmten benachbarten Ländern gibt es spezielle Vorwahlnummern. Informieren Sie sich.

Between certain neighbouring countries the dialling code may vary. Make enquiries.

La bière en Belgique

La Belgique est le pays de la bière par excellence. On y brasse environ 400 bières différentes, commercialisées sous plus de 800 appellations. Une partie se consomme à la pression, dite « au tonneau ».

On distingue trois types de bières, selon leur procédé de fermentation : les bières de fermentation spontanée (type Lambic), haute (type Ale) et basse (type Lager).

Suite à une deuxième fermentation en bouteille, le Lambic devient ce qu'on appelle la Geuze. La Kriek et la Framboise ont une saveur fruitée due à l'addition de cerises et de framboises. Ces bières sont caractéristiques de la région bruxelloise.

En Flandre, on trouve des bières blanches, brunes et rouges, en Wallonie on brasse des bières spécifiques à certaines saisons. Partout en Belgique, on trouve des Ales, des bières Trappistes et des bières d'abbayes. Parmi les bières belges, les fortes dorées et les régionales aux caractères typés occupent une place spéciale. La Pils belge, une bière blonde, est une excellente bière de table.

Amère, aigrelette, acide, fruitée, épicée ou doucerette, les bières belges s'harmonisent souvent avec bonheur à la gastronomie locale.

Het Belgische bier

België is het land van het bier bij uitstek. Men brouwt er ongeveer 400 verschillende biersoorten. Zij worden onder meer dan 800 benamingen op de markt gebracht. Sommige bieren worden "van het vat" gedronken.

De bieren kunnen volgens hun gistingsproces in 3 groepen worden onderverdeeld: bieren met een spontane gisting (type Lambiek), hoge gisting (type Ale) en lage gisting (type Lager).

Geuze is een op flessen nagegiste Lambiek. Kriek en Framboise hebben hun fruitige smaak te danken aan de toevoeging van krieken (kersen) en frambozen. Deze bieren zijn typisch voor de streek van Brussel.

Vlaanderen is rijk aan witte, bruine en rode bieren. In Wallonië bereid men seizoengebonden bieren. Overal in België brouwt men ales, trappisten- en abdijbieren. De sterke blonde bieren en de zogenaamde streekbieren nemen een speciale plaats in onder de Belgische bieren. De Belgische pils, een blond bier, is een uitstekend tafelbier.

Het Belgische bier met zijn bittere, rinse, zure, zoete smaak of kruidig aroma, kan zonder problemen bij een gastronomisch streekgerecht worden gedronken.

Das belgische Bier

Belgien ist das Land des Bieres schlechthin. In Belgien werden ungefähr 400 verschiedene Biersorten gebraut, die unter mehr als 800 Bezeichnungen vermarktet werden. Ein Teil davon wird vom Faß getrunken.

Man unterscheidet drei Biertypen nach ihrer Gärmethode: Bier mit spontaner Gärung (Typ Lambic), obergärig (Typ Ale) und untergärig (Typ Lager). Nach einer zweiten Gärung in der Flasche wird das Lambic zu Geuze. Das Kriek und das Framboise haben einen fruchtigen Geschmack, der durch den Zusatz von Kirschen und Himbeeren entsteht. Diese Biere sind typisch für die Brüsseler Gegend.

In Flandern findet man helles, braunes und rotes Bier, während die Saisonbiere typisch für Wallonien sind. Überall in Belgien gibt es verschiedene Sorten Ale, Trappistenbier und Klosterbier. Unter den belgischen Biersorten nehmen die goldbraunen Starkbiere und die Biere mit speziellem regionalen Charakter einen besonderen Platz ein. Das belgische Pils, ein helles Bier, ist ein exzellentes Tafelbier.

Mit den Geschmacksrichtungen herb, leicht säuerlich, fruchtig, würzig oder süßlich kann das belgische Bier ein deftiges regionales Menü begleiten.

The beers of Belgium

Belgium is the country for beer "par excellence". There are over 800 different brands on sale there today.

The breweries produce approximately 400 different beers. In the flat country of the Ardennes beer is served in 35,000 cafes. Some of it is on draught – "from the barrel".

There are three different types of beer dependent upon which fermentation process is used: spontaneous fermentation (Lambic), high (Ale) and low (Lager).

Following a second fermentation in the bottle, the Lambic becomes what is called Geuze. Kriek and Framboise have a fruity taste due to the addition of cherries and raspberries. These beers are characteristic of the Brussels region.

In Flanders, pale ale, brown ale and bitter are found. In Wallonie beers are brewed which are particular to each season. Throughout Belgium there are Ales, Trappist beers and Abbey beers. Of all the Belgian beers, the strong golden ones and the regional ones with their own individual characters are held in special regard.

Belgian Pils, a light ale, is excellent to have on the table. Whether bitter, vinegarish, acidic, fruity, spicey or mild, Belgian beers are the perfect accompaniment to local specialities.

Le vin au Luxembourg

Le vignoble luxembourgeois produit essentiellement du vin blanc. Depuis l'époque romaine, l'Elbling, cultivé sur les bords de la Moselle, donne un vin sec et acidulé.

Ce cépage a été progressivement remplacé par l'Auxerrois, le Pinot blanc, le Pinot gris, le Gewurztraminer ou le Rivaner. Actuellement, le Pinot gris est le cépage le plus demandé. Il donne le vin le plus moelleux et le plus aromatique et permet une consommation jeune.

Le vignoble luxembourgeois couvre environ 1 345 ha. dans la vallée de la Moselle. Quelques 850 viticulteurs sont groupés en 5 caves coopératives, qui représentent 70 % de la production. L'autre partie est vinifiée par une vingtaine de viticulteurs indépendants. Les vins luxembourgeois sont toujours vendus sous le nom du cépage ; l'étiquette de ceux bénéficiant de l'Appellation d'Origine Contrôlée (A.O.C.) mentionne en outre le nom du village, du lieu et du producteur.

Le canton de Remich (Schengen, Wintrange, Remich) et le canton de Grevenmacher (Wormeldange, Ahn, Machtum, Grevenmacher), ont droit à l'appellation "Moselle Luxembourgeoise" et sont considérés comme étant les plus réputés.

Au Grand-Duché, on produit également des vins mousseux et des crémants en quantité importante et quelques vins rosés à partir du cépage Pinot noir.

Pratiquement partout, ces vins jeunes, servis au verre, en carafe ou à la bouteille, vous feront découvrir un "petit" vignoble qui mérite votre considération.

De Luxemburgse wijn

In Luxemburg wordt vooral witte wijn verbouwd. De Elbling, die sinds de oudheid wordt verbouwd langs de oevers van de Moezel, is een droge en lichtelijk zure wijn.

Deze wijnstok werd geleidelijk aan vervangen door de Auxerrois, de Pinot blanc, de Pinot gris, de Gewurztraminer en de Rivaner. De Pinot gris is voor het ogenblik de meest gevraagde wijn. Het is de meest volle en zachte wijn, die jong kan worden gedronken.

Het Luxemburgse wijngebied beslaat in de Moezelvallei ongeveer 1345 ha. Ongeveer 850 wijnbouwers zijn gegroepeerd in 5 coöperatieve wijnkelders. Zij nemen 70 % van de produktie voor hun rekening. Een twintigtal onafhankelijke wijnbouwers verbouwt de rest van de wijnproduktie. De Luxemburgse wijnen worden steeds onder de naam van de wijnstok verkocht; het etiket van de wijnen, die de benaming "Appellation d'Origine Contrôlée" (gecontroleerde benaming van de wijn) dragen, vermeldt bovendien de naam van het dorp, de plaats en de wijnbouwer.

Het kanton Remich (Schengen, Wintrange, Remich) en het kanton Grevenmacher (Wormeldange, Ahn, Machtum, Grevenmacher) mogen de naam "Moselle luxembourgeoise" dragen. Deze kantons worden beschouwd als de meest beroemde.

In het Groot-Hertogdom wordt ook een grote hoeveelheid mousserende en licht mousserende wijnen bereid, evenals enkele roséwijnen op basis van de wijnstok Pinot noir.

Deze jonge wijnen zijn praktisch overal per glas, karaf of fles verkrijgbaar. Op die manier ontdekt u een "kleine" wijnstreek, die meer dan de moeite waard is.

Der luxemburgische Wein

Im luxemburgischen Weinbaugebiet wird im wesentlichen Weißwein angebaut. Seit der Zeit der Römer ergibt der ELBLING, der an den Ufern der Mosel wächst, einen trockenen und säuerlichen Wein.

Diese Rebsorte wurde nach und nach durch den AUXERROIS, den PINOT BLANC, den PINOT GRIS, den GEWÜRZTRAMINER oder den RIVANER ersetzt. Zur Zeit ist der PINOT GRIS die gefragteste Rebsorte. Sie ergibt den lieblichsten und aromatischsten Wein, der schon jung getrunken werden kann.

Das luxemburgische Weinbaugebiet umfaßt zirka 1345 Hektar im Moseltal. Ungefähr 850 Winzer haben sich zu 5 Weinbaugenossenschaften zusammengeschlossen, die 70 % der Produktion vertreten. Der übrige Teil wird von etwa 20 Winzern produziert. Die luxemburgischen Weine werden immer unter dem Namen der Rebsorte verkauft, die besondere Appellation d'Origine Contrôlée (geprüfte Herkunftsbezeichnung) nennt auch das Dorf, die Lage und den Produzenten.

Nur das Gebiet des Kantons Remich (Schengen, Wintrange, Remich) und des Kantons Grevenmacher (Wormeldange, Ahn, Machtun, Greven macher) haben wegen ihrer besonderen Lage das Recht auf die Bezeichnung "Moselle Luxembourgiose".

Im Großherzogtum werden auch Sekt und Crémant in bedeutenden Mengen sowie einige Roseweine auf der Basis von PINOT NOIR produziert.

Fast überall lassen diese jungen Weine – im Glas, in der Karaffe oder in der Flasche serviert – Sie ein "kleines" Weinbaugebiet entdecken, das eine größere Bekanntheit verdient.

The wines of Luxembourg

Luxembourg is essentially a white wine producer. The ELBLING grape, grown on the banks of the Moselle, has been yielding a dry acidic wine since Roman times.

However, this grape has been gradually replaced by the AUXERROIS, the PINOT BLANC, the PINOT GRIS, the GEWURZTRAMINER and the RIVANER. The PINOT GRIS is currently the most popular. It gives the most mellow, aromatic wine and can be drunk whilst still young.

Vineyards cover approximately 1345 hectares of the Moselle valley. Some 850 wine growers are grouped into 5 cooperative "caves", which overall produce 70 % of the wine, the rest being made up by another 20 independent wine growers. Wines from Luxembourg are always sold under the name of the grape. The label, which bears the AOC ("Appellation d'Origine Contrôlée), also gives the vintage, producer and location of the vine.

Wine produced in the cantons (districts) of Remich (Schengen, Wintrange, Remich) and Grevenmacher (Warmeldange, Ahn, Machtum, Grevenmacher) is the most reputed and has the right to be called "Moselle Luxembourgeoise".

Sparkling wines and a large number of Crémants are also produced in the Grand Duchy, as well as some rosés based on PINOT NOIR.

These young wines, served by the glass, carafe or bottle, will usually give you a taste of a little known wine which is well worth trying.

Le fromage en Hollande

La Hollande produit 11 milliards de litres de lait par an dont
la moitié est transformée en fromage par environ
110 laiteries. Dans les provinces de Zuid-Holland et d'Utrecht,
quelques fermiers préparent encore de façon artisanale le
fromage. La fabrication du fromage est le fruit d'une longue
tradition, plusieurs musées en retracent l'histoire (Alkmaar,
Bodegaven, Arnhem, Wageningen).

Au moyen-âge déjà, le fromage aux Pays-Bas faisait l'objet
d'un commerce actif comme en témoignent encore aujourd'hui les marchés pittoresques d'Alkmaar, Purmerend,
Gouda, Bodegaven, Woerden et Edam.

On peut distinguer plusieurs catégories de fromages : Le
Gouda, parfois aux grains de cumin, l'Edam, le Maasdam,
le Leidse, la Mimolette, le Friese aux clous de girofle et le
Kernhem.

Selon la durée de la maturation qui va de 4 semaines à plus
de 3 ans, on distingue du fromage jeune, mi-vieux et vieux.
Quelques fromages de brebis (en général sur les îles) et de
chèvre complètent la gamme.

La majorité de ces fromages vous fera terminer un repas en
beauté.

De Hollandse kaas

Nederland produceert 11 miljard liter melk per jaar. De helft
wordt door zo'n 110 melkerijen bereid tot kaas. In de
provincies Zuid-Holland en Utrecht maken nog enkele boeren
op ambachtelijke wijze kaas. Het kaasmaken kent een lange
traditie, waarvan verschillende musea de geschiedenis illus-
treren (Alkmaar, Bodegaven, Arnhem, Wageningen).

In de middeleeuwen werd in Nederland reeds druk kaas
verhandeld. Ook nu nog worden er in Alkmaar, Purmerend,
Gouda, Bodegaven, Woerden en Edam schilderachtige kaas-
markten gehouden.

Er zijn verschillende soorten kaas: Gouda, soms met komijn,
Edam, Maasdam, Leidse kaas, Mimolette, Friese kaas met
kruidnagels en Kernhem.

Naargelang de duur van het rijpingsproces (van 4 weken tot
meer dan 3 jaren) onderscheidt men jonge, belegen en oude
kaas.

Enkele schapekazen (vooral op de eilanden) en geitekazen
vervolledigen het assortiment.

Met de meeste van deze kazen kan u op passende wijze de
maaltijd beëindigen.

Der holländische Käse

Die Niederlande produzieren jährlich 11 milliarden Liter Milch, wovon die Hälfte in zirka 110 Molkereien zu Käse verarbeitet wird. In den Provinzen Zuid-Holland und Utrecht bereiten einige Bauern den Käse noch auf traditionelle Weise zu. Die Käseherstellung hat eine lange Tradition, die in mehreren Museen vergegenwärtigt wird (Alkmaar, Bodegaven, Arnhem, Wageningen).

Schon im Mittelalter wurde in den Niederlanden mit Käse gehandelt, wovon auch heute noch die folkloristischen Märkte in Alkmaar, Purmerend, Gouda, Bodegaven, Woerden und Edam zeugen.

Man unterscheidet verschiedene Käsearten: den Gouda, den es manchmal auch mit Kümmelkörnern gibt, den Edamer, den Maasdamer, den Leidse, den Mimolette, den Friese mit Nelken und den Kernhemer.

Je nach Reifezeit, die von 4 Wochen bis über 3 Jahre dauern kann, unterscheidet man jungen, mittelalten und alten Käse. Einige Sorten Schafs– (meist von den Inseln) und Ziegenkäse ergänzen die Palette.

Die meisten dieser Käsesorten werden für Sie der krönende Abschluß einer gelungenen Mahlzeit sein.

The cheeses of Holland

Holland produces 11 billion litres of milk a year, half of which is made into cheese by approximately 110 dairies. In the provinces of Zuid-Holland and Utrecht, some farmers still make cheese in the old-fashioned way. Cheese-making stems from an age-old tradition, the history of which is documented in several museums (Alkmaar, Bodegaven, Arnham, Wageningen).

In the Middle Ages there was already an active cheese trade in Holland and this can still be seen today in the quaint markets of Alkmaar, Purmerend, Gouda, Badegaven, Woerden and Edam.

There are several different categories of cheese: Gouda, sometimes made with cumin seeds, Edam, Maasdam, Leidse, Mimolette, Friese with cloves and Kernham.

According to the length of maturing, which varies from 4 weeks to more than 3 years, a cheese is identified as young, medium or mature. A few sheeps cheeses (generally on the islands) and goats cheeses complete the selection.

Most of these cheeses will round your meal off beautifully.

Belgique
België
Belgien

Les prix sont donnés en francs belges.

De prijzen zijn vermeld in Belgische franken.

Die Preise sind in belgischen Francs angegeben.

NOORDZEE

LES ÉTOILES – DE STERREN
DIE STERNE – THE STARS

L'AGRÉMENT
AANGENAAM VERBLIJF
ANNEHMLICHKEIT
PEACEFUL ATMOSPHERE AND SETTING

REPAS SOIGNÉS à prix modérés
VERZORGDE MAALTIJDEN voor een schappelijke prijs
SORGFÄLTIG ZUBEREITETE preiswerte **MAHLZEITEN**
GOOD FOOD at moderate prices

Repas **(R)**

AALST (ALOST) 9300 Oost-Vlaanderen 213 ⑤ et 409 ③ – 76 514 h. – ✆ 0 53.

Voir Transept et chevet★, tabernacle★ de la collégiale St-Martin (Sint-Martinuskerk) BY **A**.

🛈 au Beffroi (Belfort), Grote Markt ℰ 73 22 62, Fax 78 21 99.

◆Bruxelles 28 ④ – ◆Gent 33 ⑦ – ◆Antwerpen 52 ①.

AALST

Kattestraat	BY
Korte Zoutstraat	BZ 26
Lange Zoutstraat	BY 29
Molendries	BY 32
Molenstraat	BY
Nieuwstraat	BY
Albrechtlaan	AZ 2
Alfred Nichelsstraat	AZ 3
Burgemeesterspl.	BZ 5
Brusselsesteenweg	AZ 6
Dendermondsesteenweg	AZ 8
Dirk Martensstraat	BY 9
Esplanadepl.	BY 10
Esplanadestraat	BY 12
Frits de Wolfkaai	BY 13
Gentsesteenweg	AZ 15
Geraardsbergsestraat	AZ 16
de Gheeststraat	BZ 17
Graanmarkt	BY 19
Grote Markt	BY 20

Heilig Hartlaan	AZ 21
Houtmarkt	BZ 23
Josse Ringoirkaai	BY 24
van Langenhovestraat	BZ 28
Leopoldlaan	AZ 30
Moorselbaan	AZ 33
Moutstraat	BY 34

Pieter Daenspleín	BY 35
Schoolstraat	BY 37
Vaartstraat	BY 38
Varkensmarkt	BY 39
Vlaanderenstraat	BY 41
Vredeplein	BY 42
Vrijheidsstraat	BY 43
1 Meistraat	BY 45

🏨🏨 **Keizershof** Ⓜ sans rest, Korte Nieuwstraat, ℰ 77 44 11, Fax 78 00 97 – 📶 🗏 📺 ☎ 🚐 – 🔬 25 à 130. 🆎 ⑩ 🇪 𝖵𝖨𝖲𝖠. ⋘
≥ 450 – **46 ch** 3950/4700. BY **x**

🏨🏨 **Station** sans rest, A. Liénartstraat 14, ℰ 77 58 20, Fax 78 14 69, « Demeure ancienne », 🕿 – 📶 📺 ☎ 🆎 ⑩ 🇪 𝖵𝖨𝖲𝖠. ⋘
15 ch ≥ 2000/2800. BY **c**

🏨 **Graaf van Vlaanderen,** Stationsplein 37, ℰ 78 98 51, Fax 78 10 28 – 📶 📺 ☎ – 🔬 70. 🆎 ⑩ 🇪 𝖵𝖨𝖲𝖠. ⋘ BY **a**
fermé sam. soir, dim. et jours fériés – **Repas** Lunch 390 – carte env. 2000 – **6 ch** ≥ 2675.

🍴🍴🍴 **'t Overhamme,** Brusselsesteenweg 163 (par ③ : 3 km sur N 9), ℰ 77 85 99, Fax 78 70 94, ⛲, « Terrasse et jardin » – 🅿. 🆎 ⑩ 🇪 𝖵𝖨𝖲𝖠. ⋘
fermé sam. midi, dim. soir, lundi et 15 juil.-15 août – **Repas** Lunch 975 – 1200.

🍴🍴🍴 **Kelderman,** Parklaan 4, ℰ 77 61 25, Fax 78 68 05, ⛲, Produits de la mer, « Terrasse et jardin » – 🅿. 🆎 ⑩ 🇪 𝖵𝖨𝖲𝖠. ⋘ BZ **e**
fermé merc., jeudi et dern. sem. juil.-3 prem. sem. août – **Repas** Lunch 1150 – carte 2450 à 2450.

🍴🍴 **Host. Mirage** avec ch, Stationsstraat 21, ℰ 77 41 60, Fax 77 40 94, ⛲ – 📺 ☎ 🅿. 🆎 ⑩ 🇪 𝖵𝖨𝖲𝖠. ⋘ rest BY **d**
Repas (fermé sam. midi, dim. soir, lundi, 1 sem. carnaval et 24 juil.-20 août) Lunch 1100 – carte 1950 à 2300 – ≥ 395 – **10 ch** 2250/2750 – ½ P 3700/4000.

XX **Tang's Palace,** Korte Zoutstraat 51, ℰ 78 77 77, Fax 71 09 70, Cuisine chinoise, ouvert jusqu'à minuit – ▤. 𝐀𝐄 Ⓞ 𝐄 𝘝𝘐𝘚𝘈. ⌗   BZ **h**
Repas *Lunch 395* – carte env. 1100.

X **Borse van Amsterdam,** Grote Markt 26, ℰ 21 15 81, Fax 21 24 80, ㅠ, Taverne-rest, « Maison flamande du 17ᵉ s. » – 𝐀𝐄 Ⓞ 𝐄 𝘝𝘐𝘚𝘈   BY **b**
fermé merc. soir en hiver, jeudi, 2 dern. sem. fév. et dern. sem. sept-prem. sem. oct. –
Repas 995.

à Erembodegem par ③ : 4,5 km ⓒ Aalst – ⊠ 9320 Erembodegem – ✪ 0 53 :

X **De Rode Kreeft,** Brusselbaan 281, ℰ 77 52 76, Fax 78 92 48, Produits de la mer – ❶. ⓄⒺ 𝘝𝘐𝘚𝘈. ⌗
fermé dim. soir, lundi et 22 juil.-13 août – **Repas** (dîner seult sauf dim.) 1295.

à Erondegem par ⑧ : 6 km ⓒ Erpe-Mere 18 890 h. – ⊠ 9420 Erondegem – ✪ 0 53 :

🏠 **Host. Bovendael,** Kuilstraat 1, ℰ 80 53 66, Fax 80 54 26, ㅠ, ≠ – 🆃🆅 ☎ ❶ – 🔥 40. 𝐀𝐄 𝐄 𝘝𝘐𝘚𝘈. ⌗ rest
Repas *(fermé dim. soir) Lunch 500* – carte 800 à 1300 – **12 ch** ⌸ 1600/2200 – ½ P 1600/2100.

à Erpe par ⑧ : 5,5 km ⓒ Erpe-Mere 18 890 h. – ⊠ 9420 Erpe – ✪ 0 53 :

🏠 **Molenhof** ⟘ sans rest, Molenstraat 9 (direction Lede), ℰ 80 39 61, « Parc ombragé avec pièce d'eau », ☞, ≠, ⌗ – 🆃🆅 ☎ ❶. 𝐀𝐄 Ⓞ 𝐄 𝘝𝘐𝘚𝘈
fermé Noël-Nouvel An – ⌸ 250 – **12 ch** 1400/1800.

XX **Het Kraainest,** Kraaineststraat 107 (direction Erondegem O : 2 km), ℰ 80 66 40, Fax 80 66 38, ㅠ, « Jardin » – ❶ – 🔥 50. 𝐀𝐄 Ⓞ 𝐄 𝘝𝘐𝘚𝘈
fermé lundi en août, lundi soir et mardi – **Repas** *Lunch 695* – 1250/1595.

XX **Cottem,** Molenstraat 13 (direction Lede), ℰ 80 43 90, Fax 80 36 26, ≼, « Parc ombragé avec pièce d'eau » – ❶. 𝐀𝐄 Ⓞ 𝘝𝘐𝘚𝘈. ⌗
fermé mardi, dim. soir, sem. carnaval et 3 sem. en juil. – **Repas** *Lunch 995* – 995/1500.

AALTER 9880 Oost-Vlaanderen 𝟚𝟙𝟛 ③ et 𝟜𝟘𝟡 ② – 17 241 h. – ✪ 0 9.
◆Bruxelles 73 – ◆Gent 25 – ◆Brugge 25.

🏛 **Memling** sans rest, Markt 11, ℰ 374 10 13, Fax 374 70 72 – 🆃🆅 ☎. 𝐀𝐄 ⓄⒺ 𝘝𝘐𝘚𝘈
fermé 23 déc.-6 janv. – **17 ch** ⌸ 1900/2800.

🏠 **Capitole** sans rest, Stationsstraat 95, ℰ 374 10 29, Fax 374 77 15 – 𝐄 𝘝𝘐𝘚𝘈 𝗝𝗖𝗕. ⌗
fermé janv. – **34 ch** ⌸ 1600/2200.

XX **Pegasus,** Aalterweg 10 (N : 4 km sur N 44), ℰ 375 04 85, Fax 375 04 95, ㅠ – ❶. 𝐀𝐄 𝐄 𝘝𝘐𝘚𝘈
fermé merc. et 3 dern. sem. juil. – **Repas** *Lunch 950* – carte 1600 à 2100.

XX **Green Park,** Lovelddreef 7, ℰ 374 12 70, Fax 374 71 71, ㅠ – ❶. 𝐀𝐄 Ⓞ 𝐄 𝘝𝘐𝘚𝘈
fermé jeudi, sam. midi et 3 dern. sem. juil. – **Repas** *Lunch 1000* – 1300.

XX **Ter Lake,** Brugstraat 182 (1,5 km sur N 499), ℰ 374 59 34 – ❶. 𝐄 𝘝𝘐𝘚𝘈. ⌗
fermé merc., lundi, mardi soir et 21 juil.-8 août – **Repas** *Lunch 1050* – 1050/1650.

à Lotenhulle S : 3 km par N 409 ⓒ Aalter – ⊠ 9880 Lotenhulle – ✪ 0 9 :

XXX **Den Ouwen Prins,** Prinsenstraat 14, ℰ 374 46 66, Fax 374 06 91, ㅠ « Environnement champêtre » – ❶. 𝐄 𝘝𝘐𝘚𝘈
fermé dim. soir, lundi, mardi midi, sem. carnaval, début juin et début sept – **Repas** *Lunch 1650* – carte env. 2200.

AARLEN Luxembourg belge – voir Arlon.

AARSCHOT 3200 Brabant 𝟚𝟙𝟛 ⑧ et 𝟜𝟘𝟡 ⑤ – 26 641 h. – ✪ 0 16.
⛳ à Sint-Joris-Winge S : 10 km, Wingerstraat 6 ℰ (0 16) 63 40 53, Fax (0 16) 63 21 40.
◆Bruxelles 43 – ◆Antwerpen 42 – ◆Hasselt 41.

XX **De Gouden Muts,** Jan Van Ophemstraat 14, ℰ 56 26 08, Fax 57 14 14, ㅠ – 𝐀𝐄 ⓄⒺ 𝘝𝘐𝘚𝘈 ⌗
fermé mardi, merc., 16 août-6 sept et du 3 au 11 janv. – **Repas** *Lunch 950* – carte 1450 à 1900.

à Langdorp NE : 3,5 km ⓒ Aarschot – ⊠ 3201 Langdorp – ✪ 0 16 :

XX **Gasthof Ter Venne,** Diepvenstraat 2, ℰ 56 43 95, Fax 56 79 53, « Environnement boisé » – ▤ ❶. 𝐀𝐄 ⓄⒺ 𝘝𝘐𝘚𝘈. ⌗
fermé mardi, merc. et dim. soir – **Repas** carte 1450 à 1950.

AARTSELAAR Antwerpen 𝟚𝟙𝟚 ⑮ et 𝟜𝟘𝟡 ④ – voir à Antwerpen, environs.

AAT Hainaut – voir Ath.

ACHEL Limburg 𝟚𝟙𝟛 ⑩ et 𝟜𝟘𝟡 ⑥ – voir à Hamont-Achel.

AFSNEE Oost-Vlaanderen 👁️👁️👁️ ④ – voir à Gent, périphérie.

ALBERTSTRAND West-Vlaanderen 👁️👁️👁️ ⑪ et 👁️👁️👁️ ② – voir à Knokke-Heist.

ALLE 5550 Namur © Vresse-sur-Semois 2 669 h. 👁️👁️👁️ ⑮ et 👁️👁️👁️ ㉔ – ✪ 0 61.
♦Bruxelles 163 – ♦Namur 104 – Bouillon 22.

🏠 **Aub. d'Alle,** r. Liboichant 46, ℘ 50 03 57, Fax 50 00 66, 🍽️, 🌳 – 📺 ☎ 🅿 – 🔏 25. 🆎
Ⓜ 🇪 𝗩𝗜𝗦𝗔. ⅋⅋
*fermé 13 fév.-16 mars, du 11 au 28 sept et dern. sem. de chaque mois hors saison sauf
week-end* – **Repas** Lunch 800 – 1500/1780 – **12 ch** ☲ 1675/2650 – ½ P 2370/2820.

🏠 **Fief de Liboichant,** r. Liboichant 44, ℘ 50 03 33, Fax 50 14 87, 🌳 – 🛎️ 📺 ☎ 🅿. 🆎 🇪
⬅ 𝗩𝗜𝗦𝗔. ⅋⅋ rest
fermé fév.-mars sauf week-end et janv. – **Repas** Lunch 775 – 800/1500 – **25 ch** ☲ 2600 –
½ P 2250/2550.

✕✕ **La Charmille** avec ch, r. Liboichant 12, ℘ 50 11 32, Fax 50 15 61, « Jardin ombragé » –
🅿. Ⓜ 🇪 𝗩𝗜𝗦𝗔. ⅋⅋
fermé du 21 au 31 août et du 2 au 27 janv. – **Repas** (fermé après 20 h 30 et merc. non
fériés sauf en saison) Lunch 850 – carte 1050 à 1400 – **12 ch** ☲ 1800/2600 – ½ P 1550/2100.

ALOST Oost-Vlaanderen – voir Aalst.

ALSEMBERG Brabant 👁️👁️👁️ ⑱ et 👁️👁️👁️ ⑬ ㉑ – voir à Bruxelles, environs.

AMAY 4540 Liège 👁️👁️👁️ ㉑ et 👁️👁️👁️ ⑮ – 12 871 h. – ✪ 0 85.
Voir Chasse⋆ et sarcophage mérovingien⋆ dans la Collégiale St-Georges.
♦Bruxelles 95 – ♦Liège 25 – Huy 8 – ♦Namur 40.

✕✕ ✿ **Jean-Claude Darquenne,** r. Trois Sœurs 14a (N : 3,5 km par N 614), ℘ 31 60 67, Produits
de la mer, « Villa avec jardin » – 🅿. 🆎 🇪 𝗩𝗜𝗦𝗔. ⅋⅋
fermé dim. soir, lundi, jeudi soir, 17 juil.-12 août et 24 déc.-2 janv. – **Repas** (nombre de
couverts limité - prévenir) Lunch 1195 – carte env. 2000
Spéc. Ravioli de homard et foie gras aux poireaux, Homard grillé au beurre de Noilly, Selle de chevreuil aux épices (oct.-déc.).

AMBLÈVE (Vallée de l') ⋆⋆ Liège 👁️👁️👁️ ㉓, 👁️👁️👁️ ⑦ ⑧ et 👁️👁️👁️ ⑮ ⑯ G. Belgique-Luxembourg.

AMEL (AMBLÈVE) 4770 Liège 👁️👁️👁️ ⑨ et 👁️👁️👁️ ⑯ – 4 814 h. – ✪ 0 80.
♦Bruxelles 174 – ♦Liège 78 – ♦Luxembourg 96 – Malmédy 21.

✕✕ **Kreusch** avec ch, Auf dem Kamp 179, ℘ 34 90 50, Fax 34 03 69, 🍽️, 🌳 – 📺 🅿 – 🔏 25
à 80. 🆎 Ⓜ 🇪 𝗩𝗜𝗦𝗔. ⅋⅋
fermé dim. soir, lundi et 26 juin-14 juil. – **Repas** Lunch 750 – carte env. 1600 – ☲ 400 –
12 ch 1500/2400 – ½ P 2000/2500.

ANDENNE 5300 Namur 👁️👁️👁️ ㉑, 👁️👁️👁️ ⑤ et 👁️👁️👁️ ⑭ – 23 300 h. – ✪ 0 85.
🐴 Ferme du Moulin, Stud 52 ℘ 84 34 04, Fax 84 34 04.
🛈 pl. du Perron ℘ 84 36 40.
♦Bruxelles 75 – ♦Liège 48 – ♦Namur 21.

✕✕ **La Ferme Bekaert** avec ch, pl. F. Moinnil 330 (NO : 7 km, lieu-dit Petit-Waret), ℘ 82 68 61,
Fax 82 50 81, 🍽️, « Jardin » – 📺 ☎ – 🔏 25 à 60. 🆎 Ⓜ 🇪 𝗩𝗜𝗦𝗔
fermé du 5 au 26 fév. et du 19 au 28 août – **Repas** (fermé dim. soirs et lundis non fériés)
Lunch 1450 – carte env. 1400 – **7 ch** ☲ 1750/2150.

✕✕ **Le Manoir,** r. Frère Orban 29, ℘ 84 38 87 – 🆎 🇪 𝗩𝗜𝗦𝗔
fermé jeudis non fériés, dim. soir, lundi soir, 1 sem. carnaval et 3 sem. en juil. – **Repas** Lunch
595 – carte env. 1400.

ANDERLECHT Brabant 👁️👁️👁️ ⑱ et 👁️👁️👁️ ⑱ ㉑ – voir à Bruxelles.

ANGLEUR Liège 👁️👁️👁️ ㉒ et 👁️👁️👁️ ⑱ – voir à Liège, périphérie.

ANNEVOIE-ROUILLON 5537 Namur © Anhée 6 625 h. 👁️👁️👁️ ⑤ et 👁️👁️👁️ ⑭ – ✪ 0 82.
Voir Parc⋆⋆ du Domaine – Intérieur⋆ du château.
Env. N : Route de Profondeville ≼⋆ sur prieuré de Godinne – Furnaux : fonts baptismaux⋆ dans
l'église, SO : 12 km – Lustin : Rochers de Frênes⋆, ≼⋆, NE : 6 km.
♦Bruxelles 79 – ♦Namur 16 – ♦Dinant 12.

Hôtels et restaurants voir : Namur N : 16 km

ANS Liège 👁️👁️👁️ ㉒ et 👁️👁️👁️ ⑮ ⑰ – voir à Liège, environs.

ANSEREMME Namur 👁️👁️👁️ ⑤ et 👁️👁️👁️ ⑭ – voir à Dinant.

Antwerpen – Anvers

2000 ⓟ 212 ⑮ et 409 ④ ⑧ ⑨ – 465 102 h. – ✆ 03.

Voir Autour de la Grand-Place et de la Cathédrale★★★ : Grand-Place★ (Grote Markt) FY, Vlaaikensgang★ FY, Cathédrale★★★ et sa tour★★★ FY, Maison des Bouchers★ (Vleeshuis) : instruments de musique★ FY **D** – Maison de Rubens★★ (Rubenshuis) GZ – Intérieur★ de l'église St-Jacques GY – Place Hendrik Conscience★ GY – Église St-Charles-Borromée★ (St-Carolus Borromeuskerk) GY – Intérieur de l'Église St-Paul (St-Pauluskerk) FY – Jardin zoologique★ (Dierentuin) DEU – Le port (Haven) ⇌ FY.

Musées : de la Marine « Steen »★ (Nationaal Scheepvaartmuseum) FY – d'Ethnographie★ (Etnografisch museum) FY **M¹** – Plantin-Moretus★★★ FZ – Mayer van den Bergh★★ : Margot l'enragée★★ (De Dulle Griet) GZ – Maison Rockox★ (Rockoxhuis) GY **M⁴** – Royal des Beaux-Arts★★★ (Koninklijk Museum voor Schone Kunsten) CV **M⁵** – de la Photographie★ (Museum voor Fotografie) CV **M⁶** – de Sculpture en plein air Middelheim★ (Openluchtmuseum voor Beeldhouwkunst) BS.

🐾 🐕 à Kapellen par ② : 15,5 km, G. Gapiaulei 2 ℘ (0 3) 666 84 56, Fax (0 3) 666 44 37

🐾 à Aartselaar par ⑩ : 10 km, Kasteel Cleydael, Cleydaellaan 36 ℘ (0 3) 887 00 79, Fax (0 3) 887 00 15

🐾 à Wommelgem par ⑥ : 10 km, Uilenbaan 15 ℘ (0 3) 353 02 92, Fax (0 3) 354 02 30

🐾 🐕 à Broechem par ⑥ : 13 km par N 116, Kasteel Bossenstein ℘ (0 3) 485 64 46, Fax (0 3) 485 78 41

🐕 à Brasschaat par ② et ③ : 11 km, Miksebaan 248 ℘ (03) 653 10 20, Fax (0 3) 653 11 15

🐕 à Edegem par ⑨ : 9 km, Drie Eikenstraat 510 ℘ (0 3) 216 21 22, Fax (0 3) 238 07 33

🄱 Grote Markt 15 ℘ 232 01 03, Fax 231 19 37 – Fédération provinciale de tourisme (fermé sam. et dim.), Karel Oomsstraat 11 ✉ 2018 ℘ 216 28 10, Fax 237 83 65.

◆Bruxelles 48 ⑩ – ◆Amsterdam 159 ④ – ◆Luxembourg 261 ⑨ – ◆Rotterdam 103 ④.

Plans d'Antwerpen

Agglomération . . . . p. 2 et 3

Antwerpen Centre . . . . p. 4 et 5

Agrandissement partie centrale . . . . p. 6

Liste alphabétique des hôtels et des restaurants . . . . p. 7

Nomenclature des hôtels et des restaurants

Ville . . . . p. 8 à 10

Périphérie . . . . p. 10 et 11

Environs . . . . p. 11 et 12

ANTWERPEN

Antwerpsesteeweg	AS	
Antwerpsestr.	BS	7
Aug. van de Wielelei	BR	9
Autolei	BR	10
Beatrijslaan	BR	
Berkenlaan	BS	13
Bisschoppenhoflaan	BR	
Blancefloerlaan	AR	
Boomsesteenweg	BS	
Bosuilbaan	BQ	18
Bredabaan	BQ	
de Bruynlaan	BS	28
Calesbergdreef	BQ	30
Charles de Costerlaan	ABR	
Churchilllaan	BQ	34
Delbekelaan	BQ	40
Deurnestr.	BS	42
Drakenhoflaan	BS	45
Edegemsestr.	BS	46
Eethuisstr.	BQ	48
Elisabethlaan	BS	49
Frans Beirenslaan	BR	
Gallifortlei	BR	61
Gitschotellei	BS	
Groenenborgerlaan	BS	73
Groenendaallaan	BQ	75
Groot Hagelkruis	BQ	76
Grotesteenweg	BS	
Guido Gezellelaan	BS	78
Herentalsebaan	BR	
Horstebaan	BQ	
Hovestr.	BS	85
Ijzerlaan	BQ	87
Ing. Menneslaan	BR	88
Jan van Rijswijcklaan	BS	93
Jeurissensstr.	BQ	94
Juul Moretuslei	BS	
Kapelsesteenweg	BQ	99
Kapelstr.	AS	100
Koningin Astridlaan	AR	108
Krijgsbaan	AR	
Lakborslei	BR	115
Langestr.	AS	
Liersesteenweg	BS	
Luitenant Lippenslaan	BR	126
Mechelsesteenweg (MORTSEL)	BS	132
Merksemsebaan	BR	
Noorderlaan	BQ	
Oosterveldlaan	BS	139
Oude Barreellei	BQ	144
Oude Godstr.	BS	145
Pastoor Coplaan	AR	150
Prins Boudewijnlaan	BS	
Provinciesteenweg	BS	160
de Robianostr.	BS	169
Scheldelaan	AQ	
Schotensteenweg	BR	177
Sint-Bernardsesteenweg	ABS	
Statielei	BS	190
Statiestr.	AR	192
Stenenbrug	BR	195
Turnhoutsebaan (DEURNE)	BR	198
Veltwijcklaan	BQ	
Vordensteinstr.	BQ	210
Vredebaan	BS	211

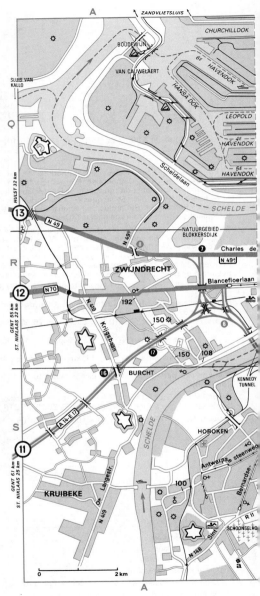

L'EUROPE en une seule feuille
Carte Michelin n° 970.

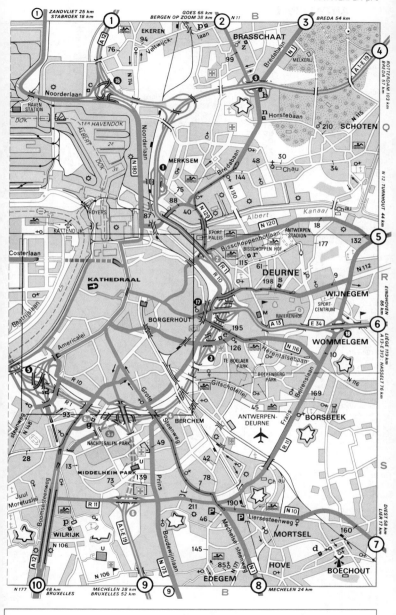

EUROPE on a single sheet
Michelin Map no 970.

ANTWERPEN

Carnotstr.	EU	3
Dambruggestr.	ETU	39
Gemeentestr.	DU	63
de Keyserlei	DU	103
Leysstr.	DU	123
Offerandestr.	EU	136
Pelikaanstr.	DU	151
Quellinstr.	DU	165
Turnhoutsebaan (BORGERHOUT)	EU	
van Aerdtstr.	DT	3
Amsterdamstr.	DT	4
Ankerrui	DT	6
Ballaerstr.	DV	12
Bolivarplaats	CV	15
Borsbeekbrug	EX	16
van Breestr.	DV	19
Brialmontlei	DV	21
Britselei	DV	22
Broederminstr.	CV	24
Brouwersvliet	DT	25
Brusselstr.	CV	27
Cassiersstr.	DT	31
Charlottalei	DV	33
Cockerillkaai	CV	36
Cuperusstr.	EV	37
Diksmuidelaan	EX	43
Emiel Banningstr.	CV	51
Emiel Vloorsstr.	CX	52
Emile Verhaerenlaan	CT	54
Erwtenstr.	ET	55
van Eycklei	DV	57
Falconplein	DT	58
Franklin Rooseveltpl.	DU	60
Gén. Armstrongweg	CX	64
Gérard Le Grellelaan	DX	66
de Gerlachekaai	CV	67
Gitschotellei	EX	70
Graaf van Egmontstr.	CV	72
Haantjeslei	CDV	79
Halenstr.	ET	81
Hessenplein	DT	84
Jan de Voslei	CX	90
Jan van Gentstr.	CV	91
Jezusstr.	DU	96
Justitiestr.	DV	97
Kasteelpleinstr.	DV	102
Kloosterstr.	CU	105
Kol. Silvertopstr.	CX	106
Koningin Astridplein	DEU	109
Koningin Elisabethlei	DX	110
Korte Winkelstr.	DTU	114
Lange Lobroekstr.	ET	117
Lange Winkelstr.	DT	118
Léopold de Waelplein	CV	120
Léopold de Waelstr.	CV	121
Londenstr.	DT	124
Maria-Henriëttalei	DV	129
Mercatorstr.	DEV	130
Namenstr.	CV	133
van den Nestlei	EV	135
Ommeganckstr.	EU	138
Orteliuskaai	DT	141
Osystr.	DU	142
Oude Leeuwenrui	DT	148
Plantinkaai	CU	153
Ploegstr.	EU	154
Pluvierstr.	CU	156
Posthofbrug	EX	157
Prins Albertlei	DX	159
Provinciestr.	EUV	162
Pyckestr.	CX	163
Quinten Matsijslei	DUV	166
Rolwagenstr.	EV	171
Schijnpoortweg	ET	174
van Schoonhovestr.	DEU	175
Simonsstr.	DEV	178
Sint-Bernardse steenweg	CX	180
Sint-Gummarusstr.	DT	181
Sint-Jansplein	DT	183
Sint-Jozefstr.	DV	186
Sint-Michielskaai	CU	187
Stuivenbergplein	ET	196
Viaduct Dam	ET	202
Visestr.	ET	204
Volkstr.	CV	207
Vondelstr.	DT	208

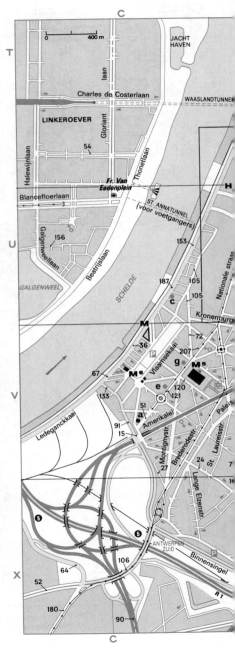

ANTWERPEN

Groenplaats . . . . FZ
Klapdorp . . . . GY
Meir . . . . GZ
Nationalestr. . . . . FZ
Paardenmarkt . . . . GY
Schoenmarkt . . . . FZ

Gildekamerstr. . . . . FY 69
Handschoenmarkt . . . . FY 82
Korte Gasthuisstr. . . . . . . GZ 112
Maria
  Pijpelinckxstr. . . . . . . GZ 127
Oude Koornmarkt . . . . . FYZ 147
Repenstr. . . . . FY 168
Rosier . . . . FZ 172
Sint-Jansvliet . . . . FZ 184

Sint-Rochusstr. . . . . FZ 189
Steenhouwersvest . . . . . . FZ 193
Twaalf Maandenstr. . . . . . GZ 199
Veemarkt . . . . FY 201
Vleeshouwersstr. . . . . FY 205
Vrijdagmarkt . . . . FZ 213
Wisselstr. . . . . FY 214
Zirkstr. . . . . FY 216
Zwartzusterstr. . . . . FY 217

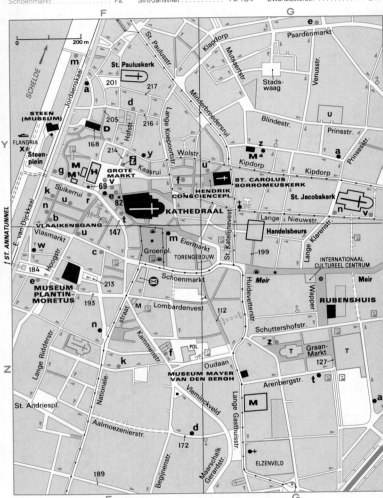

La carte Michelin 409 à 1/350 000 (1 cm = 3, 5 km)
donne, en une feuille, une image complète de la Belgique et du Luxembourg.

Elle présente en outre des agrandissements détaillés
des régions de Bruxelles, d'Anvers, de Liège et une nomenclature des localités.

Liste alphabétique
(Hôtels et restaurants)

A – B

Alexander's 12
Alfa Empire 9
Alfa De Keyser 9
Alfa Theater 8
Alfa Congress 10
Antigone 8
Aub. De Provence 12
Barbarie (De) 10
Bellefleur (De) 12
Bistrot 11
Blue Phoenix 10

C – D

Cammerpoorte 8
Carême 12
Carlton 9
Casa Julián 10
Christian V 10
Christina 10
Colombus 10
Corum 10
Don Carlos 9
Dua 11

E – F

Eden 10
Euterpia 11
Firean 10
Fornuis ('t) 8
Fouquets 10

G – H – I

Greens 10
Gulden Beer (De) 9
Gulden Greffoen (Den).. 8
Halewijn 12
Hana 12
Hilton 8
Hippodroom 11
Hof de Bist 11
Holiday Inn
  Crowne Plaza 10

Huis De Colvenier 8
Ibis 8
In de Schaduw van de
  Kathedraal 9
Industrie 10

K

Kasteel Cleydael 12
Kasteelhoeve Groeninghe
  (Host.) 12
Kasteel Solhof 12
Kerselaar (De) 8
Klare Wijn 10
Kleine Barreel 12
Klein Parijs ('t) 11
Kuala Lumpur Satay
  House 10

L

Lammeke ('t) 10
Liang's Garden 11
Loncin 11
Lou Pescadou 10
Luwte (De) 9

M – N

Mangerie (De) 11
Manie (De) 8
Matelote (De) 9
Mozaïek 9
Nieuwe Palinghuis (Het) 9
Novotel 11

O – P

Pauw (De) 12
Peerd ('t) 10
Peerdestal (De) 9
Perelaer (De) 9
Périgord 11
Pérouse (La) 8

Petrus 8
Plaza 9
Poterne (De) 11
P. Preud'homme 9
Prinse 8

R

Rade (La) 8
Reigershof 11
Residence 9
Rimini 10
Rooden Hoed 9
Rosier (De) 8
Rubens 8

S – T – U

Sandt ('t)............ 8
Scandic Crown 11
Schans XV 11
Scheldeboord 12
Schone van Boskoop
  (De) 12
Silveren
  Claverblat ('t) 8
Sofitel 10
Switel 9
Tafeljonker (De) 11
Ter Vennen 12
Uilenspiegel 12

V – W – Y – Z

Vateli 11
Villa Doria 12
Villa Mozart 8
Villa Verde 12
Violin (De) 11
VIP Diners 9
Werf (De) 9
Willy 11
Witte Lelie (De) 8
Yamayu Santatsu 10
Zeste (De) 10
Zirk 9

Quartier Ancien - plan p. 6 sauf indication spéciale :

🏨 **Hilton** Ⓜ, Groenplaats, ℰ 204 12 12, Fax 204 12 13, « Façade ancien grand magasin début du siècle », 🛵, ⇔ – 🛗 ↦ ▤ 🆃🆅 ☎ ⇦ – 🛢 30 à 1000. 🖭 ⓞ 🅴 𝑽𝑰𝑺𝑨   FZ **m**
Repas Lunch 1275 – carte env. 1600 – ⌑ 875 – **199 ch** 7900, 12 suites.

🏨 **Alfa Theater** Ⓜ, Arenbergstraat 30, ℰ 231 17 20, Telex 33910, Fax 233 88 58, ⇔ – 🛗 ↦ ▤ 🆃🆅 ☎ ⇦ – 🛢 25. 🖭 ⓞ 🅴 𝑽𝑰𝑺𝑨 rest   GZ **t**
Repas (fermé sam. midi, dim. et jours fériés) Lunch 550 – carte env. 1200 – **122 ch** ⌑ 5200/8000, 5 suites – ½ P 5900/8700.

🏨 **De Rosier** ⧉ sans rest, Rosier 23, ℰ 225 01 40, Telex 33697, Fax 231 41 11, « Ancienne maison bourgeoise du 17ᵉ s. », ⇔, 🔲, ⇔ – 🛗 🆃🆅 ☎ ⇦. 🖭 ⓞ 🅴 𝑽𝑰𝑺𝑨   FZ **d**
fermé 24, 25, 26 et 31 déc. et 2 janv. – ⌑ 750 – **8 ch** 8500/12000, 4 suites.

🏨 **De Witte Lelie** ⧉ sans rest, Keizerstraat 16, ℰ 226 19 66, Fax 234 00 19, « Ensemble de maisons du 17ᵉ s., patio » – 🛗 🆃🆅 ☎ ⇦. 🖭 ⓞ 🅴 𝑽𝑰𝑺𝑨   GY **z**
fermé 24 déc.-1ᵉʳ janv. – **7 ch** ⌑ 15000, 3 suites.

🏨 **'t Sandt** sans rest, Het Zand 17, ℰ 232 93 90, Fax 232 56 13, « Demeure du 19ᵉ s. de style rococo » – 🛗 🆃🆅 ☎ ⇦ – 🛢 25 à 150. 🖭 ⓞ 🅴 𝑽𝑰𝑺𝑨. ⧉   FZ **w**
fermé 2ᵉ quinz. juil. – **9 ch** ⌑ 5500/6700, 5 suites.

🏨 **Rubens** Ⓜ ⧉ sans rest, Oude Beurs 29, ℰ 222 48 48, Fax 225 19 40, « Cour intérieure fleurie » – 🛗 🆃🆅 ☎ Ⓟ – 🛢 25 à 50. 🖭 ⓞ 🅴 𝑽𝑰𝑺𝑨. ⧉   FY **y**
35 ch ⌑ 5500/6500, 1 suite.

🏨 **Prinse** ⧉ sans rest, Keizerstraat 63, ℰ 226 40 50, Fax 225 11 48 – 🛗 ▤ 🆃🆅 ☎ ⇦ – 🛢 25 à 100. 🖭 🅴 𝑽𝑰𝑺𝑨. ⧉   GY **a**
33 ch ⌑ 3500/5100, 1 suite.

🏨 **Villa Mozart**, Handschoenmarkt 3, ℰ 231 30 31, Fax 231 56 85, « Intérieur élégant », ⇔ – 🛗 🆃🆅 ☎ – 🛢 25. 🖭 ⓞ 🅴 𝑽𝑰𝑺𝑨 �🇯🇨🇧   FY **e**
Repas (Taverne-rest) Lunch 595 – carte env. 1300 – ⌑ 400 – **25 ch** 3600/5400 – ½ P 2150/2850.

🏨 **Antigone** sans rest, Jordaenskaai 11, ℰ 231 66 77, Fax 231 37 74 – 🛗 🆃🆅 ☎ – 🛢 30. 🖭 ⓞ 🅴 𝑽𝑰𝑺𝑨. ⧉   FY **a**
17 ch ⌑ 3200/3500.

🏨 **Cammerpoorte**, sans rest, Nationalestraat 38, ℰ 231 97 36, Fax 226 29 68 – 🛗 🆃🆅 ☎ Ⓟ. ⧉   FZ **n**
39 ch.

🏨 **Ibis** sans rest, Meistraat 39 (Theaterplein), ℰ 231 88 30, Fax 234 29 21 – 🛗 ↦ 🆃🆅 ☎ 🅰 – 🛢 25 à 75. 🖭 ⓞ 🅴 𝑽𝑰𝑺𝑨 🇯🇨🇧   GZ **a**
150 ch ⌑ 3200.

🍴🍴🍴🍴 ✿✿ **La Pérouse**, Steenplein (ponton), ℰ 231 31 51, Fax 231 13 60, « Bateau amarré avec ≤ sur l'Escaut (Schelde) » – ▤ Ⓟ. 🖭 ⓞ 🅴 𝑽𝑰𝑺𝑨. ⧉   FY **x**
15 sept.-15 juin ; fermé dim. et lundi – **Repas** carte 2000 à 2800
Spéc. Tête de veau aux jeunes échalotes et citron vert, Mousseline de sandre et de queues d'écrevisses, Estouffade de foie de canard et truffes.

🍴🍴🍴 **Den Gulden Greffoen**, Hoogstraat 37, ℰ 231 50 46, Fax 233 20 39, « Dans une maison du 15ᵉ s. » – ▤. 🖭 ⓞ 🅴 𝑽𝑰𝑺𝑨. ⧉   FZ **u**
fermé lundi – **Repas** Lunch 1000 – carte 1800 à 2200.

🍴🍴🍴 **La Rade** 1ᵉʳ étage, E. Van Dijckkaai 8, ℰ 233 37 37, Fax 233 49 63, « Ancienne loge maçonnique du 19ᵉ s. » – 🖭 ⓞ 🅴 𝑽𝑰𝑺𝑨   FY **g**
fermé sam. midi, dim., jours fériés, sem. carnaval et 3 dern. sem. juil. – carte 1900 à 2600.

🍴🍴🍴 ✿✿ **'t Fornuis** (Segers), Reyndersstraat 24, ℰ 233 62 70, Fax 233 99 03, « Maison du 17ᵉ s., intérieur rustique » – 🖭 ⓞ 🅴 𝑽𝑰𝑺𝑨. ⧉   FZ **c**
fermé sam., dim., jours fériés, 3 dern. sem. août et Noël-Nouvel An – **Repas** carte 2300 à 3000
Spéc. St-Jacques et foie gras en salade, Goujonnettes de sole Murat, Ris de veau rôti croquant au chou et à la truffe.

🍴🍴🍴 ✿ **De Kerselaar** (Michiels), Grote Pieter Potstraat 22, ℰ 233 59 69, Fax 233 11 49, « Intérieur cossu » – ▤. 🖭 ⓞ 🅴 𝑽𝑰𝑺𝑨   FY **n**
fermé du 7 au 17 avril, du 7 au 23 juil., sam. midi, dim. et lundi midi – **Repas** 1950 carte 1950 à 2250
Spéc. Carpaccio de foie gras mariné à l'huile d'amandes douces, Pintadeau fermier aux chicons caramélisés et champignons des bois, Galette de pain d'épices, fondue de figues et de nectarines.

🍴🍴 **Huis De Colvenier**, St-Antoniusstraat 8, ℰ 226 65 73, Fax 227 13 14, « Demeure fin 19ᵉ s. » – 🖭 ⓞ 🅴 𝑽𝑰𝑺𝑨. ⧉   FZ **k**
fermé sam. midi, dim. soir, lundi, 1 sem. en mars et fin juil.-début août – **Repas** Lunch 1200 – carte 1850 à 2150.

🍴🍴 **Petrus**, Kelderstraat 1, ℰ 225 27 34, Fax 225 27 34, 🌳 – ▤. 🖭 ⓞ 🅴 𝑽𝑰𝑺𝑨   GZ **z**
fermé sam. midi, dim. midi, lundi, 1 sem. en fév. et 2 sem. en juil. – **Repas** Lunch 995 – carte 1600 à 2000.

🍴🍴 **'t Silveren Claverblat**, Grote Pieter Potstraat 16, ℰ 231 33 88, Fax 231 31 46 – 🖭 ⓞ 🅴 𝑽𝑰𝑺𝑨. ⧉   FY **k**
fermé mardi et sam. midi – **Repas** Lunch 1450 – carte env. 2100.

XX **Zirk,** Zirkstraat 29, ℰ 225 25 86, Fax 226 51 77 – ☒ ⓞ ☒. ❀   FY **d**
fermé sam. midi, midi, dim., lundi, 1 sem. en fév. et 2 sem. en sept – **Repas** Lunch 900 – carte env. 1700.

XX **P. Preud'homme,** Suikerrui 28, ℰ 233 42 00, ㋰, Ouvert jusqu'à 23 h – ☰. ☒ ⓞ ☒ ☒.
❀   FY **r**
fermé fév. et mardi d'oct. à mai – **Repas** Lunch 800 – carte 1600 à 2000.

XX **De Perelaer,** Kammenstraat 75, ℰ 233 42 73, Fax 226 28 51, « Maison du 16ᵉ s. » – ☒ ⓞ
☒ ☒   FZ **f**
fermé sam. midi, dim., lundi midi et du 1ᵉʳ au 15 août – **Repas** Lunch 1100 – carte 1700 à
2250.

XX **De Gulden Beer,** Grote Markt 14, ℰ 226 08 41, Fax 232 52 09, ㋰, Avec cuisine italienne
– ☰, ☒ ⓞ ☒ ☒   FY **v**
fermé merc. – **Repas** Lunch 1200 – carte env. 1800.

XX **De Werf** 1ᵉʳ étage du Noorderterras, Jordaenskaai 27, ℰ 226 79 06, Fax 226 82 80, ❊
Escaut (Schelde) et trafic maritime – ❘❙ ❷ – ♨ 25 à 60. ☒ ⓞ ☒ ☒   FY **m**
fermé sam. midi, dim. et jours fériés – **Repas** Lunch 1200 – carte 1550 à 1900.

XX **VIP Diners,** Lange Nieuwstraat 95, ℰ 233 13 17, Fax 225 10 79 – ☒ ⓞ ☒ ☒   GY **v**
fermé sam. midi, 2 sem. Pâques et 3 dern. sem. juil. – **Repas** Lunch 1520 – carte env. 1600.

XX **Het Nieuwe Palinghuis,** St-Jansvliet 14, ℰ 231 74 45, Fax 231 50 53, Produits de la mer
– ☰, ☒ ⓞ ☒ ☒   FZ **e**
fermé lundi, mardi, 7 juin-4 juil. et du 11 au 24 janv. – **Repas** Lunch 1150 – carte 1500 à
1800.

XX ❀ **De Matelote** (Garnich), Haarstraat 9, ℰ 231 32 07, Fax 231 08 13, Produits de la mer –
☰, ☒ ⓞ ☒ ☒   FY **u**
fermé sam. midi, dim., lundi midi, juil. et du 1ᵉʳ au 15 janv. – **Repas** Lunch 1500 – carte 1800
à 2400
Spéc. St-Jacques poêlées ou marinées, Tomates confites aux crevettes grises, Raie sauce au
Xérès, herbes et câpres.

XX **In de Schaduw van de Kathedraal,** Handschoenmarkt 17, ℰ 232 40 14, Fax 226 88 14,
㋰, Moules en saison – ☒ ⓞ ☒ ☒. ❀   FY **e**
fermé lundi d'oct. à Pâques, mardi et 10 janv.-10 fév. – **Repas** 1850.

XX **De Manie,** H. Conscienceplein 3, ℰ 232 64 38, ㋰ – ☒ ⓞ ☒ ☒   GY **u**
fermé du 16 au 31 août, 26 déc.-3 janv., merc. et dim. – **Repas** Lunch 1150 – carte env.
1700.

X **Mozaïek,** St-Jacobsstraat 23, ℰ 231 48 10, Produits de la mer – ☰. ☒ ⓞ ☒ ☒ GY **n**
fermé merc. soir, sam. midi, dim., jours fériés et sept – **Repas** 1500/1900.

X **Rooden Hoed,** Oude Koornmarkt 25, ℰ 233 28 44, Moules en saison, Ambiance anversoise
– ☒ ☒ ☒. ❀   FY **t**
fermé merc., jeudi, sem. carnaval et mi-juin-mi-juil. – **Repas** carte 1200 à 1550.

X **De Luwte,** Grote Pieter Potstraat 15, ℰ 233 13 34, Fax 231 39 68, ㋰, Ouvert jusqu'à 23 h
– ☒ ⓞ ☒ ☒   FY **b**
fermé fév. – **Repas** (dîner seult) carte env. 1200.

X **Don Carlos,** St-Michielskaai 34, ℰ 216 40 46, Avec cuisine espagnole – ❀
fermé lundi et mardi – **Repas** (dîner seult) carte 1150 à 1400.   plan p. 4   CU **c**

X **De Peerdestal,** Wijngaardstraat 8, ℰ 231 95 03, Fax 226 64 06 – ☒ ⓞ ☒ ☒ ☒
Repas Lunch 370 – carte 1050 à 1400.   FY **f**

Quartiers du Centre - plans p. 4 et 5 sauf indication spéciale :

▦ **Alfa De Keyser** Ⓜ, De Keyserlei 66, ⊠ 2018, ℰ 234 01 35, Telex 34210, Fax 232 39 70,
ℹ, ≋, 🐧, – ❘❙ ⌦ ☰ ☒ ☎ – ♨ 25 à 160. ☒ ⓞ ☒ ☒.   DU **t**
Repas carte env. 1300 – **115 ch** ⊑ 5660/6300, 8 suites – ½ P 3800/5400.

▦ **Carlton** avec 12 appartements en annexe, Quinten Matsijslei 25, ⊠ 2018, ℰ 231 15 15,
Telex 31072, Fax 225 30 90, ≤ – ❘❙ ⌦ ☰ ☎ ⇔ – ♨ 45 à 100. ☒ ⓞ ☒ ☒.
❀ rest   DU **v**
Repas *(fermé du 1ᵉʳ au 20 août, 20 déc.-10 janv., vend. soir, sam. midi et dim. soir)*
Lunch 575 – carte env. 1600 – **138 ch** ⊑ 5700/7300, 1 suite – ½ P 2775/6775.

▦ **Switel,** Copernicuslaan 2, ⊠ 2018, ℰ 231 67 80, Telex 33965, Fax 233 02 90, ℹ, ≋, 🐧,
❀ – ❘❙ ⌦ ☰ rest ☒ ☎ ⇔ – ♨ 30 à 1000. ☒ ⓞ ☒ ☒   EU **a**
Repas Lunch 1295 – carte 1250 à 1650 – ⊑ 575 – **308 ch** 5025/7470, 2 suites.

▦ **Plaza** sans rest, Charlottalei 43, ⊠ 2018, ℰ 218 92 40, Telex 31531, Fax 218 88 23 – ❘❙ ⌦
☒ ☎ ⇔ – ♨ 25. ☒ ⓞ ☒ ☒   DV **k**
⊑ 395 – **80 ch** 4900/5900.

▦ **Residence,** Molenbergstraat 9, ℰ 232 76 75, Fax 233 76 75 – ❘❙ ☒ ☎ ⇔. ☒ ⓞ ☒ ☒
❀   DU **f**
Repas (Taverne-rest) Lunch 500 – carte env. 1100 – ⊑ 500 – **67 ch** 3500/6000.

▦ **Alfa Empire** sans rest, Appelmansstraat 31, ⊠ 2018, ℰ 231 47 55, Telex 33909,
Fax 233 40 60 – ❘❙ ⌦ ☰ ☒ ☎. ☒ ⓞ ☒ ☒   DU **s**
70 ch ⊑ 4950/6100.

🏨 **Colombus** sans rest, Frankrijklei 4, ℰ 233 03 90, Fax 226 09 46, *f₆*, 🖳 – |≢| 🆚 ☎. 🆎 ◍
🖭 *VISA*. 🐾 DU **u**
32 ch ⌆ 3250/3800.

🏨 **Alfa Congress,** Plantin en Moretuslei 136, ✉ 2018, ℰ 235 30 00, Telex 31959,
Fax 235 52 31 – |≢| ↦ 🖃 🆚 ☎ ⇔ ❷ – *⚗* 25 à 120. 🆎 ◍ 🖭 *VISA*. 🐾 EV **s**
Repas *(fermé sam., dim., jours fériés et Noël-Nouvel An)* Lunch 375 – carte env. 1000 – **66 ch**
⌆ 4350/4800.

🏨 **Eden** sans rest, Lange Herentalsestraat 25, ✉ 2018, ℰ 233 06 08, Fax 233 12 28 – |≢| 🆚
☎ ⇔. 🆎 ◍ 🖭 *VISA* – **66 ch** ⌆ 2600/3750. DU **k**

🏠 **Christian V,** Bonapartedok - St-Laureiskaai, ℰ 226 83 17, Fax 226 03 28, 🌠, « Navire mar-
chand amarré » – 🖃 🆚 🖃 ❷ – *⚗* 40 à 80. 🆎 ◍ 🖭 *VISA* DT **e**
Repas *(fermé sam. midi)* Lunch 575 – 1150/1650 – **55 ch** ⌆ 3100/3950 – ½ P 3125/4250.

XXX ❀ **Corum** (De Koninck), Italiëlei 177, ℰ 232 23 44, Fax 232 24 41 – 🖃. 🆎 ◍ 🖭 *VISA*. 🐾
fermé sam. midi, dim., lundi et juil. – **Repas** Lunch 1250 – carte 1850 à 2500 DT **p**
Spéc. Terrine de foie gras, Croustillant de barbue aux chicons confits et vinaigre balsamique,
Canette de Barbarie et sa cuisse confite façon landaise.

XX **Fouquets** 1er étage, De Keyserlei 17, ✉ 2018, ℰ 233 97 42, 🌠, Ouvert jusqu'à 23 h – 🖃.
🆎 ◍ 🖭 *VISA* DU **a**
Repas Lunch 1150 – carte 1200 à 1700.

XX **De Barbarie,** Van Breestraat 4, ✉ 2018, ℰ 232 81 98, Fax 231 26 78, 🌠 – 🆎 🖭 *VISA*
fermé dim., lundi, 1 sem. en juin et du 1er au 15 sept – **Repas** Lunch 1350 – carte 1950 à
2550. DV **b**

XX **Blue Phoenix,** Frankrijklei 14, ℰ 233 33 77, Fax 233 88 46, Cuisine chinoise – 🖃. 🆎 🖭 *VISA*
🐾 DU **r**
fermé lundi, sam. midi et août – **Repas** Lunch 700 – 1700.

XX **De Zeste,** Lange Dijkstraat 36, ✉ 2060, ℰ 233 45 49, Fax 232 34 18 – 🖃. 🆎 🖭 *VISA*.
fermé dim. – **Repas** Lunch 750 – 1450/1950. DT **u**

X **'t Peerd,** Paardenmarkt 53, ℰ 234 09 76, Fax 231 59 40, 🌠, Ouvert jusqu'à 23 h – 🆎 ◍
🖭 *VISA* plan p. 6 GY **e**
fermé du 3 au 15 avril, du 4 au 23 août, mardi soir et merc. – **Repas** carte 1350 à 2050.

X **'t Lammeke,** Lange Lobroekstraat 51 (face Abattoirs), ✉ 2060, ℰ 236 79 86, Fax 271 05 16
– 🖃. 🆎 ◍ 🖭 *VISA* plan p. 3 ET **w**
fermé sam. midi, dim., lundi, jours fériés, 22 juil.-15 août et du 23 au 31 déc. – Repas Lunch
950 – 950/1575.

X **Christina,** Napoleonkaai 47, ℰ 233 55 26, Moules en saison – 🆎 ◍ 🖭 *VISA* JCB DT **a**
fermé merc. et 5 juin-5 juil. – **Repas** carte env. 1300.

X **Lou Pescadou,** Vestingstraat 11, ✉ 2018, ℰ 231 91 01, Fax 231 98 26, Produits de la mer
– 🆎 🖭 *VISA*. 🐾 DU **c**
fermé sam. midi, dim., août et 24 déc.-1er janv. – **Repas** Lunch 950 – carte 1450 à 1750.

X **Rimini,** Vestingstraat 5, ✉ 2018, ℰ 226 06 08, Cuisine italienne – 🆎 🖭 *VISA* DU **h**
fermé merc. et août – **Repas** carte 1000 à 1450.

X **Klare Wijn,** Dageraadplaats 16, ✉ 2018, ℰ 236 13 82, Fax 236 13 82 – 🆎 🖭 *VISA* EV **x**
fermé mardi, sam. midi et fin juil.-début août – **Repas** Lunch 575 – carte 1200 à 1700.

X **Kuala Lumpur Satay House,** Statiestraat 10, ✉ 2018, ℰ 225 14 33, Fax 225 14 33,
Cuisine asiatique, ouvert jusqu'à minuit – 🖃. 🆎 ◍ 🖭 *VISA* DU **d**
fermé jeudi – **Repas** Lunch 450 – carte env. 1100.

X **Greens,** Mechelsesteenweg 76, ✉ 2018, ℰ 238 51 51, Fax 238 58 18, 🌠, Ouvert jusqu'à
23 h – 🖭 *VISA* DV **g**
fermé sam. midi et dim. – **Repas** Lunch 795 – carte 1050 à 1350.

X **Yamayu Santatsu,** Ossenmarkt 19, ℰ 234 09 49, Cuisine japonaise – 🖃. 🆎 ◍ 🖭 *VISA*
fermé dim. midi, lundi, 2 prem. sem. août et fin déc.-début janv. – **Repas** Lunch 420 – carte
1300 à 1650. DTU **b**

X **Casa Julián,** Italiëlei 32, ℰ 232 07 29, Cuisine espagnole – 🖃. 🆎 ◍ 🖭 *VISA*. 🐾 DT **m**
fermé lundi et 15 juil.-15 août – **Repas** carte env. 1000.

Quartier Sud - plans p. 4 et 5 sauf indication spéciale :

🏨 **Holiday Inn Crowne Plaza,** G. Legrellelaan 10, ✉ 2020, ℰ 237 29 00, Fax 216 02 96, *f₆*,
⌁, 🖳 – |≢| ↦ 🖃 🆚 ❷ – *⚗* 40 à 800. 🆎 ◍ 🖭 *VISA*. 🐾 plan p. 3 BS **g**
Repas *(fermé sam. midi, dim. et lundi)* Lunch 995 – 1100/1450 – ⌆ 350 – **256 ch** 6035,
4 suites.

🏨 **Sofitel,** Desguinlei 94, ✉ 2018, ℰ 216 48 00, Fax 216 47 12, *f₆*, ⌁ – |≢| ↦ 🖃 🆚 ☎
⇔ – *⚗* 65 à 500. 🆎 ◍ 🖭 *VISA*. 🐾 rest DX **z**
Repas *Tiffany's* Lunch 885 – carte env. 1300 – ⌆ 550 – **216 ch** 6500, 5 suites.

🏨 **Firean** 🌋 (annexe 6 ch) sans rest, Karel Oomsstraat 6, ✉ 2018, ℰ 237 02 60,
Fax 238 11 68, « Demeure ancienne de style Art Déco » – |≢| 🖃 🆚 ☎ ⇔. 🆎 ◍ 🖭 *VISA*.
🐾 DX **n**
fermé du 1er au 20 août. et 23 déc.-9 janv. – **15 ch** ⌆ 3900/5700, 2 suites.

🏠 **Industrie** 🌋 sans rest, E. Banningstraat 52, ℰ 238 66 00, Fax 238 86 88 – 🆚 ☎. 🆎 ◍
🖭 *VISA*. 🐾 CV **a**
13 ch ⌆ 2700/3700.

XXX **Vateli,** Van Putlei 31, ⊠ 2018, ℰ 238 72 52, Fax 238 25 88 – **₱**. **Æ** **◑** **ᴇ** **_VISA_**. ✻
fermé sam. midi, dim., jours fériés et 2 dern. sem. juil. – **Repas** Lunch *1450* – carte 2000 à
2500.   DX **t**

XXX **Loncin,** Markgravelei 127, ⊠ 2018, ℰ 248 29 89, Fax 248 38 66, 佘, Ouvert jusqu'à minuit
– ▤. **◑** **ᴇ** **_VISA_**   DX **d**
fermé mardi, merc., sam. midi et dim. midi – **Repas** Lunch *1350* – carte env. 3000.

XX **Liang's Garden,** Markgravelei 141, ⊠ 2018, ℰ 237 22 22, Fax 248 38 34, Cuisine chinoise
– ▤. **Æ** **◑** **ᴇ** **_VISA_**. ✻   DX **d**
fermé dim. et 2 sem. en juil. – **Repas** Lunch *950* – carte 1050 à 1700.

XX **De Poterne,** Desguinlei 186, ⊠ 2018, ℰ 238 28 24, Fax 248 59 67 – **Æ** **◑** **ᴇ** **_VISA_**
fermé sam. midi, dim., 21 juil.-16 août et 24 déc.-2 janv. – **Repas** carte 2050 à
2500.   DX **u**

X **'t Klein Parijs,** Leopold de Waelstraat 32, ℰ 237 61 92, Fax 238 93 41 – ▤. **Æ** **◑** **ᴇ** **_VISA_**.
✻   CV **e**
fermé sam. midi et dim. – **Repas** Lunch *800* – carte 1700 à 2100.

X **Dua,** Verbondstraat 41, ℰ 237 36 99, Fax 237 36 99 – **Æ** **◑** **ᴇ** **_VISA_**. ✻   DV **h**
fermé merc. – **Repas** Lunch *995* – carte env. 1200.

X **Hippodroom,** Leopold de Waelplaats 10, ℰ 238 89 36, Fax 248 01 30, 佘 – **Æ** **◑** **ᴇ** **_VISA_**
◆   CV **g**
fermé sam. midi et dim. – **Repas** Lunch *795* – 795/1795.

Périphérie - plans p. 2 et 3 sauf indication spéciale :

au Nord – ⊠ 2030 – **☢** 03 :

🏨 **Novotel,** Luithagen-Haven 6, ℰ 542 03 20, Fax 541 70 93, 佘, ⍻, ℀ – 🛗 ⇄ 📺 ☎ &
₱ – 🕍 25 à 150. **Æ** **◑** **ᴇ** **_VISA_**   BQ **c**
Repas *(fermé sam. midi et dim. midi)* (ouvert jusqu'à minuit) Lunch *395* – carte 1050 à 1400
– **119 ch** ⊇ 3700/4500.

à Berchem 🄲 Antwerpen – ⊠ 2600 Berchem – **☢** 03 :

XX **Euterpia,** Generaal Capiaumontstraat 2, ℰ 235 02 02, Fax 235 58 64, 佘
fermé lundi, mardi, Pâques, 3 prem. sem. août et Noël-Nouvel An – **Repas** carte
env. 1900.   plan p. 5   EV **y**

XX **De Tafeljonker,** Klauwaertsstraat 2, ℰ 281 20 34 – **Æ** **◑** **ᴇ** **_VISA_**   plan p. 5   DX **f**
fermé sam. midi, dim. soir, lundi, 1 sem. en fév. et 2 sem. en juil. – **Repas** Lunch *1550* – carte
env. 2000.

X **Willy,** Generaal Lemanstraat 54, ℰ 218 88 07 – **Æ** **◑** **ᴇ** **_VISA_**   plan p. 5   DX **v**
fermé sam. et dim. – **Repas** Lunch *380* – carte 850 à 1600.

à Berendrecht par ① : 23 km au Nord 🄲 Antwerpen – ⊠ 2040 Berendrecht – **☢** 03 :

XX **Reigershof,** Reigersbosdreef 2, ℰ 568 96 91, Fax 568 71 63 – **Æ** **◑** **ᴇ** **_VISA_**
fermé dim., lundi, 1 sem. carnaval et 3 dern. sem. juil. – **Repas** Lunch *995* – carte 1300 à
1800.

à Borgerhout 🄲 Antwerpen – ⊠ 2140 Borgerhout – **☢** 03 :

🏨 **Scandic Crown,** Luitenant Lippenslaan 66, ℰ 235 91 91, Telex 34479, Fax 235 08 96, ⟘,
▦ – 🛗 ⇄ ▤ 📺 ☎ & **₱** – 🕍 25 à 230. **Æ** **◑** **ᴇ** **_VISA_**   BR **e**
Repas Lunch *600* – carte env. 1400 – ⊇ 625 – **201 ch** 4750, 3 suites.

à Deurne 🄲 Antwerpen – ⊠ 2100 Deurne – **☢** 03 :

XX **De Violin,** Bosuil 1, ℰ 324 34 04, Fax 326 33 20, 佘, « Fermette » – **₱**. **Æ** **ᴇ** **_VISA_**.
✻   BR **r**
fermé dim. et 15 août-7 sept – **Repas** Lunch *1395* – carte env. 2000.

XX **Périgord,** Turnhoutsebaan 273, ℰ 325 52 00 – **₱**. **Æ** **◑** **ᴇ** **_VISA_**. ✻   BR **s**
fermé mardi, merc., sam. midi, 1 sem. carnaval et juil. – **Repas** Lunch *875* – carte 1450 à
2000.

à Ekeren 🄲 Antwerpen – ⊠ 2180 Ekeren – **☢** 03 :

XX **Hof de Bist,** Veltwijcklaan 258, ℰ 664 61 30, Fax 664 67 24 – **₱**. **Æ** **◑** **ᴇ** **_VISA_**   BQ **p**
fermé du 9 au 22 août, 18 oct.-8 nov., dim., lundi et mardi – **Repas** 2300/3000.

X **De Mangerie,** Kapelsesteenweg 469 (par ②), ℰ 605 26 26, Fax 605 24 16, 佘 – **₱**. **Æ**
◑ **ᴇ** **_VISA_**. ✻   BQ
Repas Lunch *1090* – carte env. 1100.

à Wilrijk 🄲 Antwerpen – ⊠ 2610 Wilrijk – **☢** 03 :

XX **Schans XV,** Moerelei 155, ℰ 828 45 64, Fax 828 93 29, 佘, « Dans une redoute du début
du siècle » – **Æ** **◑** **ᴇ** **_VISA_**. ✻   AS **a**
fermé jeudi soir, sam. midi, dim., jours fériés, 2 sem. en fév. et 2 sem. en juil. – **Repas** Lunch
1150 – carte 1900 à 2300.

XX **Bistrot,** Doornstraat 186, ℰ 829 17 29 – **Æ** **◑** **ᴇ** **_VISA_**   BS **p**
fermé lundi, mardi, sam. midi, fin juil.-fin août et fin déc. – **Repas** Lunch *795* – 895/950.

Environs

à Aartselaar par ⑩ : 10 km – 14 437 h. – ✉ 2630 Aartselaar – ✪ 0 3 :

🏛 **Kasteel Solhof** 🍃 sans rest, Baron Van Ertbornstraat 116, ✆ 877 30 00, Fax 877 31 31, « Dans un parc centenaire » – 📳 📺 ☎ ☎ – 🛗 40. 🖭 ⓞ ㄷ 𝗩𝗜𝗦𝗔. 🐾
fermé Noël-Nouvel An – 🖙 600 – **24 ch** 6000.

XXXX **Host. Kasteelhoeve Groeninghe** avec ch, Kontichsesteenweg 78, ✆ 457 95 86, Fax 458 13 68, ≼, 🐜, « Ferme flamande restaurée dans un cadre champêtre », 🍃 – 📺 ☎ ☎ – 🛗 25 à 150. 🖭 ⓞ ㄷ 𝗩𝗜𝗦𝗔. 🐾
fermé 24 déc.-4 janv. – **Repas** *(fermé dim.)* Lunch 1450 – carte 1850 à 2700 – 🖙 500 – **7 ch** 3900/5250.

XXX **Kasteel Cleydael** 🍃 avec ch, Cleydaellaan 36 (O : direction Hemiksem), ✆ 887 05 04, Fax 877 20 18, « Château féodal restauré, entouré de douves » – 📺 ☎ ☎ – 🛗 25 à 50. 🖭 ⓞ ㄷ 𝗩𝗜𝗦𝗔. 🐾
fermé dim., 2 prem. sem. août et 24 déc.-4 janv. – **Repas** *(fermé sam. midi, dim. et jours fériés)* Lunch 1450 – carte env. 2150 – **6 ch** 🖙 5500/6500, 1 suite.

XX **Villa Verde,** Kleistraat 175, ✆ 887 56 85, Fax 887 22 56, ≼, 🐜 – ☎. 🖭 ⓞ ㄷ 𝗩𝗜𝗦𝗔. 🐾
fermé lundi, sam. midi, 16 juil.-7 août et du 1er au 15 janv. – **Repas** Lunch 1100 – carte env. 2000.

X **Hana,** Antwerpsesteenweg 116, ✆ 877 08 95, Cuisine japonaise, teppan-yaki – 🖭 ㄷ 𝗩𝗜𝗦𝗔. 🐾
fermé mardi et août – **Repas** Lunch 390 – 1500/1900.

à Boechout - plan p. 3 – 11 382 h. – ✉ 2530 Boechout – ✪ 0 3 :

XX ❀ **De Schone van Boskoop** (Keersmaekers), Appelkantstraat 10, ✆ 454 19 31, 🐜, « Terrasse avec pièce d'eau » – ☎. 🖭 ㄷ 𝗩𝗜𝗦𝗔. 🐾 BS **d**
fermé dim., lundi, 15 août-6 sept et prem. sem. janv. – **Repas** Lunch 1300 – carte 2300 à 2800
Spéc. St-Jacques crues à la crème aigre et caviar, Ravioli de foie gras, pied de porc et truffes, Rognon de veau grillé aux champignons et oignons.

à Brasschaat - plan p. 3 – 36 399 h. – ✉ 2930 Brasschaat – ✪ 0 3 :

XXX **Halewijn,** Donksesteenweg 212 (Ekeren-Donk), ✆ 647 20 10, Fax 647 08 95, 🐜 – ⓞ ㄷ 𝗩𝗜𝗦𝗔 BQ **z**
fermé lundi – **Repas** Lunch 1000 – carte env. 1200.

à Hemiksem par ⑩, à l'ouest : 9 km – 9 320 h. – ✉ 2620 Hemiksem – ✪ 0 3 :

🏛 **Scheldeboord,** Scheldestraat 151, ✆ 877 14 14, Fax 877 12 10, « Au bord de l'Escaut (Schelde) », 🐜, 🔟 – 📳 🗐 rest 📺 ☎ ☎ – 🛗 25 à 60. 🖭 ⓞ ㄷ 𝗩𝗜𝗦𝗔. 🐾
Repas Lunch 1250 – carte env. 1500 – **20 ch** 🖙 3300/3700.

à Kapellen par ② : 15,5 km – 24 794 h. – ✉ 2950 Kapellen – ✪ 0 3 :

XXX ❀❀ **De Bellefleur** (Buytaert), Antwerpsesteenweg 253, ✆ 664 67 19, Fax 665 02 01, 🐜, « Véranda entourée de jardins fleuris » – ☎. 🖭 ㄷ 𝗩𝗜𝗦𝗔
fermé sam. soir de mai à sept, sam. midi, dim., 2 sem. en fév. et juil. – **Repas** Lunch 1750 – carte 1900 à 2750
Spéc. Tagliatellini de homard au basilic, Dos de cabillaud à la bière régionale, Jeune cerf au Whisky et aux dattes fraîches (15 sept-10 janv.).

XX **Aub. De Provence,** Antwerpsesteenweg 287, ✆ 605 14 14, Fax 605 33 97, 🐜 – ☎. 🖭 ⓞ ㄷ 𝗩𝗜𝗦𝗔
fermé sam. midi et lundi – **Repas** Lunch 995 – carte env. 1500.

X **De Pauw,** Antwerpsesteenweg 48, ✆ 664 22 82, 🐜 – 🖭 ⓞ ㄷ 𝗩𝗜𝗦𝗔
fermé lundi soir et mardi – **Repas** Lunch 320 – 995/1500.

à Kontich par ⑧ : 12 km – 19 026 h. – ✉ 2550 Kontich – ✪ 0 3 :

XXX **Carême,** Koningin Astridlaan 114, ✆ 457 63 04, Fax 457 93 02, 🐜 – ☎. 🖭 ⓞ ㄷ 𝗩𝗜𝗦𝗔
fermé sam. midi, dim., lundi, mardi et juil. – **Repas** Lunch 1095 – carte 2150 à 2450.

XXX **Alexander's,** Mechelsesteenweg 318, ✆ 457 26 31, Fax 457 26 31 – ☎. 🖭 ⓞ ㄷ 𝗩𝗜𝗦𝗔. 🐾
fermé dim. soir, lundi et 3 dern. sem. juil. – **Repas** Lunch 850 – 1695.

à Schoten - plan p. 3 – 31 382 h. – ✉ 2900 Schoten – ✪ 0 3 :

XXX **Kleine Barreel,** Bredabaan 1147, ✆ 645 85 84, Fax 645 85 03 – 🗐 ☎. 🖭 ⓞ ㄷ 𝗩𝗜𝗦𝗔. 🐾
Repas Lunch 1150 – 1575. BQ **n**

XXX **Uilenspiegel,** Brechtsebaan 277 (3 km sur N 115), ✆ 651 61 45, Fax 652 08 08, 🐜, « Terrasse et jardin » – ☎. 🖭 ㄷ 𝗩𝗜𝗦𝗔
fermé lundi – **Repas** Lunch 695 – carte 1400 à 1900.

X **Villa Doria,** Bredabaan 1293, ✆ 644 40 10, Fax 644 44 55, Avec cuisine italienne, ouvert jusqu'à 23 h – 🗐 ☎. 🖭 ⓞ ㄷ 𝗩𝗜𝗦𝗔. 🐾 BQ **b**
fermé merc., 3 sem. en sept et 1 sem. Noël – **Repas** Lunch 925 – carte 1100 à 1550.

à Wijnegem par ⑤ : 10 km – 8 483 h. – ✉ 2110 Wijnegem – ✪ 0 3 :

XXX **Ter Vennen,** Merksemsebaan 278, ✆ 326 20 60, Fax 326 38 47, 🐜, « Terrasse » – ☎. 🖭 ⓞ ㄷ 𝗩𝗜𝗦𝗔
fermé dim. – **Repas** Lunch 1295 – carte 2100 à 2500.

Voir aussi : *Schilde* par ⑤ : 13 km

5170 Namur Ⓒ Profondeville 9 891 h. 𝟐𝟏𝟒 ⑤ et 𝟒𝟎𝟗 ⑭ – 🕿 0 81.
◆Bruxelles 81 – ◆Dinant 16 – ◆Namur 18.

XX ❀ **L'Eau Vive** (Résimont), rte de Floreffe 37, ℰ 41 11 51, Fax 41 40 16, ≤, 🈸, « Environnement boisé, cascade » – 🄿. 🄰🄴 ⒪ 🄴 𝑽𝑰𝑺𝑨.
fermé lundi soir, mardi, 2 sem. en fév., dern. sem. juin et 2 prem. sem. sept – **Repas** carte 1550 à 1950
Spéc. Foie gras aux truffes d'été (juil.-août), Truite au bleu et légumes croquants, Croustillant de pigeonneau et poivrade d'oranges.

8850 West-Vlaanderen 𝟐𝟏𝟑 ③ et 𝟒𝟎𝟗 ② – 9 730 h. – 🕿 0 51.
◆Bruxelles 97 – ◆Brugge 30 – ◆Gent 45 – Roeselare 7.

X **Prinsenhof**, Prinsendreef 6, ℰ 74 50 31, Fax 74 80 74 – 🄿. 🄰🄴 ⒪ 🄴 𝑽𝑰𝑺𝑨. ❀
fermé dim., lundi soir et mardi soir – **Repas** Lunch 950 – carte 1300 à 1600.

(AARLEN) 6700 🄿 Luxembourg belge 𝟐𝟏𝟒 ⑱ et 𝟒𝟎𝟗 ㉖ – 23 893 h. – 🕿 0 63.
Musée : Luxembourgeois★ : section lapidaire gallo-romaine★★ AY **M**.
Env. Victory Memorial Museum★ avec collection de véhicules de transport et de combat★★ par ⑤ : 6 km – 🄑 Pavillon, r. Faubourgs 2 ℰ 21 63 60, Fax 21 63 60.
◆Bruxelles 187 ① – ◆Luxembourg 29 ④ – ◆Namur 126 ①.

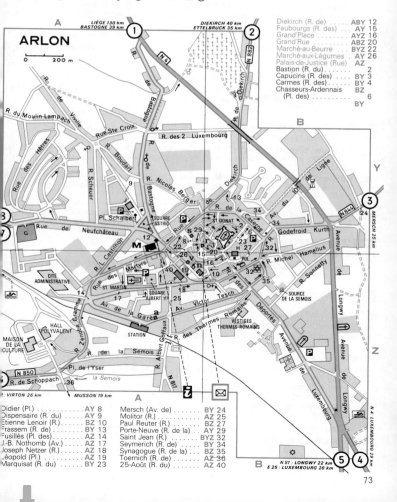

Diekirch (R. de) . . . . . **ABY** 12
Faubourgs (R. des) . . . **AY** 15
Grand'Place . . . . **AYZ** 16
Grand'Rue . . . . **ABZ** 20
Marché-au-Beurre . . . . **BYZ** 22
Marché-aux-Légumes . . **AY** 26
Palais-de-Justice (Rue) . **AZ**
Bastion (R. du) 2
Capucins (R. des) . . . . **BY** 3
Carmes (R. des) . . . . . **BY** 4
Chasseurs-Ardennais
  (Pl. des) . . . . **BZ** 6
  . . . . **BY**

Didier (Pl.) . . . . **AY** 8
Dispensaire (R. du) . . . . . **AY** 9
Étienne Lenoir (R.) . . . . . **BZ** 10
Frassem (R. de) . . . . **BY** 13
Fusillés (Pl. des) . . . . **AZ** 14
J.-B. Nothomb (Av.) . . . . . **AZ** 17
Joseph Netzer (R.) . . . . . **AZ** 18
Léopold (Pl.) . . . . **AZ** 19
Marquisat (R. du) . . . . . . **BY** 23
Mersch (Av. de) . . . . **BY** 24
Molitor (R.) . . . . **AZ** 25
Paul Reuter (R.) . . . . **BZ** 27
Porte-Neuve (R. de la) . . **AY** 29
Saint Jean (R.) . . . . **BYZ** 32
Seymerich (R. de) . . . . . **BY** 34
Synagogue (R. de la) . . . **BZ** 35
Toernich (R. de) . . . . . . **AZ** 36
25-Août (R. du) . . . . **AZ** 40

🏨 **Arlux** 🦢, r. Lorraine (par ⑥ : 3 km), ℰ 23 22 11, Fax 23 22 48 – 🗐 rest 📺 ☎ 🅿 – 🏛 25 à 140. 🖭 ⑩ Ε �
Repas *(fermé sam. midi)* Lunch 795 – carte 1000 à 1400 – ⊑ 400 – **78 ch** 3500/4200 – ½ P 2445/3295.

🏨 **A l'Écu de Bourgogne** sans rest, pl. Léopold 10, ℰ 22 02 22, Fax 23 27 54 – 🛗. Ε �
🦞 – **19 ch** ⊑ 1800/2700.   AZ **n**

XXX **L'Arlequin** 1er étage, pl. Léopold 6, ℰ 22 28 30, Fax 22 28 30 – 🖭 Ε �   AZ **v**
fermé lundi, jeudi soir, 2 sem. Pâques, début sept et prem. sem. janv. – **Repas** Lunch 1150 – 1150.

XX **Host. du Peiffeschof**, Chemin du Peiffeschof 111 (NE par ③ : 3 km), ℰ 22 44 15, �´, « Terrasse et jardin » – 🅿. 🖭 ⑩ Ε �
fermé du 16 au 30 août, 20 déc.-10 janv., mardi soir, merc., sam. midi et après 20 h 30 – **Repas** carte 1400 à 1800.

X **L'eau à la Bouche**, r. Grand-Place 2, ℰ 23 37 05 – Ε �   ABY **r**
fermé merc., jeudi midi, sam. midi, fin juin-début juil., 1 sem. début sept et 1re quinz. janv. – **Repas** Lunch 650 – carte env. 1500.

X **Arel**, pl. Didier 21, ℰ 22 77 17, Fax 22 77 17, Moules en saison – 🗐. ⑩ Ε �   AY **s**
fermé du 1er au 15 juil., du 15 au 31 janv., mardi soir et merc. – **Repas** Lunch 980 – carte 1100 à 1600.

X **L'Europe**, av. Gare 25, ℰ 22 55 90, Fax 22 55 90 – 🅿. 🖭 ⑩ Ε �   AZ **a**
fermé sam. midi, dim. soir, lundi, 2e quinz. fév. et 2e quinz. août – **Repas** Lunch 900 – carte 850 à 1350.

à Hondelange par ⑤ : 8 km © Messancy 6 607 h. – ⊠ 6780 Hondelange – 🕿 0 63 :

🏨 **Les Blés d'Or** 🦢 sans rest, r. Blés d'Or 15, ℰ 22 52 34, Fax 23 33 36, 🌾 – 🌤 ☎ 🅿. Ε � 🦞
fermé 22 déc.-7 janv. – **11 ch** ⊑ 1600/2000.

à Messancy par ⑤ : 10 km – 6 607 h. – ⊠ 6780 Messancy – 🕿 0 63 :

🏨 **AC Hotel**, autoroute E 411/E 25 (près du Victory Memorial Museum), ℰ 23 32 54, Fax 23 32 94 – 🛗 🗐 📺 ☎ 🕭 🅿. 🖭 ⑩ Ε �
Repas Lunch 695 – 795 – **58 ch** ⊑ 2075/2275 – ½ P 1593/2530.

ASSE 1730 Brabant 🖴🖴 ⑥ et 🖴🖴🖴 ④ – 27 285 h. – 🕿 0 2.
◆Bruxelles 14 – Aalst 12 – Dendermonde 17.

XXX **De Pauw**, Lindendries 3, ℰ 452 72 45, Fax 452 72 45, 🌾, « Jardin » – 🅿. 🖭 ⑩ Ε �
fermé mardi soir, merc., sem. carnaval et 3 prem. sem. août – **Repas** Lunch 1150 – carte 1900 à 2350.

XX **Hof ten Eenhoorn**, Keierberg 80 (direction Enghien puis rte à droite), ℰ 452 95 15, Fax 452 52 24, 🌾, « Ancienne ferme-brasserie dans un site pittoresque » – 🅿 – 🏛 25 à 85. 🖭 ⑩ Ε � 🦞
fermé dim. soir, lundi, mardi, 1 sem. carnaval et 3 sem. en juil. – **Repas** 1150/1750.

X **Ten Hove Canteclaer**, Markt 6a, ℰ 452 41 40, Fax 452 36 95, 🌾 – 🖭 ⑩ Ε �
fermé lundi, mardi et 1 sem. en juil. – **Repas** Lunch 850 – carte 1250 à 1550.

ASSENEDE 9960 Oost-Vlaanderen 🖴🖴 ④ et 🖴🖴🖴 ③ – 13 491 h. – 🕿 0 9.
◆Bruxelles 88 – ◆Brugge 41 – ◆Gent 28 – Sint-Niklaas 38.

X **Den Hoed**, Kloosterstraat 3, ℰ 344 57 03, Moules en saison – 🖭 ⑩ Ε �
fermé lundi soir, mardi et juin – **Repas** carte 800 à 1200.

ASTENE Oost-Vlaanderen 🖴🖴 ④ – voir à Deinze.

ATH (AAT) 7800 Hainaut 🖴🖴 ⑱ et 🖴🖴🖴 ⑫ – 24 378 h. – 🕿 0 68.
Voir Ducasse★★ (Cortège des géants).
Env. SO : 6 km à Moulbaix : Moulin de la Marquise★ – SE : 5 km à Attre★ : Château★.
🛈 r. Nazareth 2 ℰ 28 01 41 (ext. 215), Fax 28 23 22.
◆Bruxelles 57 – ◆Mons 21 – ◆Tournai 29.

🏨 **Du Parc** 🦢, r. Esplanade 13, ℰ 28 69 77 et 28 54 85 (rest), Fax 28 57 63 – 📺 ☎. 🖭 ⑩ Ε �. 🦞 ch
fermé juil. et du 12 au 24 janv. – **Repas** *(fermé jeudis non fériés, dim. soir et jours fériés soirs)* Lunch 995 – 995/1600 – **11 ch** ⊑ 1900/2800 – ½ P 1900/2400.

X **Le Saint-Pierre**, Marché aux Toiles 18, ℰ 28 51 74 – 🖭 ⑩ Ε �
fermé merc. et fin juil.-mi-août – **Repas** (déjeuner seult sauf vend. et sam.) 990.

à Ghislenghien (Gellingen) NE : 8 km © Ath – ⊠ 7822 Ghislenghien – 🕿 0 68 :

XX **Le Relais de la Diligence**, chaussée de Bruxelles 401 (sur N 7), ℰ 55 12 41, « Relais du 18e s. », 🌾 – 🅿. 🖭 ⑩ Ε �
fermé jeudi, sem. carnaval et du 15 au 31 juil. – **Repas** (déjeuner seult sauf vend. et sam.) Lunch 800 – 800/1500.

AUDENARDE Oost-Vlaanderen - voir Oudenaarde.

AUDERGHEM (OUDERGEM) Brabant 213 ⑱ ⑲ et 409 ⑬ ㉒ - voir à Bruxelles.

AVE ET AUFFE 5580 Namur C Rochefort 11 450 h. 214 ⑥ et 409 ㉔ - ✆ 0 84.

♦Bruxelles 114 - ♦Namur 55 - ♦Dinant 29 - Rochefort 10.

XX **Host. Le Ry d'Ave** avec ch, Sourd d'Ave 5, ✆ 38 82 20, Fax 38 95 50, ≤, « Cadre champêtre », ⛱, 🏞 - TV ☎ P. AE ① E VISA
fermé 26 juin-6 juil., 8 janv.-2 fév. et mardis soirs et merc. non fériés sauf en saison - **Repas** *(fermé merc.) Lunch 1050* - carte 1450 à 2250 - ☐ 360 - **9 ch** 1500/2100 - ½ P 2520/3020.

AVELGEM 8580 West-Vlaanderen 213 ⑮ et 409 ⑪ - 9 058 h. - ✆ 0 56.

♦Bruxelles 72 - ♦Kortrijk 13 - ♦Tournai 23.

X **Karekietenhof,** Scheldelaan 20 (près de l'église), ✆ 64 44 11, ≤ - P. E VISA
fermé mardi soir, merc., sem. carnaval et du 16 au 31 août - **Repas** *Lunch 1125* - 1125/1375.

AYWAILLE 4920 Liège 213 ㉓, 214 ⑦ et 409 ⑮ - 9 417 h. - ✆ 0 41.

ℹ r. Mathieu Carpentier 6 ✆ 84 51 91.

♦Bruxelles 123 - ♦Liège 29 - Spa 16.

XXX **Villa des Roses** avec ch, av. Libération 4, ✆ 84 42 36, Fax 84 74 40, 🏞 - TV ☎ P. AE ① E VISA. ✂ ch
fermé du 15 au 28 fév., 26 juin-11 juil. et lundis et mardis non fériés - **Repas** *Lunch 1000* - carte 1550 à 2000 - **4 ch** ☐ 2200/4200 - ½ P 2300/3000.

X **Les Jardins 1900,** r. H. Orban 20, ✆ 84 44 65, Fax 84 44 54 - AE ① E VISA
fermé 22 fév.-16 mars, 16 août-7 sept et merc. et jeudis non fériés - **Repas** *Lunch 550* - 550/1450.

BAASRODE 9200 Oost-Vlaanderen C Dendermonde 42 687 h. 213 ⑥ et 409 ④ - ✆ 0 52.

♦Bruxelles 33 - ♦Antwerpen 40 - ♦Gent 39.

X **Gasthof Ten Briel,** Brielstraat 63, ✆ 33 44 51, Fax 33 47 35, 🏞, Ouvert jusqu'à 23 h - AE ① E VISA
fermé lundi, sam. midi et 2 prem. sem. août - **Repas** *Lunch 995* - carte env. 1600.

BACHTE-MARIA-LEERNE Oost-Vlaanderen 212 ④ et 409 ② ③ - voir à Deinze.

BAILLONVILLE 5377 Namur C Somme-Leuze 3 412 h. 214 ⑥ et 409 ⑮ - ✆ 0 84.

♦Bruxelles 107 - ♦Bastogne 48 - ♦Liège 50 - ♦Namur 34.

XX ✿ **Le Capucin Gourmand** (Mathieu), r. Centre 16 (Rabozée), ✆ 31 51 80, Fax 31 51 80, 🏞 - P. AE ① E VISA
fermé du 3 au 13 avril, 1re quinz. sept, mardi sauf en juil.-août et merc. - **Repas** 1590/1990 carte env. 2000
Spéc. Paupiette de turbot et ris de veau au jus de piperade, Poêlée de noisette d'agneau de prés salés, couscous de légumes du jardin (avril-juin), Soupe de fraises gratinée à la fleur de lavande (avril-sept).

BAISY-THY 1470 Brabant C Genappe 13 116 h. 213 ⑲ et 409 ⑬ - ✆ 0 67.

⛳18 ⛳9 à Ways N : 3 km, r. E. François 9 ✆ (0 67) 77 15 71, Fax (0 67) 77 18 33.

♦Bruxelles 32 - ♦Charleroi 21 - ♦Mons 53 - ♦Namur 35.

XXX **Host. La Falise** 🐦 avec ch, r. Falise 7, ✆ 77 35 11, Fax 79 04 94, 🏞, 🏞 - TV ☎ P. AE ① E VISA
fermé 15 fév.-6 mars et 18 sept-3 oct. - **Repas** *(fermé dim. soir et lundi) Lunch 950* - 1240 - **6 ch** ☐ 2400/3000 - ½ P 2450/3350.

BALEGEM 9860 Oost-Vlaanderen C Oosterzele 12 824 h. 213 ④ ⑤ et 409 ③ - ✆ 0 9.

♦Bruxelles 49 - Aalst 27 - ♦Gent 23 - Oudenaarde 20.

XXX **'t Parksken,** Geraardsbergsesteenweg 233 (à l'Est sur N 42), ✆ 362 52 20, Fax 362 64 17, ≤, 🏞, « Jardin » - ▤ P. AE ① E VISA
fermé du 5 au 31 juil., du 1er au 10 janv., dim. soir, lundi et mardi - **Repas** *Lunch 1050* - carte 1500 à 2000.

BALEN 2490 Antwerpen 212 ⑰ et 409 ⑤ - 18 775 h. - ✆ 0 14.

♦Bruxelles 82 - ♦Antwerpen 58 - ♦Hasselt 38 - ♦Turnhout 27.

XXX **De Engel,** Steegstraat 8, ✆ 81 19 06, Fax 81 19 07, « Jardin d'hiver » - AE ① E VISA
fermé dim., lundi, 21 fév.-5 mars et 15 août-4 sept - **Repas** *Lunch 1380* - carte 2100 à 2600.

BALMORAL Liège 213 ㉓ et 409 ⑯ - voir à Spa.

BARAQUE DE FRAITURE Luxembourg belge 𝟮𝟭𝟰 ⑧ et 𝟰𝟬𝟵 ⑯ – voir à Vielsalm.

BARVAUX 6940 Luxembourg belge ⓒ Durbuy 8 961 h. 𝟮𝟭𝟰 ⑦ et 𝟰𝟬𝟵 ⑮ – ☎ 0 86.
🇷🇸 🇷🇸 rte d'Oppagne 34 ✆ 21 44 54, Fax 21 44 49.
🅱 Complexe d'animation touristique "Le Moulin" ✆ 21 11 65, Fax 21 19 78.
◆Bruxelles 121 – ◆Arlon 99 – ◆Liège 47 – Marche-en-Famenne 19.

🏠 **Le Cor de Chasse**, rte de Tohogne 29, ✆ 21 14 98, Fax 21 35 85, 😚 – 🅿. 🆎 ⓞ 🅴 𝘷𝘪𝘴𝘢
Repas *Lunch 1000* – 1000/1350 – **14 ch** ⊑ 1800/2500 – ½ P 2250/2650.

🍴🍴 **La Poivrière**, Grand-rue 28, ✆ 21 15 60, Fax 21 02 60 – 🆎 ⓞ 🅴 𝘷𝘪𝘴𝘢
fermé merc. et jeudi – **Repas** *Lunch 950* – carte 1950 à 2200.

🍴 **Au Petit Chef**, Basse-Sauvenière 8, ✆ 21 26 14, 😚 – 🆎 ⓞ 🅴 𝘷𝘪𝘴𝘢
fermé lundi, mardi, 1 sem. en juin, 1 sem. en oct. et janv. – **Repas** carte 1100 à 1550.

à Bohon NO : 3 km ⓒ Durbuy – ⊠ 6940 Barvaux – ☎ 0 86 :

🏠 **Le Relais de Bohon** ⑤, pl. de Bohon 7, ✆ 21 30 49, Fax 21 33 95, 😚 – 📺 🅿. 🆎 🅴 𝘷𝘪𝘴𝘢
fermé mars, début sept, fin nov. et lundis soirs et mardis non fériés – **Repas** (Taverne-rest)
Lunch 875 – carte env. 1200 – ⊑ 250 – **16 ch** 2100 – ½ P 2100.

BASSE-BODEUX Liège 𝟮𝟭𝟰 ⑧ et 𝟰𝟬𝟵 ⑯ – voir à Trois-Ponts.

BASSEVELDE 9968 Oost-Vlaanderen ⓒ Assenede 13 491 h. 𝟮𝟭𝟯 ④ et 𝟰𝟬𝟵 ③ – ☎ 0 9.
◆Bruxelles 90 – ◆Brugge 41 – ◆Gent 22 – Zelzate 12.

🏠 **'t Westkanterhof** ⑤, Oude Boekhoutestraat 18b, ✆ 373 82 92, Fax 373 53 33,
« Environnement champêtre », 😚 – 📺 🅿. ⓞ 𝘷𝘪𝘴𝘢
fermé sem. carnaval et Noël-Nouvel An – **Repas** (dîner pour résidents seult) – **5 ch**
⊑ 1950/2500.

BASTOGNE (BASTENAKEN) 6600 Luxembourg belge 𝟮𝟭𝟰 ⑱ et 𝟰𝟬𝟵 ㉕ ㉖ – 12 461 h. – ☎ 0 61.
Voir Intérieur★ de l'église St-Pierre★ – Bastogne Historical Center★ – Le Mardasson★ E : 3 km.
Env. N : 17 km à Houffalize : Site★.
🅱 pl. Mac Auliffe 24 ✆ 21 27 11.
◆Bruxelles 148 – ◆Arlon 40 – ◆Liège 88 – ◆Namur 87.

🍴🍴 **Au Vivier**, r. Sablon 183, ✆ 21 22 57 – 🆎 ⓞ 🅴 𝘷𝘪𝘴𝘢
fermé mardi, merc. et juil. – **Repas** *Lunch 600* – 850/1275.

🍴 **Léo**, r. Vivier, ✆ 21 14 41, Fax 21 65 08, 😚 – 🅴 𝘷𝘪𝘴𝘢
fermé 26 juin-7 juil., 20 déc.-27 janv. et lundi sauf en juil.-août – **Repas** *Lunch 525* – carte
800 à 1200.

BATTICE 4651 Liège ⓒ Herve 15 954 h. 𝟮𝟭𝟯 ㉓ et 𝟰𝟬𝟵 ⑯ – ☎ 0 87.
◆Bruxelles 117 – ◆Liège 27 – Aachen 31 – Verviers 9.

🍴🍴 **Aux étangs de la Vieille Ferme**, Maison du Bois 66 (SO : 7 km à Bruyères), ⊠ 4650,
✆ 67 49 19, Fax 67 98 65, 😚, « Environnement champêtre » – 🅿. 🆎 🅴 𝘷𝘪𝘴𝘢. 😚
fermé lundis, mardis, merc. soirs et jeudis soirs non fériés – **Repas** *Lunch 1090* – carte 1400
à 2000.

🍴🍴 **Les Quatre Bras**, pl. du Marché 31, ✆ 67 41 56 – 🆎 ⓞ 🅴 𝘷𝘪𝘴𝘢
fermé dim., lundi soir et 15 juil.-15 août – **Repas** *Lunch 1050* – carte 1150 à 1450.

🍴 **Au Vieux Logis**, pl. du Marché 25, ✆ 67 42 53, Fax 67 91 65 – 🆎 ⓞ 🅴 𝘷𝘪𝘴𝘢. 😚
fermé dim., lundi soir, 2ᵉ quinz. juil. et prem. sem. janv. – **Repas** *Lunch 1000* – 1000.

BAUDOUR Hainaut 𝟮𝟭𝟯 ⑰, 𝟮𝟭𝟰 ① ② et 𝟰𝟬𝟵 ⑫ – voir à Mons.

BEAUFAYS Liège 𝟮𝟭𝟯 ㉒ et 𝟰𝟬𝟵 ⑮ ⑱ – voir à Chaudfontaine.

BEAUMONT 6500 Hainaut 𝟮𝟭𝟰 ③ et 𝟰𝟬𝟵 ⑬ – 6 235 h. – ☎ 0 71.
🅱 Grand'Place 10 ✆ 58 81 91.
◆Bruxelles 80 – ◆Mons 32 – ◆Charleroi 26 – Maubeuge 25.

à Grandrieu SO : 7 km ⓒ Sivry-Rance 4 561 h. – ⊠ 6470 Grandrieu – ☎ 0 60 :

🍴🍴 **Le Grand Ryeu**, r. Goëtte 1, ✆ 45 52 10, Fax 45 62 25, « Ancienne ferme » – 🅿. 🆎 ⓞ
🅴 𝘷𝘪𝘴𝘢
fermé mardi et merc. ; janv.-2 avril ouvert seult les sam., dim. et lundis – **Repas** *Lunch 895*
– 1495.

à Thirimont NO : 3 km ⓒ Beaumont – ⊠ 6500 Thirimont – ☎ 0 71 :

🍴 **Le Tournebroche**, chaussée de Mons 191, ✆ 58 85 54, 😚 – 🅿. 🆎 ⓞ 🅴 𝘷𝘪𝘴𝘢
fermé lundi, merc. soir, sem. carnaval et 2 prem. sem. sept – **Repas** *Lunch 1000* – 900/1650.

BEAURAING 5570 Namur 214 ⑤ et 409 ㉔ – 8 057 h. – ✆ 0 82.

Voir Lieu de pèlerinage★.

◆Bruxelles 111 – ◆Namur 48 – ◆Dinant 20 – Givet 10.

🏨 **L'Aubépine**, r. Gendarmerie 5, ℰ 71 11 59, Fax 71 33 54 – 🛗 ≡ rest ☎ – 🔬 25 à 120.
→ 🖭 ⑩ ⅀ 𝓥𝓘𝓢𝓐
avril-déc. ; fermé lundi, mardi et merc. en nov.-déc. – **Repas** Lunch 800 – 800/1100 – **78 ch**
⟫ 1100/1950.

BEAUVOORDE West-Vlaanderen 213 ① et 409 ① – voir à Veurne.

BEERNEM 8730 West-Vlaanderen 213 ③ et 409 ② – 14 121 h. – ✆ 0 50.

◆Bruxelles 81 – ◆Brugge 14 – ◆Gent 36 – ◆Oostende 37.

🍴🍴 **di Coylde**, St-Jorisstraat 82 (direction Knesselare), ℰ 78 18 18, Fax 78 17 25, ≤, « Manoir
entouré de douves » – ❷ – 🔬 60. 🖭 ⑩ ⅀ 𝓥𝓘𝓢𝓐. ✼
fermé sam. midi, dim. soir, lundi, 21 fév.-2 mars, 2e quinz. juil. et du 3 au 5 janv. – **Repas**
Lunch 950 – carte 1700 à 2200.

🍴🍴 **Beverhof**, Kasteelhoek 37, ℰ 78 90 72, 🌳, Fermette – ❷. 🖭 ⑩ ⅀ 𝓥𝓘𝓢𝓐
fermé mardi, merc. et 15 fév.-3 mars – **Repas** Lunch 1500 – carte 1400 à 1850.

BEERSEL Brabant 213 ⑱ et 409 ⑬ ㉑ – voir à Bruxelles, environs.

BEERVELDE Oost-Vlaanderen 213 ⑤ et 409 ③ – voir à Gent, environs.

BELLEGEM West-Vlaanderen 213 ⑮ et 409 ⑪ – voir à Kortrijk.

BELLEVAUX-LIGNEUVILLE 4960 Liège 🅒 Malmédy 10 437 h. 214 ⑨ et 409 ⑯ – ✆ 0 80.

◆Bruxelles 165 – ◆Liège 65 – Malmédy 8,5 - Spa 27.

🏨 **St-Hubert**, Grand'Rue 43 (Ligneuville), ℰ 57 01 22, Fax 57 08 94 – 📺 ☎ ❷ – 🔬 60. ⅀
→ 𝓥𝓘𝓢𝓐. ✼
fermé merc. hors saison – **Repas** Lunch 595 – 735/1245 – **17 ch** ⟫ 1425/2250 –
½ P 1850/1950.

🍴🍴 **Du Moulin** avec ch, Grand'Rue 28 (Ligneuville), ℰ 57 00 81, Fax 57 07 88, « Auberge du
19e s. », 🌳 – ☎ ❷. 🖭 ⑩ ⅀ 𝓥𝓘𝓢𝓐. ✼
fermé du 13 au 31 mars, du 4 au 22 déc. et mardis soirs et merc. non fériés sauf en saison
– **Repas** Lunch 995 – 1950 – **14 ch** ⟫ 1800/2600 – ½ P 2300/2500.

BELŒIL 7970 Hainaut 213 ⑯ et 409 ⑫ – 13 161 h. – ✆ 0 69.

Voir Château★★ : collections★★★, parc★★.

◆Bruxelles 70 – ◆Mons 22 – ◆Tournai 28.

Hôtels et restaurants voir : Mons SE : 22 km

BELVAUX Namur 214 ⑥ et 409 ㉕ – voir à Rochefort.

BERCHEM Antwerpen 212 ⑮ et 409 ④ ⑨ – voir à Antwerpen, périphérie.

BERCHEM-STE-AGATHE (SINT-AGATHA-BERCHEM) Brabant 213 ⑱ et 409 ⑬ ㉑ – voir à Bruxelles.

BERENDRECHT Antwerpen 212 ⑭ et 409 ④ ⑧ – voir à Antwerpen, périphérie.

BERGEN 🅿 Hainaut – voir Mons.

BERLARE 9290 Oost-Vlaanderen 213 ⑤ et 409 ③ – 12 888 h. – ✆ 0 52.

◆Bruxelles 38 – ◆Antwerpen 43 – ◆Gent 26 – Sint-Niklaas 24.

🍴🍴🍴 ✿✿ **'t Laurierblad** (Van Cauteren) avec ch, Dorp 4, ℰ 42 48 01, Fax 42 59 97, 🌳,
« Terrasse avec pièce d'eau » – 🛗 ≡ ch 📺 ☎ ❷ – 🔬 25 à 40. ⑩ ⅀ 𝓥𝓘𝓢𝓐
Repas Lunch 1315 – 1500/3135 carte 1750 à 2500 – ⟫ 410 – **5 ch** 2650/4780
Spéc. Salade de langoustines et filet d'Anvers aux copeaux de foie gras d'oie, Cabillaud moutardé
et persillé à la bière d'abbaye, Fondant de ris et tête de veau aux truffes.

aux étangs de Donkmeer NO : 3,5 km – ✆ 0 9 :

🍴🍴 ✿ **Lijsterbes** (Van Der Bruggen), Donklaan 155, ⊠ 9290 Uitbergen, ℰ 367 82 29,
Fax 367 85 50 – ❷. 🖭 ⑩ ⅀ 𝓥𝓘𝓢𝓐. ✼
fermé du 3 au 12 avril, 28 août-6 sept, sam. midi, dim. soir et lundi – **Repas** Lunch 1200
– 2000 carte 2150 à 2500
Spéc. Homard norvégien à la crème de caviar, Carpaccio de St-Jacques aux pelures de truffes
noires (oct.-fév.), Ris de veau poêlé, croustillant aux légumes.

🍴 **Malpertuus**, Donklaan 253, ⊠ 9290 Overmere, ℰ 367 50 23, ≤, 🌳 – ❷. 🖭 ⑩ ⅀ 𝓥𝓘𝓢𝓐
fermé mardi, merc. et du 2 au 30 nov. – **Repas** Lunch 1200 – carte env. 1200.

77

BERTRIX 6880 Luxembourg belge 214 ⑯ et 409 ㉕ – 7 924 h. – ☎ 0 61.
◆Bruxelles 149 – ◆Arlon 54 – Bouillon 22 – ◆Dinant 73.

⑱ **Le Péché Mignon,** r. Victoire 1, ✆ 41 47 17, Fax 41 47 17 – ⓞ ⅇ 𝗩𝗜𝗦𝗔
→ fermé lundi midi, merc. et du 1ᵉʳ au 15 juil. – Repas Lunch 800 – 800/1250.

BÉVERCÉ Liège 213 ㉔, 214 ⑧ et 409 ⑯ – voir à Malmédy.

BEVEREN-LEIE 8791 West-Vlaanderen Ⓒ Waregem 35 318 h. 213 ⑮ et 409 ⑪ – ☎ 0 56.
◆Bruxelles 89 – ◆Brugge 49 – ◆Gent 44 – ◆Kortrijk 8.

⑱⑱ **De Gastronoom,** Kortrijkseweg 215, ✆ 70 11 10, Fax 70 60 88, 🏠 – ⓟ. ⒜Ⓔ ⓞ ⅇ 𝗩𝗜𝗦𝗔
fermé dim. soir, lundi et 21 juil.-15 août – Repas Lunch 1300 – carte env. 1600.

Nos guides hôteliers, nos guides touristiques et nos cartes routières
sont complémentaires. Utilisez-les ensemble.

BILZEN 3740 Limburg 213 ㉒ et 409 ⑮ – 27 949 h. – ☎ 0 89.
◆Bruxelles 97 – ◆Hasselt 17 – ◆Liège 29 – ◆Maastricht 15.

⑱⑱ **Ter Beuke,** O. L. Vrouwstraat 8, ✆ 41 46 47, Fax 41 46 47 – ⒜Ⓔ ⓞ ⅇ 𝗩𝗜𝗦𝗔. ⌘
fermé merc., sam. midi, 1 sem. carnaval et 2 dern. sem. juil. – Repas Lunch 1550 – carte 1500
à 1900.

⑱⑱ **'t Vlierhof,** Hasseltsestraat 57a, ✆ 41 44 18, Fax 41 44 18, 🏠 – ⓟ. ⒜Ⓔ ⅇ 𝗩𝗜𝗦𝗔. ⌘
fermé lundi soir, merc., sam. midi et 3 dern. sem. juil. – Repas Lunch 975 – 1400.

⑱⑱ **Bevershof,** Hasseltsestraat 72, ✆ 41 23 01, Fax 41 26 02, 🏠 – ▤ ⓟ. ⒜Ⓔ ⓞ ⅇ 𝗩𝗜𝗦𝗔. ⌘
fermé lundi, mardi et oct. – Repas carte 1500 à 2000.

BINCHE 7130 Hainaut 214 ③ et 409 ⑬ – 32 929 h. – ☎ 0 64.
Voir Carnaval★★★ (Mardi gras) – Vieille ville★ Z.
Musée : International du Carnaval et du Masque★ : masques★★ Z M.
Env. NE, 10 km par ① : Domaine de Mariemont★★ : parc★, musée★★.
🛈 (fermé sam. et dim.) Hôtel de Ville, Grand'Place ✆ 33 40 73.
◆Bruxelles 62 ① – ◆Mons 16 ⑤ – ◆Charleroi 20 ② – Maubeuge 24 ④.

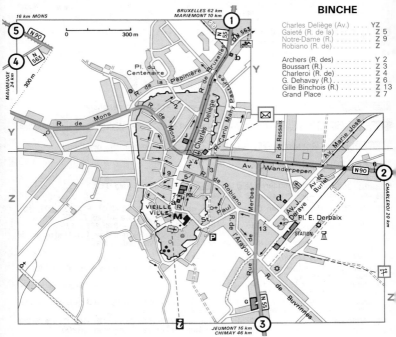

BINCHE

Charles Deliège (Av.) . . . . **YZ**
Gaieté (R. de la) . . . . **Z** 5
Notre-Dame (R.) . . . . **Z** 9
Robiano (R. de) . . . . **Z**

Archers (R. des) . . . . **Y** 2
Boussart (R.) . . . . **Z** 3
Charleroi (R. de) . . . . **Z** 4
G. Dehavay (R.) . . . . **Z** 6
Gille Binchois (R.) . . . . **Z** 13
Grand Place . . . . **Z** 7

78

XXX **Bernard,** r. Bruxelles 37, ℘ 33 37 75, Fax 34 11 12 – 🔲 🅿. 🆎 ⓞ 🗲 VISA   Y **b**
fermé mardis soirs, merc. et dim. soirs non fériés, 3 sem. en juil. et 1 sem. en janv. –
Repas *Lunch 1250* – 1400/1600.

XX **L'Aubade,** av. Jean Derave 13, ℘ 34 22 73, Fax 34 24 71 – 🆎 ⓞ 🗲 VISA   Z **d**
fermé dim. soir, lundi, mardi soir et du 15 au 30 juil. – **Repas** *Lunch 895* – 895/1345.

X **China Town,** Grand'Place 12, ℘ 33 72 22, Cuisine chinoise, ouvert jusqu'à 23 h 30 – 🆎
ⓞ 🗲 VISA   Z **a**
fermé merc. – **Repas** *Lunch 480* – 875.

BLANKENBERGE 8370 West-Vlaanderen 𝟮𝟭𝟯 ② et 𝟰𝟬𝟵 ② – 17 067 h. – ✆ 0 50 – Station
balnéaire★ – Casino Kursaal A , Zeedijk 150 ℘ 41 93 93, Fax 41 98 40.

🛈 *(fermé dim. après-midi sauf mars-sept)* Leopold III-plein ℘ 41 22 27, Fax 41 61 39.

◆Bruxelles 111 ② – ◆Brugge 14 ② – Knokke-Heist 12 ① – ◆Oostende 21 ③.

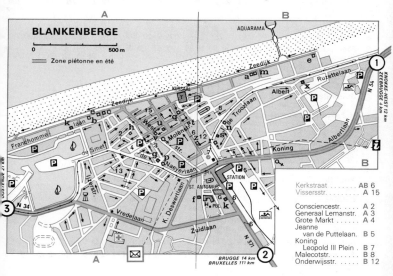

Kerkstraat . . . . **AB 6**
Vissersstr. . . . . **A 15**

Consciencestr. . . . . **A 2**
Generaal Lemanstr. . **A 3**
Grote Markt . . . . . . **A 4**
Jeanne
van de Puttelaan. **B 5**
Koning
Leopold III Plein . **B 7**
Malecotstr. . . . . **B 8**
Onderwijsstr. . . . . . **B 12**

🏨 **Beach Palace** M, Zeedijk 77, ℘ 42 96 64, Fax 42 60 49, ≤, « Dominant la plage », 𝄫, 🛋,
🖵 – 🛗 🎮 🔲 rest 🆃🆅 ☎ ⇔ 🅿 – 🕿 25 à 150. 🆎 ⓞ 🗲 VISA. 🛠 rest   A **b**
Repas *(fermé mardi) Lunch 1150* – 1150/1900 – **67 ch** ⊐ 2050/5470, 3 suites –
½ P 2500/3485.

🏨 **Azaert** (annexe Aazaert 2 - 21 ch), Molenstraat 31, ℘ 41 15 99, Fax 42 91 46, 𝄫, 🛋, 🖵
– 🛗 🔲 rest 🆃🆅 ☎ ⇔ – 🕿 25 à 70. 🗲 VISA. 🛠   A **t**
avril-24 sept ; fermé du 23 au 28 avril – **Repas** *(fermé merc. soir et après 20 h) Lunch 895*
– 895/1550 – **53 ch** ⊐ 2300/3500 – ½ P 2075/2600.

🏨 **Ideal,** Zeedijk 244, ℘ 42 86 00, Fax 42 97 46, 𝄫, 🖵 – 🛗 🆃🆅 ☎ ⇔ – 🕿 25 à 100. 🗲
VISA. 🛠 rest   B **e**
31 mars-26 sept et 27 oct.-2 nov. – **Repas** *(fermé mardi et après 20 h) Lunch 875* – 875/1295
– **42 ch** ⊐ 3050/3250 – ½ P 2495/3695.

🏨 **Riant Séjour,** Zeedijk 188, ℘ 42 61 25, Fax 42 75 54, ≤, 𝄫, 🛋 – 🛗 🆃🆅 ☎ ⇔. 🗲 VISA
fermé du 2 au 20 oct. – **Repas** *(fermé mardi soir et merc. d'oct. à fin mars et après 20 h)*
Lunch 620 – carte env. 1200 – **30 ch** ⊐ 2800/4000 – ½ P 2400/2600.   B **a**

🏨 **Helios** M, Zeedijk 92, ℘ 42 90 20, Fax 42 86 66, ≤, 🛋 – 🛗 🔲 rest 🆃🆅 ☎ ⇔ – 🕿 25
à 100. 🗲 VISA. 🛠 ch   A **c**
fermé du 15 au 30 nov. et du 1er au 15 fév. – **Repas** *Lunch 695* – 1450 – **34 ch** ⊐ 3700/4700
– ½ P 2800/3050.

🏨 **La Providence,** Zeedijk 191, ℘ 41 11 98, Fax 41 80 79, ≤, 𝄫, 🛋 – 🛗 🔲 rest 🆃🆅 ☎. 🗲
VISA. 🛠 ch   B **m**
24 fév.-7 nov. – **Repas** *(fermé du 1er au 27 oct., merc. et après 20 h) Lunch 620* – 800/1295
– **24 ch** ⊐ 1900/3250 – ½ P 1775/2025.

🏨 **Vivaldi,** Koning Leopold III-plein 8, ℘ 42 84 37, Fax 42 64 33, 🍴 – 🛗 🆃🆅 ☎. 🗲 VISA. 🛠 ch
Repas *(Taverne-rest)* carte env. 800 – **28 ch** ⊐ 2400/2600, 2 suites   B **r**

79

🏠 **St-Sauveur,** Langestraat 50, ℘ 42 70 00, Fax 42 97 38 – |❖| 📺 ☎ – 🏊 35. 🝙 ⓪ 🝙 **VISA**, ℀ ch
        A **q**
fermé 15 nov.-20 déc. et 4 janv.-10 fév. – **Repas** *Lunch 1000* – carte 1100 à 1800 – **44 ch**
⚏ 2500/3400, 3 suites – ½ P 2050/2400.

🏠 **Richmond Thonnon,** de Smet de Naeyerlaan 54, ℘ 42 96 92, Fax 42 98 72, ⛺ – |❖| 📺
  ☎ – 🏊 25. 🝙 ⓪ 🝙 **VISA**, ℀
        A **p**
Repas (résidents seult) – **38 ch** ⚏ 3540/3750 – ½ P 2385/2745.

🏠 **Albatros** sans rest, Consciencestraat 45, ℘ 41 13 49, Fax 42 86 55, ⛺ – |❖| 📺 ☎ 🅿. 🝙
  VISA, ℀
        A **h**
20 ch ⚏ 1800/3500, 4 suites.

🏠 **Du Commerce,** Weststraat 64, ℘ 42 95 35, Fax 42 94 40 – |❖| 🍽 rest 📺 ☎ ⟺. 🝙 ⓪
◆ 🝙 **VISA**, ℀
        A **v**
24 fév.-5 mars, 30 mars-sept et 27 oct.-5 nov. – **Repas** *(fermé mardi en saison et après
20 h)* Lunch 450 – 575 – **29 ch** ⚏ 1355/2500 – ½ P 1665/2160.

🏠 **Alfa Inn** sans rest, Kerkstraat 92, ℘ 41 81 72, Fax 42 93 24 – |❖| 📺 – 🏊 25 à 150. **VISA**,
℀
        AB **z**
mars-12 nov. sauf week-end en mars et oct. – **80 ch** ⚏ 1300/2250.

🏠 **Strand,** Zeedijk 86, ℘ 41 16 71 – |❖| 📺, ℀ ch
        A **e**
◆ *Pâques-sept* – **Repas** *Lunch 600* – 750/895 – **17 ch** ⚏ 1700/3500 – ½ P 2200/2500.

🏠 **Marie-José,** Marie-Josélaan 2, ℘ 41 16 39 – |❖|. 🝙 ⓪ 🝙 **VISA**, ℀
        B **n**
◆ *2 avril-25 sept* – **Repas** *(fermé après 20 h)* Lunch 550 – 695 – **36 ch** ⚏ 1300/1800 –
½ P 1500/1850.

🟠🟠 **St-Hubert,** Manitobaplein 15, ℘ 41 22 42 – 🝙
        A **u**
fermé lundi soir, mardi et mars – **Repas** *Lunch 1150* – carte 1100 à 1450.

🟠🟠 **Joinville,** J. De Troozlaan 5, ℘ 41 22 69 – 🝙 **VISA**, ℀
        B **s**
fermé merc. soir et jeudi hors saison – **Repas** *Lunch 1300* – carte env. 1800.

🟠 **'t Zeigat,** Notebaertstraat 20, ℘ 41 32 15 – 🝙 ⓪ 🝙 **VISA**
        A **g**
fermé mardi soir, merc., dern. sem. janv.-prem. sem. fév. et 2 prem. sem. oct. – **Repas** *Lunch
1100* – 990/1475.

🟠 **La Tempête** avec ch, A. Ruzettelaan 37, ℘ 42 94 28, Fax 42 79 17 – 📺 ⟺. ⓪ 🝙 **VISA**,
℀ ch
        B **x**
*fermé janv. et lundis, mardis et merc. non fériés de mi-sept à début juin sauf vacances
scolaires* – **Repas** *Lunch 495* – 1450 – **9 ch** ⚏ 2200/3000 – ½ P 3300/3500.

🟠 **Yachting,** Franchommelaan 102, ℘ 41 23 68 – 🍽. 🝙 🝙 **VISA**
        A **k**
fermé merc. de nov. à mars, lundi soir, mardi et oct. – **Repas** *Lunch 1000* – carte 1100 à 1500.

🟠 **Griffioen,** Kerkstraat 163, ℘ 41 34 05, Produits de la mer – 🝙 ⓪ 🝙
        B **k**
fermé lundi et mardi hors saison – **Repas** *(dîner seult jusqu'à minuit)* 950/1200.

🟠 **Le Pot au Feu,** Ontmijnersstraat 37, ℘ 41 26 37, Bistrot
        AB **f**
fermé lundi et mardi – **Repas** carte env. 1500.

à Zuienkerke par ② : 6 km – 2 719 h. – ✉ 8377 Zuienkerke – ✪ 0 50 :

🏠 **Butler** sans rest, Blankenbergesteenweg 13a, ℘ 42 60 72, Fax 42 61 35 – 📺 ☎ 🅿 – 🏊 25
à 50. 🝙 **VISA**
16 ch ⚏ 2000/2500.

🟠🟠🟠 **De Zilveren Zwaan,** Statiesteenweg 12 (E : près N 371), ℘ 41 48 19, Fax 41 73 46, 🌳
– 🅿. 🝙 ⓪ 🝙 **VISA**
fermé lundi soir, mardi, sem. carnaval et prem. sem. nov. – **Repas** *Lunch 1100* – 1650.

🟠🟠 **Hoeve Ten Doele,** Nieuwesteenweg 1, ℘ 41 31 04, Fax 42 63 11, 🌳,
« Cadre champêtre » – 🅿. 🝙 **VISA**
fermé 25 sept-12 oct., 27 fév.-16 mars, lundi soir sauf en juil.-août et mardi – **Repas** *Lunch
1100* – 1595.

BLAREGNIES 7040 Hainaut 🅲 Quévy 7 382 h. 🗗🗗🗗 ② et 🗗🗗🗗 ⑫ – ✪ 0 65.
◆Bruxelles 80 – Bavay 11 – ◆Mons 13.

🟠🟠 **Les Gourmands,** r. Sars 15, ℘ 56 86 32, Fax 56 74 40 – 🍽 🅿. 🝙 ⓪ 🝙 **VISA**
fermé dim. soir, lundi, dern. sem. août-prem. sem. sept et après 20 h 30 – **Repas** *Lunch 950*
– carte 1900 à 2350.

BOCHOLT 3950 Limburg 🗗🗗🗗 ⑩ et 🗗🗗🗗 ⑥ – 11 151 h. – ✪ 0 89.
◆Bruxelles 106 – ◆Hasselt 42 – ◆Antwerpen 91 – ◆Eindhoven 38.

🟠🟠🟠 ✿ **Kristoffel,** Dorpsstraat 28, ℘ 47 15 91, Fax 47 15 92 – 🍽. 🝙 ⓪ 🝙 **VISA**, ℀
fermé lundi, mardi, 17 juil.-8 août et du 2 au 16 janv. – **Repas** *Lunch 1475* – carte 2000 à
2600
Spéc. Homard fumé maison, Selle d'agneau aux légumes de saison, Crêpes de Bocholt et glace
à la vanille.

🟠🟠 **Roekeshof,** Weerterweg 52 (NE : 4 km), ℘ 46 19 02, Fax 46 19 02, « Fermette » – 🅿. 🝙
⓪ 🝙 **VISA**, ℀
fermé lundi, mardi et 2 prem. sem. sept – **Repas** *Lunch 1250* – 1550.

BOECHOUT Antwerpen 212 ⑮ et 409 ④ ⑱ - voir à Antwerpen, environs.

BOHON Luxembourg belge 214 ⑦ - voir à Barvaux.

BOIS DE LA CAMBRE Brabant 213 ⑱ et 409 ㉑ - voir à Bruxelles.

BOIS-DE-VILLERS **5170** Namur Ⓒ Profondeville 9 891 h. 214 ⑤ et 409 ⑭ - ✆ 0 81.
♦Bruxelles 74 - ♦Namur 11 - ♦Dinant 23.

X **Aub. de la Crémaillère** avec ch, r. Léopold Crasset 148 (S : 1,5 km sur rte d'Arbre), ✆ 43 37 85, ←, ☂ - Ⓟ. ✗ ch
fermé du 15 au 30 sept, merc. soir, jeudi et après 20 h 30 - **Repas** *(fermé après 20 h 30)* *Lunch 600* - 800/1250 - **6 ch** ☕ 1760 - ½ P 1350/1850.

BOKRIJK Limburg 213 ⑩ et 409 ⑥ - voir à Genk.

BOLDERBERG Limburg 213 ⑨ et 409 ⑥ - voir à Zolder.

BOMAL-SUR-OURTHE **6941** Luxembourg belge Ⓒ Durbuy 8 961 h. 214 ⑦ et 409 ⑮ - ✆ 0 86.
♦Bruxelles 125 - ♦Arlon 104 - ♦Liège 45 - Marche-en-Famenne 24.

à Juzaine E : 1,5 km Ⓒ Durbuy - ✉ 6941 Bomal - ✆ 0 86 :

XX **Saint-Denis,** r. Ardennes 164, ✆ 21 11 79, Fax 21 46 74, ☂, « Terrasse et jardin au bord de l'Aisne » - ▤ Ⓟ. AE ⓓ E VISA. ✗
fermé lundis soirs et mardis non fériés - **Repas** *Lunch 985* - 985/1690.

BONHEIDEN Antwerpen 213 ⑦ et 409 ④ - voir à Mechelen.

BON-SECOURS Hainaut 213 ⑯, 214 ① et 409 ⑫ - voir à Péruwelz.

BOOITSHOEKE West-Vlaanderen 213 ① - voir à Veurne.

BOOM **2850** Antwerpen 213 ⑥ et 409 ④ - 13 903 h. - ✆ 0 3.
♦Bruxelles 30 - ♦Antwerpen 17 - ♦Gent 57 - ♦Mechelen 16.

XX **Cheng's Garden,** Col. Silvertopstraat 5, ✆ 844 21 84, Fax 844 54 46, ☂, Avec cuisine chinoise - ▤ Ⓟ. AE ⓓ E VISA. ✗
Repas *Lunch 1050* - carte 900 à 1500.

BORGERHOUT Antwerpen 212 ⑮ et 409 ④ ⑨ - voir à Antwerpen, périphérie.

BORGWORM Liège - voir Waremme.

BORNEM **2880** Antwerpen 213 ⑥ et 409 ④ - 19 124 h. - ✆ 0 3.
♦Bruxelles 36 - ♦Antwerpen 31 - ♦Gent 46 - ♦Mechelen 21.

⌂ **De Notelaer,** Stationsplein 2, ✆ 889 13 67, Fax 899 13 36, ☂ - TV ☎. AE ⓓ E VISA. ✗
Repas *(fermé jeudi, sam. midi et du 25 au 28 déc.)* *Lunch 995* - 1295/1445 - **7 ch** ☕ 2100/2500 - ½ P 2395.

XX ✿ **Eyckerhof** (Debecker), Spuystraat 21 (Eikevliet), ✆ 889 07 18, Fax 889 94 05, ☂, « Auberge dans cadre champêtre » - Ⓟ. AE ⓓ E VISA. ✗
fermé du 9 au 31 juil., du 1er au 10 janv., sam. midi, dim. soir et lundi - **Repas** (nombre de couverts limité - prévenir) *Lunch 1200* - carte 2000 à 2450
Spéc. Croustillant de langoustines, mousseline au cresson, Risotto de ris de veau et truffes au parmesan, Dessert Fréderique.

à Mariekerke SO : 4,5 km Ⓒ Bornem - ✉ 2880 Mariekerke - ✆ 0 52 :

X **De Ster,** Jan Hammeneckerstraat 141, ✆ 33 22 89, ☂ - Ⓟ. AE ⓓ E VISA
fermé du 13 au 22 mars, 18 sept-11 oct., mardi et merc. - **Repas** *Lunch 950* - carte 1200 à 1550.

BOUGE Namur 213 ⑳, 214 ⑤ et 409 ⑭ - voir à Namur.

Services et taxes

En Belgique, au Grand-Duché de Luxembourg et aux Pays-Bas, les prix s'entendent service et taxes compris.

BOUILLON 6830 Luxembourg belge 214 ⑯ et 409 ㉔ – 5 551 h. – ☎ 0 61.

Voir Château★★ Z : Tour d'Autriche ≤★★.

Musée : Ducal★ Y **M.**

Env. Corbion : Chaire à prêcher ≤★ par ③ : 8 km.

🅘 au Château fort ☎ 46 62 57, Fax 46 82 85 – (en saison) Pavillon, Porte de France ☎ 46 62 89.

◆Bruxelles 161 ① – ◆Arlon 64 ② – ◆Dinant 63 ① – Sedan 18 ②.

BOUILLON

Collège (R. du) . . . . YZ
Maladrerie (Q. de la) . . . Y 14
Maladrerie (R. de la) . . . Y 15
Rempart (Q. du) . . . . . . YZ

Ange-Gardien (R. de l') . Y 2
Augustins (R. des) . . . . . Y 3
Château (R. du) . . . . Y 4
Ducale (Pl.) . . . . Y 5
Écoles (R. des) . . . . Y 6
Faubourg de France . . . Z 7
France (Pt de) . . . . Z 8
France (Pte de) . . . . Z 9
Georges Lorand (R.) . . . . Y 10
Hautes-Voies (R. des) . . . Y 11
Laitte (R. de) . . . . Z 12
Liège (Pt de) . . . . Y 13
Moulin (R. du) . . . . Z 16
Nord (R. du) . . . . Y 18
Paroisse (All. de la) . . . . Z 19
Petit (R. du) . . . . Y 20
Poste (R. de la) . . . . Z 22
Poulie (Pt de la) . . . . . . Y 23
Poulie (R. de la) . . . . . . Y 24
Prison (R. de la) . . . . . . Y 26
St. Arnould (Pl.) . . . . . . Y 27
Sauls (Q. des) . . . . Y 28

Les plans de villes sont disposés le Nord en haut.

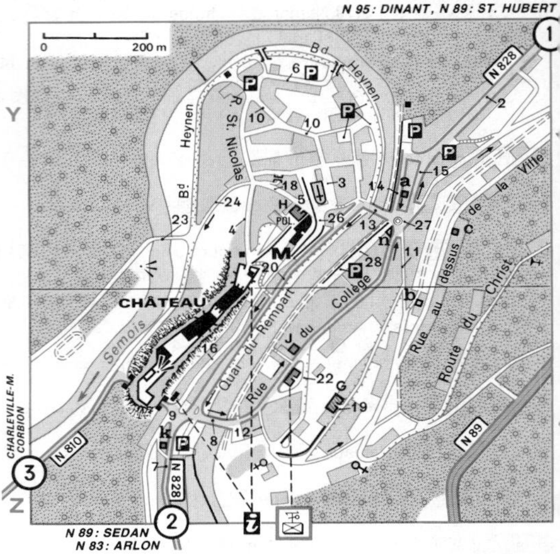

Le Feuillantin ⚘, r. au Dessus de la Ville 23, ☎ 46 62 93, Fax 46 80 74, ≤ ville et château – ▤ rest TV ☎ 🚗. AE ⓞ E VISA — Y c
fermé du 15 au 31 janv. sauf week-end, du 16 au 29 juin, du 18 au 28 sept et merc. et jeudi midi hors saison – **Repas** *Lunch 800* – carte env. 1300 – **11 ch** ⊐ 1500/2400 – ½ P 2000.

Poste, pl. St-Arnould 1, ☎ 46 65 06, Fax 46 72 02 – |≑| 🚗. AE ⓞ E VISA — Y n
Repas *Lunch 595* – 800/1350 – **77 ch** ⊐ 2000/2750 – ½ P 1700/2250.

Host. du Cerf, rte de Florenville 1 (SE par ② : 9 km sur N 83), ☎ 46 70 11, Fax 46 83 14, – TV ☎ P. AE E VISA. ✂ rest
fermé du 15 nov. à fév. sauf week-end et du 1er au 22 mars – **Repas** *(fermé après 20 h 30) Lunch 650* – 675/1050 – **11 ch** ⊐ 1300/2000 – ½ P 3250.

Gai Repos ⚘, r. au Dessus de la Ville 4, ☎ 46 82 62, ≤ ville et château, – TV ☎. E VISA — Z b
fermé du 2 au 15 janv. et mardi sauf en juil.-août – **Repas** *Lunch 550* – 800/1250 – **6 ch** ⊐ 1500/2500 – ½ P 1700/2100.

Aub. d'Alsace avec ch et annexe, Faubourg de France 3, ☎ 46 65 88, Fax 46 83 21, ≤ – |≑| TV ☎. AE E VISA. ✂ — Z k
fermé du 3 au 30 janv. et dim. soir et lundi d'oct. à juin – **Repas** carte env. 900 – **36 ch** ⊐ 1800/2200 – ½ P 1800/2050.

Le Castel, Quai de la Maladrerie 8, ☎ 46 78 48 – AE E VISA — Y a
fermé janv. et lundis soirs, mardis et merc. soirs non fériés sauf en saison – **Repas** (déjeuner seult de début déc. à fin mars sauf week-end et jours fériés) *Lunch 630* – 780/1250.

à Corbion par ③ : 7 km Ⓒ Bouillon – ✉ 6838 Corbion – ☎ 0 61 :

Ardennes ⚘, r. Abattis 43, ☎ 46 66 21, Fax 46 77 30, « Jardin ombragé avec ≤ collines boisées », – |≑| ▤ rest TV ☎ P – 36. AE ⓞ E VISA
fermé 2 janv.-mi-mars – **Repas** *(fermé après 20 h 30) Lunch 750* – 900/1850 – **30 ch** ⊐ 2500/3500 – ½ P 2350/2750.

Le Relais, r. Abattis 5, ☎ 46 66 13, Fax 46 89 50 – ☎
fermé 22 juin-5 juil., 26 août-3 sept, 2 sem. en janv. et mardi et merc. de déc. à mars – **Repas** *(fermé après 20 h en hiver) Lunch 580* – 800/1000 – **10 ch** ⊐ 1200/2000 – ½ P 1850.

à Ucimont par ① : 9 km Ⓒ Bouillon – ✉ 6833 Ucimont – ☎ 0 61 :

Du Saule ⚘, r. Village 39, ☎ 46 64 42, Fax 46 85 78, , « Jardin » – TV ☎ P. AE ⓞ E VISA. ✂ rest
Repas *Lunch 990* – 990/1575 – **12 ch** ⊐ 2225/2930 – ½ P 2480/2880.

BOUSSU-EN-FAGNE Namur 214 ⑭ et 409 ㉓ - voir à Couvin.

BOUVIGNES-SUR-MEUSE Namur 214 ⑤ et 409 ⑭ - voir à Dinant.

BRAINE-L'ALLEUD (EIGENBRAKEL) **1420** Brabant 213 ⑱ et 409 ⑬ - 33 446 h. - ☎ 0 2.

18 (2 parcours) 9 chaussée d'Alsemberg 1021 ☎ 353 02 46, Fax 354 68 75.

◆Bruxelles 18 - ◆Charleroi 37 - Nivelles 15 - Waterloo 4.

XXX **Jacques Marit,** chaussée de Nivelles 336 (près RO sortie 20), ☎ 384 15 01, Fax 384 10 42, 余 - ▤ P. AE ◑ E VISA
fermé lundi, mardi, août et du 2 au 10 janv. - **Repas** *Lunch 850* - carte 2050 à 2450.

XX **Le Saint Anne,** pl. Ste-Anne 17, ☎ 387 15 74, Fax 384 06 68, 余 - AE ◑ E VISA
fermé dim. soir, lundi, carnaval et du 1er au 15 sept - **Repas** *Lunch 600* - carte env. 1500.

XX **La Graignette,** r. Papyrée 39, ☎ 385 01 09, ≤, 余 - P. AE ◑ E VISA
fermé dim. soir, lundi, 3 prem. sem. août et 1 sem. Toussaint - **Repas** *Lunch 650* - carte 1300 à 1600.

BRAINE-LE-COMTE ('s-GRAVENBRAKEL) **7090** Hainaut 213 ⑱ et 409 ⑫ ⑬ - 18 065 h. - ☎ 0 67.

◆Bruxelles 34 - ◆Mons 25.

X **Au Gastronome,** r. Mons 1, ☎ 55 26 47 - AE ◑ E VISA
fermé 28 juin-20 juil. et dim. soirs, lundis et jeudis soirs non fériés - **Repas** *Lunch 800* - 750/1150.

BRASSCHAAT Antwerpen 212 ⑮ et 409 ④ ⑨ - voir à Antwerpen, environs.

BRECHT **2960** Antwerpen 212 ⑮ et 409 ④ - 22 104 h. - ☎ 0 3.

◆Bruxelles 73 - ◆Antwerpen 25 - ◆Turnhout 25.

XX **E 10 Hoeve,** Kapelstraat 8a (SO : 2 km sur N 115), ☎ 313 82 85, Fax 313 73 12, 余, Ferme aménagée, Grillades - P - 35 à 450. AE ◑ E VISA. ✻
fermé mars - **Repas** *Lunch 1275* - 1275/1300.

X **Cuvee Hoeve,** Vaartdijk 4 (S : 2,5 km par rte de Westmalle), ☎ 313 96 60, 余, Ouvert jusqu'à minuit - P. AE ◑ E VISA
fermé lundi, mardi et 3 sem. en fév. - **Repas** *Lunch 970* - 970/1250.

BREDENE **8450** West-Vlaanderen 213 ② et 409 ① - 12 655 h. - ☎ 0 59.

i (fermé sam. et dim. sauf Pâques-sept) Kapellestraat 70 ☎ 32 09 98, Fax 33 00 36.

◆Bruxelles 112 - ◆Brugge 21 - ◆Oostende 6.

Lusthof ⛰, Zegelaan 18, ☎ 33 00 34, Fax 32 59 59, « Jardin », - TV P. ✻
Repas *(fermé après 20 h 30 et merc. et dim. soir sauf en saison)* *Lunch 450* - 800/1300 - **13 ch** 1300/2400 - ½ P 1400/1600.

De Golf sans rest, Kapellestraat 73, ☎ 32 18 22 - P. ✻
fermé 2 sem. Noël - **18 ch** 1700.

BREE **3960** Limburg 213 ⑩ et 409 ⑥ - 13 644 h. - ☎ 0 89.

i Cobbestraat 3 ☎ 46 25 14, Fax 46 25 14.

◆Bruxelles 100 - ◆Antwerpen 86 - ◆Eindhoven 41 - ◆Hasselt 33.

XX **D'Itterpoort,** Opitterstraat 32, ☎ 47 12 25 - ▤. AE ◑ E VISA. ✻
fermé mardi soir, merc. soir, sam. midi, sem. carnaval et 2 dern. sem. juil.-prem. sem. août - **Repas** *Lunch 1150* - 1500/1950.

BRUGELETTE **7940** Hainaut 213 ⑰ et 409 ⑫ - 3 221 h. - ☎ 0 68.

Env. NO : 2,5 km à Attre : Château★.

◆Bruxelles 42 - Ath 10 - ◆Mons 19.

Les Auges ⛰, pl. de la Résistance 12, ☎ 45 46 31, Fax 45 54 95 - TV ☎ P. AE ◑ E VISA
fermé 24 déc.-1er janv. - **Repas** (résidents seult) - 125 - **10 ch** 1550/2200.

Sur la route :

la signalisation routière est rédigée

dans la langue de la zone linguistique traversée.

Dans ce guide,

les localités sont classées selon leur nom officiel :

Antwerpen pour Anvers, **Mechelen** pour Malines.

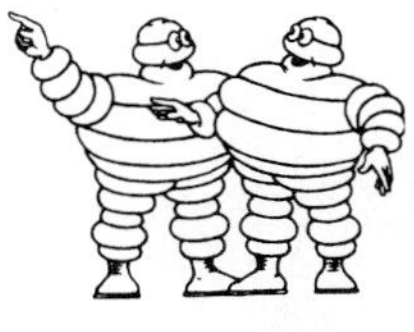

Brugge – Bruges

8000 🅿 West-Vlaanderen **213** ③ et **409** ② – 116 871 h. – ✪ 0 50.

Voir La Procession du Saint-Sang★★★ (De Heilig Bloedprocessie) – Centre historique et canaux★★★ (Historisch centrum en grachten) : Grand-Place★★ (Markt) AU, Beffroi et Halles★★★ (Belfort en Hallen) ≤★★ du sommet AU, Place du Bourg★★ (Burg) AU, Basilique du Saint-Sang★ (Basiliek van het Heilig Bloed) : chapelle basse★ ou chapelle St-Basile (beneden-of Basiliuskapel) AU **B**, Cheminée du Franc de Bruges★ (schouw van het Brugse Vrije) dans le Palais du Franc de Bruges (Paleis van het Brugse Vrije) AU **S**, Quai du Rosaire (Rozenhoedkaai) ≤★★ AU 63, Dijver ≤★★ AU, Pont St-Boniface (Bonifatiusbrug) : cadre★★ AU, Béguinage★★ (Begijnhof) AV – Promenade en barque★★★ (Boottocht) AU – Église Notre-Dame★ (O.-L.-Vrouwekerk) : tour★★, statue de la Vierge et l'Enfant★★, tombeau★★ de Marie de Bourgogne★★ AV **N**.

Musées : Groeninge★★★ (Stedelijk Museum voor Schone Kunsten) AU – Memling★★★ (St-Janshospitaal) AV – Gruuthuse★ : buste de Charles Quint★ (borstbeeld van Karel V) AU **M¹** – Brangwyn★ AU **M⁴** – du Folklore★ (Museum voor Volkskunde) DY **M²**.

Env. Zedelgem : fonts baptismaux★ dans l'église St-Laurent (St-Laurentiuskerk) par ⑥ : 10,5 km – Damme★ : 7 km au NE.

🛜 à Sijsele N E : 7 km, Doornstraat 16 🖉 (0 50) 35 35 72, Fax (0 50) 35 89 25.

🅱 Burg 11 🖉 44 86 86, Fax 44 86 00 – Fédération provinciale de tourisme, Kasteel Tillegem ✉ 8200, 🖉 38 02 96, Fax 38 02 92.

◆Bruxelles 96 ③ – ◆Gent 45 ③ – Lille 72 ④ – ◆Oostende 28 ⑤.

Plans de Brugge	
Brugge Centre	p. 2 et 3
Liste alphabétique des hôtels et des restaurants	p. 5
Agglomération	p. 4
Nomenclature des hôtels et des restaurants	
Ville	p. 5 à 8
Périphérie et environs	p. 9 à 10

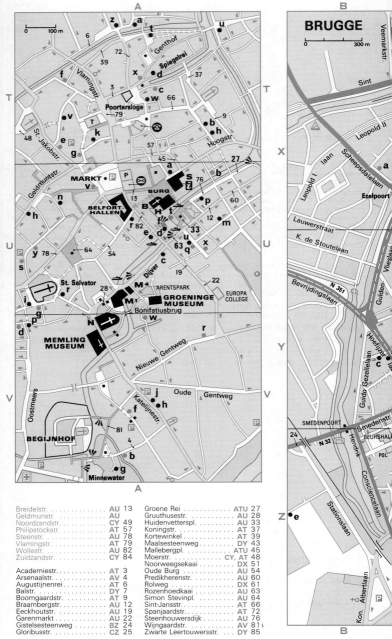

Breidelstr.	AU	13
Geldmunstr.	AU	
Noordzandstr.	CY	49
Philipstockstr.	AT	57
Steenstr.	AU	78
Vlamingstr.	AT	79
Wollestr.	AU	82
Zuidzandstr.	CY	84
Academiestr.	AT	3
Arsenaalstr.	AV	4
Augustijnenrei	AT	6
Balstr.	DY	7
Boomgaardstr.	AT	9
Braambergstr.	AU	12
Eeckhoutstr.	AU	19
Garenmarkt	AU	22
Gistelsesteenweg	BZ	24
Gloribusstr.	CZ	25

Groene Rei	ATU	27
Gruuthusestr.	AU	28
Huidenvetterspl.	AU	33
Koningstr.	AT	37
Kortewinkel	AT	39
Maalsesteenweg	DY	43
Mallebergpl.	ATU	45
Moerstr.	CY, AT	48
Noorweegsekaai	DX	51
Oude Burg	AU	54
Predikherenstr.	AU	60
Rolweg	DX	61
Rozenhoedkaai	AU	63
Simon Stevinpl.	AU	64
Sint-Jansstr.	AT	66
Spanjaardstr.	AT	72
Steenhouwersdijk	AU	76
Wijngaardstr.	AV	81
Zwarte Leertouwersstr.	DY	85

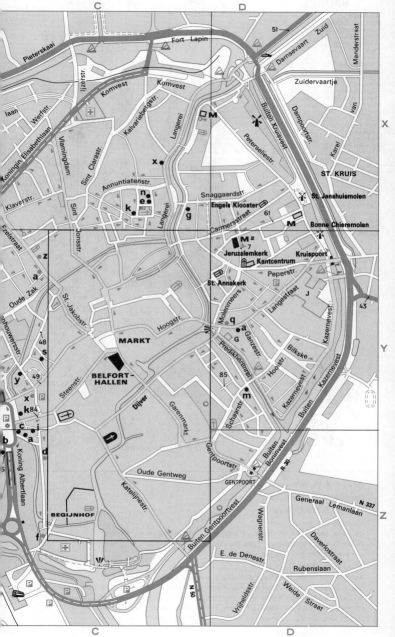

87

BRUGGE

Astridlaan . . . . ERS
Baron Ruzzettelaan . . . . ES
Blankenbergsesteenweg ER
Bossuytlaan . . . . ER 10
Bruggesteenweg . . . . . . ER
Brugsestr. . . . . ES
Daverlostr. . . . . ERS 15
Dorpsstr. . . . . ES 16
Dries . . . . ES 18
Expresweg . . . . ER
Fortuinstr. . . . . ER 21
Gistelsesteenweg . . . . . ES 30
's Heer Boudewijnsburg . ES
Heidelbergstr. . . . . ES 34
Kongostr. . . . . ES
Koning Albertlaan . . . . . ES 36
Koningin Astridlaan . . . . ES
Legeweg . . . . ES 42
Leopold III Laan . . . . . . ES
Maalsesteenweg . . . . . . ER
Meulestree . . . . ES 46
Moerkerksesteenweg . . . ER
Odegemstr. . . . . ES 52
Oostendsesteenweg . . . . ER
Pathoekeweg . . . . ER 55
van Praetstr. . . . . ER 58
Sint-Katarinastr. . . . . . . ERS 67
Sint-Michielstr. . . . . ES 69
Sint-Pieterskerklaan . . . ES 70
Spoorwegstr. . . . . ES 73
Torhoutsesteenweg . . . . ES
Vossensteert . . . . ER
Zandstr. . . . . ER

OOSTKAMP

Kortrijkstr. . . . . ES 40
Loppemsestr. . . . . ES
Stationstr. . . . . ES

ZUIENKERKE

Heidelbergstr. . . . . ES 31
Rijselstr. . . . . ES
Stationstr. . . . . ES 75
Steenbruggestr. . . . . ES

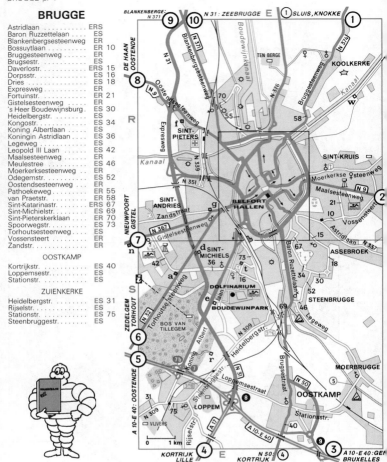

Liste alphabétique
(Hôtels et restaurants)

A

Acacia 6
Adornes 6
Albert I 7
Alfa Dante 6
Ambrosius 8
Anselmus 7
Aragon 6
Azalea 6

B

Biskajer 7
Boekeneute (De) 9
Botaniek 7
Boudewijn I 7
Bourgoensch Hof 7
Bourgoensche
Cruyce ('t) 8
Braamberg
(Den) 8
Brasserie Raymond . . . 9
Bryghia 6

C

Campanile 9
Casserole 9
Castillion (De) 6
Chez Olivier 8

D

De' Medici 6
Die Swaene 6
Duc de
Bourgogne 8

E – F

Egmond 7
Europ 7
Fevery 7
Flanders 7

G

Gd H. du Sablon 7
Goezeput (De) 7
Gouden Harynck (Den) 8
Gouden Korenhalm (De) 9
Grand H. 7
Groeninghe 7

H – I

Hansa 6
Hemelryche 8
Herborist 9
Hermitage 8
Holiday Inn
Crowne Plaza 6
Huyze Die Maene 8
Ibis 7

J

Jacobs 7

K

Kampveldhoeve (De) . . 10
Kardinaalshof 8
Karmeliet (De) 8
Karos 6

L

Leegendael (Host.) 10
Lodewijk van Male . . . 9
Lotteburg (De) 8

M – N

Manderley 10
Manoir Stuivenberg . . . 10
Maraboe 7
Mirabel 9
Montovani 7
Morfeus 9
Novotel Centrum 7
Novotel Zuid 9

O – P

Olympia 9
Orangerie (De) 6
Pandhotel 6
Pandreitje ('t) 8
Pannenhuis (Host.) 9
Parkhotel 6
Patrick Devos 8
Patritius 7
Pauw (De) 7
Pieter Pourbus 9
Portinari 6
Presidentje ('t) 8
Prinsenhof 6
Putje ('t) 7

R – S – T

Relais Oud Huis
Amsterdam 6
René
van Puyenbroeck 8
Ronnie Jonkman 9
Salvators 7
Snippe (De) 8
Sofitel 6
Spinola 8
Steenhuyse 9
Stil Ende ('t) 8
Tanuki 9
Ter Brughe 7
Ter Duinen 6
Ter Leepe 10
Ter Talinge 10
Tuilerieën (De) 6

V – W

Vasquez 8
Watermolen (De) 9
Wilgenhof 9
Witte Poorte (De) 8

Z

Zilverberk (De) 9
Zuidwege 10

Quartiers du Centre - plans p. 2 et 3 :

🏨🏨 **Holiday Inn Crowne Plaza** ⑤, Burg 10, ℘ 34 58 34, Telex 81461, Fax 34 56 15, ≼, « Importants vestiges et objets moyenâgeux en sous-sol », ㅑゟ, ☎s, ☒ – 🛗 ⋙ 🗏 📺 🖼 🕹 ❷ – 🔏 65 à 420. ⁑ ⑨ ⅇ 𝖵𝖨𝖲𝖠 𝖩𝖢𝖡 ⌘ 　　　　　　　　　　　AU **a**
Repas 't Kapittel (fermé sam. midi, dim. soir, lundi et juil.) Lunch 995 – 995/1665 – ⌸ 575 – **93 ch** 5800/7200, 3 suites.

🏨🏨 **Sofitel**, Boeveriestraat 2, ℘ 34 09 71, Telex 81369, Fax 34 40 53, ☎s, ☒, 🖼 – 🛗 ⋙ 🗏 📺 ☎ 🕹 ⇔ – 🔏 35 à 200. ⁑ ⑨ ⅇ 𝖵𝖨𝖲𝖠 　　　　　　　　　　　　CZ **b**
Repas Lunch 650 – 850/1600 – **155 ch** ⌸ 5700/6200 – ½ P 6550/7700.

🏨 **De Tuilerieën** ⑤, sans rest, Dijver 7, ℘ 34 36 91, Fax 34 04 00, ≼, ☎s, ☒ – 🛗 📺 ☎ ❷ – 🔏 25 à 45. ⁑ ⑨ ⅇ 𝖵𝖨𝖲𝖠 𝖩𝖢𝖡 　　　　　　　　AU **c**
fermé 2 sem. en déc. - **25 ch** ⌸ 5500/9950, 1 suite.

🏨 **Relais Oud Huis Amsterdam** ⑤ sans rest, Spiegelrei 3, ℘ 34 18 10, Telex 83121, Fax 33 88 91, ≼, « Demeure du 17ᵉ s., ancien comptoir commercial hollandais », ㅑゟ, 🗏 – 🛗 📺 ☎ ⇔ – 🔏 25. ⁑ ⑨ ⅇ 𝖵𝖨𝖲𝖠 　　　　　AT **d**
22 ch ⌸ 3850/6000.

🏨 **De Orangerie** ⑤ sans rest, Karthuizerinnenstraat 10, ℘ 34 16 49, Telex 82443, Fax 33 30 16, « Demeure ancienne en bordure de canal » – 🛗 📺 ☎ ❷. ⁑ ⑨ ⅇ 𝖵𝖨𝖲𝖠 𝖩𝖢𝖡 fermé 2 sem. en janv. – **18 ch** ⌸ 5500/7950. 　　　　　　　AU **e**

🏨 **Acacia** sans rest, Korte Zilverstraat 3a, ℘ 34 44 11, Fax 33 88 17, ㅑゟ, ☎s, ☒ – 🛗 📺 ☎ ⇔ ❷ – 🔏 25 à 40. ⁑ ⑨ ⅇ 𝖵𝖨𝖲𝖠 𝖩𝖢𝖡. ⌘ 　　AU **n**
28 ch ⌸ 3900/5400, 2 suites.

🏨 **Karos** sans rest, Hoefijzerlaan 37, ℘ 34 14 48, Telex 82377, Fax 34 00 91, ㅑゟ, ☎s, ☒ – 🛗 🗏 📺 ☎ 🕹 ❷. ⁑ ⑨ ⅇ 𝖵𝖨𝖲𝖠 　　　　　　　BY **f**
fermé du 3 au 31 janv. - **60 ch** ⌸ 2500/4800.

🏨 **Die Swaene** ⑤, Steenhouwersdijk 1, ℘ 34 27 98, Telex 82446, Fax 33 66 74, ≼, 🍴, « Ameublement de style » – 🛗 📺 ☎ ❷ – 🔏 30. ⁑ ⑨ ⅇ 𝖵𝖨𝖲𝖠 𝖩𝖢𝖡 AU **p**
Repas (fermé merc., jeudi midi, 19 juil.-2 août et 2 sem. en janv.) Lunch 1050 – carte 1900 à 2450 – **20 ch** ⌸ 5100/6350, 2 suites – ½ P 3600/4225.

🏨 **de' Medici** ⑤ sans rest, Potterierei 15, ℘ 33 98 33, Telex 82227, Fax 33 07 64, « Ambiance contemporaine », 🍸 – 🛗 📺 ☎ ⇔ ❷ – 🔏 35. ⁑ ⑨ ⅇ 𝖵𝖨𝖲𝖠. ⌘ 　CX **g**
34 ch ⌸ 4500/5000.

🏨 **Portinari** ⑤ sans rest, 't Zand 15, ℘ 34 10 34, Telex 82400, Fax 34 41 80 – 🛗 ⋙ 📺 ☎ ❷ – 🔏 25 à 80. ⁑ ⑨ ⅇ 𝖵𝖨𝖲𝖠 𝖩𝖢𝖡 　　　　　　CY **k**
fermé du 3 au 23 janv. - **40 ch** ⌸ 3000/4500.

🏨 **Alfa Dante**, Coupure 29a, ℘ 34 01 94, Telex 81452, Fax 34 35 39, ≼ – 🛗 📺 ☎ – 🔏 25 à 60. ⁑ ⑨ ⅇ 𝖵𝖨𝖲𝖠 𝖩𝖢𝖡. ⌘ 　　　　　　　　　　DY **m**
Repas Toermalijn (cuisine végétarienne) (fermé dim. soir, lundi, mardi, fév. et août) Lunch 700 – carte env. 900 – **22 ch** ⌸ 3500/6250.

🏨 **Prinsenhof** ⑤ sans rest, Ontvangersstraat 9, ℘ 34 26 90, Fax 34 23 21 – 🛗 📺 ☎ ❷. ⁑ ⑨ ⅇ 𝖵𝖨𝖲𝖠 𝖩𝖢𝖡 　　　　　　　　　　　　　　　CY **s**
16 ch ⌸ 3300/6500.

🏨 **Parkhotel** sans rest, Vrijdagmarkt 5, ℘ 33 33 64, Telex 81686, Fax 33 47 63 – 🛗 📺 ☎ ⇔ – 🔏 25 à 250. ⁑ ⑨ ⅇ 𝖵𝖨𝖲𝖠 𝖩𝖢𝖡 　　　　　CY **j**
86 ch ⌸ 4000/5400.

🏨 **Pandhotel** sans rest, Pandreitje 16, ℘ 34 06 66, Telex 81018, Fax 34 05 56, « Aménagement cossu » – 🛗 📺 ☎. ⁑ ⑨ ⅇ 𝖵𝖨𝖲𝖠 　　　　　　AU **q**
24 ch ⌸ 3890/6290.

🏨 **De Castillion,** Heilige Geeststraat 1, ℘ 34 30 01, Telex 83252, Fax 33 94 75, ☎s – 📺 ☎ ❷ – 🔏 25 à 50. ⁑ ⑨ ⅇ 𝖵𝖨𝖲𝖠 𝖩𝖢𝖡. ⌘ rest 　　　　AU **r**
Repas (fermé dim. soir, lundi midi et mardi midi) Lunch 1250 – carte 2000 à 2350 – **20 ch** ⌸ 3000/6500 – ½ P 2975/3975.

🏨 **Bryghia** sans rest, Oosterlingenplein 4, ℘ 33 80 59, Telex 81691, Fax 34 14 30 – 🛗 📺 ☎. ⁑ ⑨ ⅇ 𝖵𝖨𝖲𝖠 　　　　　　　　　　　　　　AT **t**
fermé janv. – **18 ch** ⌸ 3200/4200.

🏨 **Adornes** sans rest, St-Annarei 26, ℘ 34 13 36, Fax 34 20 85, ≼, « Caves voûtées d'époque » – 🛗 📺 ☎ ⇔. ⁑ ⑨ ⅇ 𝖵𝖨𝖲𝖠 　　　　　　　AU **u**
fermé janv.-12 fév. – **20 ch** ⌸ 2500/3500.

🏨 **Ter Duinen** sans rest, Langerei 52, ℘ 33 04 37, Fax 34 42 16 – 🛗 📺 ☎. ⁑ ⑨ ⅇ 𝖵𝖨𝖲𝖠. ⌘ fermé janv. – **18 ch** ⌸ 2200/3700. 　　　　　　　CX **x**

🏨 **Azalea** sans rest, Wulfhagestraat 43, ℘ 33 14 78, Fax 33 97 00 – 🛗 📺 ☎ 🕹 ⇔. ⁑ ⑨ ⅇ 𝖵𝖨𝖲𝖠 𝖩𝖢𝖡 　　　　　　　　　　　　　　CY **y**
25 ch ⌸ 3200/5200.

🏨 **Hansa** sans rest, N. Desparsstraat 11, ℘ 33 84 44, Fax 33 42 05 – 🛗 📺 ☎ ⇔. ⁑ ⑨ ⅇ 𝖵𝖨𝖲𝖠 𝖩𝖢𝖡 　　　　　　　　　　　　　　AT **k**
20 ch ⌸ 3500/3900.

🏨 **Aragon** sans rest, Naaldenstraat 24, ℘ 33 35 33, Fax 34 28 05 – 🛗 📺 ☎ ⇔ 　AT **v**
fermé 3 janv.-10 fév. – **18 ch** ⌸ 3500/3950.

🏨 **Boudewijn I** ॐ, 't Zand 21, ℘ 33 69 62, Fax 34 44 57, 😭 – |≵| 🆃🆅 ☎ – 🛦 25. 🆎 ⓞ 🗲
VISA　　　　　　　　　　　　　　　　　　　　　　　　　　　　　　　　　　　　CYZ **c**
fermé 2ᵉ quinz. janv.-prem. sem. fév. – **Repas** *Lunch 650* – 800/1500 – **11 ch** ☲ 2000/3700
– ½ P 2500/2650.

🏨 **Botaniek** ॐ sans rest, Waalsestraat 23, ℘ 34 14 24, Fax 34 59 39 – |≵| 🆃🆅 ☎. 🆎 ⓞ 🗲
VISA **JCB**　　　　　　　　　　　　　　　　　　　　　　　　　　　　　　　AU **m**
9 ch ☲ 2300/2400.

🏨 **Albert I** sans rest, Koning Albertlaan 2, ℘ 34 09 30, Fax 33 84 18 – 🆃🆅 ☎. 🆎 ⓞ 🗲 **VISA**.
⅍　　　　　　　　　　　　　　　　　　　　　　　　　　　　　　　　　　　　　　CZ **e**
11 ch ☲ 2400/3200.

🏨 **'t Putje,** 't Zand 31, ℘ 33 28 47, Fax 34 14 23, 😭 – |≵| 🆃🆅 ☎ – 🛦 30. 🆎 ⓞ 🗲 **VISA**. ⅍ ch
Repas (Taverne-rest, ouvert jusqu'à minuit) *Lunch 275* – 800/1175 – **24 ch** ☲ 1700/3400 –
½ P 2250.　　　　　　　　　　　　　　　　　　　　　　　　　　　　　　　　CZ **a**

🏨 **Biskajer** ॐ sans rest, Biskajersplein 4, ℘ 34 15 06, Fax 34 39 11 – |≵| 🆃🆅 ☎. 🆎 ⓞ 🗲 **VISA**
17 ch ☲ 2800/3950.　　　　　　　　　　　　　　　　　　　　　　　　　AT **w**

🏨 **Anselmus** sans rest, Ridderstraat 15, ℘ 34 13 74, Fax 34 19 16 – 🆃🆅 ☎. 🆎 🗲 **VISA**　AT **h**
fermé janv. – **10 ch** ☲ 2700/2900.

🏨 **Novotel Centrum,** Katelijnestraat 65b, ℘ 33 75 33, Telex 81799, Fax 33 65 56, ☳, 🍃 –
⬩ |≵| 🔆 🍽 🆃🆅 ☎ �&. – 🛦 50 à 400. 🆎 ⓞ 🗲 **VISA**　　　　　　　　　AV **h**
Repas (dîner seult) 650 – ☲ 400 – **126 ch** 3800/4360 – ½ P 3280/4900.

🏨 **Grand H.** sans rest, Oude Burg 5, ℘ 44 51 11, Fax 44 51 00 – |≵| 🆃🆅 ☎ ⇐⇒. 🆎 ⓞ 🗲 **VISA**.
　　　　　　　　　　　　　　　　　　　　　　　　　　　　　　　　　　　AU **r**
138 ch ☲ 3500/4500.

🏨 **Patritius** sans rest, Riddersstraat 11, ℘ 33 84 54, Fax 33 96 34, 🍃 – |≵| 🆃🆅 ☎ ⅅ ⇐⇒ ℗
– 🛦 25. 🆎 ⓞ 🗲 **VISA**　　　　　　　　　　　　　　　　　　　　　　　AT **b**
fermé janv.-15 fév. – **16 ch** ☲ 2900/4000.

🏨 **Ter Brughe** sans rest, Oost-Gistelhof 2, ℘ 34 03 24, Fax 33 88 73 – 🆃🆅 ☎. 🆎 ⓞ 🗲 **VISA**
23 ch ☲ 2800/4200.　　　　　　　　　　　　　　　　　　　　　　　　AT **a**

🏨 **Europ** ॐ sans rest, Augustijnenrei 18, ℘ 33 79 75, Fax 34 52 66 – |≵| 🆃🆅 ☎ ⇐⇒ – 🛦 30.
🆎 ⓞ 🗲 **VISA**　　　　　　　　　　　　　　　　　　　　　　　　　　　AT **z**
fermé 15 janv.-15 fév. – **28 ch** ☲ 2400/3950.

🏨 **Flanders** sans rest, Langestraat 38, ℘ 33 88 89, Fax 33 93 45, 🔲 – |≵| 🆃🆅 ☎ ⇐⇒ ℗. 🆎
ⓞ 🗲 **VISA**　　　　　　　　　　　　　　　　　　　　　　　　　　　　DY **a**
fermé du 5 au 20 janv. – **16 ch** ☲ 2950/3500.

🏨 **Gd H. du Sablon** sans rest, Noordzandstraat 21, ℘ 33 39 02, Fax 33 39 08, « Hall début
du siècle » – |≵| 🆃🆅 ☎. 🆎 ⓞ 🗲 **VISA**　　　　　　　　　　　　　　　AU **h**
39 ch ☲ 3000/3700.

🏨 **Montovani** ॐ sans rest, Schouwvegerstraat 11, ℘ 34 53 66, Fax 34 53 67 – 🆃🆅 ☎. 🆎 🗲
VISA. ⅍　　　　　　　　　　　　　　　　　　　　　　　　　　　　　　BY **c**
fermé 16 janv.-10 fév. – **13 ch** ☲ 2250/3000.

🏨 **Egmond** ॐ sans rest, Minnewater 15, ℘ 34 14 45, Fax 34 29 40, « Cadre de verdure »,
🍃 – 🆃🆅 ☎ ℗. 🗲 **VISA**. ⅍　　　　　　　　　　　　　　　　　　　AV **g**
fermé du 4 au 31 janv. – **9 ch** ☲ 2600/3600.

🏨 **Maraboe** sans rest, Hoefijzerlaan 9, ℘ 33 81 55, Fax 33 29 28 – 🆃🆅 ☎ ⇐⇒. 🆎 ⓞ 🗲 **VISA**
fermé 15 janv.-15 fév. sauf week-end – **9 ch** ☲ 2100/2850.　　　　　CY **f**

🏨 **Groeninghe** ॐ sans rest, Korte Vuldersstraat 29, ℘ 34 32 55, Fax 34 07 69 – ☎. 🆎 🗲 **VISA**
fermé janv. – **8 ch** ☲ 1990/2350.　　　　　　　　　　　　　　　　CYZ **i**

🏨 **Salvators** sans rest, St-Salvatorskerkhof 17, ℘ 33 19 21, Fax 33 94 64, ⇎⇍ – 🆃🆅 ☎. 🆎 🗲 **VISA**.
⅍　　　　　　　　　　　　　　　　　　　　　　　　　　　　　　　　　　AU **i**
12 ch ☲ 1100/2700.

🏨 **Jacobs** ॐ sans rest, Baliestraat 1, ℘ 33 98 31, Telex 81693, Fax 33 56 94 – |≵| 🆃🆅 ☎. 🆎
ⓞ 🗲 **VISA**　　　　　　　　　　　　　　　　　　　　　　　　　　　　CX **k**
fermé 7 janv.-1ᵉʳ fév. – **26 ch** ☲ 2000/2400.

🏨 **De Pauw** ॐ sans rest, St-Gilliskerkhof 8, ℘ 33 71 18, Fax 34 51 40 – 🆃🆅 ☎. 🆎 ⓞ 🗲 **VISA**.
⅍　　　　　　　　　　　　　　　　　　　　　　　　　　　　　　　　　　CX **e**
8 ch ☲ 1650/2250.

🏨 **Ibis,** Katelijnestraat 65a, ℘ 33 75 75, Telex 8 13 13, Fax 33 64 19 – |≵| 🔆 🆃🆅 ☎ ⅅ – 🛦 30.
🆎 ⓞ 🗲 **VISA**　　　　　　　　　　　　　　　　　　　　　　　　　　AV **j**
Repas *(mars-nov.)* (dîner seult) 700 – **128 ch** ☲ 2150/3400 – ½ P 1565/2395.

🏨 **Fevery** ॐ sans rest, Collaert Mansionstraat 3, ℘ 33 12 69, Fax 33 17 91 – |≵| 🆃🆅 ☎. 🆎
ⓞ 🗲 **VISA**　　　　　　　　　　　　　　　　　　　　　　　　　　　　CX **n**
11 ch ☲ 1750/2250.

🏨 **Bourgoensch Hof,** Wollestraat 39, ℘ 33 16 45, Fax 34 63 78, ≤ canaux et vieilles maisons
flamandes – |≵| 🆃🆅 ☎. 🗲 **VISA**　　　　　　　　　　　　　　　　　AU **d**
fermé 10 janv.-10 fév. – **Repas** (Taverne-rest) *(fermé jeudi et vend. midi)* *Lunch 1050* –
carte env. 1400 – **11 ch** ☲ 1700/4900 – ½ P 2850/3500.

🏨 **De Goezeput** ॐ sans rest, Goezeputstraat 29, ℘ 34 26 94, Fax 33 31 93 – 🆃🆅 ☎. 🆎 🗲
VISA　　　　　　　　　　　　　　　　　　　　　　　　　　　　　　AV **p**
fermé 5 janv.-6 fév. – **14 ch** ☲ 2800.

XXXX ✹✹ **De Karmeliet** (Van Hecke), Langestraat 19, ℰ 33 82 59, Fax 33 10 11, 😤,
« Terrasse » – **🅿**. 🅰🅴 ⑩ 🅴 *VISA*   DY **q**
fermé midi, midi en juil.-août, dim. soir, lundi, 2 sem. en fév. et 20 août-7 sept – **Repas** 2300
carte 2350 à 3300
Spéc. Chartreuse de maquereau et œuf de caille au caviar, Tuile sucrée et salée aux grosses
langoustines et chicons confits, Ravioli à la vanille et pommes caramélisées en chaud-froid.

XXX ✹ **De Snippe** (Huysentruyt) ⤢ avec ch, Nieuwe Gentweg 53, ℰ 33 70 70, Fax 33 76 62,
« Maison du 18ᵉ s. avec décorations murales » – 🛗 📺 ☎ ❷. 🅰🅴 ⑩ 🅴 *VISA*   AV **r**
fermé 19 fév.-17 mars et 1 sem. en nov. – **Repas** *(fermé dim. et lundi midi)* carte 2700
à 3400 – **9 ch** *(fermé dim. en hiver)* ⊠ 4500/7000 – ½ P 5000/5500
Spéc. Foie d'oie mariné à la vinaigrette de truffes, Suprême de St-Pierre arc-en-ciel, Turbot en
cocotte au naturel.

XXX **Vasquez,** Zilverstraat 38, ℰ 34 08 45, Fax 33 52 41, 😤, « Demeure du 15ᵉ s., cour intérieure fleurie » – 🅰🅴 🅴 *VISA*   AU **s**
fermé merc., jeudi midi, 1ʳᵉ quinz. juil., 21 juil., 1ᵉʳ nov. et 24 et 25 déc. – **Repas** Lunch 975
– 1850.

XXX **Duc de Bourgogne** avec ch, Huidenvettersplein 12, ℰ 33 20 38, Fax 34 40 37, ≼ canaux,
« Cadre rustique et peintures murales de style fin Moyen Age » – 🗐 rest 📺 ☎. 🅰🅴 ⑩ 🅴
VISA   AU **t**
fermé du 4 au 28 juil. et du 3 au 27 janv. – **Repas** *(fermé lundi et mardi midi)* Lunch 1250
– carte env. 2300 – **10 ch** ⊠ 3500/5000.

XXX **Den Gouden Harynck,** Groeninge 25, ℰ 33 76 37, Fax 34 42 70 – **❷**. 🅰🅴 ⑩ 🅴 *VISA*
fermé dim. lundi, sem. après Pâques, 2 dern. sem. juil. et dern. sem. déc. – **Repas** Lunch
1200 – carte 2100 à 2450.   AUV **w**

XXX **Huyze Die Maene** 1ᵉʳ étage, Markt 17, ℰ 33 39 59, Fax 33 44 60, ≼ – 🗐   AU **v**
fermé mardi, merc., sem. carnaval et dern. sem. juin-2 prem. sem. juil. – **Repas** Lunch 1250
– carte 1250 à 1750.

XXX **Den Braamberg,** Pandreitje 11, ℰ 33 73 70 – 🅰🅴 🅴 *VISA*   AU **u**
fermé jeudi, dim. soir et du 15 au 30 juil. – **Repas** carte 1600 à 2000.

XXX **'t Pandreitje,** Pandreitje 6, ℰ 33 11 90, Fax 34 00 70 – 🅰🅴 ⑩ 🅴 *VISA* 𝖩𝖢𝖡   AU **x**
fermé merc., dim., 27 fév.-12 mars, 26 juin-12 juil. et 30 oct.-5 nov. – **Repas** Lunch 1450
– carte 2050 à 2500.

XXX **De Witte Poorte,** Jan Van Eyckplein 6, ℰ 33 08 83, Fax 34 55 60, « Salles voûtées, jardin »
– 🅰🅴 ⑩ 🅴 *VISA*   AT **x**
fermé 2 dern. sem. juil., 2 prem. sem. janv. et dim. et lundis non fériés – **Repas** Lunch 1100
– carte 1950 à 2500.

XX ✹ **Hermitage** (Dreypondt), Ezelstraat 18, ℰ 34 41 73 – ⑩ 🅴 *VISA*   CY **z**
fermé dim., lundi, 1 sem. Pâques, juil.-14 août et 1 sem. fin déc. – **Repas** (dîner seult)
(nombre de couverts limité - prévenir) carte 2100 à 2450
Spéc. Cornet croquant aux graines de coriandre et son ragoût de petits gris, Goujonettes de sole
Murat, Noix de ris de veau braisé au porto et son foie blond.

XX **'t Stil Ende,** Scheepsdalelaan 12, ℰ 33 92 03, Fax 33 26 22, 😤 – 🅰🅴 ⑩ 🅴 *VISA*   BX **a**
fermé sam. midi, dim. soir, lundi, fin fév.-début mars et fin juil.-début août – **Repas** Lunch 1200
– 1500/1850.

XX **'t Bourgoensche Cruyce,** Wollestraat 41, ℰ 33 79 26, Fax 34 19 68, ≼ canaux et vieilles maisons flamandes – 🅰🅴 ⑩ 🅴 *VISA*   AU **f**
fermé mardi, merc. et mi-nov.-mi-déc. – **Repas** Lunch 1350 – carte 2300 à 3150.

XX **Chez Olivier,** Meestraat 9, ℰ 33 36 59, Fax 34 15 79, ≼ – 🅰🅴 🅴 *VISA*   AU **b**
fermé juil., vend. midi et dim. – **Repas** carte env. 1600.

XX **Ambrosius,** Arsenaalstraat 55, ℰ 34 41 57, 😤, « Rustique » – 𝒮𝒮   AV **b**
fermé lundi, mardi, 3 sem. en sept et 3 sem. en fév. – **Repas** (dîner seult sauf dim.) carte
env. 1800.

XX **De Lotteburg,** Goezeputstraat 43, ℰ 33 75 35, Fax 33 04 04, 😤 – 🅰🅴 ⑩ 🅴 *VISA*. 𝒮𝒮
*fermé lundis et mardis non fériés, sam. soir, dern. sem. juil.-prem. sem. août et dern.
sem. janv.-prem. sem. fév.* – **Repas** Lunch 995 – 1500.   AV **d**

XX **'t Presidentje,** Ezelstraat 21, ℰ 33 95 21 – 🅰🅴 ⑩ 🅴 *VISA*   CY **a**
fermé mardi, merc., 2 sem. en mars et 2 sem. en juil. – **Repas** Lunch 850 – 1250.

XX **Patrick Devos,** Zilverstraat 41, ℰ 33 55 66, Fax 33 58 67, « Intérieur Belle Époque, patio »
– 🅰🅴 ⑩ 🅴 *VISA* 𝖩𝖢𝖡. 𝒮𝒮   AU **y**
fermé dim., lundi, 21 juil.-8 août et du 24 au 30 déc. – **Repas** Lunch 750 – carte 1900 à 2200.

XX **Kardinaalshof,** St-Salvatorskerkhof 14, ℰ 34 16 91, Fax 34 20 62, Produits de la mer – 🅰🅴
⑩ 🅴 *VISA*   AUV **g**
fermé merc., jeudi midi et 2 prem. sem. juil. – **Repas** Lunch 1050 – 1550/1850.

XX **Spinola,** Spinolarei 1, ℰ 34 17 85, Fax 39 12 01, « Rustique » – 🅰🅴 ⑩ 🅴 *VISA*   AT **c**
fermé merc. soir, jeudi et dim. et lundis midis non fériés – **Repas** carte 1200 à 1500.

X **René van Puyenbroeck,** St-Jacobsstraat 58, ℰ 34 12 24 – 🅰🅴 🅴 *VISA*. 𝒮𝒮   AT **e**
fermé dim. soir, lundi et 28 août-20 sept – **Repas** Lunch 850 – carte env. 1400.

X **Hemelrycke,** Dweersstraat 12, ℰ 34 83 43 – 🅰🅴 ⑩ 🅴 *VISA*   CY **x**
fermé mardi, merc., 2 sem. en fév. et 1 sem. en nov. – **Repas** Lunch 695 – 1250.

✗ **Pieter Pourbus,** Pieter Pourbusstraat 1, ℰ 34 11 45, Ouvert jusqu'à minuit – 🆔 **E** 𝗩𝗜𝗦𝗔
fermé merc. soir sauf en juil.-août, merc. midi et janv. – **Repas** *Lunch 850* – 995/1450.　　AT　**f**

✗ **Steenhuyse,** Westmeers 29, ℰ 33 12 82, Fax 33 82 35, Grillades, « Rustique » – 🆔 **① E**
𝗩𝗜𝗦𝗔　　　　　　　　　　　　　　　　　　　　　　　　　　　　　　　　　　　　　CZ　**d**
fermé merc. soir, jeudi et dim. midi – **Repas** *Lunch 995* – carte 1300 à 1750.

✗ **De Watermolen,** Oostmeers 130, ℰ 34 33 48, Fax 34 33 48, ≼, 🍽, « Terrasse » – **E** 𝗩𝗜𝗦𝗔
*fermé lundi soir et jeudi soir d'oct. à fin avril, mardi soir, merc., 2 sem. en fév. et 2 sem.
en oct.* – **Repas** *Lunch 695* – 825/1395.　　　　　　　　　　　　　　　　　CZ　**f**

✗ **Brasserie Raymond,** Eiermarkt 5, ℰ 33 78 48, Fax 33 78 48, 🍽, Taverne-rest, ouvert jusqu'à 23 h 30 – 🆔 **① E** 𝗩𝗜𝗦𝗔　　　　　　　　　　　　　　　　　　　　　　　AT　**g**
fermé du 1ᵉʳ au 14 juil., du 15 au 23 nov. et mardi – **Repas** *Lunch 430* – carte 900 à 1500.

✗ **Tanuki,** Noordstraat 3 (transfert prévu Oude Gentweg 1), ℰ 34 75 12, Fax 34 75 12, Cuisine
japonaise – **E** 𝗩𝗜𝗦𝗔. ✀　　　　　　　　　　　　　　　　　　　　　　　　　AV　**f**
fermé lundi, mardi, 2 dern. sem. fév. et 2 dern. sem. juil. – **Repas** *Lunch 430* – 1190.

Périphérie - plan p. 4 sauf indication spéciale :

au Nord-Ouest – ✉ 8000 – 🕿 0 50 :

✗✗ **De Gouden Korenhalm,** Oude Oostendsesteenweg 79 (Sint-Pieters), ℰ 31 33 93,
Fax 31 18 96, 🍽, « Fermette de style flamand » – **℗. ① E** 𝗩𝗜𝗦𝗔　　　　ER　**f**
fermé lundi, fin fév.-début mars et fin août-début sept – **Repas** *Lunch 1250* – 1420/1850.

au Sud – ✉ 8200 – 🕿 0 50 :

🏨 **Novotel Zuid,** Chartreuseweg 20 (Sint-Michiels), ℰ 38 28 51, Fax 38 79 03, 🍽, ⌇, 🌴 –
|⌇| 🔆 ▤ rest 📺 🕿 🕭 **℗** – 🕍 25 à 230. 🆔 **① E** 𝗩𝗜𝗦𝗔. ✀ rest　　　ES　**r**
Repas *Lunch 500* – carte 900 à 1300 – ⌑ 400 – **101 ch** 3300/3900.

🏨 **Campanile,** Jagerstraat 20, ℰ 38 13 60, Telex 81402, Fax 38 45 42, 🍽 – 📺 🕿 **℗** – 🕍 35.
⊶ 🆔 **E** 𝗩𝗜𝗦𝗔. ✀ rest　　　　　　　　　　　　　　　　　　　　　　　　ES　**e**
Repas *Lunch 595* – 800 – ⌑ 260 – **49 ch** 2150 – ½ P 3005.

✗✗✗ **Casserole** (École hôtelière), Groene-Poortdreef 17 (Sint-Michiels), ℰ 38 38 88, Fax 39 29 51,
🍽, « Cadre de verdure » – **℗. 🆔 ① E** 𝗩𝗜𝗦𝗔　　　　　　　　　　　　　ES　**t**
fermé 30 juin-26 août et du 26 au 31 déc. – **Repas** (déjeuner seult sauf vend. et sam.)
Lunch 950 – carte 1600 à 1900.

au Sud-Ouest – ✉ 8200 – 🕿 0 50 :

🏨 **Host. Pannenhuis** ⌂, Zandstraat 2, ℰ 31 19 07, Fax 31 77 66, ≼, 🍽, « Terrasse et
jardin » – 📺 🕿 🕭 **℗** – 🕍 25. 🆔 **E** 𝗩𝗜𝗦𝗔. ✀ rest　　　　　　　ER　**g**
Repas *(fermé du 1ᵉʳ au 15 juil., 15 janv.-1ᵉʳ fév., mardi soir et merc.) Lunch 1250* – carte 1500
à 1850 – **17 ch** *(fermé 15 janv.-1ᵉʳ fév.)* ⌑ 3200/3950, 1 suite – ½ P 2650/4350.

🏨 **Mirabel,** Joseph Wautersstraat 61, ℰ 38 09 88, Fax 38 23 10 – 📺 🕿 **℗** – 🕍 25 à 150.
⊶ 🆔 **① E** 𝗩𝗜𝗦𝗔　　　　　　　　　　　　　　　　　　　　　　　　　　ES　**d**
Repas *(fermé dim. et du 1ᵉʳ au 15 janv.)* (dîner seult) 695/925 – **48 ch** ⌑ 2000/2900.

🏨 **Olympia** sans rest, Magdalenastraat 16 (Sint-Andries), ℰ 39 05 78, Fax 39 01 13 – |⌇| 📺
🕿 🆔 **E** 𝗩𝗜𝗦𝗔　　　　　　　　　　　　　　　　　　　　　　plan p. 2　BZ　**e**
fermé 2 janv.-9 fév. – **30 ch** ⌑ 2150/2950.

✗✗ **Herborist** avec ch, De Watermolen 15 (par ⑥ : 6 km puis à droite après E 40, Sint-Andries),
ℰ 38 76 00, Fax 39 31 06, 🍽, « Cadre de verdure », 🌴 – 📺 🕿 **℗**. 🆔 **E** 𝗩𝗜𝗦𝗔
fermé du 1ᵉʳ au 14 mars, du 1ᵉʳ au 14 oct., dim. soir et lundi – **Repas** *Lunch 1350* – 1950/2100
– **4 ch** ⌑ 2500/3800.

✗ **De Boekeneute,** Torhoutsesteenweg 380 (Sint-Michiels), ℰ 38 26 32, 🍽 – **℗. 🆔 ① E**
𝗩𝗜𝗦𝗔　　　　　　　　　　　　　　　　　　　　　　　　　　　　　　　　　　ES　**a**
fermé dim. soir et lundi – **Repas** *Lunch 950* – carte 1100 à 1550.

à Dudzele au Nord par N 376 : 9 km 🅒 Brugge – ✉ 8380 Dudzele – 🕿 0 50 :

✗✗ **De Zilverberk,** Westkapelse steenweg 92, ℰ 59 90 80, Fax 59 93 48, 🍽 – **℗. 🆔 ① E**
𝗩𝗜𝗦𝗔. ✀
fermé dim. soir et lundi – **Repas** *Lunch 950* – 950/1800.

à Sint-Kruis par ② : 6 km 🅒 Brugge – ✉ 8310 Sint-Kruis – 🕿 0 50 :

🏨 **Wilgenhof** ⌂ sans rest, Polderstraat 151, ℰ 36 27 44, Fax 36 28 21, ≼, « Cadre champêtre
des polders », 🌴 – 📺 🕿 **℗**. 🆔 **① E** 𝗩𝗜𝗦𝗔　　　　　　　　　　　　　ER　**w**
fermé dern. sem. janv. – **6 ch** ⌑ 2500/4100.

🏨 **Morfeus** sans rest, Maalsesteenweg 351, ℰ 36 30 30, 🌴 – **℗. 🆔 ① E** 𝗩𝗜𝗦𝗔
7 ch ⌑ 2000/2200.

🏨 **Lodewijk van Male,** Maalsesteenweg 488, ℰ 35 57 63, Fax 37 06 26, 🍽, « Vaste parc
⊶ avec étang », 🌴 – 📺 **℗** – 🕍 25 à 250. **① E** 𝗩𝗜𝗦𝗔. ✀ ch
fermé du 1ᵉʳ au 15 nov. – **Repas** *(fermé lundi) Lunch 800* – 800/1295 – **18 ch** ⌑ 2050/2700
– ½ P 1570/2045.

✗✗✗ **Ronnie Jonkman,** Maalsesteenweg 438, ℰ 36 07 67, Fax 35 76 96, 🍽, « Terrasses » –
℗. 🆔 ① E 𝗩𝗜𝗦𝗔
fermé dim., lundi, 2 sem. Pâques, 2 sem. en juil. et du 1ᵉʳ au 15 oct. – **Repas** *Lunch 1850*
– carte env. 2200.

Environs

à Hertsberge au Sud par N 50 : 12,5 km Ⓒ Oostkamp 20 702 h. – ✉ 8020 Hertsberge – ☎ 0 50 :

XXX **Manderley,** Kruisstraat 13, ☎ 27 80 51, 🍴, « Terrasse et jardin » – Ⓟ. AE ① E VISA
fermé prem. sem. oct., 3 dern. sem. janv., jeudi soir de sept à avril, dim. soir et lundi – **Repas** Lunch 1150 – 1690.

à Oostkamp au Sud par N 50 : 6,5 km – 20 702 h. – ✉ 8020 Oostkamp – ☎ 0 50 :

XX **De Kampveldhoeve,** Kampveldstraat 20 (après pont E 40 puis 2e rue à gauche), ☎ 82 42 58, 🍴, « Cadre champêtre » – Ⓟ. AE ① E VISA
fermé lundi soir, merc. et janv. – **Repas** Lunch 950 – 950/1500.

à Ruddervoorde au Sud par N 50 : 12 km Ⓒ Oostkamp 20 702 h. – ✉ 8020 Ruddervoorde – ☎ 0 50 :

XXX **Host. Leegendael** avec ch, Kortrijkstraat 498 (N 50), ☎ 27 76 99, Fax 27 58 80, « Demeure ancienne dans un cadre de verdure » – TV ☎ Ⓟ. AE ① E VISA
fermé sem. carnaval et 16 août-10 sept – **Repas** *(fermé merc., sam. midi et dim. soir)* Lunch 990 – carte 1700 à 2000 – **6 ch** ☕ 1550/2550.

à Varsenare - plan p. 4 - Ⓒ Jabbeke 12 702 h. – ✉ 8490 Varsenare – ☎ 0 50 :

XXXX **Manoir Stuivenberg** avec ch, Gistelsteenweg 27, ☎ 38 15 02, Fax 38 28 92, 🍴 – 🛗 TV ☎ Ⓟ. AE ① E VISA. ✻ ERS **n**
Repas *(fermé dim. soir et lundi)* Lunch 1285 – 1750/2150 – **7 ch** ☕ 4450/6500, 1 suite.

à Waardamme au Sud par N 50 : 11 km Ⓒ Oostkamp 20 702 h. – ✉ 8020 Waardamme – ☎ 0 50 :

XXX **Ter Talinge,** Rooiveldstraat 46, ☎ 27 90 61, Fax 28 00 52, 🍴, « Terrasse » – Ⓟ. AE E VISA
fermé merc., jeudi, 24 fév.-10 mars et 18 août-1er sept – **Repas** carte 1350 à 1700.

à Zedelgem par ⑥ : 10,5 km – 20 944 h. – ✉ 8210 Zedelgem – ☎ 0 50 :

🏨 **Zuidwege** sans rest, Torhoutsesteenweg 128, ☎ 20 13 39, Fax 20 17 39 – ⇔ TV ☎ Ⓟ – 🏛 25. AE ① E VISA. ✻
fermé 23 déc.-4 janv. – **17 ch** ☕ 1850/2550.

XX **Ter Leepe,** Torhoutsesteenweg 168, ☎ 20 01 97 – Ⓟ. AE ① E VISA
fermé du 14 au 25 fév., du 15 au 31 août, merc. soir et dim. – **Repas** Lunch 1300 – carte env. 1600.

Voir aussi : ***Damme*** NE : 7 km, ***Lissewege*** par ⑩ : 10 km, ***Zeebrugge*** par ⑩ : 14 km

Bruxelles – Brussel

1000 🅿 Brabant 🄬🄭 ⑱ et 🄬🄮🄯 ⑬ ㉑ ㉒ – 950 339 h. – ✪ 0 2.

Voir Grand-Place★★★ JY – Les Sablons et le Mont des Arts★★ : Manneken Pis★★
JZ, Statue★ dans l'Église N.D. de la Chapelle JZ, Place du Grand-Sablon★ JZ 112,
Église N.-D.-du-Sablon★ JZ, Square du Petit-Sablon★ JZ 195, Place Royale★ KZ,
Salle du Trône dans le Palais Royal KZ – Bourse, Monnaie et Cathédrale★★ : Galeries
St-Hubert★ JY, Petite rue des Bouchers JY 24, Vitraux★ de la Cathédrale
St-Michel★★ KY – Salle des Séances du Sénat★ dans le Palais de la Nation KY
– St-Gilles et Ixelles : Abbaye N.-D.-de-la-Cambre★ avec le Christ aux outrages★
FGV, Bois de la Cambre★ GVX – Anderlecht : Maison d'Érasme★ AM – Koekelberg :
Basilique nationale du Sacré-Cœur★ ABL – Heysel : Atomium★ BK.

Musées Bellevue★ KZ **M³** – Centre belge de la Bande dessinée★ KY **M⁵** – Royaux
des Beaux-Arts de Belgique★★★ JKZ : d'Art ancien★★★ JZ, d'Art moderne★★ KZ
M¹ – Instrumental★★ JZ **M²** – Royaux d'Art et d'Histoire★★★ HS **M⁷** – Autoworld★★
HS **M⁷** – Sciences Naturelles (Institut Royal) : squelettes d'iguanodons★ GS **M⁹**
– St-Gilles et Ixelles : Horta★ : l'escalier★ EFU **M¹⁰**, Communal d'Ixelles★ FGT **M¹¹**
– Uccle : David et Alice van Buuren★ EFV **M¹³**.

Env. Forêt de Soignes★★ CDN – Tervuren★ : Parc★, Musée Royal de l'Afrique
centrale★★, Arboretum★ (par ④) – La Hulpe : parc★★ (S par Terhulpensesteenweg
DP) – Waterloo★ (S : 19 km par ⑥) – Beersel : Château fort★ (S : 11 km AP **K**)
– Gaasbeek : château et parc★, tapisseries★ (SO : 12 km par N 282 AN – Meise :
Domaine de Bouchout★, Palais des Plantes★★ (BK) – Grimbergen : confessionnaux★
dans l'Église Abbatiale des Prémontrés (Abdijkerk) (N : par N 211 CK) – Vilvoorde :
stalles★ dans l'Église Notre-Dame (O.L.-Vrouwkerk) CK.

🏌🏌 à Tervuren par Terhulpensesteenweg (DP) : 14 km, Château de Ravenstein
𝓟 (0 2) 767 58 01, Fax (0 2) 767 28 41 – 🏌 à Melsbroek NE : 14 km,
Steenwagenstraat 11 𝓟 (0 2) 751 82 05, Fax (0 2) 751 84 25 – 🏌 à Anderlecht,
Zone Sportive de la Pede (AN), Drève Olympique 1 𝓟 (0 2) 521 16 87, Fax (0 2)
521 51 56 – 🏌 à Watermael-Boitsfort (CN), chaussée de la Hulpe 53a
𝓟 (0 2) 672 22 22, Fax (0 2) 675 34 81 – 🏌 à Overijse par ④ : 16 km, Gemslaan
55 𝓟 (0 2) 687 50 30, Fax (0 2) 245 76 53 – 🏌 à Itterbeek par ⑧ : 8 km, J.M.
van Lierdelaan 28b 𝓟 (0 2) 567 00 38, Fax (0 2) 567 02 23 – 🏌 à Kampenhaut
NE : 20 km, Wildersedreef 56 𝓟 (0 16) 65 12 16, Fax (0 16) 65 16 80 – 🏌 à
Duisburg E : 18 km, Hertswegenstraat 39 𝓟 (02) 767 97 52.

✈ National NE : 12 km (p. 5) DK 𝓟 722 31 11 – Aérogare : Air Terminus,
r. du Cardinal Mercier 35 (p. 12) 𝓟 511 90 30. ✈ 𝓟 219 26 40 et 219 28 80.
🅱 (fermé dim. sauf en été.) Hôtel de Ville, Grand'Place ⊠ 1000
𝓟 513 89 40, Fax 514 45 38 et (fermé dim. matin sauf avril-fin sept.) r.
Marché-aux-Herbes 63 – ⊠ 1000 𝓟 504 03 90, Fax 504 02 70. Fédération
provinciale de tourisme, r. Marché-aux-Herbes 61 ⊠ 1000 𝓟 504 04 55 et
504 04 00, Fax 504 04 95.

Paris 308 ⑥ – ◆Amsterdam 204 ⑪ – Düsseldorf 222 ② – Lille 116 ⑨ – ◆Luxembourg
219 ④.

Situation géographique des communes	p. 2 et 3
Plans de Bruxelles	
Agglomération	p. 4 à 7
Bruxelles	p. 8 à 11
Agrandissements	p. 12 et 13
Répertoires des rues	p. 13 à 15
Curiosités	p. 15
Liste alphabétique des hôtels et des restaurants	p. 16 et 17
Établissements à ✿, ✿✿, ✿✿✿	p. 18
La cuisine que vous recherchez ....p. 19 à 21
Nomenclature des hôtels et des restaurants :	
Bruxelles ville ....p. 22 à 26
Agglomération .... p. 26 à 33
Environs .... p. 33 à 36

Bruxelles, capitale de la Belgique, est composée de 19 communes dont l'une, la plus importante, porte précisément le nom de "Bruxelles". Il existe également un certain nombre de "quartiers" dont l'intérêt historique, l'ambiance ou l'architecture leur ont acquis une renommée souvent internationale.

La carte ci-dessous vous indiquera la situation géographique de chacune de ces communes.

1 ANDERLECHT

2 AUDERGHEM

3 BERCHEM-
SAINTE-AGATHE

4 BRUXELLES

5 ETTERBEEK

6 EVERE

7 FOREST

8 GANSHOREN

9 IXELLES

10 JETTE

11 KOEKELBERG

12 MOLENBEEK-
SAINT-JEAN

13 SAINT-GILLES

14 SAINT-JOSSE-
TEN-NOODE

15 SCHAERBEEK

16 UCCLE

17 WATERMAEL-
BOITSFORT

18 WOLUWE-
SAINT-LAMBERT

19 WOLUWE-
SAINT-PIERRE

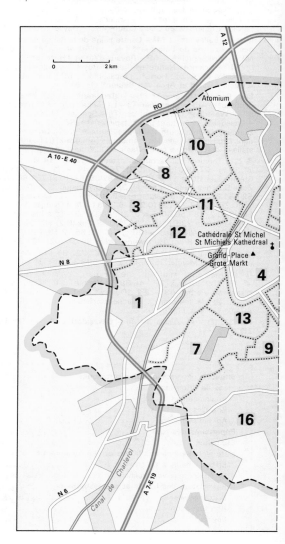

Brussel, hoofdstad van België, bestaat uit 19 gemeenten, waarvan de meest belangrijke de naam "Brussel" draagt. Daar zijn een aantal wijken, waar de geschiedenis, de sfeer en de architectuur gezorgd hebben voor de, vaak internationaal, verworven faam.

Onderstaande kaart geeft U een overzicht van de geografische ligging van elk van deze gemeenten.

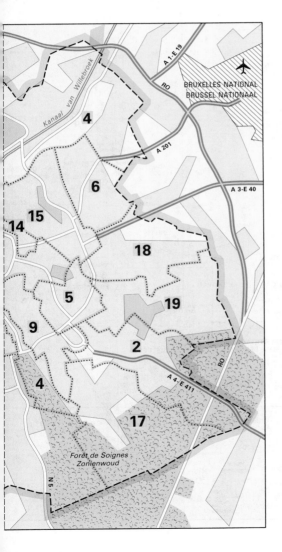

ANDERLECHT	1
OUDERGEM	2
SINT-AGATHA-BERCHEM	3
BRUSSEL	4
ETTERBEEK	5
EVERE	6
VORST	7
GANSHOREN	8
ELSENE	9
JETTE	10
KOEKELBERG	11
SINT-JANS-MOLENBEEK	12
SINT-GILLIS	13
SINT-JOOST-TEN-NODE	14
SCHAARBEEK	15
UKKEL	16
WATERMAAL-BOSVOORDE	17
SINT-LAMBRECHTS-WOLUWE	18
SINT-PIETERS-WOLUWE	19

99

BRUXELLES
BRUSSEL

Broqueville (Av. de) . . . . . . **CM** 30
Charleroi (Chée de) . . . . . . **BM** 34
Croix-du-Feu (Av. des) . . . . **BK** 54
Démosthène
   Poplimont (Av.) . . . . **BL** 58

Edmond Parmentier (Av.) **DM** 69
Emile Bockstael (Bd) . . . . **BL** 75
Emile Bossaert (Av.) . . . . **AL** 76
Emile Vandervelde (Av.) . **DM** 82
France (R. de) . . . . **BM** 100
Houba de Strooper (Av.). **BK** 121
Jacques Sermon (Av.) . . **BL** 130
Jean Sobieski (Av.) . . . . . **BK** 136
Jules van Praet (Av.) . . . . **BKL** 144

Madrid (Av. de) . . . . **BK** 166
Meysse (Av. de) . . . . **BK** 175
Port (Av. du) . . . . **BL** 198
Prince-de-Liège
   (Bd) . . . . **AM** 204
Robiniers (Av. des) . . . . **BL** 211
Stockel (Chée de) . . . . . . **DM** 232
Veeweyde (R. de) . . . . . **AM** 244
Vétérinaires (R. des) . . . . **BM** 247

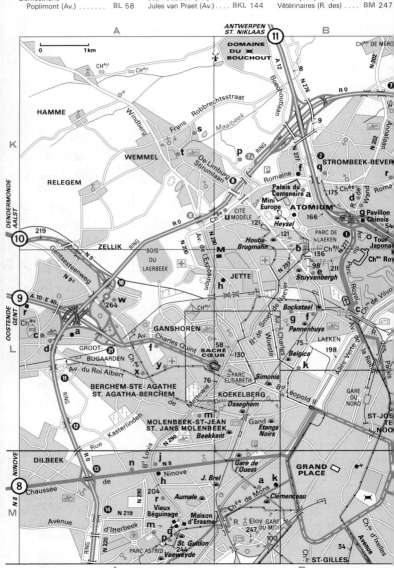

ENVIRONS

KRAAINEM

Wezembeek (Av. de) ... **DM** 259

STROMBEEK-BEVER

Antwerpselaan .... **BK** 9

VILVOORDE

Parkstraat .... **CK** 192
Stationlei .... **CK** 231
Vuurkruisenlaan .... **CK** 252

ZAVENTEM

Henneaulaan .... **DL** 115

ZELLIK

Romeinsebaan .... **AK** 219
Zuiderlaan .... **AL** 264

*Michelin n'accroche pas
de panonceau aux hôtels
et restaurants qu'il signale.*

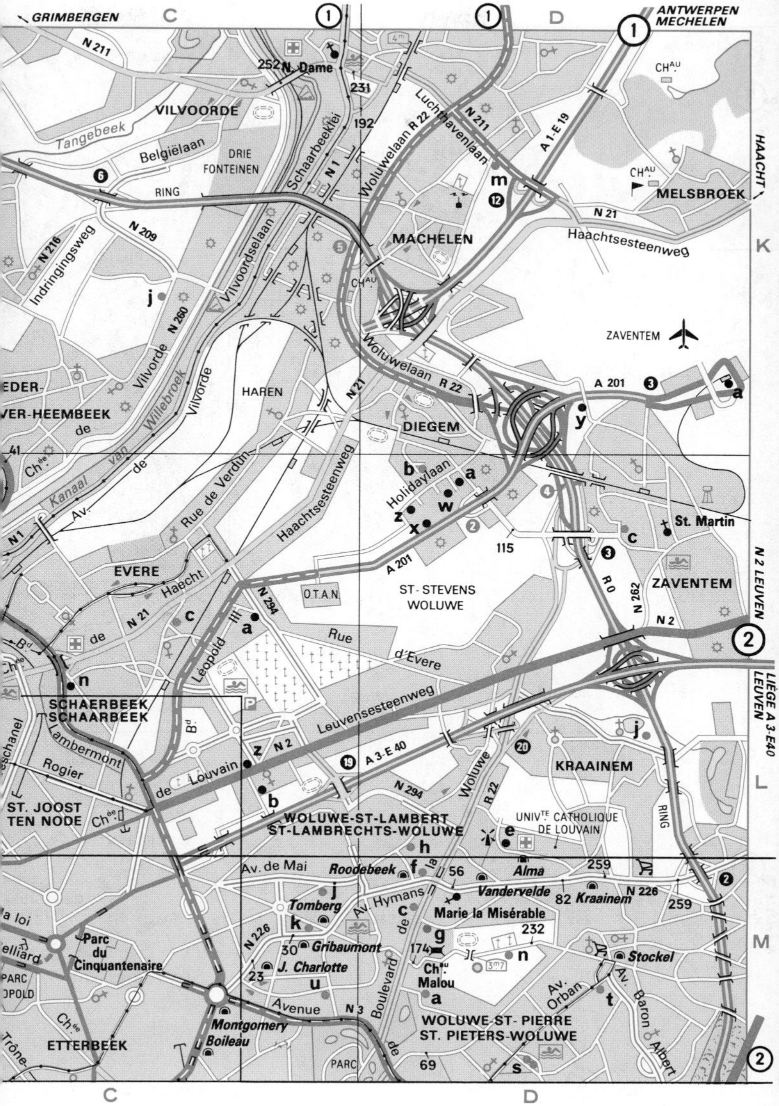

BRUXELLES
BRUSSEL

Alfred Madoux (Av.) ..... **DN** 6
Broqueville (Av. de) ..... **CM** 30
Charleroi (Chée de) ..... **BM** 34
Charroi (R. du) .... **ABN** 36
Delleur (Av.) .... **CN** 57
Edith Cavell (R.) .... **BN** 67

Edmond Parmentier (Av.) . **DM** 69
Emile Vandervelde (Av.) .. **DM** 82
Fonsny (Av.) .... **BN** 94
Foresterie (Av. de la) .... **CN** 96
France (R. de) .... **BM** 100
Frans van Kalken (Av.) ... **AN** 103
Gén. Jacques (Bd) ...... **CN** 109
Houzeau (Av.) .... **BN** 123
Louis Schmidt (Bd) ..... **CN** 162
Mérode (R. de) .... **BN** 174

Paepsem (Bd) .... **AN** 186
Parc (Av. du) .... **BN** 190
Plaine (Bd de la) .... **CN** 196
Prince-de-Liège (Bd) .... **AM** 204
Stockel (Chée de) .... **DM** 232
Tervuren (Chée de) ..... **DN** 235
Th. Verhaegen (R.) ..... **BN** 237
Triomphe (Bd du) ...... **CN** 240
Veeweyde (R. de) ...... **AM** 244
Vétérinaires (R. des) .... **BM** 247

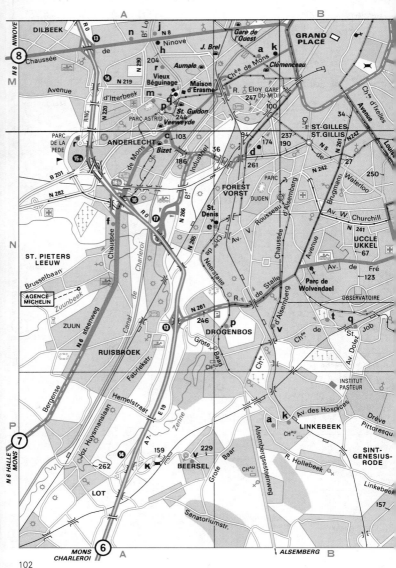

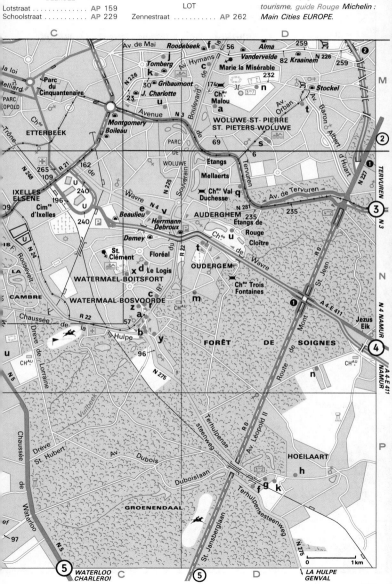

Vleurgat (Chée de) . . . . . . BN 250
W. Ceuppens (Av.) . . . . . . BN 261
2è Rég. de Lanciers
   (Av. du) . . . . CN 265

ENVIRONS

BEERSEL

Lotstraat . . . . AP 159
Schoolstraat . . . . AP 229

DROGENBOS

Verlengde
   Stallestraat . . . . AN 246

KRAAINEM

Wezembeek (Av. de) . . . . DM 259

LOT

Zennestraat . . . . AP 262

ST-GENESIUS-RODE

Forêt-de-Soignes
   (Av. de la) . . . . CP 97
Libératon (Av. de la) . . . . BP 157

*Pour les voyages d'affaires ou de
tourisme, guide Rouge Michelin :
Main Cities EUROPE.*

BRUXELLES
BRUSSEL

Midi (Bd du) . . . . **ES**

Baudouin (Bd) . . . . **EQ** 16

Bienfaiteurs (Pl. des)	**GQ** 21	Froissart (R.) . . . . **GS** 106
Brabançonne (Av. de la) .	**GR** 28	Gén. Eisenhower (Av.) . . . **GQ** 108
Colonel Bremer (Pl.)	**GQ** 42	Hal (Porte de) . . . . **ES** 114
Dailly (Pl.)	**GR** 55	Henri Jaspar (Av.) . . . . . . **ES** 117
Edouard de Thibault (Av.).	**HS** 72	Herbert Hoover (Av.) . . **HR** 118
Europe (Bd de l')	**ES** 90	Industrie (Quai de l') . . . . **ER** 126
Frans Courtens (Av.)	**HQ** 102	Jan Stobbaerts (Av.) . . . . . **GQ** 133

Jardin Botanique (Bd du) . **FQ** 135
Jean Volders (Av.) . . . . . **ET** 138
Jeu de Balle (Pl. du) . . . . **ES** 139
Livourne (R. de) . . . . **FT** 158
Luxembourg (R. de) . . . . . **FS** 165
Marie-Louise (Sq.) . . . . . **GR** 171
Méridien (R. du) . . . . **FQ** 173

Mons (Chée de) . . . . **ER** 177
Nerviens (Av. des) . . . . . **GS** 181
Ninove (Chée de) . . . . . . **ER** 183
Palmerston (Av.) . . . . **GR** 187
Porte de Hal (Av. de la) . . **ES** 199
Prince Royal (R. du) . . . . **FS** 202
Reine (Av. de la) . . . . **FQ** 208

Rogier (Pl.) . . . . **FQ** 213
Roi Vainqueur (Pl. du) . . . **HS** 216
Saint-Antoine (Pl.) . . . . . **GT** 220
Scailquin (R.) . . . . **FR** 228
Victoria Regina (Av) . . . . **FQ** 249
Waterloo (Chée de) . . . . . **ET** 256
9è de Ligne (Bd du) . . . . **EQ** 271

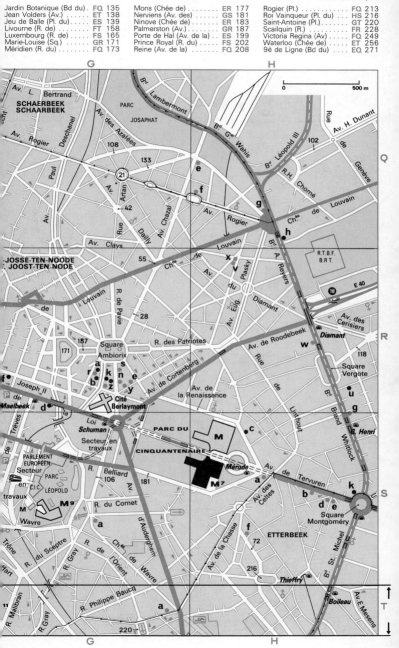

BRUXELLES
BRUSSEL

Américaine (R.) . . . . FU 7
Auguste Rodin (Av.) . . . . . . GU 12
Besme (Av.) . . . . EV 18

Boendael (Drève de) . . . . . . GX 22
Cambre (Bd de la) . . . . GV 33
Coccinelles (Av. des) . . . . . HX 40
Congo (Av. du) . . . . GV 48
Copernic (R.) . . . . FX 51
Doronée (R.) . . . . FV 61
Dries . . . . HX 63

Emile de Beco (Av.) . . . . . GU 79
Emile De Mot (Av.) . . . . . GV 81
Eperons d'Or
  (Av. des) . . . . GU 85
Everard (av.) . . . . EV 91
Hippodrome
  (Av. de l') . . . . GU 120

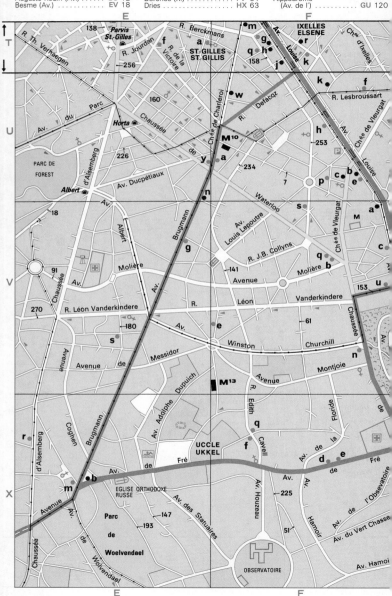

Invalides (Bd des) . . . . HV 127
Jean Volders (Av.) . . . . . . ET 138
Jos Stallaert (R.) . . . . FV 141
Juliette Wytsman (R.) . . . . GU 145
Kamerdelle (Av.) . . . . EX 147
Legrand (Av.) . . . . FV 153
Livourne (R. de) . . . . FT 158

Louis Morichar (Pl.) . . . . . EU 160
Mutualité (R. de la) . . . . . EV 180
Nouvelle (Av.) . . . . GU 184
Paul Stroobant (Av.) . . . . EX 193
Saint-Antoine (Pl.) . . . . . . GT 220
Saisons (Av. des) . . . . . . GV 223
Saturne (Av. de) . . . . FX 225

Savoie (R. de) . . . . EU 226
Tabellion (R. de) . . . . FU 234
Washington (R.) . . . . FU 253
Waterloo (Chée de) . . . . ET 256
2è Rég. de Lanciers
(Av. du) . . . . GHU 265
7 Bonniers (Av. des) . . . . EV 270

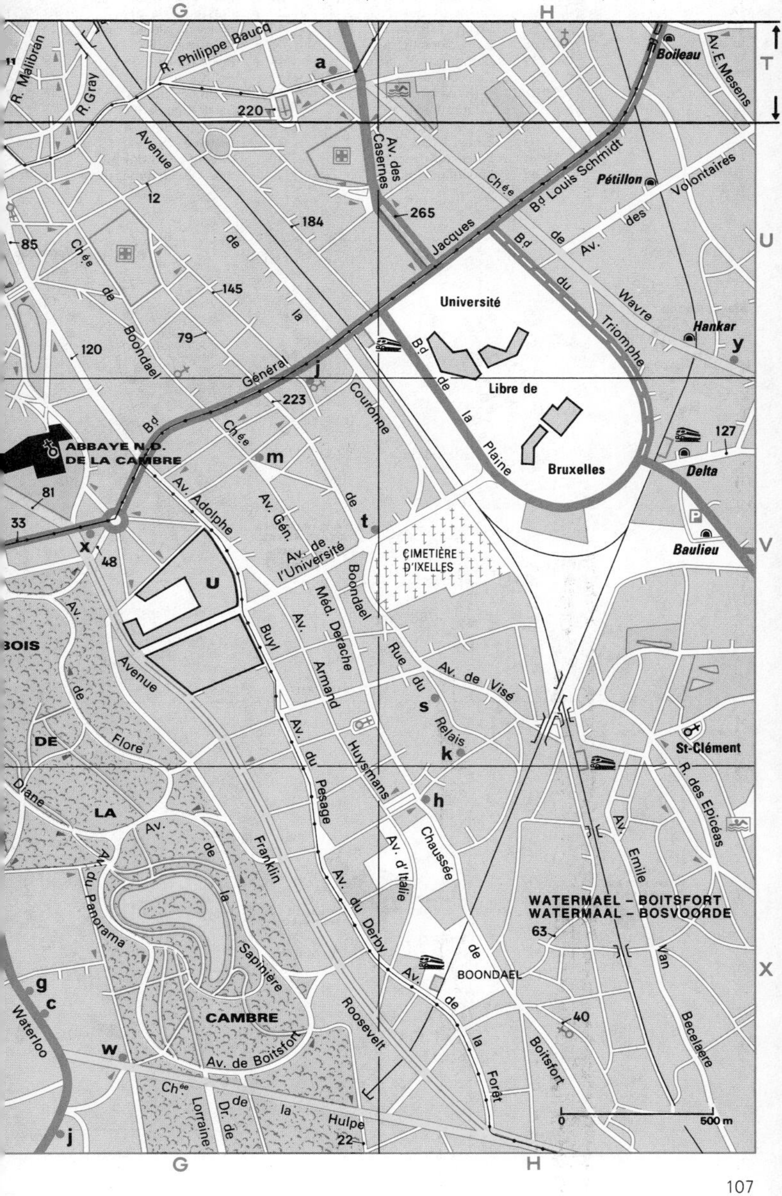

ABBAYE N.D. DE LA CAMBRE

Université Libre de Bruxelles

CIMETIÈRE D'IXELLES

WATERMAEL – BOITSFORT
WATERMAAL – BOSVOORDE

CAMBRE

Boileau

Pétillon

Hankar

Delta

Baulieu

St-Clément

BOONDAEL

500 m

107

BRUXELLES
BRUSSEL

Adolphe Max (Bd)	**JY** 3
Anspach (Bd)	**JY**
Beurre (Rue au)	**JY** 19
Etuve (R. de l')	**JZ** 88
Fripiers (R. des)	**JY** 105
Grand Sablon (Pl. du)	**KZ** 112
Ixelles (Chée d')	**KZ** 129
Marché-aux-Herbes (R. du)	**JY** 168
Marché-aux-Poulets (R. du)	**JY** 169
Midi (R. du)	**JYZ**
Neuve (Rue)	**JY**
Toison d'Or (Av. de la)	**KZ** 238

Albertine (Pl. de l')	**KZ** 4
Assaut (R. d')	**KY** 10
Baudet (R.)	**KZ** 15
Bouchers (Petite rue des)	**JY** 24
Bouchers (R. des)	**JY** 25
Bourse (Pl. de la)	**JY** 27
Chêne (R. du)	**JZ** 39
Colonies (R. des)	**KY** 43
Comédiens (R. des)	**KY** 45
Commerce (R. du)	**KZ** 46
Croix-de-Fer (R. de la)	**KY** 52
Duquesnoy (Rue)	**JYZ** 66
Empereur (Bd de l')	**JZ** 84
Ernest Allard (R.)	**JZ** 87
Fossé-aux-Loups (R.)	**JKY** 99
Impératrice (Bd de l')	**KY** 124

Joseph Lebeau (R.)	**JZ** 142
Laeken (R. de)	**JY** 151
Louvain (R. de)	**KY** 163
Mercier (R. du Card.)	**KY** 172
Montagne (Rue de la)	**KY** 178
Petit Sablon (Sq. du)	**KZ** 195
Presse (R. de la)	**KY** 201
Princes (Galeries des)	**JY** 205
Ravenstein (R.)	**KZ** 207
Reine (Galerie de la)	**JY** 210
Roi (Galerie du)	**KY** 214
Rollebeek (R. de)	**JZ** 217
Sainte-Gudule (Pl.)	**KY** 222
Trône (R. du)	**KZ** 241
Ursulines (R. des)	**JZ** 243
Waterloo (Bd de)	**KZ** 255
6 Jeunes Hommes (R. des)	**KZ** 268

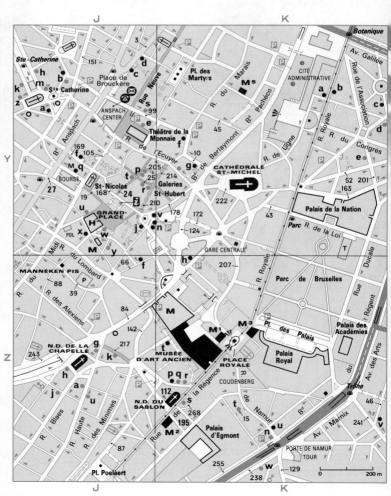

GANSHOREN
JETTE
KOEKELBERG

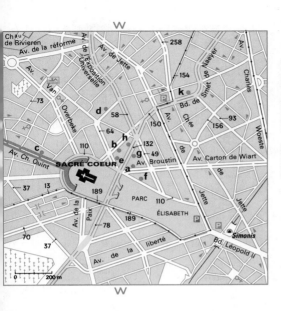

Basilique (Av. de la). **W** 13
Château (Av. du) .... **W** 37
Constitution (Av. de la) **W** 49
Démosthène
  Poplimont (Av.) ... **W** 58
Duc Jean (Av. du)... **W** 64
Edouard Bénes (Av.) . **W** 70
Eglise St-Martin (R. de l') **W** 73
Emile Bossaert (Av.) . **W** 78
Firmin Lecharlier (Av.) **W** 93
Gloires Nationales
  (Av. des) **W**110
Jacques Sermon (Av.) **W**132
Laeken (Av. de)..... **W**150
Léon Théodore (R.).. **W**154
Levis Mirepoix (Av.de) **W**156
Panthéon (Av. du)... **W**189
Wemmel (Chée de) . **W**258

RÉPERTOIRE DES RUES DU PLAN DE BRUXELLES

Adolphe-Max (Bd) . .p. 12 JY 3
Anspach (Bd) ......p.12 JY
Beurre (Rue au) ....p.12 JY 19
Etuve (R. de l') .....p.12 JZ 88
Fripiers (R. des) ....p.12 JY 105
Grand-Sablon (Pl. du) p.12 KZ 112
Marché-aux-Herbes
  (R. du) ....p.12 JY 168
Marché-aux-Poulets
  (R. du) ....p.12 JY 169
Midi (Bd du) ......p. 8 ES
Midi (R. du) ....p.12 JYZ
Neuve (Rue) ......p.12 JY
Toison d'Or (Av. de la) p.12 KZ 238

Abattoir (Bd de l') . .p. 8 ER
Adolphe Buyl (Av.) . .p.11 GV
Adolphe Dupuich (Av.). p.10 EVX
Albert (Av.)........p.10 EV
Albertine (Pl. de l') . .p.12 KZ 4
Alexiens (R. des) ....p.12 JZ
Alfred Madoux (Av.). p. 7 DN 6
Alsemberg (Chée d'). p. 6 BNP
Ambiorix (Square) .. p. 9 GR
Américaine (R.) ....p.10 FU 7
Antoine Dansaert (R.). p. 8 ER
Anvers (Bd d') .....p. 8 EQ
Armand Huymans (Av.). p.11 GV
Artan (R.) ....p. 9 GQ
van Artevelde (R.) . .p. 8 ER
Arts (Av. des) .....p.12 KZ
Assaut (R. d') ......p.12 KY 10
Association (R. de l') .p.12 KY
Audergem (Av. d') . .p. 9 GS
Auguste Reyers (Bd). p. 9 HR
Auguste Rodin (Av.). p.11 GU 12
Azalées (Av. des) ... p. 9 GQ
Baron Albert d'Huart
  (Av.) ....p. 5 DM
Barthélémy (Bd) ....p. 8 ER
Basilique (Av. de la) p.13 W 13
Baudet (R.) ....p.12 KZ 15
Baudouin (Bd) .....p. 8 EQ 16
Belliard (R.) ....p. 9 GS
Berckmans (R.) ....p. 8 EFT
Berlaymont (Bd de) .p.12 KY
Besme (Av.) ....p.10 EV 18
Bienfaiteurs (Pl. des) . p. 9 GQ 21

Blaes (R.) ....p. 8 ES
Boendael (Drève de). p.11 GX 22
Boitsfort (Av. de) ...p.11 GX
Boitsfort (Chée de) ..p.11 HX
Bolivar (Av.) ....p. 8 EFQ
Boondael (Chée de). p.11 GUV
Bouchers
  (Petite rue des) ...p.12 JY 24
Bouchers (R. des) ...p.12 JY 25
Bourse (Pl. de la) ...p.12 JY 27
Brabançonne (Av.de la). p. 9 GR 28
Brabant (R. de) ....p. 8 FQ
Brand-Whitlock (Bd). p. 9 HRS
Broqueville (Av. de) . p. 5 CM 30
Brouckère (Pl. de) ..p.12 JY
Broustin (Av.) .....p.13 W
Brugmann (Av.) ....p.10 EVX
Cambre (Bd de la) ..p.11 GV 33
Carton de Wiart (Av.). p.13 W
Casernes (Av. des) . .p.11 GHU
Celtes (Av. des) ....p. 9 HS
Cerisiers (Av. des) .. p. 9 HR
Charleroi (Chée de) . p. 8 EFU
Charles Quint (Av.) . p. 4 AL
Charles Woeste (Av.). p. 4 BL
Charroi (R. du) .....p. 6 ABN 36
Chasse (Av. de la) ..p. 9 HS
Château (Av. du) ...p.13 W 37
Chazal (Av.) ....p. 9 GQ
Chêne (R. du) .....p.12 JZ 39
Clays (Av.) ....p. 9 GQ
Coccinelles (Av. des). p.11 HX 40
Coghen (Av.) ......p.10 EVX
Colonel Bremer (Pl.). p. 9 GQ 42
Colonies (R. des) ...p.12 KY 43
Comédiens (R. des) .p.12 KY 45
Commerce (R. du) ..p.12 KZ 46
Congo (Av. du) ....p.11 GV 48
Congrès (R. du) ....p.12 KY
Constitution
  (Av. de la) ......p.13 W 49
Copernic (R.) ......p.10 FX 51
Cortenberg (Av. de). p. 9 HR
Couronne (Av. de la). p.11 GUV
Croix-de-Fer (R. de la). p.12 KY 52
Croix-du-Feu (Av. des). p. 4 BK 54
Dailly (Av.) ....p. 9 GQ
Dailly (Pl.) ....p. 9 GR 55

Defacqz (R.) ....p.10 FU
Delleur (Av.).......p. 7 CN 57
Démosthène
  Poplimont (Av.) . .p.13 W 58
Derby (Av. du) .....p.11 GX
Diamant (Av. du) ...p. 9 HR
Diane (Av. de la) ...p.11 FGX
Dolez (Av.) ....p. 6 BN
Doronée (R.) ....p.10 FV 61
Dries ....p.11 HX 63
Duc Jean (Av. du) ..p.13 W 64
Ducale (R.) ....p.12 KZ
Ducpétiaux (Av.) ...p.10 EU
Duquesnoy (Rue)...p.12 JYZ 66
Ecuyer (R. de l') ...p.12 JKY
Edith Cavell (R.)....p.10 FX
Edmond
  Parmentier (Av.). .p. 5 DM 69
Edmont Mesens (Av.). p. 9 HT
Edouard Bénes (Av.). p. 4 AL 70
Edouard de Thibault
  (Av.)...........p. 9 HS 72
Eglise St-Martin
  (R. de l') ....p.13 W 73
Eloy (Rue) ....p. 4 BM
Emile Bockstael (Bd). p. 4 AL 75
Emile Bossaert (Av.). p. 4 AL 76
Emile Bossaert (Av.). p.13 W 78
Emile de Beco (Av.). p.11 GU 79
Emile De Mot (Av.). p.11 GV 81
Emile Jacqmain (Bd). p. 8 FQ
Emile van Becelaere
  (Av.)...........p.11 HX
Emile Vandervelde
  (Av.) ....p. 5 DM 82
Empereur (Bd de l'). p.12 JZ 84
Eperons d'Or
  (Av. des) ....p.11 GU 85
Epicéas (R. des) ...p.11 HX
Ernest Allard (R.) ...p.12 JZ 87
Eugène Plasky (Av.). p. 9 HR
Europe (Bd de l') ...p. 8 ES 90
Everard (Av.) ......p.10 EV 91
Exposition (Av. de l'). p. 4 AKL
Exposition Universelle
  (Av. de l') ....p.13 W
Firmin Lecharlier (Av.). p.13 W 93
Flore (Av. de) ......p.11 GV

Floride (Av. de la) . . p.10 FX
Fonsny (Av.) . . . . . . p. 6 BN 94
Foresterie (Av. de la). p. 7 CN 96
Forêt (Av. de la) . . . p.11 HX
Fossé-aux-Loups (R.) . p.12 JKY 99
France (R. de) . . . . . p. 4 BM 100
Franklin Roosevelt
   (Av.) . . . . p.11 GVX
Frans Courtens (Av.) . p. 9 HQ 102
Frans van Kalken
   (Av.) . . . . p. 6 AN 103
Fré (Av. de) . . . . . . p. 8 EFX
Froissart (R.) . . . . . . p. 9 GS 106
Galilée (Av.) . . . . . . p.12 KY
Gand (Chée de) . . . . p. 4 ABL
Gén. Eisenhower
   (Av.) . . . . p. 9 GQ 108
Gén. Médecin
   Derache (Av.) . . . p.11 GV
Gén. Wahis (Bd) . . . p. 9 HQ
Genève (R. de) . . . . p. 9 HQ
Gloires Nationales
   (Av. des) . . . . . . p.13 W 110
Goffart (R.) . . . . p. 9 FGS
Grand Place . . . . . . p.12 JY
Gray (R.) . . . . p. 9 GST
Haecht (Chée de) . . . p. 5 CL
Hal (Porte de) . . . . . p. 8 ES 114
Hamoir (Av.) . . . . . . p.10 FX
Haute (R.) . . . . p. 8 ES
Henri Chomé (R.) . . . p. 9 HQ
Henri Dunant (Av.) . . p. 9 HQ
Henri Jaspar (Av.) . . p. 8 ES 117
Herbert Hoover (Av.) . p. 9 HR 118
Hippodrome (Av. de l') p.11 HV 120
Hospices (R. des) . . . p. 6 BP
Houba de Strooper
   (Av.) . . . . p. 4 BK 121
Houzeau (Av.) . . . . . p.10 FX
la Hulpe (Chée de) . . p. 7 CN
Impératrice (Bd de l') . p.12 KY 124
Industrie (Quai de l') . p. 8 ER 126
Industriel (Bd) . . . . . p. 6 AN
Invalides (Bd des) . . . p.11 HV 127
Italie (Av. d') . . . . . . p.11 GHX
Itterbeck (Av.) . . . . . p. 4 AM
Ixelles (Chée d') . . . . p. 8 FST
Jacques Sermon (Av.). p. 4 BL 130
Jacques Sermon (Av.). p.13 W 132
Jan Stobbaerts (Av.). p. 9 GQ 133
Jardin Botanique
   (Bd du) . . . . p. 8 FQ 135
Jean Baptiste Colyns
   (R.) . . . . p.10 FV
Jean Sobieski (Av.) . . p. 4 BK 136
Jean Volders (Av.) . . p. 8 ET 138
Jette (Av. de) . . . . . . p.13 W
Jette (Chée de) . . . . . p.13 W
Jeu de Balle (Pl. du). p. 8 ES 139
Jos Stallaert (R.) . . . p.10 FV 141
Joseph II (R.) . . . . . . p. 9 GR
Joseph Lebeau (R.) . p.12 JZ 142
Jourdan (R.) . . . . p. 8 ET
Jubilé (Bd du) . . . . . p. 8 EQ
Jules van Praet (Av.). p. 4 BKL 144
Juliette Wytsman (R.). p.11 GU 145
Kamerdelle (Av.) . . . p.10 EX 147
Kasterlinden (R.) . . . p. 4 AL
Laeken (Av. de) . . . . p.13 W 150
Laeken (R. de) . . . . . p. 8 EQ
Lambermont (Bd) . . . p. 5 CL
Legrand (Av.) . . . . . . p.10 FV 153
Lemonnier (Bd) . . . . p. 8 ERS
Léon Théodore (R.) . . p.13 W 154
Léon Vanderkindere
   (R.) . . . . p. 8 EFV
Léopold II (Av.) . . . . p. 7 DP
Léopold II (Bd) . . . . . p. 8 EQ
Léopold III (R.) . . . . . p. 5 CL
Lesbroussart (R.) . . . p.10 FU
Levis Mirepoix
   (Av. de) . . . . p.13 W 156
Liberté (Av. de la) . . p.13 W
Ligne (R. de la) . . . . p.12 KY
Linthout (R. de) . . . . p. 9 HRS
Livourne (R. de) . . . . p. 8 FT 158
Loi (R. de la) . . . . . . p. 9 GRS
Lombard (R. du) . . . . p.12 JYZ
Lorraine (Drève de) . . p. 7 CN
Louis Bertrand (Av.) . p. 9 GQ
Louis Lepoutre (Av.) . p.10 FV
Louis Mettewie (Bd) . p. 4 ALM

Louis Morichar (Pl.) . p.10 EU 160
Louis Schmidt (Bd) . p.11 HU
Louise (Av.) . . . . p. 6BMN
Louvain (Chée de) . . p. 9GHQ
Louvain (R. de) . . . . p.12 KY 163
Luxembourg (R. de) . p. 8 FS 165
Madrid (Av. de) . . . . p. 4 BK 166
Mai (Av. de) . . . . p. 5 CM
Malibran (R.) . . . . . . p. 9 GT
Marais (R. du) . . . . . p.12 KY
Marie-Louise (Sq.) . . p. 9 GR 171
Marnix (Av.) . . . . p.12 KZ
Martyrs (Pl. des) . . . . p.12 KY
Mercier (R. du Card.). p.12 KY 172
Méridien (R. du) . . . . p. 8 FQ 173
Mérode (R. de) . . . . . p. 6 BN 174
Messidor (Av. de) . . . p.10 EV
Meysse (Av. de) . . . . p. 4 BK 175
Minimes (R. des) . . . p.12 JZ
Molière (Av.) . . . . . . p. 8 EFV
Mons (Chée de) . . . . p. 4AMN
Mont Saint-Jean
   (Route de) . . . . . . p. 7 DN
Montagne (Rue) . . . . p.12 KY 178
Montgomery (Square). p. 9 HS
Montjoie (Av.) . . . . . p.10 FV
Mutualité (R. de la) . p.10 EV 180
Namur (R. de) . . . . . p.12 KZ
Neerstalle (Chée de) . p. 6 AN
Nerviens (Av. des) . . p. 9 GS 181
Neuve (R.) . . . . p.12 JKY
Nieuport (Bd) . . . . . . p. 8 EQ
Ninove (Chée de) . . . p. 4 AM
Nouvelle (Av.) . . . . . p.11 GU 184
Observatoire
   (Av. de l') . . . . . . p.10 FX
Orient (R. de l') . . . . p. 9 GS
van Overbeke (Av.) . . p.13 W
Pachéco (Bd) . . . . . . p.12 KY
Paepsem (Bd) . . . . . . p. 6 AN 186
Paix (Av. de la) . . . . p.13 W
Palais (Pl. des) . . . . . p.12 KZ
Palais (R. des) . . . . . p. 8 FQ
Palmerston (Av.) . . . . p. 9 GR 187
Panorama (Av. du) . . p.11 GX
Panthéon (Av. du) . . . p.13 W 189
Parc (Av. du) . . . . . . p.10 EU
Parc Royal (Av. du) . p. 4 BL
Patriotes (R. des) . . . p. 9 GR
Paul Deschanel (Av.) . p. 9 GQ
Paul Hymans (Av.) . . p. 5CDM
Paul Stroobant (Av.). p.10 EX 193
Pavie (R. de) . . . . . . p. 9 GR
Pesage (Av. du) . . . . p.11 GVX
Petit Sablon (Sq. du). p.12 KZ 195
Philippe Baucq (R.) . p. 9 GT
Picard (R.) . . . . p. 8 EQ
Piers (R.) . . . . p. 8 EQ
Pittoresque (Drève) . . p. 6 BP
Plaine (Bd de la) . . . p.11 HV
Poelaert (Pl.) . . . . . . p.12 JZ
Poincaré (Bd) . . . . . . p. 8 ERS
Port (Av. du) . . . . . . p. 8 EQ
Porte de Hal
   (Av. de la) . . . . . . p. 8 ES 199
Presse (R. de la) . . . p.12 KY 201
Prince Royal (R. du) . p. 8 FS 202
Prince-de-Liège (Bd) . p. 4 AM 204
Princes (Galeries des). p.12 JY 205
Progrès (R. du) . . . . . p. 8 FQ
Ravenstein (R.) . . . . . p.12 KZ 207
Réforme (R. de la) . . p.13 W
Régence (R. de la) . . p.12 JKZ
Régent (Bd du) . . . . . p.12 KZ
Reine (Av. de la) . . . p. 4 BL
Reine (Galerie de la) . p.12 JY 210
Relais (R. du) . . . . . . p.11 HV
Renaissance
   (Av. de la) . . . . . . p. 9 HR
Robiniers (Av. des) . . p. 4 BL 211
Rogier (Av.) . . . . p. 9GHQ
Rogier (Pl.) . . . . p. 8 FQ 213
Roi (Galerie du) . . . . p.12 KY 214
Roi Albert (Av. du) . . p. 4 AL
Roi Vainqueur (Pl. du). p. 9 HS 216
Rollebeek (R. de) . . . p.12 JZ 217
Roodebeek (Av. de) . . p. 9 HR
Royale (R.) . . . . p. 8 FQR
Saint-Antoine (Pl.) . . p. 9 GT 220
Saint-Hubert (Drève) . p. 7 CP
Saint-Hubert
   (Galeries) . . . . . . p.12 JKY
Saint-Job (Chée de). p. 6 BN

Saint-Michel (Bd) . . . p. 9 HS
Sainte-Gudule (Pl.). . p.12 KY 222
Saisons (Av. des). . . p.11 GV 223
Sapinière (Av. de la) . p.11 GX
Saturne (Av. de) . . . p.10 FX 225
Savoie (R. de) . . . . . p.10 EU 226
Scailquin (R.) . . . . . . p. 8 FR 228
Sceptre (R. du) . . . . p. 9 GS
de Smet de Naeyer
   (Bd) . . . . p. 4 BL
Stalingrad (Av. de) . . p. 8 ERS
Stalle (R. de) . . . . . . p. 6 BN
Statuaires (R. des) . . p.10 EX
Stockel (Chée de) . . p. 5 DM 232
Tabellion (R. de) . . . p.10 FU 234
Tanneurs (R. des) . . . p. 8 ES
Tervuren (Av. de) . . . p. 7DMN
Tervuren (Chée de) . p. 7 DN 235
Théodore Verhaegen
   (R.) . . . . p. 8 ET
Trèves (R. de) . . . . . p. 9 GS
Triomphe (Bd du) . . . p.11 HU
Trône (R. du) . . . . . . p. 9 FGS
Université (Av. de l'). p.11 GV
Ursulines (R. des) . . p.12 JZ 243
Veeweyde (R. de) . . . p. 4 AM 244
Verdun (Rue de) . . . . p. 5 CL
Vergote (Square) . . . p. 9 HR
Vert Chasseur
   (Av. du) . . . . p.10 FX
Verte (Allée) . . . . . . p. 4 BL
Verte (R.) . . . . p. 8 FQ
Vétérinaires (R. des). p. 4 BM 247
Victoire (R. de la) . . p. 8 ET
Victor Rousseau (Av.). p. 6 BN
Victoria Regina (Av.). p. 8 FQ 249
Vilvorde (Av. de) . . . p. 5 CK
Vilvorde (Chée de) . . p. 5 BCL
Visé (Av.) . . . . p.11 HV
Vleurgat (Chée de) . . p.10 FUV
Volontaires (Av. des) . p.11 HU
Wand (R. de) . . . . . . p. 4 BK
Washington (Av.) . . . p.10 FU 253
Waterloo (Bd de) . . . p. 8 FS
Waterloo (Chée de) . p. 7 BCN
Wavre (Chée de) . . . p. 7 CDN
Wemmel (Chée de) . p.13 W 258
W. Ceuppens (Av.) . . p. 6 BN 261
Willebroeck (Quai de). p. 8 EQ
Winston Churchill
   (Av.) . . . . p.10 FV
Woluwe (Bd de la) . . p. 5DLM
Wolwendael (Av. de). p.10 EX
2è Rég. de Lanciers
   (Av. du) . . . . p.11 GHU 265
6 Jeunes Hommes
   (R. des) . . . . p.12 KZ 268
7 Bonniers (Av. des). p.10 EV 270
9è de Ligne (Bd du). p. 8 EQ 271

ENVIRONS

ALSEMBERG

Sanatoriumstr. . . . . . p. 6 AP

BEERSEL

Alsembergse-
   steenweg . . . . . . p. 6 BP
Grotebaan . . . . p. 6 ABP
Lotstraat . . . . p. 6 AP 159
Schoolstraat . . . . . . p. 6 AP 229

DIEGEM

Haachtsesteenweg . . p. 5 CL
Holidaylaan . . . . p. 5 DL
Woluwelaan . . . . p. 5 DK

DROGENBOS

Grotebaan . . . . p. 6 ABN
Verlengde Stallestraat . p. 6 AN 246

HOEILAART

Duboislaan . . . . p. 7 DP
Sint-Jansberglaan . . . p. 7 DP
Terhulpsesteenweg . . p. 7 DP

KRAAINEM

Wezembeek (Av. de). p. 5 DM 259

LINKEBEEK

Alsembergsesteenweg . . . . . . p. 6 **BP**
Hollebeek . . . . p. 6 **BP**

LOT

Joz. Huysmanslaan . p. 6 **AP**
Zennestraat . . . . p. 6 **AP** 262

MACHELEN

Luchthavenlaan . . . . p. 5 **DK**
Woluwelaan . . . . . . p. 5 **DK**

MELSBROEK

Haachtsesteenweg . p. 5 **DK**
Ruisbroek . . . . p.
Fabriekstraat . . . . . . p. 6 **AN**
Hemelstr. . . . . p. 6 **AP**

ST-GENESIUS-RODE

Dubois (Av.) . . . . p. 7 **CP**
Forêt-de-Soignes
(Av. de la) . . . . . . p. 7 **CP** 97
Libération (Av. de la) . p. 6 **BP** 157
Linkebeeksedreef . . p. 6 **BCP**

ST-PIETERS-LEEUW

Bergensesteenweg . p. 6 **ANP**
Brusselbaan . . . . p. 6 **AN**

ST-STEVENS-WOLUWE

Evere (Rue d') . . . . . p. 5 **CDL**
Leuvensesteenweg . p. 5 **DL**

STROMBEEK-BEVER

Antwerpselaan . . . . p. 4 **BK** 9
Boechoutlaan . . . . . p. 4 **BK**

VILVOORDE

Belgiëlaan . . . . p. 5 **CK**
Indringingsweg . . . . p. 5 **CK**
Parkstraat . . . . p. 5 **CK** 192
Schaarbeeklei . . . . . p. 5 **CK**
Sint-Annalaan . . . . . p. 4 **BK**
Stationlei . . . . p. 5 **CK** 231
Vuurkruisenlaan . . . . p. 5 **CK** 252

WEMMEL

De Limburg Stirumlaan . p. 4 **ABK**
Frans Robbrechtsstr. . p. 4 **ABK**
Windberg . . . . p. 4 **AK**

ZAVENTEM

Henneaulaan . . . . . . p. 5 **DL** 115

ZELLIK

Gentsesteenweg . . . p. 4 **AL**
Romeinsebaan . . . . . p. 4 **AK** 219
Zuiderlaan . . . . p. 4 **AL** 264

Liste alphabétique *(Hôtels et restaurants)*

A

Abbaye de Rouge
  Cloître (L') 28
Abbey 35
Adrienne 30
Adrienne Atomium 27
Agenda (L') 25
Alain Cornelis 27
Alambic (L') 34
Alban Chambon (L') .. 22
Albert Premier 32
Alfa Sablon 24
Alfonso (D') 33
Algues (Les) 24
Aloyse Kloos 36
Alter Ego (L') 37
Amandier (L') 32
A'mbriana 33
Amigo 23
Anak Timoer 32
André D'Haese 36
Angelus 38
Années Folles (Les) .. 24
Archimède 26
Arconati (Host. d') 35
Arenberg 22
Argus 30
Arlecchino (L')
  (H. Aub. de Waterloo) 37
Armagnac (L') 30
Armes de Bruxelles
  (Aux) 23
Ascoli (L') 32
Astoria 22
Astrid 23
Astrid « Chez Pierrot » . 22
Atelier (L') 26
Atlas 23
Aub. de Boendael 29
Aub. Bretonne 37
Aub. de l'Isard 27
Aub. Napoléon 36
Aub. Le St-Esprit 38
Aub. Saint-Pierre (L') .. 38
Aub. van Strombeek . 37
Aub. de Waterloo 37
Axel Dewit 36

B

Baalbeck 34
Baguettes Impériales
  (Les) 27
Barbay 37
Barbizon 37
Barlow's 38
Barolo (Le) 30
Béarnais (Le) 31
Beau-Site 30
Bedford 22
Bédouin (Le) 24

Béguine des Béguines 31
Belle Maraîchère (La) . 24
Belson 28
Bernard 22
Blue Elephant 32
Boetfort 36
Bois Savanes 37
Bollewinkel 36
Bonne Fourchette (La) .. 27
Brasserie Marebœuf (La) 29
Brasseries Georges ... 33
Brighton (H. Stanhope) 25
Brooks' Bar 25
Brouette (La) 27
Bruneau 29
Brussels 25
Butterfly (The) 34
Bijgaarden (De) 35

C

Cadettt 30
Cadre Noir (Le) 32
Café de Buxelles (Le) . 30
Café de la Gare (Le) .. 34
Cambrils 29
Camme 37
Canard Sauvage (Le) .. 33
Capital 30
Capucines (Les) 31
Carrefour de l'Europe . 23
Casa Manolo 25
Castello Banfi 24
Centenaire (Le) 24
Chalet de la Pede (Le) 27
Chalet Rose (Le) 29
Chalet Rose 36
Chambord 22
Chantecler (Le) 29
Charles-Joseph 29
Chasse des Princes (La) 37
Chem's (Le) 30
Chevalier (Le) 36
Chouan (Le) 29
Christophorus 25
Cité du Dragon (La) .. 33
Citron Vert (Le) 28
City Garden 26
Claudalain (Le) 29
Claude Dezangré 29
Claude Dupont 29
Clef des Champs (La) . 24
Clery (Le) 33
Clubhouse 25
Comme Chez Soi 22
Comtes de Flandre (Les)
  (H. Sheraton Towers) 26
Conrad 25
Copthorne Stéphanie .. 25
County House 32
Criterion (Le) 30
Croûton (Le) 27
Crustacés (Les) 24
Curnonsky (Le) 27

D – E – F

Dames Tartine (Les) .. 32
Delta 31
Diegemhof 35
Dionysos 28
Diplomat 31
Dix septième (Le) 23
Dome (Le) 26
Doux Wazoo (Le) 29
Écailler du Palais Royal (L') 24
Embassy 22
Entre-Temps (L') 33
Escoffier (L') 27
Eurocap 30
Eurocity Botanique 32
Euroflat 26
Europa 26
Eurovillage 26
Evergreen 28
Exquis (L') 31
Faribole (La) 31
Farigoule (La) 27
Faubourg (Le) 33
Fierlant (De) 29
Fimotel Airport 35
Fine Fleur (La) 30
Flagrant Délice (Le) ... 29
Florence (Le) 27
Fontaine de Jade (La) . 28
3 Fonteinen 34
Forcado (Le) 31
Forum 31
Foudres (Les) 29
François 24
Frères Romano (Les) .. 32

G – H – I

George V 22
Gerfaut 27
Gosset 35
Gourmandin (Le) 25
Green Park 37
Grand Veneur (Le) 34
Grignotière (La) 28
Gril aux Herbes d'Evan
  (Le) 38
Grill (Le) 33
Grillange 28
Harry's Place 28
Hasseltberg 36
Hilton International ... 24
Hoef (De) 33
Hof te Linderghem ... 36
Holiday Inn 35
Holiday Inn City Centre 31
Hoogveld ('t) 34
Ibis Airport 35
Ibis Grand'Place 23
Ibis Sainte-Catherine .. 24
Inada 31
In 't Spinnekopke 23
Istas 37

J – K – L

Jardins de l'Abbaye
(Les) 29
Jardin d'Espagne (Le) . 26
J. et B. 22
Jolly Atlanta 22
Jolly du Grand Sablon 24
Kasteel Gravenhof 35
Kat Kar (Le) 33
Koen van Loven 36
Lambeau 34
Lambermont 32
Larmes du Tigre (Les). 25
Leopold 30
Lien Zana 37
Linde (De) 37
Lion (Le) 33
Loup-Galant (Le) 24
Lychee 27

M – N – O

Maison du Bœuf
(H. Hilton) 24
Maison du Cygne (La) 23
Maison Félix 30
Maison de Maître (La)
(H. Conrad) 25
Maison d'Or (La) 33
Mamounia (La) 31
Manos 31
Manos Stephanie 31
Marches de la Chapelle
(Aux) 24
Matignon 23
Mayfair 25
Méditerranée (La) 22
Meiser (Le) 32
Meo Patacca 31
Mercure 28
Méridien (Le) 23
Métropole 22
Meyers 24
Michel 35
Michel Servais 34
Mimosa 28
Ming Dynasty 27
Mon Manège à Toi ... 34
Montgomery 34
Mosaïque (La) 30
Mucha (Le) 34
Mykonos 26
New Asia 28
New Charlemagne 26
New Siru 32
Novotel Airport 35
Novotel off Grand'Place 23
Oceanis-L'Annexe 34
Ogenblik (L') 23
Olivier (L') 31
Opus 28
Oude Pastorie (d') 36

P – Q

Paix (La) 27
Pagode d'Or (La) 29
Palace 31
Palais des Indes (Au) . 25
Palasi 32
Pallieter 38
Pappa e Citti 26
Paradis de Chang (Le) 27
Park 28
Parkhof 38
Pavillon d'Été (Le) ... 28
Pavillon Impérial 33
Père Mouillard (Le) ... 36
Perugino (Il) 22
Petit magot (Le) 31
Petit Prince (Le) 32
Petits Oignons (Les) .. 25
Petits Pères (Les) 33
Philippe Riesen 32
Philippe Verbaeys 38
Pierre (Cher) 31
« Pierrot » La Saladine 37
Plezanten Hof (De) 36
Porte des Indes (La) .. 25
Pôt Lyonnais (Le) 33
Pousse-Rapière (Le) ... 28
Pré en bulle (Le) 33
Président Centre 22
Président Nord 26
Président
World Trade Center 26
Prince de Liège (Le) .. 27
Provence « Chez
Marius » (En) 24
Quality Cascade 31
Quatre Saisons (Les)
(H. Royal Windsor) . 23
Queen Anne 22

R – S

Radisson SAS 22
Relais Delbeccha 35
Relais de la Woluwe
(Le) 34
Renaissance 25
Repos des Chasseurs
(Au) 33
Réserve (La) 27
Reyers 32
Rives du Gange (Les) . 33
Roma 22
Roue d'Or (La) 23
Royal Grown
Gd H. Mercure 31
Royal Windsor 23
Sabina 22
Saint-Estèphe (Le) 30
Saint-Guidon 27
Saint-Nicolas 23
Saint-Sébastien (Le) ... 36
Salade Folle (La) 34
Samouraï 23

San Daniele 29
Sandy 38
Scheltema 23
Scholtès 32
Sea Grill
(H. Radisson SAS) .. 22
Sermon (Le) 30
Serpolet (Le) 28
Sheraton Airport 38
Sheraton Towers 26
Shogun 30
Sirène d'Or (La) 24
Smidse (De) 35
Sodehotel 34
Sofitel 30
Sofitel Airport 35
Stanhope 25
Stene Brugge (De) 36
Stevin (Le) 26
Stirwen 28
Stockmansmolen 38
Stoveke ('t) 37
Stromboli 28

T

Tagawa 25
Taishin (H. Mayfair) ... 25
Takesushi 26
Taverne du Passage .. 23
Terborght 36
Tête d'Or (La) 23
Thaï Garden 28
Thaïlande (La) 30
Tissens 36
Tower Bridge 35
Trois Couleurs (Des) .. 34
Trois Tilleuls (Host. Des) 33
Truffe Noire (La) 26
Truite d'Argent et
H. Welcome (La) ... 24

U – V – W – Y

Uil (Den) 37
Ultieme Hallucinatie (De) 32
Ustel 27
Val Joli (Le) 37
Vendôme 26
Ventre Saint Gris 33
Vieux Boitsfort (Au) ... 33
Vieux Bruxelles (Le) .. 23
Vieux Pannenhuis
(Rôtiss. Le) 30
Vieux Stockel (Le) 34
Villa d'Este 32
Villa Lorraine 26
Waerboom 35
Willy et Marianne 33
Yen 29

Les établissements à étoiles
Sterrenbedrijven
Die Stern-Restaurants
Starred establishments

❀❀❀

XXXX Bruneau 29   XXX Comme Chez Soi 22

❀❀

XXXXX Bijgaarden (De) 35   XXX Claude Dupont 29
XXXXX Villa Lorraine 26   XXX Écailler du Palais Royal (L') . 24

❀

XXXX Barbizon 37   XXX Mon Manège à Toi 34
XXXX Maison du Bœuf 24   XXX Les 4 Saisons 23
XXXX Maison de Maître (La) 25   XXX Truffe Noire (La) 26
XXXX Michel 35   XX Baguettes Impériales (Les) .. 27
XXXX Sea Grill 22   XX Grignotière (La) 28
XXX Des 3 Couleurs 34   XX Stockmansmolen 38
XXX Aloyse Kloos 36   XX Villa d'Este 32
XXX André D'Haese 36   X Stirwen 28

114

La cuisine que vous recherchez...
Het soort keuken dat u zoekt
Welche Küche, welcher Nation suchen Sie
That special cuisine

A la bière

Béguine des Béguines			**3 Fonteinen**	
(Molenbeek-St-Jean)	31		(Env. à Beersel)	34

Buffets

Adrienne (Ixelles, Q. Louise) ..	30		**Holiday Inn**	
Adrienne Atomium			(Env. à Diegem)	35
(Q. Atomium)	27		**Plein Ciel** (H. Hilton Interna-	
L'Atelier (Q. de l'Europe)	26		tional) (Q. Palais de Justice)	24
Café Wiltcher's (H. Conrad)			**La Salade Folle**	
(Q. Louise)	25		(Woluvé-St-Pierre)	34

Grillades

Aub. de Boendael			**De Hoef**	
(Ixelles)	29		(Uccle)	33
Aub. Napoléon (Env. à Meise) .	36		**Rôtiss. Le Vieux Pannenhuis**	
Le Grill (Watermael-Boitsfort) ..	33		(Jette)	30

Produits de la mer – Crustacés

Les Algues (Q. Ste-Catherine) .	24		**Meyers** (Q. Ste-Catherine)	24
La Belle Maraîchère			**Oceanis-L'Annexe**	
(Q. Ste-Catherine)	24		Woluvé-St-Hambert)	34
Le Chouan (Forest)	29		**Sea Grill** (H. Radisson SAS) ..	22
Les Crustacés			**La Sirène d'Or**	
(Q. Ste-Catherine)	24		(Q. Ste-Catherine)	24
L'Écailler du Palais Royal			**'t Stoveke**	
(Q. des Sablons)	24		(Env. à Strombeek-Bever) ...	37
François (Q. Ste-Catherine) ...	24		**La Truite d'Argent**	
La Méditerranée	22		(Q. Ste-Catherine)	24

Taverne – Brasseries

La Brasserie Marebœuf			**Istas** (Env. à Overijse)	37
(Ixelles, Q. Boondael)	29		Kasteel Gravenhof (Env. à Dworp)	35
Brasseries Georges (Uccle) ..	33		**Leopold** (Ixelles, Q. Léopold) ..	30
Le Café de Bruxelles			Aux Marches de la Chapelle	
(Ixelles, Q. Bascule)	30		(Q. des Sablons)	24
Le Café de la Gare			**New Siru** (St-Josse-ten-Noode,	
(Woluwé-St-Hambert)	34		Q. Botanique)	32
Le Criterion (Ixelles, Q. Louise)	30		**La Paix** (Anderlecht)	27
Le Faubourg			**La Roue d'Or** (Q. Grand'Place) .	23
(Watermael-Boitsfort)	33		**Taverne du Passage**	
Fonteinen (Env. à Beersel) ...	34		(Q. Grand'Place)	23

Chinoise

La Cité du Dragon (Uccle) ...	33	**Ming Dynasty** (Q. Atomium) ..	27
La Fontaine de Jade		**New Asia** (Auderghem)	28
(Etterbeek, Q. Cinquantenaire)	28	**Le Paradis de Chang**	
Le Lion (Uccle)	33	(Q. Atomium)	27
Lychee (Q. Atomium)	27	**Pavillon Impérial** (Uccle)	33

Espagnole

Casa Manolo		**Le Jardin d'Espagne**	
(Q. Palais de Justice)	25	(Q. de l'Europe)	26
Grillange (Etterbeek)	28		

Grecque

Dionysos (Auderghem)	28	**Mykonos** (Q. de l'Europe)	26

Indienne

Au Palais des Indes (Q. Louise)	25	**Les Rives du Gange**	
La Porte des Indes (Q. Louise) .	25	(Watermael-Boitsfort)	33

Indonésienne

Anak Timoer (Schaerbeek, Q. Meiser)	32

Italienne

D'Alfonso (Uccle)	33	**Palasi**	
A'mbriana (Uccle)	33	(Schaerbeek, Q. Meiser)	32
L'Arlecchino		**Pappa e Citti**	
(H. Aub. de Waterloo)		(Q. de l'Europe)	26
(Env. à Sint-Genesius-Rode) .	37	**Il Perugino**	22
L'Ascoli (Uccle)	32	**Au Repos des Chasseurs**	
Le Barolo (Jette)	30	(Watermael-Boitsfort)	33
Brooks' Bar (Q. Louise)	25	**Roma**	22
Castello Banfi (Q. des Sablons)	24	**San Daniele**	
Le Chantecler (Ixelles)	29	(Ganshoren)	29
Meo Patacca (St-Gilles)	31	**Stromboli**	
Le Mucha (Woluwe-St-Pierre)	34	(Berchem-Ste-Agathe)	28

Japonaise

Samouraï	23	**Taishin (H. Mayfair)**	
Shogun (Ixelles, Q. Louise) ...	30	(Q. Louise)	25
Tagawa (Q. Louise)	25	**Takesushi** (Q. de l'Europe) ...	26

Libanaise

Baalbeck (Woluwé-St-Lambert)	34

Marocaine

Le Chem's (Ixelles, Q. Louise) 30   **La Mamounia** (St-Gilles) 31

Portugaise

Le Forcado (St-Gilles) 31

Thaïlandaise

Blue Elephant (Uccle) 32
Bois Savannes
   (Env. à Sint-Genesius-Rode) . 37
Les Larmes du Tigre
   (Q. Palais de Justice) 25

Thaï Garden
   (Auderghem) 28
La Thailande
   (Ixelles, Q. Bascule) 30

Tunisienne

Le Bédouin (Q. Ste-Catherine) 24

Vietnamienne

Les Baguettes impériales
   (Q. Atomium) 27

La Pagode d'Or (Ixelles) 29
Yen (Ixelles, Q. Louise) 29

BRUXELLES (BRUSSEL) - plan p. 12 sauf indication spéciale :

🏨🏨 **Radisson SAS,** r. Fossé-aux-Loups 47, ⊠ 1000, ℰ 219 28 28, Telex 22202, Fax 219 62 62, « Patio avec vestiges du mur d'enceinte de Bruxelles - 12ᵉ s. », *Ƒₐ*, ☎ – |♣| ⇚ ≡ ▥ ☎ ♣ ⇔ ⅍ 25 à 380. ⚏ ⦿ ⴹ *VISA* ⅍ rest   KY **f**
Repas voir rest *Sea Grill* ci-après – *Atrium* Lunch 975 – carte 1000 à 1300 – **275 ch** ⊊ 10900/13500, 6 suites.

🏨🏨 **Métropole,** pl. de Brouckère 31, ⊠ 1000, ℰ 217 23 00, Telex 21234, Fax 218 02 20, « Hall et salons époque fin 19ᵉ s. », *Ƒₐ*, ☎ – |♣| ⇚ ▥ ☎ – ⅍ 25 à 500. ⚏ ⦿ ⴹ *VISA* ⌯ᴄʙ.
Repas voir rest. *L'Alban Chambon* ci-après – **308 ch** ⊊ 6850/11400, 5 suites.   JY **c**

🏨🏨 **Astoria,** r. Royale 103, ⊠ 1000, ℰ 217 62 90, Telex 25040, Fax 217 11 50, « Demeure début du siècle » – |♣| ⇚ ≡ rest ▥ ☎ ⑫ – ⅍ 25 à 320. ⚏ ⦿ ⴹ *VISA*. ⅍   KY **b**
Repas *Le Palais Royal (fermé sam. et dim.)* Lunch 1550 – carte 1500 à 2050 – ⊊ 650 – **113 ch** 8000/10000, 12 suites – ½ P 9600/11600.

🏨 **Jolly Atlanta,** bd A. Max 7, ⊠ 1000, ℰ 217 01 20, Telex 21475, Fax 217 37 58 – |♣| ⇚ ≡ rest ▥ ☎ – ⅍ 25 à 50. ⚏ ⦿ ⴹ *VISA* ⌯ᴄʙ   JY **d**
Repas *(fermé sam. et dim.)* Lunch 950 – carte 1600 à 2250 – **234 ch** ⊊ 5500/8850, 6 suites.

🏨 **Bedford,** r. Midi 135, ⊠ 1000, ℰ 512 78 40, Telex 24059, Fax 514 17 59 – |♣| ⇚ ≡ ▥ ☎ ⇔ – ⅍ 50 à 200. ⚏ ⦿ ⴹ *VISA*. ⅍   plan p. 8   ER **k**
Repas *(fermé Noël-Nouvel An)* Lunch 950 – 950/1450 – **294 ch** ⊊ 6100/7300, 1 suite – ½ P 4600/5100.

🏨 **Président Centre** sans rest, r. Royale 160, ⊠ 1000, ℰ 219 00 65, Telex 26784, Fax 218 09 10 – |♣| ⇚ ≡ ▥ ☎ ⇔. ⚏ ⦿ ⴹ *VISA* ⌯ᴄʙ. ⅍   KY **a**
73 ch ⊊ 4900/5900.

🏨 **Embassy** sans rest, bd Anspach 159, ⊠ 1000, ℰ 512 81 00, Telex 20506, Fax 514 30 97, ☎ – |♣| ▥ ☎ – ⅍ 25 à 60. ⚏ ⦿ ⴹ *VISA*. ⅍   plan p. 8   ER **e**
54 ch ⊊ 4500/6500.

🏨 **Arenberg,** r. Assaut 15, ⊠ 1000, ℰ 511 07 70, Telex 25660, Fax 514 19 76 – |♣| ⇚ ≡ rest ▥ ☎ – ⅍ 25 à 90. ⚏ ⦿ ⴹ *VISA* ⌯ᴄʙ.   KY **g**
Repas *(fermé week-end)* Lunch 425 – carte env. 1100 – **155 ch** ⊊ 3000/6800.

🏨 **Chambord** sans rest, r. Namur 82, ⊠ 1000, ℰ 513 41 19, Fax 514 08 47 – |♣| ▥ ☎. ⚏ ⦿ ⴹ *VISA*   KZ **u**
69 ch ⊊ 3595/4795.

🏨 **George V** ⅍, sans rest, r. 't Kint 23, ⊠ 1000, ℰ 513 50 93, Fax 513 44 93 – |♣| ☎ ⑫. ⴹ *VISA* – **17 ch** ⊊ 1980/2400.   plan p. 8   ER **c**

🏨 **Queen Anne** sans rest, bd E. Jacqmain 110, ⊠ 1000, ℰ 217 16 00, Telex 22676, Fax 217 18 38 – |♣| ▥ ☎. ⚏ ⦿ ⴹ *VISA*   plan p. 8   EFQ **a**
60 ch ⊊ 3250/3750.

🏨 **Sabina** sans rest, r. Nord 78, ⊠ 1000, ℰ 218 26 37, Fax 219 32 39 – |♣| ▥ ☎. ⚏ ⦿ ⴹ *VISA* – **23 ch** ⊊ 1750/2200.   KY **c**

ХХХХ ❀ **Sea Grill** - H. Radisson SAS, r. Fossé-aux-Loups 47, ⊠ 1000, ℰ 217 92 25, Telex 22202, Fax 219 62 62, Produits de la mer – ≡ ⑫. ⚏ ⦿ ⴹ *VISA*. ⅍   KY **f**
fermé du 17 au 23 avril, 21 juil.-15 août, sam. midi, dim. et jours fériés – **Repas** Lunch 1600 – carte 2050 à 2600
Spéc. St-Jacques à la vapeur, crème de cresson (15 sept-15 avril), Saumon aux 5 parfums, Bar de ligne rôti en entier en croûte de sel.

ХХХ ❀❀❀ **Comme Chez Soi** (Wynants), pl. Rouppe 23, ⊠ 1000, ℰ 512 29 21, Fax 511 80 52, « Atmosphère Belle Époque restituée dans un décor Horta » – ≡ ⑫. ⚏ ⦿ ⴹ *VISA*   plan p. 8   ES **m**
fermé du 2 au 31 juil., Noël-Nouvel An, dim. et lundi – **Repas** (nombre de couverts limité - prévenir) 1900/3350 carte 2500 à 3400
Spéc. Filets de sole, mousseline aux crevettes grises et Riesling, Noisettes de cochon de lait à l'huile de truffes blanches, croustillant de fins légumes, La tour brésilienne aux chocolats et avelines.

ХХХ **L'Alban Chambon** - H. Métropole, pl. de Brouckère 21, ⊠ 1000, ℰ 217 76 50, Fax 218 02 20, « Évocation fin 19ᵉ s. » – ≡ ⅍ ⚏ ⦿ ⴹ *VISA* ⌯ᴄʙ   JY **e**
Repas *(fermé sam., dim. et jours fériés)* Lunch 1350 – carte 1550 à 2100.

ХХ **Astrid "Chez Pierrot",** r. Presse 21, ⊠ 1000, ℰ 217 38 31, Fax 217 38 31 – ⚏ ⦿ ⴹ *VISA*
fermé sam., sem. Pâques et 15 juil.-15 août – Repas Lunch 885 – 885/1500.   KY **a**

ХХ **Roma,** r. Princes 12, ⊠ 1000, ℰ 219 01 94, Fax 218 34 30, Avec cuisine italienne – ≡. ⚏ ⦿ ⴹ *VISA*. ⅍   JY **e**
Repas Lunch 495 – carte 1150 à 1800.

ХХ **J et B,** r. Baudet 5, ⊠ 1000, ℰ 512 04 84, Fax 511 79 30 – ⚏ ⦿ ⴹ *VISA*   KZ **t**
⤙ *fermé sam. midi et dim.* – **Repas** Lunch 695 – 695/1425.

ХХ **Bernard** 1ᵉʳ étage, r. Namur 93, ⊠ 1000, ℰ 512 88 21, Fax 502 21 77 – ≡. ⚏ ⦿ ⴹ *VISA*   KZ **n**
fermé sam., lundi et 3 juil.-1ᵉʳ août – **Repas** Lunch 1200 – carte 1650 à 2500.

Х **Il Perugino,** r. Nord 42, ⊠ 1000, ℰ 217 67 40, Fax 217 32 12, ☎, Cuisine italienne – ⚏ ⦿ ⴹ *VISA*   KY **d**
fermé sam., dim., jours fériés et août – **Repas** Lunch 860 – 950/1400.

Х **La Méditerranée,** r. Chartreux 44, ⊠ 1000, ℰ 512 73 08, Produits de la mer – ⚏ ⦿ ⴹ *VISA*   plan p. 8   ER **j**
fermé sam. midi, dim. et 7 août-7 sept – **Repas** Lunch 300 – carte env. 1000.

✗ **In 't Spinnekopke,** pl. du Jardin aux Fleurs 1, ⊠ 1000, ℘ 511 86 95, Fax 513 24 97, 🍽,
Avec cuisine régionale, « Ancien estaminet bruxellois » – 〽️ ⓔ 𝓥𝓘𝓢𝓐
fermé sam. midi, dim. et jours fériés – **Repas** carte 800 à 1350. plan p. 8 ER **d**

✗ **Samouraï,** r. Fossé-aux-Loups 28, ⊠ 1000, ℘ 217 56 39, Fax 640 66 69, Cuisine japonaise
– 🍽. 〽️ ⓞ ⓔ 𝓥𝓘𝓢𝓐. ℀
fermé mardi, dim. midi et 15 juil.-16 août – **Repas** Lunch 590 – 1300/2300. JY **s**

Quartier Grand'Place (Ilot Sacré) - plan p. 12 :

🏨🏨🏨 **Royal Windsor,** r. Duquesnoy 5, ⊠ 1000, ℘ 505 55 55, Telex 62905, Fax 505 55 00, 🅵🅰,
🚄 – 🛗 🗎 🌐 🎬 ☎ ⇔ – 🔬 25 à 150. 〽️ ⓞ ⓔ 𝓥𝓘𝓢𝓐 JYZ **f**
Repas voir rest **Les 4 Saisons** ci-après – 🍽 725 – **255 ch** 9650/10150, 11 suites.

🏨🏨🏨 **Amigo,** r. Amigo 1, ⊠ 1000, ℘ 547 47 47, Telex 21618, Fax 513 52 77, « Collection d'œuvres d'art variées » – 🛗 🗎 ch 🎬 ☎ ⇔ – 🔬 25 à 150. 〽️ ⓞ ⓔ 𝓥𝓘𝓢𝓐 𝓙𝓒𝓑. ℀ rest
Repas Lunch 1460 – carte 1300 à 1800 – **179 ch** 🍽 5950/11950, 7 suites. JY **x**

🏨🏨🏨 **Le Méridien** 🅼, Carrefour de l'Europe 3, ⊠ 1000, ℘ 548 42 11, ≤ – 🛗 ⇔ 🗎 🎬 ☎ 🅰
⇔. 〽️ ⓞ ⓔ 𝓥𝓘𝓢𝓐. ℀ KZ **h**
Repas (ouvert jusqu'à 23 h) – **224 ch** 🍽 10000/12000, 12 suites.

🏨🏨 **Carrefour de l'Europe** sans rest, r. Marché-aux-Herbes 110, ⊠ 1000, ℘ 504 94 00,
Telex 22050, Fax 504 95 00, – 🛗 ⇔ 🗎 🎬 ☎ – 🔬 50 à 100. 〽️ ⓞ ⓔ 𝓥𝓘𝓢𝓐. ℀ JKY **n**
60 ch 🍽 8300/9300, 5 suites.

🏨🏨 **Novotel off Grand'Place,** r. Marché-aux-Herbes 120, ⊠ 1000, ℘ 514 33 33, Telex 20377,
Fax 511 77 23 – 🛗 🗎 rest 🎬 ☎ 🅰 – 🔬 25. 〽️ ⓞ ⓔ 𝓥𝓘𝓢𝓐 𝓙𝓒𝓑 JKY **n**
Repas Lunch 550 – carte 800 à 1100 – 🍽 460 – **136 ch** 5950.

🏨 **Le Dixseptième** sans rest, r. Madeleine 25, ⊠ 1000, ℘ 502 57 44, Fax 502 64 24, « Élégant hôtel particulier » – 🛗 🎬 ☎ – 🔬 25. 〽️ ⓞ ⓔ 𝓥𝓘𝓢𝓐 JY **j**
12 ch 🍽 5800/6600, 9 suites.

🏨 **Matignon,** r. Bourse 10, ⊠ 1000, ℘ 511 08 88 et 511 09 09 (rest), Fax 513 69 27 – 🛗 🎬
☎. 〽️ ⓞ ⓔ 𝓥𝓘𝓢𝓐 JY **q**
Repas (fermé lundi et 15 janv.-15 fév.) (ouvert jusqu'à 23 h) Lunch 550 – carte 800 à 1200
– **21 ch** 🍽 3100.

🏨 **Ibis Grand'Place** sans rest, r. Marché-aux-Herbes 100, ⊠ 1000, ℘ 514 40 40,
Fax 514 50 67 – 🛗 🎬 ☎ 🅰 – 🔬 25 à 130. 〽️ ⓞ ⓔ 𝓥𝓘𝓢𝓐 𝓙𝓒𝓑 JKY **v**
172 ch 🍽 3950/4300.

🏨 **Saint-Nicolas** sans rest, r. Marché-aux-Poulets 32, ⊠ 1000, ℘ 219 04 40, Fax 219 17 21
– 🛗 🎬 ☎. 〽️ ⓞ ⓔ 𝓥𝓘𝓢𝓐 JY **f**
60 ch 🍽 2000/2800.

✗✗✗✗ **La Maison du Cygne,** Grand'Place 9, ⊠ 1000, ℘ 511 82 44, Fax 514 31 48, « Ancienne maison de corporation du 17e s. » – 🗎 🅿. 〽️ ⓞ ⓔ 𝓥𝓘𝓢𝓐. ℀ JY **w**
fermé sam. midi, dim. et sem. en août et fin déc. – **Repas** carte 2150 à 3100.

✗✗✗ 🕸 **Les 4 Saisons** - H. Royal Windsor, 1er étage, r. Homme Chrétien 2, ⊠ 1000, ℘ 505 55 55,
Telex 62905, Fax 505 55 00 – 🗎 🅿. 〽️ ⓞ ⓔ 𝓥𝓘𝓢𝓐 JYZ **f**
fermé sam. midi et 20 juil.-16 août – **Repas** Lunch 1390 – carte 1700 à 2600
Spéc. Salade de langoustines et sa tartare à la vinaigrette de crustacés, Crème de cuisses de
grenouilles à la purée de persil (21 sept-20 mars), Ris de veau rôti au vinaigre de noix.

✗✗ **La Tête d'Or,** r. Tête d'Or 9, ⊠ 1000, ℘ 511 02 01, Fax 502 44 91, « Demeure bruxelloise
ancienne » – 〽️ ⓞ ⓔ 𝓥𝓘𝓢𝓐 JY **u**
fermé sam., dim. et jours fériés – **Repas** 1000/2000.

✗✗ **Aux Armes de Bruxelles,** r. Bouchers 13, ⊠ 1000, ℘ 511 55 98, Fax 514 33 81, Ambiance
bruxelloise, ouvert jusqu'à 23 h – 🗎. 〽️ ⓞ ⓔ 𝓥𝓘𝓢𝓐 JY **t**
fermé lundi et 10 juin-10 juil. – **Repas** Lunch 995 – 995/1695.

✗✗ **Le Vieux Bruxelles,** r. Bouchers 35, ⊠ 1000, ℘ 511 24 57, Fax 452 33 35, 🍽 – 🗎. 〽️
ⓞ ⓔ 𝓥𝓘𝓢𝓐 – **Repas** carte 1500 à 2400. JY **r**

✗ **L'Ogenblik,** Galerie des Princes 1, ⊠ 1000, ℘ 511 61 51, Fax 513 41 58, Ouvert jusqu'à
minuit, « Intérieur ancien café » – 〽️ ⓞ ⓔ 𝓥𝓘𝓢𝓐 JY **p**
fermé dim. – **Repas** carte 1700 à 2250.

✗ **La Roue d'Or,** r. Chapeliers 26, ⊠ 1000, ℘ 514 25 54, Fax 512 30 81, Brasserie, ouvert
jusqu'à minuit – 〽️ ⓞ ⓔ 𝓥𝓘𝓢𝓐 JY **y**
fermé 15 juil.-15 août – **Repas** carte 1100 à 1600.

✗ **Taverne du Passage,** Galerie de la Reine 30, ⊠ 1000, ℘ 512 37 32, Fax 511 08 82, 🍽,
Ambiance bruxelloise, ouvert jusqu'à minuit – 〽️ ⓞ ⓔ 𝓥𝓘𝓢𝓐 JY **r**
fermé merc. et jeudi en juin-juil. – **Repas** Lunch 495 – carte 1000 à 1550.

✗ **Scheltema,** r. Dominicains 7, ⊠ 1000, ℘ 512 20 84, Fax 512 44 82, 🍽, Ouvert jusqu'à
23 h 30 – 〽️ ⓞ ⓔ 𝓥𝓘𝓢𝓐 𝓙𝓒𝓑 JY **p**
fermé dim. et 24 et 25 déc. – **Repas** Lunch 900 – carte 1100 à 1650.

Quartier Ste-Catherine (Marché-aux-Poissons) - plan p. 12 sauf indication spéciale :

🏨 **Astrid** 🅼 sans rest, pl. du Samedi 11, ⊠ 1000, ℘ 219 31 19, Fax 219 31 70 – 🛗 🎬 ☎ 🅰
⇔ – 🔬 25 à 100. 〽️ ⓞ ⓔ 𝓥𝓘𝓢𝓐 – **100 ch** 🍽 3000/4000. JY **b**

🏨 **Atlas** 🌿 sans rest, r. Vieux Marché-aux-Grains 30, ⊠ 1000, ℘ 502 60 06, Fax 502 69 35
– 🛗 🎬 ☎ ⇔ – 🔬 40. 〽️ ⓞ ⓔ 𝓥𝓘𝓢𝓐 plan p. 8 ER **a**
🍽 300 – **83 ch** 3500/3800, 5 suites.

🏠 **Ibis Sainte-Catherine** sans rest, r. Joseph Plateau 2, ☒ 1000, ℘ 513 76 20, Fax 514 22 14
– 🛗 ⇄ 📺 ☎ ﹠ – 🅰 25 à 80. 🆒 ⓞ 🅴 𝗩𝗜𝗦𝗔 𝗝𝗖𝗕   JY **a**
235 ch ☲ 2950/3650.

XX **La Sirène d'Or**, pl. Ste-Catherine 1a, ☒ 1000, ℘ 513 51 98, Fax 502 13 05, Produits de la
mer – 🗏. 🆒 ⓞ 🅴 𝗩𝗜𝗦𝗔   plan p. 8   ER **g**
fermé dim., lundi, 16 juil.-7 août et 24 déc.-3 janv. – **Repas** Lunch 950 – 1500/1900.

XX **François,** quai aux Briques 2, ☒ 1000, ℘ 511 60 89, Fax 512 06 67, 🍽, Produits de la mer
– 🗏. 🆒 ⓞ 🅴 𝗩𝗜𝗦𝗔   JY **k**
fermé du 23 au 25 déc., 30 déc.-1ᵉʳ janv. et lundi – **Repas** Lunch 995 – carte env. 1700.

XX **La Truite d'Argent et H. Welcome** avec ch, quai au Bois-à-Brûler 23, ☒ 1000,
℘ 219 95 46, Fax 217 18 87, 🍽 – 🗏 rest 📺 ☎. 🆒 ⓞ 🅴 𝗩𝗜𝗦𝗔   JY **h**
Repas (Produits de la mer) *(fermé sam. midi, dim. jours fériés, 31 juil.-16 août et Noël-
9 janv.)* Lunch 980 – 1490 – ☲ 350 – **6 ch** 2200/3000.

XX **La Belle Maraîchère,** pl. Ste-Catherine 11, ☒ 1000, ℘ 512 97 59, Fax 513 76 91, Produits
de la mer – 🆒 ⓞ 🅴 𝗩𝗜𝗦𝗔   JY **z**
fermé merc. et jeudi – Repas Lunch 900 – 900/1600.

XX **Les Algues,** pl. Ste-Catherine 15, ☒ 1000, ℘ 217 90 12, Fax 219 07 38, 🍽, Produits de
la mer – 🆒 ⓞ 🅴 𝗩𝗜𝗦𝗔   JY **m**
fermé juil. – **Repas** Lunch 1100 – carte 1100 à 1700.

X **Meyers,** pl. du Samedi 18, ☒ 1000, ℘ 219 26 16, Produits de la mer – 🆒 🅴 𝗩𝗜𝗦𝗔 JY **b**
fermé sam. midi et jours fériés – **Repas** Lunch 1275 – carte 1500 à 2050.

X **Les Crustacés,** quai aux Briques 8, ☒ 1000, ℘ 513 14 93, Fax 512 91 80, 🍽, Produits
de la mer – 🆒 🅴 𝗩𝗜𝗦𝗔   JY **k**
Repas Lunch 950 – carte 1700 à 2650.

X **Le Loup-Galant,** quai aux Barques 4, ☒ 1000, ℘ 219 99 98, 🍽 – 🆒 ⓞ 🅴 𝗩𝗜𝗦𝗔
fermé du 1ᵉʳ au 15 août, du 25 au 31 déc., sam. midi, dim. et jours fériés – Repas Lunch
450 – 860/1390.   plan p. 8   EQ **a**

X **Le Bédouin,** r. Flandre 6, ☒ 1000, ℘ 502 35 73, Cuisine tunisienne – 🆒 🅴 𝗩𝗜𝗦𝗔
fermé sam. midi, lundi et août – **Repas** Lunch 490 – carte env. 1000.   plan p. 8   ER **h**

Quartier des Sablons - plan p. 12 :

🏨 **Jolly du Grand Sablon** 🅼, r. Bodenbroek 2, ☒ 1000, ℘ 512 88 00, Telex 20397,
Fax 512 67 66 – 🛗 ⇄ 🗏 📺 ☎ 🚗 – 🅰 25 à 100. 🆒 ⓞ 🅴 𝗩𝗜𝗦𝗔. 🦅 rest   KZ **p**
Repas carte 1950 à 2750 – **195 ch** ☲ 8800/9850, 6 suites.

🏨 **Alfa Sablon** 🅼 sans rest, r. Paille 2, ☒ 1000, ℘ 513 60 40, Telex 21248, Fax 511 81 41
⇄ – 🛗 ⇄ 🗏 📺 ☎. 🆒 ⓞ 🅴 𝗩𝗜𝗦𝗔. 🦅   KZ **1**
28 ch ☲ 5650/7100, 4 suites.

XXX ✿✿ **L'Écailler du Palais Royal** (Basso), r. Bodenbroek 18, ☒ 1000, ℘ 512 87 51,
Fax 511 99 50, Produits de la mer – 🆒 ⓞ 🅴 𝗩𝗜𝗦𝗔 𝗝𝗖𝗕   KZ **l**
fermé du 14 au 22 avril, 31 juil.-août, dim. et jours fériés – **Repas** carte 2700 à 3000
Spéc. St-Pierre aux petits coquillages à l'infusion de cardamome, Turbot braisé au jus de truffe,
à l'embeurré de chou, Homard breton sauté et risotto au jus de cerfeuil.

XX **Castello Banfi,** r. Bodenbroek 12, ☒ 1000, ℘ 512 87 94, Fax 512 87 94, Avec cuisine italienne – 🗏. 🆒 ⓞ 🅴 𝗩𝗜𝗦𝗔   KZ **c**
fermé dim. soir, lundi, 1 sem. Pâques, 3 dern. sem. août et fin déc. – **Repas** Lunch 950 –
carte 1700 à 2250.

XX **En Provence "Chez Marius",** pl. du Petit Sablon 1, ☒ 1000, ℘ 511 12 08, Fax 512 27 89
– 🆒 🅴 𝗩𝗜𝗦𝗔   JZ **s**
fermé dim., jours fériés et 15 juil.-18 août – **Repas** Lunch 850 – 1100/2000.

X **Aux Marches de la Chapelle,** pl. de la Chapelle 5, ☒ 1000, ℘ 512 68 91, Fax 512 41 30,
Brasserie, ouvert jusqu'à minuit, « Atmosphère Belle Époque » – 🆒 🅴 𝗩𝗜𝗦𝗔. 🦅   JZ **l**
fermé sam. midi et dim. – **Repas** carte 1050 à 1450.

X **La Clef des Champs,** r. Rollebeek 23, ☒ 1000, ℘ 512 11 93, Fax 513 89 49, 🍽 – 🗏. 🆒
ⓞ 🅴 𝗩𝗜𝗦𝗔. 🦅   JZ **l**
fermé dim. et lundi – **Repas** Lunch 990 – carte 1350 à 1650.

X **Les Années Folles,** r. Haute 17, ☒ 1000, ℘ 513 58 58 – 🆒 ⓞ 🅴 𝗩𝗜𝗦𝗔   JZ **s**
fermé sam. midi, dim. et jours fériés – **Repas** Lunch 650 – 1100.

Quartier Palais de Justice - plan p. 8 sauf indication spéciale :

🏨 **Hilton International,** bd de Waterloo 38, ☒ 1000, ℘ 504 11 11, Telex 22744,
Fax 504 21 11, ⇄ – 🛗 ⇄ 🗏 📺 ☎ ﹠ 🚗 – 🅰 45 à 600. 🆒 ⓞ 🅴 𝗩𝗜𝗦𝗔 𝗝𝗖𝗕
🦅 rest   FS **s**
Repas voir rest *Maison du Bœuf* ci-après – *Café d'Egmont* Lunch 990 – carte env. 1300 – *Plein
Ciel* 27ᵉ étage ≤ ville *(fermé sam. et dim.)* (Buffets, déjeuner seult) 695/990 – ☲ 800 –
438 ch 4000/12500, 12 suites.

XXXX ✿ **Maison du Bœuf** - H. Hilton, 1ᵉʳ étage, bd de Waterloo 38, ☒ 1000, ℘ 504 11 11,
Telex 22744, Fax 504 21 11, ≤ – 🗏 📣. 🆒 🅴 𝗩𝗜𝗦𝗔 𝗝𝗖𝗕. 🦅   FS **s**
Repas Lunch 1590 – 1890 carte 2000 à 2600
Spéc. Carpaccio de bar à la ciboulette, Salade de filets de rouget de roche grillés au basilic, Tartar
de la Maison du Bœuf.

XX **Les Petits Oignons,** r. Notre Seigneur 13, ✉ 1000, ℰ 512 47 38, Fax 513 44 79, �00, Ouvert jusqu'à 23 h 30 – **Φ**. ΑΕ ⓪ Ε 𝘝𝘐𝘚𝘈, ✵
fermé dim. et août – **Repas** *Lunch 650* – carte env. 1300.
plan p. 12   JZ   **j**

X **Le Gourmandin,** r. Haute 152, ✉ 1000, ℰ 512 98 92 – ΑΕ Ε 𝘝𝘐𝘚𝘈   plan p. 12   JZ   **u**
fermé sam. midi, dim. et du 1ᵉʳ au 15 juil. – **Repas** *Lunch 800* – 1390.

X **Les Larmes du Tigre,** r. Wynants 21, ✉ 1000, ℰ 512 18 77, Fax 502 10 03, �00, Cuisine thaïlandaise – ΑΕ ⓪ Ε 𝘝𝘐𝘚𝘈
ES   **p**
fermé sam. midi – **Repas** *Lunch 395* – carte 950 à 1250.

X **Christophorus,** r. Grand Cerf 24, ✉ 1000, ℰ 512 49 06, Fax 502 20 62 – ΑΕ ⓪ Ε 𝘝𝘐𝘚𝘈
FS   **q**
fermé sam. midi, dim. et 15 juil.-2 août – **Repas** *Lunch 560* – 895.

X **Casa Manolo,** r. Haute 165, ✉ 1000, ℰ 513 21 68, Fax 513 35 24, Avec cuisine espagnole, ouvert jusqu'à minuit – ΑΕ ⓪ Ε 𝘝𝘐𝘚𝘈
JZ   **a**
fermé merc. – **Repas** *Lunch 400* – carte 850 à 1300.

Quartier Léopold (voir aussi Ixelles) - plan p. 12 :

🏠🏠 **Stanhope,** r. Commerce 9, ✉ 1040, ℰ 506 91 11, Fax 512 17 08, *Ⅰ₆*, 🈺 – 📶 🔲 📺 ☎
🚗, ΑΕ ⓪ Ε 𝘝𝘐𝘚𝘈, ✵
KZ   **v**
Repas voir rest *Brighton* ci-après – **34 ch** ⮂ 9500/14500, 16 suites.

🏠🏠 **Renaissance** Ⓜ, r. Parnasse 19, ✉ 1040, ℰ 505 29 29, Fax 505 22 76, *Ⅰ₆*, 🈺, 🔲, 🌲
– 📶 ✵ 🔲 ⅙ 🚗 – 🔬 25 à 360. ΑΕ ⓪ Ε 𝘝𝘐𝘚𝘈 𝘑𝘊𝘉
GS   **e**
Repas (avec cuisine asiatique) *Lunch 980* – carte env. 1000 – ⮂ 650 – **238 ch** 7500/10500, 19 suites.

XXX **Brighton** - H. Stanhope, r. Commerce 9, ✉ 1040, ℰ 506 91 11, Fax 512 17 08, �00 – ΑΕ
⓪ Ε 𝘝𝘐𝘚𝘈, ✵
KZ   **v**
fermé sam., dim. et jours fériés – **Repas** *Lunch 1250* – carte 1200 à 2800.

Quartier Louise (voir aussi Ixelles et St-Gilles) - plans p. 8 et 10 :

🏠🏠🏠 **Conrad** 🌜, av. Louise 71, ✉ 1050, ℰ 542 42 42, Fax 542 42 00, �00, « Complexe autour d'un hôtel de maître de style début du siècle » – 📶 ✵ 🔲 📺 ☎ ⅙ 🚗 ⓟ – 🔬 25 à 750.
ΑΕ ⓪ Ε 𝘝𝘐𝘚𝘈 𝘑𝘊𝘉
FS   **f**
Repas voir rest *La Maison de Maître* ci-après – **Café Wiltcher's** (ouvert jusqu'à 23 h) *Lunch 990* – carte env. 1300 – ⮂ 850 – **254 ch** 11000/15000, 15 suites.

🏠🏠 **Mayfair,** av. Louise 381, ✉ 1050, ℰ 649 98 00, Telex 24821, Fax 649 22 49 – 📶 ✵ 🔲 📺
☎ 🚗 – 🔬 30 à 60. ΑΕ ⓪ Ε 𝘝𝘐𝘚𝘈
FV   **a**
Repas voir rest *Taishin* ci-après – **Louis XVI** (*fermé sam.*) *Lunch 380* – carte 1000 à 1400 – ⮂ 580 – **97 ch** 6320, 2 suites – ½ P 7650.

🏠🏠 **Copthorne Stéphanie,** av. Louise 91, ✉ 1050, ℰ 539 02 40, Telex 25558, Fax 538 03 07,
🔲 – 📶 ✵ 🔲 📺 ☎ 🚗 – 🔬 70 à 215. ΑΕ ⓪ Ε 𝘝𝘐𝘚𝘈 𝘑𝘊𝘉, ✵ rest
FT   **g**
Repas *L'Avenue Louise* (*fermé sam., dim., 31 juil.-20 août et 23 déc.-1ᵉʳ janv.*) *Lunch 895*
– 1195 – ⮂ 720 – **141 ch** 7450/9950, 1 suite.

🏠🏠 **Clubhouse** sans rest, r. Blanche 4, ✉ 1050, ℰ 537 92 10, Telex 62434, Fax 537 00 18 –
📶 ✵ 🔲 📺 ☎ 🚗 – 🔬 30. ΑΕ ⓪ Ε 𝘝𝘐𝘚𝘈 𝘑𝘊𝘉
FT   **h**
80 ch ⮂ 4800/6300, 1 suite.

🏠🏠 **Brussels** sans rest, av. Louise 315, ✉ 1050, ℰ 640 24 15, Fax 647 34 63 – 📶 📺 ☎ 🚗,
ΑΕ ⓪ Ε 𝘝𝘐𝘚𝘈
FU   **b**
36 ch ⮂ 3450/4800, 10 suites.

🏠 **L'Agenda** sans rest, r. Florence 6, ✉ 1050, ℰ 539 00 31, Fax 539 00 63 – 📶 📺 ☎ 🚗,
ΑΕ ⓪ Ε 𝘝𝘐𝘚𝘈
FT   **j**
⮂ 300 – **38 ch** 3300/3600.

XXXX ✿ **La Maison de Maître** - H. Conrad, av. Louise 71, ✉ 1050, ℰ 542 42 42, Fax 542 42 00
– 🔲 **Φ**. ΑΕ ⓪ Ε 𝘝𝘐𝘚𝘈
FS   **f**
fermé sam. midi, dim. et 16 juil.-15 août – **Repas** *Lunch 1300* – 1400/2400 carte 2000 à 3000
Spéc. Consommé de homard crème glacée à l'huile de truffes, Jarret de veau braisé à la badiane, Chariot de desserts.

XX **La Porte des Indes,** av. Louise 455, ✉ 1050, ℰ 647 86 51, Fax 640 30 59, Cuisine indienne,
« Décor exotique » – 🔲, ΑΕ ⓪ Ε 𝘝𝘐𝘚𝘈
FV   **c**
fermé dim. midi – **Repas** *Lunch 650* – carte 1150 à 1950.

XX **Au Palais des Indes,** av. Louise 263, ✉ 1050, ℰ 646 09 41, Fax 646 33 05, Cuisine indienne – 🔲, ΑΕ ⓪ Ε 𝘝𝘐𝘚𝘈
FU   **h**
Repas *Lunch 895* – carte 1100 à 1450.

XX **Brooks' Bar,** av. Louise 380, ✉ 1050, ℰ 640 32 12, Fax 646 82 54, Cuisine italienne – ΑΕ
Ε 𝘝𝘐𝘚𝘈
FV   **f**
fermé du 15 au 18 avril, 31 juil.-19 août, Noël, Nouvel An et dim. – **Repas** *Lunch 1250* –
carte 1400 à 2200.

XX **Taishin** - H. Mayfair, av. Louise 381, ✉ 1050, ℰ 647 84 04, Telex 24821, Fax 649 22 49,
Cuisine japonaise – 🔲, ΑΕ ⓪ Ε 𝘝𝘐𝘚𝘈 𝘑𝘊𝘉, ✵ rest
FV   **a**
fermé dim. – **Repas** *Lunch 450* – carte 1700 à 2100.

XX **Tagawa,** av. Louise 279, ✉ 1050, ℰ 640 50 95, Fax 648 41 36, Cuisine japonaise – 🔲 **Φ**.
ΑΕ ⓪ Ε 𝘝𝘐𝘚𝘈 𝘑𝘊𝘉, ✵
FU   **e**
fermé sam. midi, dim. et jours fériés – **Repas** carte 1350 à 3500.

Quartier Bois de la Cambre - plan p. 11 :

XXXXX ✿✿ **Villa Lorraine** (Van de Casserie), av. du Vivier d'Oie 75, ⌧ 1180, ✆ 374 31 63,
Fax 372 01 95, ☎ – **P**. ⒶⒺ ⓪ Ⓔ 𝚅𝙸𝚂𝙰 GX **w**
fermé dim. et 3 sem. en juil. – **Repas** Lunch 1750 – 3000 carte 2850 à 3850
Spéc. St-Jacques et langoustines au jus d'huîtres (sept-avril), Empereur des mers aux asperges
sauvages, Poularde de Bresse truffée au fin consommé.

XXX ✿ **La Truffe Noire**, bd de la Cambre 12, ⌧ 1050, ✆ 640 44 22, Fax 647 97 04, « Intérieur
élégant » – ⒶⒺ ⓪ Ⓔ 𝚅𝙸𝚂𝙰 GV **x**
fermé sam. midi, dim., 1 sem. Pâques, 1re quinz. août et fin déc. – **Repas** Lunch 1450 – carte
2800 à 3200
Spéc. Carpaccio aux truffes, Truffe blanche (oct.-fin déc.), St-Pierre aux poireaux et truffes.

Quartier de l'Europe - plan p. 9 :

🏨 **Europa**, r. Loi 107, ⌧ 1040, ✆ 230 13 33, Telex 26310, Fax 230 01 20, 𝕝♨ – ｜❄ ▤ 📺 **d**
☎ ⇔ **P** – 🏛 25 à 350. ⒶⒺ ⓪ Ⓔ 𝚅𝙸𝚂𝙰 GR
Repas *Les Continents (fermé août)* Lunch 1250 – carte env. 2000 – **236 ch** ⌸ 7600/8500,
4 suites – ½ P 2750/5100.

🏨 **Eurovillage** Ⓜ, bd Charlemagne 80, ⌧ 1040, ✆ 230 85 55, Telex 20927, Fax 230 56 35,
😄, ⌸ – ｜❄ ▤ 📺 ☎ ⇔ – 🏛 80 à 100. ⒶⒺ ⓪ Ⓔ 𝚅𝙸𝚂𝙰 GR **a**
Repas *(fermé sam. midi, dim. midi et août)* Lunch 580 – carte 1100 à 1400 – ⌸ 500 – **80 ch**
5250/6000.

🏨 **Archimède** sans rest, r. Archimède 22, ⌧ 1040, ✆ 231 09 09, Telex 20420, Fax 230 33 71
– ｜❄ ▤ ☎. ⒶⒺ ⓪ Ⓔ 𝚅𝙸𝚂𝙰 GR **z**
55 ch ⌸ 6000/6500.

🏨 **Euroflat** sans rest, bd Charlemagne 50, ⌧ 1040, ✆ 230 00 10, Telex 21120, Fax 230 36 83,
⌸ – ｜❄ 📺 ☎ ⇔ – 🏛 30. ❄ GR **b**
121 ch ⌸ 5700/6500, 12 suites.

🏨 **City Garden** ⎉ sans rest, r. Joseph II 59, ⌧ 1040, ✆ 230 09 45, Fax 230 64 37 – ｜❄
📺 ☎ ⇔. ⒶⒺ ⓪ Ⓔ 𝚅𝙸𝚂𝙰. ❄ GR **f**
96 ch ⌸ 5000/6500.

🏨 **New Charlemagne** sans rest, bd Charlemagne 25, ⌧ 1040, ✆ 230 21 35, Telex 22772,
Fax 230 25 10 – ｜❄ 📺 ☎ ⇔ – 🏛 30 à 60. ⒶⒺ ⓪ Ⓔ 𝚅𝙸𝚂𝙰 GR **k**
⌸ 495 – **66 ch** 3200/4900.

XX **Le Jardin d'Espagne**, r. Archimède 65, ⌧ 1040, ✆ 736 34 49, Fax 735 17 45, 😄, Avec
cuisine espagnole – ⒶⒺ Ⓔ 𝚅𝙸𝚂𝙰 GR **s**
fermé sam. midi et dim. – **Repas** 750/1150.

XX **Pappa e Citti**, r. Franklin 18, ⌧ 1040, ✆ 732 61 10, Fax 732 57 40, 😄, Cuisine italienne
– ⒶⒺ Ⓔ 𝚅𝙸𝚂𝙰. GR **e**
fermé du 5 au 28 août, 23 déc.-1er janv., sam., dim. et jours fériés – **Repas** carte 1250
à 1650.

X **L'Atelier**, r. Franklin 28, ⌧ 1040, ✆ 734 91 40, Fax 735 35 98, 😄, Buffets – ⒶⒺ Ⓔ 𝚅𝙸𝚂𝙰
fermé week-end, 30 juil.-28 août et 24 déc.-2 janv. – **Repas** Lunch 770 – 980. GR **y**

X **Takesushi**, bd Charlemagne 21, ⌧ 1040, ✆ 230 56 27, 😄, Cuisine japonaise – ⒶⒺ ⓪
Ⓔ 𝚅𝙸𝚂𝙰 GR **z**
fermé sam. et août – **Repas** Lunch 450 – 770/1950.

X **Le Stevin**, r. St-Quentin 29, ⌧ 1040, ✆ 230 98 47, Fax 230 04 94 – ⒶⒺ ⓪ Ⓔ 𝚅𝙸𝚂𝙰. ❄
fermé sam., dim., jours fériés, 29 juil.-20 août et 23 déc.-1er janv. – **Repas** Lunch 945 – carte
1300 à 1700. GR **r**

X **Mykonos**, r. Archimède 63, ⌧ 1040, ✆ 735 17 59, 😄, Cuisine grecque – ⓪ Ⓔ 𝚅𝙸𝚂𝙰
fermé 1 sem. Pâques, 2 prem. sem. sept et fin déc. – **Repas** carte 1050 à 1400. GR **n**

Quartier Botanique, Gare du Nord (voir aussi à St-Josse-ten-Noode) - plan p. 8 :

🏨 **Sheraton Towers**, pl. Rogier 3, ⌧ 1210, ✆ 224 31 11, Telex 26887, Fax 224 34 56, 𝕝♨,
⌸, ▨ – ｜❄ ▤ 📺 ☎ 🕭 **P** – 🏛 25 à 600. ⒶⒺ ⓪ Ⓔ 𝚅𝙸𝚂𝙰. ❄ rest FQ **n**
Repas voir rest *Les Comtes de Flandre* ci-après – *Le Pavillon* (ouvert jusqu'à 23 h) Lunch 850
– carte 1050 à 1600 – ⌸ 720 – **480 ch** 11950, 45 suites.

🏨 **President World Trade Center**, bd E. Jacqmain 180, ⌧ 1210, ✆ 203 20 20, Telex 21066,
Fax 203 24 40, 𝕝♨, ⌸, 🌼 – ｜❄ ▤ rest 📺 ☎ ⇔ **P** – 🏛 25 à 500. ⒶⒺ ⓪ Ⓔ 𝚅𝙸𝚂𝙰.
❄ FQ **d**
Repas *(fermé sam. et dim.)* Lunch 1290 – carte 1350 à 1800 – **288 ch** ⌸ 4900/7900, 14 suites.

🏨 **Le Dome** avec annexe Le Dome II Ⓜ, bd du Jardin Botanique 12, ⌧ 1000, ✆ 218 06 80,
Telex 61317, Fax 218 41 12, ☎ – ｜❄ ▤ rest 📺 ☎ – 🏛 25 à 100. ⒶⒺ ⓪ Ⓔ 𝚅𝙸𝚂𝙰. ❄
Repas *(fermé sam. et dim.)* (déjeuner seult) carte 1150 à 1600 – **125 ch** ⌸ 6200/
8400. FQ **m**

🏨 **Président Nord** sans rest, bd A. Max 107, ⌧ 1000, ✆ 219 00 60, Telex 61417, Fax 218 12 69
– ｜❄ ▤ 📺 ☎. ⒶⒺ ⓪ Ⓔ 𝚅𝙸𝚂𝙰 𝙹𝙲𝙱. ❄ – **63 ch** ⌸ 4900/6900. FQ **k**

🏨 **Vendôme** sans rest, bd A. Max 98, ⌧ 1000, ✆ 218 00 70, Telex 64460, Fax 218 06 83 –
🖂 📺 ☎ ⇔. ⒶⒺ ⓪ Ⓔ 𝚅𝙸𝚂𝙰 𝙹𝙲𝙱 – **118 ch** ⌸ 2775/4550. FQ **c**

XXX **Les Comtes de Flandre** - H. Sheraton Towers, pl. Rogier 3, ⌧ 1210, ✆ 224 31 11,
Telex 26887, Fax 224 34 56 – ▤ **P**. ⒶⒺ ⓪ Ⓔ 𝚅𝙸𝚂𝙰. ❄ FQ **n**
fermé sam., dim. et août – **Repas** Lunch 1200 – carte 1700 à 2050.

Quartier Atomium (Centenaire - Trade Mart - Laeken - Neder-over-Heembeek)
- plan p. 4 sauf indication spéciale :

XX **Ming Dynasty,** av. de l'Esplanade BP 9, ⌧ 1020, ℘ 475 23 45, Fax 475 23 50,
Cuisine chinoise, ouvert jusqu'à 23 h – 🍴 **P**. 🖭 ⓪ 🇪 *VISA*   BK **a**
fermé sam. midi, dim. et 2 dern sem. juil.-2 prem. sem. août – **Repas** Lunch 750 – carte 1050
à 1500.

XX **Le Centenaire,** av. J. Sobieski 84, ⌧ 1020, ℘ 478 66 23, Fax 478 66 23 – 🖭 ⓪ 🇪 *VISA*
fermé sam., lundi, juil. et Noël-Nouvel An – **Repas** Lunch 475 – carte env. 1400.   BKL **b**

XX ❀ **Les Baguettes Impériales** (Mme Ma), av. J. Sobieski 70, ⌧ 1020, ℘ 479 67 32,
Fax 479 67 32, 🍽, Avec cuisine vietnamienne – 🖭 🇪 *VISA*. ⅍   BKL **b**
fermé mardi, dim. soir, 2 sem. Pâques et août – **Repas** carte env. 2400
Spéc. Pétales de bœuf cru aux fines herbes, Crêpes croustillantes à la vietnamienne au homard,
Mangue chaude à la crème de soja.

XX **Aub. de l'Isard,** Parvis Notre-Dame 1, ⌧ 1020, ℘ 479 85 64, Fax 479 16 49 – 🍴. 🖭 ⓪
🇪 *VISA*   BL **c**
fermé dim., lundi et 3 sem. en juil. – Repas Lunch 495 – 895/1350.

XX **Lychee,** r. De Wand 118, ⌧ 1020, ℘ 268 19 14, Fax 268 34 57, Cuisine chinoise, ouvert
jusqu'à 23 h – 🍴. 🖭 ⓪ 🇪 *VISA*   BK **d**
fermé 15 juil.-15 août – **Repas** Lunch 355 – carte env. 1000.

X **Le Curnonsky,** bd E. Bockstael 315, ⌧ 1020, ℘ 479 22 60, Fax 478 80 59 – 🍴. 🖭 ⓪ 🇪 *VISA*
fermé merc., jeudi et août – **Repas** Lunch 500 – carte 1100 à 1500.   BL **e**

X **L'Escoffier,** r. Léopold Iᵉʳ 132, ⌧ 1020, ℘ 424 22 22, Fax 267 05 63 – 🖭 🇪 *VISA*   BL **f**
fermé dim. soir, lundi et juil.-prem. sem. août – **Repas** Lunch 675 – 895/1495.

X **Le Paradis de Chang,** r. de Wand 51, ⌧ 1020, ℘ 268 18 45, Cuisine chinoise, ouvert
jusqu'à 23 h – 🍴. 🖭 ⓪ 🇪 *VISA*. ⅍   BK **g**
fermé lundis non fériés – **Repas** Lunch 280 – 750.

X **La Bonne Fourchette,** r. Ransbeek 183, ⌧ 1120, ℘ 268 43 01, Fax 268 43 01 – 🖭 ⓪
🇪 *VISA*   plan p. 5 CK **j**
fermé dim., lundi soir et 21 juil.-17 août – **Repas** Lunch 750 – carte 1300 à 1650.

X **Adrienne Atomium,** Square Atomium, ⌧ 1020, ℘ 478 30 00, Fax (0 10) 68 80 41, ⁕ ville,
➡ Buffets – 🖭 ⓪ 🇪 *VISA*   BK
fermé dim. et après 20 h – **Repas** Lunch 690 – 800.

ANDERLECHT - plans p. 4 et 6 sauf indication spéciale :

🏨 **Le Prince de Liège,** chaussée de Ninove 664, ⌧ 1080, ℘ 522 16 00, Fax 520 81 85 – 📶
📺 ☎ ➦ – 🛗 25. 🖭 ⓪ 🇪 *VISA*   AM **h**
Repas *(fermé dim. soir et 7 juil.-4 août)* Lunch 535 – 835/1365 – **32 ch** ⌧ 1950/2950.

🏨 **Ustel,** Square de l'Aviation 6, ⌧ 1070, ℘ 520 60 53, Fax 520 33 28 – 📶 📺 ☎ – 🛗 30.
➡ 🖭 🇪 *VISA*   plan p. 8 ES **q**
Repas *(fermé sam. midi et dim.)* Lunch 325 – 625/1195 – **64 ch** ⌧ 3600/5900 – ½ P 4000.

🏨 **Gerfaut** sans rest, chaussée de Mons 115, ⌧ 1070, ℘ 522 19 22, Fax 523 89 91 – 📶 ⬅⬆
📺 ☎ **P**. 🖭 ⓪ 🇪 *VISA* – **48 ch** ⌧ 2600/3400.   BM **k**

XXX **Saint-Guidon** 2ᵉ étage, av. Théo Verbeeck 2 (dans le stade Constant Vanden Stock),
⌧ 1070, ℘ 520 55 36, Fax 523 38 27 – 🍴 **P** – 🛗 25 à 500. 🖭 🇪 *VISA*   AM **m**
fermé sam., dim., jours fériés, jours de match de l'équipe première, juil. et Noël-Nouvel An
– **Repas** (déjeuner seult) carte 1700 à 2100.

XX **La Réserve,** chaussée de Ninove 675, ⌧ 1080, ℘ 411 26 53, Fax 411 66 67, 🍽 – 🖭 ⓪
🇪 *VISA*   AM **n**
fermé lundi, mardi et sam. midi – **Repas** Lunch 975 – 975/2175.

XX **Alain Cornelis,** av. Paul Janson 82, ⌧ 1070, ℘ 525 02 83, Fax 525 02 83, 🍽 – 🖭 ⓪
🇪 *VISA*   AM **p**
fermé sam. midi, dim., jours fériés, mi-juil.-mi-août et Noël-Nouvel An – **Repas** carte 1400
à 1750.

XX **La Brouette,** bd Prince de Liège 61, ⌧ 1070, ℘ 522 51 69, Fax 522 51 69 – 🖭 ⓪ 🇪 *VISA*
fermé sam. midi, dim. soir, lundi et mi-juil.-mi-août – Repas Lunch 790 – 990/1590.   AM **r**

XX **Le Florence,** r. Henri Deleers 4 (pl. Bizet), ⌧ 1070, ℘ 520 35 03, Fax 520 08 04, Ouvert
jusqu'à 23 h – 🍴 **P**. 🖭 ⓪ 🇪 *VISA* – **Repas** carte 800 à 1550.   AN **c**

XX **Le Croûton,** r. Aumale 22 (près pl. Vaillance), ⌧ 1070, ℘ 520 79 36, Fax 522 88 83, 🍽
– 🖭 ⓪ 🇪 *VISA*   AM **u**
fermé du 15 au 31 août, du 24 au 30 déc., dim. et lundi – **Repas** Lunch 990 – carte 1650 à 2500.

X **La Farigoule,** chaussée de Mons 1427, ⌧ 1070, ℘ 520 48 01 – **P**. ⓪ 🇪 *VISA*   AN **f**
fermé sam. midi, dim. soir et 17 juil.-1ᵉʳ août – **Repas** Lunch 495 – 825/1050.

X **Le Chalet de la Pede,** r. Neerpede 575, ⌧ 1070, ℘ 525 00 54, Fax 525 00 54, ≤, 🍽 –
P. 🖭 ⓪ 🇪 *VISA*   AN **r**
fermé lundis et mardis non fériés, 1 sem. carnaval et 3 sem. en sept – **Repas** Lunch 1000
– 1195/1500.

X **La Paix,** r. Ropsy-Chaudron 49 (face Abattoirs), ⌧ 1070, ℘ 523 09 58, Taverne-rest – **P**.
🖭 🇪 *VISA*   BM **a**
fermé sam., dim., jours fériés et 3 dern. sem. juil. – **Repas** (déjeuner seult) carte 1050 à 1350.

AUDERGHEM (OUDERGEM) - plan p. 7 sauf indication spéciale :

XX ❀ **La Grignotière** (Chanson), chaussée de Wavre 2041, ⊠ 1160, ℰ 672 81 85, Fax 672 81 85
– 🖭 ⓪ 🗲 𝗩𝗜𝗦𝗔 DN **t**
fermé dim., lundi et 3 prem. sem. août – **Repas** 1750/1900
Spéc. Petite nage de coquillages à la coriandre (oct.-mars), Croustillant aux amandes de pigeonneau et foie d'oie, Filets d'omble de fontaine au jus de pomme verte.

XX **L'Abbaye de Rouge Cloître**, r. Rouge Cloître 8, ⊠ 1160, ℰ 672 45 25, Fax 660 12 01, 🦐,
« En lisière de forêt » – 🅿 – 🏧 25 à 55. 🖭 ⓪ 🗲 𝗩𝗜𝗦𝗔 DN **u**
fermé sam., dim. et 23 déc.-6 janv. – **Repas** Lunch 950 – carte 1200 à 1900.

XX **Le Pousse-Rapière**, chaussée de Wavre 1699, ⊠ 1160, ℰ 672 76 20 – 🖭 ⓪ 🗲 𝗩𝗜𝗦𝗔
fermé lundi soir, mardi, juil. et du 26 au 31 déc. – **Repas** Lunch 550 – 990/1390. CN **v**

XX **New Asia**, chaussée de Wavre 1240, ⊠ 1160, ℰ 660 62 06, Fax 675 29 72, 🦐, Cuisine chinoise, « Terrasse » – 🗐. 🖭 ⓪ 🗲 𝗩𝗜𝗦𝗔. ⬚ plan p. 11 HU **y**
fermé lundis non fériés – **Repas** Lunch 290 – 480/680.

XX **Dionysos**, chaussée de Wavre 1591, ⊠ 1160, ℰ 672 96 96, Cuisine grecque, ouvert jusqu'à minuit – 🖭 ⓪ 🗲 𝗩𝗜𝗦𝗔 CN **e**
Repas carte 950 à 1300.

X **Thaï Garden**, chaussée de Wavre 2045, ⊠ 1160, ℰ 672 34 76, Fax 672 34 76, 🦐, Cuisine
thaïlandaise – 🖭 🗲 𝗩𝗜𝗦𝗔 DN **t**
fermé sam. midi, dim. et du 1er au 15 déc. – **Repas** Lunch 490 – carte env. 1300.

BERCHEM-STE-AGATHE (SINT-AGATHA-BERCHEM) - plan p. 4 :

XX **Stromboli** avec ch, chaussée de Gand 1202, ⊠ 1080, ℰ 465 66 51, 🦐, Avec cuisine
italienne – 🗐 📺 🕿. 🖭 ⓪ 🗲 𝗩𝗜𝗦𝗔. ⬚ AL **x**
fermé 24 juil.-24 août – **Repas** *(fermé mardi et merc.)* Lunch 995 – carte 1100 à 1850 – **4 ch**
⚏ 3500/4000.

X **Mimosa**, av. Josse Goffin 166, ⊠ 1080, ℰ 465 22 98, Fax 465 20 28 – 🗐. 🖭 ⓪ 🗲 𝗩𝗜𝗦𝗔
fermé lundi soir, mardi, merc. et 22 juil.-12 août – **Repas** Lunch 430 – 1170. AL **y**

ETTERBEEK - plan p. 9 :

X ❀ **Stirwen** (Troubat), chaussée St-Pierre 15, ⊠ 1040, ℰ 640 85 41, Fax 648 43 08 – 🖭 ⓪
🗲 𝗩𝗜𝗦𝗔 GS **x**
fermé sam. midi, dim. et 2 sem. en août – **Repas** Lunch 950 – carte 1550 à 1850
Spéc. Œuf en meurette, Joue de bœuf braisée à la bourguignonne, Dos de saumon grillé au sel
de Guérande.

X **Opus**, av. Ed. de Thibault 68, ⊠ 1040, ℰ 733 80 69 – 🖭 ⓪ 🗲 𝗩𝗜𝗦𝗔 HS **f**
✦ *fermé dim. soir en hiver, dim. en été et lundi* – Repas Lunch 795 – 795/1400.

X **Grillange** 1er étage, av. Eudore Pirmez 7, ⊠ 1040, ℰ 649 26 85, Cuisine espagnole – 🖭
⓪ 🗲 𝗩𝗜𝗦𝗔 GT **a**
fermé dim., lundi, 15 juil.-25 août et du 1er au 15 janv. – **Repas** carte env. 1500.

Quartier Cinquantenaire (Montgomery) - plan p. 9 :

🏨 **Park** sans rest, av. de l'Yser 21, ⊠ 1040, ℰ 735 74 00, Fax 735 19 67, 🛋, 🌳 – 🛗 ⬚ 📺
🕿 – 🏧 25. 🖭 ⓪ 🗲 𝗩𝗜𝗦𝗔 𝗝𝗖𝗕 HS **c**
51 ch ⚏ 5800/7100.

XX **La Fontaine de Jade**, av. de Tervuren 5, ⊠ 1040, ℰ 736 32 10, Cuisine chinoise, ouvert
jusqu'à 23 h – 🗐. 🖭 ⓪ 🗲 𝗩𝗜𝗦𝗔 HS **a**
fermé mardi – **Repas** Lunch 680 – 950.

XX **Le Pavillon d'Été**, av. de Tervuren 107, ⊠ 1040, ℰ 732 03 59, Fax 732 10 56, Ouvert jusqu'à 23 h – 🗐. 🖭 ⓪ 🗲 𝗩𝗜𝗦𝗔 HS **e**
fermé sam. midi, dim. et fin déc. – **Repas** Lunch 995 – carte 1350 à 1900.

XX **Le Serpolet**, av. de Tervuren 59, ⊠ 1040, ℰ 736 17 01, Fax 736 67 85, 🦐 – 🖭 ⓪ 🗲 𝗩𝗜𝗦𝗔
fermé sam. midi, dim. soir et lundi – **Repas** Lunch 995 – 995. HS **b**

X **Harry's Place**, r. Bataves 65, ⊠ 1040, ℰ 735 09 00 – 🗐. 🖭 ⓪ 🗲 𝗩𝗜𝗦𝗔 HS **d**
fermé jeudi soir, sam. midi, dim., 18 juil.-10 août et 24 déc.-2 janv. – **Repas** Lunch 590 –
carte env. 1300.

EVERE - plan p. 5 :

🏨 **Belson** sans rest, chaussée de Louvain 805, ⊠ 1140, ℰ 735 00 00, Telex 64921,
Fax 735 60 43 – 🛗 ⬚ 🗐 📺 🕿 ⇦ – 🏧 25. 🖭 ⓪ 🗲 𝗩𝗜𝗦𝗔 𝗝𝗖𝗕 CL **z**
⚏ 575 – **137 ch** 3650/6950, 3 suites.

🏨 **Mercure**, av. J. Bordet 74, ⊠ 1140, ℰ 726 73 35, Telex 65460, Fax 726 82 95, 🦐 – 🛗 ⬚
📺 🕿 ⅄ ⇦ – 🏧 25 à 60. 🖭 ⓪ 🗲 𝗩𝗜𝗦𝗔 CL **a**
Repas carte env. 1300 – ⚏ 495 – **113 ch** 3950/5400, 7 suites.

🏨 **Evergreen** sans rest, av. L. Grosjean 71, ⊠ 1140, ℰ 726 70 15, Fax 726 62 60 – 📺 🕿
🏧 40. 🖭 ⓪ 🗲 𝗩𝗜𝗦𝗔 – **19 ch** ⚏ 2650/3150. CL **b**

XX **Le Citron Vert**, av. H. Conscience 242, ⊠ 1140, ℰ 241 12 57, Fax 242 70 05 – 🗐. 🖭 ⓪
✦ 🗲 𝗩𝗜𝗦𝗔 CL **c**
fermé lundi soir, mardi soir et août – **Repas** Lunch 350 – 800.

FOREST (VORST) - plan p. 6 sauf indication spéciale :

🏛 **De Fierlant** sans rest, r. De Fierlant 67, ⊠ 1060, 𝒫 538 60 70, Fax 538 91 99 – 🔄 📺 ☎.
AE ⓪ E VISA
BN **d**
fermé fin déc.-début janv. – **40 ch** ⌑ 2600/2800.

XXX **Le Chouan,** av. Brugmann 100, ⊠ 1060, 𝒫 344 09 99, Produits de la mer – ≣. AE ⓪ E
VISA
plan p. 10 EV **g**
fermé sam. midi, dim. soir, lundi et 9 juil.-15 août – **Repas** Lunch 950 – carte 1900 à 2200.

XX **Les Jardins de l'Abbaye,** pl. Saint-Denis 9, ⊠ 1190, 𝒫 332 11 59, Fax 332 17 52, ≼, �
– ≣ 🅿. AE ⓪ E VISA
ABN **e**
fermé dim., lundi, mardi soir et 21 juil.-15 août – **Repas** Lunch 850 – 850/1100.

GANSHOREN -plan p. 13 sauf indication spéciale :

XXXX ✿✿✿ **Bruneau,** av. Broustin 75, ⊠ 1080, 𝒫 427 69 78, Fax 425 97 26, �, « Terrasse »
– ≣. AE ⓪ E VISA
W **a**
fermé jeudis fériés, mardi soir, merc., 22 mai-11 juin et 24 déc.-4 janv. – **Repas** Lunch 1870
– 2750 carte 2400 à 3200
Spéc. Mille-feuille de langue de veau au foie d'oie, St-Jacques au caviar et beurre d'oursin (oct.-
15 avril), Ravioles de céleri aux truffes.

XXX ✿✿ **Claude Dupont,** av. Vital Riethuisen 46, ⊠ 1080, 𝒫 426 00 00, Fax 426 65 40 – W **b**
⓪ E VISA
fermé lundi, mardi et début juil.-début août – **Repas** 2150 carte 2100 à 3150
Spéc. Bouillabaisse de la mer du Nord, Petite nage de queues d'écrevisses à l'émulsion de cerfeuil
(juin-mars), Selle de chevreuil rôtie au thym, poivrade à l'ancienne (oct.-déc.).

XXX **San Daniele,** av. Charles-Quint 6, ⊠ 1080, 𝒫 426 79 23, Fax 426 92 14, Cuisine italienne
– ≣. AE ⓪ E VISA. ✼
W **c**
fermé dim., lundi soir et 15 juil.-15 août – **Repas** carte 1200 à 2000.

XX **Cambrils** 1er étage, av. Charles-Quint 365, ⊠ 1080, 𝒫 465 35 82, Fax 465 76 63, � – ≣.
AE E VISA
plan p. 4 AL **f**
fermé dim., lundi soir, jeudi soir et 15 juil.-15 août – Repas Lunch 890 – 995.

XX **Le Flagrant Délice** 1er étage, r. Prince Baudouin 43, ⊠ 1080, 𝒫 428 94 81, Fax 428 94 81
– ≣. AE ⓪ E VISA
W **d**
fermé dim. soir, lundi et 21 juil.-15 août – **Repas** Lunch 990 – carte 1550 à 2400.

X **Claude Dezangré,** av. du Duc Jean 10, ⊠ 1080, 𝒫 428 50 95 – AE ⓪ E VISA
W **e**
fermé mardi soir, merc., sem. carnaval et 15 juil.-15 août – **Repas** Lunch 595 – 995/1495.

X **Le Claudalain,** av. des Gloires Nationales 65, ⊠ 1080, 𝒫 428 82 63 – AE ⓪ E VISA
↔
W **f**
fermé dim. soir, lundi, mardi, 16 août-10 sept et 25 janv.-10 fév. – Repas Lunch 790 –
790/1150.

IXELLES (ELSENE) - plans p. 10 et 11 sauf indication spéciale :

XX **Charles-Joseph,** r. E. Solvay 9, ⊠ 1050, 𝒫 513 43 90 – AE ⓪ E VISA plan p. 8 FS **x**
fermé sam. midi, dim. et mi-juil.-mi-août – **Repas** Lunch 850 – carte 1000 à 1850.

XX **Yen,** r. Lesbroussart 49, ⊠ 1050, 𝒫 649 07 47, �, Cuisine vietnamienne, ouvert jusqu'à
23 h – AE ⓪ E VISA
FU **f**
fermé dim. – **Repas** carte 850 à 1200.

X **Le Chantecler,** chaussée de Wavre 47, ⊠ 1050, 𝒫 512 43 78, Avec cuisine italienne,
ouvert jusqu'à 23 h – 🅿. AE ⓪ E VISA
plan p. 8 FS **z**
fermé mai – **Repas** carte 1100 à 1500.

Quartier Boondael (Université) - plan p. 11 :

XXX **L'aub. de Boendael,** square du Vieux Tilleul 12, ⊠ 1050, 𝒫 672 70 55, Fax 660 75 82, �,
Grillades, Rustique – ≣ 🅿. AE ⓪ E VISA
HX **h**
fermé sam., dim., jours fériés, 21 juil.-15 août et 22 déc.-1er janv. – **Repas** Lunch 1375 – carte
1400 à 2000.

XX **Le Chalet Rose,** av. du Bois de la Cambre 49, ⊠ 1050, 𝒫 672 78 64, Fax 672 69 68, �
– 🅿. AE E VISA JCB
HV **k**
fermé sam. midi et jours fériés – **Repas** Lunch 990 – carte env. 1800.

XX **Les Foudres,** r. Eugène Cattoir 14, ⊠ 1050, 𝒫 647 36 36, Fax 649 09 86, �, « Ancienne
cave à vins » – 🅿. AE ⓪ E VISA
GUV **j**
fermé sam. midi et dim. – **Repas** 1000/1500.

X **La Brasserie Marebœuf,** av. de la Couronne 445, ⊠ 1050, 𝒫 648 99 06, Fax 648 38 30,
Ouvert jusqu'à minuit – ≣. AE ⓪ E VISA
GHV **t**
fermé dim. – **Repas** Lunch 550 – carte 1100 à 1700.

X **La Pagode d'Or,** chaussée de Boondael 332, ⊠ 1050, 𝒫 649 06 56, Fax 646 54 75, �,
Cuisine vietnamienne, ouvert jusqu'à 23 h – AE ⓪ E VISA. ✼
GV **m**
Repas Lunch 350 – 890/1350.

X **Le Doux Wazoo,** r. Relais 21, ⊠ 1050, 𝒫 649 58 52, Ouvert jusqu'à 23 h 30 – AE ⓪ E
VISA
HV **s**
fermé sam. midi, dim., 17 juil.-16 août et 24 déc.-1er janv. – **Repas** Lunch 875 – carte env.
1100.

Quartier Bascule - plan p. 10 :

🏨 **Capital** Ⓜ, chaussée de Vleurgat 191, ✉ 1050, ℰ 646 64 20, Fax 646 33 14, ⛱ – ⋮ ✕ — ▤ rest 📺 ☎ ⟲ – ⚿ 25. ⚿ ⑩ 🅴 ⚏ 🅅🅸🅂🅰 🅹🅲🅱 FU **c**
Repas *(fermé vend. soir et sam. en juil.-août)* Lunch 575 – 800 – **62 ch** ⚏ 2800/3900.

XXX **La Mosaïque,** r. Forestière 23, ✉ 1050, ℰ 649 02 35, Fax 647 11 49, ⛱ – ☯. ⚿ ⑩ 🅴 ⚏ 🅅🅸🅂🅰 FU **p**
fermé du 17 au 23 avril, 31 juil.-16 août, sam. midi et dim. soir – **Repas** 1600.

XX **Maison Félix** 1er étage, r. Washington 149 (square Henri Michaux), ✉ 1050, ℰ 345 66 93, Fax 344 92 85 – ⚿ ⑩ 🅴 ⚏ 🅅🅸🅂🅰 FV **s**
fermé dim., lundi et 2 dern. sem. juil. – **Repas** 1290/1900.

XX **L'Armagnac,** chaussée de Waterloo 591, ✉ 1060, ℰ 345 92 79 – ⚿ ⑩ 🅴 ⚏ 🅅🅸🅂🅰 FV **q**
fermé sam., lundi soir et 21 juil.-21 août – **Repas** Lunch 900 – carte 1250 à 1550.

XX **La Thaïlande,** av. Legrand 29, ✉ 1050, ℰ 640 24 62, Fax 640 06 39, ⛱, Cuisine thaïlandaise – ⚿ ⑩ 🅴 ⚏ 🅅🅸🅂🅰 FV **u**
fermé dim. – **Repas** Lunch 550 – carte env. 1300.

X **Le Café de Bruxelles,** chaussée de Waterloo 599, ✉ 1050, ℰ 343 32 16, Fax 346 45 54,
Brasserie, ouvert jusqu'à minuit – ⚿ 🅴 ⚏ 🅅🅸🅂🅰 FV **b**
fermé 25 déc. – **Repas** Lunch 750 – carte 1100 à 1750.

Quartier Léopold (voir aussi Bruxelles) - plan p. 8 :

🏨 **Leopold,** r. Luxembourg 35, ✉ 1040, ℰ 511 18 28, Telex 62804, Fax 514 19 39, ⛱, ⟐s
– ⋮ ▤ 📺 ☎ – ⚿ 25 à 60. ⚿ ⑩ 🅴 ⚏ 🅅🅸🅂🅰 FS **y**
Repas (Brasserie en sous-sol) *(fermé dim.)* Lunch 590 – 990 – **85 ch** ⚏ 4450/5650, 1 suite.

Quartier Louise (voir aussi Bruxelles et St-Gilles) - plans p. 8 et 10 sauf indication spéciale :

🏨 **Sofitel** sans rest, av. de la Toison d'Or 40, ✉ 1060, ℰ 514 22 00, Telex 63547, Fax 514 57 44,
– ⋮ ✕ ▤ 📺 ☎ – ⚿ 25 à 120. ⚿ ⑩ 🅴 ⚏ 🅅🅸🅂🅰 ❀ FS **r**
⚏ 700 – **171 ch** 6900/8500.

🏨 **Cadettt** Ⓜ, r. Paul Spaak 15, ✉ 1050, ℰ 645 61 11, Telex 20819, Fax 646 63 44, ⛱, ⟐s,
⛱ – ⋮ ✕ ▤ 📺 ☎ ♿ ⟲ – ⚿ 25 à 40. ⚿ ⑩ 🅴 ⚏ 🅅🅸🅂🅰 🅹🅲🅱 FU **k**
Repas (ouvert jusqu'à 23 h) Lunch 540 – carte 850 à 1150 – ⚏ 500 – **128 ch** 4900.

🏨 **Argus** sans rest, r. Capitaine Crespel 6, ✉ 1050, ℰ 514 07 70, Fax 514 12 22 – ⋮ 📺 ☎.
⚿ ⑩ 🅴 ⚏ 🅅🅸🅂🅰 FS **t**
41 ch ⚏ 3100/3400.

🏨 **Beau-Site** sans rest, r. Longue Haie 76, ✉ 1050, ℰ 640 88 89, Fax 640 16 11 – ⋮ 📺 ☎.
⚿ ⑩ 🅴 ⚏ 🅅🅸🅂🅰 FT **r**
38 ch ⚏ 3000/3950.

X **Le Criterion,** av. de la Toison d'Or 7, ✉ 1060, ℰ 512 37 68, Fax 512 32 87, Taverne-rest
– ▤. ⚿ ⑩ 🅴 ⚏ 🅅🅸🅂🅰. ❀ plan p. 12 KZ **w**
Repas Lunch 750 – carte 1000 à 1600.

X **Adrienne,** r. Capitaine Crespel 1a, ✉ 1050, ℰ 511 93 39, Fax 513 69 79, ⛱, Buffets – ⚿
⑩ 🅴 ⚏ 🅅🅸🅂🅰 FS **r**
fermé dim. – **Repas** Lunch 690 – 690/840.

X **Shogun,** r. Capitaine Crespel 10, ✉ 1050, ℰ 512 83 19, ⛱, Cuisine japonaise, teppan-yaki,
ouvert jusqu'à 23 h – ⚿ ⑩ 🅴 ⚏ 🅅🅸🅂🅰 🅹🅲🅱 FS **t**
fermé sam. midi et dim. – **Repas** Lunch 400 – 990/1700.

X **La Fine Fleur,** r. Longue Haie 51, ✉ 1050, ℰ 647 68 03, Ouvert jusqu'à 23 h – ⚿ ⑩ 🅴
⚏ 🅅🅸🅂🅰 FT **k**
fermé sam. midi, dim. et 15 juil.-15 août – **Repas** Lunch 320 – 750/850.

X **Le Chem's,** r. Blanche 14, ✉ 1050, ℰ 538 14 94, ⛱, Cuisine marocaine, ouvert jusqu'à
23 h – ⚿ ⑩ 🅴 ⚏ 🅅🅸🅂🅰. ❀ FT **q**
fermé sam. midi, dim. et mi-juil.-mi-août – **Repas** carte env. 1200.

JETTE - plan p. 13 sauf indication spéciale :

🏨 **Eurocap,** chaussée de Dieleghem 114, ✉ 1090, ℰ 478 03 10, Fax 478 43 16 – ⋮ 📺 ☎
⟲, ⚿ ⑩ 🅴 ⚏ 🅅🅸🅂🅰. ❀ rest plan p. 4 BL **h**
Repas *(fermé sam. midi et dim. soir)* Lunch 750 – carte 1350 à 1750 – **24 ch** ⚏ 2650/3150
– ½ P 2250/2500.

XX **Le Sermon,** av. Jacques Sermon 91, ✉ 1090, ℰ 426 89 35, Fax 426 70 90 – ⚿ 🅴 ⚏ 🅅🅸🅂🅰
fermé dim., lundi et juil. – **Repas** carte 1300 à 1700. W **g**

XX **Rôtiss. Le Vieux Pannenhuis,** r. Léopold-Ier 317, ✉ 1090, ℰ 425 83 73, Fax 420 21 20,
⛱, Grillades, « Relais du 17e s. » – ▤. ⚿ ⑩ 🅴 ⚏ 🅅🅸🅂🅰 plan p. 4 BL **g**
fermé sam. midi, dim. et juil. – Repas Lunch 995 – 995.

XX **Le Barolo,** av. de Laeken 57, ✉ 1090, ℰ 425 45 76, Fax 425 45 76, ⛱, Avec cuisine italienne – ⚿ ⑩ 🅴 ⚏ 🅅🅸🅂🅰. ❀ W **h**
fermé sam. midi, dim. et du 15 au 31 août – **Repas** Lunch 1000 – 1180/1650.

XX **Le Saint Estèphe,** bd de Smet de Naeyer 33, ✉ 1090, ℰ 428 84 43, Fax 428 87 94 – ⚿
⑩ 🅴 ⚏ 🅅🅸🅂🅰 W **k**
fermé sam. midi, dim., 15 fév.-1er mars et 15 juil.-1er août – **Repas** Lunch 950 – carte 1450
à 1750.

MOLENBEEK-ST-JEAN (SINT-JANS-MOLENBEEK) - plan p. 4 :

XXX **Le Béarnais,** bd Louis Mettewie 318, ✉ 1080, ☎ 411 51 51, Fax 410 70 81 - ▤. AE ◑ E VISA AM **j**
fermé dim., lundi soir et 22 juil.-8 août - **Repas** carte 1900 à 2600.

X **L'Exquis,** bd du Jubilé 99, ✉ 1210, ☎ 426 35 78 - AE ◑ E VISA. ✻ BL **k**
fermé dim. soir, lundi, mardi soir, merc. soir et juil. - **Repas** *Lunch 595* - 1250.

X **Béguine des Béguines,** r. Béguines 168, ✉ 1080, ☎ 414 77 70, Fax 414 62 83, Avec cuisine à la bière - AE ◑ E VISA AL **m**
fermé sam. midi, dim. soir, lundi et 20 juil.-16 août - **Repas** *Lunch 450* - 895.

ST-GILLES (SINT-GILLIS) - plans p. 8 et 10 :

Forum sans rest, av. du Haut-Pont 2, ✉ 1060, ☎ 343 01 00, Telex 62311, Fax 347 00 54 - |‡| TV ☎ ⇔ - 🔔 25 à 100. AE ◑ E VISA JCB EUV **n**
78 ch ☕ 3300/3800.

XX **Inada,** r. Source 73, ✉ 1060, ☎ 538 01 13, Fax 538 01 13 - AE ◑ E VISA ET **a**
fermé sam. midi, dim., jours fériés et 16 juil.-20 août - **Repas** *Lunch 720* - carte 1400 à 2100.

XX **Le Forcado,** chaussée de Charleroi 192, ✉ 1060, ☎ 537 92 20, ⛱, Cuisine portugaise - ▤. AE ◑ E VISA EFU **a**
fermé dim., jours fériés, sem. carnaval et août - **Repas** carte env. 1300.

X **La Mamounia,** av. Porte de Hal 9, ✉ 1060, ☎ 537 73 22, Fax 539 39 59, Cuisine marocaine - AE ◑ E VISA ES **n**
fermé lundi et 15 juil.-15 août - **Repas** *Lunch 495* - carte 900 à 1500.

X **Le petit magot,** r. Hôtel des Monnaies 80, ✉ 1060, ☎ 538 21 95, Fax 538 21 95 - AE E VISA ET **f**
fermé sam., dim., 10 juil.-1er août et fin déc. - **Repas** 890.

X **L'Olivier,** chaussée de Charleroi 271, ✉ 1060, ☎ 537 10 33, Fax 534 39 38 - AE E VISA EFU **y**
fermé sam. midi et dim. - **Repas** *Lunch 410* - carte 900 à 1300.

Quartier Louise (voir aussi Bruxelles et Ixelles) - plans p. 8 et 10 :

Holiday Inn City Centre, chaussée de Charleroi 38, ✉ 1060, ☎ 533 66 66, Telex 25539, Fax 538 90 14 - |‡| ⇹ ▤ TV ☎ ⇔ - 🔔 25 à 250. AE ◑ E VISA JCB FT **m**
Repas *Lunch 680* - carte env. 1700 - ☕ 600 **201 ch** 7550/8150 - ½ P 8500.

Manos Stephanie sans rest, chaussée de Charleroi 28, ✉ 1060, ☎ 539 02 50, Telex 20556, Fax 537 57 29, « Hôtel de maître avec intérieur d'atmosphère » - |‡| ⇹ TV ☎. AE ◑ E VISA FS **f**
☕ 550 - **50 ch** 3600/7850, 5 suites.

Manos sans rest, chaussée de Charleroi 102, ✉ 1060, ☎ 537 96 82, Telex 65369, Fax 539 36 55 - |‡| TV ☎ Ⓟ. AE ◑ E VISA FU **w**
☕ 450 - **38 ch** 3175/4275.

Delta, chaussée de Charleroi 17, ✉ 1060, ☎ 539 01 60, Telex 63225, Fax 537 90 11 - |‡| ▤ ch TV ☎ ⇔ - 🔔 25 à 100. AE ◑ E VISA JCB. ✻ FS **w**
Repas carte env. 1000 - **246 ch** ☕ 5500/6500.

Quality Cascade M sans rest, r. Berckmans 128, ✉ 1060, ☎ 538 88 30, Fax 538 92 79 - |‡| ⇹ ▤ TV ☎ ⇔ - 🔔 25. AE ◑ E VISA. ✻ ES **r**
80 ch ☕ 4800/5900.

Diplomat sans rest, r. Jean Stas 32, ✉ 1060, ☎ 537 42 50, Telex 61012, Fax 539 33 79 - |‡| TV ☎. AE ◑ E VISA JCB. ✻ FS **v**
68 ch ☕ 3600/4200.

XX **La Faribole,** r. Bonté 6, ✉ 1050, ☎ 537 82 23, Fax 537 82 23 - AE ◑ E VISA. ✻ FT **g**
fermé sam., dim., jours fériés et 21 juil.-15 août - **Repas** *Lunch 690* - 890.

X **Les Capucines,** r. Jourdan 22, ✉ 1060, ☎ 538 69 24, ⛱ - AE ◑ E VISA FS **u**
fermé dim., lundi soir, jours fériés, 1 sem. après Pâques et 2 dern. sem. août - **Repas** *Lunch 495* - 1000.

X **Chez Pierre,** r. Jourdan 16, ✉ 1060, ☎ 537 06 94, Fax 538 61 68, ⛱ - AE ◑ E VISA
fermé sam. soir, dim. et 20 juil.-18 août - **Repas** carte 1000 à 1500. FS **e**

X **Meo Patacca,** r. Jourdan 20, ✉ 1060, ☎ 538 15 46, Fax 539 40 35, Avec cuisine italienne, ouvert jusqu'à 23 h 30 - ▤. AE ◑ E VISA FS **a**
fermé dim., sem. Pâques et 3 dern. sem. juil. - **Repas** *Lunch 440* - carte 1050 à 1750.

ST-JOSSE-TEN-NOODE (SINT-JOOST-TEN-NODE) - plan p. 8 :

Quartier Botanique (voir aussi Bruxelles)

Royal Crown - Gd H. Mercure, r. Royale 250, ✉ 1210, ☎ 220 66 11, Fax 217 84 44, 🏋, ≘s - |‡| ⇹ ▤ TV ☎ ⇔ - 🔔 40 à 350. AE ◑ E VISA FQ **r**
Repas Hugo's *(fermé sam. et dim.)* carte 1350 à 1800 - **303 ch** ☕ 8500/9300, 6 suites - ½ P 3100/4450.

Palace, r. Gineste 3, ✉ 1210, ☎ 217 62 00, Telex 65604, Fax 218 76 51 - |‡| ⇹ TV ☎ - 🔔 25 à 500. AE ◑ E VISA JCB. ✻ FQ **v**
Repas Le Bouquet *Lunch 750* - carte env. 1600 - **359 ch** ☕ 6300/7300, 1 suite.

New Siru, pl. Rogier 1, ✉ 1210, 𝄐 217 75 80, Telex 21722, Fax 218 33 03, 🏠, « Chaque chambre décorée par un artiste belge contemporain » – |⧉| ⇖ ▤ rest 📺 ☎ 🅟 – 🔬 25 à 80. 🆀🅔 ⑩ 🅴 𝐕𝐈𝐒𝐀 𝙹𝙲𝙱   FQ **p**
Repas (Taverne-rest. ouvert jusqu'à 23 h 30) *(fermé dim. et jours fériés)* Lunch 595 – 995 – **101 ch** ⊑ 3200/5900 – ½ P 2350/3550.

Eurocity Botanique sans rest, r. Brabant 80, ✉ 1210, 𝄐 223 07 07, Telex 21155, Fax 223 03 24 – |⧉| ⇖ 📺 ☎ 🅟. 🆀🅔 ⑩ 🅴 𝐕𝐈𝐒𝐀   FQ **w**
70 ch ⊑ 4200/4600.

Albert Premier sans rest, pl. Rogier 20, ✉ 1210, 𝄐 217 21 25, Telex 27111, Fax 217 93 31 – |⧉| 📺 ☎ ⌖ – 🔬 25 à 60. 🆀🅔 ⑩ 🅴 𝐕𝐈𝐒𝐀   FQ **q**
285 ch ⊑ 3500.

De Ultieme Hallucinatie, r. Royale 316, ✉ 1210, 𝄐 217 06 14, Fax 217 72 40, « Intérieur Art Nouveau » – 🅟. 🆀🅔 ⑩ 🅴 𝐕𝐈𝐒𝐀. ⅏   FQ **t**
fermé sam. midi, dim. et 20 juil.-18 août – **Repas** Lunch 950 – 1450.

Les Dames Tartine, chaussée de Haecht 58, ✉ 1030, 𝄐 218 45 49, Fax 218 45 49 – 🆀🅔 ⑩ 🅴 𝐕𝐈𝐒𝐀   FQ **s**
fermé sam. midi, dim. et lundi – **Repas** Lunch 1000 – carte env. 1400.

SCHAERBEEK (SCHAARBEEK) - plan p. 9 sauf indication spéciale :

Quartier Meiser

Lambermont sans rest, bd Lambermont 322, ✉ 1030, 𝄐 242 55 95, Fax 215 36 13 – |⧉| 📺 ☎ ⇐, 🆀🅔 ⑩ 🅴 𝐕𝐈𝐒𝐀   plan p. 5   CL **n**
42 ch ⊑ 3700.

Reyers sans rest, bd Aug. Reyers 40, ✉ 1040, 𝄐 732 42 42, Fax 732 41 82 – |⧉| 📺 ☎ ⇐. 🆀🅔 ⑩ 🅴 𝐕𝐈𝐒𝐀   HQ **h**
49 ch ⊑ 2950/3450.

Philippe Riesen 1ᵉʳ étage, bd Aug. Reyers 163 (transfert prévu), ✉ 1040, 𝄐 736 41 38 – 🆀🅔 ⑩ 🅴 𝐕𝐈𝐒𝐀   HR **w**
fermé sam., dim., 27 juil.-15 août, Noël et Nouvel An – **Repas** Lunch 985 – 1700.

Le Meiser, bd Gén. Wahis 55, ✉ 1030, 𝄐 735 37 69, Fax 732 26 07, 🏠 – 🆀🅔 ⑩ 🅴 𝐕𝐈𝐒𝐀
fermé sam. midi et dim. – **Repas** 900.   HQ **g**

Le Cadre Noir, av. de Milcamps 158, ✉ 1040, 𝄐 734 14 45 – 🆀🅔 ⑩ 🅴 𝐕𝐈𝐒𝐀   HR **v**
fermé du 20 au 26 fév., du 15 au 31 juil., sam. midi, dim. soir et lundi – Repas Lunch 880 – 880.

Palasi, av. Chazal 169, ✉ 1030, 𝄐 242 59 34, Fax 242 59 34, 🏠, Avec cuisine italienne – 🆀🅔 ⑩ 🅴 𝐕𝐈𝐒𝐀   GHQ **e**
fermé dim. soir, lundi soir et août – **Repas** 800/1050.

Anak Timoer, pl. de la Patrie 26, ✉ 1030, 𝄐 245 03 22, 🏠, Cuisine indonésienne – 🆀🅔 ⑩ 🅴 𝐕𝐈𝐒𝐀   GHQ **f**
fermé lundis et mardis non fériés – **Repas** Lunch 450 – carte env. 1000.

Scholtès, av. L. Mahillon 135, ✉ 1040, 𝄐 734 84 47, Fax 734 84 47 – 🆀🅔 🅴 𝐕𝐈𝐒𝐀. ⅏   HR **x**
fermé du 25 au 30 juin, du 20 au 31 août, dim. soir, lundi soir et merc. – **Repas** 850.

UCCLE (UKKEL) - plans p. 10 et 11 sauf indication spéciale :

County House, square des Héros 2, ✉ 1180, 𝄐 375 44 20, Fax 375 31 22 – |⧉| ▤ rest 📺 ☎ ⇐ – 🔬 25 à 140. 🆀🅔 ⑩ 🅴 𝐕𝐈𝐒𝐀. ⅏ rest   EX **b**
Repas carte 1150 à 1550 – **90 ch** ⊑ 3900/5500, 11 suites.

Les Frères Romano, av. de Fré 182, ✉ 1180, 𝄐 374 70 98, Fax 374 04 18, 🏠 – 🅟. 🆀🅔 ⑩ 🅴 𝐕𝐈𝐒𝐀   FX **d**
fermé dim., jours fériés et du 7 au 28 août – **Repas** carte 1550 à 1850.

L'Amandier, av. de Fré 184, ✉ 1180, 𝄐 374 03 95, Fax 374 86 92, 🏠, Ouvert jusqu'à 23 h – 🅟. 🆀🅔 ⑩ 🅴 𝐕𝐈𝐒𝐀   FX **e**
fermé sam. midi, dim. et du 1ᵉʳ au 15 janv. – **Repas** carte 1600 à 1900.

❀ **Villa d'Este,** r. Etoile 142, ✉ 1180, 𝄐 376 48 48, 🏠, « Terrasse » – 🅟. 🆀🅔 ⑩ 🅴 𝐕𝐈𝐒𝐀   plan p. 6   BN **p**
fermé dim. soir, lundi, juil. et fin déc. – **Repas** 900/1400 carte 1450 à 2400
Spéc. Carpaccio au foie gras et huile de truffes, Petits rougets et légumes au vinaigre, Mille-feuille au jeune colin, tomates confites et infusion de persil (21 mars-21 sept).

L'Ascoli, chaussée de Waterloo 940, ✉ 1180, 𝄐 375 57 75, Fax 375 43 29, 🏠, Cuisine italienne – 🅟. 🆀🅔 ⑩ 🅴 𝐕𝐈𝐒𝐀   GX **g**
fermé sam. midi, dim., 2 dern. sem. juil.-prem. sem. août et Noël-Nouvel An – **Repas** Lunch 650 – 1595.

Le Petit Prince, av. du Prince de Ligne 16, ✉ 1180, 𝄐 374 73 03 – 🆀🅔 ⑩ 🅴 𝐕𝐈𝐒𝐀
fermé dim. soirs et lundis non fériés – **Repas** Lunch 395 – 595/995.   plan p. 6 BCN **s**

Blue Elephant, chaussée de Waterloo 1120, ✉ 1180, 𝄐 374 49 62, Fax 375 44 68, Cuisine thaïlandaise, « Décor exotique » – ▤. 🆀🅔 ⑩ 🅴 𝐕𝐈𝐒𝐀   GX **j**
fermé sam. midi – **Repas** Lunch 450 – carte 1150 à 1650.

XX **La Cité du Dragon,** chaussée de Waterloo 1024, ⊠ 1180, ℘ 375 80 80, Fax 375 69 77, 🏠, Cuisine chinoise, ouvert jusqu'à 23 h 30, « Jardin exotique avec pièces d'eau » – 🅿. 🆎 ⑩ ⬛ *VISA*
GX **c**
Repas *Lunch 750* – 900/2500.

XX **Le pré en bulle,** av. J.-P. Carsoel 5, ⊠ 1180, ℘ 374 08 80, Fax 374 08 80, 🏠 – 🆎 ⑩ *VISA*
Repas *Lunch 440* – 740/1250.
plan p. 6 BN **q**

XX **Willy et Marianne,** chaussée d'Alsemberg 705, ⊠ 1180, ℘ 343 60 09 – 🆎 ⑩ ⬛ *VISA*
EX **r**
fermé mardi soir, merc., 2 sem. carnaval et 2 sem. en juil. – **Repas** *Lunch 425* – 950.

XX **A'mbriana,** r. Edith Cavell 151, ⊠ 1180, ℘ 375 01 56, Fax 375 84 96, Cuisine italienne – 🆎 ⑩ ⬛ *VISA*, ⚘
FX **f**
fermé mardi, sam. midi et août – **Repas** 915/1650.

XX **Ventre Saint Gris,** r. Basse 10, ⊠ 1180, ℘ 375 27 55, Fax 375 27 46, 🏠 – 🆎 ⑩ ⬛ *VISA*
→ **Repas** *Lunch 425* – 695/1150.
plan p. 6 BN **t**

XX **Pavillon Impérial,** chaussée de Waterloo 1296, ⊠ 1180, ℘ 374 67 51, Cuisine chinoise – ▤, 🆎 ⑩ *VISA*, ⚘
plan p. 7 CN **u**
Repas *Lunch 300* – carte env. 1000.

X **Brasseries Georges,** av. Winston Churchill 257, ⊠ 1180, ℘ 347 21 00, Fax 344 02 45, 🏠, Ouvert jusqu'à minuit – ▤. 🆎 ⑩ ⬛ *VISA*
FV **n**
Repas *Lunch 500* – carte env. 1300.

X **Le Lion,** chaussée de Waterloo 889, ⊠ 1180, ℘ 374 48 43, Cuisine chinoise, ouvert jusqu'à 23 h – 🆎 ⑩ ⬛ *VISA*
FX **p**
Repas 950/1050.

X **De Hoef,** r. Edith Cavell 218, ⊠ 1180, ℘ 374 34 17, Fax 375 30 84, 🏠, Grillades, « Relais → du 17ᵉ s. » – 🆎 ⑩ ⬛ *VISA*
FX **q**
fermé du 10 au 31 juil. – **Repas** *Lunch 705* – 705.

X **d'Alfonso,** r. Doyenné 89, ⊠ 1180, ℘ 347 06 46, Cuisine italienne – 🆎 ⑩ ⬛ *VISA* EX **m**
fermé dim. – **Repas** *Lunch 750* – carte 1100 à 1400.

X **Le Pôt Lyonnais,** chaussée d'Alsemberg 1006, ⊠ 1180, ℘ 376 81 16, Ancien café – 🆎 ⬛ *VISA*, ⚘
plan p. 6 BN **v**
fermé dim., lundi, 3 prem. sem. août et du 24 au 31 déc. – **Repas** *Lunch 690* – 970/1260.

X **Le Clery,** r. Général Mac Arthur 3, ⊠ 1180, ℘ 345 96 33, Fax 345 22 95, 🏠, Ouvert jusqu'à → 23 h – 🆎 ⑩ ⬛ *VISA*
FV **e**
Repas *Lunch 395* – 795/1375.

X **Les Petits Pères,** r. Carmélites 149, ⊠ 1180, ℘ 345 66 71, 🏠, Ouvert jusqu'à 23 h – 🆎 ⬛ *VISA*
EV **s**
fermé dim. et lundi – **Repas** *Lunch 320* – carte env. 1200.

WATERMAEL-BOITSFORT (WATERMAAL-BOSVOORDE) - plan p. 7 :

XX **Host. Des 3 Tilleuls** ⚲ avec ch, Berensheide 8, ⊠ 1170, ℘ 672 30 14, Fax 673 65 52, 🏠 – 📺 ☎ 🚗. 🆎 ⑩ ⬛ *VISA*, ⚘ ch
CN **x**
Repas *(fermé dim. et 15 juil.-15 août)* carte 1500 à 2350 – **7 ch** ⊈ 3000/4350.

XX **Le Canard Sauvage,** chaussée de La Hulpe 194, ⊠ 1170, ℘ 673 09 75, Fax 675 21 45, 🏠 – 🆎 ⑩ ⬛ *VISA*
CN **y**
fermé midi, dim. soir et août – **Repas** *Lunch 975* – 975.

XX **Les Rives du Gange** avec ch, av. de la Fauconnerie 1, ⊠ 1170, ℘ 672 16 01, Telex 62661, Fax 672 43 30, 🏠 – 📱 📺 ☎. 🆎 ⑩ ⬛ *VISA*
CN **c**
Repas (cuisine indienne, ouvert jusqu'à 23 h 30) *Lunch 595* – 990/1800 – **19 ch** ⊈ 2480/3480 – ½ P 2480/3080.

XX **La Maison d'Or,** av. des Archiducs 34, ⊠ 1170, ℘ 660 57 04, Fax 675 83 11, 🏠 – 🆎 ⑩ ⬛ *VISA*
CN **d**
fermé sam. midi et dim. – **Repas** *Lunch 550* – carte env. 1500.

XX **Au Vieux Boitsfort,** pl. Bischoffsheim 9, ⊠ 1170, ℘ 672 23 32, 🏠 – 🆎 ⑩ ⬛ *VISA*
CN **z**
fermé sam. midi et dim. – **Repas** carte 1750 à 2200.

XX **Au Repos des Chasseurs,** av. Charles-Albert 11, ⊠ 1170, ℘ 660 46 72, Fax 472 12 84, → 🏠, Avec cuisine italienne, ouvert jusqu'à 23 h – 🔬 25 à 80. 🆎 ⑩ ⬛ *VISA*
DN **m**
Repas *Lunch 795* – 795/1495.

X **L'Entre-Temps,** r. Philippe Dewolfs 7, ⊠ 1170, ℘ 672 87 20, Fax 672 87 20, 🏠 – 🆎 ⑩ ⬛ *VISA*
CN **b**
fermé mardi soir, merc. et mi-juil.-mi-août – **Repas** *Lunch 500* – carte 900 à 1250.

X **Le Kat Kar,** r. Middelbourg 21, ⊠ 1170, ℘ 672 45 65 – 🆎 ⑩ ⬛ *VISA*
CN **b**
fermé sam. midi, dim. et jours fériés – **Repas** *Lunch 450* – carte env. 1400.

X **Le Faubourg,** r. Middelbourg 10, ⊠ 1170, ℘ 660 10 90, Fax 660 10 90, Ouvert jusqu'à 23 h – 🆎 ⑩ ⬛ *VISA*
CN **d**
fermé sam. soir, dim. et lundi soir – **Repas** *Lunch 450* – carte 850 à 1150.

X **Le Grill,** r. Trois Tilleuls 1, ⊠ 1170, ℘ 672 95 15, Grillades – 🆎 ⑩ ⬛ *VISA*
CN **r**
fermé sam. midi et dim. – **Repas** *Lunch 800* – carte env. 1200.

WOLUWÉ-ST-LAMBERT (SINT-LAMBRECHTS-WOLUWE) - plans p. 5 et 7 sauf indication spéciale :

🏨🏨 **Sodehotel** M ⬟, av. E. Mounier 5, ⊠ 1200, 𝒫 775 21 11, Telex 20170, Fax 770 47 80, 🍴 – 📶 ⟲ 🗐 📺 ☎ 👫 ⟵ ❷ – 🏛 25 à 200, 🍷 🕕 🖲 🖺 𝑉𝐼𝑆𝐴. ❀ rest   DL **e**
Repas carte 1200 à 1750 – 🖵 595 – **112 ch** 6500, 8 suites.

🏨 **Lambeau** M sans rest, av. Lambeau 150, ⊠ 1200, 𝒫 732 51 70, Fax 732 54 90 – 📶 📺 ☎. 🖾 🖺 𝑉𝐼𝑆𝐴   plan p. 9   HR **u**
24 ch 🖵 2450/2950.

XXX ⚙ **Mon Manège à Toi**, r. Neerveld 1, ⊠ 1200, 𝒫 770 02 38, Fax 762 95 80, « Jardin fleuri » – ❷. 🖾 🖲 🖺 𝑉𝐼𝑆𝐴   DM **f**
fermé du 7 au 31 juil., 23 déc.-1ᵉʳ janv., sam., dim. et jours fériés – **Repas** *Lunch 1475* – carte 2100 à 3000
Spéc. Dos de turbot aux écrevisses et à la truffe, Terrine marbrée de saumon et sole au crabe araignée, Salpicon de homard et St-Jacques au Sauternes et curry.

XX **Michel Servais**, r. Th. Decuyper 136, ⊠ 1200, 𝒫 762 62 95, Fax 770 20 32, 🍴 – 🖾 🖲 🖺 𝑉𝐼𝑆𝐴   DLM **h**
fermé dim., lundi et 20 juil.-20 août – **Repas** carte 1500 à 2150.

XX **Le Relais de la Woluwe**, av. Georges Henri 1, ⊠ 1200, 𝒫 762 66 36, Fax 762 18 55, 🍴, « Terrasse et jardin » – 🖾 🖲 𝑉𝐼𝑆𝐴   CM **j**
fermé sam. midi, dim. et sem. Noël – **Repas** carte env. 1600.

XX **Le Grand Veneur**, r. Tomberg 253, ⊠ 1200, 𝒫 770 61 22, Fax 771 75 63, Rustique – 🖾 🖲 🖺 𝑉𝐼𝑆𝐴   CM **k**
fermé mardi et 15 août-15 sept – **Repas** *Lunch 495* – 995/1395.

XX **Baalbeck**, bd Brand Whitlock 110, ⊠ 1200, 𝒫 733 39 06, Cuisine libanaise, ouvert jusqu'à 23 h – 🖾 🖲 𝑉𝐼𝑆𝐴   plan p. 9   HS **g**
fermé dim. – **Repas** *Lunch 400* – carte env. 900.

X **The Butterfly**, chaussée de Stockel 294, ⊠ 1200, 𝒫 763 22 16, Fax 763 22 16 – 🖾 🖲 🖺 𝑉𝐼𝑆𝐴   DM **n**
fermé mardis non fériés – Repas *Lunch 495* – 950/1100.

X **Oceanis-L'Annexe**, r. St-Lambert 202 (dans centre commercial, niveau 0), ⊠ 1200, 𝒫 771 90 24, Fax 771 94 54, Ecailler, produits de la mer – 🖩   DM **c**
fermé dim. – **Repas** *Lunch 750* – carte env. 1400.

X **Le Café de la Gare**, r. Station 95, ⊠ 1200, 𝒫 762 74 70, Fax 779 24 08, Brasserie, ouvert ⬅ jusqu'à minuit – 🖾 🖲 🖺 𝑉𝐼𝑆𝐴   DM **a**
fermé 15 août-1ᵉʳ sept – **Repas** *Lunch 580* – 800/900.

WOLUWÉ-ST-PIERRE (SINT-PIETERS-WOLUWE) - plans p. 5 et 7 sauf indication spéciale :

🏨🏨🏨 **Montgomery** ⬟, av. de Tervuren 134, ⊠ 1150, 𝒫 741 85 11, Fax 741 85 00, 🗝, ⬛ – 📶 🗐 📺 ☎ ⟵. 🖾 🖲 🖺 𝑉𝐼𝑆𝐴 𝐽𝐶𝐵. ❀   plan p. 9   HS **k**
Repas *(fermé sam., dim., 15 juil.-fin août et 15 déc.-15 janv.)* *Lunch 1050* – carte env. 2000 – 🖵 600 – **61 ch** 9000/11500, 3 suites.

XXX ⚙ **Des 3 Couleurs** (Tourneur), av. de Tervuren 453, ⊠ 1150, 𝒫 770 33 21, Fax 770 80 45, 🍴, « Terrasse » – 🖺 𝑉𝐼𝑆𝐴   DN **q**
fermé lundi, mardi, mi-août-mi-sept et du 24 au 31 déc. – **Repas** *(jours fériés déjeuner seult)* 1950 carte 1900 à 2300
Spéc. Asperges du pauvre aux perles noires, Saumon Liliane, Chariot de pâtisseries.

XX **La Salade Folle**, av. Jules Dujardin 9, ⊠ 1150, 𝒫 770 19 61, Fax 771 69 57, Buffets – 🖾 🖲 🖺 𝑉𝐼𝑆𝐴   DM **s**
fermé dim. soir, lundi, 15 fév.-4 mars et 21 juil.-8 août – **Repas** *Lunch 695* – 995/1200.

X **Le Vieux Stockel**, av. Orban 223, ⊠ 1150, 𝒫 779 08 35 – 🖾 🖲 🖺 𝑉𝐼𝑆𝐴   DM **t**
fermé lundis et mardis non fériés et 15 juil.-15 août – **Repas** 875/1150.

X **Le Mucha**, av. Jules Dujardin 23, ⊠ 1150, 𝒫 770 24 14, Fax 675 18 24, 🍴, Avec cuisine italienne, ouvert jusqu'à 23 h – 🖾 🖲 🖺 𝑉𝐼𝑆𝐴   DM **s**
fermé dim. et du 1ᵉʳ au 22 sept – **Repas** *Lunch 460* – 850/1250.

X **L'Alambic**, r. François Gay 152, ⊠ 1150, 𝒫 770 58 13 – 🖾 🖲 🖺 𝑉𝐼𝑆𝐴   CM **u** ⬅ *fermé sam. midi et dim. soir* – **Repas** *Lunch 395* – 695.

ENVIRONS DE BRUXELLES

à Alsemberg par chaussée d'Alsemberg BP : 12 km - plan p. 6 Ⓒ Beersel 22 479 h. – ⊠ 1652 Alsemberg – ✆ 0 2 :

XX **'t Hoogveld**, Alsembergsesteenweg 1057, 𝒫 380 30 30, Fax 381 06 07, 🍴 – ❷. 🖾 🖲 🖺 𝑉𝐼𝑆𝐴
Repas *Lunch 595* – 895.

à Beersel - plan p. 8 – 22 479 h. – ⊠ 1650 Beersel – ✆ 0 2 :

X **3 Fonteinen**, Herman Teirlinckplein 3, 𝒫 331 06 52, Fax 331 07 03, 🍴, Taverne-rest, avec spécialités à la bière régionale – 🖾 🖺 𝑉𝐼𝑆𝐴   AP **v**
fermé mardi, merc. et fin déc.-début janv. – **Repas** carte 800 à 1150.

à Diegem autoroute Bruxelles-Zaventem sortie Diegem - plan p. 5 - Ⓒ Machelen 11 370 h.
– ⊠ 1831 Diegem – ✿ 0 2 :

Holiday Inn, Holidaystraat 7, ℰ 720 58 65, Telex 24285, Fax 720 41 45, *Ⅰ₆*, ≘ₛ, 🔲, ❀
– |🕸| ☰ 🔟 ☎ 🅿 – 🔬 25 à 500. 🖭 ⓞ ⴹ 𝗩𝗜𝗦𝗔 ✠ rest
DL **w**
Repas (buffets) carte 1400 à 1700 – ☷ 575 – **310 ch** 7700/9900 – ½ P 6900.

Sofitel Airport, Bessenveldstraat 15, ℰ 725 11 60, Fax 721 43 45, ❀, ≘ₛ, 🔲 – ↤↦ ☰
🔟 🔲 🅿 – 🔬 25 à 500. 🖭 ⓞ ⴹ 𝗩𝗜𝗦𝗔
DL **x**
Repas (fermé sam. et dim.) Lunch 1325 – carte env. 1700 – ☷ 580 – **120 ch** 7900/8900.

Novotel Airport, Olmenstraat, ℰ 725 30 50, Telex 26751, Fax 721 39 58, ❀, 🔼 – |🕸| ↤↦
☰ 🔟 🅿 – 🔬 25 à 200. 🖭 ⓞ ⴹ 𝗩𝗜𝗦𝗔
DK **y**
Repas (ouvert jusqu'à minuit) carte 850 à 1300 – ☷ 460 – **209 ch** 4750.

Ibis Airport, Bessenveldstraat 17, ℰ 725 43 21, Fax 725 40 40 – |🕸| ↤↦ 🔟 ☎ ᕦ 🅿 – 🔬 25
à 60. 🖭 ⓞ ⴹ 𝗩𝗜𝗦𝗔 💻💿. ✠ rest
DL **z**
Repas (fermé week-end) (dîner seult) 695 – **95 ch** ☷ 2950.

Fimotel Airport, Berkenlaan 5, ℰ 725 33 80, Fax 725 38 10, ❀ – |🕸| ↤↦ 🔟 ☎ ᕦ 🅿 –
🔬 25 à 200. 🖭 ⴹ 𝗩𝗜𝗦𝗔 ✠ rest
DL **a**
Repas Lunch 475 – 650 – **79 ch** ☷ 2200/3700 – ½ P 2850/3145.

Diegemhof, Calenbergstraat 51, ℰ 720 11 34, Fax 720 14 87, ❀ – 🖭 ⓞ ⴹ 𝗩𝗜𝗦𝗔.
✠
DL **b**
fermé sam., dim. et juil. – **Repas** carte env. 1900.

à Dilbeek par ⑧ : 7 km - plans p. 4 et 6 - 37 115 h. – ⊠ 1700 Dilbeek – ✿ 0 2 :

Relais Delbeccha ⑤, Bodegemstraat 158, ℰ 569 44 30, Fax 569 75 30, ❀, ❀ – 🔟 ☎
🅿 – 🔬 25 à 120. 🖭 ⓞ ⴹ 𝗩𝗜𝗦𝗔. ✠ rest
Repas (fermé dim. soir) 950/1650 – ☷ 450 – **12 ch** 3600/4500, 2 suites.

Host. d'Arconati ⑤ avec ch, d'Arconatistraat 77, ℰ 569 35 15, Fax 569 35 04, ❀,
« Terrasse fleurie », ❀ – 🔟 ☎ ⬅ 🅿 – 🔬 60. 🖭 ⴹ 𝗩𝗜𝗦𝗔. ✠ ch
fermé fév. et 1 sem. en juil. – **Repas** (fermé dim. soir, lundi et mardi) carte env. 2000 –
6 ch ☷ 2500/3000.

De Smidse, Oude Smidsestraat 39, ℰ 569 56 10, Fax 569 41 25, ❀ – 🖭 ⴹ 𝗩𝗜𝗦𝗔
fermé lundi, mardi et merc. – **Repas** Lunch 750 – 1200.

à Dworp (Tourneppe) par ⑥ : 16 km - plan p. 6 Ⓒ Beersel 22 479 h. – ⊠ 1653 Dworp –
✿ 0 2 :

Kasteel Gravenhof ⑤, Alsembergsesteenweg 676, ℰ 380 44 99, Fax 380 40 60, ❀,
« Environnement boisé », ❀ – |🕸| 🔟 ☎ 🅿 – 🔬 25 à 120. 🖭 ⴹ 𝗩𝗜𝗦𝗔
Repas (Taverne-rest) Lunch 595 – carte env. 1000 – ☷ 395 – **24 ch** 3450/7200 –
½ P 4440/5045.

à Grimbergen au Nord par N 202 BK : 11 km - plan p. 4 - 32 510 h. – ⊠ 1850 Grimbergen
– ✿ 0 2 :

Abbey, Kerkeblokstraat 5, ℰ 269 63 62, Fax 269 66 88, *Ⅰ₆*, ≘ₛ, ❀ – |🕸| ☰ rest 🔟 ☎ 🅿
– 🔬 30 à 200. 🖭 ⓞ ⴹ 𝗩𝗜𝗦𝗔. ✠ ch
fermé 15 juil.-8 août – **Repas** (fermé sam. et dim.) Lunch 1250 – carte env. 1700 – ☷ 400
– **28 ch** ☷ 4200/4800.

Tower Bridge, Westvaartdijk 195 (lieu-dit Verbrande Brug, près du canal E : 3 km),
ℰ 252 02 40, Fax 252 09 58, ❀ – 🔟 ☎ 🅿. 🖭 ⓞ ⴹ 𝗩𝗜𝗦𝗔. ✠
fermé fin déc. – **Repas** (fermé week-end et jours fériés) Lunch 1050 – carte 1150 à 1950 –
16 ch ☷ 1850/3000 – ½ P 1925/2925.

à Groot-Bijgaarden - plan p. 4 - Ⓒ Dilbeek 37 115 h. – ⊠ 1702 Groot-Bijgaarden – ✿ 0 2 :

Waerboom sans rest, Jozef Mertensstraat 140, ℰ 463 15 00, Fax 463 10 30, ≘ₛ, 🔲 – |🕸|
🔟 ☎ 🅿 – 🔬 25 à 270. 🖭 ⓞ ⴹ 𝗩𝗜𝗦𝗔 ✠
AL **r**
16 ch ☷ 3800/4600.

Gosset Ⓜ, Alfons Gossetlaan 52, ℰ 466 21 30, Fax 466 18 50, ❀ – |🕸| 🔟 ☎ 🅿 – 🔬 25
à 200. 🖭 ⓞ ⴹ 𝗩𝗜𝗦𝗔
AL **a**
fermé 23 déc.-3 janv. – **Repas** Lunch 350 – carte 1050 à 1400 – ☷ 300 – **48 ch** 2950/3500
– ½ P 2200/2500.

❀❀ De Bijgaarden, I. Van Beverenstraat 20 (près du château), ℰ 466 44 85, Fax 463 08 11,
◁, ❀ – 🖭 ⓞ ⴹ 𝗩𝗜𝗦𝗔
AL **c**
fermé du 16 au 24 avril, 13 août-4 sept, sam. midi et dim. – **Repas** 2500/4000 carte 2500
à 3250
Spéc. St-Jacques marinées aux truffes blanches (mi-sept-fin déc.), Huîtres grillées, vinaigrette au
jus de truffes (sept-avril), Ris de veau poivré et caramélisé au sabayon de câpres.

❀ Michel (Coppens), Schepen Gossetlaan 31, ℰ 466 65 91, Fax 466 90 07, ❀ – 🅿. 🖭 ⓞ
ⴹ 𝗩𝗜𝗦𝗔
AL **d**
fermé lundi, lundi et août – **Repas** Lunch 1570 – carte 1850 à 2300
Spéc. Cuisson de sole et asperges parfumée à l'aneth (fév.-juin), Paupiette de saumon et
jeunes oignons, sauce aigre-douce, Foie d'oie poêlé et pomme au chèvre frais, déglacé à
l'orange.

à *Hoeilaart* - plan p. 7 – 9 541 h. – ⊠ 1560 Hoeilaart – ✪ 0 2 :

XXX ✿ **Aloyse Kloos,** Terhulpsesteenweg 2 (à Groenendaal), ℰ 657 37 37, 🌶 – **℗. Ɛ** 𝖵𝖨𝖲𝖠
fermé dim. soir, lundi, 2 sem. Pâques et août – **Repas** *Lunch 1400* – carte 1900 à 2300
Spéc. Saumon mariné aux truffes, Ecrevisses aux herbes (juin-déc.), Mignardises de cailles aux
morilles et girolles.   DP **f**

XX **Le Père Mouillard,** Groenendaalsesteenweg 143 (à Groenendaal), ℰ 657 04 10,
Fax 657 37 73, 🌶 – **℗. ① Ɛ** 𝖵𝖨𝖲𝖠   DP **g**
fermé juil. et lundis et mardis non fériés – **Repas** *Lunch 1050* – 1190/1690.

XX **Bollewinkel,** Groenendaalsesteenweg 94 (à Groenendaal), ℰ 657 24 34, Fax 657 14 18,
🌶, « Terrasse ombragée » – **℗. Ɛ** 𝖵𝖨𝖲𝖠   DP **h**
fermé dim. et lundi – **Repas** *Lunch 750* – carte env. 1600.

X **Tissens,** Groenendaalsesteenweg 105 (à Groenendaal), ℰ 657 04 09 – **℗. ① Ɛ** 𝖵𝖨𝖲𝖠
fermé merc., jeudi, juil. et fin déc.-début janv. – **Repas** carte 950 à 1400.   DP **k**

à *Huizingen* par ⑥ : 12 km - plan p. 6 © Beersel 22 479 h. – ⊠ 1654 Huizingen – ✪ 0 2 :

XXX **Terborght,** Oud Dorp 16 (près E 19, sortie 15), ℰ 380 10 10, Fax 380 10 97, 🌶,
« Rustique » – 🍽 **℗. 𝐀𝐄 ① Ɛ** 𝖵𝖨𝖲𝖠. ❀
fermé dim. soir, lundi, mardi soir, carnaval et 21 juil.-15 août – **Repas** *Lunch 950* – 1650.

XX **Axel Dewit,** Torleylaan 49 (près E 19, sortie 15), ℰ 356 62 66 – **𝐀𝐄 ① Ɛ** 𝖵𝖨𝖲𝖠
fermé sam. midi, dim. soir et lundi – **Repas** *Lunch 750* – carte env. 2000.

à *Itterbeek* par ⑧ : 8 km - plans p. 4 et 6 © Dilbeek 37 115 h. – ⊠ 1701 Itterbeek – ✪ 0 2 :

X **De Stene Brugge,** Doylijkstraat 1, ℰ 569 67 91, Fax 567 06 33, 🌶 – **℗. 𝐀𝐄 ① Ɛ** 𝖵𝖨𝖲𝖠
← *fermé lundi et 1re quinz. mars* – **Repas** 795/1450.

à *Kobbegem* par ⑩ : 11 km - plan p. 4 © Asse 27 285 h. – ⊠ 1730 Kobbegem – ✪ 0 2 :

XXX **Chalet Rose,** Brusselsesteenweg 331, ℰ 452 60 41, 🌶 – **℗. 𝐀𝐄 ① Ɛ** 𝖵𝖨𝖲𝖠
fermé dim. soir et lundi – **Repas** *Lunch 1275* – carte env. 1800.

XXX **De Plezanten Hof,** Broekstraat 2, ℰ 452 89 39, Fax 452 99 11, 🌶 – **℗. 𝐀𝐄 ① Ɛ** 𝖵𝖨𝖲𝖠
fermé mardi soir, merc., dim. soir, 1 sem. en fév. et 20 juil.-12 août – **Repas** *Lunch 1250* –
1550/1850.

à *Kortenberg* par ② : 15 km - plan p. 5 – 16 377 h. – ⊠ 3070 Kortenberg – ✪ 0 2 :

XX **Hof te Linderghem,** Leuvensesteenweg 346, ℰ 759 72 64, Fax 759 66 10 – **℗. 𝐀𝐄 Ɛ** 𝖵𝖨𝖲𝖠
fermé lundi soir, mardi et juil. – **Repas** carte 1900 à 2400.

à *Kraainem* - plan p. 5 – 12 575 h. – ⊠ 1950 Kraainem – ✪ 0 2 :

XX **d'Oude Pastorie,** Pastoorkesweg 1 (Park Jourdain), ℰ 720 63 46, « Dans un parc avec
étang » – **𝐀𝐄 ① Ɛ** 𝖵𝖨𝖲𝖠. ❀   DL **j**
fermé du 17 au 24 avril, 15 août-7 sept, lundi soir et jeudi – **Repas** *Lunch 1200* – carte env.
1700.

à *Linkebeek* - plan p. 6 – 4 625 h. – ⊠ 1630 Linkebeek – ✪ 0 2 :

XXX **Le Saint-Sébastien,** r. Station 90, ℰ 380 54 90, Fax 380 54 41, 🌶 – **℗. ① Ɛ** 𝖵𝖨𝖲𝖠
fermé lundi et mi-juil.-mi-août – **Repas** *Lunch 750* – 1150.   BP **k**

X **Le Chevalier,** Place Communale 5, ℰ 380 57 45, 🌶 – **𝐀𝐄 ① Ɛ** 𝖵𝖨𝖲𝖠   BP **a**
fermé merc. du 15 sept à avril, sam. midi et 18 août-15 sept – **Repas** *Lunch 550* – 895/1250.

à *Machelen* - plan p. 5 – 11 370 h. – ⊠ 1830 Machelen – ✪ 0 2 :

XXX ✿ **André D'Haese,** Heirbaan 210, ℰ 252 50 72, Fax 252 50 72, 🌶, « Décor moderne, ter
rasse avec jardin paysagé » – **℗. 𝐀𝐄 ① Ɛ** 𝖵𝖨𝖲𝖠. ❀   DK **m**
fermé du 3 au 17 avril, du 31 juil., sam. midi, dim. et jours fériés – **Repas** *Lunch 1300*
– 2250/2900 carte 2000 à 3000
Spéc. Confit de cailles aux épinards crus, croûtons et lardons, Aile de raie poêlée au chou blanc
mariné au Genièvre, Ris de veau braisé à brun Zingara.

à *Meise* par ⑪ : 14 km - plan p. 4 – 17 310 h. – ⊠ 1860 Meise – ✪ 0 2 :

XXX **Aub. Napoléon,** Bouchoutlaan 1, ℰ 269 30 78, Fax 269 79 98, Grillades – **℗. 𝐀𝐄 ① Ɛ** 𝖵𝖨𝖲𝖠
fermé août – **Repas** carte 1800 à 2350.

XXX **Koen Van Loven,** Brusselsesteenweg 11, ℰ 270 05 77, Fax 270 05 46 – **℗** – 🍴 40. **𝐀𝐄**
① Ɛ 𝖵𝖨𝖲𝖠
fermé dim. soir, lundi, 25 fév.-5 mars et du 1er au 17 avril – **Repas** 1175/1750.

XX **Hasseltberg,** Nieuwelaan 47, ℰ 269 70 45, Fax 269 70 45 – **℗.** 𝖵𝖨𝖲𝖠
fermé merc., dim. soir, 20 juil.-10 août et du 26 au 30 déc. – **Repas** *Lunch 550* – carte 1300
à 1700.

à *Melsbroek* par Nieuwe Haachtsesteenweg DK : 14 km - plan p. 5 © Steenokkerzee
10 072 h. – ⊠ 1820 Melsbroek – ✪ 0 2 :

XXX **Boetfort,** Sellaerstraat 42, ℰ 751 64 00, Fax 751 62 00, « Château du 17e s., parc » – **℗**
– 🍴 25. **𝐀𝐄 ① Ɛ** 𝖵𝖨𝖲𝖠. ❀
fermé merc. soir, sam. midi, dim. et sem. carnaval – **Repas** *Lunch 1100* – 1950.

à Overijse par ④ : 16 km - plan p. 7 – 23 066 h. – ✉ 3090 Overijse – ☎ 0 2 :

🇧 Justus Lipsiusplein 9, ☎ 687 64 23, Fax 687 77 22

XXXX ✿ **Barbizon** (Deluc), Welriekendedreef 95 (à Jezus-Eik), ☎ 657 04 62, Fax 657 40 66, 🖼,
« Terrasse et jardin » – ❷. 🖭 ⓞ ⬛ *VISA*
DN **n**
fermé mardi, merc., 7 fév.-8 mars et 18 juil.-9 août – **Repas** 1750/3050 carte 2500 à 4000
Spéc. Homard en chemise, beurre ''Barbizon'', Foie d'oie au naturel, Gibiers (sept-janv.).

XX **Aub. Bretonne,** Brusselsesteenweg 670 (NO : 2 km à Jezus-Eik), ☎ 657 11 11 – ❷. 🖭 ⬛
VISA
fermé mardi, merc. et juil. – **Repas** *Lunch* 880 – 880/1280.

X **Den Uil,** Brusselsesteenweg 505 (NO : 2 km à Jezus-Eik), ☎ 657 28 75, Fax 657 28 75 – 🖭
ⓞ ⬛ *VISA*
fermé merc., 1 sem. fin fév. et 2 sem. début sept – **Repas** *Lunch* 750 – 800/1500.

X **Camme,** Waversesteenweg 4a (dans une ruelle du 13ᵉ s.), ☎ 687 97 40 – ❷. 🖭 ⓞ ⬛ *VISA*
fermé sam. midi, dim. soir, lundi, 2 sem. en fév. et 2 sem. en oct. – **Repas** 990/1350.

X **Istas,** Brusselsesteenweg 652 (NO : 2 km à Jezus-Eik), ☎ 657 05 11, Fax 657 05 11, 🖼,
Taverne-rest – ❷
fermé merc. et jeudi – **Repas** carte 800 à 1200.

à Schepdaal par ⑧ : 12 km - plans p. 4 et 6 ⓒ Dilbeek 37 115 h. – ✉ 1703 Schepdaal –
☎ 0 2 :

🏛 **Lien Zana,** Ninoofsesteenweg 1022, ☎ 569 65 25, Fax 569 64 64, 🌊, 🚿 – 🛗 📺 ☎ ❷ –
🍴 25. 🖭 ⓞ ⬛ *VISA*
fermé 23 déc.-2 janv. – **Repas** *Lunch* 300 – 800/1200 – **27 ch** ⊂⊃ 2300/4000 – ½ P 2700/3000.

à Sint-Genesius-Rode (Rhode-St-Genèse) par ⑤ : 13 km - plan p. 7 – 17 856 h. – ✉ 1640
Sint-Genesius-Rode – ☎ 0 2 :

🏛 **Aub. de Waterloo,** chaussée de Waterloo 212, ☎ 358 35 80, Fax 358 38 06 – 🛗 ⇔ 📺
☎ ❷ – 🍴 25 à 80. 🖭 ⓞ ⬛
Repas voir rest *L'Arlecchino* ci-après – **84 ch** ⊂⊃ 4450/5980.

XX **L'Arlecchino** - H. Aub. de Waterloo, chaussée de Waterloo 212, ☎ 358 34 16,
Fax 358 28 96, 🖼, Avec Trattoria, cuisine italienne – 🍽 ❷. 🖭 ⓞ ⬛ *VISA*
Repas 795/1180.

XX **''Pierrot'' La Saladine,** av. de la Forêt de Soignes 361, ☎ 358 13 21, Fax 358 47 89, 🖼
– 🖭 ⓞ ⬛ *VISA*
fermé dim. soir, lundi, jours fériés soirs et 20 août-15 sept – **Repas** *Lunch* 495 – 890/1290.

X **Bois Savanes,** chaussée de Waterloo 208, ☎ 358 37 78, Fax 354 66 95, 🖼, Cuisine thaïlandaise – ❷. 🖭 ⓞ ⬛ *VISA*
fermé lundi midi et mardi midi – **Repas** *Lunch* 550 – carte env. 1100.

X **L'Alter Ego,** Parvis Notre-Dame 15, ☎ 358 29 15, 🖼 – 🖭 ⓞ ⬛ *VISA*
fermé dim., lundi, 22 août-22 sept et 24 déc.-10 janv. – **Repas** *Lunch* 350 – carte env. 1200.

à Sint-Pieters-Leeuw : 13 km par Brusselbaan AN - plan p. 6 – 29 422 h. – ✉ 1600
Sint-Pieters-Leeuw – ☎ 0 2 :

🏛 **Green Park** Ⓜ ⏦, V. Nonnemanstraat 15, ☎ 331 19 70, Fax 331 03 11, 🖼, « Au bord d'un
étang », 🐟 – 🛗 📺 ☎ ♿ ❷ – 🍴 40. 🖭 ⓞ ⬛ *VISA* ⛛
fermé du 10 au 31 juil. – **Repas** *(fermé vend.)* *Lunch* 450 – carte 1250 à 1550 – **18 ch**
⊂⊃ 3450/3950.

à Sterrebeek par ② : 13 km - plan p. 5 ⓒ Zaventem 26 308 h. – ✉ 1933 Sterrebeek – ☎ 0 2 :

XX **La Chasse des Princes,** Hippodroomlaan 141, ☎ 731 19 64, 🖼 – 🍴 25. 🖭 ⓞ ⬛ *VISA*
fermé lundi soir, mardi et sam. midi – **Repas** 1350.

à Strombeek-Bever - plan p. 4 - ⓒ Grimbergen 32 510 h. – ✉ 1853 Strombeek-Bever –
☎ 0 2 :

🏛 **Aub. van Strombeek,** Temselaan 6, ☎ 460 64 67, Fax 460 06 70, 🖼 – 📺 ☎ ❷. 🖭 ⬛
VISA.
BK **f**
Repas *(fermé sam. midi, dim., jours fériés, 3 sem. en août et 1 sem. fin déc.)* *Lunch* 990 –
carte env. 1500 – **10 ch** ⊂⊃ 1600/2200.

XX **Le Val Joli,** Leestbeekstraat 16, ☎ 460 65 43, Fax 460 04 00, 🖼, « Terrasse et jardin » –
❷. 🖭 ⓞ ⬛ *VISA*
BK **p**
fermé lundi et mardi – **Repas** *Lunch* 450 – 990.

XX **'t Stoveke,** Jetsestraat 52, ☎ 267 67 25, 🖼, Produits de la mer – 🖭 ⓞ ⬛ *VISA* BK **q**
fermé dim., lundi, 3 sem. en juin, Noël et Nouvel An – **Repas** *Lunch* 1130 – 1570.

à Tervuren par ③ : 14 km - plan p. 7 – 19 473 h. – ✉ 3080 Tervuren – ☎ 0 2 :

X **De Linde,** Kerkstraat 8, ☎ 767 87 42, 🖼 – 🖭 ⬛ *VISA*. ⛛
fermé du 13 au 21 mars, du 10 au 25 sept, lundi soir et mardi – **Repas** *Lunch* 390 – 975/1450.

à Vilvoorde (Vilvorde) - plan p. 4 – 33 253 h. – ✉ 1800 Vilvoorde – ☎ 0 2 :

XX **Barbay,** Romeinsesteenweg 220 (SO : 4 km à Koningslo), ☎ 267 00 45, Fax 267 00 45, 🖼
– 🖭 ⓞ ⬛ *VISA*. ⛛
BK **r**
fermé sam. midi et dim. – **Repas** *Lunch* 895 – carte env. 1700.

*à **Vlezenbeek*** O : 11 km par N 282 AN - plan p. 6 C Sint-Pieters-Leeuw 29 422 h. - ✉ 1602 Vlezenbeek - ☎ 0 2 :

XX **Philippe Verbaeys,** Dorp 49, ☎ 569 05 25, Fax 569 05 25, 🍽 - AE ⓓ E VISA
fermé lundi, Pâques et 3 sem. en juil. - **Repas** *Lunch 440* - 800/1290.

X **Aub. Le Saint Esprit,** Postweg 250 (rte du Château de Gaasbeek), ☎ 532 42 18 - AE ⓓ E VISA
fermé dim. soir, lundi et mardi soir - **Repas** carte 1700 à 2350.

*à **Wemmel*** - plan p. 4 - 13 866 h. - ✉ 1780 Wemmel - ☎ 0 2 :

XX **Parkhof,** Parklaan 7, ☎ 460 42 89, Fax 460 25 10, 🍽, « Terrasse » - Ⓟ. AE E VISA
fermé merc., jeudi et 16 août-7 sept - **Repas** *Lunch 950* - 1400/1900. AK **s**

XX **Le Gril aux Herbes d'Evan,** Brusselsesteenweg 21, ☎ 460 52 39, Fax 460 52 39, 🍽 - AE ⓓ E VISA AK **t**
fermé merc., sam. midi et 1re quinz. juil. - **Repas** *Lunch 895* - carte 2250 à 2600.

XX **Barlow's,** Romeinse Steenweg 960, ☎ 460 61 51, Fax 460 61 51, 🍽 - AE ⓓ E VISA BK **u**
fermé merc., sam. midi et dim. soir - **Repas** *Lunch 750* - carte 1200 à 1800.

*à **Wezembeek-Oppem*** par ② : 11 km - plan p. 5 - 13 336 h. - ✉ 1970 Wezembeek-Oppem - ☎ 0 2 :

XXX **L'Aub. Saint-Pierre,** Sint-Pietersplein 8, ☎ 731 21 79, Fax 731 28 28 - AE ⓓ E VISA
fermé sam. midi, dim., jours fériés, 15 juil.-15 août et 24 déc.-3 janv. - **Repas** *Lunch 1480* - carte 1650 à 1900.

*à **Zaventem*** - plan p. 5 - 26 308 h. - ✉ 1930 Zaventem - ☎ 0 2 :

Sheraton Airport, à l'aéroport (NE par A 201), ☎ 725 10 00, Telex 27085, Fax 725 11 55 - |‡| ⇔ ▤ TV ☎ ♿ 🚗 - 🏛 25 à 600. AE ⓓ E VISA JCB. ✻ rest DK **a**
Repas Concorde carte 1450 à 1950 - ☕ 690 - **290 ch** 9300/10300, 7 suites.

XX ✿ **Stockmansmolen** 1er étage, H. Henneaulaan 164, ☎ 725 34 34, Fax 725 75 05, Avec taverne-rest, « Ancien moulin à eau » - Ⓟ. AE ⓓ E VISA. ✻ DL **c**
fermé sam., dim., jours fériés et dern. sem. juil.-2 prem. sem. août - **Repas** *Lunch 1625* - carte 2100 à 2600
Spéc. Salade de homard au melon, curry léger, Suprême de bar aux carottes confites, sauce à la coriandre, Tarte chaude aux pêches et crème d'amandes.

*à **Zellik*** par ⑩ : 8 km - plan p. 4 C Asse 27 285 h. - ✉ 1731 Zellik - ☎ 0 2 :

XX **Sandy,** Brusselsesteenweg 419, ☎ 466 06 77 - Ⓟ. AE ⓓ E VISA
fermé mardi, dim. soir et 3 sem. en août - **Repas** carte 1300 à 1600.

XX **Angelus,** Brusselsesteenweg 433, ☎ 466 97 26, Fax 466 83 84, 🍽 - Ⓟ. AE ⓓ E VISA
fermé lundi et juil. - **Repas** *Lunch 795* - 795/1595.

X **Pallieter,** Zuiderlaan 75, ☎ 466 13 61, Fax 466 89 80 - Ⓟ. AE ⓓ E VISA AL **w**
fermé dim., fin fév. et du 16 au 31 juil. - **Repas** (déjeuner seult sauf vend. et sam.) *Lunch 360* - carte env. 900.

Voir aussi : ***Waterloo*** par ⑥ : 17 km - plan p. 7

S.A. Société Belge du Pneumatique MICHELIN, quai Willebroek 33 EQ - ✉ 1210, ☎ (0 2) 218 61 00, Fax (0 2) 218 20 58

MICHELIN, Agence régionale, Slesbroekstraat 101 AN - ✉ 1600 Sint-Pieters-Leeuw, ☎ (0 2) 371 23 21, Fax (0 2) 377 20 13

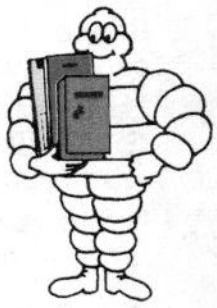

BUGGENHOUT 9255 Oost-Vlaanderen 𝟤𝟣𝟥 ⑥ et 𝟦𝟢𝟫 ④ – 13 517 h. – ✆ 0 52.
◆Bruxelles 27 – ◆Gent 44 – ◆Antwerpen 32 – ◆Mechelen 22.

   ※ **Servaeshof,** Vidtstraat 49, ℰ 33 29 15 – 🅿. 🗉 *VISA*. ⅏
    fermé mardi soir et merc. – **Repas** Lunch 1500 – carte 1100 à 1550.

BÜLLINGEN (BULLANGE) 4760 Liège 𝟤𝟣𝟦 ⑨ et 𝟦𝟢𝟫 ⑯ – 5 183 h. – ✆ 0 80.
◆Bruxelles 169 – ◆Liège 77 – Aachen 57.

   ※ **Kreutz-Peiffer,** Hauptstr. 131, ℰ 64 79 03, Fax 64 27 84 – 🅿
    fermé du 8 au 25 juil., Noël, lundi soir et merc. soir – **Repas** Lunch 950 – carte env. 1300.

BURG-REULAND 4790 Liège 𝟤𝟣𝟦 ⑨ et 𝟦𝟢𝟫 ⑯ – 3 752 h. – ✆ 0 80.
Voir Donjon ≤★.
◆Bruxelles 184 – ◆Liège 95.

   🏤 **Val de l'Our** ⑤, Dorfstr. 150, ℰ 32 90 09, Fax 32 97 00, « Environnement boisé », ┠ᴙ, ≘s, ⊥, 🐾, ※ – ▤ rest 📺 ☎ 🅿 – 🔬 25. ⅏
    fermé 26 juin-6 juil. et 23 déc.-8 janv. – **Repas** *(fermé après 20 h 30)* carte 1500 à 1900 – **16 ch** ⏄ 1900/2850 – ½ P 2000/2300.

   🏤 **Paquet** ⑤, Lascheid 43 (SO : 1 km, lieu-dit Lascheid), ℰ 32 96 24, Fax 32 98 22, ≤ campagne vallonnée – 📺 ☎ 🅿. ⓞ 🗉 *VISA*. ⅏
    fermé 19 juin-2 juil. et du 18 au 24 sept – **Repas** *(résidents seult)* – **14 ch** ⏄ 1400/2500 – ½ P 1350/1550.

   à Ouren S : 9 km ⓒ Burg-Reuland – ⊠ 4790 Burg-Reuland – ✆ 0 80 :

   🏠 **Dreiländerblick** ⑤, Dorfstr. 29, ℰ 32 90 71, Fax 32 93 88, ≤, 🐾 – ☎ 🅿. ⅏
    fermé janv.-15 fév. et mardi hors saison – **Repas** *(fermé après 20 h)* Lunch 650 – carte env. 1400 – **21 ch** ⏄ 1800/2300 – ½ P 1650/1750.

   🏠 **Rittersprung** ⑤, Dorfstr. 19, ℰ 32 91 35, Fax 32 93 61, ≤, 🍽 – 📳 🅿. ⅏
    fermé 4 déc.-19 janv. et lundis non fériés sauf en saison – **Repas** *(fermé après 20 h 30)* Lunch 700 – 800/1150 – **16 ch** ⏄ 1800/2200.

BÜTGENBACH 4750 Liège 𝟤𝟣𝟦 ⑨ et 𝟦𝟢𝟫 ⑯ – 5 217 h. – ✆ 0 80.
🗗 Centre Worriken 1 (au lac) ℰ 44 63 72, Fax 44 90 89.
◆Bruxelles 164 – ◆Liège 72 – Aachen 52.

   🏤 **Lindenhof** ⑤ sans rest, Neuerweg 1 (O : 3 km, lieu-dit Weywertz), ℰ 44 50 86, Fax 44 48 26 – 📺 ☎ 🅿. 🗉 *VISA*. ⅏
    ⏄ 200 – **12 ch** 1400/2200.

   🏠 **Seeblick** ⑤, Zum Konnenbusch 24 (NE : 3 km, lieu-dit Berg), ℰ 44 53 86, Fax 44 53 86, ≤ lac, ≘s, 🐾 – 🅿. ⅏
    fermé dim. soir et du 1ᵉʳ au 10 juil. – **Repas** *(dîner pour résidents seult)* – **12 ch** ⏄ 900/1800 – ½ P 1150/1400.

   ※※ **Bütgenbacher Hof** ⑤ avec ch, Marktplatz 8, ℰ 44 42 12, Fax 44 48 77, 🍽, « Terrasse » – 📳 📺 ☎ 🅿 – 🔬 40. 🗉 *VISA*. ⅏
    fermé 2 sem. Pâques et fin juin-début juil. – **Repas** *(fermé lundi soir et mardi hors saison)* 1000 – **22 ch** ⏄ 1850/2800 – ½ P 2250/2400.

   ※※ **La Belle Époque,** Bahnhofstr. 85 (O : 3 km, lieu-dit Weywertz), ℰ 44 55 43 – 🅿. 🖭 ⓞ 🗉 *VISA*
    fermé merc., fin mars-début avril et 1 sem. en sept – **Repas** 990/1690.

   ※ **Vier Jahreszeiten** ⑤ avec ch, Bermicht 8 (N : 3 km, lieu-dit Nidrum), ℰ 44 56 04, Fax 44 49 30, 🍽, « Intérieur de style autrichien », 🐾 – 🅿. ⅏
    fermé 30 juin-15 juil., du 2 au 15 janv. et mardi soir et merc. d'oct. à fév. – **Repas** Lunch 750 – 800/1750 – **15 ch** ⏄ 1350/1900 – ½ P 1600/2000.

CASTEAU Hainaut 𝟤𝟣𝟥 ⑰ et 𝟦𝟢𝟫 ⑫ – voir à Soignies.

CELLES Namur 𝟤𝟣𝟦 ⑤ et 𝟦𝟢𝟫 ⑭ – voir à Dinant.

CÉROUX-MOUSTY Brabant 𝟤𝟣𝟥 ⑲ et 𝟦𝟢𝟫 ⑬ – voir à Ottignies.

CHAMPLON 6971 Luxembourg belge ⓒ Tenneville 2 378 h. 𝟤𝟣𝟦 ⑦ et 𝟦𝟢𝟫 ⑮ ㉕ – ✆ 0 84.
◆Bruxelles 127 – ◆Arlon 61 – ◆Namur 66 – La Roche-en-Ardenne 15.

   🏤 **Les Bruyères,** rte de la Barrière 78, ℰ 45 51 85, Fax 45 59 38, ≤, 🐾 – ☎ 🅿. 🖭 ⓞ 🗉 *VISA*
    Repas Lunch 920 – 920/1425 – ⏄ 245 – **19 ch** 1100/2100 – ½ P 1925/2175.

   ※※ **Host. de la Barrière,** rte de la Barrière 31, ℰ 45 51 55, Fax 45 59 22, 🍽 – 🅿 – 🔬 25 à 40. 🖭 ⓞ 🗉 *VISA*
    fermé lundis soirs et mardis non fériés – **Repas** Lunch 850 – 1250/2150.

Charleroi

6000 Hainaut **214** ③ et **409** ⑬ – 207 045 h. – ✪ 0 71.

Musées : du verre★ BYZ **M** – à Mont-sur-Marchienne par ⑤ : de la Photographie★.

Env. Abbaye d'Aulne★ : chevet et transept★★ de l'église abbatiale par ⑤ : 13 km.

🖈 à Frasnes-lez-Gosselies N : 13 km, Chemin de Pierpont 🖉 (0 71) 85 14 19, Fax (0 71) 85 15 43.

🛈 Maison communale annexe, av. Mascaux 100 à Marcinelle par ⑤ 🖉 (0 71) 44 87 11, Fax (0 71) 47 33 02 – Pavillon, Square de la Gare du Sud 🖉 31 82 18.

◆Bruxelles 61 ① – ◆Liège 92 ③ – Lille 123 ① – ◆Namur 38 ③.

Plan de Charleroi .... p. 2
Nomenclature des hôtels
  et des restaurants .... p. 3

RÉPERTOIRE DES RUES DU PLAN DE CHARLEROI

Albert-1er (Pl.)	ABZ	Europe (Av. de l') ...... AYZ	Mayence (Bd de) ...... BZ 44
Marcinelle (R. de) ..... BZ 43	Flandre (Quai de) ...... AZ 25	Mons (Route de) .... AZ
Montagne (R. de la) .... ABZ 45	Fort (R. du) .... ABY	Montigny (R. de) .... BZ
Neuve (R.) .... BY 49	Fr.-Dewandre (Bd) ...... BY 30	Neuve (R.) .... BZ
Régence (R. de la) ..... BY 58	Gare (Quai de la) ...... AZ	Orléans (R. d') .... BZ 50
	Général-Michel (Av.) .... BZ	Paix (R. de la) .... BZ
Alliés (Av. des) .... AZ	Grand-Central (R. du) .... AZ	Paul-Janson (Bd) ...... BY
Arthur-Decoux (R.) ..... AY	Grand'Rue .... BY	Paul-Pastur (Av.) ...... AZ
Audent (Bd) .... ABZ	G.-Roullier (Bd) .... BY	P.-J. Lecomte (R.) ..... AY
Brabant (Quai de) ..... ABZ	Heigne (R. de) .... AY	Pont-Neuf (R. du) ...... BZ
Brigade-Piron (R.) ..... BZ	Isaac (R.) .... BY	Roton (R. du) .... ABY
Broucheterre	Jacques-Bertrand (Bd) ... ABY	Saint-Charles (R.) ..... BZ
(R. de la) .... ABY	Jean Monnet (R.) ...... AZ 35	Science (R. de la) ..... BYZ
Bruxelles (Chée de) .... AY	Joseph-Hénin (Bd) ..... BY 37	Solvay (Bd) .... BY 61
Charleroi (Chée de) .... BZ	Joseph-Tirou (Bd) ...... ABZ	Spinois (R.) .... BY
Charles-II (Pl.) .... BZ 10	Joseph-Wauters (R.) .... AY	Turenne (R.) .... AZ
Defontaine (Bd) .... BYZ	Joseph-II (Bd) .... BY	Villette (R. de la) ...... AZ
Digue (Pl. de la) ...... AZ	Jules-Destrée (R.) ...... BY	Waterloo (Av. de) ...... BY 69
Écluse (R. de l') ...... BZ 21	Lebeau (R.) .... BY	Willy-Ernst (R.) .... BZ
Émile-Buisset (Pl.) ..... AZ 23	Léon-Bernus (R.) ...... BY	Yser (Bd de l') .... AZ
Émile-Devreux (Bd) .... BZ 24	Mambourg (R. du) ..... BY	Zenobe-Gramme (R.) .... BY 73
Émile-Tumelaire (R.) .... BZ	Manège (Pl. du) ...... BY 41	Zoé-Dryon (Bd) .... BY

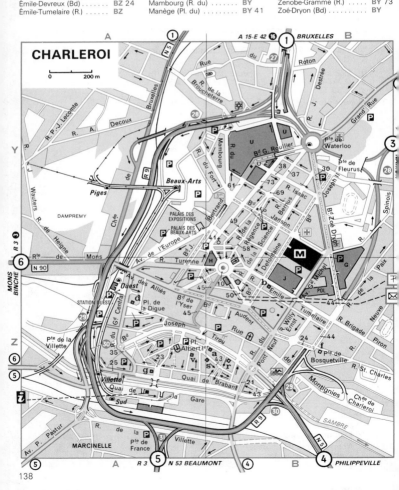

Holiday Inn Garden Court, bd Mayence 1a, ☎ 30 24 24, Fax 30 49 49, ⛾, ≘s - |◆| ⇎ TV ☎ Ⓟ - 🏛 25 à 150. AE ⓓ E VISA BZ **f**
Repas *(fermé sam. midi et dim. soir) Lunch 795* - carte 1100 à 1500 - ☐ 400 - **57 ch** 3350 - ½ P 4500.

Socatel, bd Tirou 96, ☎ 31 98 11, Telex 51597, Fax 31 98 11 - |◆| ⇎ TV ☎ Ⓟ - 🏛 50. AE ⓓ E VISA BZ **r**
Repas (Taverne-rest, ouvert jusqu'à 23 h) *Lunch 210* - 695/850 - ☐ 400 - **65 ch** 1550/5300 - ½ P 2325/3125.

XX **La Mirabelle** 1er étage, r. Marcinelle 7, ☎ 33 39 88, Produits de la mer - ▤. AE ⓓ E VISA
fermé dim., 1 sem. carnaval et 15 août-1er sept - **Repas** (déjeuner seult sauf vend. et sam.) *Lunch 850* - 1100. ABZ **s**

XX **La Tête de Bœuf,** pl. de l'Abattoir 5 (par Grand'Rue : 1,5 km), ☎ 41 25 17, Fax 42 23 92, 余 - AE ⓓ E VISA BY
fermé dim. - **Repas** *Lunch 950* - carte env. 1300.

XX **Le Square Sud,** bd Tirou 70, ☎ 32 16 06, Fax 30 44 05, « Caves voûtées » - AE ⓓ E VISA
fermé sam. en juil.-août, sam. midi, dim., jours fériés, 1 sem. Pâques et 1 sem. Pentecôte - **Repas** *Lunch 1500* - carte 1350 à 1950. BZ **a**

XX **Au Provençal,** r. Puissant 10, ☎ 31 28 37 - AE ⓓ E VISA. ⛌ AZ **v**
fermé dim., jours fériés et 15 juil.-15 août - **Repas** carte 1100 à 1650.

X **New Bruxelloise,** pl. E. Buisset 9, ☎ 32 29 69, Fax 32 29 69, Moules et écailler en saison, ouvert jusqu'à 23 h 30 - ▤ Ⓟ. AE ⓓ E VISA AZ **g**
Repas carte 800 à 1350.

X **L'Amaryllis,** r. Tumelaire 19, ☎ 31 17 69 - AE ⓓ E VISA BZ **b**
fermé jeudi, sam. midi, dim. soir, 1 sem. en fév. et fin juil.-début août - **Repas** *Lunch 1050* - 1490/1755.

X **L'Aneth,** pl. de la Digue 27, ☎ 31 89 89 - AE ⓓ E VISA AZ **d**
fermé 1re quinz. sept, dern. sem. janv., sam. midi, dim. soir et lundi - **Repas** *Lunch 850* - 850.

à Gerpinnes par ④ : SE 13 km - 11 545 h. - ✉ 6280 Gerpinnes - ☎ 0 71 :

XXX **Le Clos de la Rochette,** r. Anrys 16, ☎ 50 11 40, Fax 50 30 33, « Jardin » - Ⓟ. AE ⓓ E VISA
fermé dim. soir, lundi, merc. soir et 2 dern. sem. août - **Repas** *Lunch 1200* - carte 1850 à 2150.

à Gilly par ③ : 3 km C Charleroi - ✉ 6060 Gilly - ☎ 0 71 :

X **Dario,** chaussée de Fleurus 127, ☎ 41 49 38, Avec cuisine italienne - ▤. ⓓ E VISA. ⛌
fermé lundi soir, mardi et merc. soir - **Repas** carte env. 1000.

X **Il Pane Vino,** chaussée de Fleurus 125, ☎ 41 53 36, Fax 41 53 36, Cuisine italienne - ▤. AE ⓓ E VISA. ⛌
fermé merc., dim. soir, 2 sem. après Pâques et 16 août-15 sept - **Repas** carte 1000 à 1350.

à Gosselies par ① : 6 km sur N 5 C Charleroi - ✉ 6041 Gosselies - ☎ 0 71 :

XX **Le Saint-Exupéry,** chaussée de Fleurus 181 (près du champ d'aviation), ☎ 35 59 62, Fax 37 35 96, 余, « Terrasse avec ≤ pistes » - Ⓟ. AE ⓓ E VISA. ⛌
fermé sam. midi, 1 sem. carnaval et 2 dern. sem. juil.-prem. sem. août - **Repas** (déjeuner seult sauf vend. et sam.) *Lunch 950* - 1395/1790.

à Lodelinsart par ① sur N 5 : 3 km C Charleroi - ✉ 6042 Lodelinsart - ☎ 0 71 :

X **Le Dill,** chaussée de Bruxelles 2, ☎ 30 30 35, Fax 85 00 74 - E VISA
fermé dim. soir, lundi et 16 août-1er sept - **Repas** *Lunch 990* - carte env. 1200.

à Loverval par ④ : 3 km C Gerpinnes 11 545 h. - ✉ 6280 Loverval - ☎ 0 71 :

XX **Le Saint Germain des Prés,** rte de Philippeville 62 (sur N 5), ☎ 43 58 12, 余 - Ⓟ. AE ⓓ E VISA
fermé sam. midi, dim. soir, lundi et du 1er au 16 août - **Repas** carte 1400 à 1900.

XX **Le Carré Feuillant,** Allée des Templiers 20 (près N 5), ☎ 47 20 05, Fax 47 21 36, 余 - Ⓟ. AE ⓓ E VISA
fermé dim. soir et lundi - **Repas** *Lunch 1050* - carte 1600 à 1950.

à Montignies-sur-Sambre SE : 4 km par chaussée de Charleroi BZ C Charleroi - ✉ 6061 Montignies-sur-Sambre - ☎ 0 71 :

Balladins, rte de la Basse-Sambre (par ③ : 2 km), ☎ 42 01 68, Fax 42 04 80 - TV ☎ ♿ Ⓟ - 🏛 30. AE ⓓ E VISA
Repas *(fermé dim. soir) Lunch 475* - 800 - **45 ch** ☐ 1870/2290 - ½ P 1345/2265.

XX **Le Gastronome,** pl. Albert Ier 43, ☎ 32 10 20, Fax 32 30 83 - ▤. AE ⓓ E VISA
fermé dim. soir, lundi soir, mardi soir, merc. soir, 15 août-15 sept et du 2 au 12 janv. - **Repas** *Lunch 1000* - 1000.

à Mont-sur-Marchienne par ⑤ : 5 km C Charleroi - ✉ 6032 Mont-sur-Marchienne - ☎ 0 71 :

XX **La Dacquoise,** r. Marcinelle 181, ☎ 43 63 90, Fax 47 45 01, 余 - ▤ Ⓟ. AE ⓓ E VISA
fermé mardi soir, merc. et mi-juil.-mi-août - **Repas** *Lunch 950* - 1450.

à Roselies par ③ : 10 km 🄲 Aiseau-Presles 10 953 h. – ⊠ 6250 Roselies – 🕿 0 71 :

Ⅹ **L'Aile ou la Cuisse,** r. Français 56, 🖉 74 20 79, Fax 74 20 80. 🖭 ⓞ 🄴 𝐕𝐈𝐒𝐀
fermé sam. midi, dim. soir et lundi – **Repas** *Lunch 695* – carte env. 1600.

CHAUDFONTAINE 4050 Liège 🄿🄸🄳 ㉒ et 🄠🄞🄖 ⑮ ⑱ – 20 622 h. – 🕿 0 41 – Casino, Esplanade 🖉 65 07 53, Fax 65 37 62.

🄳 (fermé sam. et dim.) Maison Sauveur, Parc des Sources 🖉 65 18 34.

◆Bruxelles 104 – ◆Liège 10 – Verviers 22.

🏛 **Il Castellino,** av. des Thermes 147, 🖉 65 75 08, Fax 67 41 53, 🍴 – 🖵 🄿 – 🅐 25 à 300. 🖭 ⓞ 🄴 𝐕𝐈𝐒𝐀. 🛇 ch
Repas (cuisine italienne) *(fermé mardis non fériés)* carte env. 1100 – **7 ch** 🖙 2050/2650.

à Beaufays S : 4 km 🄲 Chaudfontaine – ⊠ 4052 Beaufays – 🕿 0 41 :

ⅩⅩ **Caprice Gourmand,** Voie de l'Air Pur 174 (N 30), 🖉 68 60 53, Fax 68 89 91, 🍴 – 🄿. 🖭 ⓞ 🄴 𝐕𝐈𝐒𝐀
fermé du 1er au 15 sept, du 2 au 10 janv., lundi, mardi et sam. midi – **Repas** *Lunch 950* – carte env. 1600.

CHENEE Liège 🄿🄸🄳 ㉒ et 🄠🄞🄖 ⑱ – voir à Liège, périphérie.

CHIMAY 6460 Hainaut 🄿🄸🄴 ⑬ et 🄠🄞🄖 ㉓ – 9 690 h. – 🕿 0 60.
Env. Étang★ de Virelles NE : 3 km.

◆Bruxelles 110 – ◆Mons 56 – ◆Charleroi 50 – ◆Dinant 61 – Hirson 25.

ⅩⅩ **Le Chaudron d'Or,** pl. Léopold 15, 🖉 21 17 41, Fax 21 14 84 – 🖭 ⓞ 🄴 𝐕𝐈𝐒𝐀
fermé lundis soirs et mardis non fériés, fin fév.-début mars et 1 sem. fin sept – **Repas** carte 1100 à 1400.

ⅩⅩ **Le Froissart,** pl. Froissart 8, 🖉 21 26 19, 🍴 – 🖭 ⓞ 🄴 𝐕𝐈𝐒𝐀
fermé mardi soir, merc. et 16 août-4 sept – **Repas** *Lunch 780* – 800/1550.

à l'étang de Virelles NE : 3 km 🄲 Chimay – ⊠ 6461 Virelles – 🕿 0 60 :

ⅩⅩ **Chez Edgard et Madeleine,** r. Lac 35, 🖉 21 10 71, 🍴 – 🄿. 🖭 ⓞ 🄴 𝐕𝐈𝐒𝐀
fermé mardis non fériés, 2 sem. en sept et 2 dern. sem. janv. – **Repas** carte 1200 à 1700.

à Momignies O : 12 km – 5 159 h. – ⊠ 6590 Momignies – 🕿 0 60 :

🏛 **Host. du Gahy** ⤢, r. Gahy 2, 🖉 51 10 93, Fax 51 28 79, ≤, « Demeure ancienne », 🚗 – 🖵 🕿 🄿. 🖭 ⓞ 🄴 𝐕𝐈𝐒𝐀
fermé dim. soir, lundi et merc. soir – **Repas** *(fermé après 20 h 30)* *Lunch 900* – 900/1900 – **6 ch** *(fermé dim. soir)* 🖙 3000.

CIERGNON 5560 Namur 🄲 Houyet 4 162 h. 🄿🄸🄴 ⑤ ⑥ et 🄠🄞🄖 ⑭ – 🕿 0 84.
◆Bruxelles 106 – ◆Namur 47 – ◆Dinant 21 – Rochefort 11.

🏛 **Host. d'Hérock** ⤢, Hérock 14 (NO : 3 km), 🖉 (0 82) 66 64 03, Fax (0 82) 66 65 15, 🚗, 🛇, – 🛎 – 🕿 🄿. 🖭 ⓞ 🄴 𝐕𝐈𝐒𝐀, 🛇 rest
Repas *Lunch 580* – 800/1440 – **16 ch** 🖙 1050/2200 – ½ P 1600/1800.

ⅩⅩ **Aub. de la Collyre** avec ch, r. Bonnier 1, 🖉 37 71 46, Fax 37 73 47, 🍴, 🚗 – 🖵 🕿 🄿. 🖭 ⓞ 🄴 𝐕𝐈𝐒𝐀
Repas *Lunch 875* – carte 1800 à 2200 – 🖙 465 – **9 ch** 2475/2775 – ½ P 2110/3525.

CINEY 5590 Namur 🄿🄸🄴 ⑤ ⑥ et 🄠🄞🄖 ⑭ – 14 122 h. – 🕿 0 83.
◆Bruxelles 91 – ◆Namur 32 – ◆Dinant 16 – ◆Liège 58.

Ⅹ **Au Vieux Ciney,** pl. Monseu 27, 🖉 21 32 57 – 🛇
fermé lundi soirs et mardis non fériés et sem. carnaval – **Repas** *Lunch 860* – carte env. 1100.

CLERMONT Liège 🄿🄸🄳 ㉓ et 🄠🄞🄖 ⑯ – voir à Thimister.

COMBLAIN-LA-TOUR 4180 Liège 🄲 Hamoir 3 383 h. 🄿🄸🄳 ㉒, 🄿🄸🄴 ⑦ et 🄠🄞🄖 ⑮ – 🕿 0 41.
Env. N : Comblain-au-Pont, grottes★.

◆Bruxelles 122 – ◆Liège 32 – Spa 29.

🏛🏛 **Host. St-Roch,** r. Parc 1, 🖉 69 13 33, Fax 69 31 31, ≤, 🍴, « Terrasse fleurie au bord de l'eau », 🚗, 🛇 – 🖵 🕿 🄿. 🚗, 🅐 25. 🖭 ⓞ 🄴 𝐕𝐈𝐒𝐀
Repas *(fermé lundi sauf en juil.-août, mardi et 3 janv.-15 mars)* *Lunch 1275* – carte 1850 à 2550 – **12 ch** *(fermé 3 janv.-11 mars et lundi et mardi sauf en juil.-août)* 🖙 3200/5800, 5 suites – ½ P 3200/4800.

Ⅹ **Au Repos des Pêcheurs,** r. Fairon 79, 🖉 69 10 21, 🍴
fermé lundi, mardi, merc. et mi-août-mi-sept – **Repas** carte env. 1200.

COO Liège 🄿🄸🄴 ⑧ et 🄠🄞🄖 ⑯ – voir à Stavelot.

Luxembourg belge **214** ⑮ et **409** ㉔ – voir à Bouillon.

CORROY-LE-GRAND 1325 Brabant © Chaumont-Gistoux 9 084 h. **213** ⑲ et **409** ⑭ – ✪ 0 10.
◆Bruxelles 35 – ◆Charleroi 38 – ◆Namur 32 – Tienen 29.

XX **Le Grand Corroy** avec ch, r. Eglise 13, ℘ 68 98 98, Fax 68 94 78, 斋, « Ancienne ferme brabançonne » – 🖵 ☎. 🆎 ⓞ Ǝ 𝘝𝘐𝘚𝘈
fermé 2e quinz. sept et fin déc.-début janv. – **Repas** *(fermé sam. midi, dim. soir et lundi)* Lunch 690 – 1250/1750 – **4 ch** ☳ 3500/4000.

X **Le Pin Pignon,** r. Corbeaux 25, ℘ 68 88 61, Fax 68 86 08, 斋, « Fermette rustique » – ❷. 🆎 ⓞ Ǝ 𝘝𝘐𝘚𝘈
fermé du 15 au 31 août, du 1er au 15 janv., mardi soir, merc. et sam. midi – **Repas** carte env. 1300.

COURTRAI West-Vlaanderen – voir Kortrijk.

COURT-SAINT-ETIENNE 1490 Brabant **213** ⑲ et **409** ⑬ – 7 936 h. – ✪ 0 10.
◆Bruxelles 33 – ◆Charleroi 34 – ◆Namur 42.

XX **Les Ailes,** av. des Prisonniers de Guerre 3, ℘ 61 61 61, 斋 – ❷. 🆎 ⓞ Ǝ 𝘝𝘐𝘚𝘈
fermé dim. soir, lundi, mardi, 15 fév.-9 mars et du 9 au 31 août – **Repas** Lunch 900 – 1290/1500.

COUVIN 5660 Namur **214** ⑭ et **409** ㉓ – 13 093 h. – ✪ 0 60.
Voir Grottes de Neptune★ – 🄗 Administration communale ℘ 34 54 54.
◆Bruxelles 104 – ◆Namur 64 – ◆Charleroi 44 – Charleville-Mézières 46 – ◆Dinant 47.

X **Le Sacavin,** r. Marcelle 2, ℘ 34 40 87, 斋 – 🆎 ⓞ Ǝ 𝘝𝘐𝘚𝘈
fermé lundi – **Repas** carte 650 – 950.

à Boussu-en-Fagne NO : 4,5 km © Couvin – ✉ 5660 Boussu-en-Fagne – ✪ 0 60 :

XX **Manoir de la Motte** ⌂ avec ch, r. Motte 21, ℘ 34 40 13, ≤, 斋, « Demeure du 14e s. » – ☎ ❷. 🆎 ⓞ Ǝ 𝘝𝘐𝘚𝘈. ✸
fermé dim. soir et lundi – **Repas** *(fermé après 20 h 30)* Lunch 1100 – 1100/1450 – ☳ 350 – **7 ch** 2000 – ½ P 2200.

à Frasnes N : 5,5 km par N 5 © Couvin – ✉ 5660 Frasnes – ✪ 0 60 :

XXX **Le Château de Tromcourt** ⌂ avec ch, lieu-dit Géronsart 15, ℘ 31 18 70, Fax 31 32 02, 斋, « Ferme-château », 滑 – 🖵 ☎ ❷. 🆎 ⓞ Ǝ 𝘝𝘐𝘚𝘈. ✸ rest
fermé merc., 2 dern. sem. août et janv. – **Repas** *(fermé merc. et après 20 h 30)* Lunch 950 – carte 1600 à 2000 – **9 ch** ☳ 2000/2600 – ½ P 2200/2500.

CREPPE Liège **213** ㉓ et **214** ⑧ – voir à Spa.

CRUPET 5332 Namur © Assesse 5 596 h. **214** ⑤ et **409** ⑭ – ✪ 0 83.
◆Bruxelles 79 – ◆Namur 20 – ◆Dinant 16.

XX **Les Ramiers,** r. Basse 32, ℘ 69 90 70, Fax 69 98 68, 斋, « Terrasse, ≤ cadre de verdure » – ❷. 🆎 ⓞ Ǝ 𝘝𝘐𝘚𝘈
fermé du 13 au 24 mars, du 18 au 23 sept, du 8 au 20 janv., dim. soir du 20 nov. à avril, lundi soir et mardi – **Repas** Lunch 975 – 1550/1975.

X **Au Vieux Château,** r. Basse 13, ℘ 69 91 33, 斋 – ❷. 🆎 ⓞ Ǝ 𝘝𝘐𝘚𝘈. ✸
fermé jeudis non fériés sauf en juil.-août – **Repas** Lunch 795 – 800/1495.

CUSTINNE Namur **214** ⑤ et **409** ⑭ – voir à Dinant.

DADIZELE 8890 West-Vlaanderen © Moorslede 10 753 h. **213** ⑭ et **409** ⑪ – ✪ 0 56.
◆Bruxelles 111 – ◆Brugge 41 – ◆Kortrijk 17.

X **Host. Daiseldaele** avec ch, Meensesteenweg 201, ℘ 50 94 90, Fax 50 99 36 – 🖵 ❷. 🆎 ⓞ Ǝ 𝘝𝘐𝘚𝘈. ✸
Repas *(fermé lundi soir, mardi et 20 juil.-10 août)* Lunch 460 – 750/1150 – **6 ch** ☳ 1250/2200.

DAMME 8340 West-Vlaanderen **213** ③ et **409** ② – 10 780 h. – ✪ 0 50.
Voir Hôtel de Ville★ (Stadhuis) – Tour★ de l'église Notre-Dame (O.L. Vrouwekerk).
🐴 à Sijsele SE : 7 km, Doornstraat 16 ℘ (0 50) 35 35 72, Fax (0 50) 35 89 25.
🄗 Stadhuis, Markt ℘ 35 33 19, Fax 36 14 96.
◆Bruxelles 103 – ◆Brugge 7 – Knokke-Heist 12.

XX **De Lieve,** Jacob van Maerlantstraat 10, ℘ 35 66 30, Fax 35 21 69, 斋 – 🆎 ⓞ Ǝ 𝘝𝘐𝘚𝘈
fermé lundi soir, mardi et 2 prem. sem. janv. – **Repas** Lunch 850 – carte 1450 à 2150.

XX **De Gulden Kogge** avec ch, Damse Vaart Zuid 12, ℘ 35 42 17, Fax 35 42 17 – 🆎 ⓞ Ǝ 𝘝𝘐𝘚𝘈
fermé du 1er au 15 déc., 3 prem. sem. janv., merc. soir et jeudi – **Repas** 1350/1975 – **8 ch** ☳ 1060/1920 – ½ P 1500/1700.

XX **De 3 Zilveren Kannen,** Markt 9, ℘ 35 56 77, « Intérieur vieux flamand » – ❄
Repas carte env. 1700.

XX **Gasthof Maerlant,** Kerkstraat 21, ℘ 35 29 52, Fax 37 11 86, ☕ – 囸 Ɛ 𝘝𝘐𝘚𝘈
fermé mardi soir, merc., prem. sem. juil. et 3 dern. sem. nov. – **Repas** carte 1100 à 1750.

XX **De Damsche Poort,** Kerkstraat 29, ℘ 35 32 75, ☕ – 囸 ① Ɛ 𝘝𝘐𝘚𝘈
fermé dim. soir et lundi – **Repas** carte 1400 à 2200.

à Hoeke NE : 6 km 🄲 Damme – ✉ 8340 Hoeke – 🕲 0 50 :

🏨 **Welkom** sans rest, Damse Vaart Noord 34 (près N 49), ℘ 60 24 92, Fax 62 30 31 – 📺 ☎
🅿 囸 Ɛ 𝘝𝘐𝘚𝘈 ❄
8 ch ⬜ 2300.

à Moerkerke E : 6 km 🄲 Damme – ✉ 8340 Moerkerke – 🕲 0 50 :

X **'t Galjoen,** Natiënlaan 5 (sur N 49), ℘ 50 06 99, Fax 51 39 26, ☕, Restaurant flottant – 🅿
Ɛ 𝘝𝘐𝘚𝘈
fermé dim. soir et lundi – **Repas** Lunch 950 – carte 1400 à 2050.

à Oostkerke NE : 2 km par rive du canal 🄲 Damme – ✉ 8340 Oostkerke – 🕲 0 50 :

XXX **Bruegel,** Damse Vaart Zuid 26, ℘ 50 03 46, Fax 50 12 15, ☕, « Terrasse » – 🅿 ① Ɛ 𝘝𝘐𝘚𝘈
fermé du 1ᵉʳ au 8 juil., du 9 au 31 janv., jeudi sauf en juil.-août et merc. – **Repas** Lunch 1150
– carte env. 2000.

X **Siphon,** Damse Vaart Oost 1, ℘ 62 02 02, ≼, ☕ – 🅿 ❄
fermé du 1ᵉʳ au 15 oct., du 1ᵉʳ au 15 fév., jeudi et vend. – **Repas** carte env. 1000.

▨ **DAVE** Namur 𝟤𝟣𝟦 ⑤ et 𝟦𝟢𝟫 ⑭ – voir à Namur.

▨ **DAVERDISSE** 6929 Luxembourg belge 𝟤𝟣𝟦 ⑯ et 𝟦𝟢𝟫 ㉔ – 1 469 h. – 🕲 0 84.
♦Bruxelles 122 – ♦Arlon 72 – ♦Dinant 41 – Marche-en-Famenne 35 – Neufchâteau 36.

🏨 **Le Moulin** ⌂, r. Lesse 61, ℘ 38 81 83, Fax 38 97 20, ☕, « Environnement boisé » – ⫞
📺 ☎ 🅿 ① Ɛ 𝘝𝘐𝘚𝘈
fermé du 4 au 18 déc., du 16 au 29 janv., mardi du 15 sept au 15 juin, dim. soir et lundi
– **Repas** Lunch 950 – carte 900 à 1550 – **22 ch** ⬜ 1100/2500 – ½ P 2050/2450.

XX **Le Trou du Loup,** Chemin du Corray 2, ℘ 38 90 84, Fax 38 90 84, ☕, « Environnement
boisé » – 🅿 囸 Ɛ 𝘝𝘐𝘚𝘈
fermé mardi, merc., 21 fév.-16 mars, du 3 au 10 juil. et 27 sept-7 oct. – **Repas** Lunch 950
– carte 1450 à 2000.

▨ **De** – voir au nom propre.

▨ **DEERLIJK** 8540 West-Vlaanderen 𝟤𝟣𝟥 ⑮ et 𝟦𝟢𝟫 ⑪ – 11 406 h. – 🕲 0 56.
♦Bruxelles 83 – ♦Brugge 49 – ♦Gent 38 – ♦Kortrijk 8 – Lille 39.

XXX **Gino Decock,** Waregemstraat 650, ℘ 70 50 60, Fax 70 57 41, ☕ – 🅿 囸 ① Ɛ 𝘝𝘐𝘚𝘈
fermé merc. soir, jeudi, 27 fév.-5 mars et du 1ᵉʳ au 15 août – **Repas** Lunch 1500 – carte 1900
à 2500.

XX **Severinus,** Hoogstraat 137, ℘ 70 41 11, ☕, « Jardin d'hiver » – 囸 ① Ɛ 𝘝𝘐𝘚𝘈
fermé dim. soir, lundi soir, 1 sem. carnaval et 21 juil.-15 août – **Repas** Lunch 1150 – carte
1500 à 1850.

XX **'t Schuurke,** Pontstraat 111, ℘ 77 77 94, Fax 77 48 33, ☕ – 🅿 囸 Ɛ 𝘝𝘐𝘚𝘈 ❄
fermé mardi soir, merc., dim. soir, sem. carnaval et 21 juil.-15 août – **Repas** Lunch 1100 –
1300/1800.

▨ **DEINZE** 9800 Oost-Vlaanderen 𝟤𝟣𝟥 ④ et 𝟦𝟢𝟫 ② – 26 242 h. – 🕲 0 9.
♦Bruxelles 67 – ♦Gent 17 – ♦Brugge 38 – ♦Kortrijk 30.

XXX **D'Hulhaege** avec ch, Karel Picquélaan 140, ℘ 386 56 16, Fax 380 05 06, ☕ – 📺 ☎ 🅿
– ⛳ 25 à 250. 囸 ① Ɛ 𝘝𝘐𝘚𝘈 ❄
fermé dim. soir, lundi, 2 dern. sem. juil.-prem. sem. août et 1 sem. Noël – **Repas** Lunch 1275
– carte 1600 à 2000 – ⬜ 425 – **8 ch** 1750/2500.

XX **Capucine,** Markt 82, ℘ 386 79 24, Fax 386 92 74, ☕ – 囸 ① Ɛ 𝘝𝘐𝘚𝘈 ❄
fermé merc., dim. soir et dern. sem. juil.-2 prem. sem. août – **Repas** Lunch 980 – 1650/2050.

à Astene sur N 43 : 2,5 km 🄲 Deinze – ✉ 9800 Astene – 🕲 0 9 :

XXX **Wallebeke,** Emiel Clauslaan 141, ℘ 282 51 49, ≼, ☕, « Terrasse et jardin fleuris au bord
de la Lys (Leie) » – 🅿 囸 Ɛ 𝘝𝘐𝘚𝘈
fermé du 15 au 31 juil., du 2 au 16 janv., dim. soir et lundi – **Repas** Lunch 950 – 1525.

XX **Savarin,** Emiel Clauslaan 77, ℘ 386 19 33 – 🅿 囸 ① Ɛ 𝘝𝘐𝘚𝘈
fermé merc., jeudi, sem. carnaval et du 1ᵉʳ au 20 juil. – **Repas** Lunch 1425 – carte env. 1500.

à Bachte-Maria-Leerne NE : 3 km 🆎 Deinze – ⊠ 9800 Bachte-Maria-Leerne – 🏵 0 9 :

XX **Vosselaere Put,** Leernsesteenweg 87, ℰ 386 11 35, Fax 380 16 52, 🌲, « Terrasse avec ≼ Lys (Leie) » – 🅿. 🕮 ⓞ 🗲 *VISA*. 🛇
fermé du 15 au 28 fév., 28 août-19 sept, lundi et mardi – **Repas** *Lunch 1000* – carte 1300 à 2100.

à Grammene O : 3,5 km 🆎 Deinze – ⊠ 9800 Grammene – 🏵 0 9 :

X **Westaarde,** Westaarde 40, ℰ 386 99 55, ≼, 🌲, Grillades – 🅿.
fermé sam., 2 dern. sem. juil. et 24 déc.-1er janv. – **Repas** (dîner seult jusqu'à minuit) carte env. 1700.

à Sint-Martens-Leerne NE : 6,5 km 🆎 Deinze – ⊠ 9800 Sint-Martens-Leerne – 🏵 0 9 :

XX **D'Hoeve,** Leernsesteenweg 218, ℰ 282 48 89, Fax 282 24 31, 🌲, Rustique – 🅿. 🕮 ⓞ 🗲 *VISA*
fermé lundi soir, mardi, sem. carnaval, 2 sem. en juin et 2 sem. en oct. – **Repas** *Lunch 995* – 1800.

DENDERLEEUW 9470 Oost-Vlaanderen 🔢 ⑰ et 🔢 ⑫ – 16 695 h. – 🏵 0 53.
♦Bruxelles 23 – Aalst 10 – ♦Gent 40 – ♦Mons 57.

XX **'t Waterputje,** Steenweg 413, ℰ 68 07 82, 🌲 – 🅿. 🕮 ⓞ 🗲 *VISA*. 🛇
fermé mardi soir et merc. – **Repas** *Lunch 950* – carte env. 1700.

DENDERMONDE (TERMONDE) 9200 Oost-Vlaanderen 🔢 ⑤ et 🔢 ③ – 42 687 h. – 🏵 0 52.
Voir Œuvres d'art★ dans l'église Notre-Dame★★ (O.L. Vrouwekerk).
🆔 Stadhuis, Grote Markt ℰ 21 39 56, Fax 22 19 40.
♦Bruxelles 29 – ♦Antwerpen 38 – ♦Gent 34.

🏠 **Beiaard,** Oude Vest 119, ℰ 21 13 31, Fax 22 11 58 – ≼➤ 📺 ☎ 🅿 – 🔏 25 à 40. 🕮 🗲 *VISA*. 🛇 rest
Repas *Lunch 680* – carte 1100 à 1850 – **27 ch** ⊇ 1850/3100 – ½ P 2400/3400.

XX ❀ **'t Truffeltje** (Marien), Bogaerdstraat 20, ℰ 22 45 90, Fax 21 93 35, 🌲 – 🕮 ⓞ 🗲 *VISA*
fermé dim. soir, lundi et 2 prem. sem. août – **Repas** *Lunch 1100* – carte env. 2100
Spéc. Cervelle et langue de veau aux artichauts à l'huile de truffes et verjus, Filet de bar à l'étuvée de légumes thaï, Pigeonneau à l'ail confit et au beurre de foie d'oie.

DENÉE 5537 Namur 🆎 Anhée 6 625 h. 🔢 ④ ⑤ et 🔢 ⑭ – 🏵 0 82.
♦Bruxelles 94 – ♦Dinant 21 – ♦Namur 22.

X **Le Relais de St. Benoit,** r. Maredsous 4 (S : 2 km), ℰ 69 96 81 – 🅿. 🕮 🗲 *VISA*
fermé 22 déc.-5 janv. et lundi et mardi sauf en juil.-août – **Repas** *Lunch 620* – 800/1250.

DESTELBERGEN Oost-Vlaanderen 🔢 ④ et 🔢 ③ – voir à Gent, environs.

DEURLE Oost-Vlaanderen 🔢 ④ et 🔢 ③ – voir à Sint-Martens-Latem.

DEURNE Antwerpen 🔢 ⑮ et 🔢 ④ ⑨ – voir à Antwerpen, périphérie.

DIEGEM Brabant 🔢 ⑦ ⑲ et 🔢 ⑬ ㉒ – voir à Bruxelles, environs.

DIEPENBEEK 3590 Limburg 🔢 ⑩ et 🔢 ⑥ – 16 359 h. – 🏵 0 11.
♦Bruxelles 91 – ♦Hasselt 7 – ♦Liège 36 – ♦Maastricht 26.

XXX **De Baenwinning,** Grendelbaan 32, ℰ 32 35 77, 🌲, « Fermette du 18e s. » – 🅿. 🕮 🗲 *VISA*
fermé mardi et merc. – **Repas** *Lunch 1000* – carte 1200 à 1650.

DIEST 3290 Brabant 🔢 ⑧ ⑨ et 🔢 ⑤ – 21 506 h. – 🏵 0 13.
Voir Œuvres d'art★ dans l'église St-Sulpice (St-Sulpitiuskerk) AZ – Béguinage★ (Begijnhof) BY.
Musée : Communal★ (Stedelijk Museum) AZ H.
Env. Abbaye d'Averbode★ : église★ par ⑤ : 8 km.
🆔 Stedelijk Museum, Stadhuis, Grote Markt 1 ℰ 31 21 21, Fax 32 23 06.
♦Bruxelles 59 ③ – ♦Antwerpen 60 ① – ♦Hasselt 25 ②.

Plan page suivante

🏨 **Prins van Oranje** sans rest, Halensebaan 152 (par ② : 3,5 km, près A 2), ℰ 31 33 50, Fax 33 77 84 – 🛗 📺 ☎ ⇆ 🅿 – 🔏 25. 🕮 ⓞ 🗲 *VISA*. 🛇
16 ch ⊇ 2000/3000.

🏨 **De Fransche Croon,** Leuvensestraat 26, ℰ 31 45 40, Fax 31 45 40 – 📺 ☎ ⇆. 🕮 ⓞ 🗲 *VISA*. 🛇
AZ **e**
Repas *(fermé sam. midi et dern. dim. du mois)* (ouvert jusqu'à 23 h) *Lunch 495* – 1050 – **12 ch** ⊇ 2000/3000 – ½ P 1950.

DIEST

Botermarkt	AZ 2	St. Jan Berchmansstr.	AZ 17	Koestraat	BZ 13
F. Moonsstraat	AZ 5	Delphine Alenuslaan	AZ 3	Overstraat	BY 14
Grote Markt	AZ	Ed. Robeynslaan	BZ 4	Pesthuizenstraat	BY 15
Ketelstraat	AZ 7	Graanmark	BZ 6	Refugiestraat	AY 16
Koning Albertstr.	BY	Guido Gezellestr.	BZ 8	St. Janstraat	BZ 18
		H. Verstappenplein	BZ 9	Schotelstraat	AZ 19
		Kattenstraat	BZ 10	Vestenstraat	BY 21
				Wolvenstraat	BY 22

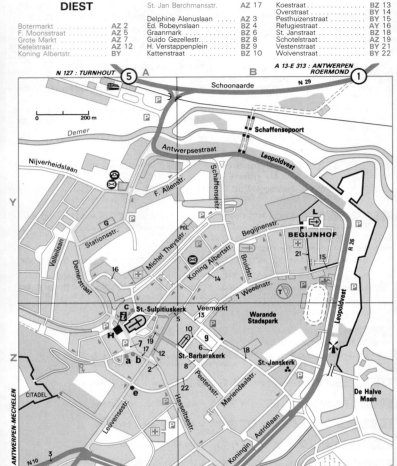

XXX **De Proosdij,** Cleynaertstraat 14, ℘ 31 20 10, Fax 31 23 82, 🐝, « Ancienne maison bourgeoise avec jardin clos de murs » – **P**. **AE** **①** **E** **VISA**
fermé merc., sam. midi et du 10 au 26 juil. – **Repas** *Lunch* 1050 – 1450/2850.
AZ **c**

XX **In den Keyser,** Grote Markt 24, ℘ 31 14 65, « Intérieur vieux flamand » – **AE** **①** **E** **VISA**
fermé mardi soir, merc., 2 dern. sem. juil. et prem. sem. janv. – **Repas** *Lunch* 700 – carte env. 1700.
AZ **a**

X **Breughel,** Grote Markt 23, ℘ 31 25 00 – **AE** **①** **E** **VISA**. 🐝
fermé lundi, vend. midi, sam. midi et 3 dern. sem. juil.-prem. sem. août – **Repas** 950/1500.
AZ **b**

à Molenstede par ⑤ : 6 km © Diest – ✉ 3294 Molenstede – ✆ 0 13 :

X **Katsenberg,** Stalstraat 42, ℘ 77 10 62, Fax 78 22 37, « Cadre champêtre » – **P**. **AE** **①** **E** **VISA**. 🐝
fermé mardi et merc. – **Repas** *Lunch* 900 – 900/1900.

DILBEEK Brabant 🅐🅑🅒 ⑱ et 🅐🅐🅐 ⑬ – voir à Bruxelles, environs.

DINANT 5500 Namur 🅐🅐🅐 ⑤ et 🅐🅐🅐 ⑭ – 12 461 h. – ❸ 0 82 – Casino, r. Grande 29 ℘ 22 79 33, Fax 22 79 26.

Voir Site★★ – Citadelle★ ≼★★ M – Grotte la Merveilleuse★ B – Rocher Bayard★ par ② – Château de Crèvecœur ≼★★ à Bouvignes par ⑤ : 2 km – Anseremme : site★ par ② : 3 km.

Env. Cadre★★ du domaine de Freyr (château★, parc★) – Rochers de Freyr★ par ② : 6 km – Foy-Notre-Dame : plafond★ de l'église par ① : 8,5 km – Furfooz : ≼★ sur Anseremme, Parc naturel de Furfooz★ par ② : 10 km – Vêves : château★ par ② : 12 km – Celles : dalle funéraire★ dans l'église romane St-Hadelin par ② : 10 km.

Exc. Descente de la Lesse en kayak ou en barque : ≼★ et ❊★.

🏇 à Houyet par ② : 18,5 km, Tour Léopold-Ardenne 6 ℘ (0 82) 66 62 28, Fax (0 82) 66 73 53.

🛈 r. Grande 37 (près du casino) ℘ 22 28 70.

♦Bruxelles 93 ⑤ – ♦Namur 29 ⑤ – Charleville-Mézières 78 ③ – ♦Liège 75 ①.

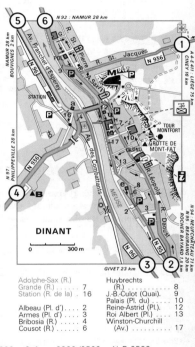

DINANT

0   300 m

Adolphe-Sax (R.)
Grande (R.) 7
Station (R. de la) . . 16

Albeau (Pl. d') 2
Armes (Pl. d') 3
Bribosia (R.) 4
Cousot (R.) 6

Huybrechts
(R.) 8
J.-B.-Culot (Quai). . 9
Palais (Pl. du) 10
Reine-Astrid (Pl.) . 12
Roi Albert (Pl.) . . . 13
Winston-Churchill
(Av.) 17

GIVET 23 km

XXX **Gilain,** r. Liroux 1 (E : 13 km près E 411 sortie 20, lieu-dit Liroux), ⊠ 5503, ℘ (0 83) 21 57 42, ≼, 🏠, « Cadre champêtre » – **Ɒ**. 🆔 ⓪ Ɛ 𝘝𝘐𝘚𝘈 fermé lundi, mardi et sem. carnaval – **Repas** Lunch 1450 – carte 1500 à 2000.

XX **Le Jardin de Fiorine,** r. Cousot 3, ℘ 22 74 74, Fax 22 74 74 – 🆔 ⓪ Ɛ 𝘝𝘐𝘚𝘈 fermé merc., dim. soir, 3 sem. carnaval et dern. sem. août – **Repas** Lunch 1000 – 1495. **e**

XX **Les Baguettes du Mandarin,** av. Winston Churchill 3, ℘ 22 36 62, Cuisine asiatique – ❊ **u** fermé merc. sauf en juil.-août et mardi – **Repas** Lunch 495 – 750/1075.

X **Thermidor,** r. Station 3, ℘ 22 31 35 – 🆔 Ɛ 𝘝𝘐𝘚𝘈 **a** fermé lundis soirs et mardis non fériés – **Repas** Lunch 550 – 800/1430.

X **Le Grill,** r. Rivages 88 (par ② : près du Rocher Bayard), ℘ 22 69 35, Fax 22 54 36 – 𝘝𝘐𝘚𝘈 fermé lundi soir, mardi, 3 sem. en sept et 1 sem. en janv. – **Repas** Lunch 480 – carte 1050 à 1500.

à Anseremme par ② : 3 km 🄲 Dinant – ⊠ 5500 Anseremme – ❸ 0 82 :

🏨 **Mercure,** rte de Walzin 36, ℘ 22 28 44, Fax 22 63 03, 🏠, « Environnement boisé », 🏋, 🛋, 🔲, 🐎, ❊ – 🛗 🔲 ☎ **Ɒ** – 🔏 25 à 160. 🆔 ⓪ Ɛ 𝘝𝘐𝘚𝘈 **Repas** Lunch 600 – 980/1200 – **75 ch** ⊇ 2500/4950 – ½ P 2225/3075.

XX **Le Freyr** 🕭, av. de Walzin, rte de Beauraing 22, Point de vue de Freyr, ℘ 22 25 75, Fax 22 70 42, ≼, 🏠, 🐎, ❊ – 🔲 🔳 **Ɒ**. Ɛ 𝘝𝘐𝘚𝘈 – fermé mardi soir, merc., 2 sem. carnaval, 1 sem. en sept et janv.-fév. sauf week-end – **Repas** Lunch 980 – 980/2200 – **6 ch** ⊇ 2300/2500 – ½ P 2500.

X **Le Mosan** r. Joseph Dufrenne 2, ℘ 22 24 50, Fax 22 46 79 – ⓪ Ɛ 𝘝𝘐𝘚𝘈 fermé 1 sem. en sept, janv. et lundi sauf du 15 juin au 15 sept – **Repas** Lunch 380 – 780.

à Bouvignes-sur-Meuse par ⑤ : 2 km 🄲 Dinant – ⊠ 5500 Bouvignes-sur-Meuse – ❸ 0 82 :

XXX **Aub. de Bouvignes,** r. Fétis 112 (N 96, rive gauche de la Meuse), ℘ 61 16 00, Fax 61 30 93, 🏠 – **Ɒ**. 🆔 ⓪ 𝘝𝘐𝘚𝘈 fermé dim. soir et lundi – **Repas** Lunch 980 – carte env. 1800.

à Celles par ② : 10 km 🄲 Houyet 4 162 h. – ⊠ 5561 Celles – ❸ 0 82 :

🏠 **Le Fenil** 🕭 sans rest, r. St-Hadelin 23, ℘ 66 67 60 – 🔲 **Ɒ** **7 ch** ⊇ 1600/2000.

XX **Host. Val Joli** 🕭 avec ch, pl. St-Hadelin 2, ℘ 66 63 63, Fax 66 67 68, 🏠, Rustique, 🐎 – 🔲 ☎. 🆔 ⓪ Ɛ 𝘝𝘐𝘚𝘈. ❊ rest – fermé 20 déc.-fin janv. et merc. soir et jeudi sauf en juil.-août – **Repas** 1950 – **7 ch** ⊇ 1750/2750 – ½ P 3000.

XX **La Clochette** 🕭 avec ch, r. Vêves 1, ℘ 66 65 35 – 🔲 **Ɒ**. 🆔 Ɛ 𝘝𝘐𝘚𝘈 fermé 2 sem. en mars, 3 sem. en juin et merc. sauf en juil.-août – **Repas** Lunch 850 – 1900 – **7 ch** ⊇ 1700/2000 – ½ P 2150/2450.

à Custinne par ② : 13 km © Houyet 4 162 h. – ⊠ 5562 Custinne – ☎ 0 82 :

XX **Host. Les Grisons** ⑤ avec ch en annexe, rte de Neufchâteau 23, ℰ 66 63 54, Fax 66 63 55, ≤, 🏦 – 🅣🅥 ☎ ℗. 🄰🄴 ⓞ 🄴 𝘝𝘐𝘚𝘈. ⅍ ch
fermé lundi soir, mardi, 15 fév.-15 mars sauf week-end et du 1er au 15 sept – **Repas** 1550/1950 – � 400 – **6 ch** 1950/2200 – ½ P 2750.

X **Le Grand Virage,** rte de Neufchâteau 22, ℰ 66 63 64, 🏦 – ℗. 🄴 𝘝𝘐𝘚𝘈
fermé dim. soirs et lundis non fériés sauf en juil.-août – **Repas** *Lunch 950* – 950/1250.

à Falmignoul par ② : 9 km © Dinant – ⊠ 5500 Falmignoul – ☎ 0 82 :

XX **Aub. des Cuves,** r. Dinant 38, ℰ 74 49 18, Fax 74 50 23, 🏦 – ℗. 🄰🄴 ⓞ 🄴 𝘝𝘐𝘚𝘈
fermé merc. et 1 sem. nov. – **Repas** *Lunch 1000* – 1000/1750.

à Lisogne par ① : 7 km © Dinant – ⊠ 5501 Lisogne – ☎ 0 82 :

XXX **Moulin de Lisogne** ⑤ avec ch, r. Lisonette 60, ℰ 22 63 80, Fax 22 21 47, 🏦, « Environnement boisé », 🌳, ⅍ – ☎ ℗. 🄰🄴 ⓞ 🄴 𝘝𝘐𝘚𝘈. ⅍ ch
fermé lundi, début sept et 4 déc.-11 fév. – **Repas** *(fermé dim. soir et lundi) Lunch 1500* – 1850 – **9 ch** ⊑ 2800/3500 – ½ P 3250/3650.

DONCEEL 4357 Liège ⓶⓵⓷ ㉑ et ⓸⓪⓽ ⑮ – 2 358 h. – ☎ 0 19.
♦Bruxelles 79 – Huy 26 – ♦Liège 25 – ♦Namur 47.

à Limont N : 2,5 km © Donceel – ⊠ 4357 Limont – ☎ 0 19 :

▲▲ **Espace Plantain** ⑤, r. Château 1, ℰ 54 40 00, Fax 54 57 57, « Demeure du 19e s., parc », ⅍ – 🅣🅥 ☎ ℗ – 🔬 25 à 150. 🄰🄴 ⓞ 🄴 𝘝𝘐𝘚𝘈. ⅍
fermé 2 sem. Pâques et 2 sem. en juil. – **Repas** *(fermé dim. soir, lundi et mardi) Lunch 1000* – carte 1700 à 2000 – **18 ch** ⊑ 4500/5500 – ½ P 4000/5500.

DONKMEER Oost-Vlaanderen ⓶⓵⓷ ⑤ et ⓸⓪⓽ ③ – voir à Berlare.

DOORNIK Hainaut – voir Tournai.

DORINNE Namur ⓶⓵⓸ ⑤ et ⓸⓪⓽ ⑭ – voir à Spontin.

DOURBES 5670 Namur © Viroinval 5 611 h. ⓶⓵⓸ ④ ⑭ et ⓸⓪⓽ ㉓ – ☎ 0 60.
♦Bruxelles 114 – ♦Charleroi 54 – ♦Dinant 38 – ♦Namur 77 – Charleville-Mézières 54.

X **Au Repos de Haute Roche,** r. Givet 1, ℰ 39 00 56, Fax 39 00 56 – ⓞ 🄴 𝘝𝘐𝘚𝘈
fermé lundi et du 1er au 10 oct. – **Repas** *Lunch 490* – carte env. 1000.

DUDZELE West-Vlaanderen ⓶⓵⓷ ③ et ⓸⓪⓽ ② – voir à Brugge, périphérie.

DUINBERGEN West-Vlaanderen ⓶⓵⓶ ⑪ et ⓸⓪⓽ ② – voir à Knokke-Heist.

DURBUY 6940 Luxembourg belge ⓶⓵⓸ ⑦ et ⓸⓪⓽ ⑮ – 8 961 h. – ☎ 0 86.
Voir Site★.
🏌 ⓘ à Barvaux E : 5 km, rte d'Oppagne 34 ℰ (0 86) 21 44 54, Fax (0 86) 21 44 49.
🎫 r. Halle aux Blés ℰ 21 24 28, Fax 21 36 81.
♦Bruxelles 119 – ♦Arlon 99 – Huy 34 – ♦Liège 51 – Marche-en-Famenne 19.

🏨 **Tropical** ⑤, rte de Barvaux, ℰ 21 39 95, Fax 21 39 93, « Patio avec 🔲 exotique », 🏋, ≤≋ – ▣ rest 🅣🅥 ☎ ℗ – 🔬 25 à 60. 🄰🄴 ⓞ 🄴 𝘝𝘐𝘚𝘈. ⅍ rest
Repas *Lunch 1350* – carte env. 1700 – **32 ch** ⊑ 4500/5200 – ½ P 3950/4700.

🏨 **Prévôt** ⑤, r. Récollectines 71, ℰ 21 23 00, Fax 21 27 84, 🏦, Grillades, « Rustique » – 🅣🅥 ☎ – 🔬 25. 🄰🄴 ⓞ 🄴 𝘝𝘐𝘚𝘈
fermé 15 fév.-2 mars – **Repas** *(fermé merc. non fériés)* carte 1000 à 1350 – **10 ch** ⊑ 1950/2950 – ½ P 2450/2750.

🏨 **Au Vieux Durbuy** ⑤ sans rest, r. Jean de Bohême 80, ℰ 21 32 62, Fax 21 24 65, « Rustique » – 🅣🅥 ☎ – 🔬 30. 🄰🄴 ⓞ 🄴 𝘝𝘐𝘚𝘈
⊑ 450 – **12 ch** 3000.

🏨 **Côté Jardin-Côté Cour,** pl. aux Foires 89, ℰ 21 30 32, Fax 21 38 10, 🏦 – 🅣🅥. 🄴 𝘝𝘐𝘚𝘈
Repas *(Taverne-rest) (fermé jeudi d'oct. à mars) Lunch 625* – 950/1550 – **16 ch** ⊑ 1600/4500, 1 suite.

🏠 **Clos des Récollets** ⑤, pl. des Récollets 64, ℰ 21 29 69, Fax 21 36 85 – 🅣🅥 ☎. 🄰🄴 ⓞ 🄴 𝘝𝘐𝘚𝘈
Repas *(fermé merc.) Lunch 995* – carte 1400 à 1750 – **12 ch** ⊑ 2600 – ½ P 2275/3250.

XXX **Le Sanglier des Ardennes** (annexe 🏰 Château Cardinal 🌳 - 🛥), r. Comte Th. d'Ursel 99, 𝒫 21 32 62, Fax 21 24 65, ≤, 🍽 – 📺 ☎ – 🏥 25 à 45. 🖭 ⓪ 🗉 𝘷𝘪𝘴𝘢
Repas *(fermé jeudis non fériés et janv.)* Lunch 1200 – 1550/2300 – ☲ 450 – **45 ch** 3800, 11 suites – ½ P 3150/3550.

XX **Le Moulin,** r. Jean de Bohème 75, 𝒫 21 29 70, 🍽 – 🗉 𝘷𝘪𝘴𝘢
fermé lundi, mardi, dern. sem. sept et 2ᵉ quinz. janv. – **Repas** Lunch 980 – carte env. 1500.

X **Le Saint Amour,** pl. aux Foires 88, 𝒫 21 25 92, Fax 21 46 80, 🍽 – 🖭 ⓪ 🗉 𝘷𝘪𝘴𝘢
fermé janv. et merc. en hiver – **Repas** Lunch 590 – 800/1690.

à Petit Han S : 4 km © Durbuy – ✉ 6940 Grandhan – 🕾 0 86 :

🏠 **Le Christé** 🌳, r. Petite Chaise 3, 𝒫 21 15 18, Fax 21 37 73, 🍽, 🛥 – 📺 ☎ 🅿. 🖭 ⓪ 🗉 𝘷𝘪𝘴𝘢, 🍴 rest
fermé du 15 au 30 janv. – **Repas** Lunch 590 – 615/1200 – **10 ch** ☲ 1500/2000 – ½ P 1425/1625.

DWORP (TOURNEPPE) Brabant 🔢 ⑱ et 🔢 ⑬ – voir à Bruxelles, environs.

ÉCAUSSINNES-LALAING 7191 Hainaut © Écaussinnes 9 536 h. 🔢 ⑱ et 🔢 ⑬ – 🕾 0 67.
◆Bruxelles 42 – ◆Mons 29.

XX **Le Pilori,** r. Pilori 10, 𝒫 44 23 18, Fax 44 26 03, 🍽 – 🖭 ⓪ 🗉 𝘷𝘪𝘴𝘢
fermé lundi soir, mardi soir, merc. soir, sam. midi, 2 sem. carnaval, 21 juil.-12 août et prem. sem. janv. – **Repas** Lunch 750 – 750/1350.

EDINGEN Hainaut – voir Enghien.

EEKLO 9900 Oost-Vlaanderen 🔢 ④ et 🔢 ② ③ – 19 107 h. – 🕾 0 9.
◆Bruxelles 89 – ◆Antwerpen 66 – ◆Brugge 25 – ◆Gent 20.

🏠 **Shamon** sans rest, Gentsesteenweg 28, 𝒫 378 09 50, Fax 378 12 77, « Rez-de-chaussée Art Nouveau », 🛥, 🍴 – 📺 ☎ 🅿. ⓪ 🗉 𝘷𝘪𝘴𝘢, 🍴
8 ch ☲ 2500/3000.

X **Hof ter Vrombaut,** Vrombautstraat 139, 𝒫 377 25 77, Fax 377 25 77, 🍽 – 🅿 – 🏥 30. 🖭 ⓪ 🗉 𝘷𝘪𝘴𝘢, 🍴
fermé merc. soir, sam. midi, dim. soir et du 14 au 31 juil. – **Repas** Lunch 1100 – carte 1000 à 1450.

EERNEGEM 8480 West-Vlaanderen © Ichtegem 13 009 h. 🔢 ② et 🔢 ② – 🕾 0 59.
◆Bruxelles 109 – ◆Brugge 24 – ◆Gent 64 – ◆Oostende 18.

XX **Landdrost,** Turkeyendreef 21 (N : 2 km sur N 368), 𝒫 29 99 87, 🍽, « Cadre des polders » – 🅿. 🖭 ⓪ 🗉 𝘷𝘪𝘴𝘢
fermé merc. de sept à juin, lundi, mardi, 26 juin-6 juil., 30 oct.-2 nov. et du 2 au 27 janv. – **Repas** Lunch 1000 – 1000/1550.

EIGENBRAKEL Brabant – voir Braine-l'Alleud.

EINE Oost-Vlaanderen 🔢 ⑯ et 🔢 ⑫ – voir à Oudenaarde.

EKE 9810 Oost-Vlaanderen © Nazareth 10 078 h. 🔢 ④ et 🔢 ③ – 🕾 0 9.
◆Bruxelles 70 – ◆Gent 13 – Oudenaarde 15.

XX **De Gouden Snip,** Stationsstraat 33, 𝒫 385 69 70, Fax 385 71 36 – 🖭 ⓪ 🗉. 🍴
fermé mardi soir, merc., sam. midi, 2 dern. sem. août et dern. sem. janv. – **Repas** Lunch 900 – 1500.

EKEREN Antwerpen 🔢 ⑥ et 🔢 ④ ⑨ – voir à Antwerpen, périphérie.

ELENE Oost-Vlaanderen 🔢 ⑯ ⑰ – voir à Zottegem.

ELEWIJT 1982 Brabant © Zemst 19 423 h. 🔢 ⑦ et 🔢 ④ – 🕾 0 15.
🏌 à Kampenhout SE : 6 km, Wildersedreef 56 𝒫 (0 16) 65 12 16, Fax 65 16 80.
◆Bruxelles 21 – ◆Antwerpen 32 – Leuven 26.

XXX **Kasteel Diependael,** Tervuursesteenweg 511, 𝒫 61 17 71, Fax 61 68 97, ≤, 🍽, « Parc » – 🅿 – 🏥 40. 🖭 ⓪ 🗉 𝘷𝘪𝘴𝘢, 🍴
fermé sam. midi, dim. soir, lundi, sem. carnaval et 23 juil.-16 août – **Repas** Lunch 1250 – carte 2000 à 2600.

XXX **De Barcarolle,** Tervuursesteenweg 620, 𝒫 61 08 30, Fax 61 65 70, 🍽, « Terrasse et jardin » – 🅿. 🖭 ⓪ 🗉 𝘷𝘪𝘴𝘢, 🍴
fermé mardi soir, merc., carnaval et 3 dern. sem. juil. – **Repas** Lunch 1100 – carte 1400 à 1900.

ELLEZELLES (ELZELE) 7890 Hainaut 🔲🔳🔲 ⑯ et ⑭🔲🔲 ⑫ – 5 463 h. – 🕸 0 68.
◆Bruxelles 55 – ◆Gent 44 – ◆Kortrijk 39.

🕸🕸🕸🕸 ⊛ **Château du Mylord** (Thomaes), r. St-Mortier 35, ℘ 54 26 02, Fax 54 29 33, 🍽,
« Gentilhommière dans un parc » – 🅿. 🆎 ⓞ 🗲 ₩₩₩
fermé sam. soir, lundis midis non fériés, lundi soir et janv. – **Repas** carte 2100 à 3050
Spéc. Marinière de bar et langoustines au caviar, Homard au four à l'ail doux, Canette de Bresse
rôtie aux olives (fév.-août).

ELSENE Brabant – voir Ixelles à Bruxelles.

ELVERDINE West-Vlaanderen 🔲🔳🔲 ⑬ et ⑭🔲🔲 ⑩ – voir à Ieper.

ELZELE Hainaut – voir Ellezelles.

ENGHIEN (EDINGEN) 7850 Hainaut 🔲🔳🔲 ⑰ et ⑭🔲🔲 ⑫ – 10 437 h. – 🕸 0 2.
◆Bruxelles 39 – Aalst 30 – ◆Mons 32 – ◆Tournai 50.

🕸🕸 **Aub. du Vieux Cèdre** 🦢 avec ch, av. Elisabeth 1, ℘ 395 68 38, Fax 395 38 62, ≤ – 📺
🕿 🅿. 🆎 🗲 ₩₩₩. 🕸
Repas *(fermé vend., sam. midi, dim. soir, 15 fév.-1er mars et 17 juil.-6 août)* Lunch 1110 –
1110/1875 – 🍽 350 – **8 ch** 2200/2800 – ½ P 2200/2800.

🕸 **Les Délices du Parc,** pl. P. Delannoy 32, ℘ 395 47 89, Fax 395 47 89, 🍽 – 🆎 ⓞ 🗲 ₩₩₩
◆ *fermé mardi soir et merc.* – **Repas** Lunch 790 – 800/1180.

ENGIS Liège 🔲🔳🔲 ㉒ et ⑭🔲🔲 ⑮ – voir à Liège, environs.

EPRAVE Namur 🔲🔳🔲 ⑥ et ⑭🔲🔲 ⑭ ⑮ – voir à Rochefort.

EREMBODEGEM Oost-Vlaanderen 🔲🔳🔲 ⑤ et ⑭🔲🔲 ③ – voir à Aalst.

EREZÉE 6997 Luxembourg belge 🔲🔳🔲 ⑦ et ⑭🔲🔲 ⑮ – 2 430 h. – 🕸 0 86.
◆Bruxelles 127 – ◆Liège 60 – ◆Namur 66.

à Fanzel N : 6 km 🄲 Erezée – ⊠ 6997 Erezée – 🕸 0 86 :

🕸🕸 **Aub. du Val d'Aisne** 🦢 avec ch, r. Moulin 15, ℘ 49 92 08, ≤, 🍽, « Rustique,
environnement champêtre », 🍽 – 🅿. ⓞ. 🕸 rest
fermé mardis, merc. et jeudis non fériés, 20 juin-20 juil. et 20 déc.-20 janv. – **Repas** Lunch
900 – carte 1400 à 1900 – **7 ch** 🍽 2000/3200 – ½ P 2350/2500.

ERONDEGEM Oost-Vlaanderen 🔲🔳🔲 ⑤ – voir à Aalst.

ERPE Oost-Vlaanderen 🔲🔳🔲 ⑤ et ⑭🔲🔲 ③ – voir à Aalst.

ERPENT Namur 🔲🔳🔲 ⑳ – voir à Namur.

ERPS-KWERPS 3071 Brabant 🄲 Kortenberg 16 377 h. 🔲🔳🔲 ⑦ et ⑭🔲🔲 ④ – 🕸 0 2.
◆Bruxelles 20 – Leuven 6 – ◆Mechelen 19.

🕸🕸 **Rooden Scilt,** Dorpsplein 7, ℘ 759 94 44, Fax 759 74 45 – 🅿. 🆎 ⓞ 🗲 ₩₩₩
fermé dim. soir et lundi – **Repas** Lunch 1500 – carte 1650 à 2100.

ERTVELDE 9940 Oost-Vlaanderen 🄲 Evergem 29 858 h. 🔲🔳🔲 ④ et ⑭🔲🔲 ③ – 🕸 0 9.
◆Bruxelles 86 – ◆Brugge 38 – ◆Gent 16 – Sint-Niklaas 36.

🕸🕸 **Paddenhouck,** Holstraat 24, ℘ 344 55 56 – 🅿. 🆎 ⓞ 🗲 ₩₩₩. 🕸
fermé dim. et lundis non fériés, 2 dern. sem. juil. et fin déc. – **Repas** Lunch 950 – 1250/1550.

ESNEUX 4130 Liège 🔲🔳🔲 ㉒ et ⑭🔲🔲 ⑮ – 12 886 h. – 🕸 0 41.
◆Bruxelles 114 – Huy 31 – ◆Liège 18 – Spa 34.

🕸🕸 **Le Relais de l'Ourthe,** r. Bruxelles 59, ℘ 80 40 37 – 🗲 ₩₩₩
*fermé du 17 au 22 juin, du 6 au 12 sept, 24 déc.-2 janv., dim. soir, lundi, mardi et après
20 h 30* – **Repas** Lunch 950 – carte 1250 à 1750.

ESSENE 1790 Brabant 🄲 Affligem 11 723 h. 🔲🔳🔲 ⑱ et ⑭🔲🔲 ④ – 🕸 0 53.
◆Bruxelles 26 – Aalst 6.

🕸🕸🕸🕸 **Bellemolen,** Stationsstraat 11 (sortie 19a sur E 40), ℘ 66 62 38, Fax 68 12 90, ≤, « Moulin
à eau du 12e s. » – 🅿. 🆎 ⓞ 🗲 ₩₩₩. 🕸
fermé dim. soir, lundi, juil. et 23 déc.-2 janv. – **Repas** Lunch 1650 – 2350.

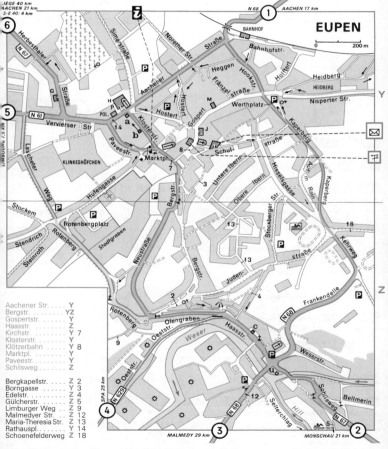

🏨 **Ambassador,** Haasstr. 81, ℘ 74 08 00, Fax 74 48 41 – 🛗 🍽 rest 📺 ☎ – 🔬 25 à 300.
ⒶⒺ ⓞ Ⓔ 𝚅𝙸𝚂𝙰 ⚘   Z u
Repas *Le Gourmet Lunch 900* – 1250 – **26 ch** ☞ 1850/3700 – ½ P 1950/3850.

🏨 **Rathaus** sans rest, Rathausplatz 13, ℘ 74 28 12, Fax 74 46 64 – 🛗 📺 ☎ 🅿. ⒶⒺ ⓞ Ⓔ 𝚅𝙸𝚂𝙰
fermé du 24 au 26 déc. – **18 ch** ☞ 2200/2850.   Y a

XX **Vier Jahreszeiten,** Haasstr. 38, ℘ 55 36 04 – AE ⓞ E VISA   Z c
  fermé lundi soir, mardi, 1 sem. carnaval et juil. – **Repas** Lunch 1550 – carte 1450 à 2150.

X **Bürgerstube,** Klosterstr. 19, ℘ 55 20 43, Fax 55 77 87 – AE E VISA. ⅏   Y b
  fermé jeudi – **Repas** carte 1100 à 1400.

EVERE Brabant 213 ⑱ et 409 ㉑ ㉒ – voir à Bruxelles.

FAGNES (Hautes) ★★ Liège 213 ㉔ et 409 ⑯ G. Belgique-Luxembourg.

FALAËN 5522 Namur C Onhaye 2 883 h. 214 ⑤ et 409 ⑭ – ✪ 0 82.
Env. N : Vallée de la Molignée★.
◆Bruxelles 94 – ◆Namur 31 – ◆Dinant 12 – Philippeville 21.

🏠 **Gd H. de la Molignée** ⑤, pl. de la Gare 87, ℘ 69 91 73, Fax 69 95 80 – 🕭 🅿. AE ⓞ E
  VISA
  fermé janv. et merc. soirs et jeudis non fériés sauf en juil.-août – **Repas** Lunch 875 – 995/1500
  – **29 ch** ☲ 1300/1800 – ½ P 1810.

X **La Fermette,** r. Château-Ferme 30, ℘ 69 91 90, Fax 69 91 90, ≤, 🏤, « Cadre champêtre »
  – 🅿. E VISA
  fermé lundi soir et mardi sauf en juil.-août – **Repas** 1050.

BELGIQUE GRAND-DUCHÉ DE LUXEMBOURG
Un guide Vert Michelin

Paysages, monuments
Routes touristiques
Géographie
Histoire, Art
Plans de villes et de monuments

FALMIGNOUL Namur 214 ⑤ et 409 ⑭ – voir à Dinant.

FANZEL Luxembourg belge 214 ⑦ et 409 ⑮ – voir à Erezée.

FAUVILLERS 6637 Luxembourg belge 214 ⑰ ⑱ et 409 ㉕ – 1 749 h. – ✪ 0 63.
◆Bruxelles 172 – ◆Arlon 28 – ◆Bastogne 23.

🏠 **Le Martin Pêcheur** ⑤, r. Bodange 28 (E : 3 km, lieu-dit Bodange), ✉ 6630 Martelange,
  ℘ 60 00 66, Fax 60 08 06, « Au bord de la Sûre » – TV ☎ 🅿. AE ⓞ E VISA
  fermé 15 janv.-24 fév. et mardi du 15 nov. à avril – **Repas** *(fermé après 20 h 30 et mardi*
  de nov. à avril) Lunch 815 – carte 1100 à 1400 – **14 ch** ☲ 1740/4500 – ½ P 1885/2995.

XX **Le Château de Strainchamps** ⑤ avec ch, Strainchamps 12 (N : 3 km, lieu-dit Strainchamps), ℘ 60 08 12, Fax 60 12 28, « Cadre champêtre » – ☎ 🅿. AE E VISA
  Repas *(fermé merc., jeudi, 16 août-1ᵉʳ sept et 15 janv.-2 fév.)* Lunch 900 – carte 1500 à 2100
  – **8 ch** *(fermé 24 et 25 déc. et 1ᵉʳ janv.)* ☲ 1800/2400 – ½ P 2600/4200.

FAYMONVILLE Liège 214 ⑨ et 409 ⑯ – voir à Waimes.

FELUY 7181 Hainaut C Seneffe 10 353 h. 213 ⑱ et 409 ⑬ – ✪ 0 67.
◆Bruxelles 39 – ◆Mons 28 – ◆Charleroi 31.

XX **Les Peupliers,** Chemin de la Claire Haie 109 (S : E 19 - sortie 20), ℘ 87 82 05, 🏤 – 🅿.
  AE ⓞ E VISA
  fermé lundi – **Repas** *(déjeuner seult sauf vend. et sam.)* Lunch 920 – carte 1150 à 1800.

FLEMALLE-HAUTE Liège 213 ㉒ et 409 ⑮ ⑰ – voir à Liège, environs.

FLEURUS 6220 Hainaut 213 ⑲, 214 ④ et 409 ⑬ – 22 559 h. – ✪ 0 71.
◆Bruxelles 62 – ◆Mons 48 – ◆Charleroi 12 – ◆Namur 26.

🏨 **Comfort Inn,** chaussée de Charleroi 590, ℘ 81 01 30, Fax 81 23 44, 🏤 – 🛗 TV ☎ 🅿 –
  🔺 30. AE ⓞ E VISA. ⅏
  Repas Lunch 585 – 725/875 – **44 ch** ☲ 2550 – ½ P 2550/2690.

XXX **Les Tilleuls,** rte du Vieux Campinaire 85 (S : 3 km par N 29 puis N 568), ℘ 81 18 10, 🏤
  – 🅿. AE ⓞ E VISA. ⅏
  fermé sam. midi, dim. soir, lundi et 31 juil.-14 août – **Repas** Lunch 890 – 1100/1600.

X **Le Relais du Moulin,** chaussée de Charleroi 199, ℘ 81 34 50
  fermé mardi soir, merc. et 16 août-6 sept – **Repas** carte 800 à 1200.

FLORENVILLE 6820 Luxembourg belge 214 ⑯ et 409 ㉕ – 5 733 h. – ✆ 0 61.

Env. Route de Neufchâteau ≤★ sur le défilé de la Semois N : 6,5 km et 10 mn à pied – Route de Bouillon ≤★ sur Chassepierre O : 5 km.

Exc. Descente en barque★ de Chiny à Lacuisine N : 5 km, parcours de 8 km.

🗓 (fermé lundi sauf en juil.-août) Pavillon, pl. Albert Iᵉʳ ✆ 31 12 29, Fax 31 32 12.

◆Bruxelles 183 – ◆Arlon 39 – Bouillon 25 – Sedan 38.

　　à Lacuisine N : 3 km 🧾 Florenville – ⌧ 6821 Lacuisine – ✆ 0 61 :

🏠 **La Roseraie** ⑤, rte de Chiny 2, ✆ 31 10 39, Fax 31 49 58, 🏠, « Jardin au bord de la Semois », 🏋, 🚬 – 🖵 ☎ 🅿 – 🔏 25. 🖭 ⓞ 🅴 𝗩𝗜𝗦𝗔. 𝒮𝒾 rest
Repas (fermé dim. soir d'oct. à Pâques) Lunch 950 – 1250/1600 – **16 ch** ⌑ 1795/3255 – ½ P 2335/2495.

✕✕ **Host. Du Vieux Moulin** ⑤, avec ch, O : 1,5 km, lieu-dit Martué, ✆ 31 10 76, Fax 31 26 75, ≤, 🏠, « Cadre champêtre au bord de la Semois » – 🖵 🅿 – 🔏 30. 🖭 ⓞ 🅴 𝗩𝗜𝗦𝗔. 𝒮𝒾 rest
fermé 18 fév.-18 mars et mardi soir et merc. sauf en juil.-août – **Repas** Lunch 1100 – carte 1700 à 2200 – ⌑ 300 – **14 ch** 1950/2900 – ½ P 2250/2600.

FONTAINE-VALMONT 6567 Hainaut 🧾 Merbes-le-Château 3 996 h. 214 ③ et 409 ⑬ – ✆ 0 71.

◆Bruxelles 65 – ◆Charleroi 26 – ◆Mons 32 – Maubeuge 24.

✕✕ **Les Capucines,** pl. Desoil 5, ✆ 55 40 26, Fax 55 40 26 – 𝗩𝗜𝗦𝗔
fermé dim. soir, lundi, sem. carnaval, 2 sem. en sept et après 20 h 30 – **Repas** carte env. 1500.

FOREST (VORST) Brabant 213 ⑱ et 409 ㉑ – voir à Bruxelles.

FOSSES-LA-VILLE 5070 Namur 214 ④ et 409 ⑭ – 8 276 h. – ✆ 0 71.

◆Bruxelles 78 – ◆Namur 18 – ◆Charleroi 22 – ◆Dinant 30.

🏠 **Le Castel,** r. Chapitre 10, ✆ 71 18 12, Fax 71 23 96, 🏠 – 🖵 ☎ 🅿. 🖭 🅴 𝗩𝗜𝗦𝗔
Repas Lunch 800 – 800/1500 – **11 ch** ⌑ 1575/2550 – ½ P 1670/2050.

　　à Sart-St-Laurent E : 3,5 km 🧾 Fosses-la-Ville – ⌧ 5070 Sart-St-Laurent – ✆ 0 71 :

✕ **Le Fin Bec,** r. Burnot 113, ✆ 71 10 12 – 🅿
fermé lundis soirs et merc. non fériés, 1 sem. carnaval et 28 août-7 sept – **Repas** Lunch 875 – 1050/1700.

FOURON-LE-COMTE Limburg – voir 's Gravenvoeren.

FRAHAN Luxembourg belge 214 ⑮ et 409 ㉔ – voir à Poupehan.

FRAMERIES Hainaut 214 ② et 409 ⑫ – voir à Mons.

FRANCORCHAMPS 4970 Liège 🧾 Stavelot 6 415 h. 213 ㉓, 214 ⑧ et 409 ⑯ – ✆ 0 87.

Exc. S : parcours★ de Francorchamps à Stavelot.

◆Bruxelles 146 – ◆Liège 47 – Spa 9.

🏠 **Moderne,** rte de Spa 129, ✆ 27 50 26, Fax 27 55 27, 🏠, « Patio » – 🖵 ☎ 🚗. 🖭 ⓞ 🅴 𝗩𝗜𝗦𝗔
fermé 2 sem. en mars, 2 sem. en sept et merc. non fériés sauf en saison – **Repas** Lunch 740 – 1045/1300 – **14 ch** ⌑ 1700/2700 – ½ P 2300/2500.

✕✕✕ **Host. Le Roannay** avec ch (annexe 🏠 - 8 ch), rte de Spa 155, ✆ 27 53 11, Fax 27 55 47, 🚬, 🏊, 🐴 – 🖵 rest 🖵 ☎ 🚗 – 🔏 25. 🖭 ⓞ 🅴 𝗩𝗜𝗦𝗔. 𝒮𝒾
fermé du 6 au 22 mars, du 3 au 12 juil. et du 4 au 20 déc. – **Repas** (fermé mardi) 1490/2850 – ⌑ 400 – **12 ch** 2900/4800.

FRASNES Namur 214 ③ ④ et 409 ㉓ – voir à Couvin.

FURNES West-Vlaanderen – voir Veurne.

GAND Oost-Vlaanderen – voir Gent.

GANSHOREN Brabant 213 ⑱ et 409 ⑬ ㉑ – voir à Bruxelles.

GAVERE 9890 Oost-Vlaanderen 213 ④ et 409 ③ – 10 998 h. – ✆ 0 9.

◆Bruxelles 75 – ◆Gent 18 – Oudenaarde 14.

✕✕✕ **Deboeverie,** Baaigemstraat 1, ✆ 384 33 76, Fax 384 75 46, 🏠, « Jardin d'hiver et terrasse fleurie » – 🖵 🅿. 🖭 ⓞ 🅴 𝗩𝗜𝗦𝗔. 𝒮𝒾
fermé merc., sam. midi, 1 sem. en fév., 2 dern. sem. juil.-prem. sem. août et 1 sem. en nov. – **Repas** Lunch 1100 – carte 2300 à 2600.

GEEL 2440 Antwerpen 🔲🔲🔲 ⑧ et 🔲🔲🔲 ⑤ – 32 812 h. – 🔾 0 14.

Voir Mausolée★ dans l'église Ste-Dymphne (St-Dimfnakerk).

🇧 (fermé sam. et dim. sauf en été) Stadhuis, Markt 1 ℘ 57 09 52, Fax 58 91 00.

◆Bruxelles 66 – ◆Antwerpen 43 – ◆Hasselt 38 – ◆Turnhout 18.

XX **De Cuylhoeve,** Hollandsebaan 7 (S : 3 km, lieu-dit Winkelomheide), ℘ 58 57 35, Fax 58 24 08, « Environnement boisé » – 🅿. **E** VISA
fermé merc., sam. midi, dim., 5 juil.-2 août et janv. – **Repas** Lunch *1000* – carte env. 1800.

XX **De Vier Seizoenen,** Eindhoutseweg 23 (S : 6 km à Oosterlo), ℘ 86 82 99, Fax 86 86 02, 🍴 – 🆎 **E** VISA. 🌿
fermé sam. midi, dim., lundi, carnaval et juil. – **Repas** Lunch *1250* – 1250/1650.

XX **De Waag,** Molseweg 2 (E : 1 km sur N 71), ℘ 58 62 20, Fax 58 26 65, 🍴 – 🆎 **E** VISA 🌿
fermé dim., lundi, sem. carnaval et 2ᵉ quinz. août – **Repas** Lunch *1000* – carte 1600 à 2050.

X **Keulsekar,** Keulsekar 22, ℘ 58 03 08 – 🅿. 🆎 **① E** VISA. 🌿
fermé mardi, merc., sam. midi et sem. carnaval – **Repas** Lunch *500* – carte env. 1100.

GELLINGEN Hainaut – voir Ghislenghien à Ath.

GELUWE 8940 West-Vlaanderen © Wervik 17 936 h. 🔲🔲🔲 ⑭ et 🔲🔲🔲 ⑪ – 🔾 0 56.

◆Bruxelles 109 – Ieper 20 – ◆Kortrijk 19 – Lille 27.

XX **Oud Stadhuis,** St-Denijsplaats 7, ℘ 51 66 49, Fax 51 79 12 – 🆎 **① E** VISA
fermé du 1ᵉʳ au 7 avril, 21 juil.-15 août, mardi soir et merc. – **Repas** Lunch *900* – carte env. 1600.

GEMBLOUX 5030 Namur 🔲🔲🔲 ⑲ ⑳ et 🔲🔲🔲 ⑭ – 19 550 h. – 🔾 0 81.

Env. à Corroy-le-Château S : 4 km : château féodal★.

🇧 à Mazy S : 8 km, Ferme-château de Falnuée, chaussée de Nivelles 34 ℘ (0 81) 63 30 90, Fax (0 81) 63 37 64.

◆Bruxelles 44 – ◆Namur 18 – ◆Charleroi 26 – Tienen 34.

🏨 **Les 3 Clés,** chaussée de Namur 17 (N 4), ℘ 61 16 17, Fax 61 41 13 – |‡| ▤ rest 📺 ☎ 🅿
◆ – 🔏 25 à 220. 🆎 **① E** VISA
Repas (ouvert jusqu'à 23 h) Lunch *395* – 625/1725 – ☲ 290 – **45 ch** 1890/2890.

XXX ⊛ **Le Prince de Liège** (Garin), chaussée de Namur 96b (N 4), ℘ 61 12 44, Fax 61 42 44, 🍴 – 🅿. 🆎 **① E** VISA
fermé dim. soirs et lundis non fériés, 2 dern. sem. fév. et fin août-début sept – **Repas** Lunch *650* – 1050/1900 carte 1600 à 2000
Spéc. Lasagne de langoustines au beurre de saumon fumé, Pigeonneau aux langoustines et au foie d'oie.

GENK 3600 Limburg 🔲🔲🔲 ⑩ et 🔲🔲🔲 ⑥ – 61 765 h. – 🔾 0 89.

Voir O : 5 km, Domaine provincial de Bokrijk★ : Musée de plein air★★ (Openluchtmuseum), Domaine récréatif★ : arboretum★ – N : 6 km, Zoo★ de Zwartberg (Limburgse Zoo).

🇧 Wiemesmeerstraat 109 ℘ 35 96 16, Fax 36 41 84.

🇧 Gemeentehuis, Dieplaan 2 ℘ 30 91 11, Fax 35 64 55.

◆Bruxelles 97 ⑥ – ◆Hasselt 12 ⑤ – ◆Maastricht 26 ③.

Plan page ci-contre

🏨 **Alfa Molenvijver,** Albert Remansstraat 1, ℘ 36 41 50, Telex 39303, Fax 36 41 51, ≤, 🍴, « Parc avec étang », 🛁, ≘s, 🔲 – |‡| 🔆 ▤ 📺 ☎ 🚗 🅿 – 🔏 25 à 250. 🆎 **① E** VISA 🌿 rest   Z e
Repas Lunch *820* – 820/1700 – **81 ch** ☲ 4600/5460, 2 suites – ½ P 5550.

🏨 **La Réserve** 🌭, Wiemesmeerstraat 105 (Spiegelven), ℘ 35 58 28, Fax 35 58 03, ≤, 🍴, 🛁, ≘s – |‡| 📺 ☎ 🅿 – 🔏 25 à 350. 🆎 **① E** VISA 🌿 rest   Z d
Repas Lunch *950* – carte 950 à 1450 – **66 ch** ☲ 2950/4350, 4 suites – ½ P 2625/3125.

🏨 **Atlantis** 🌭, Sledderloweg 97, ℘ 35 65 51, Fax 35 35 29, 🍴, 🛁, ≘s, 🐎 – ▤ rest 📺 ☎ 🅿 – 🔏 35. 🆎 **① E** VISA 🌿   Z a
fermé 24 déc.-10 janv. – **Repas** (fermé dim.) Lunch *800* – carte 1100 à 1400 – **24 ch** ☲ 2300/4550.

🏨 **Ecu** sans rest, Europalaan 46, ℘ 36 42 44, Fax 36 42 50 – |‡| 📺 ☎ 🅿. 🆎 **① E** VISA 🌿   Z r
40 ch ☲ 2200/2950.

🏩 **Europa,** Sledderloweg 85, ℘ 35 42 74, Fax 35 75 79, 🐎, 🍴 – 📺 ☎ 🅿 – 🔏 25 à 100. **E** VISA 🌿   Z b
fermé dim. et 15 août-1ᵉʳ sept – **Repas** Lunch *800* – carte env. 1100 – **19 ch** ☲ 1500/2800.

🏩 **Arte** sans rest, Europalaan 68, ℘ 35 20 06, Fax 36 10 36 – |‡| 📺 ☎ – 🔏 30. 🆎 **① E** VISA 🌿   Z n
24 ch ☲ 1500/2100.

GENK

André Dumontlaan ... Y 2
Bergbeemdstraat ... Y 3
Camerlo .... Z 4
Emiel van Dorenlaan . Y 5
Europalaan .... YZ 6
Evence Coppéelaan . Y 7
Fletersdel .... Z 8
Genkerweg
  (ZUTENDAAL) ... Z 9
Gildelaan .... Z 10
Grotestraat .... Z 12
Guill. Lambertlaan . Y 13
Hasseltweg .... Y 14
Hoevenzavellaan .. Z 15
Hoogstraat .... Z 16
Kempenseweg
  (ZUTENDAAL) ... Z 17
Koerweg .... Y 18
Kolderbosstraat ... Z 19
Langerloweg ..... Z 20
Maaseikerbaan ... Y 21
Mispadstraat ..... Y 24
Molenblookstraat
  (ZUTENDAAL) ... Z 25
Molenstraat ...... Z 27
Mosselerlaan ..... Y 28
Nieuwstraat ...... Z 29
Noordlaan .... Y 31
Onderwijslaan .... Y 33
Rozenkranslaan ... Z 35
Sledderloweg ..... Y 36
Stalenstraat ...... Y 37
Swinnenweyerweg . Z 38
Terboekt .... Z 39
Vennestraat ...... YZ 40
Westerring .... Z 43
Wiemesmeerstraat .. YZ 44
Winterslagstraat ... Y 46
Zuiderring .... Z 47

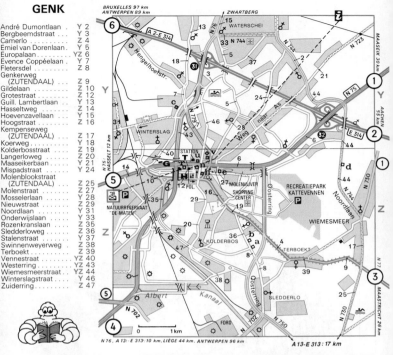

N 76, A 13 : E 313 : 10 km, LIÈGE 44 km, ANTWERPEN 96 km
A 13-E 313 : 17 km

XX **Da Vinci,** Pastoor Raeymaekersstraat 3, ☎ 35 17 61, Fax 30 60 56 – 🅿. 🆀 ⓞ 🅴 𝗩𝗜𝗦𝗔.
Z **v**
fermé mardi soir, sam. midi, dim., carnaval et 21 juil.-15 août – **Repas** *Lunch 1150* – 1295.

XX **St. Maarten,** Stationsstraat 13, ☎ 35 26 57, Fax 30 31 87, 🏤 – 🆀 🅴 𝗩𝗜𝗦𝗔. 🛇 Z **h**
fermé lundi, sam. midi, 2 sem. en mars et 2 dern. sem. juil. – **Repas** *Lunch 1475* – 1475/1875.

XX **Double Dragons,** Hasseltweg 214 (par ⑤ : 2 km sur N 75), ☎ 35 96 90, Fax 36 44 28,
Cuisine asiatique, ouvert jusqu'à minuit – 🍽 🅿. 🆀 ⓞ 🅴 𝗩𝗜𝗦𝗔. 🛇
Repas *carte 900 à 1500.*

X **Ludo's,** Europalaan 81, ☎ 35 74 67, Fax 30 48 95 – 🍽. 🆀 ⓞ 🅴 𝗩𝗜𝗦𝗔 Z **u**
fermé sam. midi, lundi et 8 juil.-1er août – **Repas** *Lunch env. 1500.*

X **De Donfeu,** Bochtlaan 17, ☎ 36 45 23, Fax 35 27 64 – 🆀 ⓞ 🅴 𝗩𝗜𝗦𝗔. 🛇 Z **v**
fermé merc., dim. soir et 15 août-6 sept – **Repas** *carte 1600 à 1950.*

X **'t Konijntje,** Vennestraat 74 (Winterslag), ☎ 35 26 45 – 🆀 ⓞ 🅴 𝗩𝗜𝗦𝗔 Y **c**
← *fermé merc.* – **Repas** *Lunch 595* – 800/975.

X **De Zeeduivel,** Hasseltweg 346 (par ⑤ : 3,5 km sur N 75), ☎ 35 25 77, Produits de la mer,
ouvert jusqu'à 23 h 30 – 🆀 ⓞ 🅴 𝗩𝗜𝗦𝗔. 🛇
fermé lundi, mardi, sam. midi, 1 sem. carnaval et 3 sem. août – **Repas** *carte env. 1300.*

dans le domaine provincial de Bokrijk O : 5 km :

XX **'t Koetshuis,** Bokrijklaan, ☎ (0 11) 22 43 05, Fax (0 11) 22 43 05, « Rustique flamand » –
← 🅿. 🆀 ⓞ 🅴 𝗩𝗜𝗦𝗔. 🛇
fermé mardi de sept à avril – **Repas** *Lunch 750* – 750/1975.

Gent – Gand

9000 ℙ Oost-Vlaanderen ②①③ ④ et ④⓪⑨ ③ – 229 821 h. – ✪ 0 9.

Voir Vieille ville★★★ (Oude Stad) – Cathédrale St-Bavon★★ (St-Baafskathedraal) FZ :
Polyptyque★★★ de l'Adoration de l'Agneau mystique par Van Eyck (Veelluik de
Aanbidding van Het Lam Gods), Crypte★ : triptyque du Calvaire★ par Juste de
Gand (Calvarietriptiek van Justus van Gent) FZ – Beffroi et Halle aux Draps★★★
(Belfort en Lakenhalle) FY – Pont St-Michel (St-Michielsbrug) ≤★★★ EY – Quai aux
Herbes★★ (Graslei) EY – Château des Comtes de Flandre★★ (Gravensteen) : ≤★
du sommet du donjon EY – Petit béguinage★ (Klein Begijnhof) DX – Réfectoire★
des ruines de l'abbaye St-Bavon (Ruïnes van de St-Baafsabdij) DV **M⁵**.

Musées : du Folklore★ (Museum voor Volkskunde) : cour★ intérieure de l'hospice
des Enfants Alyn (Alijnsgodshuis) EY **M¹** – des Beaux-Arts★★ (Museum voor Schone
Kunsten) CX **M²** – de la Byloke★★ (Bijloke Museum) CX **M³**.

🏌 à St-Martens-Latem SO : 9 km, Latemstraat 120 ☎ (0 9) 282 54 11, Fax
(0 9) 282 90 19.

🅱 Stadhuis-krypte, Botermarkt ☎ 224 15 55, Fax 225 62 88 – Fédération provinciale
de tourisme, Koningin Maria-Hendrikaplein 64 ☎ 222 16 37, Fax 221 92 69.

◆Bruxelles 55 ③ – ◆Antwerpen 60 ② – Lille 71 ⑤.

Plans de Gent	
Gent Centre	p. 2 et 3
Gent Général	
Agglomération	p. 4
Nomenclature des hôtels et des restaurants	
Ville	p. 5
Périphérie et environs	p. 6 et 7

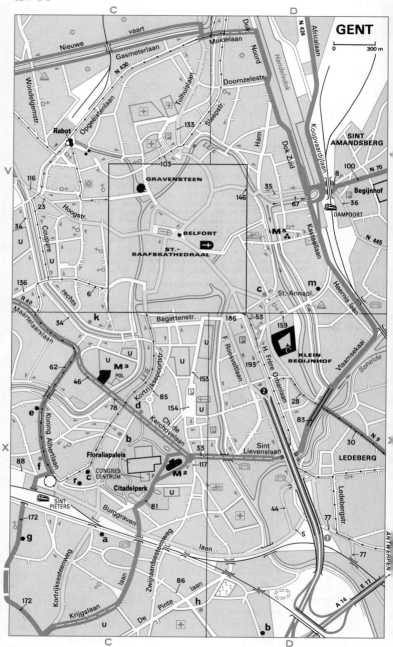

GENT

Kortemunt . . . . EY 92
Langemunt . . . . EY
Veldstraat . . . . EZ

A. Heyndrickxlaan . . . . DX 5
Annonciadenstr. . . . . CV 6
Antwerpenplein . . . . DV 8
Botermarkt. . . . . FY 19
Brugsepoortstr. . . . . CV 23
Brusselsepoortstr. . . . . . . DX 28
Brusselsesteenweg . . . . . DX 30
Cataloniëstr. . . . . EY 32
Citadellaan. . . . . CDX 33
Coupure links . . . . CVX 34
Dampoortstr. . . . . DV 35
Dendermondsesteenweg . . DV 36

Emile Braunplein . . . . EFY 41
Gaston Crommenlaan . . . . . DX 44
Gebr. Vandeveldestr. . . . . . EZ 45
Godshuizenlaan . . . . CX 46
Gouvernementstr. . . . . FZ 51
Graff van
   Vlaanderenplein . . . . DX 53
Grasbrug . . . . EY 54
Groot Brittanniëlaan . . . . . CX 62
Hagelandkaai . . . . DV 67
Hoofdbrug . . . . EY 76
Hundelgemse steenweg . . . DX 77
IJzerlaan. . . . . CX 78
Joz. Wauterstr . . . . CX 81
Keizervest . . . . DX 83
K. van Hulthemstr. . . . . CX 85
Koekoeklaan . . . . CX 86
Koningin Fabiolalaan . . . . . CX 88
Korenmarkt . . . . EY 89

Land van Waaslaan . . . . . DV 100
Lange Steenstr. . . . . CV 103
Limburgstraat . . . . FZ 104
Noordstraat . . . . CV 116
Normaalschoolstr. . . . . . CX 117
Rodelijvekensstr. . . . . . . CV 133
Rozemarijnstr . . . . CV 136
Schouwburgstr. . . . . EZ 137
Sint Baafsplein . . . . FYZ 140
Sint Joriskaai . . . . DV 146
Sint Michielsplein en -straat . EY 151
Sint Pietersnieuwstr. . . . CX 153
Sint Pietersplein . . . . CX 154
Tweebruggenstr. . . . . DVX 159
Vleeshuisbrug . . . . EY 163
Vogelmarkt . . . . FZ 167
Voskenslaan . . . . CX 172
Woodrow Wilsonpl. . . . . . DX 186
Zuidparklaan . . . . DX 193

Pour avoir une vue d'ensemble sur le « Benelux »
procurez-vous
la carte Michelin **Benelux** 407 à 1/400 000.

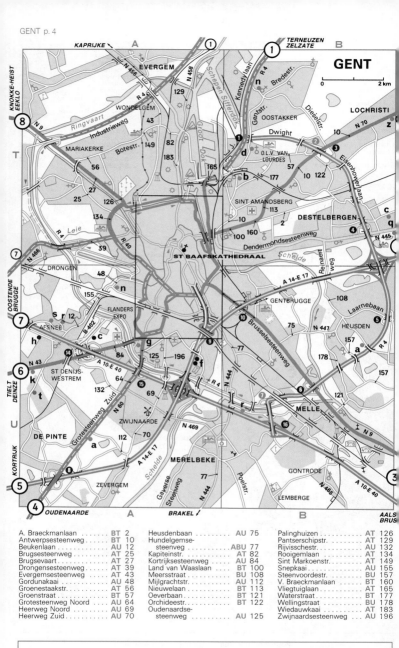

A. Braeckmanlaan	BT 2	Heusdenbaan	AU 75	Palinghuizen	AT 126
Antwerpsesteenweg	BT 10	Hundelgemse-		Pantserschipstr.	AT 129
Beukenlaan	AU 12	steenweg	ABU 77	Rijvisschestr.	AU 132
Brugsesteenweg	AT 25	Kapiteinstr.	AT 82	Rooigemlaan	AT 134
Brugsevaart	AT 27	Kortrijksesteenweg	AU 84	Sint Markoenstr.	AT 149
Drongensesteenweg	AT 39	Land van Waaslaan	BT 100	Snepkaai	AU 155
Evergemsesteenweg	AT 43	Meersstraat	BU 108	Steenvoordestr.	BU 157
Gordunakaai	AT 48	Mijlgrachtstr.	AU 112	V. Braeckmanlaan	BT 160
Groenestaakstr.	AT 56	Nieuwelaan	BT 113	Vliegtuiglaan	AT 165
Groenstraat	BT 57	Oeverbaan	BT 121	Waterstraat	BT 177
Grotesteenweg Noord	AU 64	Orchideestr.	BT 122	Wellingstraat	BU 178
Heerweg Noord	AU 69	Oudenaardse-		Wiedauwkaai	AT 183
Heerweg Zuid	AU 70	steenweg	AU 125	Zwijnaardsesteenweg	AU 196

Voor een overzicht van de Benelux gebruikt u de **Michelinkaart**
Benelux 407 schaal 1 : 400 000.

Quartiers du Centre - plans p. 2 et 3 sauf indication spéciale :

Sofitel Belfort, Hoogpoort 63, ☎ 233 33 31, Fax 233 11 02, 斧, 𝐿͂₆, ⩶ - |❅| ⥱ ▤ 📺
☎ ᕬ ⟵ - ⩗ 25 à 400. 歴 ⓞ ⴹ 𝘝𝘐𝘚𝘈   FY **z**
Repas carte 1200 à 1550 - ⬚ 550 - **126 ch** 6500, 1 suite.

Alfa Flanders Ⓜ, Koning Albertlaan 121, ☎ 222 60 65, Telex 12404, Fax 220 16 05 - |❅|
⥱ ▤ 📺 ☎ & ⟵ - ⩗ 25 à 120. 歴 ⓞ ⴹ 𝘝𝘐𝘚𝘈 𝗝𝗖𝗕   CX **e**
Repas (fermé sam. midi et dim. soir) Lunch 950 - 950/1750 - **47 ch** ⬚ 3250/7950, 2 suites
- ½ P 4200/6000.

Novotel Centrum, Gouden Leeuwplein 5, ☎ 224 23 30, Fax 224 32 95, 斧, ⩶, ⑃ - |❅|
⥱ ▤ 📺 ☎ & ⟵ - ⩗ 25 à 120. 歴 ⓞ ⴹ 𝘝𝘐𝘚𝘈   EY **a**
Repas Lunch 400 - 750 - ⬚ 400 - **114 ch** 4100/4650, 3 suites.

Castelnou, Kasteellaan 51, ☎ 235 04 11, Fax 235 04 04, 斧 - |❅| ▤ rest 📺 ☎ & ⟵ ℗
- ⩗ 30. 歴 ⓞ ⴹ 𝘝𝘐𝘚𝘈   DV **m**
Repas (Taverne-rest) Lunch 660 - carte env. 900 - **4 ch** ⬚ 2700/3095, 35 suites.

Erasmus ⌂ sans rest, Poel 25, ☎ 224 21 95, Fax 233 42 41, « Maison du 16ᵉ s. », 斧 -
📺 ☎. 歴 ⓞ ⴹ 𝘝𝘐𝘚𝘈. ⌇⌇
fermé 15 déc.-15 janv. - ⬚ 350 - **11 ch** 2450/3875.   EY **e**

Chamade sans rest, Blankenbergestraat 2, ☎ 220 15 15, Fax 221 97 66 - |❅| ⥱ 📺 ☎ ⟵
- ⩗ 30. 歴 ⓞ ⴹ 𝘝𝘐𝘚𝘈. ⌇⌇   CX **c**
fermé 24 déc.-1ᵉʳ janv. - **33 ch** ⬚ 2500/3700.

Carlton sans rest, Koningin Astridlaan 138, ☎ 222 88 36, Fax 220 49 92 - |❅| 📺 ☎ ⟵.
歴 ⓞ ⴹ 𝘝𝘐𝘚𝘈 𝗝𝗖𝗕. ⌇⌇   CX **r**
22 ch ⬚ 2600/3150.

Ibis Kathedraal, Limburgstraat 2, ☎ 233 00 00, Fax 233 10 00 - |❅| ⥱ 📺 ☎ & ⟵
⩗ 25 à 40. 歴 ⓞ ⴹ 𝘝𝘐𝘚𝘈 𝗝𝗖𝗕 ⬚ 2975/3250.   FZ **x**
Repas Lunch 265 - 695 - **120 ch** ⬚ 2975/3250.

Ibis Opera sans rest, Nederkouter 24, ☎ 225 07 07, Fax 223 59 07 - |❅| ⥱ 📺 ☎ & ⟵
- ⩗ 25 à 90. 歴 ⓞ ⴹ 𝘝𝘐𝘚𝘈   EZ **a**
134 ch ⬚ 2875/3150.

XXX **Jan Van den Bon,** Koning Leopold II laan 43, ☎ 221 90 85, « Jardin » - 歴 ⓞ ⴹ 𝘝𝘐𝘚𝘈. ⌇⌇
fermé sam. midi, dim., jours fériés, 15 juil.-10 août et 23 déc.-3 janv. - **Repas** Lunch 1250
- 1670/2150.   CX **b**

XXX **Grade,** Charles de Kerchovelaan 81, ☎ 224 43 85, Fax 233 11 29, 斧 - 歴 ⴹ 𝘝𝘐𝘚𝘈 CX **d**
fermé dim., lundi, 2 sem. Pâques et 2 sem. en sept - **Repas** Lunch 1000 - carte env. 1800.

XXX **De Gouden Klok,** Koning Albertlaan 31, ☎ 222 99 00, Fax 222 10 92 - ▤ ℗. 歴 ⴹ 𝘝𝘐𝘚𝘈
𝗝𝗖𝗕.   CX **f**
fermé merc., dim., 1 sem. carnaval et 3 dern. sem. août - **Repas** Lunch 1300 - 1700/1950.

XX **Cour St-Georges** avec ch, Botermarkt 2, ☎ 224 24 24, Telex 12738, Fax 224 26 40, « Salle
flamande du 13ᵉ s. » - |❅| 📺 ☎ ⟵ - ⩗ 25. 歴 ⓞ ⴹ 𝘝𝘐𝘚𝘈   FY **e**
Repas (fermé dim. soir et 16 juil.-10 août) Lunch 920 - 1150/1920 - **28 ch** ⬚ 2600/4200.

XX **Waterzooi,** St-Veerleplein 2, ☎ 225 05 63, Fax 225 03 63 - 歴 ⓞ ⴹ 𝘝𝘐𝘚𝘈
fermé merc. et dim. - **Repas** Lunch 1650 - carte 1750 à 2400.   EY **n**

XX **Georges,** Donkersteeg 23, ☎ 225 19 18, Fax 233 21 12, Produits de la mer - ▤. 歴 ⓞ ⴹ 𝘝𝘐𝘚𝘈
fermé lundi, mardi et du 7 au 27 juin - **Repas** carte 1300 à 1850.   EY **f**

XX **Guido Meersschaut,** Kleine Vismarkt 3, ☎ 223 53 49, Fax 223 49 68, Produits de la mer
- 歴 ⓞ ⴹ 𝘝𝘐𝘚𝘈   EY **x**
fermé 1 sem. en juil., 1ʳᵉ quinz. sept et dim. et lundis non fériés - **Repas** Lunch 880 - carte
1050 à 2500.

XX **Basile,** Coupure rechts 70, ☎ 233 26 12, Fax 233 26 12, 斧 - 歴 ⓞ ⴹ 𝘝𝘐𝘚𝘈. ⌇⌇ CX **k**
fermé du 2 au 17 avril, du 13 au 29 août, sam. midi, dim. et lundi - **Repas** Lunch 950 - carte
env. 1800.

XX **Jan Breydel,** Jan Breydelstraat 10, ☎ 225 62 87 - 歴 ⓞ ⴹ 𝘝𝘐𝘚𝘈   EY **c**
fermé dim., lundi midi et 2 dern. sem. août - **Repas** Lunch 1250 - carte 1850 à 2400.

XX **Het Cooremetershuys,** Graslei 12, ☎ 223 49 71, Fax 380 05 51, « Maison du 17ᵉ s. » -
歴 ⓞ ⴹ 𝘝𝘐𝘚𝘈   EY **v**
fermé du 16 au 23 avril, 15 juil.-15 août, 20 déc.-2 janv., merc. et dim. - **Repas** Lunch 980
- carte 1500 à 2100.

XX **Agora,** Klein Turkije 14, ☎ 225 25 58, Fax 224 17 88, 斧, Ouvert jusqu'à minuit - ▤. 歴
ⓞ ⴹ 𝘝𝘐𝘚𝘈   EY **z**
fermé dim., lundi et 15 juil.-15 août - **Repas** Lunch 450 - carte 1100 à 1550.

X **Patijntje,** Gordunakaai 91, ☎ 222 32 73 - ℗   plan p. 4 AU **n**
fermé dim., 15 juil.-1ᵉʳ août et 20 nov.-1ᵉʳ janv. - **Repas** (déjeuner seult) 1000/1275.

X **Chez Jean,** Cataloniëstraat 3, ☎ 223 30 40 - 歴 ⴹ 𝘝𝘐𝘚𝘈 𝗝𝗖𝗕   EY **h**
fermé dim. et lundi midi - **Repas** Lunch 950 - 1750.

X **Italia Grill,** St-Annaplein 16, ☎ 224 30 42, Cuisine italienne, ouvert jusqu'à 23 h 30 - 歴 ⓞ
ⴹ 𝘝𝘐𝘚𝘈. ⌇⌇   DV **c**
fermé 15 juil.-15 août - **Repas** Lunch 800 - carte env. 1400.

X **Central-Au Paris,** Botermarkt 10, ☎ 223 97 75, Fax 233 69 30 - 歴 ⓞ ⴹ 𝘝𝘐𝘚𝘈 FY **a**
fermé merc., dim. soir, 25 fév.-5 mars et du 1ᵉʳ au 13 juil. - **Repas** Lunch 750 - 950/1000.

Quartier Ancien (Patershol) - plan p. 3 :

XX **De Blauwe Zalm,** Vrouwebroerstraat 2, ✆ 224 08 52, Produits de la mer - AE ⓓ E VISA. ✻ EY **r**
fermé sam. midi, dim., lundi midi et jours fériés - **Repas** *Lunch 950* - carte env. 1500.

XX **'t Buikske Vol,** Kraanlei 17, ✆ 225 18 80, Fax 223 04 31 - Ⓟ. AE E VISA. ✻ EY **m**
fermé merc., sam. midi, dim. et 28 juil.-10 août - **Repas** *Lunch 1250* - 1850.

X **Le Baan Thaï,** Corduwanierstraat 57, ✆ 233 21 41, Fax 233 20 09, Cuisine thaïlandaise - ▤. AE E VISA. ✻ EY **s**
fermé lundi, prem. sem. sept et fin déc. - **Repas** (dîner seult) carte env. 1000.

X **De Acht Zaligheden,** Oudburg 4, ✆ 224 31 97, ≤ - AE E VISA EY **k**
fermé dim., lundi et 2 dern. sem. août - **Repas** *Lunch 1250* - carte env. 1400.

X **Karel de Stoute,** Vrouwebroerstraat 5, ✆ 224 17 35 - AE E VISA. ✻ EY **y**
fermé merc., sam. midi, sem. carnaval et prem. sem. nov. - **Repas** *Lunch 1050* - carte env. 1500.

Périphérie - plan p. 4 sauf indication spéciale :

au Nord-Est - ✉ 9000 - ☎ 0 9 :

XXX **Ter Toren,** St-Bernadettestraat 626, ✆ 251 11 29, 余, « Parc ombragé » - Ⓟ. AE ⓓ E VISA. ✻ BT **b**
fermé dim. soir, lundi, merc. soir et sept - **Repas** *Lunch 900* - carte 1150 à 1900.

au Sud - ✉ 9000 - ☎ 0 9 :

🏨 **Holiday Inn,** Ottergemsesteenweg 600, ✆ 222 58 85, Telex 11756, Fax 220 12 22, ≘s, 🏊, ✻ - |‡| ⇔ ▤ TV ☎ ♿ Ⓟ - 🏛 25 à 360. AE ⓓ E VISA JCB. ✻ rest AU **f**
Repas *Lunch 895* - carte 1200 à 1800 - ☐ 500 - **139 ch** 4950/6450, 1 suite.

🏨 **Astoria** sans rest, Achilles Musschestraat 39, ✆ 222 84 13, Fax 220 47 87 - |‡| TV ☎ Ⓟ. AE ⓓ E VISA. ✻ plan p. 2 CX **a**
15 ch ☐ 2250/3000, 2 suites.

🏨 **Ascona** sans rest, Voskenslaan 105, ✆ 221 27 56, Fax 221 47 01 - |‡| TV ☎ 🚗 Ⓟ. AE ⓓ E VISA plan p. 2 CX **g**
37 ch ☐ 2200/2800.

🏨 **Express,** Ottergemsesteenweg 703, ✆ 221 80 41, Fax 220 40 84 - |‡| TV ☎ Ⓟ - 🏛 30 à 70. AE ⓓ E VISA plan p. 2 DX **b**
Repas *(fermé sam. midi et dim. soir)* *Lunch 350* - 800/1400 - **30 ch** ☐ 1995/3100 - ½ P 2515.

🏨 **Campanile,** Ottergemsesteenweg 650, ✆ 220 02 22, Telex 11105, Fax 221 99 08, 余 - TV ☎ ♿ Ⓟ - 🏛 40. AE ⓓ E VISA JCB AU **f**
Repas *Lunch 450* - 800 - ☐ 260 - **46 ch** 2150 - ½ P 3005/3170.

XXX **Apicius,** Maurice Maeterlinckstraat 8, ✆ 222 46 00, Fax 222 46 00, « Jardin » - AE ⓓ E VISA. ✻ AU **g**
fermé sam. midi, dim., lundi midi et fin juil.-début août - **Repas** *Lunch 1950* - carte env. 2500

X **Aton,** Fritz De Beulestraat 17, ✆ 221 69 26, Fax 221 19 13, 余 - Ⓟ. AE ⓓ E VISA JCB. ✻ plan p. 2 CX **h**
fermé sam., dim. soir, lundi soir, jours fériés soirs et 24 juil.-15 août - **Repas** *Lunch 295* - 975.

à Afsnee Ⓒ Gent - ✉ 9051 Afsnee - ☎ 0 9 :

🏨 **Charl's Inn** sans rest, Autoweg Zuid 4 (près E 40 - sortie 14), ✆ 220 30 93, Fax 221 26 19, « Villa avec jardin » - TV ☎ Ⓟ. AE ⓓ E VISA AU **h**
9 ch ☐ 1800/3000.

XXX **Nenuphar,** Afsneedorp 28, ✆ 222 45 86, Fax 221 22 32, ≤, « Au bord de la Lys (Leie) » - ▤ - 🏛 40. AE ⓓ E VISA. ✻ AU **r**
fermé mardi, merc., 2 sem. avant Pâques et 2e quinz. août-début sept - **Repas** *Lunch 1150* - carte 1650 à 2000.

XX **De Fontein Kerse,** Broekkantstraat 52, ✆ 221 53 02, Fax 221 53 02, 余 - Ⓟ. AE ⓓ E VISA. ✻ AU **s**
fermé mardi soir, merc., dim. soir, juil. et janv. - **Repas** *Lunch 1050* - 1750.

à Oostakker Ⓒ Gent - ✉ 9041 Oostakker - ☎ 0 9 :

XX **St-Bavo,** Dorp 18, ✆ 251 35 34, Fax 251 80 62 - ▤. AE ⓓ E VISA. ✻ BT **n**
fermé dim. non fériés, lundi soir et jeudi soir - **Repas** *Lunch 1200* - carte env. 1800.

XX **'t Boerenhof,** Gentstraat 2, ✆ 251 03 14, Fax 251 07 72, 余 - ▤ Ⓟ. AE ⓓ E VISA
fermé lundi soir, mardi soir et merc. - **Repas** *Lunch 650* - 650/1350. BT **d**

à Sint-Denijs-Westrem Ⓒ Gent - ✉ 9051 Sint-Denijs-Westrem - ☎ 0 9 :

🏨 **Holiday Inn Expo,** Maaltekouter 3, ✆ 220 24 24, Telex 12990, Fax 222 66 22, 🏋, ≘s, 🏊 - |‡| ⇔ ▤ TV ☎ ♿ Ⓟ - 🏛 25 à 200. AE ⓓ E VISA JCB. ✻ rest AU **c**
Repas *Lunch 895* - carte 1200 à 1800 - ☐ 500 - **139 ch** 4950/6450, 1 suite.

X **Oranjehof,** Kortrijksesteenweg 1177, ✆ 222 79 07, Fax 222 79 07 - Ⓟ. AE ⓓ E VISA. ✻
fermé sam. midi, dim. et 2e quinz. août - **Repas** (déjeuner seult sauf sam.) *Lunch 990* - 1300/1900. AU **k**

à Zwijnaarde C Gent – ✉ 9052 Zwijnaarde – ☎ 0 9 :

XX **De Klosse,** Grotesteenweg Zuid 49 (sur N 60), ☎ 222 21 74, « Auberge » – P. AE ◑ E VISA. ✂ AU a
fermé sam. midi, dim. soir, lundi, 2 sem. carnaval et 12 juil.-1er août – **Repas** *Lunch 895* – carte env. 1600.

Environs

à Beervelde - plan p. 4 - C Lochristi 17 427 h. – ✉ 9080 Beervelde – ☎ 0 9 :

XXX **Renardeau,** Dendermondsesteenweg 19, ☎ 355 77 77, Fax 355 11 00, 🏡 – P. AE ◑ E VISA BT q
fermé dim. et lundis non fériés et 16 juil.-18 août – **Repas** *Lunch 1500* – 1980.

à Destelbergen - plan p. 4 – 17 050 h. – ✉ 9070 Destelbergen – ☎ 0 9 :

XX **'t Molenhof,** Molenstraat 97, ☎ 355 96 36, Fax 355 96 36, 🏡 – P. AE ◑ E VISA. ✂
fermé mardi soir, merc. et 3 dern. sem. août – **Repas** *Lunch 1000* – 1450/1750. BT c

à Heusden - plan p. 4 - C Destelbergen 17 050 h. – ✉ 9070 Heusden – ☎ 0 9 :

XX **Rooselaer,** Berenbosdreef 18 (par R4 - sortie 5), ☎ 231 55 13, Fax 231 07 32, 🏡, « Jardin fleuri » – P. AE E VISA BU a
fermé mardi, merc., 2e quinz. août, prem. sem. nov. et 1 sem. en fév. – **Repas** 1250/2000.

XX **La Fermette,** Dendermondsesteenweg 822, ☎ 355 60 24 – P. AE ◑ E VISA BT e
fermé dim. soir, lundi et 16 août-4 sept – **Repas** *Lunch 1250* – carte 1400 à 1900.

à Lochristi - plan p. 4 – 17 427 h. – ✉ 9080 Lochristi – ☎ 0 9 :

XX **Leys,** Dorp West 89 (N 70), ☎ 355 86 20, Fax 356 86 26, 🏡 – P. AE ◑ E VISA. ✂ BT z
fermé lundi, merc. soir, 1 sem. carnaval et 2 prem. sem. août. – **Repas** *Lunch 800* – 1700.

à Merelbeke - plan p. 4 – 20 575 h. – ✉ 9820 Merelbeke – ☎ 0 9 :

X **Torenhove,** Fraterstraat 214, ☎ 231 61 61, 🏡 – P. AE ◑ E VISA AU r
fermé mardi et sam. midi – **Repas** *Lunch 1000* – carte env. 1600.

à De Pinte - plan p. 4 – 9 822 h. – ✉ 9840 De Pinte – ☎ 0 9 :

XX **Te Lande,** Baron de Gieylaan 112, ☎ 282 42 00, 🏡 – ▤ P. AE ◑ E VISA AU t
fermé mardi, merc., sam. midi, 2e quinz. août et 2e quinz. fév. – **Repas** *Lunch 1000* – 1600/1850.

GENVAL 1332 Brabant C Rixensart 21 177 h. 213 ⑲ et 409 ⑬ – ☎ 0 2.

◆Bruxelles 21 – ◆Charleroi 42 – ◆Namur 52.

Château du Lac M ♨, av. du Lac 87, ☎ 654 11 22, Fax 653 62 00, ≤ lac et paysage boisé, 🏊, 🎾 – |♦| TV ☎ 🚗 P – 🎤 30 à 1000. AE ◑ E VISA. ✂
Repas voir rest ***Le Trèfle à 4*** ci-après – **37 ch** ☐ 3950/9100, 1 suite.

Le Manoir ♨ sans rest, av. Hoover 4, ☎ 655 63 11, Fax 655 64 55, ≤, « Parc », ≘s, 🏊, 🎾 – TV ☎ P – 🎤 25. AE ◑ E VISA. ✂
12 ch ☐ 7950/9100.

XXXX ✿✿ **Le Trèfle à 4** (Haquin) - H. Château du Lac, av. du Lac 87, ☎ 654 07 98, Fax 653 31 31, ≤ lac et paysage boisé – P. AE ◑ E VISA
fermé lundi, mardi et 8 janv.-11 fév. – **Repas** *Lunch 1450* – 1950/2450 carte 2500 à 2950
Spéc. Croustillant de langoustines à la crème de cêpes, Foie d'oie poêlé au vin du Jurançon et raisins, Poularde en croûte de sel, crème de cresson aux légumes.

XX **Le Caraquin du Lac,** av. du Lac 100, ☎ 654 12 18, Fax 653 63 30, ≤ lac, 🏡 – P. E VISA
Repas *Lunch 450* – carte env. 1400.

XX **L'Amandier,** r. Limalsart 9, ☎ 653 06 71, 🏡 – ▤ P. ◑ E
fermé merc., sam. midi, dim. soir, 2 sem. en sept et 15 janv.-1er fév. – **Repas** *Lunch 650* – carte env. 1500.

X **L'Echalote,** av. Albert Ier 24, ☎ 653 31 57, Fax 653 31 57, 🏡 – ▤ P. E VISA
fermé lundi, mardi soir et 1re quinz. juil. – **Repas** *Lunch 525* – 780/995.

GERAARDSBERGEN (GRAMMONT) 9500 Oost-Vlaanderen 213 ⑰ et 409 ⑫ – 30 524 h. – ☎ 0 54.

Voir Site★.

ℹ Stadhuis ☎ 41 41 21, Fax 41 75 79.

◆Bruxelles 42 – ◆Gent 41 – ◆Mons 43.

X **'t Lorreintje,** Oude Steenweg 16, ☎ 41 34 29 – E VISA
fermé du 7 au 23 mars, 28 août-15 sept, mardi, merc. et sam. midi – **Repas** *Lunch 695* – carte 1050 à 1500.

GERPINNES Hainaut 214 ③ et 409 ⑬ – voir à Charleroi.

GESVES 5340 Namur 𝟤𝟣𝟦 ⑤ ⑥ et 𝟦𝟢𝟫 ⑭ – 4 998 h. – ✪ 0 83.

◆Bruxelles 81 – ◆Namur 20 – ◆Dinant 30 – ◆Liège 53 – Marche-en-Famenne 31.

🏛 **La Pichelotte** ⬩, r. Pichelotte 5, ℰ 67 78 21, Fax 67 70 53, 斧, « Cadre champêtre », ▣, 枠, ✗ – 🛗 📺 ☎ 🅿 – 🔬 25 à 414. 🆎 ⓞ 🗲 🅅🅸🆂🅰
Repas Lunch 975 – 1195/1595 – **53 ch** ⌓ 2950/3350, 7 suites – ½ P 3300/4625.

🏱🏱 **L'Aubergesves** ⬩ avec ch, Pourrain 4, ℰ 67 74 17, Fax 67 81 57, 斧, « Rustique » – 📺 ☎ 🅿. 🆎 ⓞ 🗲 🅅🅸🆂🅰
fermé lundi, mardi et 2 sem. en sept ; en janv.-fév. ouvert week-end seult – **Repas** Lunch 950 – carte env. 2000 – ⌓ 300 – **6 ch** 3000.

🏱 **La Pineraie,** r. Pineraie 2, ℰ 67 73 46, 斧 – 🅿. 🆎 🗲 🅅🅸🆂🅰
fermé lundi, mardi, dern. sem. août-prem. sem. sept et 1 sem. en fév. – **Repas** Lunch 980 – 1480.

GHISLENGHIEN (GELLINGEN) Hainaut 𝟤𝟣𝟥 ⑰ et 𝟦𝟢𝟫 ⑫ – voir à Ath.

GHLIN Hainaut 𝟤𝟣𝟦 ② et 𝟦𝟢𝟫 ⑫ – voir à Mons.

GILLY Hainaut 𝟤𝟣𝟦 ③ et 𝟦𝟢𝟫 ⑬ – voir à Charleroi.

GISTEL West-Vlaanderen 𝟤𝟣𝟥 ② et 𝟦𝟢𝟫 ① – voir à Oostende.

GITS West-Vlaanderen 𝟤𝟣𝟥 ② et 𝟦𝟢𝟫 ② – voir à Roeselare.

GLABAIS 1473 Brabant Ⓒ Genappe 13 116 h. 𝟤𝟣𝟥 ⑲ et 𝟦𝟢𝟫 ⑬ – ✪ 0 67.

◆Bruxelles 29 – ◆Charleroi 26 – Nivelles 12.

🏱🏱🏱 **Michel Close,** chaussée de Bruxelles 44, ℰ 77 17 54, ≼, « Villa avec jardin » – 🅿. 🆎 ⓞ 🗲 🅅🅸🆂🅰
fermé merc., jeudi midi, sept et sem. Noël – **Repas** Lunch 1450 – 1450/1950.

GODINNE 5530 Namur Ⓒ Yvoir 7 153 h. 𝟤𝟣𝟦 ⑤ et 𝟦𝟢𝟫 ⑭ – ✪ 0 82.

◆Bruxelles 82 – ◆Dinant 11 – ◆Namur 17.

🏱 **Au Chambéry** avec ch, r. Grande 48, ℰ 61 15 22 – 🗲 🅅🅸🆂🅰
fermé 20 sept-19 oct. et jeudi sauf 15 juin-19 sept – **Repas** Lunch 595 – 800 – **6 ch** ⌓ 975/1425 – ½ P 1450/1625.

à Mont NE : 1 km Ⓒ Yvoir – ✉ 5530 Mont – ✪ 0 81 :

🏱 **Le Pré des Manants,** r. Tienne de Mont 29, ℰ 41 11 18, Fax 41 41 45, ≼ – 🅿. 🆎 ⓞ 🗲 🅅🅸🆂🅰
fermé lundis non fériés, fin juin-début juil. et 2 sem. Noël – **Repas** (déjeuner seult sauf week-end et jours fériés) Lunch 420 – carte env. 1000.

GOSSELIES Hainaut 𝟤𝟣𝟦 ③ et 𝟦𝟢𝟫 ⑬ – voir à Charleroi.

GOZÉE 6534 Hainaut Ⓒ Thuin 14 476 h. 𝟤𝟣𝟦 ③ et 𝟦𝟢𝟫 ⑬ – ✪ 0 71.

◆Bruxelles 73 – ◆Mons 39 – Beaumont 13 – ◆Charleroi 13.

🏱 Les Buissonnets, r. Leernes 2 (à l'abbaye d'Aulne NO : 6 km), ℰ 51 51 85, Fax 51 62 25, 斧, « Terrasse fleurie » – ▤ 🅿. 🗲 🅅🅸🆂🅰
fermé mardi soir, merc. et 15 août-10 sept.

GRAMMENE Oost-Vlaanderen 𝟤𝟣𝟥 ③ – voir à Deinze.

GRAMMONT Oost-Vlaanderen – voir Geraardsbergen.

GRAND-HALLEUX Luxembourg belge 𝟤𝟣𝟦 ⑧ et 𝟦𝟢𝟫 ⑯ – voir à Vielsalm.

GRANDRIEU Hainaut 𝟤𝟣𝟦 ② et 𝟦𝟢𝟫 ⑬ – voir à Beaumont.

GRANDVOIR Luxembourg belge 𝟤𝟣𝟦 ⑰ et 𝟦𝟢𝟫 ㉕ – voir à Neufchâteau.

's GRAVENBRAKEL Hainaut – voir Braine-le-Comte.

's GRAVENVOEREN (FOURON-LE-COMTE) 3798 Limburg Ⓒ Voeren 4 242 h. 𝟤𝟣𝟥 ㉓ et 𝟦𝟢𝟫 ⑯ – ✪ 0 41.

◆Bruxelles 102 – ◆Liège 23 – ◆Maastricht 9.

🏛 **De Kommel** ⬩, Kerkhofstraat 117d, ℰ 81 01 85, Fax 81 23 30, ≼, 斧 – 📺 ☎ 🅿. 🆎 ⓞ 🗲 🅅🅸🆂🅰. ✗
Repas (fermé lundi et sam. midi) Lunch 585 – 800/1550 – **11 ch** ⌓ 1900/2400 – ½ P 1800.

GRIMBERGEN Brabant 𝟤𝟣𝟥 ⑥ et 𝟦𝟢𝟫 ④ ㉑ – voir à Bruxelles, environs.

GROBBENDONK Antwerpen 213 ⑦ et 409 ⑤ - voir à Herentals.

GROOT-BIJGAARDEN Brabant 213 ⑱ et 409 ⑬ ㉑ - voir à Bruxelles, environs.

GULLEGEM 8560 West-Vlaanderen C Wevelgem 30 883 h. 213 ⑮ et 409 ⑪ - 0 56.

◆Bruxelles 91 - ◆Brugge 48 - ◆Kortrijk 6 - Lille 27.

XX **Gouden Kroon,** Koningin Fabiolastraat 41, 40 04 76, Fax 40 04 76, - P. AE E VISA
fermé du 18 au 21 avril, 24 juil.-7 août, 26 et 27 déc., mardi soir, merc. soir et jeudi soir - **Repas** *Lunch 1600* - carte 1550 à 2000.

De HAAN 8420 West-Vlaanderen 213 ② et 409 ② - 10 809 h. - 0 59 - Station balnéaire.

18 Koninklijke baan 2 23 32 83, Fax 23 37 49.

(uniquement le matin ; fermé sam. et dim.) Gemeentehuis, Leopoldlaan 24 23 57 23, Fax 23 67 46 - (Pâques-15 sept et vacances scolaires) Tramstation 23 34 47.

◆Bruxelles 113 - ◆Brugge 22 - ◆Oostende 12.

Manoir Carpe Diem, Prins Karellaan 12, 23 32 20, Fax 23 33 96, - TV P. E VISA. rest
Repas *(fermé dim. et 15 nov.-29 déc.)* (dîner seult jusqu'à 20 h) 800/975 - **15 ch** *(fermé 15 nov.-15 déc. et du 23 au 26 déc.)* 3000/4500 - ½ P 2750/3250.

Aub. des Rois-Beach H., Zeedijk 1, 23 30 18, Fax 23 60 78, ←, - TV P. E VISA.
fermé 23 oct.-21 déc., 3 janv.-15 fév. et 24 fév.-30 mars - **Repas** *(fermé mardi sauf en juil.-août) Lunch 1575* - 1575/2650 - **23 ch** 3425/4350, 6 suites - ½ P 2750/3850.

Les Dunes sans rest, Leopoldplein 5, 23 31 46, - TV P. AE E VISA.
7 avril-3 nov. - **21 ch** 2200/3800.

Bristol-Belle Epoque, Leopoldlaan 5, 23 34 65, Fax 23 38 14, - TV. E VISA
Repas (Taverne-rest) *(avril-8 nov. et dim. et jours fériés en hiver ; fermé mardi) Lunch 325* - carte 1000 à 1400 - **14 ch** 2250/2900, 2 suites - ½ P 1720/2045.

Gd H. Belle Vue, Koningsplein 5, 23 34 39, Fax 23 75 22, - TV P. E VISA
15 mars-20 oct. - **Repas** *Lunch 650* - 1000/1100 - **45 ch** 2000/3000 - ½ P 2000/2300.

Azur M sans rest, Koninklijke Baan 37, 23 83 16, Fax 23 83 17 - TV. E VISA.
16 ch 2800.

Rubens sans rest, Rubenslaan 3, 23 70 21, Fax 23 72 98, - TV P. AE E VISA.
fermé du 5 au 20 mars et du 13 au 30 nov. - **8 ch** 2000/2500.

De Gouden Haan sans rest, B. Murillolaan 1, 23 32 32, Fax 23 74 92 - TV P.
10 ch 2600.

Internos, Leopoldlaan 12, 23 35 79, Fax 23 54 43 - rest TV P. AE E VISA
Repas *(avril-oct. ; fermé merc. sauf en juil.-août) Lunch 495* - 1250 - **17 ch** 1900/2650 - ½ P 1800/2175.

Bon Accueil, Montaignelaan 2, 23 31 14, Fax 23 31 14, - TV P. E VISA.
25 mars-13 nov. et sem. carnaval - **Repas** (dîner pour résidents seult) - **14 ch** 2350 - ½ P 1425/1825.

Des Familles, Koninklijke Baan 30, 23 33 86, Fax 23 70 41 - TV P. AE E VISA. rest
25 fév.-4 oct. et vacances scolaires - **Repas** (dîner pour résidents seult) - **25 ch** 1950/2950 - ½ P 2100.

XX **Lotus** avec ch, Tollenslaan 1, 23 34 75, Fax 23 76 34, - TV P. AE E VISA. rest
mars-sept et week-end ; fermé fév. et du 1er au 15 oct. - **Repas** *(fermé merc., dim., janv.-fév. et du 1er au 15 oct.)* (dîner seult) 1400 - **10 ch** 1950/3200 - ½ P 1950/2150.

XX **Au Bien Venu,** Driftweg 14, 23 32 54 - AE E VISA
fermé merc. - **Repas** *Lunch 790* - 800.

X **Casanova,** Zeedijk 15, 23 45 55, ←, - AE E VISA
fermé jeudi sauf en juil.-août - **Repas** (déjeuner seult d'oct. à mars sauf week-end) *Lunch 595* - 800.

à Klemskerke S : 5,5 km C De Haan - 8420 Klemskerke - 0 59 :

X **De Piewitte,** Brugsebaan 5 (N 9), 23 63 99, ← - P. AE E VISA
fermé du 1er au 5 juil., du 15 au 30 oct., lundi et mardi - **Repas** *Lunch 1100* - 1195/1400.

à Vlissegem SE : 6,5 km C De Haan - 8421 Vlissegem - 0 59 :

XX **Vijfweghe,** Brugsebaan 12 (N 9), 23 31 96 - P.
fermé mardi, merc., 2 sem. carnaval et 20 sept-15 oct. - **Repas** *Lunch 995* - 995.

HABAY-LA-NEUVE 6720 Luxembourg belge C Habay 6 436 h. 214 ⑰ et 409 ㉕ - 0 63.

◆Bruxelles 185 - ◆Arlon 14 - ◆ Bastogne 37 - ◆Luxembourg 40 - Neufchâteau 22.

Les Ardillières du Pont d'Oye, r. Pont d'Oye 6 (E : 2 km par N 87), 42 22 43, Fax 42 28 52, ←, « Environnement boisé », - TV P. AE E VISA
fermé du 4 au 21 sept et 8 janv.-1er fév. - **Repas** voir rest ***Les Forges du Pont d'Oye*** ci-après - **9 ch** 3200/5500, 1 suite.

🏠 **Château du Pont d'Oye** ॐ, r. Pont d'Oye 1 (E : 2 km par N 87), *℘* 42 21 48, Fax 42 35 88, ≤, « Environnement boisé », ☞ – ☎ ℗ – ᴤ 25 à 150. ᴀᴇ ᴇ ᴠɪsᴀ. ℅ rest
fermé sem. carnaval et dim. soirs et lundis non fériés sauf en saison – **Repas** *Lunch 1080* – 1380/2000 – **18 ch** ☑ 2400/5000.

XXX ❀ **Les Forges du Pont d'Oye** (Thiry frères) avec ch, r. Pont d'Oye 6 (E : 2 km par N 87), *℘* 42 22 43, Fax 42 28 52, ≤, « Jardin avec cascades » – ℗. ᴀᴇ ᴇ ᴠɪsᴀ
Repas *(fermé du 4 au 22 sept, 8 janv.-1er fév., mardi et merc. midi) Lunch 1350* – carte 2500 à 3000 – **8 ch** ☑ 1200/1850
Spéc. Croustillant de millet aux langoustines et caviar, Tripes de veau aux truffes, Foie gras pressé de canard fermier marbré de pommes de terre.

X **Tante Laure**, r. Emile Baudrux 6, *℘* 42 23 63, Fax 42 35 91, ㎡ – ᴀᴇ ⑩ ᴇ ᴠɪsᴀ
fermé lundi et mardi soir en hiver, merc. soir, jeudi, fév., 1 sem. en sept et 1re quinz. oct. – **Repas** *Lunch 410* – 780.

HALLE 2980 Antwerpen Ⓒ Zoersel 18 970 h. ②①② ⑮ et ④⓪⑨ ④ – ❀ 0 3.
◆Bruxelles 60 – ◆Antwerpen 23 – ◆Liège 109.

XXX **Breugelhof**, Kasteeldreef 5 (NO : 2 km), *℘* 383 20 44, Fax 384 33 96, ㎡ – ▤ ℗. ᴀᴇ ⑩ ᴇ ᴠɪsᴀ. ℅
fermé lundi, 15 janv.-1er fév. et 15 août-1er sept – **Repas** *Lunch 995* – 1495.

HALLE (HAL) 1500 Brabant ②①③ ⑱ et ④⓪⑨ ⑬ – 33 369 h. – ❀ 0 2.
Voir Basilique★★ (Basiliek) X.
🅱 Hôtel de Ville *℘* 356 42 59.
◆Bruxelles 15 ① – ◆Charleroi 47 ② – ◆Mons 41 ④ – ◆Tournai 67 ⑤.

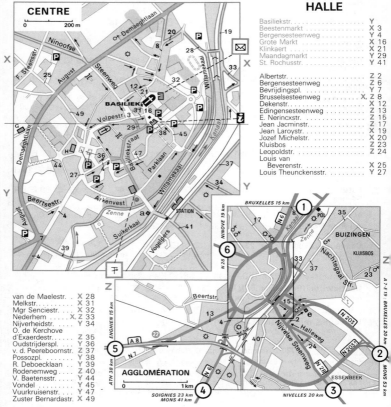

CENTRE

HALLE

Basiliekstr. . . . . Y
Beestenmarkt . . . . X 3
Bergensesteenweg . . . . X 4
Grote Markt . . . . X 16
Klinkaert . . . . Y 21
Maandagmarkt . . . . Y
St. Rochusstr. . . . . Y 41

Albertstr. . . . . Z 2
Bergensesteenweg . . . . Z 6
Bevrijdingspl. . . . . Y 7
Brusselsesteenweg . . . . X, Z 8
Dekenstr. . . . . Z 12
Edingensesteenweg . . . . Z 13
E. Nerincxstr. . . . . Z 15
Jean Jacminstr. . . . . X 17
Jean Laroystr. . . . . X 19
Jozef Michelstr. . . . . X 20
Kluisbos . . . . Z 23
Leopoldstr. . . . . Z 24
Louis van
   Beverenstr. . . . . X 25
Louis Theunckensstr. . . . . Y 27

van de Maelestr. . . X 28
Melkstr. . . . . X 31
Mgr Senciestr. . . . X 32
Nederhem . . . . . . X 33
Nijverheidstr. . . . . Y 34
O. de Kerchove
   d'Exaerdestr. . . . . Z 35
Oudstrijderspl. . . . Y 36
v. d. Peereboomstr. Z 37
Possozpl. . . . . Y 38
R. Deboecklaan . . . Y 39
Rodenemweg . . . . Z 40
V. Baetensstr. . . . . X 44
Vondel . . . . Y 45
Vuurkruisenstr. . . . Y 47
Zuster Bernardastr. X 49

BUIZINGEN

KLUISBOS

ESSENBEEK

AGGLOMÉRATION

BRUXELLES 15 km
NINOVE 19 km
ENGHIEN 15 km
ATH 38 km
SOIGNIES 23 km
MONS 41 km
NIVELLES 20 km
MONS 53 km
BRUXELLES 20 km

XXX **Les Eleveurs** avec ch, Basiliekstraat 136, ℘ 361 13 40, Fax 361 24 62 – 📺 ☎ 🅿 – 🔬 25.
🖭 ⓸ 🗉 𝐕𝐈𝐒𝐀. 🍽
fermé vend., sam. midi et dim. soir – **Repas** *Lunch 1250* – 1590 – **20 ch** ☷ 1350/3750 –
½ P 1900/2425.

XX **Kinoo**, Albertstraat 70, ℘ 356 04 89 – 🖭 ⓸ 🗉 𝐕𝐈𝐒𝐀   Z **e**
fermé dim. soir, lundi et 15 juil.-15 août – **Repas** *Lunch 1475* – carte env. 1700.

HALMA 6922 Luxembourg belge 🅒 Wellin 2 830 h. 👔👔👔 ⑯ et 👔👔👔 ㉔ – 🔇 0 84.
◆Bruxelles 113 – Bouillon 44 – ◆Dinant 32 – ◆Namur 54.

X **Le Ry des Glands** 🌿 avec ch, r. Libin 93, ℘ 38 81 33, « Environnement boisé », 🚗
🅿. 🗉 𝐕𝐈𝐒𝐀
fermé janv. et fév. – **Repas** *(fermé lundi soir et mardi sauf en saison) Lunch 800* – carte 800
à 1200 – ☷ 170 – **10 ch** 1050/1500 – ½ P 1450/1600.

HAMME 9220 Oost-Vlaanderen 👔👔👔 ⑥ et 👔👔👔 ④ – 22 820 h. – 🔇 0 52.
◆Bruxelles 38 – ◆Antwerpen 29 – ◆Gent 36.

XXX ❀ **De Plezanten Hof** (Putteman), Driegoten 97 (près de l'Escaut-Schelde), ℘ 47 38 50,
Fax 47 86 56, 🌳, « Terrasse et jardin » – 🅿. 🖭 ⓸ 🗉 𝐕𝐈𝐒𝐀
fermé dim. soir, lundi, 22 janv.-10 fév. et 2 sem. en sept – **Repas** *Lunch 1250* – 1850/2100
carte 2300 à 2600
Spéc. Eventail de homard et langues d'agneau, Turbot pané au riz soufflé et safran, Trio d'agneau.

à Moerzeke SE : 4 km 🅒 Hamme – ⊠ 9220 Moerzeke – 🔇 0 52 :

XX **Wilgenhof**, Bootdijk 90, ℘ 47 05 95 – 🔲 🅿. 🖭 ⓸ 🗉 𝐕𝐈𝐒𝐀
fermé lundi soir, mardi, 2 sem. carnaval et 2 dern. sem. août – **Repas** *Lunch 1000* –
1450/1850.

HAMME-MILLE 1320 Brabant 🅒 Beauvechain 5 867 h. 👔👔👔 ⑲ et 👔👔👔 ⑭ – 🔇 0 10.
◆Bruxelles 33 – ◆Charleroi 55 – Leuven 11 – ◆Namur 40.

X **La Grange Fleurie**, chaussée de Louvain 17a, ℘ 86 64 32, Fax 86 14 68, 🌳 – 🅿. 🖭 ⓸
🗉 𝐕𝐈𝐒𝐀
fermé mardi sauf en été, dim. soir, lundi et mi-août-mi-sept – **Repas** *Lunch 950* – 950/1350.

HAMOIR 4180 Liège 👔👔👔 ⑦ et 👔👔👔 ⑮ – 3 383 h. – 🔇 0 86.
◆Bruxelles 111 – ◆Liège 44 – Huy 28.

XX **La Bonne Auberge** avec ch, pl. Delcour 10, ℘ 38 82 08, Fax 38 82 08, 🌳 – 🖭 ⓸ 🗉 𝐕𝐈𝐒𝐀.
🍽 ch
fermé merc., dim. soir, dern. sem. avril et 1ʳᵉ quinz. oct. – **Repas** *(fermé après 20 h 30)*
Lunch 1150 – 1500 – **6 ch** ☷ 1250/1750 – ½ P 1750.

HAMONT-ACHEL 3930 Limburg 👔👔👔 ⑩ et 👔👔👔 ⑥ – 12 867 h. – 🔇 0 11.
◆Bruxelles 107 – ◆Hasselt 43 – ◆Eindhoven 28.

à Achel O : 4 km 🅒 Hamont-Achel – ⊠ 3930 Achel – 🔇 0 11 :

🏠 **Koeckhofs**, Michielsplein 4, ℘ 64 31 81, Fax 66 24 42, 🌳 – 📳 📺 ☎ – 🔬 25 à 55. 🖭
⓸ 🗉 𝐕𝐈𝐒𝐀. 🍽 rest
Repas *(fermé dim., lundi, 27 déc.-10 janv. et après 20 h 30) Lunch 1150* – carte env. 1300
– **27 ch** ☷ 1750/3150 – ½ P 1900/2150.

X **De Zaren**, Kluizerdijk 172 (N : 4 km près de la Trappe-Kluis), ℘ 64 59 14,
« Cadre champêtre » – 🅿. 🗉 𝐕𝐈𝐒𝐀. 🍽
fermé merc., jeudi et 15 août-4 sept – **Repas** *Lunch 950* – 950/1250.

HAMPTEAU 6990 Luxembourg belge 🅒 Hotton 4 524 h. 👔👔👔 ⑦ et 👔👔👔 ⑮ – 🔇 0 84.
◆Bruxelles 118 – ◆Liège 62 – ◆Namur 57.

XX **La Vieille Ferme**, rte de La Roche 33, ℘ 46 67 64, 🌳, « Rustique, jardin » – 🅿. 🖭 ⓸
🗉 𝐕𝐈𝐒𝐀
fermé mardi, merc., 1ʳᵉ quinz. août et 1ʳᵉ quinz. janv. – **Repas** *Lunch 1100* – 1100.

HANNUT (HANNUIT) 4280 Liège 👔👔👔 ㉑ et 👔👔👔 ⑭ – 12 333 h. – 🔇 0 19.
🏌 rte de Grand Hallet 19a ℘ 51 30 66.
◆Bruxelles 60 – ◆Hasselt 38 – ◆Liège 43 – ◆Namur 31.

XX **Les Comtes de Champagne**, chaussée de Huy 23, ℘ 51 24 28, Fax 51 31 10, 🌳, « Parc »
– 🅿. 🖭 ⓸ 🗉 𝐕𝐈𝐒𝐀
fermé mardi soir, merc. et 12 juil.-4 août – **Repas** *Lunch 700* – 1400/1690.

HAN-SUR-LESSE Namur 👔👔👔 ⑥ et 👔👔👔 ⑭ ⑮ – voir à Rochefort.

165

HARELBEKE **8530** West-Vlaanderen 213 ⑮ et 409 ⑪ – 26 063 h. – ☎ 0 56.

◆Bruxelles 86 – ◆Brugge 46 – ◆Gent 42 – ◆Kortrijk 5.

Shamrock, Gentsesteenweg 99, ☎ 70 21 16, Fax 70 46 24 – TV ☎ P. AE ⓪ E VISA. ✻
fermé dim. soir et 27 juil.-15 août – **Repas** *Lunch 975* – carte 1400 à 1800 – **8 ch** ☐ 2100/3000 – ½ P 2500.

HARZÉ **4920** Liège C Aywaille 9 417 h. 214 ⑦ et 409 ⑮ – ☎ 0 41.

◆Bruxelles 128 – ◆Liège 34 – ◆Bastogne 59.

XX **La Cachette,** Paradis 3 (S : 3 km par N 30), ☎ (0 86) 43 32 66, Fax 43 37 25, 余 – P. AE E VISA
fermé mardi d'oct. à mars, mardis soirs non fériés sauf en juil.-août et merc. non fériés – **Repas** *Lunch 950* – carte env. 1700.

XX **Au Vieux Harzé,** r. Bastogne 36, ☎ 84 43 40, 余, « Jardin ombragé » – P. AE E VISA
fermé jeudis et vend. non fériés et 16 août-6 sept – **Repas** *Lunch 1300* – carte 1300 à 1600.

HASSELT **3500** P Limburg 213 ⑨ et 409 ⑥ – 67 080 h. – ☎ 0 11.

Musée : national du genièvre★ (Nationaal Jenevermuseum) Y **M¹**.

Exc. Domaine provincial de Bokrijk★ par ⑦.

18 9 Vissenbroekstraat 15 ☎ 22 37 93, Fax 24 32 05 - 18 à Houthalen par ① : 12,5 km, Golfstraat 1 ☎ (0 89) 38 35 43, Fax (0 89) 84 12 08.

B Lombaardstraat 3 ☎ 23 95 40, Fax 22 57 42 – Fédération provinciale de tourisme, Universiteitslaan 1 ☎ 23 79 80, Fax 23 79 93.

◆Bruxelles 82 ④ – ◆Antwerpen 77 ⑥ – ◆Liège 42 ⑧ – ◆Eindhoven 59 ① – ◆ Maastricht 36 ⑧.

Plan page ci-contre

Holiday Inn, Kattegatstraat 1, ☎ 24 22 00, Fax 22 39 35, Lб, ≘s, ⊠ – |‡| ⇆ ▤ TV ☎ ♿ P – 🔊 25 à 300. AE ⓪ E VISA JCB. ✻ rest — Y a
Repas *(fermé sam. midi) Lunch 900* – carte 1200 à 1550 – ☐ 575 – **106 ch** 4950/6650, 1 suite.

Hassotel, St-Jozefstraat 10, ☎ 22 64 92, Fax 22 94 77, 余 – |‡| ▤ rest TV ☎ 🚗 – 🔊 25 à 70. AE ⓪ E VISA. ✻ — Z d
Repas *(fermé dim. soir) Lunch 380* – carte env. 1300 – **24 ch** ☐ 2640/3650 – ½ P 2260/2900.

Parkhotel, Genkersteenweg 350 (par ⑦ : 4 km sur N 75), ☎ 21 16 52, Fax 22 18 14, 余 – TV ☎ P – 🔊 25 à 120. AE ⓪ E VISA. ✻ rest
Repas *(fermé lundi) Lunch 450* – carte env. 1400 – **34 ch** ☐ 2000/3000.

Ibis sans rest, Thonissenlaan 52, ☎ 23 11 11, Fax 24 33 23 – |‡| TV ☎ ♿ P. AE ⓪ E VISA — Y e
59 ch ☐ 1900/2100.

Century, Leopoldplein 1, ☎ 22 47 99, Fax 23 18 24 – TV ☎. AE ⓪ E VISA — Z f
Repas (Taverne-rest) *Lunch 350* – carte 900 à 1200 – **17 ch** ☐ 1500/2500 – ½ P 1850.

XXX **Figaro,** Mombeekdreef 38, ☎ 27 25 56, Fax 27 31 77, ←, 余, « Jardins » – P – 🔊 25. AE E VISA — X a
fermé lundi, merc. et du 1er au 20 août – **Repas** *Lunch 1300* – carte 2200 à 2500.

XXX ✿ **Savarin** (Bellings), Thonissenlaan 43, ☎ 22 84 88, Fax 23 30 90 – ▤ P. AE ⓪ E VISA
fermé dim. en juil.-août, dim. soir, lundi, 28 fév.-7 mars, 29 mai-6 juin et 14 août-5 sept – **Repas** *Lunch 1100* – carte 2100 à 2500 — Y n
Spéc. 4 préparations de foie gras, Huîtres de 3 façons (oct.-avril), Assortiment de poissons grillés.

XXX **'t Claeverblat,** Lombaardstraat 34, ☎ 22 24 04, Fax 23 33 31, « Aménagement cossu » – ▤. AE ⓪ E VISA. ✻ — Y r
fermé sam. midi et dim. – **Repas** *Lunch 1250* – carte env. 2300.

XX **Don Christophe,** Walputstraat 25, ☎ 22 50 92 – AE ⓪ E VISA — Y b
fermé lundi soir, merc. soir, sem. carnaval et 2 prem. sem. août – **Repas** *Lunch 1100* – carte 1200 à 1850.

XX **Roma,** Koningin Astridlaan 9, ☎ 22 27 70, Fax 22 59 71, Avec cuisine italienne – AE ⓪ E VISA. ✻ — Y s
fermé mardi soir, merc. et 15 juil.-15 août – **Repas** carte 1000 à 1350.

X **'t Kleine Genoegen,** Raamstraat 3, ☎ 22 57 03 – ▤. AE ⓪ E VISA — Y t
fermé dim., lundi, sem. carnaval et 3 sem. en juil. – **Repas** *Lunch 420* – carte env. 1400.

X **Jean Piccart "De Hazelaar",** Kempische steenweg 37 (N : direction Hechtel-Eksel), ☎ 21 24 74 – ▤. E VISA. ✻
fermé mardi, merc. et juin – **Repas** *Lunch 350* – 740/1350.

à Herk-de-Stad (Herck-la-Ville) par ⑤ : 12 km – 11 033 h. – ✉ 3540 Herk-de-Stad – ☎ 0 13 :

XX **Rôtiss. De Blenk,** Endepoelstraat 50 (S : 1 km par rte de St-Truiden, puis rte de Rummen), ☎ 55 46 64, 余, « Fermette avec terrasse et jardin » – P. AE ⓪ E VISA. ✻
fermé jeudi, sam. midi, dim. 13 août-4 sept et 23 déc.-2 janv. – **Repas** *Lunch 1350* – carte env. 1600.

HASSELT

Botermarkt	Y	7
Demerstr.	Y	
Diesterstr.	YZ	8
Grote Markt	Z	
Havermarkt	Z	18
Hoogstr.	Y	22
Koning Albertstr.	Z	27
Ridder Portmanstr.	Z	39
Badderijstr.	Y	2
Banneuxstr.	V	3
Boerenkrijgsingel	X	6
Dorpstraat	Y	10
Genkersteenweg	V	12
Gouverneur Roppesingel	X	15
Gouverneur Verwilghensingel	V	16
Hendrik van Veldekesingel	V	19
Herkenrodesingel	V	21
Kapelstr.	Z	23
Kempische Steenweg	VY	24
Kolonel Dusartpl.	Y	26
Koning Boudewijnlaan	VY	28
Koningin Astridlaan	VY	30
Kuringersteenweg	V	31
Kunstlaan	Z	32
Lombaardstr.	Y	34
Maastrichtersteenweg	VY	35
Maastrichterstr.	YZ	36
Prins Bisschopsingel	X	38
Runkstersteenweg	V	40
Salvatorstr.	X	42
de Schiervellaan	Z	43
St. Jozefstr.	Z	44
St. Lambrechts Herkstraat	X	46
St. Truidersteenweg	X	47
Universiteitslaan	V	49
Windmolenstraat	Z	50
Zuivelmarkt	Y	51

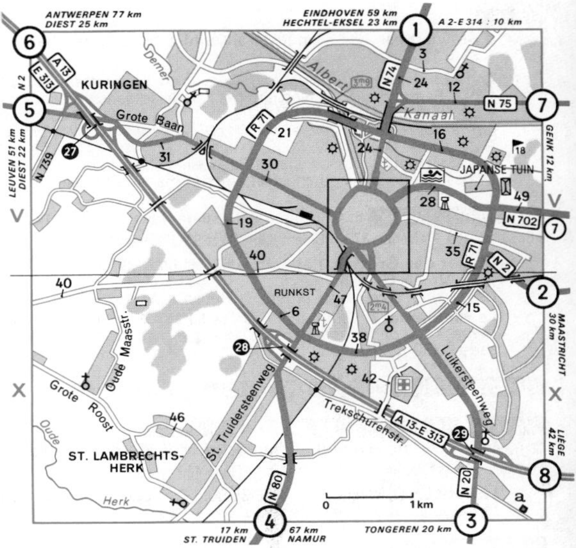

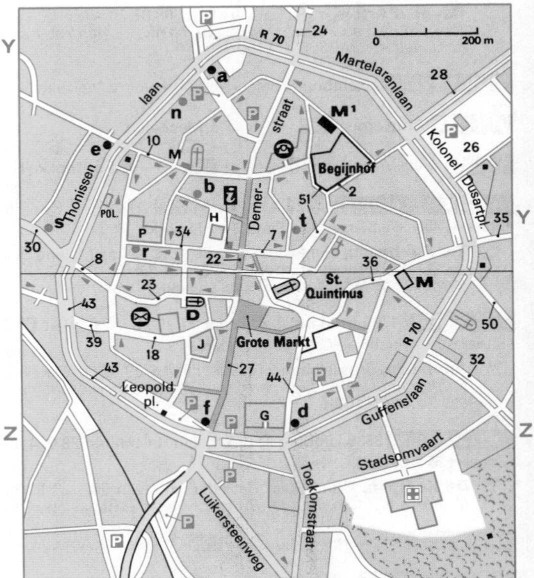

Pour visiter la **Belgique** utilisez le **guide vert Michelin Belgique Grand Duché de Luxembourg**

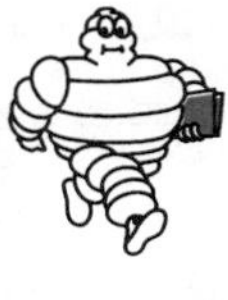

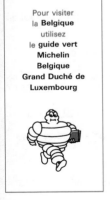

à Lummen par ⑤ : 9 km – 12 897 h. – ✉ 3560 Lummen – ☎ 0 13 :

Intermotel, Klaverbladstraat 7 (près échangeur A 2 - A 13), ☎ 52 16 16, Fax 52 20 78, – TV ☎ P – 25 à 120. AE ⓓ E VISA.
Repas *Lunch 370* – carte 1100 à 1400 – **28 ch** ☕ 2000/3000 – ½ P 2500/3500.

à *Stevoort* par ⑤ : 5 km jusqu'à Kermt, puis rte à gauche 🖾 Hasselt – ⊠ 3512 Stevoort – 🕄 0 11 :

XXXXX 🕸🕸 **Scholteshof** (Souvereyns) 🦢 avec ch, Kermtstraat 130, 🖋 25 02 02, Fax 25 43 28, ≼, �, « Ferme du 18ᵉ s. avec jardin à l'anglaise dans un cadre champêtre », ℀ – 🖵 ☎ 🅿 – 🔏 25 à 60. 🖾 ⓪ 🗲 𝑽𝑰𝑺𝑨
fermé du 10 au 27 juil. et du 1ᵉʳ au 18 janv. – **Repas** *(fermé merc.)* carte 3200 à 3850 – 🖙 700 – **11 ch** 2400/8000, 7 suites
Spéc. Saumon d'Écosse au beurre demi-sel et baies de sureau, Pigeon farci en vessie, parfumé à la sauge, Beignets au chocolat amer et marbré guanaja.

HASTIÈRE-LAVAUX 5540 Namur 🖾 Hastière 4 560 h. 🎱🎲 ⑤ et 🎱🎲 ⑭ – 🕄 0 82.
◆Bruxelles 100 – ◆Namur 37 – ◆Dinant 9,5 – Givet 9 – Philippeville 25.

XXX **Chalet des Grottes,** r. d'Anthée 52, 🖋 64 41 86, Fax 64 57 55, « Environnement boisé » – 🅿. 🖾 ⓪ 🗲 𝑽𝑰𝑺𝑨
fermé lundi soir, mardi et janv. – **Repas** *Lunch* 900 – carte 1450 à 2100.

XX **La Meunerie,** r. Larifosse 17, 🖋 64 51 33, ≼, « Moulin à eau » – 🔏 70. 🖾 ⓪ 🗲 𝑽𝑰𝑺𝑨
fermé 11 sept-13 oct., janv.-12 fév., mardi sauf en juil.-août et lundi – **Repas** *Lunch* 920 – carte 1250 à 1700.

HAUTE-BODEUX Liège 🎱🎲 ⑧ et 🎱🎲 ⑯ – voir à Trois-Ponts.

HAVELANGE 5370 Namur 🎱🎲 ⑥ et 🎱🎲 ⑮ – 4 443 h. – 🕄 0 83.
🇮🇸 à Méan E : 9 km, Ferme du Grand Scley 🖋 (0 86) 32 32 32, Fax (0 86) 32 30 11.
◆Bruxelles 98 – ◆Namur 37 – ◆Dinant 30 – ◆Liège 44.

XX **Le Petit Criel,** Malihoux 1, 🖋 63 36 60, 🌫, « Environnement champêtre » – 🅿. 🖾 ⓪ 🗲 𝑽𝑰𝑺𝑨
fermé lundi, mardi et 3 sem. en juin – **Repas** *Lunch* 495 – carte env. 1200.

HAVERSIN 5590 Namur 🖾 Ciney 14 122 h. 🎱🎲 ⑥ et 🎱🎲 ⑮ – 🕄 0 83.
◆Bruxelles 103 – ◆Dinant 30 – ◆Liège 64 – ◆Namur 30.

X **Caves d'Artois,** r. Barvaux 141, 🖋 68 85 20 – ⓪ 🗲 𝑽𝑰𝑺𝑨
fermé du 10 au 20 sept, du 1ᵉʳ au 10 fév. et mardi soir et merc. sauf en juil.-août – Repas *Lunch* 490 – carte 800 à 1150.

HEBRONVAL Luxembourg belge 🎱🎲 ⑧ – voir à Vielsalm.

HEFFEN Antwerpen 🎱🎲 ⑥ – voir à Mechelen.

HEIST West-Vlaanderen 🎱🎲 ⑪ et 🎱🎲 ② – voir à Knokke-Heist.

HEIST-OP-DEN-BERG 2220 Antwerpen 🎱🎲 ⑦ et 🎱🎲 ⑤ – 35 881 h. – 🕄 0 15.
◆Bruxelles 48 – ◆Antwerpen 30 – Diest 32 – ◆Mechelen 18.

XX **Ter Bukbosch,** Liersesteenweg 203 (SE : 3 km, Mylène Center), 🖋 24 47 80, Fax 24 24 26, ≼, 🌫, « Terrasse et jardin » – 🅿. 🖾 ⓪ 🗲 𝑽𝑰𝑺𝑨. ⁘
fermé 18 juil.-18 août – **Repas** (déjeuner seult) carte env. 1800.

HEKELGEM 1790 Brabant 🖾 Affligem 11 723 h. 🎱🎲 ⑰ et 🎱🎲 ⑫ ⑬ – 🕄 0 53.
◆Bruxelles 22 – Aalst 6 – ◆Charleroi 75 – ◆Mons 79.

XX **Anobesia,** Brusselbaan 216 (sur N 9), 🖋 68 07 69, Fax 66 59 25 – 🔲 🅿. 🖾 ⓪ 🗲 𝑽𝑰𝑺𝑨. ⁘
fermé mardi, sam. midi, dern. sem. fév. et 2 dern. sem. juil.-prem. sem. août – **Repas** *Lunch* 995 – carte 1600 à 2200.

HELCHTEREN 3530 Limburg 🖾 Houthalen-Helchteren 28 074 h. 🎱🎲 ⑨ ⑩ et 🎱🎲 ⑥ – 🕄 0 11.
◆Bruxelles 85 – Diest 31 – ◆Hasselt 16.

X **De Kempen,** Grote Baan Hasselt-Eindhoven 502, 🖋 52 13 10, 🌫 – 🅿. 🖾 ⓪ 🗲 𝑽𝑰𝑺𝑨
fermé vend., sam. midi et 22 déc.-7 janv. – **Repas** *Lunch* 695 – 1195/1495.

HEMIKSEM Antwerpen 🎱🎲 ⑮ et 🎱🎲 ④ – voir à Antwerpen, environs.

HENRI-CHAPELLE (HENDRIK-KAPELLE) 4841 Liège 🖾 Welkenraedt 8 411 h. 🎱🎲 ㉓ et 🎱🎲 ⑯ – 🕄 0 87.
Voir Cimetière américain : de la terrasse ⁘★ – 🇮🇸 🇮🇸 rue du Vivier 3 🖋 88 19 91, Fax 88 36 55.
◆Bruxelles 124 – ◆Liège 34 – Aachen 16 – Eupen 11 – Verviers 26.

XX **Le Vivier,** Vivier 22 (E : 1,5 km), 🖋 88 04 12, Fax 88 04 12, 🌫, « Parc avec étang » – 🅿. 🖾 ⓪ 🗲 𝑽𝑰𝑺𝑨. ⁘
fermé sam. midi, dim. soir, lundi, 2 sem. carnaval et après 20 h 30 – **Repas** *Lunch* 1160 – carte env. 1800.

HERBEUMONT 6887 Luxembourg belge 214 ⑯ et 409 ㉕ – 1 428 h. – ✪ 0 61.

Voir Château : du sommet ≤★★.

Env. Roches de Dampiry ≤★ O : 11 km – Variante par Auby : au mont Zatron ≤★ NO : 12 km.

◆Bruxelles 170 – ◆Arlon 55 – Bouillon 23 – ◆Dinant 78.

🏠 **Host. du Prieuré de Conques** ⏍, rte de Florenville 176 (S : 2,5 km), ⊠ 6820 Florenville, ℘ 41 14 17, Fax 41 27 03, ≤, « Parc et verger au bord de la Semois », 🛒 – 📺 ☎ 🅿. 🖭 ⓞ 🄴 𝘝𝘐𝘚𝘈. ✼
fermé 9 janv.-24 mars, 26 juin-7 juil. et 26 nov.-15 déc. – **Repas** *(fermé mardi, merc. midi et après 20 h 30)* Lunch 1050 – carte 1750 à 2150 – **16 ch** ⛌ 4700/5500 – ½ P 3350/4200.

🏠 **La Châtelaine,** Grand-Place 8, ℘ 41 14 22, Fax 41 22 04, 🏤, 🛒 – 📺 ☎ 🅿. 🖭 ⓞ 🄴 𝘝𝘐𝘚𝘈.
➜ ✼ rest
11 mars-déc. ; fermé 28 août-8 sept – **Repas** *(fermé après 20 h 30)* Lunch 775 – 775/1250 – **30 ch** ⛌ 2350/3600 – ½ P 2200/2500.

's-HERENELDEREN Limburg 213 ㉒ et 409 ⑮ – voir à Tongeren.

HERENTALS 2200 Antwerpen 213 ⑧ et 409 ⑤ – 24 676 h. – ✪ 0 14.

Voir Retable★ de l'église Ste-Waudru (St-Waldetrudiskerk).

🃏 Musketstraat 93 ℘ 22 25 90.

🇧 (fermé sam. et dim.) Grote Markt 41, ℘ 21 90 88, Fax 21 78 28.

◆Bruxelles 70 – ◆Antwerpen 30 – ◆Hasselt 48 – ◆Turnhout 24.

🏠 **De Swaen,** Belgiëlaan 1, ℘ 22 56 39, Fax 22 12 68 – ⧮ 📺 ☎ – 🔔 30. 🖭 ⓞ 🄴 𝘝𝘐𝘚𝘈. ✼
Repas Lunch 250 – carte 950 à 1450 – **14 ch** ⛌ 2800/3800 – ½ P 3050/4295.

XXX **Snepkenshoeve,** Lichtaartseweg 220 (NE : 4 km par N 123), ℘ 21 36 72, Fax 23 04 48, 🏤, « Terrasse » – 🅿. 🖭 ⓞ 🄴 𝘝𝘐𝘚𝘈
fermé du 4 au 14 avril, 18 juil.-10 août, dim. et lundi – **Repas** Lunch 1050 – 2000.

à Grobbendonk O : 4 km © Herentals – ⊠ 2280 Grobbendonk – ✪ 0 14 :

🏠 **Aldhem,** Jagersdreef 1 (près E 313), ℘ 50 10 01, Fax 50 10 13, 🍴, 🏤, 🗗, ⚲ – ⧮ 🖿 rest 📺 ☎ 🅿 – 🔔 25 à 120. 🖭 ⓞ 🄴 𝘝𝘐𝘚𝘈. ✼ rest
Repas *(fermé dim. soir)* Lunch 900 – carte 1450 à 1750 – **65 ch** ⛌ 2900/5400 – ½ P 2700/3750.

HERK-DE-STAD (HERCK-LA-VILLE) Limburg 213 ⑨ et 409 ⑤ – voir à Hasselt.

HERMALLE-SOUS-ARGENTEAU Liège 213 ㉒ et 409 ⑮ ⑱ – voir à Liège, environs.

HERNE 1540 Brabant 213 ⑰ et 409 ⑫ – 6 163 h. – ✪ 0 2.

◆Bruxelles 42 – Aalst 27 – ◆Mons 31 – ◆Tournai 52.

XXX **Kokejane,** Van Cauwenberghelaan 3, ℘ 396 16 28, Fax 396 02 40, 🏤, « Terrasse et jardin » – 🖿 🅿 – 🔔 25 à 40. 🖭 🄴 𝘝𝘐𝘚𝘈
fermé lundis soirs et mardis soirs fériés, lundi, mardi, 15 fév.-début mars et 16 août-8 sept – **Repas** Lunch 1500 – carte 1750 à 2250.

HERSEAUX Hainaut 213 ⑮ et 409 ⑪ – voir à Mouscron.

HERSELT 2230 Antwerpen 213 ⑧ et 409 ⑤ – 12 909 h. – ✪ 0 16.

◆Bruxelles 51 – ◆Antwerpen 43 – Diest 17 – ◆Turnhout 35.

XX **Agter De Weyreldt** ⏍ avec ch, Aarschotsebaan 2 (SO : 4 km par N 19), ℘ 69 98 51, Fax 69 98 53, « Cadre champêtre » – 🛒 📺 ☎ 🅿 – 🔔 30. 🖭 ⓞ 🄴 𝘝𝘐𝘚𝘈. ✼
Repas *(fermé sam. midi, dim. soir et lundi)* Lunch 1250 – 1650/2350 – ⛌ 500 – **9 ch** 1500/3500 – ½ P 2000/2500.

HERSTAL Liège 213 ㉒ et 409 ⑮ ⑱ – voir à Liège, environs.

HERTSBERGE West-Vlaanderen 213 ③ et 409 ② – voir à Brugge, environs.

Het – voir au nom propre.

HEURE 5377 Namur © Somme-Leuze 3 412 h. 214 ⑥ et 409 ⑮ – ✪ 0 86.

◆Bruxelles 102 – ◆Dinant 35 – ◆Liège 54 – ◆Namur 41.

XXX ❀ **Le Pré Mondain** (Van Lint), rte de Givet 24, ℘ 32 28 12, « Jardin fleuri » – 🅿. 🖭 🄴 𝘝𝘐𝘚𝘈
fermé du 16 au 24 avril, 25 juin-18 juil., 29 août-2 sept, 26 déc.-16 janv., jeudi soir sauf 25 mai et 20 juil., dim. et lundi – **Repas** *(nombre de couverts limité - prévenir)* Lunch 1350 – carte env. 1900
Spéc. Poêlée de foie gras aux Cox Oranges, Pigeonneau au chou et foie gras, Truffes (fév.-mai).

169

HEUSDEN Limburg 213 ⑨ et 409 ⑥ – voir à Zolder.

HEUSDEN Oost-Vlaanderen 213 ④ et 409 ③ – voir à Gent, environs.

HEUSY Liège 213 ㉓ et 409 ⑯ – voir à Verviers.

HEYD 6941 Luxembourg belge © Durbuy 8 961 h. 214 ⑦ et 409 ⑮ – ❀ 0 86.
◆Bruxelles 132 – ◆Liège 53 – Marche-en-Famenne 27.

  🏛 **Host. Le Lignely** ⤢ (E : 3 km, lieu-dit Lignely), ℘ 49 96 50, Fax 49 96 55, ⬿,
« Environnement boisé » – 🆃🆅 ☎ 🅿 – 🛦 25. 🆔 ① 🇪 🆅🆂🅰
Repas (résidents seult) – **9 ch** ⇌ 3400/7600, 1 suite – ½ P 2925/4850.

HINGENE 2880 Antwerpen © Bornem 19 124 h. 213 ⑥ et 409 ④ – ❀ 0 3.
◆Bruxelles 35 – ◆Antwerpen 32 – ◆Gent 46 – ◆Mechelen 22.

  XX **Symfonie,** Schoonaardestraat 11, ℘ 889 36 69, Fax 889 36 69, « Fermette avec jardin
d'hiver » – 🅿. 🆔 ① 🇪 🆅🆂🅰
fermé mardi soir, merc., 1 sem. en mars et 3 sem. en juil. – **Repas** Lunch 850 – carte 1500
à 1800.

HOEI Liège – voir Huy.

HOEILAART Brabant 213 ⑲ et 409 ⑬ ㉒ – voir à Bruxelles, environs.

HOEKE West-Vlaanderen 213 ③ – voir à Damme.

HOLSBEEK Brabant 213 ⑦ ⑧ et 409 ⑤ – voir à Leuven.

HONDELANGE Luxembourg belge 214 ⑱ et 409 ㉖ – voir à Arlon.

HOOGLEDE West-Vlaanderen 213 ② et 409 ② – voir à Roeselare.

HOOGSTRATEN 2320 Antwerpen 212 ⑯ et 409 ⑤ – 16 088 h. – ❀ 0 3.
◆Bruxelles 88 – ◆Antwerpen 37 – ◆Turnhout 18.

  XXX **Host. De Tram** avec ch, Vrijheid 192, ℘ 314 65 65, Fax 314 70 06 – ▤ 🆃🆅 ☎ 🅿. 🆔 🇪 🆅🆂🅰
fermé 2ᵉ quinz. août – **Repas** (fermé lundi et mardi) Lunch 695 – carte 1200 à 1800 – **5 ch**
⇌ 4200/5000.

  XXX **Noordland,** Lodewijk De Konincklaan 276, ℘ 314 53 40, Fax 314 83 32, 🌺, « Jardin » –
▤ 🅿. 🆔 ① 🇪 🆅🆂🅰. 🍽
fermé merc., jeudi, 22 fév.-9 mars et 12 juil.-3 août – **Repas** carte env. 1600.

  XX **Zwanenhof,** Vrijheid 155, ℘ 314 62 90, Fax 314 78 31, 🌺 – ▤ 🅿. 🆔 ① 🇪 🆅🆂🅰. 🍽
fermé dim. et lundi – **Repas** Lunch 850 – carte 1550 à 2100.

  X **Begijnhof,** Vrijheid 108, ℘ 314 66 25, Fax 314 84 13 – 🆔 ① 🇪 🆅🆂🅰. 🍽
fermé mardi, merc., 2ᵉ quinz. juil. et début janv. – **Repas** Lunch 895 – carte 1300 à 1700.

HOTTON 6990 Luxembourg belge 214 ⑦ et 409 ⑮ – 4 524 h. – ❀ 0 84.
Voir Grottes★★.
🖪 r. Haute 7, ℘ 46 61 22.
◆Bruxelles 116 – ◆Liège 60 – ◆Namur 55.

  🏦 **La Commanderie** ⤢, r. Haute 44, ℘ 46 78 77, Fax 46 75 89, 🛵, ⇋ – 🆃🆅 ☎ 🅿 – 🛦 25
à 80. 🆔 🇪 🆅🆂🅰
fermé lundi, mardi et 8 janv.-14 fév. – **Repas** (fermé lundi et mardi sauf en juil.-août) Lunch
900 – carte 1050 à 1500 – **19 ch** ⇌ 1700/2500 – ½ P 2000/2300.

  🏠 **La Besace** ⤢ r. Monts 9 (E : 4,5 km, lieu-dit Werpin), ℘ 46 62 35, Fax 46 70 54, 🌺, 🚲
– 🅿 – 🛦 25. 🇪 🆅🆂🅰. 🍽 rest
Repas (dîner seult jusqu'à 20 h 30) 795/1495 – **9 ch** ⇌ 1350/2300 – ½ P 1795/1995.

HOUDENG-AIMERIES Hainaut 213 ② et 409 ⑬ – voir à La Louvière.

HOUFFALIZE 6660 Luxembourg belge 214 ⑧ et 409 ⑯ – 4 304 h. – ❀ 0 61.
◆Bruxelles 164 – ◆Arlon 63 – ◆Liège 71 – ◆Namur 97.

  à Wibrin NO : 9 km © Houffalize – ✉ 6666 Wibrin – ❀ 0 61 :

  X **Le Cœur de l'Ardenne** avec ch en annexe, r. Bourg 17, ℘ 28 93 15, Fax 28 91 67 – 🆃🆅
☎ 🅿. 🇪 🆅🆂🅰. 🍽 ch
fermé du 14 au 23 mars, 29 août-7 sept et 31 déc.-11 janv. – **Repas** (fermé jeudi midi
sauf vacances scolaires, mardi, merc. et après 20 h 30) Lunch 600 – carte 1150 à 1650 –
4 ch ⇌ 1950/2500 – ½ P 2850.

HOUTAIN-LE-VAL 1476 Brabant Ⓒ Genappe 13 116 h. 📶 ⑱ ⑲ et 🔢 ⑬ - ⚙ 0 67.
◆Bruxelles 41 - ◆Charleroi 33 - ◆Mons 46 - Nivelles 11.

  ✗ **La Meunerie,** r. Patronage 1a, ℰ 77 28 16, 🍽 - 🄰🄴 ⓪ ∈ 🆅🅸🆂🅰
    fermé sam. midis non fériés, dim. soir, mardi soir et merc. - **Repas** Lunch 725 - carte env.
    1400.

HOUTHALEN 3530 Limburg Ⓒ Houthalen-Helchteren 28 074 h. 📶 ⑨ ⑩ et 🔢 ⑥ - ⚙ 0 11.
🏌 Golfstraat 1 ℰ (0 89) 38 35 43, Fax (0 89) 84 12 08.
🅑 Grote Baan 112a ℰ 60 06 80, Fax 60 06 85.
◆Bruxelles 83 - ◆Hasselt 12 - Diest 28.

  ✗✗✗✗ ❀ **De Barrier** (Vandersanden), Grote Baan 9 (près A 2 sortie 29), ℰ 52 55 25, Fax 52 55 45,
    🍽, « Terrasse et jardin » - ⓟ 🄰🄴 ⓪ ∈ 🆅🅸🆂🅰
    fermé dim. midi d'oct. à fév., dim. soir, lundi, 19 fév.-6 mars et du 2 au 17 juil. - **Repas**
    Lunch 1950 - 1980/2600 carte env. 2600
    Spéc. Roulade de bœuf et de foie d'oie, vinaigrette aux truffes, Bar légèrement fumé à la crème
    de caviar, Noisettes de brocard aux mûres et myrtilles (15 mai-25 sept).

  ✗✗✗ **Abdijhoeve,** Kelchterhoef 7 (E : 5,5 km), ℰ (0 89) 38 01 69, Fax (0 89) 38 01 69, Avec
    taverne, « Ferme restaurée dans un parc public » - ⓟ - 🏦 25 à 400. 🄰🄴 ∈
    fermé lundi - **Repas** Lunch 850 - 850/1150.

  ✗✗ **De Hof,** Daalstraat 1 (N : 2 km sur N 74), ℰ 60 18 32, Fax 60 18 38 - ▤ ⓟ. 🄰🄴 ⓪ ∈ 🆅🅸🆂🅰
  ⬥ 🐾
    fermé lundi soir et sam. midi - **Repas** Lunch 495 - 750/1200.

  ✗ **ter Laecke,** Daalstraat 19 (à Laak, N : 2 km par N 74), ℰ 52 67 44, Fax 52 59 15 - ⓟ. 🄰🄴
  ⬥ ⓪ ∈ 🆅🅸🆂🅰 🐾
    fermé mardi soir, merc., sem. carnaval et 24 juil.-18 août - **Repas** Lunch 750 - 750/1050.

HUIZINGEN Brabant 📶 ⑱ et 🔢 ⑬ - voir à Bruxelles, environs.

La HULPE (TERHULPEN) 1310 Brabant 📶 ⑲ et 🔢 ⑬ - 7 026 h. - ⚙ 0 2.
Voir Parc★ du domaine Solvay.
◆Bruxelles 20 - ◆Charleroi 44 - ◆Namur 54.

  ✗✗ **La Salicorne,** r. P. Broodcoorens 41, ℰ 654 01 71, 🍽 - ▤ ⓟ. 🄰🄴 ⓪ ∈ 🆅🅸🆂🅰
    fermé dim., lundi et 2 sem. en fév. - **Repas** Lunch 750 - carte env. 1600.

  ✗✗ **Aub. du Père Boigelot,** pl. A. Favresse 47, ℰ 653 79 35, 🍽 - 🄰🄴 ⓪ ∈ 🆅🅸🆂🅰
    fermé lundi et mardi - **Repas** (dîner seult sauf week-end) Lunch 1150 - carte env. 1400.

  ✗ **Via Roma,** pl. A. Favresse 51, ℰ 652 09 23, Fax 652 09 23, Cuisine italienne - 🄰🄴 ⓪ ∈
  🆅🅸🆂🅰
    fermé dim. et dern. sem. juil.-3 prem. sem. août - **Repas** Lunch 490 - carte env. 1200.

  ✗ **Le Boll' PauléGil,** r. Combattants 84, ℰ 653 14 34, Fax 653 14 34 - 🄰🄴 ⓪ ∈ 🆅🅸🆂🅰
  ⬥ *fermé lundi soir et mardi* - **Repas** Lunch 395 - 685/1045.

HUY (HOEI) 4500 Liège 📶 ㉑ et 🔢 ⑮ - 18 452 h. - ⚙ 0 85.
Voir Collégiale Notre-Dame★ : trésor★ Z - Fort★ : ≤★★ Z.
Musée : communal★ Z M.
Env. Amay : châsse★ et sarcophage mérovingien★ dans la Collégiale St-Georges par N 617 :
7,5 km - Jehay-Bodegnée : collections★ dans le château★ de Jehay par N 617 : 10 km.
🏌 à Andenne par ④ O : 11 km, Ferme du Moulin, Stud 52 ℰ (0 85) 84 34 04, Fax (0 85) 84 34 04.
🅑 Quai de Namur 1 ℰ 21 29 15, Fax 23 29 44.
◆Bruxelles 83 ⑤ - ◆Liège 33 ① - ◆Namur 32 ④.

                   Plan page suivante

  🏨 **Du Fort,** chaussée Napoléon 6, ℰ 21 24 03, Fax 23 18 42 - 🛗 📺 ☎. 🄰🄴 ⓪ ∈ 🆅🅸🆂🅰 🐾 ch
  ⬥ **Repas** *(fermé après 20 h 30)* Lunch 325 - 650/900 - 🖙 150 - **34 ch** 750/1850 -
    ½ P 1500/2000.   Z **b**

  ✗✗✗ **L'Aigle Noir** avec ch, quai Dautrebande 8, ℰ 21 23 41, Fax 23 64 86 - 🛗 📺 ☎ - 🏦 25.
  🄰🄴 ⓪ ∈ 🆅🅸🆂🅰   Y **a**
    fermé 10 juil.-10 août - **Repas** *(fermé merc. soir)* Lunch 1395 - 1395/1645 - **9 ch**
    🖙 1775/2700 - ½ P 2575/2950.

  ✗ **Philippe Lefèbvre,** quai de Namur 15, ℰ 21 14 06 - ▤. ⓪   Z **s**
    fermé lundi, sam. midi et sept - **Repas** Lunch 980 - carte env. 1200.

    à Tihange NE : 3 km Ⓒ Huy - ✉ 4500 Tihange - ⚙ 0 85 :

  🏨 **Le Repos du Gascon** ⬥, r. Campagne 41, ℰ 21 13 18, Fax 23 61 22, 🍽 - 📺 ☎ ⓟ -
  🏦 30. 🄰🄴 ⓪ ∈ 🆅🅸🆂🅰
  Repas Lunch 470 - 1225 - 🖙 365 - **7 ch** 2100/3625 - ½ P 2950/4735.

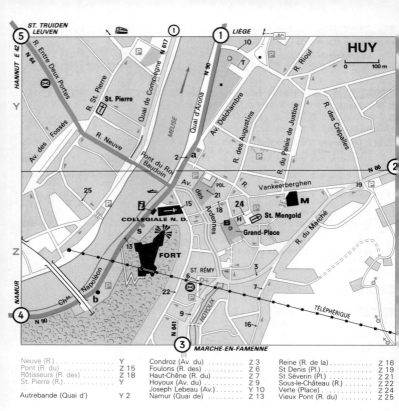

Neuve (R.)	Y	
Pont (R. du)	Z 15	
Rôtisseurs (R. des)	Z 18	
St. Pierre (R.)	Y	
Autrebande (Quai d')	Y 2	

Condroz (Av. du)	Z 3
Foulons (R. des)	Z 6
Haut-Chêne (R. du)	Z 7
Hoyoux (Av. du)	Z 9
Joseph Lebeau (Av.)	Y 10
Namur (Quai de)	Z 13

Reine (R. de la)	Z 16
St Denis (Pl.)	Z 19
St Séverin (Pl.)	Z 21
Sous-le-Château (R.)	Z 22
Verte (Place)	Z 24
Vieux Pont (R. du)	Z 25

Les cartes Michelin sont constamment tenues à jour.

ICHTEGEM 8480 West-Vlaanderen 🗺️ ② et 🗺️ ① ② – 13 009 h. – ☎ 0 51.
- ◆Bruxelles 111 – ◆Brugge 26 – ◆Gent 61 – ◆Oostende 20.

　🏠 **Le Bouquet,** Oostendesteenweg 50 (sur N 33), ✆ 58 88 39, Fax 58 08 34 – 📺 ☎ 🚗 🅿️.
　　 ⒶⒺ 𝘝𝘐𝘚𝘈. ✛
　　 Repas (dîner pour résidents seult) – **8 ch** ⥮ 2500/3000 – ½ P 3700/4200.

IEPER (YPRES) 8900 West-Vlaanderen 🗺️ ⑭ et 🗺️ ⑩ – 35 409 h. – ☎ 0 57.
Voir Halles aux draps★ (Lakenhalle) ABX.

　🏌️ à Hollebeke SE : 7 km, Eekhofstraat 14 ✆ (0 57) 20 04 36, Fax (0 57) 21 89 58.
　🅱️ Grote Markt ✆ 20 07 24, Fax 21 85 89.
- ◆Bruxelles 125 ② – ◆Brugge 52 ① – Dunkerque 48 ⑥ – ◆Kortrijk 32 ②.

Plan page ci-contre

　🏨 **Ariane** Ⓜ ⤬, Slachthuisstraat 58, ✆ 21 82 18, Fax 21 87 99, 🌳 – 🔊 ⇆ 📺 ☎ 🅿️ – 🔏 30.
　　 ⒶⒺ ⓞ Ⓔ 𝘝𝘐𝘚𝘈. ✛ rest　　　　　　　　　　　　　　　　　　　　　　　　　　AX **e**
　　 Repas (fermé sam. midi et dim. soir) Lunch 500 – carte 1150 à 1600 – ⥮ 375 – **36 ch** 3325/3650 – ½ P 2395/3395.

　🏨 **Rabbit Inn** ⤬, Industrielaan 19 (par ① : 2,5 km), ✆ 21 70 00, Fax 21 94 74, 🐎 – 🔊 📺
　　 ☎ 🅿️ – 🔏 25 à 120. ⒶⒺ ⓞ Ⓔ 𝘝𝘐𝘚𝘈
　　 Repas Lunch 545 – carte 1000 à 1800 – ⥮ 295 – **28 ch** 2400/2950, 2 suites – ½ P 2945.

　🏨 **Regina,** Grote Markt 45, ✆ 21 88 88, Fax 21 90 20 – 🔊 🍽️ rest 📺 ☎. ⒶⒺ ⓞ Ⓔ 𝘝𝘐𝘚𝘈
　　 fermé dim. soir et 27 fév.-5 mars – **Repas** Lunch 1000 – carte 1100 à 1500 – **17 ch**
　　 ⥮ 2000/2700 – ½ P 2300.　　　　　　　　　　　　　　　　　　　　　　　　　BX **a**

IEPER

Boterstraat . . . . AX 8
Diksmuidestr. . . . . BX
G. de Stuersstr. . . . . AX
Grote Markt . . . . BX 9
Meensestr. . . . . BX 26
Rijselsestr. . . . . BXY
Tempelstr. . . . . AX 38

Adj. Masscheleinlaan. . . . . BX 2
Arsenaalstr. . . . . AY 4

A. Stoffelstr. . . . . BX 5
A. Vandenpeereboompl. . . . BX 6
Bollingstr. . . . . BX 7
Hoge
  Wieltjesgracht . . . . BX 10
J. Capronstr. . . . . AX 12
J. Coomansstr. . . . . AX 14
Kalfvaartstr. . . . . BX 15
Kanonweg . . . . BY 17
Kauwekijnstr. . . . . BX 18
Lange Torhoutstr. . . . . BX 22
Maarschalk Fochlaan . . . . . AX 23

Maarschalk
  Frenchlaan . . . . BX 24
Meenseweg . . . . BX 27
de Montstr. . . . . AY 29
Oude Houtmarktstr. . . . . . . BX 30
Patersstr. . . . . AX 31
Poperingseweg . . . . AX 32
Rijselseweg . . . . BY 33
Stationsstraat . . . . AXY 35
Surmont
  de Volsbergestr. . . . . ABX 36
Wateringsstr. . . . . BY 40

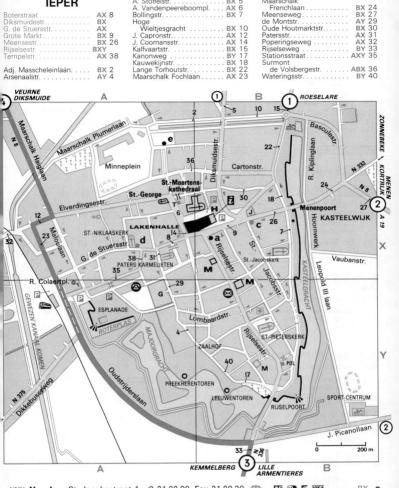

XXX **Yperley,** St. Jacobsstraat 1, ☎ 21 98 00, Fax 21 90 20, 🌭 – 🆎 ⓞ 🗲 VISA   BX **c**
fermé sam. midi, dim. soir, lundi et du 7 au 28 août – **Repas** *Lunch* 1375 – *carte env.* 1900.

XX **Host. St-Nicolas,** G. de Stuersstraat 6, ☎ 20 06 22 – 🆎 ⓞ 🗲 VISA. ⌁   AX **d**
fermé dim. soir, lundi et 17 juil.-7 août – **Repas** *Lunch* 1250 – 1250/1950.

XX **White Château,** Meenseweg 261 (par N 8 : 3 km), ☎ 20 82 98, 🌭 – 🅿. 🆎 ⓞ 🗲 VISA
fermé merc. et 2 sem. en août – **Repas** *Lunch* 980 – *carte* 1550 à 1950.

X **Dikkebusvijver,** Dikkebusvijverdreef 31 (par Dikkebusseweg : 4 km), ☎ 20 00 85,
Fax 21 81 09, ≤, Taverne-rest – 🅿. 🆎 ⓞ 🗲 VISA   AY
fermé merc. sauf avril-sept – **Repas** *Lunch* 1025 – 1025/1625.

  à Elverdinge NO : 5 km 🄲 Ieper – ✉ 8906 Elverdinge – ☎ 0 57 :

X **De Warande,** Veurneweg 525 (N 8), ☎ 42 37 41, 🌭 – 🆎 ⓞ 🗲 VISA
fermé du 16 au 18 août, 2 prem. sem. oct., lundi et jeudi soir – **Repas** *Lunch* 995 – 1295.

INGELMUNSTER 8770 West-Vlaanderen 🔢 ③ et 🔢 ② ⑪ – 10 536 h. – ☎ 0 51.
◆Bruxelles 95 – ◆Brugge 33 – ◆Gent 50 – ◆Kortrijk 10.

X **Dolfijn,** Stationsplein 43, ☎ 30 35 28 – 🗏. 🆎 ⓞ 🗲 VISA. ⌁
fermé lundis midis non fériés, lundi soir et merc. soir – **Repas** *Lunch* 395 – *carte env.* 1400.

ITTERBEEK Brabant 🗐🔢 ⑱ et 🔢🔢🔢 ⑬ ㉑ – voir à Bruxelles, environs.

ITTRE (ITTER) 1460 Brabant 🗐🔢 ⑱ et 🔢🔢🔢 ⑬ – 5 251 h. – ✆ 0 67.
◆Bruxelles 32 – Nivelles 10 – Soignies 21.

XX **Estaminet de la Couronne,** Grand'Place 5, ℘ 64 63 85 – 🖽 ⓪ 🖪 𝑉𝐼𝑆𝐴
 fermé dim. soir, lundi, mardi, fin fév.-début mars et 23 juil.-27 août – **Repas** Lunch 950 – carte env. 1500.

XX **Host. d'Arbois** ॐ avec ch, r. Montagne 34, ℘ 64 64 59, Fax 64 85 64, ≤, 🎇 – 📺 ☎ 🅿.
 🖽 ⓪ 🖪 𝑉𝐼𝑆𝐴
 Repas *(fermé dim. soir)* Lunch 1000 – carte 1000 à 1600 – **10 ch** ☲ 2000/2500.

X **Champeaux,** r. Basse 21, ℘ 64 82 02 – 🖽 𝑉𝐼𝑆𝐴
 fermé mardi soir, merc. et jours fériés soirs – **Repas** Lunch 850 – carte 1150 à 1650.

X **L'Abreuvoir,** r. Basse 2, ℘ 64 67 06, Fax 64 85 71 – 🖽 ⓪ 🖪 𝑉𝐼𝑆𝐴. ℀
 fermé lundi, mardi et 25 déc.-4 janv. – **Repas** Lunch 795 – 795/850.

IVOZ-RAMET Liège 🗐🔢 ㉒ et 🔢🔢🔢 ⑮ ⑰ – voir à Liège, environs.

IXELLES (ELSENE) Brabant 🔢🔢🔢 ㉑ – voir à Bruxelles.

IZEGEM 8870 West-Vlaanderen 🗐🔢 ③ ⑮ et 🔢🔢🔢 ② ⑪ – 26 459 h. – ✆ 0 51.
◆Bruxelles 103 – ◆Brugge 36 – ◆Kortrijk 12 – Roeselare 7.

XXX **De Mote,** Leenstraat 28 (O : près N 36, lieu-dit Bosmolens), ℘ 30 59 99, Fax 31 65 37, 🎇,
 « Jardin » – 🍽 🅿. 🖽 🖪 𝑉𝐼𝑆𝐴. ℀
 fermé dim., lundi soir, 1 sem. Pâques et 2ᵉ quinz. juil. – **Repas** Lunch 1595 – carte env. 1800.

XX **Ter Weyngaerd,** Roeselaarsestraat 7, ℘ 30 95 41, Fax 30 95 41 – 🖽 ⓪ 🖪 𝑉𝐼𝑆𝐴. ℀
 fermé du 10 au 14 avril et 21 juil.-11 août – **Repas** (déjeuner seult sauf vend. et sam.) Lunch 600 – 950/1700.

JABBEKE 8490 West-Vlaanderen 🗐🔢 ② et 🔢🔢🔢 ② – 12 702 h. – ✆ 0 50.
Musée : Permeke★ (Provinciaal Museum Constant Permeke).
◆Bruxelles 102 – ◆Brugge 11 – ◆Kortrijk 57 – ◆Oostende 17.

🏠 **Haeneveld,** Krauwerstraat 1, ℘ 81 27 00, Fax 81 12 77, « Cadre de verdure », 🎇 – 🍽 rest
 📺 ☎ 🅿. 🖽 ⓪ 🖪 𝑉𝐼𝑆𝐴. ℀ ch
 fermé dim. soir et sem. carnaval – **Repas** Lunch 1400 – carte env. 1600 – ☲ 250 – **8 ch**
 2500/3700 – ½ P 3700/5000.

JALHAY 4845 Liège 🗐🔢 ㉓ ㉔ et 🔢🔢🔢 ⑯ – 6 505 h. – ✆ 0 87.
◆Bruxelles 130 – ◆Liège 40 – Eupen 12 – Spa 13 – Verviers 8.

XX **Au Vieux Hêtre** avec ch, rte de la Fagne 18, ℘ 64 70 92, Fax 64 70 92, 🎇, « Jardin avec
 pièce d'eau et volière » – 📺 ☎ 🅿. 🖪 𝑉𝐼𝑆𝐴
 fermé mardi et merc. hors saison, 1 sem. Toussaint et fin déc. – **Repas** Lunch 900 –
 1195/1300 – **9 ch** 1/2 P seult 2200/3050.

X **Les Vieux Prés,** chemin des Vieux Prés 27 (E : 1 km, lieu-dit Werfat), ℘ 64 71 35,
 Fax 64 70 88, Grillades, « Cadre champêtre » – 🅿. 🖽 🖪 𝑉𝐼𝑆𝐴. ℀
 fermé lundi, mardi midi, sam. midi, 2 sem. avant Pâques et 3 sem. en sept – **Repas** carte
 1200 à 1700.

JETTE Brabant 🔢🔢🔢 ㉑ – voir à Bruxelles.

JULÉMONT 4650 Liège Ⓒ Herve 15 954 h. 🗐🔢 ㉓ et 🔢🔢🔢 ⑯ – ✆ 0 41.
◆Bruxelles 122 – ◆Liège 31 – Verviers 14 – Aachen 36.

XX **Le Déjeuner sur l'Herbe,** chemin Maigre-Cense 80, ℘ 87 55 81, Fax 87 55 81, 🎇 – 🅿.
 🖽 ⓪ 🖪 𝑉𝐼𝑆𝐴
 fermé jeudi de déc. à mars, mardi et merc. – **Repas** Lunch 1150 – carte 1250 à 1600.

JUPILLE Luxembourg belge 🗐🔢 ⑦ et 🔢🔢🔢 ⑮ ⑱ – voir à La Roche-en-Ardenne.

JUZAINE Luxembourg belge 🗐🔢 ⑦ – voir à Bomal-sur-Ourthe.

KANNE 3770 Limburg Ⓒ Riemst 15 304 h. 🗐🔢 ㉒ et 🔢🔢🔢 ⑮ – ✆ 0 12.
◆Bruxelles 118 – ◆Hasselt 37 – ◆Liège 30 – ◆Maastricht 5.

🏠 **Limburgia,** Op 't Broek 4, ℘ 45 46 00, Fax 45 66 28 – 📺 ☎ 🅿. 🖽 🖪 𝑉𝐼𝑆𝐴. ℀
 fermé merc. et du 23 au 31 déc. – **Repas** *(fermé après 20 h 30)* carte env. 900 – **12 ch**
 ☲ 1600/2100.

KAPELLEN Antwerpen 🗐🔢 ⑥ et 🔢🔢🔢 ④ ⑨ – voir à Antwerpen, environs.

KASTERLEE 2460 Antwerpen 🗺️ ② ⑯ ⑰ et 🗺️ ⑤ – 16 568 h. – 😳 0 14.

◆Bruxelles 77 – ◆Antwerpen 49 – ◆Hasselt 47 – ◆Turnhout 9.

🏰 **De Watermolen** ≫, Houtum 61 (par Geelsebaan), ℰ 85 23 74, Fax 85 23 70, ≤, 🍴, « Ancien moulin au bord de la Petite Nèthe (Kleine Nete) », 🌳 – 📺 ☎ 🅿 – 🔬 25. 🖭 ① 🔳 ⅦⅣ. 🥢
fermé 2ᵉ quinz. fév. et 2ᵉ quinz. août – **Repas** *Lunch* 1100 – carte env. 2300 – **18 ch** 🍽 2600/3700 – ½ P 2600/3200.

🏨 **Den en Heuvel**, Geelsebaan 72, ℰ 85 04 97, Fax 85 04 96 – 📺 ☎ 🅿 – 🔬 25 à 90. 🖭 🔳 ⅦⅣ. 🥢 rest
fermé 27 fév.-12 mars et 28 août-10 sept – **Repas** *Lunch* 995 – 1495 – 🍽 405 – **24 ch** 1680/3340 – ½ P 1605/2110.

🍴🍴🍴 **Kastelhof**, Lichtaartsebaan 33 (SO sur N 123), ℰ 85 18 43, Fax 85 31 25, 🍴, « Terrasse et jardin » – 🅿. 🖭 ① 🔳 ⅦⅣ. 🥢
fermé du 10 au 28 juil., 27 déc.-8 janv., mardi, merc. et sam. midi – **Repas** *Lunch* 1500 – carte env. 2000.

à Lichtaart SO : 6 km 🅲 Kasterlee – ✉ 2460 Lichtaart – 😳 0 14 :

🍴🍴🍴 **Host. Keravic** avec ch, Herentalsesteenweg 72, ℰ 55 78 01, Fax 55 78 16, 🌳 – 📺 ☎ 🅿 – 🔬 25. 🖭 ① 🔳 ⅦⅣ
fermé vacances bâtiment et Noël-Nouvel An – **Repas** *(fermé sam. midi, dim. et jours fériés)* *Lunch* 1050 – 1450/1950 – **9 ch** 🍽 2500/4500 – ½ P 2750/2950.

🍴🍴🍴 **De Pastorie**, Plaats 2, ℰ 55 77 86, Fax 55 77 94 – 🖭 ① 🔳 ⅦⅣ. 🥢
fermé du 1ᵉʳ au 14 mars, 18 sept-8 oct., lundi et mardi – **Repas** *Lunch* 1450 – carte env. 2000.

Pour situer une ville belge ou néerlandaise
reportez-vous aux cartes Michelin 🗺️ et 🗺️
comportant un index alphabétique des localités.

KEERBERGEN 3140 Brabant 🗺️ ⑦ et 🗺️ ④ – 11 143 h. – 😳 0 15.

🏌️ Vlieghavenlaan 50 ℰ 23 49 61, Fax 23 57 37.

◆Bruxelles 33 – ◆Antwerpen 36 – Leuven 20.

🍴🍴🍴🍴 **Host. Berkenhof** ≫ avec ch, Valkeniersdreef 5, ℰ 73 01 01, Fax 73 02 02, 🍴, « Jardin » – 📺 ☎ 🅿 – 🔳 🔳 ⅦⅣ
fermé mi-déc.-mi-fév. – **Repas** *Lunch* 1500 – 1950/2500 – **7 ch** 🍽 3500/6000, 3 suites – ½ P 3500/4500.

🍴🍴🍴 ✿ **The Paddock**, R. Lambertslaan 4, ℰ 51 19 34, Fax 52 90 08, 🍴, « Terrasse » – 🅿. 🖭 ① 🔳 ⅦⅣ
fermé mardi soir, merc., fév. et du 15 au 31 août – **Repas** *Lunch* 1325 – 1725 carte 1900 à 2700
Spéc. Asperges régionales, sauce au Champagne (21 mars-21 juin), Piccatas de foie de canard au jus de pigeon acidulé, Gaufre fourrée de prunes, glace au yaourt (21 sept-21 déc.).

🍴🍴 **Chierberge**, Leopold Peerelaan 1, ℰ 51 50 59, Fax 52 07 22, 🍴, « Jardin » – 🅿. 🖭 ① 🔳 ⅦⅣ
fermé merc. soir, jeudi et 30 août-22 sept – **Repas** *Lunch* 1050 – 1050/1850.

🍴🍴 **The Lake**, Mereldreef 1 (E : près du lac), ℰ 23 50 69, Fax 23 58 69, 🍴, « Terrasse avec ≤ lac » – 🔳 🅿 – 🔬 25 à 90. 🖭 ① 🔳 ⅦⅣ
fermé lundi et 3 dern. sem. sept – **Repas** *Lunch* 750 – carte 1250 à 1900.

🍴 **'t Marmitje**, Haachtsebaan 150, ℰ 51 60 65, Fax 51 60 65, 🍴 – 🅿. 🖭 🔳 ⅦⅣ
fermé mardi soir, merc., sam. midi, 3 dern. sem. juil. et dern. sem. déc. – **Repas** *Lunch* 495 – carte 1150 à 1500.

KEMMEL 8956 West-Vlaanderen 🅲 Heuvelland 8 467 h. 🗺️ ⑬ et 🗺️ ⑩ – 😳 0 57.

🅱 Reningelststraat 10 ℰ 44 66 50, Fax 44 56 04.

◆Bruxelles 133 – ◆Brugge 63 – Ieper 11 – Lille 33.

🍴🍴 **Host. Kemmelberg** Ⓜ ≫ avec ch, Berg 4, ℰ 44 41 45, Fax 44 40 89, ≤ plaine des Flandres, 🍴, 🥢 – 📺 ☎ 🅿 – 🔬 25. 🖭 ① 🔳 ⅦⅣ
fermé du 1ᵉʳ au 7 mars, 8 janv.-fév., dim. soir et lundi – **Repas** carte 1700 à 2300 – **16 ch** 🍽 2375/4000 – ½ P 2625/3250.

KESSEL-LO Brabant 🗺️ ⑲ ⑳ et 🗺️ ⑭ – voir à Leuven.

KLEMSKERKE West-Vlaanderen 🗺️ ② et 🗺️ ② – voir à De Haan.

KLERKEN 8650 West-Vlaanderen 🅲 Houthulst 8 804 h. 🗺️ ② et 🗺️ ① – 😳 0 51.

◆Bruxelles 113 – ◆Brugge 35 – ◆Kortrijk 41 – Lille 56 – ◆Oostende 44.

🍴🍴 **'t Rozenhof**, Stokstraat 2, ℰ 50 16 58, 🍴 – 🔳 🅿. ⅦⅣ. 🥢
fermé merc., dim. soir et du 16 au 30 juin – **Repas** carte env. 1500.

175

KLUISBERGEN 9690 Oost-Vlaanderen 🔲🔲🔲 ⑯ et 🔲🔲🔲 ⑪ – 6 141 h. – ✪ 0 55.

◆Bruxelles 67 – ◆Gent 39 – ◆Kortrijk 24 – Valenciennes 75.

XXX **Te Winde,** Parklaan 17 (Berchem), ℘ 38 92 74, Fax 38 62 92, 😤 – **🄿**. 🕮 ⓘ 🔳 𝓥𝓘𝓢𝓐
fermé dim. soir, lundi, mardi soir, 2 dern. sem. juil. et 1 sem. en août – **Repas** *Lunch 980* – carte env. 2000.

sur le Kluisberg (Mont de l'Enclus) S : 4 km © Kluisbergen – ⊠ 9690 Kluisbergen – ✪ 0 55 :

🏠 **La Sablière,** Bergstraat 40, ℘ 38 95 64, Fax 38 78 11, 😤 – ⋮🄯 📺 🕿 **🄿**. 🕮 🔳 𝓥𝓘𝓢𝓐. 🦺
fermé vend. et déc. – **Repas** (ouvert jusqu'à 23 h) *Lunch 420* – carte env. 1500 – ☷ 250 – **12 ch** 2100 – ½ P 1900/2200.

KNOKKE-HEIST 8300 West-Vlaanderen 🔲🔲🔲 ⑪ et 🔲🔲🔲 ② – 32 126 h. – ✪ 0 50 – Station balnéaire★★ – Casino AY , Zeedijk-Albertstrand 509 ℘ 60 60 10, Fax 61 20 49.

Voir le Zwin★ : réserve naturelle (flore et faune) EZ.

🏌️₁₈ (2 parcours) au Zoute, Caddiespad 14 ℘ 60 12 27, Fax 62 30 29.

🅱 Zeedijk 660 (Lichttorenplein) à Knokke ℘ 60 16 16, Fax 62 08 13 – (juil.-août, vacances scolaires et week-end en hiver) Tramhalte, Heldenplein à Heist ℘ 51 20 59.

◆Bruxelles 108 ① – ◆Brugge 17 ① – ◆Gent 49 ① – ◆Oostende 33 ③.

Plans pages suivantes

à Knokke – ⊠ 8300 Knokke-Heist – ✪ 0 50 :

🏨 **Figaro** 🅼 sans rest, Dumortierlaan 127, ℘ 62 00 62, Fax 62 53 28 – ⋮🄯 📺 🕿. 🦺 BY **x**
18 ch ☷ 2500/3700.

🏨 **Van Bunnen** sans rest, Van Bunnenlaan 50, ℘ 61 15 29, Fax 62 29 66 – ⋮🄯 📺 🕿. 🕮 🔳 𝓥𝓘𝓢𝓐 BY **u**
18 ch ☷ 2200/3200.

🏨 **Eden** sans rest, Zandstraat 18, ℘ 61 13 89, Fax 61 07 62 – ⋮🄯 📺 🕿. 𝓥𝓘𝓢𝓐 BY **n**
19 ch ☷ 1600/2850.

XXX **Panier d'Or,** Zeedijk 659, ℘ 60 31 89, Fax 60 31 89, ≼ – 🖃. 🕮 ⓘ 🔳 𝓥𝓘𝓢𝓐 BY **a**
fermé merc. hors saison, mardi et mi-nov.-mi-déc. – **Repas** *Lunch 810* – 1395.

XXX **Ambassador,** Van Bunnenplein 20, ℘ 60 17 96, Fax 60 17 96, 😤 – 🖃. 🕮 ⓘ 🔳 𝓥𝓘𝓢𝓐 BY **a**
fermé merc. soir, jeudi, sem. carnaval et nov. – **Repas** *Lunch 620* – 850.

XX **La Croisette,** Van Bunnenplein 24, ℘ 61 28 39 – 🕮 ⓘ 🔳 𝓥𝓘𝓢𝓐 BY **q**
fermé mardi hors saison et merc. – **Repas** *Lunch 690* – 1000/1400.

XX **Le P'tit Bedon,** Zeedijk 672, ℘ 60 06 64, Fax 60 06 64, 😤, Avec grillades – 🕮 ⓘ 🔳 𝓥𝓘𝓢𝓐 BY **s**
fermé 15 nov.-15 déc. et merc. sauf vacances scolaires – **Repas** *Lunch 780* – carte 1000 à 1500.

XX **Casa Borghèse,** Bayauxlaan 27, ℘ 60 37 39, Fax 62 01 88, Avec cuisine italienne – **🄿**. 🕮 ⓘ 🔳 𝓥𝓘𝓢𝓐 AY **t**
fermé merc. en hiver, jeudi et 13 nov.-10 déc. – **Repas** (dîner seult jusqu'à 1 h du matin) carte 1000 à 1900.

XX **De Savoye,** Dumortierlaan 18, ℘ 62 23 61, Produits de la mer – ⓘ 🔳 𝓥𝓘𝓢𝓐 BY **v**
fermé jeudis non fériés sauf vacances scolaires – **Repas** *Lunch 600* – carte env. 1300.

XX **Hippocampus,** Kragendijk 188, ℘ 60 45 70, « Maisonnette flamande avec ≼ campagne » – **🄿**. 🕮 ⓘ 🔳 𝓥𝓘𝓢𝓐 DZ **a**
fermé merc. et sam. midi – **Repas** *Lunch 695* – 1350.

XX **Open Fire,** Zeedijk 658, ℘ 60 17 26, Fax 60 17 26, ≼ – 🖃. 🕮 ⓘ 🔳 𝓥𝓘𝓢𝓐 BY **a**
fermé merc. non fériés et 3 janv.-11 fév. – **Repas** *Lunch 795* – 795/1390.

X **Da Luigi,** Dumortierlaan 30, ℘ 60 46 36, 😤, Avec cuisine italienne – 🕮 ⓘ 🔳 𝓥𝓘𝓢𝓐 BY **w**
fermé lundi du 15 nov. au 30 mars, mardi sauf en juil.-août et jours fériés – **Repas** carte 1000 à 1500.

X **Le Chardonnay,** Swolfsstraat 5, ℘ 61 04 39 – 🕮 ⓘ 🔳 𝓥𝓘𝓢𝓐 BY **h**
fermé jeudi d'oct. à Pâques et merc. – **Repas** *Lunch 750* – 875/1675.

X **Castel Normand,** Swolfsstraat 13, ℘ 61 14 84 – 🕮 ⓘ 🔳 𝓥𝓘𝓢𝓐 BY **h**
fermé mardi soir, merc., 27 sept-12 oct. et du 5 au 25 janv. – **Repas** *Lunch 450* – 850/1250.

X **New Alpina,** Lichttorenplein 12, ℘ 60 89 85 – 𝓥𝓘𝓢𝓐. 🦺 BY **a**
fermé merc. soir et jeudi soir d'oct. à fin mars, lundi soir et mardi – **Repas** *Lunch 725* – 725/875.

X **Apicius** Lippenslaan 83, ℘ 62 01 44, Fax 62 01 44 – 🕮 ⓘ 🔳 𝓥𝓘𝓢𝓐 ABY **d**
fermé merc. soir et jeudi soir – **Repas** *Lunch 400* – 795/1395.

au Zoute – ⊠ 8300 Knokke-Heist – ✪ 0 50 :

🏨🏨 **Approach** 🅼 🦺, Kustlaan 172, ℘ 61 11 30, Fax 61 16 28, 🌬 – ⋮🄯 ✳ 📺 🕿 ⇔ – 🔬 45. 🕮 ⓘ 🔳 𝓥𝓘𝓢𝓐 CY **e**
Repas carte 2050 à 3050 – ☷ 1000 – **18 ch** 7500, 6 suites.

🏨🏨 **Manoir du Dragon** 🦺 sans rest, Albertlaan 73, ℘ 62 35 36, Fax 61 57 96, ≼ golf, 🌬 – ⋮🄯 ✳ 📺 🕿 **🄿** 🕮 ⓘ 🔳 𝓥𝓘𝓢𝓐. 🦺 BY **m**
8 ch ☷ 5000/9000, 5 suites.

🏨 **Belfry,** Kustlaan 84, 🖉 61 01 28, Fax 61 15 33, 🍽, 🛋, 🔟 – 🛗 🗏 rest 🔟 ☎ 🚗 🅿 –
🏛 25 à 40. 🕮 ⓸ 🔄 𝘝𝘐𝘚𝘈. ⅏
BY **p**
fermé 2 sem. en janv. – **Repas De Zwaan** *(fermé dim. de mi-sept à avril) Lunch 750* – carte
2100 à 2600 – **38 ch** ⊆ 3950/5400, 12 suites – ½ P 2950/3950.

🏨 **Lugano** sans rest, Villapad 14, 🖉 61 04 71, Fax 62 36 76, « Jardin » – 🛗 🔟 ☎ 🅿. 🕮 ⓸
🔄 𝘝𝘐𝘚𝘈
BY **p**
avril-sept, week-end et jours fériés – **27 ch** ⊆ 3700/4500.

🏨 **Elysee** sans rest, Elizabetlaan 39, 🖉 61 16 48, Fax 62 17 90 – 🛗 🔟 ☎ ⚹ 🅿 – 🏛 25 à
40. 🕮 ⓸ 🔄 𝘝𝘐𝘚𝘈
BY **b**
24 ch ⊆ 3750/8000.

🏨 **Britannia** sans rest, Elizabetlaan 85, 🖉 62 10 62, Fax 62 00 63 – 🛗 🔟 ☎ 🅿 – 🏛 25. 🕮
⓸ 🔄 𝘝𝘐𝘚𝘈
BY **c**
22 fév.-22 nov. et vacances Noël – **30 ch** ⊆ 2300/4600.

🏨 **Aub. St-Pol** ♨, Bronlaan 23, 🖉 60 15 21, Fax 62 17 60, 🍽, « Terrasse » – 🔟 ☎ 🅿 –
🏛 25. 🕮 ⓸ 🔄 𝘝𝘐𝘚𝘈 ⅏
EZ **d**
fermé 22 fév.-5 mars – **Repas** *(fermé lundi et mardi de mi-sept à juin)* carte 1050 à 1650
– **14 ch** ⊆ 1900/3950, 2 suites – ½ P 2000/2950.

🏨 **Duc de Bourgogne - Golf** ♨, Zoutelaan 175, 🖉 61 16 14, Fax 62 15 90, 🍽, « Terrasse »
– 🛗 🔟 ☎ 🅿 – 🏛 25. 🕮 ⓸ 🔄 𝘝𝘐𝘚𝘈
EZ **n**
fermé 20 nov.-20 déc. et 2 fév.-16 mars sauf week-end et 8 janv.-1er fév. – **Repas** *Lunch
850* – 1000/1450 – **27 ch** ⊆ 3100/5800 – ½ P 3250/3950.

🏨 **Balmoral,** Kustlaan 148, 🖉 60 16 20, Fax 62 26 20, « Terrasse » – 🛗 🔟 ☎ 🅿. 🕮 ⓸ 🔄
𝘝𝘐𝘚𝘈
CY **u**
fermé 14 nov.-20 déc. et 9 janv.-15 fév. – **Repas** *(fermé après 20 h 30) Lunch 645* – 800/950
– **24 ch** ⊆ 2990/5600 – ½ P 3450/3900.

🏨 **Rose de Chopin** sans rest, Elizabetlaan 94, 🖉 62 08 88, Fax 62 04 13, �─── – 🔟 ☎ 🅿. 🕮
⓸ 🔄 𝘝𝘐𝘚𝘈
BY **k**
avril-12 nov., vacances Noël et week-end – **7 ch** ⊆ 5250/7500, 2 suites.

🏨 **Andrews** sans rest, Kustlaan 72, 🖉 61 08 47, Fax 61 04 90 – 🛗 🔟 ☎ 🚗 🅿. 🕮 🔄 𝘝𝘐𝘚𝘈.
⅏
BY **p**
fermé merc. et janv. – **10 ch** ⊆ 3800/7000.

🏨 **Locarno** sans rest, Generaal Lemanpad 5, 🖉 61 01 21, Fax 62 04 13 – 🛗 🔟 ☎ 🅿. 🕮 🔄
𝘝𝘐𝘚𝘈. ⅏
BY **p**
24 fév.-12 nov. et vacances Noël – **15 ch** ⊆ 3000/4500.

🏨 **Charls,** Albertplein 18, 🖉 60 90 51, Fax 61 55 98, 🍽 – 🛗 🗏 rest 🔟 ☎ – 🏛 25. 🕮 ⓸
🔄 𝘝𝘐𝘚𝘈
BY **e**
Repas (Taverne-rest) *(fermé merc. non fériés de nov. à mars sauf vacances scolaires)*
carte 1200 à 1500 – **22 ch** ⊆ 3600/4800 – ½ P 4500/4800.

🏨 **Memlinc,** Albertplein 23, 🖉 60 11 34, Fax 61 57 43, ≤, ⅏ – 🛗 🔟 ☎ 🅿 – 🏛 25 à 125.
🕮 🔄 𝘝𝘐𝘚𝘈. ⅏ rest
BY **y**
Repas *(avril-sept, 29 oct.-5 nov. et 21 déc.-7 janv.) Lunch 775* – carte 1250 à 1550 – **64 ch**
(avril-5 nov., 21 déc.-7 janv. et week-end en mars, nov. et déc.) ⊆ 3500/4800, 6 suites –
½ P 3250/4000.

🏨 **Les Arcades** sans rest, Elizabetlaan 50, 🖉 60 10 73 – 🔟 ☎ 🅿
BY **j**
Pâques-mi-sept – **11 ch** ⊆ 3100.

🍴🍴🍴 **Paul Gaelens,** Elizabetlaan 6, 🖉 61 06 94, Fax 62 14 53, 🍽, Produits de la mer – 🅿. 🕮
🔄 𝘝𝘐𝘚𝘈
BY **y**
fermé merc. et jeudi midi pendant vacances scolaires et mardis, merc. et jeudis non fériés
– **Repas** *Lunch 1450* – carte 1500 à 1950.

🍴🍴 **La Sapinière,** Oosthoekplein 7, 🖉 60 22 71, Fax 60 22 71, 🍽 – 🅿. 🕮 ⓸ 🔄 𝘝𝘐𝘚𝘈 EZ **e**
fermé merc. midi d'oct. à mars, merc. soir, jeudi et fin nov.-début déc. – **Repas** *Lunch 745*
– 1250/2500.

🍴🍴 **L'Echiquier** 1er étage, De Wielingen 8, 🖉 60 88 82 – 🗏. 🕮 ⓸ 🔄 𝘝𝘐𝘚𝘈
CY **h**
fermé mardi, merc. et 3 sem. en janv. – **Repas** *Lunch 1500* – carte env. 1500.

🍴 **Cantharel,** Sparrendreef 98, 🖉 60 40 90 – 🕮 ⓸ 🔄 𝘝𝘐𝘚𝘈
CY **z**
fermé mardi sauf en juil.-août, merc., 2 sem. en mars et mi-nov.début oct. – **Repas** *Lunch
775* – 1500.

🍴 **Marie Siska** avec ch, Zoutelaan 177, 🖉 60 17 64, Fax 62 32 00, 🍽, �─── – 🔟 ☎ 🅿. 🕮
⓸ 🔄 𝘝𝘐𝘚𝘈. ⅏ ch
EZ **g**
avril-8 nov. et week-end – **Repas** *Lunch 370* – carte env. 1100 – **7 ch** ⊆ 3100/4000.

🍴 **Pierrot's,** Albertplein 19, 🖉 61 09 57, Fax 62 46 93, 🍽, Taverne-rest – 🗏. 🕮 ⓸ 🔄
𝘝𝘐𝘚𝘈
BY **e**
fermé fin déc.-début janv. et mardi hors saison sauf vacances scolaires – **Repas** *Lunch 395*
– carte 1200 à 1500.

🍴 **Lady Ann,** Kustlaan 301, 🖉 60 96 77, Fax 62 44 09, 🍽, Taverne-rest – 🗏. 🕮 ⓸ 🔄
𝘝𝘐𝘚𝘈
CY **n**
fermé du 8 au 24 mars, 29 nov.-15 déc., jeudi hors saison et merc. – **Repas** *Lunch 795* –
795/995.

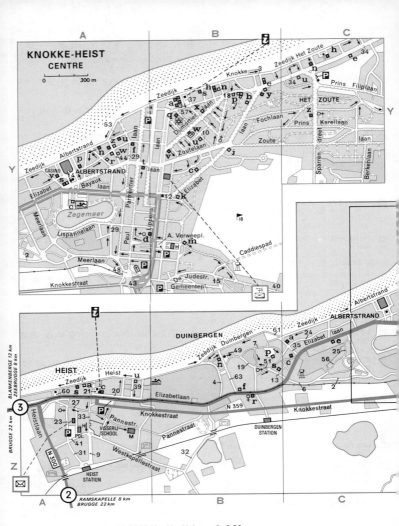

à *Albertstrand* – ⊠ 8300 Knokke-Heist – ✆ 0 50 :

La Réserve, Elizabetlaan 160, ℘ 61 06 06, Telex 81657, Fax 60 37 06, ♨, Centre de tha-lassothérapie, « Terrasse avec ≤ lac », ♨, ≘s, ☒, ✇ – ♻ ☑ ☎ ☻ – ⚿ 25 à 300. ⚎
① ℰ VISA
AY c
Repas *La Sirène* Lunch *1250* – carte 1900 à 2350 – ☲ 600 – **110 ch** 7200/8000, 2 suites.

Nelson's, Meerminlaan 36, ℘ 60 68 10, Fax 61 18 38 – ♻ ▤ rest ☑ ☎ – ⚿ 25. ⚎ ①
ℰ VISA. ✻ rest
AY z
avril-sept, week-end en hiver et vacances scolaires – **Repas** (résidents seult) – **48 ch** ☲ 3200
– ½ P 2200/2900.

Atlanta, Nellenslaan 162, ℘ 60 55 00, Fax 62 28 66 – ♻ ☑ ☎ ☻. ⚎ ℰ VISA. ✻ rest
fermé 10 janv.-10 fév. – **Repas** (dîner pour résidents seult) – **30 ch** ☲ 2600/3200 –
½ P 2200/2400.
AY r

Parkhotel, Elizabetlaan 204, ⊠ 8301, ℘ 60 09 01, Fax 62 36 08, ♨ – ♻ ▤ rest ☑ ☎
⇔ ☻. ⚎ ① ℰ VISA. ✻
CZ e
Repas *(Pâques-14 nov. ; fermé 5 janv.-carnaval et mardi et merc. sauf vacances scolaires)*
Lunch *1050* – carte 1050 à 1750 – **12 ch** *(fermé 5 janv.-carnaval et mardi d'oct. à Pâques
sauf vacances scolaires)* ☲ 2300/3500 – ½ P 2400/2650.

KNOKKE-HEIST

Dumortierlaan	BY
Kustlaan	BCY 34
Lippenslaan	ABY
Acacialaan	CZ 2
Albertplein	BY 3
Anemonenlaan	BZ 4
Arkadenlaan	CZ 6
Bergdreef	BZ 7
Bondgenotenlaan	AZ 9
van Bunnenlaan	BY 10
Burgemeester	
Frans Desmidtplein	BY 12
van Cailliedreef	BZ 13
Canada Square	AY 14
Charles de Costerlaan	BY 15

DUINBERGEN

Driehoeksplein	BY 18
Duinbergenlaan	BZ 19
Graaf d'Ursellaan	AZ 20
Heldenplein	AZ 21
Hermans-Lybaertstr.	AZ 23
Jozef Nellenslaan	CZ 24
Kapellaan	CZ 25
Kerkstraat	AZ 27
Konijnendreef	EZ 28
Koningslaan	AY 29
Koudekerkelaan	AZ 31
Krommedijk	BZ 32
Kursaalstraat	AZ 33
Leeuwerikenlaan	CZ 35
Lekkerbekhelling	EZ 36
Lichttorenplein	BY 37

ALBERTSTRAND

Louis Parentstr.	AZ 39
Magere Schorre	DZ 40
Marktstraat	AZ 41
Maurice Lippensplein	AY 43
Meerminlaan	AY 44
Ooievaarslaan	EZ 45
Oosthoekplein	EZ 47
Pastoor	
Opdedrinckplein	AY 48
Patriottenstraat	BZ 49
Poststraat	BZ 51
Rubensplein	AY 53
Theresialaan	CZ 56
Vissershuldeplein	AZ 60
de Wandelaar	BZ 61
Zeegrasstraat	BZ 63

HET ZOUTE

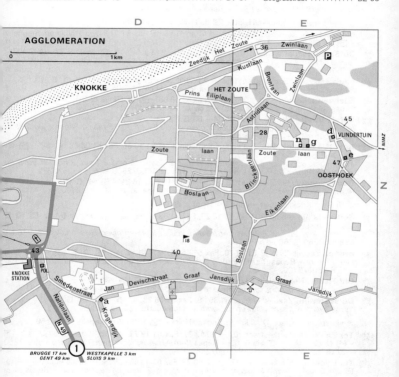

🏨 **Lido,** Zwaluwenlaan 18, ℘ 60 19 25, Fax 61 04 57 – 🛗 📺 ☎ 🅿 – 🕍 30. AY **r**
🍴 rest
fermé mardi, merc. et jeudi d'oct. à Pâques – **Repas** (résidents seult) – **40 ch** ⬄ 3300/3600
– ½ P 2000/2400.

🏨 **Kismet,** Canadasquare 23, ℘ 60 14 45, Fax 61 58 18 – 🛗 📺 ☎. 🆎 ⓞ 🈹 𝘝𝘐𝘚𝘈 AY **s**
Repas *(fermé mardi et merc. hors saison)* Lunch 600 – 1495 – ⬄ 300 – **14 ch** 3200/3500
– ½ P 4700/5300.

🏨 **Albert Plage** sans rest, Meerminlaan 22, ℘ 60 59 64, Fax 61 18 38 – 🛗 📺 ☎. 🆎 ⓞ 🈹
𝘝𝘐𝘚𝘈 AY **w**
17 ch ⬄ 1800/3000.

XXX **Aquilon,** Bayauxlaan 70, ℘ 60 12 74, Fax 62 09 72, « Villa avec jardin fleuri » – 🆎 ⓞ 🈹
𝘝𝘐𝘚𝘈. 🍴 AY **s**
*fermé début janv.-15 fév., lundi et mardi de sept à Pâques, mardi soir de Pâques à sept
et merc.* – **Repas** Lunch 1500 – carte 1700 à 2225.

XXX **Esmeralda,** Nellenslaan 161, ℘ 60 33 66, Fax 60 33 66 – 🆎 ⓞ 🈹 𝘝𝘐𝘚𝘈 AY **p**
fermé mardi midi en juil.-août, lundi soir, mardi, 15 nov.-3 déc. et 15 janv.-3 fév. – **Repas**
Lunch 850 – carte 1850 à 2150.

XX **Olivier,** Nellenslaan 159, ℰ 60 55 70, Fax 60 55 70 – ☒ ⓪ ☰ ☒   AY **v**
fermé 2e quinz. janv. et merc. hors saison – **Repas** *Lunch 695* – 1295.

XX **Lispanne,** Nellenslaan 201, ℰ 60 05 93 – ▤, ☒ ⓪ ☰ ☒   AY **z**
fermé du 3 au 13 oct., 16 janv.-2 fév., lundi soir sauf vacances scolaires et mardi – **Repas**
Lunch 665 – 665/1595.

XX **Le Potiron,** Koningslaan 230a, ℰ 62 10 80, Fax 61 25 16 – ▤. ☒ ⓪ ☰ ☒   AY **f**
fermé mardi soir et merc. hors saison, 1 sem. carnaval et du 15 au 28 nov. – **Repas** *Lunch
695* – carte 1300 à 1850.

X **Les Flots Bleus,** Zeedijk 538, ℰ 60 27 10, ≤, 🥂 – ☒ ⓪ ☰ ☒   AY **n**
avril-sept et week-end – **Repas** *Lunch 625* – carte 800 à 1550.

X **Jean,** Sylvain Dupuisstraat 24, ℰ 61 49 57, Fax 61 49 57, 🥂, Ouvert jusqu'à 23 h – ☒ ⓪
☰ ☒   AY **u**
fermé mardi soir, merc. et juin – **Repas** *Lunch 695* – 1100.

à Duinbergen Ⓒ Knokke-Heist – ✉ 8301 Heist – ☎ 0 50 :

🏨 **Monterey** ❧ sans rest, Bocheldreef 4, ℰ 51 58 65, Fax 51 07 91, ≤, « Villa aménagée »
– ☒ ☎ ☎. ☰ ☒ – **9 ch** ☲ 3500/3900.   BZ **p**

🏨 **Du Soleil,** Patriottenstraat 15, ℰ 51 12 89, Fax 51 69 14 – ☷ ☒ ☎ ☜, ☒ ⓪ ☰ ☒
fermé 21 nov.-25 déc. – **Repas** *Lunch 490* – 800/1600 – **27 ch** ☲ 2600/3100 – BZ **n**
½ P 1800/2500.

🏨 **Pauls** sans rest, Elizabetlaan 305, ℰ 51 39 32, Fax 51 67 40 – ☷ ☒ ☎ ☎. ☰ ☒. ❧
Pâques-sept, week-end et vacances scolaires – **14 ch** ☲ 2900/3300.   BZ **f**

🏠 **Edelweiss,** Zomerpad 8, ℰ 51 50 00, Fax 51 58 08 – ☒ ☎. ☰ ❧ rest   BCZ **s**
Repas *(dîner pour résidents seult)* – **9 ch** ☲ 2300/3300 – ½ P 2000/2350.

XX **Vateli,** Vandaelelaan 6, ℰ 51 05 34 – ☒ ☰ ☒   CZ **c**
*fermé midi midi pendant vacances scolaires, vend. midi du 15 nov. à Pâques, jeudi et fin
fév.-début mars* – **Repas** *Lunch 870* – 870/1570.

XX **Aub. Pré Feuillet** avec ch, Leeuwerikenlaan 5, ℰ 51 10 66, Fax 51 06 38, ≤, 🥂 – ☒ ☎.
☒ ⓪ ☰ ☒   CZ **a**
*avril-mi-oct., vacances scolaires et week-end en hiver ; fermé 30 oct.-9 nov. et du 8 au
25 janv.* – **Repas** *Lunch 480* – 680/1250 – **8 ch** ☲ 1600/2500 – ½ P 1925/2225.

XX **Den Baigneur,** Elizabetlaan 288, ℰ 51 16 81, Fax 51 16 81 – ☒ ☰ ☒   BZ **r**
fermé carnaval, dim. soir hors saison et lundi – **Repas** carte 2000 à 2400.

à Heist Ⓒ Knokke-Heist – ✉ 8301 Heist – ☎ 0 50 :

🏨 **Sint-Yves** Ⓜ, Zeedijk 204, ℰ 51 10 29, Fax 51 63 87, ≤, 🥂 – ☷ ▤ rest ☒ ☎. ☰ ⓪ ☰
☒ ❧ rest   AZ **a**
fermé 2 sem. en fév. – **Repas** *(fermé dim. soir et lundi en hiver)* *Lunch 500* – 875/1100 –
8 ch ☲ 2850/3750 – ½ P 2750.

🏨 **Bristol,** Zeedijk 291, ℰ 51 12 20, Fax 51 15 54, ≤ – ☷ ▤ rest ☒ ☎. ☰ ☒. ❧   AZ **u**
avril-17 sept – **Repas** *(fermé après 20 h 30)* *Lunch 750* – 800/1200 – **27 ch** ☲ 3700/4100
– ½ P 2500/2700.

XX **Old Fisher,** Heldenplein 33, ℰ 51 11 14 – ▤. ☒ ⓪ ☰ ☒. ❧   AZ **c**
fermé mardi soir hors saison, merc. et 26 sept-22 oct. – **Repas** *Lunch 975* – 975/1500.

XX **De Waterlijn,** Zeedijk 173, ℰ 51 35 28, Fax 51 35 28, ≤, 🥂 – ☒ ☎   AZ **s**
fermé mardi et merc. sauf en juil.-août – **Repas** carte 1300 à 1600.

à Westkapelle Ⓒ Knokke-Heist – ✉ 8300 Westkapelle – ☎ 0 50 :

🏨 **Ter Zaele,** Oostkerkestraat 40, ℰ 60 12 37, Fax 61 19 73, ≤, 🥂, « Jardin », ℐ⑤, 🥂, ⬚
– ☒ ☎ ☎ – 🔬 25. ☒ ⓪ ☰ ☒ – **Repas** *(fermé mardi soir et merc.)* *Lunch 850* – 850/1350
– **22 ch** ☲ 2400/3200 – ½ P 2150/2450.

XXX **Ter Dycken,** Kalvekeetdijk 137, ℰ 60 80 23, Fax 61 40 55, 🥂, « Terrasse et jardin » – ☎
☒ ⓪ ☰ ☒ – *fermé lundis et mardis non fériés, 2 sem. en sept et janv.* – **Repas** *Lunch*
1650 – carte 1950 à 2900.

KOBBEGEM Brabant 🔲🔲🔲 ⑥ et 🔲🔲🔲 ④ – voir à Bruxelles, environs.

KOEKELARE 8680 West-Vlaanderen 🔲🔲🔲 ② et 🔲🔲🔲 ① – 7 883 h. – ☎ 0 59.
♦Bruxelles 114 – ♦Brugge 30 – ♦Gent 65 – ♦Oostende 21.

à Zande NO : 4 km Ⓒ Koekelare – ✉ 8680 Zande – ☎ 0 59 :

X **Hof ter Zande,** Zandestraat 16, ℰ 27 77 79, 🥂, « Intérieur de caractère régional » – ☎
☰ ☒
fermé mardi, jeudi, 1re quinz. fév., dern. sem. août-prem. sem. sept. et après 20 h – **Repas**
Lunch 1200 – carte env. 1200.

KOKSIJDE-BAD 8670 West-Vlaanderen Ⓒ Koksijde 18 685 h. 🔲🔲🔲 ① et 🔲🔲🔲 ① – ☎ 0 58
Station balnéaire – 🛈 (avril-sept) Zeelaan (Casino) ℰ 51 29 10 – (fermé sam. et dim.) Gemeentehuis
Zeelaan 24 ℰ 52 15 15, Fax 52 25 77.
♦Bruxelles 138 ① – ♦Brugge 51 ① – Dunkerque 25 ③ – ♦Oostende 26 ① – Veurne 8 ②.

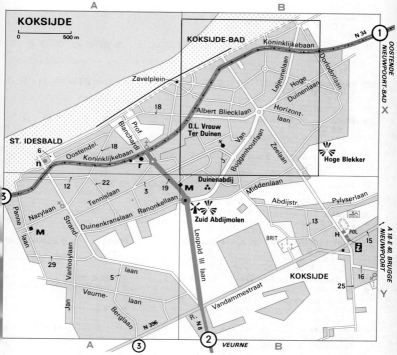

KOKSIJDE

0 — 500 m

KOKSIJDE-BAD

Zavelplein

Albert Bliecklaan

O.L. Vrouw
Ter Duinen

ST. IDESBALD

Oostendel.
Koninklijkebaan

Blanchard

Prof.

Duinenabdij

M

Zuid Abdijmolen

Tennislaan

Duinenkranslaan

Ranonkellaan

Nazylaan

Panne
laan

Strand

Vanlooylaan

Jan

Veurne-

Berglaan

laan

laan

N 396

N 8

VEURNE

OOSTENDE
NIEUWPOORT-BAD

N 34

Koninklijkebaan

Lejeunelaan

Hoge
Duinenlaan

Dorlodotlaan

Horizont-
laan

Van

Buggenhoutlaan

Zeelaan

Hoge Blekker

Middenlaan

Abdijstr.

Pylyserlaan

BRIT

POL

H

A 18 E 40, BRUGGE
NIEUWPOORT

KOKSIJDE

Vandammestraat

Leopold III laan

X

Y

A 18 E 40, BRUGGE
NIEUWPOORT

Koninklijkebaan	ABX
Zeelaan	BXY
Begonialaan	C 2
Brialmontlaan	AY 3
Dageraadstr.	AY 5
Europaplein	AX 6
Fazantenparkstr.	C 8
Gulden Vlieslaan	C 9
Henri Christiaenlaan	AY 12
Hostenstr.	BY 13
Houtsaegerlaan	BY 15
Kerkstraat	BY 16
Koninginnelaan	AX 18
Koninklijke Prinslaan	AXY 19
Majoor d'Hoogelaan	AY 22
Verdedigingslaan	C 23
Veurnestr.	BY 25
Vlaanderenstr.	C 27
W. Elsschotlaan	AY 29

*Cherchez-vous un hôtel
ou un restaurant ?*

*Les cartes Michelin détaillées
(1/200 000 à 1/400 000)
soulignent en rouge
les localités citées
dans les Guides Rouges.*

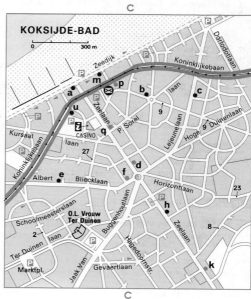

KOKSIJDE-BAD

0 — 300 m

Zeedijk

Koninklijkebaan

Dorlodotlaan

Kursaal

CASINO

laan

Koninklijkebaan

Albert

Bliecklaan

Schoolmeesterslaan

O.L. Vrouw
Ter Duinen

Ter Duinen

laan

Marktpl.

Jaak Van

Gevaertlaan

Hagedoornstr.

Buggenhoutlaan

Zeelaan

Horizontlaan

Lejeunelaan

Hoge
Duinenlaan

P Sorel

181

🏨 **Apostroff** ⊗ sans rest, Lejeunelaan 38, 𝒫 52 06 09, Fax 52 07 09, ♨, ⇌, 🔲, 🚗, ℅
– 🛗 📺 ☎ 🚗 🅿. 🆎 ⓪ Ε 𝒱𝒾𝒮𝒜 C **c**
40 ch ⊊ 2400/4200, 1 suite.

🏨 **Digue,** Zeedijk 331, 𝒫 51 31 13, Fax 52 27 44, ≼ – 🛗 📺 ☎ 🅿. 🆎 ⓪ Ε 𝒱𝒾𝒮𝒜.
℅ rest C **m**
fermé du 1er au 26 oct., janv., jeudi de nov. à Pâques et merc. – **Repas** (résidents seult)
– **24 ch** ⊊ 2100/2700 – ½ P 2100/2400.

🏨 **Terlinck,** Terlinckplaats 17, 𝒫 52 00 00, Fax 51 76 15, ≼ – 🛗 ▤ rest 📺 ☎ 🚗 🅿 – 🛝 25
à 40. 🆎 ⓪ Ε 𝒱𝒾𝒮𝒜 C **a**
fév.-15 nov. – **Repas** (fermé merc.) Lunch 695 – 850/1425 – **34 ch** ⊊ 1800/3800 –
½ P 2150/2950.

🏨 **Florian** ⊗, A. Bliecklaan 32, 𝒫 51 69 82, Fax 52 28 66, ⇌, 🚗 – 🛗 📺 ☎ 🅿 – 🛝 30.
🆎 ⓪ Ε 𝒱𝒾𝒮𝒜. ℅ C **e**
Repas (fermé jeudi et après 20 h) Lunch 380 – carte env. 1100 – **10 ch** ⊊ 2150/2650 –
½ P 1500/1900.

🏨 **Chalet Week-End,** Zeelaan 136, 𝒫 51 12 06, Fax 52 09 00, 🚗 – 📺 🅿. 🆎 Ε 𝒱𝒾𝒮𝒜.
℅ rest C **h**
fermé 15 nov.-15 déc. – **Repas** carte env. 1000 – **9 ch** ⊊ 2250/2400.

🏨 **Penel,** Koninklijke baan 157, 𝒫 51 73 23 – 🛗 📺 🅿. 🆎 ⓪ Ε 𝒱𝒾𝒮𝒜. ℅ ch C **u**
21 fév.-11 nov. et week-end ; fermé 31 janv.-20 fév. – **Repas** (fermé 21 fév.-24 mars)
Lunch 495 – 825/1750 – **12 ch** ⊊ 3000 – ½ P 1800/2100.

🏨 **Rivella,** Zouavenlaan 1, 𝒫 51 31 67, Fax 52 27 90 – 🛗 🅿. 𝒱𝒾𝒮𝒜. ℅ rest C **b**
Pâques-fin sept et vacances scolaires – **Repas** (fermé après 20 h) Lunch 575 – 800 – **28 ch**
⊊ 2500 – ½ P 1750/1850.

XXX **Host. Le Régent** avec ch, A. Bliecklaan 10, 𝒫 51 12 10, Fax 51 66 47 – 🛗 ▤ rest 📺 ☎
🅿. 🆎 ⓪ Ε 𝒱𝒾𝒮𝒜 C **f**
fermé du 2 au 24 oct. et lundi sauf vacances scolaires – **Repas** Lunch 1350 – carte 1550
à 2150 – **10 ch** ⊊ 2350/3500 – ½ P 3300.

XX **Le Coquillage,** Zeelaan 118, 𝒫 51 26 25, Fax 51 15 71 – 🆎 ⓪ Ε 𝒱𝒾𝒮𝒜 C **k**
fermé 15 nov.-10 déc. et lundi sauf de sept à juin – **Repas** Lunch 695 – 695/925.

XX **Bel-Air,** Koninklijke baan 95, 𝒫 51 77 05, � – Ε 𝒱𝒾𝒮𝒜. ℅ C **p**
fermé merc. soir, jeudi, vend. midi et 13 nov.-9 déc. – **Repas** Lunch 1000 – carte 1250
à 1850.

XX **Sea Horse** avec ch, Zeelaan 254, 𝒫 52 32 80, Fax 52 32 75 – ▤ rest 📺 ☎. Ε 𝒱𝒾𝒮𝒜 C **q**
Repas (fermé lundi soir et mardi sauf Pâques, juil.-août et Noël-Nouvel An) Lunch 875 –
875/1450 – **6 ch** ⊊ 2100/3200 – ½ P 2450/2950.

X **La Charmette,** Zeelaan 196, 𝒫 51 44 70, Fax 52 05 30 – 🆎 ⓪ Ε 𝒱𝒾𝒮𝒜 C **d**
fermé 15 nov.-10 déc., jeudi sauf en juil.-août et merc. d'oct. à mai – **Repas** Lunch 750 –
800/1000.

à Sint-Idesbald Ⓒ Koksijde – ⊠ 8670 Koksijde-Bad – ❸ 0 58 :

🏨 **Soll Cress,** Koninklijke baan 225, 𝒫 51 23 32, Fax 51 91 32 – 🛗 📺 🚗 🅿 – 🛝 30. Ε
𝒱𝒾𝒮𝒜. ℅ ch AX **r**
fermé 3 sem. en oct. – **Repas** (fermé lundi soir et mardi) Lunch 295 – 695/995 – **25 ch**
⊊ 1750/2750 – ½ P 1700/2500.

X **Le Relais Gourmand,** Strandlaan 252, 𝒫 51 61 68 – 🆎 Ε 𝒱𝒾𝒮𝒜 AX **n**
fermé merc. soir, jeudi et dim. soir sauf en juil.-août – **Repas** Lunch 850 – carte 1100
à 1550.

KONTICH Antwerpen 🎛🎖 ⑥ et 🎛🎚🎙 ④ – voir à Antwerpen, environs.

KORTEMARK 8610 West-Vlaanderen 🎛🎖 ② et 🎛🎚🎙 ② – 12 372 h. – ❸ 0 51.
♦Bruxelles 103 – ♦Brugge 25 – ♦Kortrijk 38 – Lille 52 – ♦Oostende 34.

XX **'t Fermetje,** Staatsbaan 3, 𝒫 57 01 94 – 🅿. 🆎 Ε 𝒱𝒾𝒮𝒜
fermé merc. soir, jeudi et 13 juil.-4 août – **Repas** Lunch 1250 – carte env. 1500.

KORTENBERG Brabant 🎛🎖 ⑲ et 🎛🎚🎙 ⑬ ㉒ – voir à Bruxelles, environs.

KORTRIJK (COURTRAI) 8500 West-Vlaanderen 🎛🎖 ⑮ et 🎛🎚🎙 ⑪ – 76 264 h. – ❸ 0 56.
Voir Hôtel de Ville (Stadhuis) : salle des Échevins★ (Schepenzaal), salle du Conseil★ (Oude Raad
zaal) CZ H – Église Notre-Dame★ (O.L. Vrouwekerk) : statue de Ste-Catherine★, Élévation de la
Croix★ DY – Béguinage★ (Begijnhof) DZ.
Musée : National du Lin★ (Nationaal Vlasmuseum) BX **M.**

🅱 (fermé sam. sauf mi-avril-mi-oct. et dim. sauf en juil.-août) Schouwburgplein 14a 𝒫 23 93 71
Fax 23 90 03.

♦Bruxelles 90 ② – ♦Brugge 51 ⑥ – ♦Gent 45 ② – Lille 28 ⑤ – ♦Oostende 70 ⑥.

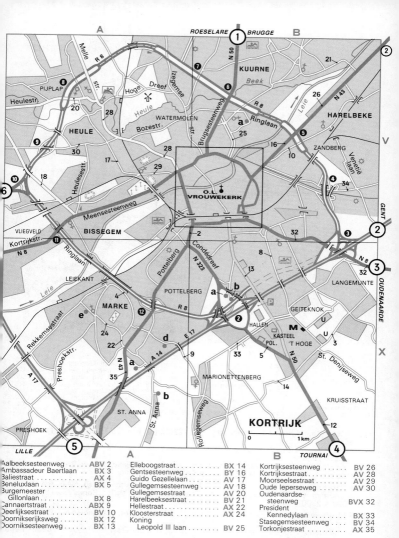

KORTRIJK

Aalbeeksesteenweg	ABV	2
Ambassadeur Baertlaan	BX	3
Baliestraat	AX	4
Beneluxlaan	BX	5
Burgemeester Gillonlaan	BX	8
Cannaertstraat	ABX	9
Deerlijksestraat	BV	10
Doornikserijksweg	BX	12
Doorniksesteenweg	BX	13

Elleboogstraat	BX	14
Gentsesteenweg	BY	16
Guido Gezellelaan	AV	17
Gullegemsesteenweg	AV	18
Gullegemsestraat	AV	20
Harelbeeksestraat	BV	21
Hellestraat	BX	22
Kloosterstraat	AX	24
Koning Leopold III laan	BV	25

Kortrijksesteenweg	BV	26
Kortrijksestraat	AV	28
Moorsesestraat	AV	29
Oude Ieperseweg	AV	30
Oudenaardsesteenweg	BVX	32
President Kennedylaan	BX	33
Stasegemsesteenweg	BV	34
Torkonjestraat	AX	35

Broel, Broelkaai 8, ℘ 21 83 51, Fax 20 03 02, 雷, « Intérieur cossu de caractère ancien », ≘s, 🖫 – 🛗 🗏 rest 📺 ☎ ⟺ 🅿 – 🔬 25 à 600. 🖭 ⓞ 🗲 𝘝𝘐𝘚𝘈. 🛠 rest DY e
Repas *Castel (fermé sam. et dim.)* Lunch 1350 – 1350/1850 – **61 ch** ⌇ 2850/5150, 2 suites.

Parkhotel, Stationsplein 2, ℘ 22 03 03, Fax 22 14 02, ≘s – 🛗 🗏 rest 📺 ☎ – 🔬 25 à 80. 🖭 ⓞ 🗲 𝘝𝘐𝘚𝘈 CZ r
fermé 2 prem. sem. août – **Repas** *Four Seasons (fermé dim. soir)* Lunch 1250 – 1695 – **72 ch** ⌇ 3300/3800.

Damier, Grote Markt 41, ℘ 22 15 47, Fax 22 86 31, ≘s – 🛗 🗏 rest 📺 ☎ 🅿 – 🔬 25 à 120. 🖭 ⓞ 🗲 𝘝𝘐𝘚𝘈 – **Repas** *(fermé vend.)* Lunch 850 – 950 – **49 ch** ⌇ 3900/4600, 1 suite.

Belfort, Grote Markt 52, ℘ 22 22 20, Fax 20 13 06, 雷 – 🛗 📺 ☎ – 🔬 40. 🖭 ⓞ 🗲 𝘝𝘐𝘚𝘈. 🛠 rest CZ c
Repas Lunch 300 – carte env. 1100 – **29 ch** ⌇ 2500/3200 – ½ P 2050/2950.

Center Broel, Graanmarkt 6, ℘ 21 97 21, Fax 20 03 66, 雷 – 🛗 🗏 rest 📺 ☎ ⟺. 🖭 ⓞ 🗲 𝘝𝘐𝘚𝘈 CZ a
Repas Lunch 695 – 695/1075 – **32 ch** ⌇ 2400/3100.

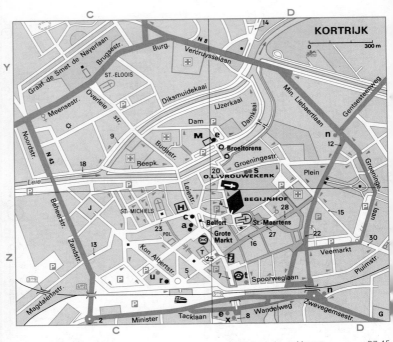

KORTRIJK

0 ——— 300 m

Budastr.	CY	Burg. Reynaertstr.	CZ 5	Lange Meersstr.	DZ 15
Grote Markt	CDZ	Doorniksestr.	DZ 7	Nijverheidskaai	CY 18
Lange Steenstr.	DZ 16	Doorniksewijk	DZ 8	O.L. Vrouwestr.	DY 20
Leiestr.	CYZ	Fabriekskaai	CY 9	Romeinselaan	DZ 22
Voorstr.	DZ 28	Gentsestr.	DY 12	Rijselsestr.	CZ 23
		H. Consciencestr.	CY 13	Schouwburgpl.	CDZ 25
Aalbeeksesteenweg	CZ 2	Koning		Steenpoort	DZ 27
Begijnhofstr.	DZ 4	Leopold III laan	DY 14	Wandelingstr.	DZ 30

XXX ✿ **Boxy's,** Minister Liebaertlaan 1, ℰ 22 22 05, Fax 22 37 65, 🐭 – 🅿. 🆎 ⓞ 🅴 VISA
DY n
fermé sam. midi, dim., lundi, 1 sem. en mars et 2 sem. en août – **Repas** Lunch 1550 – carte 2000 à 2600
Spéc. Huîtres au lait battu et pommes de terre au caviar (oct.-janv.), Rôti de foie d'oie aux épices (oct.-janv.), Ris de veau à la crème de truffes.

XXX **Boerenhof,** Walle 184, ℰ 21 31 72, Fax 21 31 72, Fermette – 🍴 🅿. 🆎 🅴 VISA BX a
fermé dim. soir, lundi soir, mardi, carnaval et 20 juil.-15 août – **Repas** Lunch 1350 – carte 1600 à 2300.

XX **Akkerwinde,** Doorniksewijk 12, ℰ 22 82 33, 🐭, « Maison bourgeoise fin 19e s. » – 🆎 🅴
DZ x
fermé merc., jeudi soir, sam. midi, sem. carnaval, 8, 9 et 10 avril et 18 juil.-18 août – **Repas** Lunch 950 – 1750.

XX **Oud Walle,** Walle 199, ℰ 22 65 53, 🐭, Rustique – 🅴 VISA BX b
fermé dim. soir, lundi, jeudi soir, 2 sem. Pâques, 2 prem. sem. sept et après 20 h 30 – **Repas** Lunch 1600 – carte env. 1900.

XX **'t Streuvelke,** A. Van Dijcklaan 118, ℰ 35 21 05, Fax 35 72 37, 🐭 – 🆎 ⓞ 🅴 VISA BY a
fermé merc., sam. midi, dim. soir, carnaval et 2e quinz. août – **Repas** Lunch 1650 – carte env. 1900.

XX **Vincent,** Groeningestraat 18, ℰ 21 48 40, Fax 20 18 97, 🐭 – 🆎 🅴 VISA DY
fermé sam. midi et 23 juil.-16 août – **Repas** Lunch 1200 – carte 1700 à 2100.

XX **Mamma Mia,** K. Albertstraat 13, ℰ 20 02 92, Fax 25 90 93, Cuisine italienne – 🆎 ⓞ 🅴
VISA CZ
fermé mardi, sam. midi et 16 juil.-5 août – **Repas** carte 1300 à 1800.

X **Bistro Aubergine,** Groeningestraat 16, ℰ 25 79 80, Fax 20 18 97, Ouvert jusqu'à 23 h –
🅴 VISA DY
fermé lundi et sam. midi – **Repas** Lunch 1000 – carte env. 1400.

✗ **De Open Haard,** Zwevegemsestraat 65, ✆ 21 19 33, Fax 25 93 82, Rustique, Grillades –
🖽 ⓪ 🇪 𝗩𝗜𝗦𝗔 DZ **n**
fermé mardi soir et 21 juil.-12 août – **Repas** *Lunch* 650 – 900/1100.

✗ **Gasthof Den Tuin,** Spoorweglaan 5, ✆ 21 55 45, Fax 22 45 91, 🍴 – 🅿. 𝗩𝗜𝗦𝗔 DZ **t**
Repas *(déjeuner seult sauf vend. et sam.)* *Lunch* 260 – carte 800 à 1200.

au Sud :

XXX ❀ **Village Gastronomique** (Vandekerckhove) Ⓜ 🍽 avec ch, St-Anna 5, ✆ 22 47 56,
Fax 22 71 70, 🍴, « Jardin d'hiver exotique », 🍳 – 🔟 ☎ 🅿 – 🚗 25. 🖽 ⓪ 🇪 𝗩𝗜𝗦𝗔
fermé sem. carnaval et 2 sem. en sept – **Repas** *(fermé dim. soir et lundi) Lunch* 1600 – 2650
carte 2250 à 2600 – **7 ch** ⌐ 4500/4750
Spéc. Emincé de St-Jacques marinées à la vinaigrette de caviar, Pomme nouvelle et langoustines
au caviar, Petit pot-au-feu de caille et ris de veau. AX **b**

XXX **Host. Klokhof** Ⓜ avec ch, St-Anna 2, ✆ 22 97 04, Telex 85450, Fax 25 73 25, « Ferme
aménagée » – ▤ 🔟 ☎ 🅿 – 🚗 25 à 250. 🖽 ⓪ 🇪 𝗩𝗜𝗦𝗔. 🛏 ch AX **a**
Repas *(fermé dim. soir, lundi, 23 juil.-13 août et du 1er au 7 janv.) Lunch* 1350 – 2250 –
10 ch ⌐ 2500/3750.

à Aalbeke par ⑤ *: 7 km* 🅒 *Kortrijk –* ✉ *8511 Aalbeke –* ✆ *0 56 :*

XX **Bart Tieghem,** Moeskroensesteenweg 1, ✆ 22 88 00, Fax 22 73 82, 🍴 – 🅿. 🖽 ⓪ 🇪
𝗩𝗜𝗦𝗔
fermé mardi, dim. soir et du 15 au 30 août – **Repas** *Lunch* 1350 – 1645/1995.

✗ **St-Cornil,** Plaats 15, ✆ 41 35 23, Fax 40 29 09, Grillades
fermé sam., dim. et jours fériés – **Repas** *Lunch* 980 – 980.

à Bellegem par ④ *: 5 km* 🅒 *Kortrijk –* ✉ *8510 Bellegem –* ✆ *0 56 :*

🏨 **Troopeird,** Doornikserijksweg 74, ✆ 22 26 85, Fax 22 33 63, 🍴, 🍳, 🐎 – 🔟 ☎ 🅿. 🇪
𝗩𝗜𝗦𝗔
fermé 20 déc.-10 janv. – **Repas** *Rôtiss.* **De Koorde** *(fermé 20 juil.-10 août et week-end)*
Lunch 995 – 995/1095 – **14 ch** ⌐ 2300/3200.

à Kuurne par ① *: 3,5 km – 12 835 h. –* ✉ *8520 Kuurne –* ✆ *0 56 :*

XX **Het Bourgondisch Kruis,** Brugsesteenweg 400, ✆ 70 24 55, Fax 70 24 55 – 🅿. 🖽 ⓪ 🇪
𝗩𝗜𝗦𝗔. 🛏
fermé mardi soir, merc., dim. soir, sem. carnaval et 25 juil.-15 août – **Repas** *Lunch* 1050 –
carte 1650 à 1950.

à Marke 🅒 *Kortrijk –* ✉ *8510 Marke –* ✆ *0 56 :*

XXXX **Marquette** avec ch, Kannaertstraat 45, ✆ 20 18 16, Fax 20 14 37, 🍴, « Collection de vins
à vue en caveau », 🍽, 🍳 – 🔟 ☎ 🅿 – 🚗 30. 🖽 ⓪ 🇪 𝗩𝗜𝗦𝗔. 🛏 rest AX **d**
fermé dim. et 23 juil.-21 août – **Repas** *Lunch* 1870 – carte env. 2600 – **10 ch** ⌐ 2900/4000.

XX **Ten Beukel,** Markekerkstraat 19, ✆ 21 54 69, Fax 22 52 90 – 🖽 ⓪ 🇪 𝗩𝗜𝗦𝗔 AX **e**
fermé dim. soir, lundi, sem. carnaval et 15 août-7 sept – **Repas** *Lunch* 1750 – 1850.

Voir aussi : *Wevelgem* par N 8 (AX) : 6,5 km, *Zwevegem* par N 8 (BX) : 5 km

KRAAINEM Brabant 𝟚𝟙𝟛 ⑲ et 𝟜𝟘𝟡 ⑬ ㉒ – voir à Bruxelles, environs.

KRUIBEKE 9150 Oost-Vlaanderen 𝟚𝟙𝟛 ⑥ et 𝟜𝟘𝟡 ④ ⑧ – 14 427 h. – ✆ 0 3.
◆Bruxelles 49 – ◆Gent 53 – ◆Antwerpen 12 – Sint-Niklaas 19.

XX **De Ceder,** Molenstraat 1, ✆ 774 30 52, Fax 774 30 52, 🍴, « Jardin d'hiver » – 🅿. 🖽 ⓪
🇪 𝗩𝗜𝗦𝗔. 🛏
fermé dim. soir, lundi, sem. carnaval et 2 dern. sem. juil. – **Repas** *Lunch* 1175 – 1630/
1820.

KRUISHOUTEM 9770 Oost-Vlaanderen 𝟚𝟙𝟛 ⑯ et 𝟜𝟘𝟡 ⑫ – 7 575 h. – ✆ 0 9.
◆Bruxelles 73 – ◆Gent 28 – ◆Kortrijk 23 – Oudenaarde 9.

XX ❀ **Hof van Cleve** (Goossens), Riemegemstraat 1 (près N 459, autoroute E 17 - A 14 sortie 6),
✆ 383 58 48, Fax 383 77 25, ≼, 🍴, « Fermette dans les champs » – 🅿. 🖽 ⓪ 🇪 𝗩𝗜𝗦𝗔
fermé dim., lundi, 2 sem. en avril et 2 sem. en août – **Repas** *Lunch* 1350 – 1950/3250 carte
2350 à 2700
Spéc. Carpaccio de foie gras et truffes à l'huile d'olive, Pigeonneau au lard croustillant, parmentière
aux truffes et Banyuls, Sorbet au mascarpone.

XX **IJzerberghoeve,** Olsenesteenweg 56 (sur N 459, autoroute E 17 - A 14 sortie 6),
✆ 383 58 60, 🍴, « Ferme du 17e s., cadre champêtre » – 🅿. 🖽 ⓪ 🇪 𝗩𝗜𝗦𝗔
fermé dim., lundi, 1 sem. carnaval et 2 sem. en juil. – **Repas** *Lunch* 1350 – carte env. 2700.

KUURNE West-Vlaanderen 𝟚𝟙𝟛 ⑮ et 𝟜𝟘𝟡 ⑪ – voir à Kortrijk.

La – voir au nom propre.

5

LAARNE 9270 Oost-Vlaanderen 213 ⑤ et 409 ③ – 11 617 h. – ✪ 0 9.

Voir Château★ : collection d'argenterie★.

◆Bruxelles 51 – ◆Gent 13 – Aalst 29.

XX **Dennenhof,** Eekhoekstraat 62, ℘ 230 09 56, Fax 231 23 96, 😤 – **P.** ᴀᴇ ⓞ ᴇ 𝘝𝘐𝘚𝘈
fermé lundi, jeudi soir, sem. carnaval et 24 juil.-14 août – **Repas** Lunch 1075 – carte 1200 à 2200.

XX **Gasthof van het Kasteel,** Eekhoekstraat 7 (dans les dépendances), ℘ 230 71 78, Fax 230 33 05, 😤, « Terrasse avec ≼ château du 14e s. » – **P.** ᴀᴇ ⓞ ᴇ 𝘝𝘐𝘚𝘈
fermé dim. soir, lundi et 3 dern. sem. juil. – **Repas** Lunch 1000 – 1000/1925.

LACUISINE Luxembourg belge 214 ⑯ et 409 ㉕ – voir à Florenville.

LAETHEM-ST-MARTIN Oost-Vlaanderen 213 ④ et 409 ③ – voir Sint-Martens-Latem.

LAFORET Luxembourg belge 214 ⑮ – voir à Vresse-sur-Semois.

LANAKEN 3620 Limburg 213 ⑩ et 409 ⑥ – 22 582 h. – ✪ 0 89.

🛈 Jan Rosierlaan 28 ℘ 72 24 67, Fax 72 24 87.

◆Bruxelles 108 – ◆Hasselt 29 – ◆Liège 34 – ◆Maastricht 7.

🏠 **Eurotel,** Koning Albertlaan 264 (N : 2 km sur N 78), ℘ 72 28 22, Fax 72 28 24, 😤, ᴵ₅, ≋s, 🏊 – 🛗 🗐 ᴛⱽ ☎ **P** – 🔬 25 à 140. – **80 ch** 🛏 1950/3500 – ½ P 2500/4000.
Repas Lunch 550 – 900/1400.

XX **Kokanje,** Stationsstraat 218, ℘ 71 62 57, 😤 – ᴀᴇ ⓞ ᴇ 𝘝𝘐𝘚𝘈. ❀
fermé sam. midi – **Repas** Lunch 1100 – carte 1100 à 1500.

X **Triomphe,** Pastorijstraat 1, ℘ 71 72 50 – ᴇ 𝘝𝘐𝘚𝘈 – *fermé lundi soir, mardi, prem. sem. sept et prem. sem. janv.* – **Repas** Lunch 360 – carte env. 1100.

à Neerharen ⓒ Lanaken – ✉ 3620 Neerharen – ✪ 0 89 :

🏠 **Host. La Butte aux Bois** ⚘, Paalsteenlaan 90, ℘ 72 12 86, Fax 72 16 47, 😤, « Environnement boisé », 🌫 – 🛗 ᴛⱽ ☎ **P** – 🔬 25 à 300. – **33 ch** 3200/4900, 6 suites.
Repas Lunch 1080 – carte env. 1800 – 🛏 400 –

à Veldwezelt ⓒ Lanaken – ✉ 3620 Veldwezelt – ✪ 0 89 :

XX **'t Winhof,** Heserstraat 22, ℘ 71 57 00, Fax 71 57 00, « Fermette » – **P.** ᴀᴇ ⓞ ᴇ 𝘝𝘐𝘚𝘈. ❀
fermé lundi et mardi – **Repas** Lunch 1250 – 1500/2000.

XX **Aux Quatre Saisons,** 2de Carabinierslaan 154 (au poste frontière), ℘ 71 75 60, 😤 – **P.** ᴀᴇ ⓞ ᴇ 𝘝𝘐𝘚𝘈. ❀
fermé merc., 1 sem. carnaval et 2 sem. en juil. – **Repas** Lunch 700 – carte env. 1300.

LANGDORP Brabant 213 ⑧ et 409 ⑤ – voir à Aarschot.

LASNE 1380 Brabant 213 ⑲ et 409 ⑬ – 13 065 h. – ✪ 0 2.

🛈₈ (2 parcours) 🛈₉ à Ohain N : 1 km, Vieux Chemin de Wavre 50 ℘ (0 2) 633 18 50, Fax (0 2) 633 28 66.

◆Bruxelles 26 – ◆Charleroi 41 – ◆Mons 54 – Nivelles 20.

X **Le Four à Pain,** r. Genleau 70, ℘ 633 13 70, Fax 633 13 70, 😤, « Auberge » – **P.** ᴀᴇ ⓞ ᴇ 𝘝𝘐𝘚𝘈
fermé lundi, mardi, sem. carnaval, 15 août-7 sept et Noël-Nouvel An – **Repas** Lunch 250 – carte 950 à 1300.

à Plancenoit SO : 5 km ⓒ Lasne – ✉ 1380 Plancenoit – ✪ 0 2 :

XX **Le Vert d'Eau,** r. Bachée 131, ℘ 633 54 52, 😤 – ᴀᴇ ᴇ 𝘝𝘐𝘚𝘈
fermé lundi soir, mardi, sam. midi, 2 sem. en fév. et du 1er au 15 sept – **Repas** Lunch 420 – 850/1150.

LATOUR Luxembourg belge 214 ⑪ et 409 ㉕ – voir à Virton.

LAUW (LOWAIGE) Limburg 213 ㉒ et 409 ⑮ – voir à Tongeren.

LAUWE 8930 West-Vlaanderen ⓒ Menen 32 534 h. 213 ⑮ et 409 ⑪ – ✪ 0 56.

◆Bruxelles 100 – ◆Kortrijk 7 – Lille 22.

XXX **'t Hoveke,** Larstraat 206, ℘ 41 35 84, Fax 41 55 11, 😤, « Ferme du 18e s. entourée de douves » – **P.** ᴀᴇ ⓞ ᴇ 𝘝𝘐𝘚𝘈
fermé dim. soir, lundi soir, mardi, 27 août-6 sept et 26 déc.-10 janv. – **Repas** Lunch 1500 – 2200.

XXX **Ter Biest,** Lauwbergstraat 237, ℘ 41 47 49, Fax 42 13 86, 😤, « Cadre champêtre » – **P.** ᴀᴇ ⓞ ᴇ 𝘝𝘐𝘚𝘈. ❀
fermé mardi soir, merc., dim. soir, sem. carnaval et du 1er au 10 août – **Repas** Lunch 1400 – carte env. 1800.

LAVACHERIE **6681** Luxembourg belge © Sainte-Ode 2 145 h. 214 ⑰ et 409 ㉕ – ☎ 0 61.
◆Bruxelles 135 – ◆Arlon 56 – ◆Namur 74 – St-Hubert 11.

XXX **Aub. de Lavacherie** ⛰ avec ch, pl. de l'Église 3, ☎ 68 81 72, Fax 68 81 72, 余, « Jardin ombragé » – TV ☎ P. AE E. ✻ rest
fermé merc. et janv. – **Repas** Lunch 1150 – carte 1800 à 2100 – ☕ 260 – **8 ch** 1950/2450 – ½ P 2500/3250.

LAVAUX-SAINTE-ANNE **5580** Namur © Rochefort 11 450 h. 214 ⑥ et 409 ⑮ – ☎ 0 84.
◆Bruxelles 112 – ◆Dinant 34 – ◆Namur 50 – Rochefort 16.

XXX ✿ **du Château** (Martin) avec ch en annexe r. Château 10, ☎ 38 88 83, Fax 38 88 95, 余, « Dans dépendances du 17e s. » – P. AE ⓓ E VISA
fermé du 2 au 12 avril, prem. sem. sept, 18 déc.-17 janv., lundi et mardi – **Repas** Lunch 1000 – carte 1900 à 2300 – ☕ 350 – **8 ch** 3750/4500
Spéc. Salade de homard aux aromates, Sauté de foie gras et fondant de pommes de terre aux morilles (15 avril-15 juin), Noix de ris de veau au vinaigre balsamique.

LEBBEKE **9280** Oost-Vlaanderen 213 ⑤ ⑥ et 409 ④ – 16 843 h. – ☎ 0 52.
◆Bruxelles 25 – ◆Antwerpen 41 – ◆Gent 37.

XX **Rembrandt,** Laurierstraat 6, ☎ 41 04 09, Fax 41 45 75, Rustique, Ouvert jusqu'à 23 h – ▤. AE ⓓ E VISA
fermé lundi soir, mardi et 3 dern. sem. juil. – **Repas** carte env. 1500.

LEERNES **6142** Hainaut © Fontaine-l'Évêque 17 521 h. 214 ③ et 409 ⑬ – ☎ 0 71.
◆Bruxelles 55 – ◆Charleroi 7 – ◆Mons 29.

🏠 **Le Saint-Emilion,** r. Abbaye d'Aulne 8, ☎ 51 05 51, Fax 51 05 66, ←, 余 – TV ☎ P – 🏛 25. ⓓ E VISA. ✻
Repas *(fermé lundi midi, mardi midi, jeudi midi, vend. et du 15 au 31 oct.)* Lunch 495 – 495/1195 – **23 ch** ☕ 1800/2250 – ½ P 2050.

LEISELE **8691** West-Vlaanderen © Alveringem 4 845 h. 213 ① et 409 ① – ☎ 0 58.
◆Bruxelles 143 – ◆Brugge 67 – Ieper 27 – ◆Oostende 45 – Veurne 20.

🏠 **De Zoeten Inval** ⛰, Lostraat 7, ☎ 29 99 64, « Cadre champêtre » – TV ☎. AE ⓓ E VISA. ✻
15 fév.-15 nov. – **Repas** *(fermé lundi, mardi et après 20 h 30)* Lunch 1000 – carte 1300 à 1650 – **6 ch** ☕ 1500/3500 – ½ P 1850/2500.

LEMBEKE **9971** Oost-Vlaanderen © Kaprijke 6 198 h. 213 ④ et 409 ③ – ☎ 0 9.
◆Bruxelles 75 – ◆Antwerpen 63 – ◆Brugge 35 – ◆Gent 20.

XXX **Host. Ter Heide** ⛰ avec ch, Tragelstraat 2, ☎ 377 19 23, Fax 377 51 34, 余, « Terrasse et jardin » – TV ☎ P – 🏛 25 à 50. AE ⓓ E VISA. ✻
fermé du 16 au 31 juil. – **Repas** *(fermé dim. soir, lundi et merc. soir)* Lunch 1550 – carte 1900 à 2250 – **9 ch** ☕ 3000/3500.

LENS **7870** Hainaut 213 ⑰ et 409 ⑫ – 3 774 h. – ☎ 0 65.
◆Bruxelles 55 – ◆Mons 13 – Ath 13.

XX **Aub. de Lens** avec ch, r. Calvaire 23 (NO : 1,5 km), ☎ 22 90 41, ←, « Terrasse et jardin » – TV P. ✻ ch
fermé fév. – **Repas** *(fermé dim. soir et lundi)* Lunch 595 – 800/1495 – ☕ 150 – **6 ch** 1200/1900.

LESSINES (LESSEN) 7860 Hainaut ⌷⌷⌷ ⑰ et ⌷⌷⌷ ⑫ – 16 298 h. – ✆ 0 68.

🅱 Grand'Place 11 𝒫 33 21 13 (ext. 45), Fax 33 74 00.

◆Bruxelles 57 – ◆Mons 35 – Aalst 35 – ◆Gent 49 – ◆Tournai 45.

　❌　**Le Napoléon,** r. Lenoir Scaillet 25, 𝒫 33 39 39 – ⓪ Ⓔ 𝑽𝑰𝑺𝑨 – *fermé merc., 21 août-14 sept*
　➔　*et 2 sem. fin janv.* – **Repas** (déjeuner seult sauf sam.) *Lunch* 265 – 785.

LEUVEN (LOUVAIN) 3000 Brabant ⌷⌷⌷ ⑦ ⑲ et ⌷⌷⌷ ⑬ ⑭ – 85 592 h. – ✆ 0 16.

Voir Hôtel de Ville★★★ (Stadhuis) BYZ **H** – Collégiale St-Pierre★ (St-Pieterskerk) : musée d'Art
religieux★★, Cène★★, Tabernacle★, Tête de Christ★, Jubé★ BY **A** – Grand béguinage★★ (Groot
Begijnhof) BZ – Plafonds★ de l'Abbaye du Parc (Abdij van't Park) DZ **B** – Façade★ de l'église St-Michel (St-Michielskerk) BZ **C**.
Musée : communal Vander Kelen - Mertens★ (Stedelijk Museum) BY **M**.

Env. Korbeek-Dijle : retable★ de l'église St-Barthélemy (St-Batholomeüskerk) par N 253 : 7 km DZ.
🔼 à Duisburg SO : 15 km, Hertswegenstraat 39 𝒫 (0 2) 767 97 52 - 🔼 à Sint-Joris-Winge par ② :
13 km, Wingerstraat 6, 𝒫 (0 16) 63 40 83, Fax (0 16) 63 21 40 – 🅱 Stadhuis, Naamsestraat 1a
𝒫 21 15 39, Fax 21 18 01.

◆Bruxelles 26 ⑥ – ◆Antwerpen 48 ⑨ – ◆Liège 74 ④ – ◆Namur 53 ⑤ – ◆Turnhout 60 ①.

🏩 **Begijnhof** sans rest, Tervuursevest 70, ℰ 29 10 10, Telex 27150, Fax 29 10 22, ₤ᴓ, 全s, 屛 – 劇 ⊡ ☎ 🅿. ℍℰ ⓄⒹ ℇ 𝑉𝐼𝑆𝐴. ﹪ – **67 ch** ⊇ 3900/4500.　　　　　　BZ **g**

🏩 **Holiday Inn Garden Court** Ⓜ, A. Smetsplein 7, ℰ 29 07 70, Telex 27128, Fax 29 12 29, ₤ᴓ – 劇 ⇌ ▤ rest ⊡ ☎ ᫂ – 益 25 à 55. ℍℰ ⓄⒹ ℇ 𝑉𝐼𝑆𝐴
Repas carte 1050 à 1400 – ⊇ 440 – **100 ch** 3900 – ½ P 5100/5550.　　　　　BZ **a**

🏨 **New Damshire** Ⓜ sans rest, Pater Damiaanplein-Schapenstraat 1, ℰ 23 21 15, Telex 63209, Fax 23 32 08 – 劇 ⇌ ⊡ ☎. ℍℰ ℇ 𝑉𝐼𝑆𝐴. ﹪ – **22 ch** ⊇ 2900/3800.　　BZ **m**

🏨 **Binnenhof** sans rest, Maria-Theresiastraat 65, ℰ 20 55 92, Telex 64242, Fax 23 69 26 – 劇 ⊡ ☎ 🅿 – 益 50. ℍℰ ⓄⒹ ℇ 𝑉𝐼𝑆𝐴. ﹪ – **54 ch** ⊇ 2800/3400.　　　CY **a**

🏠 **Ibis** sans rest, Brusselsestraat 52, ℰ 29 31 11, Fax 23 87 92 – 劇 ⇌ ⊡ ☎ ⅋ 🅿. ℍℰ ⓄⒹ ℇ 𝑉𝐼𝑆𝐴 𝐉𝐂𝐁 – **70 ch** ⊇ 2600/2950, 1 suite.　　　BY **b**

XXX **Sire Pynnock,** Hogeschoolplein 10, ℰ 20 25 32, Fax 20 11 26 – ℍℰ ⓄⒹ ℇ 𝑉𝐼𝑆𝐴. ﹪　　BZ **e**
fermé du 3 au 13 avril, 13 août-4 sept, sam. midi, dim. soir et lundi – **Repas** Lunch 1250 – 1750/2650.

XXX **Belle Epoque,** Bondgenotenlaan 94, ℰ 22 33 89, Fax 22 37 42, 佘 – ℍℰ ⓄⒹ ℇ 𝑉𝐼𝑆𝐴　　CY **d**
fermé dim., lundi, sem. carnaval et 23 juil.-16 août – **Repas** Lunch 950 – carte 1850 à 2700.

LEUVEN

Bondgenotenlaan ... BCY 5
Brusselsestr. .... AY
Fochpl. .... BY 12
Naamsestr. .... BZ
Tiensestr. .... BCY

Aarschotsesteenweg .. BY 2
Bierbeekpleindreef ... DZ 3
Borstelstr. .... DZ 6
Celestijnenlaan ...... DZ 8
Diestsesteenweg ..... DZ 9
Eenmeilaan .... DZ 10
Fonteinstr. .... DZ 13
Geldenaaksebaan ... DZ 15
Grote Markt .... BY 16
Grote Molenweg .... DZ 18
Holsbeeksesteenweg . DZ 19
Kapucijnenvoer ..... AZ 21
Kard. Mercierlaan ... DZ 22

Karel v. Lotharingenstr. .. BY 24
Koning Albertlaan ..... BY 25
Leopoldstr. .... BY 27
Leopold
　Vanderkelenstr. .... BY 28
Margarethapl. .... BY 30
Martelarenpl. .... CY 31
Mechelsesteenweg ... DZ 33
Mgr Ladeuzepl ...... BY 34
van Monsstr. .... BCY 35
Muntstr. .... BY 36
Naamsesteenweg .... DZ 37
Oude Markt .... BZ 38
Pakenstr. .... DZ 39
Petermannenstr. ..... AY 40
Redingenstr. .... ABZ 41
Rijschoolstr. .... BY 42
Smolderspl. .... BY 44
Tiensesteenweg ..... DZ 45
Vaartstr. .... BY 47
Vismarkt .... BY 48
Vital Decosterstr. .... BY 50
Waversebaan .... DZ 51

Les principales voies commerçantes
figurent en rouge
au début de la liste des rues
des plans de villes.

XX **De Zeester,** Mechelsestraat 22, ℰ 23 44 01, Fax 23 25 07 – ▤. 碅 ❿ 🇪 𝗩𝗜𝗦𝗔. ⅜ BY **h**
fermé sam. midi, dim., 16 juil.-4 août et 23 déc.-2 janv. – **Repas** *Lunch* 1100 – carte 1600
à 2600.

XX **Ming Dynasty,** Oude Markt 9, ℰ 29 20 20, Fax 29 44 04, 🈷, Cuisine chinoise, ouvert
jusqu'à 23 h – ▤. 碅 ❿ 🇪 𝗩𝗜𝗦𝗔 BYZ **c**
fermé mardi – **Repas** carte 900 à 1450.

XX **De 4 Seizoenen,** Maria-Theresiastraat 73, ℰ 22 89 89, Fax 23 16 70 – ❷. 碅 🇪 𝗩𝗜𝗦𝗔 CY **a**
fermé sam. midi, dim., jours fériés et 21 juil.-6 août – **Repas** *Lunch* 1100 – carte 1000 à 1650.

X **Ramberg Hof,** Naamsestraat 60, ℰ 29 32 72, Fax 20 10 90, 🈷, « Jardin d'hiver » – 碅
🇪 𝗩𝗜𝗦𝗔. ⅜ BZ **k**
fermé dim. soir, lundi, sem. carnaval et 1re quinz. août – **Repas** *Lunch* 925 – carte env. 1400.

X **Beluga,** Krakenstraat 12, ℰ 23 43 93, Fax 20 51 76, Produits de la mer – 碅 🇪 𝗩𝗜𝗦𝗔. ⅜
fermé sam. midi, dim., lundi midi, 1 sem. carnaval et 3 prem. sem. août – **Repas** *Lunch* 995
– carte 1900 à 2250. BZ **f**

X **Y-Sing,** Parijsstraat 18, ℰ 22 80 52, Fax 23 40 47, Cuisine asiatique – ▤. 碅 ❿ 🇪 𝗩𝗜𝗦𝗔. ⅜
fermé merc. et 6 juil.-2 août – **Repas** *Lunch* 455 – 580. BY **s**

à Holsbeek par ⑩ : A 2 sortie 21 – 7 988 h. – ✉ 3220 Holsbeek – ✪ 0 16 :

X **De Sukkelpot,** Sukkelpotweg 5, ℰ 44 85 15, 🈷, « Rustique » – ❷. 碅 🇪 𝗩𝗜𝗦𝗔
fermé lundi, mardi, 2 dern. sem. fév. et 2 dern. sem. sept – **Repas** *Lunch* 1090 – carte 1650
à 1950.

à Kessel-Lo 𝐂 Leuven – ✉ 3010 Kessel-Lo – ✪ 0 16 :

XX **In Den Mol,** Tiensesteenweg 331, ℰ 25 11 82, 🈷, « Rustique » – ❷. 碅 ❿ 🇪 𝗩𝗜𝗦𝗔
fermé mardi, dim. soir et 3 sem. en août – **Repas** *Lunch* 950 – carte env. 1400. DZ **f**

à Vaalbeek par ⑤ : 6,5 km 𝐂 Oud-Heverlee 10 221 h. – ✉ 3054 Vaalbeek – ✪ 0 16 :

XX **De Bibliotheek,** Gemeentestraat 12, ℰ 40 05 58, Fax 40 05 58, 🈷 – ❷. 🇪 𝗩𝗜𝗦𝗔. ⅜
fermé mardi soir, merc., sam. midi, 26 août-13 sept et du 20 au 31 janv. – Repas *Lunch*
695 – 900/1100.

à Winksele par ⑧ : 5 km 𝐂 Herent 17 885 h. – ✉ 3020 Winksele – ✪ 0 16 :

XX **'t Kapelleke,** Potestraat 4 (Delle), ℰ 48 89 61, Fax 48 89 61, 🈷 – ❷. 碅 ❿ 🇪 𝗩𝗜𝗦𝗔. ⅜
fermé dim. soir, lundi et jeudi soir – **Repas** *Lunch* 1100 – 1500/1850.

XX **De Pachtenhoef,** Dorpstraat 29b, ℰ 48 85 41 – ❷. 碅 🇪 𝗩𝗜𝗦𝗔. ⅜
fermé lundi soir, mardi, merc. et 20 août-15 sept – **Repas** *Lunch* 1200 – carte 1350 à 1850.

LEUZE-EN-HAINAUT 7900 Hainaut ②❶❸ ⑯ et ④⓿❾ ⑫ – 12 980 h. – ✪ 0 69.
◆Bruxelles 70 – ◆Gent 56 – ◆Mons 35 – ◆Tournai 16.

🏨 **La Cour Carrée,** chaussée de Tournai 5, ℰ 66 48 25, Fax 66 18 82, 𝄴 – 📺 ☎ ❷ – 🛡 25
à 40. 碅 ❿ 🇪 𝗩𝗜𝗦𝗔. ⅜
Repas *(fermé sam. midi et dim. soir) Lunch* 590 – 850/1250 – **9 ch** ⊇ 1750/2150 – ½ P 2350.

LIBRAMONT 6800 Luxembourg belge 𝐂 Libramont-Chevigny 8 858 h. ②❶❹ ⑯ ⑰ et ④⓿❾ ㉕ –
✪ 0 61.
◆Bruxelles 143 – ◆Arlon 52 – ◆Dinant 68 – La Roche-en-Ardenne 43.

à Recogne SO : 1 km 𝐂 Libramont-Chevigny – ✉ 6800 Recogne – ✪ 0 61 :

🏨 **L'Amandier,** av. de Bouillon 70, ℰ 22 53 73, Fax 22 57 10, 𝄴, 🐝 – 🔌 📺 ☎ ❷ – 🛡 25
à 250. 碅 ❿ 🇪 𝗩𝗜𝗦𝗔
Repas *Lunch* 750 – 800/1800 – **24 ch** ⊇ 2450/2950 – ½ P 2225/3200.

LICHTAART Antwerpen ②❶❷ ⑯ et ④⓿❾ ⑤ – voir à Kasterlee.

LICHTERVELDE West-Vlaanderen ②❶❸ ② et ④⓿❾ ② – voir à Torhout.

Liège – Luik

4000 🅿 **213** ㉒ et **409** ⑮ ⑰ – 196 632 h. – 😊 0 41.

Voir Citadelle ≤★★ DW, Parc de Cointe ≤★ CX – Vieille ville★★ : Palais des Princes-Évêques★ : grande cour★★ EY, Le perron★ EY **A**, Cuve baptismale★★★ dans l'église St-Barthélemy FY, Trésor★★ de la Cathédrale St-Paul : reliquaire de Charles le Téméraire★★ EZ – Église St-Jacques★★ : voûtes de la nef★★ EZ – Retable★ dans l'église St-Denis EY – Statues★ en bois du calvaire et Sedes Sapientiae★ de l'église St-Jean EY – Aquarium★ FZ **D**.

Musées : de la Vie wallonne★★ EY – d'Art religieux et d'Art mosan★ FY **M⁵** – Curtius et musée du Verre★ (Musées d'Archéologie et d'Arts décoratifs) : Évangéliaire de Notger★★★, collection d'objets de verre★ FY **M¹** – d'Armes★ FY **M³** – d'Ansembourg★ FY **M²**.

Env. Blégny-Trembleur★★ par ① : 20 km – Fonts baptismaux★ dans l'église★ de St-Séverin par ⑥ : 27 km. Visé par ① : 17 km : Châsse de St-Hadelin★ dans l'église collégiale.

🏌 r. Bernalmont 2 (BT) ✆ 27 44 66, Fax 27 91 92 – 🏌 à Angleur par ⑥ : 8 km rte du Condroz 541 ✆ (0 41) 36 20 21, Fax (041) 37 20 26 – 🏌 à Gomzé-Andoumont par ⑤ : 18 km, r. Gomzé 30 ✆ (0 41) 60 92 07, Fax (0 41) 60 92 06.

🚗 ✆ 42 52 14.

🛈 En Féronstrée 92 ✆ 21 92 21, Fax 21 92 22 et Gare des Guillemins ✆ 52 44 19 – Fédération provinciale de tourisme, (fermé sam. après-midi et dim.) bd de la Sauvenière 77 ✆ 22 42 10, Fax 22 10 92.

◆Bruxelles 97 ⑨ – ◆Amsterdam 242 ① – ◆Antwerpen 119 ⑫ – Köln 122 ② – ◆Luxembourg 159 ⑤.

Plans de Liège	
Agglomération	p. 2 et 3
Liège Centre	p. 4 et 5
Répertoire des rues	p. 6
Nomenclature des hôtels et des restaurants	
Ville	p. 7
Périphérie et environs	p. 8

191

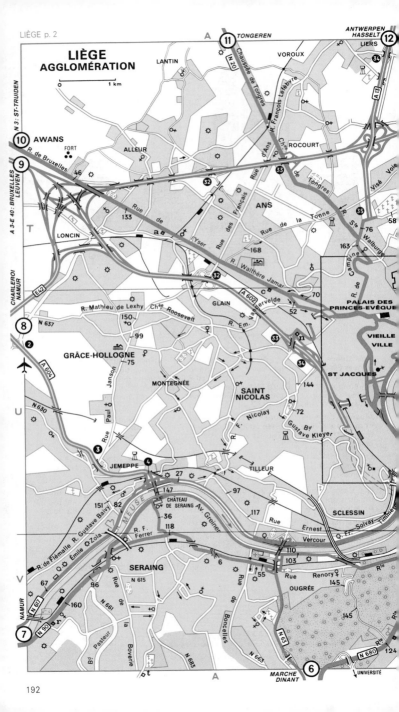

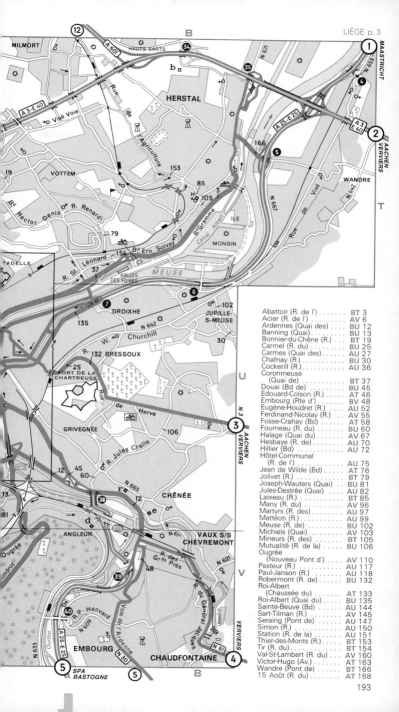

Abattoir (R. de l') . . . . BT 3
Acier (R. de l') . . . . AV 6
Ardennes (Quai des) . . . . BU 12
Banning (Quai) . . . . BU 13
Bonnier-du-Chêne (R.) . . . . BT 19
Carmel (R. du) . . . . BU 25
Carmes (Quai des) . . . . . AU 27
Chafnay (R.) . . . . BU 30
Cockerill (R.) . . . . AU 36
Coronmeuse
 (Quai de) . . . . BT 37
Douai (Bd de) . . . . BU 45
Edouard-Colson (R.) . . . . . AT 46
Embourg (Rte d') . . . . . . BV 48
Eugène-Houdret (R.) . . . . AU 52
Ferdinand-Nicolay (R.) . . . AV 55
Fosse-Crahay (Bd) . . . . . AT 58
Fourneau (R. du) . . . . . . BU 60
Halage (Quai du) . . . . . . AV 67
Hesbaye (R. de) . . . . BU 70
Hillier (Bd) . . . . AU 72
Hôtel-Communal
 (R. de l') . . . . AU 75
Jean de Wilde (Bd) . . . . . AT 76
Jolivet (R.) . . . . BT 79
Joseph-Wauters (Quai) . . BU 81
Jules-Destrée (Quai) . . . . AU 82
Laixeau (R.) . . . . BT 85
Marvy (R. du) . . . . AV 96
Martyrs (R. des) . . . . AU 97
Mattéoti (R.) . . . . AU 99
Meuse (R. de) . . . . BU 102
Michiels (Quai) . . . . AV 103
Mineurs (R. des) . . . . BT 105
Mutualité (R. de la) . . . . BU 106
Ougrée
 (Nouveau Pont d') . . . AV 110
Pasteur (R.) . . . . AU 117
Paul-Janson (R.) . . . . AU 118
Robermont (R. de) . . . . . BU 132
Roi-Albert
 (Chaussée du) . . . . . . AT 133
Roi-Albert (Quai du) . . . . BU 135
Sainte-Beuve (Bd) . . . . . AU 144
Sart-Tilman (R.) . . . . AU 145
Seraing (Pont de) . . . . . . AV 147
Simon (R.) . . . . AU 150
Station (R. de la) . . . . . . AU 151
Thier-des-Monts (R.) . . . . BT 153
Tir (R. du) . . . . BT 154
Val-St-Lambert (R. du) . . . AV 160
Victor-Hugo (Av.) . . . . . . AT 163
Wandre (Pont de) . . . . . . BT 166
15 Août (R. du) . . . . AT 168

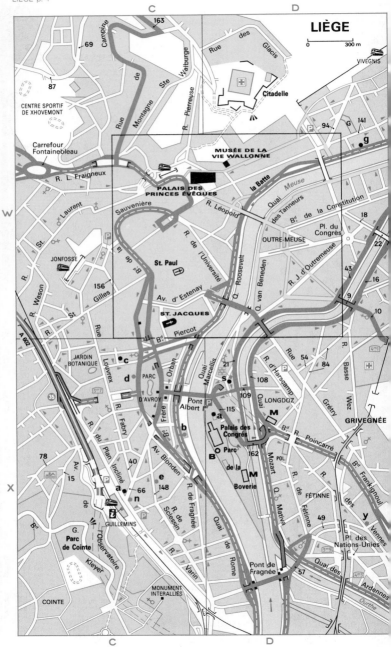

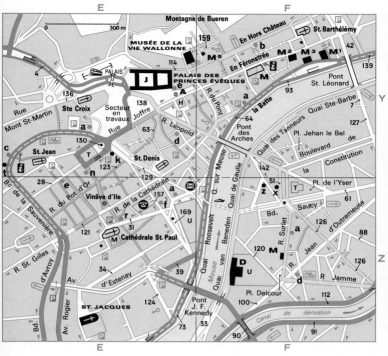

Cathédrale (R. de la) . . . . EZ
En Féronstrée . . . . FY
Léopold (R.) . . . . EFY
Pont d'Ile . . . . EZ
Régence (R. de la) . . . . EYZ 129
Saint-Gilles (R.) . . . . EZ
Vinâve d'Ile (R.) . . . . EZ

Académie (R. de l') . . . . EY 4
Adolphe Maréchal (R.) . . FY 7
Amercoeur (Pont d') . . . DW 9
Amercoeur (R. d') . . . . . DW 10
Bois-l'Evêque (R.) . . . . . CX 15
Bonaparte (Quai) . . . . . DW 16
Bonnes-Villes (R. des) . . DW 18
Boverie (Quai de la) . . . DX 21
Bressoux (Pont de) . . . . DW 22
Bruxelles (R. de) . . . . . EY 24
Casquette (R. de la) . . . EYZ 28
Charles Magnette (R.) . . . EZ 31
Churchill (Quai) . . . . . . FZ 33
Clarisses (R. des) . . . . . . EZ 34
Croisiers (R. des) . . . . . . EZ 39

Dartois (R.) . . . . CX 40
Déportés (Pl. des) . . . . . FY 42
Dérivation (Quai de la) . . DW 43
Emile de Laveleye (Bd) . . DX 49
Est (Bd de l') . . . . FYZ 51
Fer (R. du) . . . . DX 54
Fétinne (Pont de) . . . . . DX 57
Georges Simenon (R.) . . . FZ 61
Gérardrie (R.) . . . . EY 63
Goffe (Quai de la) . . . . . FY 64
Guillemins (R. des) . . . . CX 66
Hauteurs (Bd des) . . . . . CW 69
van Hoegaerden (Quai) . . EZ 73
Joie (R. de) . . . . CX 78
Lairesse (R.) . . . . DX 84
Léon Philippet (Bd) . . . . CW 87
Liberté (R. de la) . . . . . . FZ 88
Longdoz (Pont de) . . . . . FZ 90
Longdoz (Quai de) . . . . . FZ 91
Maastricht (Quai de) . . . FY 93
Maghin (R.) . . . . DW 94
Méan (R.) . . . . FZ 100
Orban (Quai) . . . . DX 108

Orban ou de Huy (Pont d') . DX 109
Ourthe (Quai de l') . . . . . FZ 112
Palais (R. du) . . . . EY 114
Parc (R. du) . . . . DX 115
Pitteurs (R. des) . . . . . . FZ 120
Pont d'Avroy (R.) . . . . . EZ 121
Prémontrés (R. des) . . . . EZ 124
Puits-en-Soc (R.) . . . . . . FZ 126
Ransonnet (R.) . . . . FY 127
Rép. Française
   (Pl. de la) . . . . EY 130
Saint-Hubert (R.) . . . . . . EY 136
Saint-Lambert (Pl.) . . . . . EY 138
Saint-Léonard (Quai) . . . FY 139
Saint-Léonard (R.) . . . . . DW 141
Saint-Pholien (R. et Pl.) . . FY 142
Serbie (R. de) . . . . CX 148
Trappé (R.) . . . . CW 156
Université (R. de l') . . . . EYZ 157
Ursulines (Imp. des) . . . . FY 159
Vennes (Pont des) . . . . . DX 162
Victor Hugo (Av.) . . . . . . CW 163
20 Août (Pl. du) . . . . EZ 169

Sur la route :

la signalisation routière est rédigée

dans la langue de la zone linguistique traversée.

Dans ce guide,

les localités sont classées selon leur nom officiel :

Antwerpen pour Anvers, **Mechelen** pour Malines.

195

Cathédrale (R. de la) . . . p.5 **EZ**
En Féronstrée . . . . p.5 **EY**
Léopold (R.) . . . . p.5 **EFY**
Pont d'Ile . . . . p.5 **EY** 123
Régence (R. de la) . . p.5 **EYZ** 129
Vinâve d'Ile (R.) . . . . . . p.5 **EZ**

Abattoir (R. de l') . . . . . p.3 **BT** 3
Académie (R. de l') . . . p.5 **EY** 4
Acier (R. de l') . . . . p.2 **AV** 6
Adolphe Maréchal (R.) . p.5 **FY** 7
Agriculture (R. de l') . . . p.3 **BT**
Albert Ier (Pont) . . . . . . p.4 **CX**
Amercoeur (Pont d') . . p.4 **DW** 9
Amercoeur (R. d') . . . . p.4 **DW** 10
Ans (R. d') . . . . p.2 **AT**
Arches (Pont des) . . . . p.5 **FY**
Ardenne (Voie de l') . . . p.3 **BV**
Ardennes (Quai des) . . p.4 **DX**
Avroy (Bd d') . . . . p.5 **EZ**

Banning (Quai) . . . . . . p.3 **BU** 13
Basse Wez (R.) . . . . . . p.4 **DX**
Batte (Quai de la) . . . . p.5 **FY**
van Beneden (Quai) . . . p.5 **EYZ**
Blonden (Av.) . . . . p.4 **CX**
Bois-l'Evêque (R.) . . . . p.4 **CX** 15
Bonaparte (Quai) . . . . p.4 **DW** 16
Boncelles (R. de) . . . . . p.2 **AV**
Bonnes-Villes (R. des) . p.4 **DW** 18
Bonnier-du-Chêne (R.) . p.3 **BT** 19
Boverie (Quai de la) . . . p.4 **DX** 21
Boverie (R. de la) . . . . p.2 **AV**
Bressoux (Pont de) . . . p.4 **DW** 22
Bruxelles (R. de) . . . . . p.5 **EY** 24
Bruxelles
　(R. de) (AWANS) . . . p.2 **AT**
Campine (R. de) . . . . . . p.4 **CW**
Carmel (R. du) . . . . . . p.3 **BU** 25
Carmes (Quai des) . . . p.2 **AU** 27
Casquette (R. de la) . . . p.5 **EYZ** 28
Chafnay (R.) . . . . p.3 **BT**
Charles Magnette (R.) . p.5 **EZ** 31
Churchill (Quai) . . . . . . p.5 **FZ** 33
Clarisses (R. des) . . . . p.5 **EZ** 34
Cockerill (R.) . . . . p.2 **AU** 36
Condroz (Rte du) . . . . . p.3 **BV**
Congrès (Pl. du) . . . . . p.4 **DW**
Constitution (Bd de la) . p.5 **FY**
Coronmeuse (Quai de) . p.3 **BT** 37
Croisiers (R. des) . . . . p.5 **EZ** 39
Dartois (R.) . . . . p.4 **CX** 40
Delcourt (Pl.) . . . . p.5 **FZ**
Déportés (Pl. des) . . . . p.5 **FY** 42
Dérivation (Quai de la) p.4 **DW** 43
Douai (Bd de) . . . . p.3 **BU**
Edouard-Colson (R.) . . p.2 **AT** 46
Embourg (Rte d') . . . . . p.3 **BV** 48
Emile de Laveleye (Bd) . p.4 **DX** 49
Emile Vandervelde (R.) . p.2 **AU**
Emile Zola (Quai) . . . . . p.2 **AV**
En Hors Château . . . . . p.5 **FY**
Ernest Solvay (Bd) . . . . p.3 **BT**
Ernest Solvay (R.) . . . . p.2 **AU**
Est (Bd de l') . . . . p.5 **FYZ** 51
Esternay (Av. d') . . . . . . p.4 **DX**
Eugène-Houdret (R.) . . p.2 **AU** 52
Fabry (R.) . . . . p.4 **CX**
Fer (R. du) . . . . p.4 **DX** 54
Ferdinand-Nicolay (R.)
　(SERAING) . . . . p.2 **AU** 55
Ferdinand-Nicolay (R.)
　(ST-NICOLAS) . . . . . p.2 **AU**
Fétinne (Pont de) . . . . . p.4 **DX** 57
Fétinne (R. de) . . . . p.4 **DX**
Flémalle (R. de) . . . . . p.2 **AV**
Fontainebleau
　(Carrefour) . . . . p.4 **CW**

Fosse-Crahay (Bd) . . . . p.2 **AT** 58
Fourneau (R. du) . . . . . p.3 **BU** 60
Fragnée (Pont de) . . . . p.4 **DX**
Fragnée (R. de) . . . . . . p.4 **CX**
Français (R. des) . . . . . p.2 **AT**
Francisco-Ferrer (R.) . . p.2 **AUV**
François-Lefebvre (R.) . p.2 **AT**
Frankignoul (Bd) . . . . . p.4 **DX**
Frère Orban (Bd) . . . . . p.4 **CX**
De Gaulle (Quai) . . . . . p.5 **FZ**
Général-Jacques (R. du) . p.3 **BV**
Georges Simenon (R.) . p.5 **FZ** 61
Gérardrie (R.) . . . . p.5 **EY** 63
Glacis (R. des) . . . . p.4 **DW**
Goffe (Quai de la) . . . . p.5 **FY** 64
Gramme (Bd) . . . . p.3 **BT**
Grands-Prés (R. des) . . p.3 **BV**
Grétry (R.) . . . . p.4 **DX**
Greiner (Av.) . . . . p.2 **AU**
Guillemins (R. des) . . . p.4 **CX** 66
Gustave Baivy (R.) . . . . p.2 **AU**
Gustave Kleyer (R.) . . . p.2 **AU**
Halage (Quai du) . . . . . p.2 **AV** 67
Harscamp (R. d') . . . . . p.4 **DX**
Hauteurs (Bd des) . . . . p.4 **CW** 69
Hector-Denis (Bd) . . . . p.3 **BT**
Herve (R. de) . . . . p.3 **BU**
Hesbaye (R. de) . . . . . . p.2 **AU** 70
Hillier (Bd) . . . . p.2 **AU** 72
van Hoegaerden (Quai) . p.5 **EZ** 73
Hôtel-Communal
　(R. de l') . . . . p.2 **AU** 75
Jamme (R.) . . . . p.5 **FZ**
Jean d'Outremeuse (R.) . p.5 **FZ**
Jean de Wilde (Bd) . . . p.2 **AT** 76
Jehan le Bel (Pl.) . . . . . p.5 **FY**
Joffre (R.) . . . . p.5 **EY**
J.F. Kennedy (Pont) . . . p.5 **FY**
Joie (R. de) . . . . p.4 **CX** 78
Jolivet (R.) . . . . p.3 **BT** 79
Joseph-Wauters (Quai) . p.3 **BU** 81
Jules-Cralle (R.) . . . . . . p.3 **BU**
Jules-Destrée (Quai) . . p.2 **AU** 82
Lairesse (R.) . . . . p.4 **DX** 84
Laixeau (R.) . . . . p.3 **BT** 85
Léon Philippet (Bd) . . . p.4 **CW** 87
Liberté (R. de la) . . . . . p.5 **FZ** 88
Longdoz (Pont de) . . . . p.5 **FZ** 90
Longdoz (Quai de) . . . . p.5 **FZ** 91
Louis Fraigneux (R.) . . . p.4 **CW**
Louvrex (R.) . . . . p.4 **CX**
Maastricht (Quai de) . . p.5 **FY** 93
Maghin (R.) . . . . p.4 **DW** 94
Many (R. du) . . . . p.2 **AV** 96
Marcellis (Quai) . . . . . . p.4 **DX**
Martyrs (R. des) . . . . . . p.2 **AU** 97
Mathieu-de-Lexhy (R.) . p.2 **AU**
Mativa (Quai) . . . . p.4 **DX**
Mattéoti (R.) . . . . p.2 **AU** 99
Méan (R.) . . . . p.5 **FZ** 100
Meuse (Quai sur) . . . . . p.5 **FZ**
Meuse (R. de) . . . . p.3 **BU** 102
Michiels (Quai) . . . . p.2 **AV** 103
Mineurs (R. des) . . . . . p.3 **BT** 105
Mont Saint-Aubin (R.) . . p.5 **EY**
Montagne
　Ste-Walburge . . . . . p.4 **DW**
Mozart (Quai) . . . . p.4 **DX**
Mutualité (R. de la) . . . p.3 **BU** 106
Nations Unies (Pl. des) . p.4 **DX**
Observatoire (Av. de l') . p.4 **CX**
Orban (Quai) . . . . p.4 **DX** 108
Orban ou de Huy
　(Pont d') . . . . p.4 **DX** 109
Ougrée
　(Nouveau Pont d') . . p.2 **AV** 110
Ougrée (R.) . . . . p.3 **BV**

Ourthe (Quai de l') . . . . p.5 **FZ** 112
Palais (R. du) . . . . p.5 **EY** 114
Parc (R. du) . . . . p.4 **DX** 115
Pasteur (Bd) . . . . p.2 **AV**
Pasteur (R.) . . . . p.2 **AU** 117
Paul-Janson (R.)
　(GRACE-HOLLOGNE) . p.2 **AU**
Paul-Janson (R.)
　(SERAING) . . . . p.2 **AU** 118
Pierre Henvard (R.) . . . p.3 **BV**
Pierreuse (R.) . . . . p.4 **CW**
Pitteurs (R. des) . . . . . p.5 **FZ** 120
Plan Incliné (R. du) . . . p.4 **CX**
Pont (R. du) . . . . p.5 **FY**
Pont d'Avroy (R.) . . . . . p.5 **EZ** 121
Pot d'Or (R. du) . . . . . . p.5 **EZ**
Prémontrés (R. des) . . . p.5 **EZ** 124
Puits-en-Soc (R.) . . . . . p.5 **FY** 126
Ransonnet (R.) . . . . . . p.5 **FY** 127
Raymond Poincaré
　(Bd) . . . . p.4 **DX**
Rénardi (R.) . . . . p.3 **BT**
Renory (R.) . . . . p.2 **AV**
Rép. Française
　(Pl. de la) . . . . p.5 **EY** 130
Robermont (R. de) . . . p.3 **BU** 132
Rogier (Av.) . . . . p.5 **EZ**
Roi-Albert
　(Chaussée du) . . . . p.2 **AT** 133
Roi-Albert (Quai du) . . . p.3 **BU** 135
Rome (Quai de) . . . . . . p.4 **DX**
Roosevelt (Chaussée) . . p.2 **AU**
Roosevelt (Quai) . . . . . p.5 **FZ**
Saint-Gilles (R.) . . . . . . p.4 **CW**
Saint-Hubert (R.) . . . . . p.5 **EY** 136
Saint-Lambert (Pl.) . . . . p.5 **EY** 138
Saint-Laurent (R.) . . . . p.4 **CW**
Saint-Léonard (Pont) . . p.5 **FY**
Saint-Léonard (Quai) . . p.5 **FY** 139
Saint-Léonard (R.) . . . . p.4 **DW** 141
Saint-Pholien (R. et Pl.) . p.5 **FY** 142
Sainte-Barbe (Quai) . . . p.5 **FY**
Sainte-Beuve (Bd) . . . . p.2 **AU** 144
Sainte-Walburge (R.) . . p.2 **AT**
Sart-Tilman (R.) . . . . . . p.2 **AV** 145
Saucy (Bd) . . . . p.5 **FZ**
Sauvenière (Bd de la) . . p.5 **EZ**
Sclessin (R. de) . . . . . . p.4 **CX**
Seraing (Pont de) . . . . p.2 **AU** 147
Serbie (R. de) . . . . p.4 **CX** 148
Simon (R.) . . . . p.2 **AU** 150
Station (R. de la) . . . . . p.2 **AU** 151
Surlet (R.) . . . . p.5 **FZ**
Tanneurs (Quai des) . . p.5 **FY**
Thier-des-Monts (R.) . . p.3 **BT** 153
Timmermans (Quai) . . . p.2 **AU**
Tir (R. du) . . . . p.3 **BT** 154
Tongres (Chée de) . . . . p.2 **AT**
Tonne (R. de la) . . . . . . p.2 **AT**
Trappé (R.) . . . . p.4 **CW** 156
Université (R. de l') . . . p.5 **EYZ** 157
Ursulines (Imp. des) . . . p.5 **FY** 159
Val-St-Lambert (R. du) . p.2 **AV** 160
Varin (R.) . . . . p.4 **CX**
Vennes (Pont des) . . . . p.4 **DX** 162
Vennes (R. des) . . . . . . p.4 **DX**
Vercour (Quai) . . . . p.2 **AV**
Victor Hugo (Av.) . . . . . p.4 **CW** 163
Visé (R. de) . . . . p.3 **BT**
Walthère-Jamar (R.) . . . p.2 **AT**
Wandre (Pont de) . . . . p.3 **BT** 166
Wason (R.) . . . . p.4 **CW**
Winston Churchill . . . . . p.3 **BU**
Yser (Pl. de l') . . . . p.5 **FZ**
Yser (R. de l') . . . . p.2 **AT**
15 Août (R. du) . . . . . . p.2 **AT** 168
20 Août (Pl. du) . . . . . . p.5 **EZ** 169

Vieille Ville - plan p. 5 :

🏠 **Ibis** sans rest, pl. de la République Française 41, ℰ 23 60 85, Fax 23 04 81 – |≸| ⇔ 📺 ☎ – 🔏 25 à 40. 🖭 ⑩ 🗲 𝘝𝘐𝘚𝘈
78 ch ☲ 2600/3000.
EY **k**

🏠🏠🏠 **Au Vieux Liège,** quai Goffe 41, ℰ 23 77 48, Fax 23 78 60, « Maison du 16ᵉ s. » – 🖭 ⑩
FY **a**
fermé merc. soir, dim., jours fériés, 1 sem. Pâques et mi-juil.-mi-août – **Repas** Lunch 1250 –
carte 2200 à 2600.

🏠🏠🏠 **Chez Max,** pl. de la République Française 12, ℰ 22 08 59, Fax 22 90 02, 🚑, Écailler,
« Élégante brasserie décorée par Luc Genot » – 🖭 ⑩ 🗲 𝘝𝘐𝘚𝘈
EY **a**
fermé sam. midi et dim. – **Repas** Lunch 1000 – carte 1450 à 2350.

🏠🏠 **Ma Maison,** r. Hors-Château 46, ℰ 23 30 91, Fax 21 11 31 – 🖭 ⑩ 🗲 𝘝𝘐𝘚𝘈
FY **b**
fermé dim., lundi et 30 juil.-17 août – **Repas** Lunch 1100 – carte 1500 à 1850.

🏠🏠 **As Ouhès,** pl. du Marché 21, ℰ 23 32 25, Fax 22 30 19, 🚑, Ouvert jusqu'à 23 h – 🖭 ⑩
🗲 𝘝𝘐𝘚𝘈
EY **e**
fermé dim. et 2 sem. en juil. – **Repas** Lunch 950 – carte 1250 à 1600.

🏠🏠 **La Parmentière,** pl. Cockerill 10, ℰ 22 43 59 – 🍽. 🖭 ⑩ 🗲 𝘝𝘐𝘚𝘈
EZ **a**
fermé lundi et 15 juil.-15 août – **Repas** carte 1100 à 1550.

🏠🏠 **La Bécasse,** r. Casquette 21, ℰ 23 15 20, Fax 22 90 41 – 🍽. 🖭 ⑩ 🗲 𝘝𝘐𝘚𝘈
EZ **e**
fermé lundi, mardi midi et sam. midi – **Repas** Lunch 800 – carte 1150 à 1600.

🏠🏠 **Le Shanghai** 1ᵉʳ étage, Galeries Cathédrale 104, ℰ 22 22 63, Fax 23 00 50, Cuisine chinoise
– 🍽. 🖭 ⑩ 🗲 𝘝𝘐𝘚𝘈
EZ **r**
fermé mardi, 17 juil.-8 août et 24 janv.-2 fév. – **Repas** Lunch 520 – carte env. 900.

🏠 **L'Ecailler,** r. Dominicains 26, ℰ 22 17 49, Fax 21 10 09, 🚑, Produits de la mer – 🍽. 🖭
⑩ 🗲 𝘝𝘐𝘚𝘈 – **Repas** carte 1100 à 1650.
EY **n**

🏠 **Chez Bernard,** r. Université 33, ℰ 23 09 13 – 🖭 ⑩ 🗲 𝘝𝘐𝘚𝘈
EZ **f**
fermé mardi, dim. soir et 24 juil.-8 août – **Repas** Lunch 790 – carte 1050 à 1700.

🏠 **Lalo's Bar,** r. Madeleine 18, ℰ 23 22 57, Fax 23 22 57, Cuisine italienne – 🍽. ⑩ 🗲
𝘝𝘐𝘚𝘈
EY **d**
fermé sam. midi, dim. et 2ᵉ quinz. août-prem. sem. sept – **Repas** Lunch 450 – 800/1190.

Quartiers du Centre - plans p. 4 et 5 sauf indication spéciale :

🏨 **Holiday Inn** sans rest, Esplanade de l'Europe 2, ☒ 4020, ℰ 42 60 20, Fax 43 48 10, ≤, 𝖗𝖆,
≦s, 🔲 – |≸| ⇔ 🍽 📺 🕭 ஃ ⇌ 🅿 – 🔏 25 à 40. 🖭 🗲 𝘝𝘐𝘚𝘈
DX **a**
214 ch ☲ 5250/7000, 5 suites.

🏨 **Bedford** 🅜, quai St-Léonard 36, ℰ 28 81 11, Telex 42610, Fax 27 45 75, « Jardin intérieur »
– |≸| ⇔ 🍽 🕭 ஃ 🅿 – 🔏 25 à 200. 🖭 ⑩ 🗲 𝘝𝘐𝘚𝘈. 🛪
DW **g**
Repas Lunch 600 – carte env. 1200 - **149 ch** ☲ 4950/5950.

🏨 **Ramada,** bd de la Sauvenière 100, ℰ 21 77 11, Fax 21 77 01 – |≸| ⇔ 🍽 ch 📺 ☎ ⇌
– 🔏 25 à 100. 🖭 ⑩ 🗲 𝘝𝘐𝘚𝘈
EY **t**
Repas (fermé sam. midi) Lunch 690 – 690/1200 - **105 ch** ☲ 6100/6660.

🏨 **Simenon** sans rest, bd de l'Est 16, ☒ 4020, ℰ 42 86 90, Fax 44 26 69 – |≸| 📺 ☎. 🖭 ⑩
🗲 𝘝𝘐𝘚𝘈
FZ **x**
☲ 280 – **11 ch** 2000/4500.

🏨 **Eurotel** sans rest, r. L. Frédéricq 29, ☒ 4020, ℰ 41 16 27, Fax 44 36 43 – 📺 ☎ ⇌. 🖭
⑩ 🗲 𝘝𝘐𝘚𝘈
DX **s**
☲ 250 – **12 ch** 1750/2300.

🏨 **Univers** sans rest, r. Guillemins 116, ℰ 52 26 50, Fax 52 16 53 – |≸| 📺 ☎ 🅿 – 🔏 25 à
80. 🖭 ⑩ 🗲 𝘝𝘐𝘚𝘈
CX **a**
☲ 250 – **46 ch** 1650/2050.

🏨 **Passerelle** sans rest, chaussée des Prés 24, ☒ 4020, ℰ 41 20 20, Fax 44 36 43 – |≸| 📺
☎ 🅿. 🖭 ⑩ 🗲 𝘝𝘐𝘚𝘈
FZ **z**
☲ 250 – **16 ch** 2300/2500.

🏨 **Le Cygne d'Argent** sans rest, r. Beeckman 49, ℰ 23 70 01, Fax 22 49 66 – |≸| 📺 ☎ ⇌.
🖭 ⑩ 🗲 𝘝𝘐𝘚𝘈
CX **c**
☲ 250 – **22 ch** 1680/2660.

🏨 **Campanile,** r. Jules de Laminne (par A 602, sortie Burenville), ℰ 24 02 72, Fax 24 03 80,
🚑 – 📺 ☎ 🅿 – 🔏 25 à 50. 🖭 🗲 𝘝𝘐𝘚𝘈
plan p. 2 AU **n**
Repas 800 – ☲ 250 – **45 ch** 2150.

🏠🏠🏠 **Michel Germeau,** r. Vennes 151, ☒ 4020, ℰ 43 72 42, Fax 44 03 86, « Hôtel de maître
début du siècle » – 🖭 ⑩ 🗲 𝘝𝘐𝘚𝘈
DX **y**
fermé lundi et 17 juil.-11 août – **Repas** Lunch 990 – carte env. 1700.

🏠🏠🏠 **L'Héliport,** bd Frère-Orban, ℰ 52 13 21, ≤, 🚑 – 🅿. 🖭 🗲 𝘝𝘐𝘚𝘈
CX **b**
fermé dim., lundi soir et 3 dern. sem. juil. – **Repas** Lunch 1395 – carte env. 2100.

🏠🏠 **La Maison Thaïe,** bd d'Avroy 180, ℰ 22 00 91, Fax 21 05 21, Cuisine thaïlandaise – 🖭 ⑩
🗲 𝘝𝘐𝘚𝘈
CX **d**
fermé sam. midi – **Repas** carte 900 à 1500.

🏠🏠 **Le Lion Dodu,** r. Surlet 37, ☒ 4020, ℰ 41 05 05, Fax 44 25 93 – 🍽 – 🔏 30. 🖭 ⑩ 🗲 𝘝𝘐𝘚𝘈
FZ **a**
fermé dim. et lundi – **Repas** carte env. 1400.

XX **François,** r. Bégards 2, *𝄞* 22 92 34, Fax 22 92 34 – 🆎 ⓪ 🅴 𝗩𝗜𝗦𝗔   EY **c**
fermé lundi, mardi et 15 oct.-2 nov. – **Repas** *Lunch 990* – carte env. 2000.

XX **Les Cyclades,** r. Ourthe 4, ✉ 4020, *𝄞* 42 25 86, Fax 41 23 00 – 🅴 𝗩𝗜𝗦𝗔. 🎇   FZ **d**
fermé merc., jeudi, 2 sem. en mai et 3 sem. en sept – **Repas** *Lunch 790* – carte env. 1300.

X **Le Bistroquet,** r. Serbie 73, *𝄞* 53 16 41, Fax 52 58 30, Ouvert jusqu'à 23 h – ⓟ. 🆎 ⓪ 🅴
𝗩𝗜𝗦𝗔   CX **e**
fermé merc. soir et sam. midi – **Repas** *Lunch 700* – carte env. 1500.

X **Le Duc d'Anjou,** r. Guillemins 127, *𝄞* 52 28 58, Moules en saison, ouvert jusqu'à 23 h 30
◆ – ▤. 🆎 ⓪ 🅴 𝗩𝗜𝗦𝗔   CX **n**
Repas *Lunch 475* – 795.

Périphérie - plans p. 2 et 3 :

à Angleur ⒞ Liège – ✉ 4031 Angleur – 🕿 0 41 :

XX **Le Sart-Tilman,** r. Sart-Tilman 343, *𝄞* 65 42 24, Fax 65 94 05 – ▤ ⓟ. 🆎 ⓪ 🅴 𝗩𝗜𝗦𝗔
fermé dim. soir, lundi, merc. soir, 1 sem. carnaval et 3 dern. sem. août – **Repas** *Lunch 1000
– 1160.*   AV **n**

X **La Devinière,** r. Tilff 39, *𝄞* 65 00 32 – 🆎 ⓪ 🅴 𝗩𝗜𝗦𝗔   BU **d**
fermé dim. soir, sam. midi, dim. et 21 juil.-10 août – **Repas** *Lunch 980* – carte 1300 à 1700.

à Chênée ⒞ Liège – ✉ 4032 Chênée – 🕿 0 41 :

XXX **Le Gourmet,** r. Large 91, *𝄞* 65 87 97, Fax 65 38 12, 😐, « Jardin d'hiver » – ⓟ. 🆎 ⓪ 🅴
𝗩𝗜𝗦𝗔   BU **r**
fermé lundis soirs, merc. et sam. midis non fériés, 2 sem. après Pâques et du 15 au 30 juil.
– **Repas** *Lunch 990* – carte 1250 à 1750.

XX **Le Vieux Chênée,** r. Gravier 45, *𝄞* 67 00 92, Fax 67 59 15 – 🆎 ⓪ 🅴 𝗩𝗜𝗦𝗔   BU **e**
fermé jeudi – **Repas** *Lunch 890* – 1250.

Environs

à Ans - plan p. 2 – 27 751 h. – ✉ 4430 Ans – 🕿 0 41 :

XX **Le Marguerite,** r. Walthère Jamar 171, *𝄞* 26 43 46, Fax 26 43 46, 😐 – 🆎 ⓪ 🅴
𝗩𝗜𝗦𝗔   AU **c**
fermé sam. midi, dim., lundi, 3 sem. en juil. et prem. sem. janv. – **Repas** *Lunch 980* – 1450.

XX **La Fontaine de Jade,** r. Yser 321, *𝄞* 46 49 72, Fax 63 69 53, Cuisine chinoise – ▤. 🆎 ⓪
🅴 𝗩𝗜𝗦𝗔. 🎇   AT **a**
fermé lundis non fériés et du 16 au 30 août – **Repas** *Lunch 650* – 850/1400.

à Engis par ⑦ : 10 km – 5 743 h. – ✉ 4480 Engis – 🕿 0 41 :

XX **La Ciboulette,** quai Herten 11 (transfert prévu chaussée de Chokier 96 à Flémalle),
𝄞 75 19 65 – 🆎 ⓪ 🅴 𝗩𝗜𝗦𝗔
fermé sam. midi, dim. soir, lundi et merc. soir – **Repas** *Lunch 990* – 1100/1650.

à Flémalle-Haute par r. Flémalle AV ⒞ Flémalle 26 562 h. – ✉ 4400 Flémalle-Haute –
🕿 0 41 :

XX **Le Gourmet Gourmand,** Grand-Route 411, *𝄞* 33 07 56, Fax 33 19 21, 😐 – 🆎 ⓪ 🅴 𝗩𝗜𝗦𝗔
fermé lundi, mardi soir, merc. soir, jeudi soir, sam. midi, mi-juil.-mi-août et fin déc. – **Repas**
1500/1650.

à Hermalle-sous-Argenteau par ① : 14 km ⒞ Oupeye 23 473 h. – ✉ 4681 Hermalle-
sous-Argenteau – 🕿 0 41 :

🏠 **Mosa,** r. Préixhe 3, *𝄞* 79 71 71, Fax 79 85 00, ≤, 😐 – 🛗 📺 ☎ ⓟ – 🔬 25 à 50. 🆎 ⓪
🅴 𝗩𝗜𝗦𝗔. 🎇
Repas (Taverne-rest) *Lunch 600* – carte 1000 à 1550 – **15 ch** ⊐ 2200/3900 – ½ P 2650/3300.

à Herstal - plan p. 3 – 36 611 h. – ✉ 4040 Herstal – 🕿 0 41 :

🏨 **Forte Posthouse** 🌲, r. Hurbise 160 (par E 40 sortie 34), *𝄞* 64 64 00, Fax 48 06 90, 🏊 –
🛗 ▤ rest 📺 ☎ ⓟ – 🔬 25 à 60. 🆎 ⓪ 🅴 𝗩𝗜𝗦𝗔   BT **b**
Repas (buffet-grillades) *Lunch 500* – 800/990 – **94 ch** ⊐ 4200/5500.

à Ivoz-Ramet - plan p. 2 – ⒞ Flémalle 26 562 h. – ✉ 4400 Ivoz-Ramet – 🕿 0 41 :

X **Chez Cha-Cha,** pl. François Gérard 10, *𝄞* 37 18 43, Fax 37 18 43, 😐, Grillades – ⓟ. 🆎
⓪ 🅴 𝗩𝗜𝗦𝗔   AV **r**
fermé sam. midi, dim., lundi et mardi soir – **Repas** carte 1000 à 2200.

à Neuville-en-Condroz par ⑥ : 18 km ⒞ Neupré 8 981 h. – ✉ 4121 Neuville-en-Condroz
– 🕿 0 41 :

XXXX ❀ **Le Chêne Madame** (Mme Tilkin), av. de la Chevauchée 70 (dans le bois de Rognac SE :
2 km), *𝄞* 71 41 27, Fax 71 29 43, « Environnement boisé » – ⓟ. 🆎 ⓪ 🅴 𝗩𝗜𝗦𝗔
fermé dim. soir, lundi, jeudi soir, août et 23 déc.-3 janv. – **Repas** carte 1750 à 2200
Spéc. Gâteau de sandre farci de petits gris, Côte de veau aux lentilles, Gibiers en saison.

à Rotheux-Rimière par ⑥ : 16 km Ⓒ Neupré 8 981 h. – ⊠ 4120 Rotheux-Rimière – ☎ 0 41 :

XX **Le Vieux Chêne**, r. Bonry 146 (près N 63), ℘ 71 46 51 – **P.** 𝔸𝔼 ⓞ 𝖤 𝖵𝖨𝖲𝖠
fermé lundi soir, mardi soir, merc., août et fin déc.-début janv. – **Repas** carte 950 à 1400.

à Seraing - plan p. 2 – 61 225 h. – ⊠ 4100 Seraing – ☎ 0 41 :

X **Le Moulin à Poivre**, r. Plainevaux 49, ℘ 36 06 13, Fax 38 28 95 – 𝔸𝔼 ⓞ 𝖤 𝖵𝖨𝖲𝖠   AV **t**
fermé lundi, mardi, sam. midi et 2 sem. carnaval – **Repas** carte 1150 à 1450.

à Tilff au Sud : 12 km par N 633 Ⓒ Esneux 12 886 h. – ⊠ 4130 Tilff – ☎ 0 41 :

XX **La Mairie**, r. Blandot 15, ℘ 88 24 24, Fax 88 24 24, 🏤 – **P.** 𝔸𝔼 ⓞ 𝖤 𝖵𝖨𝖲𝖠. ⋙
fermé dim. soir, lundi et 20 fév.-10 mars – **Repas** *Lunch 980* – 980/1350.

X **Roméo et Michette**, r. Damry 11, ℘ 88 18 69, 🏤, « Terrasse fleurie avec ≤ jardin » –
𝔸𝔼 ⓞ 𝖤 𝖵𝖨𝖲𝖠
mars-15 déc. ; fermé lundi et mardi – **Repas** 895.

Voir aussi : *Chaudfontaine* par ④ : 10 km

LIER (LIERRE) 2500 Antwerpen 𝟚𝟙𝟛 ⑦ et 𝟜𝟘𝟡 ④ – 31 596 h. – ☎ 0 3.

Voir Église St-Gommaire★★ (St-Gummaruskerk) : jubé★★, verrière★ Z – Béguinage★ (Begijnhof) Z
– Horloge astronomique★ de la tour Zimmer (Zimmertoren) Z **A**.

🛈 (fermé sam. et dim. sauf en été) Stadhuis, Grote Markt ℘ 489 11 11 (ext. 212), Fax 488 13 57.
♦Bruxelles 45 ④ – ♦Antwerpen 17 ⑤ – ♦Mechelen 15 ④.

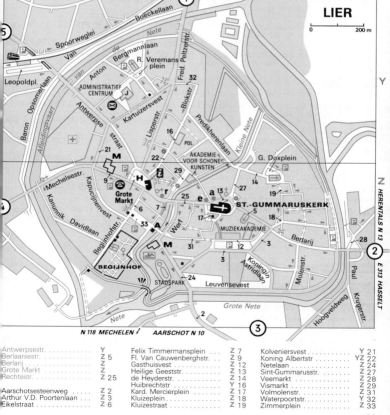

Antwerpsestr.	Y	Felix Timmermansplein Z 7	Kolveniersvest Y 21
Berlaarsestr.	Z 5	Fl. Van Cauwenberghstr. Z 9	Koning Albertstr. YZ 22
Berlarij	Z	Gasthuisvest Z 12	Netelaan Z 24
Grote Markt	Z	Heilige Geeststr. Z 13	Sint-Gummarusstr. Z 27
Rechtestr.	Z 25	de Heyderstr. Z 14	Veemarkt Z 28
		Huibrechtstr. Y 16	Vismarkt Z 29
Aarschotsesteenweg	Z 2	Kard. Mercierplein Z 17	Volmolenstr. Z 31
Arthur V.D. Poortenlaan	Z 3	Kluizeplein Z 18	Waterpoortstr. Y 32
Eikelstraat	Z 6	Kluizestraat Z 19	Zimmerplein Z 33

X **'t Suyckeren Schip,** Rechtestraat 49, ℰ 489 01 40, Fax 489 23 75 – 🆎 ⓞ 🅴 𝘝𝘐𝘚𝘈 ᴊᴄв
fermé sam. midi – **Repas** carte 900 à 2200. Z e

X **'t Cleyn Paradijs,** Heilige Geeststraat 2, ℰ 480 78 57 – 🆎 ⓞ 🅴 𝘝𝘐𝘚𝘈 Z a
fermé mardi, merc. et 2 prem. sem. août – **Repas** Lunch 990 – carte env. 1400.

X **Plantage** 1er étage, Grote Markt 63b, ℰ 488 19 00, Fax 480 04 20, ☆ – 🅴 𝘝𝘐𝘚𝘈 Z r
fermé mardi, merc., sam. midi et dern. sem. août-prem. sem. sept – **Repas** Lunch 690 – 1180.

LIERS 4042 Liège © Herstal 36 611 h. 🗿🗿🗿 ㉒ et 🗿🗿🗿 ⑮ ⑱ – ✪ 0 41.
◆Bruxelles 96 – ◆Liège 8 – ◆Hasselt 36 – ◆Maastricht 33 – Verviers 32.

XX **La Bartavelle,** r. Provinciale 138, ℰ 78 51 55, Fax 78 51 55, ☆ – 🆎 ⓞ 🅴 𝘝𝘐𝘚𝘈
fermé lundi et sam. midi – **Repas** Lunch 995 – carte 1000 à 1550.

LIGNEUVILLE Liège – voir Bellevaux-Ligneuville.

LILLE 2275 Antwerpen 🗿🗿🗿 ⑧ et 🗿🗿🗿 ⑤ – 14 042 h. – ✪ 0 14.
🏌ᴮ Haarlebeek 3 ℰ 55 19 30, Fax 55 19 31.
◆Bruxelles 74 – ◆Antwerpen 33 – ◆Hasselt 56 – ◆Turnhout 16.

XX **De Kemphaan,** Wechelsebaan 194 (près E 34 - sortie 21), ℰ 88 12 23, Fax 88 31 33,
« Fermette rustique » – 🍴 🅿. 🆎 ⓞ 🅴 𝘝𝘐𝘚𝘈. ❄
fermé lundi – **Repas** Lunch 1350 – 1850/2350.

LILLOIS-WITTERZÉE 1428 Brabant © Braine-l'Alleud 33 446 h. 🗿🗿🗿 ⑱ et 🗿🗿🗿 ⑬ – ✪ 0 2.
◆Bruxelles 30 – ◆Mons 47 – ◆Namur 43.

🏨 **Le Witterzee** ⌂, av. du Sabotier 40, ℰ 384 69 56, Fax 385 00 13, ☆, « Jardin et ☘ »,
❄ – 🍴 rest 📺 ☎ 🅿. 🆎 ⓞ 🅴 𝘝𝘐𝘚𝘈
Repas Lunch 695 – 1350 – **11 ch** ☷ 2500/3400, 1 suite – ½ P 2995.

XX **Georges Tichoux,** Grand'Route 491, ℰ (0 67) 21 65 33, Fax (0 67) 21 65 33, ≼, ☆,
« Terrasse » – 🅿. 🆎 ⓞ 🅴 𝘝𝘐𝘚𝘈
fermé merc. soir, sam. midi et du 1er au 20 juil. – **Repas** Lunch 1350 – carte 1250 à 1650.

X **La Rusticana,** Grand'Route 462, ℰ 385 00 90, ☆, Avec cuisine italienne – 🆎 ⓞ 🅴 𝘝𝘐𝘚𝘈
fermé merc., jeudi midi et 2 sem. en sept – **Repas** carte env. 1000.

LIMBOURG (LIMBURG) 4830 Liège 🗿🗿🗿 ㉓ et 🗿🗿🗿 ⑯ – 5 299 h. – ✪ 0 87.
◆Bruxelles 126 – ◆Liège 36 – Aachen 23 – Eupen 7,5 – Verviers 7,5.

XX **Le Dragon** ⌂ avec ch, pl. St-Georges 31 (au centre historique), ℰ 76 23 10, Fax 76 44 23
– ☎. 🆎 ⓞ 🅴 𝘝𝘐𝘚𝘈
fermé oct. – (fermé mardi, merc. et après 20 h 30) Lunch 1200 – carte 1500 à 3000 – **5 ch**
☷ 2500/5500 – ½ P 2850.

XX **Le Casino,** av. Reine Astrid 7 (sur N 61 à Dolhain), ℰ 76 23 74, Fax 76 44 27 – 🅿. 🆎 ⓞ
🅴 𝘝𝘐𝘚𝘈
fermé lundi, mardi, jeudi soir, sam. midi, 2 sem. en fév. et 3 sem. en sept – **Repas** 790/1600.

LIMELETTE 1342 Brabant © Ottignies-Louvain-la-Neuve 24 091 h. 🗿🗿🗿 ⑲ – ✪ 0 10.
🏌ᴮ à Louvain-la-Neuve E : 1 km, r. A. Hardy 68 ℰ (0 10) 45 05 15, Fax (0 10) 45 44 17.
◆Bruxelles 29 – ◆Charleroi 41 – ◆Namur 39.

🏨 **Château de Limelette** ⌂, r. Ch. Dubois 87, ℰ 41 99 99, Fax 41 57 59, ≼, « Terrasse et
jardin », ℄, ⌂, ▨, ❄ – 🛗 🍴 rest 📺 ☎ 🅿 – 🔬 25 à 600. 🆎 ⓞ 🅴 𝘝𝘐𝘚𝘈. ❄
Repas Lunch 1250 – 1650/2250 – **78 ch** ☷ 4350/7085 – ½ P 4300.

LIMONT Liège 🗿🗿🗿 ㉑ et 🗿🗿🗿 ⑮ – voir à Donceel.

LINKEBEEK Brabant 🗿🗿🗿 ⑱ et 🗿🗿🗿 ⑬ ㉑ – voir à Bruxelles, environs.

LISOGNE Namur 🗿🗿🗿 ⑤ et 🗿🗿🗿 ⑭ – voir à Dinant.

LISSEWEGE 8380 West-Vlaanderen © Brugge 116 871 h. 🗿🗿🗿 ③ et 🗿🗿🗿 ② – ✪ 0 50.
Voir Grange abbatiale★ de l'ancienne abbaye de Ter Doest.
◆Bruxelles 107 – ◆Brugge 10 – Knokke-Heist 12.

XXX **De Goedendag,** Lisseweegsvaartje 2, ℰ 54 53 35, Fax 54 57 68, « Rustique » – 🍴 🅿. 🆎
ⓞ 🅴 𝘝𝘐𝘚𝘈
Repas Lunch 1300 – 1800/2500.

X **Hof Ter Doest,** Ter Doeststraat 4 (S : 2 km, à l'ancienne abbaye), ℰ 54 40 82, ≼, ☆,
Rustique, Grillades, ouvert jusqu'à 23 h – 🅿. 🆎 ⓞ 🅴 𝘝𝘐𝘚𝘈
Repas carte 1350 à 1950.

LIVES-SUR-MEUSE Namur 🗿🗿🗿 ⑳ et 🗿🗿🗿 ⑤ – voir à Namur.

LOCHRISTI Oost-Vlaanderen 213 ⑤ et 409 ③ – voir à Gent, environs.

LODELINSART Hainaut 214 ③ ④ et 409 ⑬ – voir à Charleroi.

LOKEREN 9160 Oost-Vlaanderen 213 ⑤ et 409 ③ – 35 435 h. – ✪ 0 9.

🖪 Markt 2 ℘ 340 94 47.

◆Bruxelles 41 – ◆Gent 21 – Aalst 25 – ◆Antwerpen 38.

🏠 **PB Hotel** sans rest, Dijkstraat 9 (près E 17), ℘ 348 49 20, Fax 349 29 93 – 📺 ☎ 🅿 – 🔏 25 à 250. 🆎 ⑪ 🝙 ⴷ *VISA*
37 ch ⴷ 1700/2700.

🏠 **Bonneville** sans rest, Zelebaan 120 (près E 17), ℘ 349 33 30, Fax 349 33 88 – 📺 ☎ 🅿.
🆎 ⑪ 🝙 *VISA*
fermé 24 déc.-2 janv. – **12 ch** ⴷ 2200/2800.

🅇🅇🅇 **'t Vier Emmershof,** Krommestraat 1 (par Karrestraat 3 km), ℘ 348 63 98, Fax 348 63 98, 🍴, « Terrasse » – 🅿. 🆎 ⑪ 🝙 *VISA*
fermé dim. soir, lundi, mardi soir, 1 sem. en fév. et 2 sem. en sept – **Repas** Lunch 1000 – 1650/1850.

🅇🅇🅇 **Brouwershof,** Zelebaan 100, ℘ 348 33 33, « Villa de style flamand » – 🅿. 🆎 ⑪ 🝙 *VISA*
fermé dim. non fériés, lundi soir, mardi soir, 15 juil.-15 août et du 26 au 30 déc. – **Repas** carte 1550 à 2200.

🅇🅇 **La Barakka** avec ch (et annexe 🏠 - 8 ch), Kerkplein 1, ℘ 348 14 33, Fax 348 03 45, 🍴 – 📺 ☎. 🆎 ⴷ *VISA*. ⁒ ch
Repas (fermé vend., 1 sem. carnaval et 1 sem. en sept) Lunch 550 – 895 – ⴷ 250 – **14 ch** 1500/2000 – ½ P 1650/1950.

LOMMEL 3920 Limburg 213 ⑨ et 409 ⑥ – 28 589 h. – ✪ 0 11.

🖪 Dorp 56 ℘ 54 02 21, Fax 55 22 66.

◆Bruxelles 93 – ◆Hasselt 37 – ◆Eindhoven 30.

🏠 **Die Prince** ⁒ sans rest, Mezenstraat 1, ℘ 54 44 61, Fax 54 64 12 – 📺 ☎ 🅿. 🆎 ⑪ 🝙
VISA. ⁒
ⴷ 180 – **28 ch** 1800/2600.

🅇🅇🅇 **St. Jan,** Koning Leopoldlaan 94, ℘ 54 10 34, « Décor style Art Nouveau » – 🅿. 🆎 ⑪ 🝙
VISA. ⁒
fermé jeudis soirs et dim. non fériés et 2ᵉ quinz. juil. – **Repas** Lunch 890 – 1060/1690.

🅇🅇 **Den Bonten Oss,** Dorp 33, ℘ 54 15 97 – 🅿. 🆎 ⑪ 🝙 *VISA*
fermé lundi et sam. midi – **Repas** Lunch 990 – 990/1450.

🅇 **Kempenhof,** Kattenbos 52 (S : 2,5 km sur N 746), ℘ 54 02 56 – 🖿 🅿. ⴷ *VISA*. ⁒
fermé merc. soir, dim., 25 fév.-4 mars et du 9 au 30 juil. – **Repas** 1060/1150.

LONDERZEEL 1840 Brabant 213 ⑥ et 409 ④ – 17 077 h. – ✪ 0 52.

◆Bruxelles 20 – ◆Antwerpen 28 – ◆Gent 60 – ◆Mechelen 20.

🅇🅇 **Ter Wilgen,** Molenhoek 21 (N : 3 km près A 12), ℘ 30 26 12, Fax 30 36 04, ≤, 🍴 – 🅿.
ⴷ *VISA*. ⁒
fermé merc., jeudi et 3 dern. sem. août – **Repas** carte env. 1400.

LOTENHULLE Oost-Vlaanderen 213 ③ et 409 ② – voir à Aalter.

LOUVAIN Brabant – voir Leuven.

LOUVAIN-LA-NEUVE Brabant 213 ⑲ et 409 ⑬ – voir à Ottignies.

La LOUVIÈRE 7100 Hainaut 213 ⑱, 214 ② ③ et 409 ⑬ – 76 948 h. – ✪ 0 64.

Env. à Strépy-Thieu O : 6 km, Canal du Centre : les Ascenseurs hydrauliques★.

◆Bruxelles 52 – ◆Mons 21 – Binche 10 – ◆Charleroi 26.

🏠 **D' Jobri,** r. Hamoir 2, ℘ 26 22 92, Fax 21 49 73 – 📶 🖿 rest 📺 ☎ 🅿 – 🔏 25 à 70. 🆎
⑪ 🝙 *VISA*
Repas (fermé dim. soir) Lunch 550 – 950 – **24 ch** ⴷ 1750/2550 – ½ P 2200/2400.

🅇🅇🅇 **Aub. de la Louve,** r. Bouvy 86, ℘ 22 87 87, Fax 28 20 53 – 🅿. 🆎 ⑪ 🝙 *VISA*
fermé dim. soir, lundi, merc. soir, Pâques, 15 juil.-15 août et Toussaint – **Repas** Lunch 1500 – carte 1550 à 2150.

à Houdeng-Aimeries O : 2 km 🅲 La Louvière – ⬜ 7110 Houdeng-Aimeries – ✪ 0 64 :

🅇🅇 **Le Damier,** r. Hospice 59, ℘ 22 28 70, Fax 22 28 70, 🍴 – 🅿. 🆎 ⑪ 🝙 *VISA*
fermé dim. soirs et lundis non fériés et fin juil.-début août – **Repas** Lunch 1150 – 1600/1850.

LOVERVAL Hainaut 214 ④ et 409 ⑬ – voir à Charleroi.

LOWAIGE Limburg – voir Lauw à Tongeren.

LUBBEEK 3210 Brabant 日日日 ⑳ et 日日日 ⑭ – 12 872 h. – ✪ 0 16.
◆Bruxelles 32 – ◆Antwerpen 57 – ◆Liège 71 – ◆Namur 59.

XX **Maelendries,** Heideken 28 (S : 3 km), ✆ 73 48 60, Fax 73 46 16, ≤, 佘, « Fermette, cadre champêtre » – **Ⓟ**. ⅍ ⓞ Ɛ ⓥⒾⓈⒶ. ⅍
  fermé merc., sam. midi, dim., 3 prem. sem. août et fin déc.-début janv. – **Repas** Lunch 1330 – carte env. 1300.

LUIK Liège – voir Liège.

LUMMEN Limburg 日日日 ⑨ et 日日日 ⑤ – voir à Hasselt.

MAASEIK 3680 Limburg 日日日 ⑪ et 日日日 ⑥ ⑦ – 21 706 h. – ✪ 0 89.
🄱 Markt 45 ✆ 56 63 72, Fax 56 60 23.
◆Bruxelles 118 – ◆Hasselt 41 – ◆Maastricht 33 – Roermond 20.

🏨 **Kasteel Wurfeld** ⍬, Kapelweg 60, ✆ 56 81 36, Fax 56 87 89, « Parc », 氣 – ⓣⓥ ☎ **Ⓟ** – 🔏 25 à 60. ⅍ Ɛ ⓥⒾⓈⒶ. ⅍ rest
  Repas *(fermé lundi et sam. midi)* Lunch 895 – 1395/1690 – ☲ 325 – **16 ch** 2650/2800 – ½ P 2575/3875.

🏨 **Ter Eyckerpoorte,** Venlosesteenweg 3, ✆ 56 67 57, Fax 56 26 56, ⇔ş, ⍁ – ⓣⓥ ☎ **Ⓟ** – 🔏 25 à 200. ⅍
  Repas (résidents seult) – **16 ch** ☲ 1300/1950 – ½ P 1325/1650.

XX **Tiffany's,** Markt 19, ✆ 56 40 89 – ⅍ ⓞ Ɛ. ⅍
  fermé lundi et sam. midi – **Repas** Lunch 985 – 865/1575.

XX **La Strada,** Hepperstraat 4, ✆ 56 72 29, Cuisine italienne – ▤. ⅍ ⓞ Ɛ ⓥⒾⓈⒶ. ⅍ rest
  fermé merc. et 3 sem. en sept – **Repas** Lunch 500 – carte env. 1200.

à *Opoeteren* SO : 12 km par N 778 🄲 Maaseik – ✉ 3680 Opoeteren – ✪ 0 89 :

🏨 **Oeterdal,** Neeroeterenstraat 41, ✆ 86 37 17, Fax 86 73 70, 佘, ⅃ₛ, 氣 – ⓣⓥ ☎ **Ⓟ** – 🔏 25 à 80. ⅍ ⓞ Ɛ ⓥⒾⓈⒶ
  Repas *(fermé dim.)* Lunch 500 – carte env. 1000 – **24 ch** ☲ 1800/3100 – ½ P 2300/2700.

MAASMECHELEN 3630 Limburg 日日日 ⑩ et 日日日 ⑥ – 34 792 h. – ✪ 0 89.
◆Bruxelles 106 – ◆Hasselt 30 – Aachen 42 – ◆Maastricht 15.

à *Vucht* N : 1,5 km par N 78 🄲 Maasmechelen – ✉ 3630 Vucht – ✪ 0 89 :

XX **Henri F.,** Rijksweg 263a, ✆ 76 53 78, Fax 77 30 41, Ouvert jusqu'à minuit – **Ⓟ**. ⅍ ⓞ Ɛ ⓥⒾⓈⒶ. ⅍
  fermé sam. midi et dim. midi – **Repas** Lunch 595 – 950/1250.

MACHELEN Brabant 日日日 ⑥ ⑦ et 日日日 ④ ⑳ – voir à Bruxelles, environs.

MACHELEN 9870 Oost-Vlaanderen 🄲 Zulte 13 808 h. 日日日 ③ et 日日日 ② – ✪ 0 9.
◆Bruxelles 72 – ◆Brugge 42 – ◆Gent 22 – ◆Kortrijk 26.

🏨 **Morfeo** sans rest, Rijksweg 154b, ✆ 388 79 88, Fax 388 70 64, 氣 – ⓣⓥ ☎ **Ⓟ**. ⅍ ⓞ Ɛ ⓥⒾⓈⒶ. ⅍
  8 ch ☲ 2200/2750.

MAISIERES Hainaut 日日日 ⑰, 日日④ ② et 日日日 ⑫ – voir à Mons.

MAISSIN 6852 Luxembourg belge 🄲 Paliseul 4 888 h. 日日④ ⑯ et 日日日 ㉕ – ✪ 0 61.
◆Bruxelles 135 – ◆Arlon 65 – Bouillon 23 – ◆Dinant 49 – St-Hubert 19.

🏨 **Le Roly du Seigneur** ⍬, av. du Roly du Seigneur 12, ✆ 65 50 49, ≤ – ⇔ **Ⓟ**. ⅍. ⅍ rest
  fermé janv.-11 fév. et merc. sauf en juil.-août – **Repas** *(fermé après 20 h)* Lunch 550 – 800/1600 – ☲ 250 – **16 ch** 2000/3000.

MAIZERET Namur 日日④ ⑤ et 日日日 ⑭ – voir à Namur.

MALDEGEM 9990 Oost-Vlaanderen 日日日 ③ et 日日日 ② – 21 463 h. – ✪ 0 50.
◆Bruxelles 89 – ◆Antwerpen 73 – ◆Brugge 16 – ◆Gent 29.

XX **Beukenhof,** Brugse Steenweg 200, ✆ 71 55 95, 佘 – **Ⓟ**. ⅍ ⓞ Ɛ ⓥⒾⓈⒶ
  fermé mardi soir, merc., 2 sem. en fév. et 2 sem. en juil. – **Repas** Lunch 995 – carte 1350 à 1650.

MALINES Antwerpen – voir Mechelen.

MALLE Antwerpen – voir Oostmalle et Westmalle.

202

Voir Site★ – Carnaval★ (dimanche avant Mardi-gras).

Env. N : Hautes Fagnes★★, Signal de Botrange ≼★, Sentier de découverte nature★ – Rocher de Falize★ SO : 6 km – Château de Reinhardstein★ NE : 6 km.

🅱 Ancienne Abbaye, pl. du Châtelet 𝒫 33 02 50, Fax 77 05 88.

◆Bruxelles 156 – ◆Liège 57 – Clervaux 57 – Eupen 29.

🏠 **Le Chambertin** sans rest, Chemin-Rue 46, 𝒫 33 03 14, Fax 77 03 38 – |🛗| 🔲 ☎. 🖅 💳. ✂️
fermé lundi – **11 ch** 🔄 1500/2300.

🏠 **La Forge** sans rest, r. Devant-les-Religieuses 31, 𝒫 33 99 79, Fax 33 97 62, « Art Déco » – 🔲 ☎. 🖅 ⓞ 💳 💳 ☞ – **7 ch** 🔄 1800/1950.

🍴🍴 **Plein Vent** avec ch, rte de Spa 44 (O : 7 km, lieu-dit Burnenville), 𝒫 33 05 54, Fax 33 70 60, ≼ vallées, 🏡 – 🔲 rest 🔲 ☎ 🅿. ≼ – **7 ch** 🔄 1800
fermé lundi, 23 juin-7 juil. et 2 sem. fin déc. – **Repas** *Lunch 980* – carte env. 1800 – **7 ch** 🔄 1300/2500 – ½ P 2000/2350.

🍴🍴 **Albert-Iᵉʳ** avec ch, pl. Albert-Iᵉʳ 40, 𝒫 33 04 52, Fax 33 06 16 – ▦ ch 🔲 ☎. ⓞ 💳 💳
fermé merc. soir et jeudi – **Repas** *Lunch 1250* – carte 1300 à 1800 – **6 ch** 🔄 2000/2700 – ½ P 2100/2500.

🍴🍴 **Chez Guy**, pl. de Rome 26, 𝒫 33 99 98, Rustique – 🖅 ⓞ 💳 💳
fermé mardis soir et merc. non fériés sauf vacances scolaires, 27 mars-7 avril et du 11 au 22 déc. – **Repas** *Lunch 750* – 795/1295.

🍴 **Au Petit Louvain**, Chemin-Rue 47, 𝒫 33 04 15 – ▦. 🖅 💳 💳. ✂️
fermé lundi soir, merc. et du 3 au 14 juil. – **Repas** *Lunch 950* – 950/1500.

🍴 **A la Truite Argentée**, Bellevue 3 (E : 1 km, direction St-Vith), 𝒫 33 95 00, Fax 33 95 00, 🏡 – 🅿. 🖅 💳 💳
fermé lundis et jeudis soirs non fériés et 21 juin-10 juil. – **Repas** *Lunch 975* – carte 900 à 1250.

à Bévercé N : 3 km ⓒ Malmédy – ✉ 4960 Bévercé – 🔩 0 80 :

🏰 **Host. Trôs Marets** ⚘, rte des Trôs Marets 2 (N 68), 𝒫 33 79 17, Fax 33 79 10, ≼ vallées, 🏡, 🖫 – 🔲 ☎ 🅿. 🖅 ⓞ 💳 💳. ✂️
fermé 13 nov.-21 déc. – **Repas** carte 1850 à 3300 – **7 ch** 🔄 3300/7500, 4 suites – ½ P 5000/6000.

🏠 **Du Tchession** ⚘, r. Renier de Brialmont 1 (NE : 5 km, lieu-dit Xhoffraix), 𝒫 33 00 87, Fax 33 79 68, ≼, 🏡, 🖈 – 🔲 ☎ 🅿 – 🔏 25. 🖅 ⓞ 💳 💳
fermé 2ᵉ quinz. mars-1ʳᵉ quinz. avril et 2ᵉ quinz. sept – **Repas** *(fermé après 20 h 30 et mardis soirs et merc. non fériés de nov. à avril)* carte 1200 à 1600 – **16 ch** 🔄 2000/3250 – ½ P 2450/2650.

🏠 **Maison Géron** (annexe 🏠 Géronprés - 6 ch 🔄 1150/2300) sans rest, Bévercé-Village 29, 𝒫 33 00 06, Fax 77 03 17, « Terrasse et jardin » – 🔲 ☎ 🅿. 🖅 💳 💳
10 ch 🔄 1250/2500.

🏠 **Le Grand Champs** ⚘ (annexe 🏠 - 10 ch 🔄 1455/2310), Bévercé-Village 39, 𝒫 33 72 98, Fax 77 05 69, ≼ vallées, 🖈 – 🔲 ☎ 🅿 – 🔏 25 à 40. 🖅 ⓞ 💳 💳. ✂️ ch
Repas voir rest **Ferme Libert** ci-après – **18 ch** 🔄 1375/2750 – ½ P 1960/2295.

🍴🍴 **Host. de la Chapelle** avec ch, Bévercé-Village 30, 𝒫 33 08 65, Fax 33 98 66, 🏡, 🖈 – 🔲 ☎ 🅿 – 🔏 30. 🖅 ⓞ 💳 💳. ✂️
Repas *(fermé lundi)* carte env. 2000 – 🔄 250 – **6 ch** 3000.

🍴 **Ferme Libert** - H. Le Grand Champs, avec ch, Bévercé-Village 26, 𝒫 33 02 47, Fax 33 98 85, ≼ vallées, 🏡 – 🔲 ☎ 🅿 – 🔏 35. 🖅 💳 💳. ✂️ ch
Repas *(fermé après 20 h 30)* *Lunch 750* – carte 1000 à 1500 – **13 ch** 🔄 1400/2800 – ½ P 1730/2195.

◆Bruxelles 47 – ◆Charleroi 24 – ◆Mons 25.

🍴🍴🍴 **Le Petit Cellier**, Grand'rue 88, 𝒫 55 59 69, Fax 55 56 07, 🏡, « Terrasse et jardin » – 🅿. 🖅 ⓞ 💳 💳
fermé sam., dim. soir, 21 juil.-15 août et 26 déc.-2 janv. – **Repas** *Lunch 1100* – carte 1100 à 1650.

🅱 (fermé dim. et jours fériés sauf en saison) "Le Pot d'Étain", r. Brasseurs 7 𝒫 31 21 35.

◆Bruxelles 107 – ◆Arlon 80 – ◆Liège 56 – ◆Namur 46.

🏰 **Château d'Hassonville** ⚘ (SO : 4 km à Aye), 𝒫 31 10 25, Fax 31 60 27, ≼, 🏡, « Demeure du 17ᵉ s. dans un vaste parc », 🖈 – |🛗| ☎ 🅿 – 🔏 25 à 60. 🖅 ⓞ 💳 💳. ✂️
fermé lundi soir et mardi – **Repas** *Lunch 1150* – carte 2000 à 2300 – **20 ch** 🔄 4500/6800 – ½ P 4050/5050.

🏰 **Quartier Latin**, r. Brasseurs 2, 𝒫 32 17 13, Fax 32 17 12, 🖫, 🍴 – |🛗| ▦ rest 🔲 ☎ 🚗 🅿 – 🔏 25 à 120. 🖅 ⓞ 💳 💳
Repas *(Brasserie) Lunch 450* – 850/1390 – 🔄 300 – **40 ch** 2500/3800 – ½ P 2500/2950.

XX **Aux Menus Plaisirs** avec ch, r. Manoir 2, ℘ 31 38 71, Fax 31 52 81, 🌧, « Jardin d'hiver »
– 🖾 rest 🆃🆅 ☎ 🅿. 🝙 ① 🅴 𝘝𝘐𝘚𝘈. 🛇 ch
Repas *(fermé dim. soirs et lundis non fériés) Lunch 700* – 980 – **6 ch** 🖙 2500/3900 –
½ P 2200.

XX **La Bergerie** 🦌 avec ch, r. Fond des Vaulx 17, ℘ 31 21 33, Fax 31 64 87, 🌧, « Auberge
ardennaise » – 🅿. 🝙 ① 🅴 𝘝𝘐𝘚𝘈. 🛇
*fermé 2 sem. en juin, 2 sem. en sept, dern. sem. janv.-prem. sem. fév. et mardi et merc. hors
saison* – **Repas** 980/1390 – **5 ch** 🖙 2150/2400 – ½ P 2480/2800.

XX **Les 4 Saisons,** rte de Bastogne 108 (SE : 2 km, lieu-dit Hollogne), ℘ 32 18 10, 🌧 – 🅿.
🝙 🅴 𝘝𝘐𝘚𝘈
fermé mardi, merc. et 10 juil.-2 août – Repas *Lunch 590* – carte env. 1200.

▪ **MARCOURT** 6987 Luxembourg belge © Rendeux 2 129 h. 🄛🄐🄕 ⑦ et 🄛🄞🄟 ⑮ – 🕾 0 84.
◆Bruxelles 126 – ◆Arlon 84 – Marche-en-Famenne 19 – La Roche-en-Ardenne 9.

🏨 **La Grande Cure** 🦌, Les Planesses 12, ℘ 47 73 69, Fax 47 83 13, ≤, 🌧, 🐎 – ☎ 🅿. 🝙
🅴 𝘝𝘐𝘚𝘈. 🛇
*fermé 29 juin-6 août, du 19 au 28 sept, janv.-2 fév. et lundis et mardis non fériés sauf
7 août-27 sept* – **Repas** carte 1100 à 1700 – **10 ch** 🖙 2400/2600 – ½ P 2200.

XX **Le Marcourt** avec ch, Pont de Marcourt 7, ℘ 47 70 88, 🐎 – 🅿. 🝙 🅴. 🛇
fermé prem. sem. juil., du 4 au 30 sept, 31 déc.-20 janv. et merc. et jeudi sauf en juil.-août
– Repas *(fermé après 20 h 30) Lunch 950* – 950 – **9 ch** 🖙 2300 – ½ P 2000.

*Alle im Michelin-Führer erwähnten Orte sind
auf den Michelin-Karten 🄛🄞🄘 und 🄛🄞🄟 rot unterstrichen ;
die aktuellsten Hinweise gibt nur die neueste Ausgabe.*

▪ **MARIAKERKE** West-Vlaanderen 🄛🄘🄓 ② et 🄛🄞🄟 ① – voir à Oostende.

▪ **MARIEKERKE** Antwerpen 🄛🄘🄓 ⑥ et 🄛🄞🄟 ④ – voir à Bornem.

▪ **MARILLES** 1350 Brabant © Orp-Jauche 6 714 h. 🄛🄘🄓 ⑳ et 🄛🄞🄟 ⑭ – 🕾 0 19.
◆Bruxelles 57 – ◆Liège 50 – ◆Namur 34 – Tienen 19.

X **La Bergerie,** Grand-Route 1 (sur N 240), ℘ 63 32 41, Fax 63 23 07, « Cadre champêtre »
– 🅿. 🝙 ① 🅴 𝘝𝘐𝘚𝘈. 🛇
fermé lundi, mardi et 16 août-20 sept – **Repas** *Lunch 875* – 875/1075.

▪ **MARKE** West-Vlaanderen 🄛🄘🄓 ⑮ et 🄛🄞🄟 ⑩ – voir à Kortrijk.

▪ **MARTELANGE** 6630 Luxembourg belge 🄛🄐🄔 ⑱ et 🄛🄞🄟 ㉖ – 1 498 h. – 🕾 0 63.
◆Bruxelles 168 – ◆Arlon 18 – ◆Bastogne 21 – Diekirch 40 – ◆Luxembourg 44.

🏨 **Martinot,** rte de Bastogne 2, ℘ 60 01 22, Fax 60 13 33 – 🆃🆅 🅿. 🝙 ① 🅴 𝘝𝘐𝘚𝘈
fermé mardi et 15 janv.-15 fév. – **Repas** *Lunch 760* – 1050 – **12 ch** 🖙 2000/2800 –
½ P 2050/2200.

XX **An der Stuff** avec ch (annexe 🏨), r. Roche Percée 1 (N : 2 km sur N 4), ℘ 60 04 28,
Fax 60 13 92, ≤, « Environnement boisé » – 🆃🆅 ☎ 🅿. 🝙 ① 🅴 𝘝𝘐𝘚𝘈. 🛇 ch
fermé dim. soir – **Repas** *Lunch 1200* – carte env. 1700 – **12 ch** 🖙 1525/2050 –
½ P 1800/2100.

▪ **MASNUY-ST-JEAN** Hainaut 🄛🄘🄓 ⑰ et 🄛🄞🄟 ⑫ – voir à Mons.

▪ **MASSEMEN** 9230 Oost-Vlaanderen © Wetteren 22 778 h. 🄛🄘🄓 ⑤ et 🄛🄞🄟 ③ – 🕾 0 9.
◆Bruxelles 45 – ◆Antwerpen 65 – ◆Gent 18.

XX **Geuzenhof,** Lambroekstraat 90, ℘ 369 80 34, Fax 368 20 68, 🌧 – 🅿 – 🔺 25 à 60. 🝙
① 🅴 𝘝𝘐𝘚𝘈. 🛇
fermé dim. soir, lundi soir et merc. soir – **Repas** *Lunch 1050* – 1250/1900.

▪ **MATER** Oost-Vlaanderen 🄛🄘🄓 ⑯ – voir à Oudenaarde.

▪ **MECHELEN** (MALINES) 2800 Antwerpen 🄛🄘🄓 ⑦ et 🄛🄞🄟 ④ – 75 740 h. – 🕾 0 15.
Voir Tour★★★ de la cathédrale St-Rombaut★★ (St. Romboutskathedraal) AY – Grand-Place★
(Grote Markt) ABY **26** – Hôtel de Ville★ (Stadhuis) BY H – Pont du Wollemarkt (Marché aux laines)
≤★ AY F.
Musée : Manufacture Royale de Tapisseries Gaspard De Wit★ (Koninklijke Manufactuur van
Wandtapijten Gaspard De Wit) AY **M¹**.
Env. Muizen : Parc zoologique de Plankendael★★ par ③ : 3 km.
🔼 Stadhuis, Grote Markt ℘ 29 76 55, Fax 29 76 53.
◆Bruxelles 28 ④ – ◆Antwerpen 24 ⑥ – Leuven 24 ③.

MECHELEN

Antwerpsesteenweg .... C 2
Battelsesteenweg .... C 4
Brusselsesteenweg .... C 12
Colomalaan .... C 14
Eikestraat .... C 20
Europalaan .... C 23
Hanswijkvaart .... C 30
Hombeeksesteenweg .... C 32
Liersesteenweg .... C 47
Postzegellaan .... C 57
Steppeke .... C 66
Stuivenbergbaan .... C 67
Tervuursesteenweg .... C 69

BELGIQUE GRAND-DUCHÉ
DE LUXEMBOURG

Un guide Vert Michelin

Paysages, monuments
Routes touristiques
Géographie
Histoire, Art
Plans de villes
et de monuments

Alfa Alba sans rest, Korenmarkt 24, ℰ 42 03 03, Telex 23357, Fax 42 37 88 – |$| 🍴 📺 ☎ 🚗 – 🔬 25. ΑΕ ⓞ Ε VISA JCB. ℅
AZ **s**
43 ch ⇆ 5400/6650.

Den Grooten Wolsack, Wollemarkt 16, ℰ 21 86 03, Fax 21 86 28, 🌫, « Demeure patri-
cienne du 15ᵉ s. » – |$| 📺 ☎ 🅿 – 🔬 25 à 60. ΑΕ ⓞ Ε VISA. ℅
AY **b**
Repas (Taverne-rest) Lunch 495 – carte env. 1200 – **14 ch** ⇆ 3700/4900.

Gulden Anker, Brusselsesteenweg 2, ℰ 42 25 35, Telex 65943, Fax 42 34 99 – |$| 📺 ☎
🅿 – 🔬 25 à 120. ΑΕ ⓞ Ε VISA.
AZ **u**
Repas (fermé sam. midi et dim. soir) Lunch 1225 – carte 1250 à 1700 – ⇆ 375 – **28 ch**
2625/4050 – ½ P 2825/3425.

Egmont sans rest, Oude Brusselstraat 50, ℰ 42 13 99, Fax 41 34 98 – |$| 📺 ☎. ΑΕ ⓞ Ε
VISA
BZ **e**
fermé 24, 25 et 31 déc. et 1ᵉʳ janv. – **19 ch** ⇆ 2450/3350.

❀ ❀ **D'Hoogh** 1ᵉʳ étage, Grote Markt 19, ℰ 21 75 53, Fax 21 67 30 – 🍴. ΑΕ ⓞ Ε VISA.
℅
BY **r**
fermé sam. midi, dim. soir, lundi, 1 sem. après Pâques et 3 prem. sem. août – **Repas**
(nombre de couverts limité - prévenir) Lunch 1750 – 1650 carte 2000 à 2400
Spéc. Asperges régionales (mai-20 juin), Gibiers (oct.-janv.), Pot-au-feu de ris et pieds de veau aux
truffes.

❀❀ **Folliez,** Korenmarkt 19, ℰ 42 03 02, Fax 42 03 02 – ΑΕ ⓞ Ε VISA
AZ **f**
fermé merc. soir, jeudi, sam. midi, 17 juil.-10 août et 15 fév.-3 mars – **Repas** Lunch 950 –
carte env. 1900.

❀ **Square,** Grote Markt 13, ℰ 20 75 17, Fax 20 66 80, 🌫 – ΑΕ Ε VISA
BY **a**
fermé sam. midi, dim. et du 2 au 30 juil. – **Repas** Lunch 1050 – carte 1350 à 2050.

❀ **Mytilus,** Grote Markt 23, ℰ 20 19 52, Fax 20 18 35, 🌫, Moules en saison – ΑΕ ⓞ Ε
VISA
BY **d**
fermé merc. et dern. sem. juin-prem. sem. juil. – **Repas** Lunch 650 – carte 900 à 1600.

❀ **Convent** 1ᵉʳ étage, Nonnenstraat 50, ℰ 20 01 86, « Demeure du 17ᵉ s. » – ΑΕ Ε VISA. ℅
AY **g**
fermé mardi et du 1ᵉʳ au 15 fév. – **Repas** Lunch 800 – 1600.

à Bonheiden par ② : 6 km – 13 130 h. – ✉ 2820 Bonheiden – ☎ 0 15 :

❀❀ **'t Wit Paard,** Rijmenamseweg 85, ℰ 51 32 20 – 🅿. ΑΕ ⓞ Ε VISA
fermé merc., sam. midi, sem. carnaval et 3 dern. sem. sept – **Repas** Lunch 1150 – carte 1100
à 1700.

à Heffen par ⑥ : 6 km © Mechelen – ✉ 2801 Heffen – ☎ 0 3 :

❀❀ **Zander,** Steenweg op Blaasveld 131 (N 16), ℰ 866 10 60, Fax 866 10 60, 🌫, Produits de
la mer – 🅿. ΑΕ ⓞ Ε VISA
fermé mardi, 1 sem. en fév. et 15 sept-1ᵉʳ oct. – **Repas** carte 1300 à 2000.

Botermarkt	BY	8
Bruul	BYZ	
Consciencestr.	BZ	17
Grote Markt	ABY	26
Hoogstr.	AZ	
Korenmarkt	AZ	
Ijzerenleen	AY	
O.L. Vrouwstr.	ABZ	

Battelsesteenweg	AY	4
Begijnenstr.	AY	5
Blokstr.	BY	7

Brusselsepoortstr.	AZ	10
Colomastr.	AZ	15
Frederik de Merodestr.	BY	19
Gr. van Egmontstr.	BZ	25
Guldenstr.	AZ	27
Hoogstratenplein	BY	34
Kardinaal Mercierplein	BZ	35
Karmelietenstr.	AZ	36
Keizerstr.	BY	38
O. Van Kesbeeckstr.	AY	42
Korte Penninestr.	AZ	43
Lange Heergracht	BY	45

Liersesteeweg	BY	47
Maurits Sabbestr.	AY	48
Melaan	AY	50
Nekkerspoelstr.	BY	52
Onder den Toren	AY	53
Persoonshoek	AY	55
Schoutetstr.	AY	60
St-Janstr.	BY	62
St-Pietersberg	BY	63
Veemarkt	AY	72
Vismarkt	AY	73
Wollemarkt	AY	76

à Rumst par ⑥ : 8 km – 14 295 h. – ⊠ 2840 Rumst – ۞ 0 15 :

🟈🟈 **La Salade Folle,** Antwerpsesteenweg 84, 𝒸 31 53 41, Fax 31 08 28 – **⦿**. 🆎 ⓞ ☰ 𝘝𝘐𝘚𝘈. 🌫
fermé sam. midi et dim. soir – **Repas** Lunch *1200* – 1550/1750.

à Rijmenam par ② : 8 km ☐ Bonheiden 13 130 h. – ⊠ 2820 Rijmenam – ۞ 0 15 :

🏛 **Host. In den Bonten Os,** Rijmenamseweg 214, 𝒸 52 04 50, Fax 52 07 19, « Environnement boisé », 🛳 – 📺 ☎ **⦿** – 🔬 25 à 40. 🆎 ⓞ ☰ 𝘝𝘐𝘚𝘈
Repas (dîner seult sauf dim.) carte 1300 à 2050 – **24 ch** ☑ 3600/4800 – ½ P 2800/3500.

🟈🟈 **Villa Franck,** Watermolenstraat 10, 𝒸 51 57 71, 🌫, « Terrasse » – **⦿**. 🆎 ⓞ ☰ 𝘝𝘐𝘚𝘈. 🌫
fermé mardi soir, merc. et sept – **Repas** Lunch *950* – 1300/1900.

MEEUWEN **3670** Limburg C Meeuwen-Gruitrode 11 794 h. 213 ⑩ et 409 ⑥ - ☎ 0 89.
◆Bruxelles 105 - ◆Hasselt 26 - ◆Maastricht 43 - Roermond 42.

Villa Merode, Weg op Bree 136, ☎ 47 24 39, Fax 46 55 73, ☞ - TV ☎ P. AE ⓓ E VISA. ⚘ rest
fermé du 5 au 20 janv. - **Repas** (dîner pour résidents seult) - **10 ch** ☐ 1550/2485.

MEISE Brabant 213 ⑥ et 409 ④ ㉑ - voir à Bruxelles, environs.

MELSBROEK Brabant 213 ⑦ et 409 ㉒ - voir à Bruxelles, environs.

MEMBRE Namur 214 ⑮ et 409 ㉔ - voir à Vresse-sur-Semois.

MENEN **(MENIN) 8930** West-Vlaanderen 213 ⑭ et 409 ⑪ - 32 534 h. - ☎ 0 56.
◆Bruxelles 105 - Ieper 24 - ◆Kortrijk 15 - Lille 23.

XX **Datcha,** Hogeweg 432, ☎ 51 20 94, ☂, « Terrasse » - P. AE E VISA
fermé dim. soir, lundi et 2 prem. sem. août - **Repas** *Lunch 995* - carte 1300 à 1600.

XX **La Cravache,** Koningstraat 1, ☎ 51 90 04, Fax 53 09 71 - AE E VISA
fermé sam. midi, dim. soir, lundi et 2 prem. sem. sept - **Repas** *Lunch 950* - carte 1600 à 2300.

MERELBEKE Oost-Vlaanderen 213 ④ et 409 ③ - voir à Gent, environs.

MERENDREE **9850** Oost-Vlaanderen C Nevele 10 574 h. 213 ④ et 409 ③ - ☎ 0 9.
◆Bruxelles 71 - ◆Brugge 36 - ◆Gent 12.

XXX **De Waterhoeve,** Durmenstraat 6, ☎ 371 59 42, ≤, « Environnement champêtre, jardin paysagé avec pièce d'eau » - ▤ P. AE ⓓ E VISA. ⚘
fermé merc., sam. midi, dim. soir et 17 juil.-14 août - **Repas** *Lunch 995* - carte 1800 à 2150.

MESSANCY Luxembourg belge 214 ⑫ et 409 ㉖ - voir à Arlon.

MEULEBEKE **8760** West-Vlaanderen 213 ③ et 409 ② - 10 850 h. - ☎ 0 51.
◆Bruxelles 84 - ◆Brugge 36 - ◆Gent 39.

XXX **'t Gisthuis,** Baronielaan 28, ☎ 48 76 02, Fax 48 76 02, ☂, « Terrasse » - P. AE ⓓ E VISA
fermé dim. soir, lundi et 18 juil.-15 août - **Repas** carte env. 1900.

MEUSE NAMUROISE (Vallée de la) ★★ Namur 213 ⑳ ㉑, 214 ⑤ et 409 ⑭ **G. Belgique-Luxembourg.**

MICHEROUX **4630** Liège C Soumagne 13 896 h. 213 ㉓ - ☎ 0 41.
◆Bruxelles 113 - ◆Liège 13.

XXX **Kissler,** r. Chapelle 123, ☎ 77 36 16, Fax 77 52 47, ☂ - P. AE ⓓ E
fermé lundi, mardi, 1 sem. en fév. et août - **Repas** *Lunch 1175* - carte 1250 à 1850.

MIDDELKERKE-BAD **8430** West-Vlaanderen C Middelkerke 15 715 h. 213 ① et 409 ① - ☎ 0 59 - Station balnéaire - Casino Kursaal, Zeedijk ☎ 30 05 03, Fax 30 52 84.
ℹ J. Casselaan 4 ☎ 30 03 68, Fax 31 11 95.
◆Bruxelles 124 - ◆Brugge 37 - Dunkerque 43 - ◆Oostende 8.

Were-Di, P. de Smet de Naeyerstraat 19, ☎ 30 11 88, Fax 31 02 41, ⇌s - |♦| TV ☎. ⓓ E VISA. ⚘ ch
fermé 26 fév.-14 mars et 27 nov.-14 déc. - **Repas** *(fermé merc. non fériés d'oct. à juin sauf vacances scolaires) Lunch 575* - 825/1350 - **18 ch** ☐ 2000/2700 - ½ P 2150.

Excelsior sans rest, A. Degreefplein 9a, ☎ 30 18 31, ⇌s - |♦| TV ☎. AE E VISA. ⚘
25 mars-12 nov., vacances scolaires et week-end - **36 ch** ☐ 1400/2750.

Isaura sans rest, Koninginnelaan 86, ☎ 30 38 13, Fax 31 04 11 - TV ☎ P. AE ⓓ E VISA. ⚘
fermé 21 fév.-15 mars, du 15 au 30 nov. et lundi de sept à juin - **10 ch** ☐ 1500/2600.

XX **Littoral,** Zeedijk 79, ☎ 30 07 54, ≤, Produits de la mer - AE ⓓ E VISA. ⚘
fermé 28 sept-5 oct., du 4 au 22 déc. et jeudi sauf sem. de Pâques et en juil.-août - **Repas** (déjeuner seult en hiver sauf week-end) *Lunch 695* - 695/1290.

X **Milord,** Leopoldlaan 94, ☎ 30 50 28 - ▤. AE ⓓ E VISA
25 déc.-15 oct. ; fermé mardi soir et merc. sauf en juil.-août - **Repas** *Lunch 475* - carte env. 1300.

MIRWART **6870** Luxembourg belge C St-Hubert 5 739 h. 214 ⑯ et 409 ㉕ - ☎ 0 84.
◆Bruxelles 129 - ◆Arlon 71 - Marche-en-Famenne 26 - ◆Namur 68 - St-Hubert 11.

Beau Site ⛰, pl. Communale 5, ☎ 36 62 27, ☂, « Rustique » - TV ☎ P. E VISA. ⚘ rest
fermé dim. soir, lundi et mardi midi - **Repas** *(fermé après 20 h 30) Lunch 850* - carte 1000 à 1300 - ☐ 200 - **19 ch** 1600/2000 - ½ P 2200/2600.

XX **Aub. du Grandgousier** ⛰ avec ch, r. Staplisse 6, ☎ 36 62 93, Fax 36 65 77, ☂, « Rustique » - TV ☎ P. E
fermé 7 janv.-9 fév., du 12 au 30 juin, 28 août-15 sept et mardi soir et merc. sauf vacances scolaires - **Repas** *Lunch 995* - carte 1350 à 1750 - **9 ch** ☐ 1400/2200 - ½ P 2100.

MODAVE 4577 Liège 𝟤𝟣𝟦 ⑥ et 𝟦𝟢𝟫 ⑮ – 3 365 h. – ✪ 0 85.

Voir Château★ : ≤★ de la terrasse de la chambre du Duc de Montmorency.

Env. à Bois-et-Borsu S : 6 km, fresques★ dans l'église romane.

◆Bruxelles 97 – ◆Liège 38 – Marche-en-Famenne 25 – ◆Namur 46.

XXX **La Roseraie**, rte de Limet 80, ℘ 41 13 60, « Parc ombragé » – **P**. ⬛ **E** **VISA**. ⬥
fermé dim. soir, lundi soir, mardi, merc., sem. carnaval, dern. sem. août et après 20 h 30
– Repas Lunch 650 – 1200/1995.

MOERBEKE-WAAS 9180 Oost-Vlaanderen 𝟤𝟣𝟥 ⑤ et 𝟦𝟢𝟫 ③ – 5 633 h. – ✪ 0 9.

◆Bruxelles 54 – ◆Antwerpen 38 – ◆Gent 26.

XX **Molenhof**, Heirweg 25, ℘ 346 71 22, Fax 346 71 22, « Fermette, cadre champêtre » – **P**.
E **VISA**. ⬥ – *fermé sam. midi, dim. soir, lundi, 2 dern. sem. juil. et prem. sem. janv.* – **Repas**
Lunch 950 – carte env. 1500.

MOERKERKE West-Vlaanderen 𝟤𝟣𝟥 ③ et 𝟦𝟢𝟫 ② – voir à Damme.

MOERZEKE Oost-Vlaanderen 𝟤𝟣𝟥 ⑥ et 𝟦𝟢𝟫 ④ – voir à Hamme.

MOESKROEN Hainaut – voir Mouscron.

MOL 2400 Antwerpen 𝟤𝟣𝟥 ⑨ et 𝟦𝟢𝟫 ⑤ – 30 793 h. – ✪ 0 14.

🏌 Kiezelweg 78 ℘ 81 62 34, Fax 81 46 11 – 🏌 Eerselseweg 40 (Postel) ℘ 37 72 50, Fax 65 69 09
– 🏌 Goorstraat (Achterbos) ℘ 45 05 09, Fax 58 42 73.

🚊 (fermé sam. et dim. sauf en été) Markt 18, ℘ 33 07 85, Fax 33 07 87.

◆Bruxelles 78 – ◆Antwerpen 54 – ◆Hasselt 42 – ◆Turnhout 23.

XXX **Hippocampus**, St-Jozeflaan 79 (E : 7 km à Wezel), ℘ 81 08 08, Fax 81 45 90, 🌳,
« Demeure ancienne dans un parc avec pièce d'eau » – **P**. ⬛ ⓞ **E** **VISA**. ⬥
fermé lundi et 2 dern. sem. août – **Repas** Lunch 1250 – 1550/1950.

MOLENBEEK-ST-JEAN (SINT-JANS-MOLENBEEK) Brabant 𝟦𝟢𝟫 ㉑ – voir à Bruxelles.

MOLENSTEDE Brabant 𝟤𝟣𝟥 ⑧ et 𝟦𝟢𝟫 ⑤ – voir à Diest.

MOMIGNIES Hainaut 𝟤𝟣𝟦 ⑬ et 𝟦𝟢𝟫 ㉓ – voir à Chimay.

MONS (BERGEN) 7000 🅿 Hainaut 𝟤𝟣𝟦 ② et 𝟦𝟢𝟫 ⑫ – 92 553 h. – ✪ 0 65.

Voir Collégiale Ste-Waudru★★ CY – Beffroi★ CY D.
Musée : de la Vie montoise★ (Maison Jean Lescarts) DY M¹.

Env. à Strépy-Thieu par ① : 15 km, Canal du Centre : les Ascenseurs hydrauliques★.

🏌 🏌 à Erbisoeul par ① : 6 km, Chemin de la Verrerie 2 ℘ (0 65) 22 94 74, Fax (0 65) 22 51 54 –
🏌 à Baudour par ⑥ : 6 km, r. Mont Garni 3 ℘ (0 65) 62 27 19, Fax (0 65) 62 34 10.

🚊 Grand'Place 22 ℘ 33 55 80, Fax 35 63 36 – Fédération provinciale de tourisme, r. Clercs 31
℘ 36 04 64, Fax 33 57 32.

◆Bruxelles 67 ① – ◆Charleroi 36 ② – Maubeuge 20 ③ – ◆Namur 72 ① – ◆Tournai 48 ⑤.

Plan page ci-contre

🏨 **Lido** Ⓜ sans rest, r. Arbalestriers 1, ℘ 32 78 00, Fax 84 37 22, ⚐ – ⬛ 📺 ☎ 🚗 – ♿ 60
à 350. ⬛ ⓞ **E** **VISA** – **67 ch** ⬛ 2850/3900. DY **r**

🏨 **Infotel** sans rest, r. Havré 32, ℘ 35 62 21, Fax 35 62 24 – ⬛ 📺 ☎ **P**. ⬛ ⓞ **E** **VISA**
19 ch ⬛ 2150/3980. DY **s**

XXX ⬥ **Devos** (Eeckhout), r. Coupe 7, ℘ 35 13 35, Fax 35 37 71 – ⬛. ⬛ ⓞ **E** **VISA** DY **r**
fermé du 20 au 26 fév., 17 juil.-14 août, merc. et dim. soir – **Repas** Lunch 930 – carte 1600
à 2000
Spéc. Langoustines et chèvre frais, vinaigrette au curry, Filet de bœuf montois, Meunière de turbot
au coulis de crevettes grises et chicons.

XXX **Chez John**, av. de l'Hôpital 10, ℘ 33 51 21, Fax 33 76 87, 🌳 – ⬛ ⓞ **E** **VISA** DY **e**
fermé dim., lundi, 20 fév.-3 mars et 13 août-7 sept – **Repas** Lunch 950 – carte 1750 à 2300.

XX **Le Vannes**, chaussée de Binche 177 (par ②), ℘ 35 14 43 – **P**. ⬛ ⓞ **E** **VISA**
fermé merc. et du 1er au 20 juil. – **Repas** Lunch 850 – 1495.

XX **Marchal**, Rampe Ste-Waudru 4, ℘ 31 24 02, Fax 36 24 70, 🌳 – **P**. ⬛ ⓞ **E** **VISA** CY **u**
fermé 1re quinz. août, prem. sem. janv. et dim. soirs, lundis et mardis non fériés – **Repas**
Lunch 720 – 850/1550.

X **Alter Ego**, r. Nimy 6, ℘ 35 52 60, Fax 35 16 70 – ⬛ ⓞ **E** **VISA** DY **c**
fermé dim. soir, lundi et 12 juil.-12 août – **Repas** Lunch 680 – 680/1250.

à Baudour par ⑥ : 6 km ⒸSaint-Ghislain 22 155 h. – ✉ 7331 Baudour – ✪ 0 65 :

XX **Fernez**, pl. de la Résistance 1, ℘ 64 44 67, Fax 64 47 92 – ⬛. ⬛ ⓞ **E** **VISA**
fermé mardi soir, merc. et dim. soir – **Repas** Lunch 1000 – carte env. 1600.

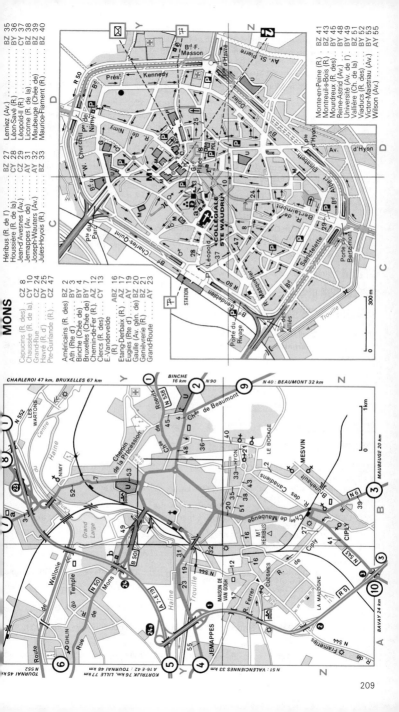

MONS

Capucins (R. des)	CZ 8
Chaussée (R. de la)	CY 10
Grand-Rue	CZ 24
Havré (R. d')	DY 25
Pre-Gurlande (R.)	CZ 47

Héribus (R. de l')	
Houssière (R. de la)	
Jean-d'Avesnes (Av.)	BZ 27
Jemappes (Av. de)	CY 28
Joseph-Wauters (Av.)	AY 31
Jules-Hoyois (R.)	BZ 32
	BZ 33

Lemiez (Av.)	BZ 35
Léon-Savé (R.)	BY 36
Léopold-II (R.)	CY 37
Licorne (R. de la)	BZ 38
Maubeuge (Chée de)	BZ 39
Maurice-Flament (R.)	BZ 40

Monte-en-Peine (R.)	BZ 41
Montreuil-s-Bois (R.)	BZ 43
Mourdreux (R. des)	BY 45
Reine-Astrid (Av.)	BY 48
Université (Av. de l')	BY 49
Vallière (Ch. de la)	BY 51
Viaducs (R. des)	BY 52
Victor-Maistriau (Av.)	BY 53
Wilson (Av)	AY 55

Américains (R. des)	BZ 2
Ath (Rte d')	BY 3
Binche (Chée de)	BY 4
Bruxelles (Chée de)	BY 7
Chemin-de-Fer (R.)	AZ 12
Clercs (R. des)	CY 13
E.-Vandervelde (R.)	ABZ 16
Étang-Derbaix (R.)	AZ 17
Eugies (Rte d')	AY 19
Gaulle (Av. gén. de)	BZ 20
Genévrerie (R.)	BZ 21
Grand-Route	AY 23

à Frameries par ⑩ : 2 km – 21 268 h. – ⊠ 7080 Frameries – 🕿 0 65 :

XXX **L'Assiette au beurre,** r. Industrie 278, 𝒫 67 76 73, Fax 66 43 87 – **Ⓟ**. AE ⓞ E VISA
fermé merc. soir, jeudi et dim. soir – **Repas** *Lunch 1500* – carte 1700 à 2050.

à Ghlin ⓒ Mons – ⊠ 7011 Ghlin – 🕿 0 65 :

XX **La Biche,** rte de Mons 218 (par N 50), 𝒫 33 98 13, Fax 33 98 18, �, « Rustique » – AE
ⓞ E VISA
AY **b**
fermé dim. soir, lundi, 1 sem en sept et 1 sem en janv. – **Repas** *Lunch 695* – 895/1250.

à Maisières par ⑧ : 3 km sur N 6 ⓒ Mons – ⊠ 7020 Maisières – 🕿 0 65 :

🏨 **Le Maisières,** chaussée de Bruxelles 189a, 𝒫 72 87 61, Fax 72 37 29, 🔲 – 🖵 🕿 Ⓟ – 🔬 40
à 300. AE ⓞ E VISA
Repas *(fermé dim. soir et lundi)* Lunch 600 – carte env. 1100 – **92 ch** ⊇ 2300/3250 –
½ P 2900.

à Masnuy-St-Jean par ⑦ : 6 km ⓒ Jurbise 8 547 h. – ⊠ 7020 Masnuy-St-Jean – 🕿 0 65 :

🏨 **La Forêt** ⑤, chaussée de Brunehault 3, 𝒫 72 36 85, Fax 72 41 44, ≤, �, « Cadre de
◆ verdure », ⌇, – 🛊 🖵 🕿 Ⓟ – 🔬 25 à 100. AE ⓞ E VISA. ⌇ rest
Repas *(fermé sam. et dim. soir)* Lunch 750 – 750/1250 – **50 ch** ⊇ 3400/4500, 1 suite –
½ P 2550/3750.

à Nimy ⓒ Mons – ⊠ 7020 Nimy – 🕿 0 65 :

🏨 **Le Château de la Cense au Bois,** rte d'Ath 135 (près sortie 23), 𝒫 31 60 00, Fax 36 11 55,
�, « Manoir du 19ᵉ s. » – 🖵 🕿 Ⓟ – 🔬 25 à 40. AE ⓞ E VISA
BY **a**
Repas *L'Osciètre Gris (fermé dim. soir, lundi, 17 juil.-2 août et du 15 au 31 janv.)* 1450/2150
– ⊇ 450 – **10 ch** 2700/4900 – ½ P 3000/4200.

MONT Namur 𝟚𝟙𝟜 ⑤ et 𝟜𝟘𝟡 ⑭ – voir à Godinne.

MONTAIGU Brabant – voir Scherpenheuvel.

MONTIGNIES-ST-CHRISTOPHE 6560 Hainaut ⓒ Erquelinnes 9 629 h. 𝟚𝟙𝟜 ③ et 𝟜𝟘𝟡 ⑬ –
🕿 0 71.
◆Bruxelles 70 – ◆Charleroi 30 – ◆Mons 25 – Maubeuge 20.

XX ❀ **La Villa Romaine,** chaussée de Mons 52, 𝒫 55 56 22, Fax 55 62 03, � – **Ⓟ**. AE ⓞ E
VISA
fermé du 4 au 18 sept., 29 janv.-5 fév. et dim. soirs et lundis non fériés – **Repas** *Lunch 950*
– carte env. 2000
Spéc. Biscuit d'anguille et saumon fumé, émulsion au citron vert, Pigeon rôti aux épices, Pêche
rôtie glace au miel de sapin et romarin.

MONTIGNIES-SUR-SAMBRE Hainaut 𝟚𝟙𝟜 ④ et 𝟜𝟘𝟡 ⑬ – voir à Charleroi.

MONT-ST-AUBERT Hainaut 𝟚𝟙𝟛 ⑮ – voir à Tournai.

MONT-SUR-MARCHIENNE Hainaut 𝟚𝟙𝟜 ③ et 𝟜𝟘𝟡 ⑬ – voir à Charleroi.

MOUSCRON (MOESKROEN) 7700 Hainaut 𝟚𝟙𝟛 ⑮ et 𝟜𝟘𝟡 ⑪ – 53 606 h. – 🕿 0 56.
🄳 Hôtel de Ville 𝒫 34 00 61, Fax 34 58 23.
◆Bruxelles 101 ③ – ◆Mons 71 ⑤ – ◆Kortrijk 11 ④ – Lille 23 ③ – ◆Tournai 23 ⑤.

Plan page ci-contre

XX **La Cuisine des Anges,** r. Tombrouck 6 (par ② : 2 km sur N 58), 𝒫 33 39 22, Fax 33 62 65
– 🗖 **Ⓟ**. AE ⓞ E VISA
fermé dim. soir, lundi, sem. carnaval et sept – **Repas** carte 2000 à 2500.

XX **Cristal,** r. Roi-Baudouin 1, 𝒫 33 28 40, Fax 33 30 51 – 🗖. AE ⓞ E VISA
A **e**
fermé dim. soir, lundi soir, mardi, 3 dern. sem. juil.-prem. sem. août et 1 sem en fév. –
Repas *Lunch 675* – carte 1400 à 1800.

XX **Au Petit Château,** bd des Alliés 243 (SE par ② : 2 km sur N 58), ⊠ 7700 Luingne,
𝒫 33 22 07, Fax 84 02 11 – 🗖. AE ⓞ E VISA
fermé dim. soir, lundi soir, mardi soir, merc. et 17 en juil.-9 août – **Repas** *Lunch 895* –
1195/1595.

XX **Les Roses,** av. Reine Astrid 111, 𝒫 34 84 73, Fax 84 24 14, � – AE ⓞ E VISA
B **r**
fermé lundi soir, merc., dim. soir et août – **Repas** 1375/1795.

X **Au Jardin de Pékin,** r. Station 9, 𝒫 33 72 88, Cuisine chinoise, ouvert jusqu'à 23 h – 🗖.
AE ⓞ E VISA. ⌇
B **u**
fermé lundis non fériés – **Repas** *Lunch 280* – carte env. 900.

X **Le Galion,** r. Courtils 1, 𝒫 34 54 37, Fax 34 41 88, Écailler et moules en saison – AE ⓞ
E VISA
B **d**
fermé dim. soir, lundi soir, mardi soir et merc. – **Repas** *Lunch 750* – carte 950 à 1350.

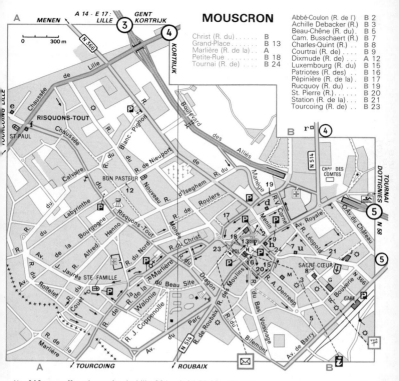

MOUSCRON

Christ (R. du) . . . . . . B
Grand-Place . . . . B 13
Marlière (R. de la) . . A
Petite-Rue . . . . B 18
Tournai (R. de) . . . . B 24

Abbé-Coulon (R. de l') . . B 2
Achille Debacker (R.) . . B 3
Beau-Chêne (R. du) . . B 5
Cam. Busschaert (R.) . . B 7
Charles-Quint (R.) . . . B 8
Courtrai (R. de) . . . . B 9
Dixmude (R. de) . . . . A 12
Luxembourg (R. du) B 15
Patriotes (R. des) . . . B 16
Pépinière (R. de la) . . B 17
Rucquoy (R. du) . . . . B 19
St. Pierre (R.) . . . . . . B 20
Station (R. de la) . . . B 21
Tourcoing (R. de) . . B 23

❌ **L'Aquarelle,** chaussée de Lille 291, ℰ 34 55 36 – 🇪 𝘝𝘐𝘚𝘈   A f
   fermé lundi soir, mardi, 1 sem. en mars et 3 sem. en sept – **Repas** Lunch 670 – 670/1095.

❌ **A la Cloche,** r. Tournai 9, ℰ 33 04 26, Fax 34 59 20, Brasserie, ouvert jusqu'à 23 h – 🄰🄴
   🇴 🇪 𝘝𝘐𝘚𝘈 – **Repas** Lunch 620 – 740/840.   B h

à Herseaux par ⑤ : 4 km 🄲 Mouscron – ✉ 7712 Herseaux – ☎ 0 56 :

❌ **La Broche de Fer,** r. Broche de Fer 273, ℰ 33 15 16, Fax 34 10 54 – 🅿. 🄰🄴 🇴 🇪 𝘝𝘐𝘚𝘈
   fermé 2 sem. en fév., 13 juil.-11 août et mardi et merc. sauf midis fériés – **Repas** carte
   950 à 1300.

MULLEM Oost-Vlaanderen 🄯🄵🄳 ⑯ – voir à Oudenaarde.

NADRIN 6660 Luxembourg belge 🄲 Houffalize 4 304 h. 🄯🄵🄸 ⑦ et 🄳🄵🄹 ⑮ – ☎ 0 84.
Voir Belvédère des Six Ourthe★★, Le Hérou★★.

◆Bruxelles 140 – ◆Arlon 68 – ◆Bastogne 29 – La Roche-en-Ardenne 13.

🏨 **Les Alisiers** ⦨ sans rest, rte du Hérou 53, ℰ 44 41 14, Fax 44 46 04, ≤ vallées, « Villa
   sur jardin » – 📺 ☎ 🅿. 🄰🄴 🇪 𝘝𝘐𝘚𝘈
   fermé 18 déc.-26 janv. et mardi et merc. sauf en juil.-août – **5 ch** ⇌ 1500/2500.

❌❌ **Le Cabri** ⦨ avec ch, rte du Hérou 45, ℰ 44 41 85, « Auberge avec ≤ vallées », 🌲, 🐎
    – ☎ 🅿. 🄰🄴 🇴 🇪 𝘝𝘐𝘚𝘈 . 🛇 ch
    fermé mardi, merc., jeudi, 12 fév.-8 mars, du 5 au 30 juin et 28 août-22 sept – **Repas** Lunch
    1250 – carte 1650 à 2200 – ⇌ 285 – **8 ch** 1100/2690 – ½ P 2300/2750.

❌❌ **Le Panorama** ⦨ avec ch, rte du Hérou 41, ℰ 44 43 24, Fax 44 43 24, ≤, 🍽, 🐎 – 🅿.
    🄰🄴 🇪 𝘝𝘐𝘚𝘈 . 🛇
    sem. avant Pâques-15 nov., week-end et jours fériés ; fermé janv. – **Repas** (fermé merc.)
    990/1890 – ⇌ 180 – **11 ch** 1950 – ½ P 2100/3200.

❌ **Au Vieux Chêne,** r. Villa Romaine 4, ℰ 44 41 14, Fax 44 46 04, 🍽 – 🅿. 🄰🄴 🇪 𝘝𝘐𝘚𝘈
   fermé mardi, merc., 26 juin-7 juil., 25 sept-6 oct. et 18 déc.-26 janv. – **Repas** Lunch 650 –
   800/1350.

❌ **La Plume d'Oie,** pl. du Centre 3, ℰ 44 44 36, 🍽 – 🄰🄴 🇴 🇪 𝘝𝘐𝘚𝘈
   fermé 1ʳᵉ quinz. juil. et merc. sauf en juil.-août – **Repas** Lunch 950 – carte 1150 à 1850.

NAMUR (NAMEN) 5000 🅟 213 ⑳, 214 ⑤ et 409 ⑭ – 104 372 h. – 🔕 0 81 – Casino BZ , av. Baron de Moreau 1 ☎ 22 30 21, Fax 22 90 22.

Voir Citadelle★ ☀★★ BZ – Trésor★★ d'Oignies BCZ **K** – Église St-Loup★ BZ – Le Centre★.

Musées : Archéologique★ BZ **M²** – des Arts Anciens du Namurois★ BY **M³** – Diocésain et trésor de la cathédrale★ BYZ **M⁴** – de Croix★ BZ **M⁵**.

Env. Floreffe : stalles★ de l'église abbatiale par ⑤ : 11 km.

🛈 Square de l'Europe Unie ☎ 22 28 59 et (en saison) Chalet du Grognon ☎ 24 34 24 – Fédération provinciale de tourisme, r. Notre-Dame 3 ☎ 22 29 98, Fax 22 47 68.

◆Bruxelles 64 ① – ◆Charleroi 38 ⑥ – ◆Liège 61 ① – ◆Luxembourg 158 ③.

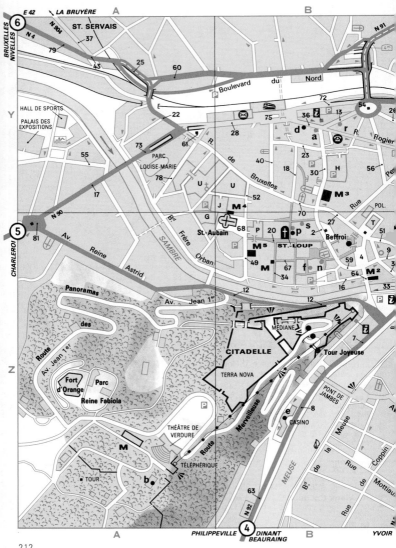

🏛 **Château de Namur** 🍽 (Ecole hôtelière), av. Ermitage 1 (citadelle), ℰ 74 26 30,
Fax 74 23 92, ≤, ℛ – 🛗 📺 ☎ 🅿 – 🔬 25 à 100. 🖭 ⓞ 🄴 𝑉𝐼𝑆𝐴   AZ **b**
Repas Lunch 895 – carte env. 1500 – ☞ 400 – **29 ch** 3070/3600.

🏨 **Beauregard** sans rest, av. Baron de Moreau 1, ℰ 23 00 28, Fax 24 12 09 – 🛗 📺 ☎ 📶
🅿 – 🔬 25 à 120. 🖭 ⓞ 🄴 𝑉𝐼𝑆𝐴   BZ **e**
51 ch ☞ 2750/3250.

🏨 **Saint-Loup,** r. St-Loup 4, ℰ 23 04 05, Fax 23 09 43, ㈜ – 🛗 📺 ☎ – 🔬 25. 🖭 ⓞ 🄴 𝑉𝐼𝑆𝐴
Repas Lunch 590 – 990/1300 – ☞ 300 – **10 ch** 2800/3800 – ½ P 2190/2690.   BZ **p**

🏠 **Queen Victoria** sans rest, av. de la Gare 11, ℰ 22 29 71, Fax 24 11 00 – 🛗 📺 ☎. 🖭 ⓞ
🄴 𝑉𝐼𝑆𝐴. ℛ – **21 ch** ☞ 1350/2150.   BY **d**

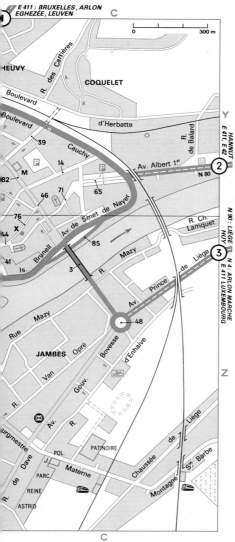

NAMUR

Ange (R.de l') .... BZ 2
Fer (R. de) .... BY 30
Marchovelette (R. de) .... BZ 59
St Jacques (R) .... BYZ 70

Ardennes (Pont des) .... CZ 3
Armes (Pl. d') .... BZ 4
Baron L. Huart (Bd.) .... BZ 7
Baron-de-Moreau (Av.) .... BZ 8
Bas-de-la-Place (R.) .... BZ 9
Bord-de-l'Eau (R. du) .... ABZ 12
Borgnet (R.) .... BY 13
Bourgeois (R. des) .... CY 14
Brasseurs (R des) .... BZ 16
Cardinal-Mercier (Av.) ...... AY 17
Carmes (R. des) .... BY 18
Collège (R. du) .... BZ 20
Combattants (Av. des) .... AY 22
Croisiers (R. des) .... BY 23
Croix-du-Feu (Av. des) ...... AY 25
Dewez (R.) .... BCY 26
Emile-Cuvelier (R.) .... BYZ 27
Ernest-Mélot (Bd.) .... BY 28
Fernand-Golenvaux .... BY 31
France (Pont de) .... BCZ 33
Fumal (R.) .... BZ 34
Gare (Av. de la) .... BY 36
Gembloux (R. de) .... AY 37
Général-Michel (R.) .... CY 39
Godefroid (R.) .... BY 40
Gravière (R. de) .... CZ 41
Hastedon (Pl. d') .... AY 43
Ilon (Pl. d') .... CZ 44
J.-Brabant (R.) .... CY 46
Joséphine-Charlotte (Pl.) .... CZ 48
Joseph-Saintraint (R.) ...... BZ 49
Julie-Billiard (R) .... BZ 51
Lelièvre (R.) .... BY 52
Léopold (Pl.) .... BY 54
Léopold II (Av.) .... AY 55
Lucien-Namèche (R.) .... BY 56
Merckem (Bd de) .... AY 60
Omalius (Pl. d') .... AY 61
Plante (Av. de la) .... BZ 63
Pont (R. du) .... BZ 64
Reine Elisabeth (Pl.) ...... CY 65
Rupplémont (R.) .... BZ 67
St-Aubain (Pl.) .... BZ 68
St-Nicolas (R.) .... CY 69
Square-Léopold (Av. du) .... BY 72
Stassart (Av. de) .... AY 73
Station (Pl. de la) .... BY 75
Tanneries (R. des) .... CYZ 76
Vierge (Rempart de la) .... AY 78
Waterloo (chaussée de) .... AY 79
Wiertz (Pl.) .... AYZ 81
1er-Lanciers (R. du) ...... BY 82
4 Fils Aymon (R. des) ..... CZ 85

*Pour visiter la Belgique utilisez
le guide vert Michelin Belgique -
Grand-Duché de Luxembourg.*

XX **Biétrumé Picar,** r. Haute Marcelle 13 (transfert prévu Tienne Moquet 16), ℰ 23 07 39, Fax 23 07 39 – AE ⓪ E VISA   BZ **s**
fermé dim. soir sauf en saison et lundi – **Repas** Lunch 950 – carte 1400 à 2050.

XX **L'Espièglerie,** r. Tanneries 13a, ℰ 22 30 24, Fax 22 97 03, « Demeure ancienne » – AE ⓪ E VISA   CZ **x**
fermé sam. midi, dim. soir et 15 juil.-15 août – **Repas** Lunch 1000 – carte env. 1600.

XX **Côté Jardin,** r. Halle 2, ℰ 23 01 84, Fax 23 01 75, 😷 – AE ⓪ E VISA   BZ **n**
Repas Lunch 980 – carte 1250 à 1700.

XX **Chez Chen,** r. Borgnet 8, ℰ 22 48 22, Fax 24 12 46, Cuisine chinoise, ouvert jusqu'à 23 h – 🍽, AE ⓪ E VISA. ⨯   BY **r**
fermé mardi et 3 prem. sem. juil. – **Repas** Lunch 650 – 850.

X **La Bruxelloise,** av. de la Gare 2, ℰ 22 09 02, Fax 22 09 02, Moules en saison, ouvert jusqu'à 23 h 30 – 🍽. AE ⓪ E VISA. ⨯   BY **a**
Repas carte 850 à 1300.

X **La Soupière,** r. St-Loup 8, ℰ 22 84 85 – AE ⓪ E VISA. ⨯   BZ **p**
fermé du 5 au 24 juin, 25 sept-4 oct., dim. et jours fériés – **Repas** (déjeuner seult sauf vend. et sam.) Lunch 550 – 900/1200.

X **La Petite Fugue,** pl. Chanoine Descamps 5, ℰ 23 13 20, Fax 23 13 20   BZ **f**
→ *fermé du 17 au 24 avril, 30 oct.-16 nov., sam. midi, dim. soir et lundi* – Repas Lunch 500 – 675/1250

à Bouge par ② : 3 km Ⓒ Namur – ✉ 5004 Bouge – 🕾 0 81 :

🏠 **Ferme du Quartier** ⑤, pl. Ste Marguerite 4, ℰ 21 11 05, Fax 21 59 18, 😷, 🐎 – 🕾 ⓟ – 🔬 35. AE ⓪ E VISA. ⨯
fermé dim. soir, jours fériés soirs, juil. et du 23 au 30 déc. – **Repas** Lunch 950 – carte env. 1100 – **14 ch** ⊒ 1450 – ½ P 1500/2000.

XX **Les Alisiers,** rte de Hannut 14, ℰ 21 36 62, Fax 21 36 62, ≼, 😷 – ⓟ. AE ⓪ E VISA
fermé lundi soir, mardi, 1 sem. carnaval et 2 prem. sem. août – Repas Lunch 980 – 980/1550.

à Dave par ③ : 7 km Ⓒ Namur – ✉ 5100 Dave – 🕾 0 81 :

X **Le Beau Rivage,** r. Rivage 8, ℰ 40 18 97, Fax 40 18 97, ≼, 😷 – ⓟ. AE ⓪ E VISA. ⨯
Repas (déjeuner seult sauf week-end) Lunch 560 – carte env. 1200.

à Erpent par ③ : 4 km sur N 4 Ⓒ Namur – ✉ 5101 Erpent – 🕾 0 81 :

🏠 **L'Hermitage,** chaussée de Marche 581, ℰ 30 45 37 – ⓟ. E VISA
Repas Lunch 620 – 920/1280 – **8 ch** ⊒ 1900.

à Lives-sur-Meuse par ③, E : 9 km Ⓒ Namur – ✉ 5101 Lives-sur-Meuse – 🕾 0 81 :

XXXX ✿✿ **La Bergerie** (Lefevere), r. Mosanville 100, ℰ 58 06 13, Fax 58 19 39, ≼, « Dominant la vallée, terrasse et jardin avec pièce d'eau » – 🍽 ⓟ. AE ⓪ E VISA. ⨯
fermé dim. soir sauf en juil.-août, lundi et mardi – **Repas** Lunch 1750 – carte 2200 à 2700
Spéc. Foie d'oie poêlé aux figues et poires (21 sept-21 déc.), Agneau rôti "Bergerie", Le gâteau de crêpes soufflées.

à Maizeret par ③ : 11 km Ⓒ Andenne 23 300 h. – ✉ 5300 Maizeret – 🕾 0 81 :

XX **Léon,** rte de Liège 1, ℰ 58 86 51, Fax 58 00 02, ≼ – ⓟ. AE E VISA
fermé du 20 au 28 fév., 27 juil.-9 août, mardi soir et merc. – **Repas** Lunch 850 – 1295/1895.

X **L'Aub. des 2 Marie,** r. Gramptinne 2 (lieu-dit Vallée du Samson), ℰ 58 86 13, Fax 58 86 13, 😷, « Terrasse au bord de l'eau » – ⓟ. AE ⓪ E VISA. ⨯
fermé lundi et du 2 au 31 janv. – **Repas** carte env. 1200.

à Malonne par ⑤ : 8 km Ⓒ Namur – ✉ 5020 Malonne – 🕾 0 81 :

XX **Alain Péters,** Trieux des Scieurs 22, ℰ 44 03 32, Fax 44 60 20 – ⓟ. E VISA
fermé 2 sem. carnaval, 1 sem. Pâques, du 6 au 31 juil. et lundi soir, mardi et merc. d'oct. à fin avril – **Repas** Lunch 1450 – 1200/1580.

XX **Le Relais du Roy Louis,** Allée de la Ferme Blanche 18, ℰ 44 48 47, Fax 44 48 47, 😷 – ⓟ. AE ⓪ E VISA
fermé jeudi, dim. soir, 20 fév.-8 mars et 21 août-6 sept – **Repas** Lunch 750 – carte 1800 à 2100.

à Wépion par ④ : 4,5 km Ⓒ Namur – ✉ 5100 Wépion – 🕾 0 81 :

🏨 **Novotel,** chaussée de Dinant 1149, ℰ 46 08 11, Telex 59031, Fax 46 19 90, ≼, 🏊 – ⨯ 🍽 rest 📺 🕾 ⓟ – 🔬 25 à 270. AE ⓪ E VISA
Repas Lunch 895 – 925/1050 – ⊒ 400 – **110 ch** 2900/3700 – ½ P 1550/1950.

🏨 **Villa Gracia** Ⓜ ⨯ sans rest, chaussée de Dinant 1455, ℰ 41 43 43, Fax 41 12 25, « Parc au bord de la Meuse (Maas) », 🐎 – 📶 📺 🕾 ⓟ – 🔬 30. AE ⓪ E VISA
⊒ 380 – **8 ch** 3800/6100.

XX **La Petite Marmite,** chaussée de Dinant 683, ℰ 46 09 06, ≼ – ⓟ. AE ⓪ E VISA
fermé dim. soir, lundi et oct. – **Repas** Lunch 1000 – 1200/1600.

XX **Le Père Courtin,** chaussée de Dinant 652, ℰ 46 19 61 – AE ⓪ E VISA
→ *fermé dim. soir d'oct. à avril et mardi* – **Repas** Lunch 550 – 750/1490.

NANINNE 5100 Namur 🖸 Namur 104 372 h. 📊 ⑤ et 📊 ⑭ – 🕾 0 81.
◆Bruxelles 70 – Marche-en-Famenne 38 – ◆Namur 9.

XX **Clos St-Lambert**, r. Haie Lorrain 2, ℰ 40 06 30, 龠, Avec grillades – **℗**. 🝆 ◑ 🗲 𝓥𝓘𝓢𝓐
fermé mardi soir, merc., 1ʳᵉ quinz. fév. et 2ᵉ quinz. août – **Repas** *Lunch 995* – 995/1575.

NASSOGNE 6950 Luxembourg belge 📊 ⑥ et 📊 ⑮ – 4 477 h. – 🕾 0 84.
◆Bruxelles 121 – ◆Dinant 45 – ◆Liège 71 – ◆Namur 62.

🏠 **Beau Séjour** ⌂, r. Masbourg 30, ℰ 21 06 96, Fax 21 40 62, 🕾, ⬚, 🦋 – 📺 🕾 ℗ – 🔬 25.
🝆 🗲 𝓥𝓘𝓢𝓐. 𝒮𝓍 rest
Repas *(fermé merc. et jeudi midi hors saison, 1 sem. Pâques et 13 sept-7 oct.) Lunch 980*
– *carte env.* 1300 – **25 ch** *(fermé merc. et jeudi hors saison)* ⬚ 2400/3600 –
½ P 2200/2725.

XXX ⊛ **La Gourmandine** (Guindet) avec ch, r. Masbourg 2, ℰ 21 09 28, Fax 21 09 23, 龠, 🦋
– 📺 🕾 ℗. 🝆 ◑ 𝓥𝓘𝓢𝓐
*fermé du 6 au 14 juin, 29 août-13 sept, 15 janv.-7 fév. et lundis soirs et mardis non fériés
sauf en juil.-août* – **Repas** *Lunch 1200* – *carte 1700 à 2000* – **6 ch** ⬚ 2400/3000 – ½ P 3100
Spéc. Tartelette de ris de veau aux senteurs de Provence, Homard grillé au beurre d'anis et safran,
Les gourmandises.

Carte ZOOM 📘📘📘 *Environs de Bruxelles,*
*c'est la carte jaune MICHELIN agrandie, facilitant la circulation aux environs de Bruxelles,
avec le plan général de la ville et le répertoire des communes représentées sur la carte.*

NEDERZWALM 9636 Oost-Vlaanderen 🖸 Zwalm 7 506 h. 📊 ⑯ et 📊 ⑫ – 🕾 0 55.
◆Bruxelles 51 – ◆Gent 23 – Oudenaarde 9.

XX **'t Kapelleke**, Neerstraat 39, ℰ 49 85 29, Fax 49 66 96, 龠 – **℗**. 🝆 𝓥𝓘𝓢𝓐
fermé jeudi soir, dim. soir et lundi – **Repas** *Lunch 800* – *carte env.* 1400.

NEERHAREN Limburg 📊 ⑩ et 📊 ⑥ – voir à Lanaken.

NEUFCHÂTEAU 6840 Luxembourg belge 📊 ⑰ et 📊 ㉕ – 5 999 h. – 🕾 0 61.
◆Bruxelles 153 – ◆Arlon 36 – Bouillon 40 – ◆Dinant 71.

🏠 **La Potinière**, r. Bataille 5, ℰ 27 70 71, Fax 27 70 71, 龠, « Jardin » – 📺 🕾 🚗. 🝆 ◑
🗲 𝓥𝓘𝓢𝓐
Repas *(dîner pour résidents seult)* – **6 ch** ⬚ 1300/2500 – ½ P 2300/3000.

X **La Tour Griffon**, Grand-Place 15, ℰ 27 92 08, 龠 – 🝆 ◑ 🗲 𝓥𝓘𝓢𝓐
fermé sem. carnaval, dern. sem. juin et merc. sauf mi-juil.-mi-août – **Repas** *Lunch 650* – carte
900 à 1300.

à Grandvoir NO : 6 km 🖸 Neufchâteau – ⊠ 6840 Grandvoir – 🕾 0 61 :

🏠 **Cap au Vert** ⌂, ℰ 27 97 67, Fax 27 97 57, ≤, « Vallon boisé avec étang », 🦋 – 📺 🕾
℗ – 🔬 25. 🝆 ◑ 🗲 𝓥𝓘𝓢𝓐. 𝒮𝓍 rest
fermé du 3 au 13 janv. – **Repas** *(fermé lundi et après 20 h 30) Lunch 900* – 900/1450 –
12 ch ⬚ 2500/3450 – ½ P 2500/3750.

NEUVILLE Namur 📊 ④ et 📊 ⑬ – voir à Philippeville.

NEUVILLE-EN-CONDROZ Liège 📊 ㉒ et 📊 ⑮ ⑰ – voir à Liège, environs.

NIEUWPOORT-BAD (NIEUPORT-LES-BAINS) 8620 West-Vlaanderen 🖸 Nieuwpoort 9 862 h. 📊 ①
et 📊 ① – 🕾 0 58 – Station balnéaire.
Musée : K.R. Berquin★ dans la Halle (Stadshalle).
🛈 *(fermé sam. et dim.)* Stadhuis, Marktplein 7 ℰ 23 55 94, Fax 23 94 92.
◆Bruxelles 131 – ◆Brugge 44 – Dunkerque 31 – ◆Oostende 19 – Veurne 13.

🏛 **Cosmopolite** (annexe Regina, 20 ch), Albert I laan 141, ℰ 23 33 66, Fax 23 81 35 – 🕼
⬅ ▤ rest 📺 🕾 ℗ – 🔬 150. 🝆 ◑ 🗲 𝓥𝓘𝓢𝓐
Repas *Lunch 440* – 795 – **80 ch** ⬚ 1650/3500 – ½ P 1800/2350.

XX **Au Bon Coin**, Albert I laan 94, ℰ 23 33 10, Fax 23 11 07 – ▤. 🝆 ◑ 🗲 𝓥𝓘𝓢𝓐
fermé merc. et jeudi – **Repas** *Lunch 1200* – carte 1650 à 2000.

XX **Ter Polder**, Victorlaan 17, ℰ 23 56 66, Fax 23 26 18, 龠, « Fermette cossue » – **℗**. 🝆 ◑
🗲 𝓥𝓘𝓢𝓐
fermé 27 nov.-8 déc., 20 janv.-1ᵉʳ fév. et mardis non fériés sauf en juil.-août – **Repas** *Lunch
985* – carte 1200 à 1700.

XX **Luc Gérard**, Albert I laan 253, ℰ 23 90 33, Fax 23 07 17 – 🝆 ◑ 🗲 𝓥𝓘𝓢𝓐
fermé mi-nov.-1ᵉʳ déc., du 1ᵉʳ au 15 janv. et mardi et merc. sauf vacances scolaires –
Repas *Lunch 895* – carte 1550 à 2150.

X **Cardinal**, Albert I laan 153, ℰ 23 55 06 – ▤. 🝆 ◑ 🗲 𝓥𝓘𝓢𝓐
fermé du 15 au 30 oct., lundi sauf en juil.-août et mardi – **Repas** *Lunch 725* – carte 1400 à 1800.

à Nieuwpoort-Stad :

🏨 **Clarenhof** 🦢, Recolettenstraat 9, ☎ 23 41 99, Fax 23 24 99, « Ancien couvent », 🐎 – 📺
☎ ⇔ 🅿 – 🔏 25 à 60. 🗲 *VISA* 🦟
fermé du 15 au 30 nov. – **Repas** *(fermé jeudi et après 20 h 30)* Lunch *1200* – carte *1500*
à 2000 – 🖵 *800* – **18 ch** *4000* – ½ P *3500/3800.*

XX **De Vierboete,** Halvemaanstraat 2a (NE : 2 km par N 34), ☎ 23 34 33, Fax 23 34 33, ≤, �
– 🅿 – 🔏 25 à 80. 🗲 *VISA*
fermé fév. et mardi soir et merc. du 15 sept au 15 juin – **Repas** Lunch *895* – carte *900 à*
1500.

X **'t Vlaemsch Galjoen** 1er étage, Watersportlaan 11 (NE : 1 km par N 34), ☎ 23 54 95,
Fax 23 99 73, ≤ port de plaisance – 🅿. 🕮 ⓞ 🗲 *VISA*
Pâques-fin sept et week-end ; fermé 15 janv.-15 fév. – **Repas** (d'oct. à mars déjeuner seult
sauf week-end) Lunch *495* – *735/1075.*

NIL-ST-VINCENT-ST-MARTIN 1457 Brabant Ⓒ Walhain 4 911 h. 🗺🟚⑲ et 🗺🔲 ⑭ – 🚇 0 10.
◆Bruxelles 39 – ◆Namur 27.

XX **Le Provençal,** rte de Namur 11 (sur N 4), ☎ 65 51 84, Fax 65 51 75 – 🅿. 🕮 ⓞ 🗲 *VISA*
fermé dim. soir, lundi, 25 juil.-10 août et 30 janv.-15 fév. – **Repas** Lunch *1000* – *1000/1500.*

NIMY Hainaut 🗺🟚 ② et 🗺🔲 ⑫ – voir à Mons.

NINOVE 9400 Oost-Vlaanderen 🗺🟚 ⑰ et 🗺🔲 ⑫ – 33 835 h. – 🚇 0 54.
Voir Boiseries★ dans l'église abbatiale.
🚩 Oudstrijdersplein 6, ☎ 33 78 57, Fax 39 38 49.
◆Bruxelles 24 – ◆Gent 46 – Aalst 15 – ◆Mons 47 – ◆Tournai 58.

🏨 **De Croone,** Geraardsbergsestraat 49, ☎ 33 30 03, Fax 32 55 88, 🗢 – 🛗 ☰ 📺 ☎ – 🔏 25
à 200. 🕮 ⓞ 🗲 *VISA*
Repas *(fermé 15 juil.-15 août)* Lunch *320* – carte env. *1300* – **18 ch** 🖵 *2400/3000* – ½ P *2800.*

XXX **De Swaene,** Burchtstraat 27, ☎ 32 33 51, Fax 32 79 48, �, « Terrasse et jardin » – 🕮
🗲 *VISA*. 🦟
fermé 1 sem. carnaval, du 3 au 12 avril, 2 prem. sem. sept, lundi et dim. sauf le 1er du
mois – **Repas** Lunch *975* – carte *1950 à 2400.*

XXX **Hof ter Eycken,** Aalstersesteenweg 298 (NE : 2 km par N 405), ☎ 33 70 81, Fax 32 81 74,
« Ancien haras, cadre champêtre » – 🅿. 🕮 ⓞ 🗲 *VISA*. 🦟
fermé mardi soir, merc., sam. midi, 2 sem. carnaval et 12 juil.-4 août – **Repas** Lunch *1100*
– carte env. *2200.*

XX **St-Joris,** Burchtdam 27, ☎ 33 31 52, Fax 32 84 08 – 🕮 ⓞ 🗲 *VISA*
fermé merc. soir, jeudi et dim. soir – **Repas** *1200/1350.*

NIVELLES (NIJVEL) 1400 Brabant 🗺🟚 ⑱ et 🗺🔲 ⑬ – 23 523 h. – 🚇 0 67.
Voir Collégiale Ste-Gertrude★★.
Env. Plan incliné de Ronquières★ O : 9 km.
🏌ﬗ (2 parcours) Chemin de Baudemont 23 ☎ 21 95 25, Fax 21 95 17 – 🏌ﬗ 🏌ﬗ à Vieux-Genappe NE :
10 km, Bruyère d'Hulencourt 15 ☎ (0 67) 78 01 24, Fax (0 67) 78 09 19.
🚩 (fermé sam. après-midi et dim.) Waux-Hall, pl. Albert I ☎ 88 22 75, Fax 21 57 13.
◆Bruxelles 34 – ◆Charleroi 28 – ◆Mons 35.

🏨 **Motel Nivelles-Sud,** chaussée de Mons 22 (E 19 - sortie 19), ☎ 21 87 21, Fax 22 10 88,
�, ⅃ – 🛗 📺 ☎ 🅿 – 🔏 25 à 500. 🕮 ⓞ 🗲 *VISA*
Repas Lunch *390* – *800/1200* – 🖵 *250* – **115 ch** *1940.*

🏡 **Ferme de Grambais** 🦢, chaussée de Braine-le-Comte 102, ☎ 22 01 18, Fax 84 13 07, �
– 📺 🅿. 🕮 ⓞ 🗲 *VISA*
Repas (Taverne-rest) *(fermé lundi et du 1er au 10 janv.)* carte env. *1200* – **10 ch**
🖵 *2000/2750.*

XX **Freddy Collette,** Square Gabrielle Petit 7, ☎ 21 05 30, Fax 84 13 33 – 🕮 ⓞ 🗲 *VISA*
fermé dim. soir, lundi et 25 juil.-25 août – **Repas** Lunch *900* – carte env. *1900.*

X **L'Haubergeon,** r. Brasseurs 14, ☎ 21 29 14, Fax 21 29 14 – 🕮 ⓞ 🗲 *VISA*. 🦟
fermé sam. midi, dim., lundi soir, 15 juil.-3 août et 21 déc.-4 janv. – **Repas** Lunch *975* – carte
1550 à 1900.

X **Le Blanc-Bleu,** chaussée de Bruxelles 290, ☎ 21 47 85, Fax 84 22 07, Avec grillades – 🅿.
🕮 ⓞ 🗲 *VISA*
fermé sam. midi – **Repas** Lunch *450* – *750/1400.*

à Petit-Rœulx-lez-Nivelles S : 7 km Ⓒ Seneffe 10 353 h. – ✉ 7181 Petit-Rœulx-lez-Nivelles
– 🚇 0 67 :

XX **Aub. St. Martin,** r. Grinfaux 44, ☎ 87 73 80 – 🅿. 🕮 ⓞ 🗲 *VISA*
fermé dim. soir, lundi soir, mardi soir, merc. et 10 juil.-9 août – **Repas** Lunch *995* – *1495.*

NIVEZÉ Liège 🗺🟚 ㉓ – voir à Spa.

NOIREFONTAINE 6831 Luxembourg belge © Bouillon 5 551 h. 214 ⑯ et 409 ㉔ – ☎ 0 61.
Env. Belvédère de Botassart ≤★★ O : 7 km.
◆Bruxelles 154 – ◆Arlon 67 – Bouillon 4 – ◆Dinant 59.

🏡 🌸 **Aub. du Moulin Hideux** ◈, rte de Dohan 1 (SE : 2,5 km par N 865), ☎ 46 70 15, Fax 46 72 81, ≤, 🌤, « Terrasse, environnement boisé », 🐾, ⚒ – 📺 ☎ ℗. 🆎 ⓪ Ε 𝑉𝐼𝑆𝐴. ⚒ rest
mi-mars-fin nov. – **Repas** *(fermé merc. et jeudi midi de mars à juil.)* carte 1900 à 2400 – **11 ch** ⊊ 5200/6500, 2 suites
Spéc. Mousse de jambon et bécasse, Gibiers en saison, Noir et blanc de boudin à la truffe.

NIJVEL Brabant – voir Nivelles.

OCQUIER 4560 Liège © Clavier 3 876 h. 214 ⑥ ⑦ et 409 ⑮ – ☎ 0 86.
◆Bruxelles 107 – ◆Liège 41 – ◆Dinant 40 – Marche-en-Famenne 22.

XXX **Castel du Val d'Or** avec ch, Grand'Rue 62, ☎ 34 41 03, Fax 34 49 56, 🌤, 🌳 – 📺 ℗ – 🔥 25 à 200. 🆎 ⓪ Ε 𝑉𝐼𝑆𝐴. ⚒
fermé lundi soir et merc. hors saison, mardi et du 2 au 30 janv. – **Repas** *(fermé après 20 h 30)* Lunch 835 – 835/1700 – **15 ch** ⊊ 1915/3780 – ½ P 1750/2000.

OHAIN 1380 Brabant © Lasne 13 065 h. 213 ⑲ et 409 ⑬ – ☎ 0 2.
🏌 (2 parcours) 🏌 Vieux Chemin de Wavre 50 ☎ 633 18 50, Fax 633 28 66.
◆Bruxelles 24 – ◆Charleroi 39 – Nivelles 17.

XXX **Aub. d'Ohain,** chaussée de Louvain 709 (N : 2 km sur N 253), ☎ 653 64 97, Fax 653 12 02, 🌤 – 🔲 ℗. 🆎 ⓪ Ε 𝑉𝐼𝑆𝐴
fermé 2e quinz. juil., 1re quinz. janv. et dim. et lundi sauf Pâques et Pentecôte – **Repas** Lunch 980 – carte 1650 à 2000.

XX **La Ferme de la Brire,** rte de Renipont 70, ☎ 653 92 58, Fax 652 25 39, 🌤 – ℗. 🆎 ⓪ Ε 𝑉𝐼𝑆𝐴 – fermé lundi soir et mardi – **Repas** Lunch 450 – carte env. 1400.

X **Aub. de la Roseraie,** rte de la Marache 4, ☎ 633 13 74, Fax 633 54 67, 🌤 – ℗. 🆎 ⓪ Ε 𝑉𝐼𝑆𝐴
fermé merc., 15 août-2 sept et Noël-Nouvel An – **Repas** Lunch 395 – 750.

OHEY 5350 Namur 214 ⑥ et 409 ⑭ – 3 858 h. – ☎ 0 85.
◆Bruxelles 84 – ◆Dinant 32 – ◆Liège 48 – ◆Namur 30.

X **Le Try Joli** avec ch, chaussée de Ciney 27, ☎ 61 17 05, Fax 61 24 61 – ℗. 🆎 ⓪ Ε 𝑉𝐼𝑆𝐴
Repas *(fermé dim. soir et lundi)* Lunch 295 – carte env. 1100 – ⊊ 160 – **12 ch** 1750 – ½ P 1300/2750.

OIGNIES-EN-THIÉRACHE 5670 Namur © Viroinval 5 611 h. 214 ⑭ et 409 ㉓ ㉔ – ☎ 0 60.
◆Bruxelles 120 – ◆Namur 81 – Charleville-Mézières 40 – Chimay 30 – ◆Dinant 42.

XX 🌸 **Au Sanglier des Ardennes** (Buchet) avec ch, r. J.-B. Périquet 4, ☎ 39 90 89, Fax 39 02 83 – ℗. Ε 𝑉𝐼𝑆𝐴
fermé lundi, mardi et fév. – **Repas** Lunch 1150 – carte 1600 à 2000 – ⊊ 400 – **7 ch** 1000/1750
Spéc. Foie gras d'oie en terrine, Gibiers en saison, Nougat glacé au coulis de fruits.

OISQUERCQ Brabant 213 ⑱ – voir à Tubize.

OLEN 2250 Antwerpen 213 ⑧ et 409 ⑤ – 10 577 h. – ☎ 0 14.
🏌 à Herentals N : 4 km, Musketstraat 93 ☎ (0 14) 22 25 90.
◆Bruxelles 67 – ◆Antwerpen 33 – ◆Hasselt 46 – Turnhout 27.

XXX **'t Doffenhof,** Geelsebaan 28a (NE : 5 km sur N 13), ☎ 22 35 28, Fax 23 29 12, 🌤, « Ancienne maison à colombages reconstituée avec terrasse » – ℗. Ε 𝑉𝐼𝑆𝐴. ⚒
fermé mardi, merc., 3 sem. vacances bâtiment et 2 prem. sem. janv. – **Repas** Lunch 1050 – carte 1900 à 2350.

OLSENE 9870 Oost-Vlaanderen © Zulte 13 808 h. 213 ③ et 409 ② – ☎ 0 9.
◆Bruxelles 73 – ◆Gent 28 – ◆Kortrijk 19.

XXX **Eikenhof,** Kasteelstraat 20, ☎ 388 95 46, 🌤 – ℗. 🆎 ⓪ Ε 𝑉𝐼𝑆𝐴
fermé mardi soir, merc. et dern. sem. janv.-prem. sem. fév. – **Repas** Lunch 900 – carte 1300 à 1650.

O.L.V. LOMBEEK Brabant © Roosdaal 10 282 h. 213 ⑰ et 409 ⑫ ⑬ – ✉ 1760 Roosdaal – ☎ 0 54.
◆Bruxelles 19 – Halle 16 – Ninove 8.

XXX **De Kroon,** Koning Albertstraat 191, ☎ 33 23 81, Fax 32 62 19, « Relais du 18e s., rustique » – ℗. ⓪ Ε 𝑉𝐼𝑆𝐴. ⚒
fermé lundi, mardi et sam. midi – **Repas** carte 1500 à 1850.

217

OOSTDUINKERKE-BAD 8670 West-Vlaanderen © Koksijde 18 685 h. 213 ① et 409 ① – ✆ 0 58
🛿 (Pâques-sept) Albert I laan, Astridplein 6 ☏ 51 13 89 – (fermé sam. et dim.) Oud-Gemeentehuis, Leopold II laan ☏ 51 11 89.
♦Bruxelles 135 – ♦Brugge 48 – Dunkerque 28 – ♦Oostende 23 – Veurne 8,5.

🏨 **Britannia** M sans rest, Zeedijk 433, ☏ 51 11 77, Fax 52 15 77, ≤, ⇐ – ⧉ ⏺ ☎ ⇆ – 🔼 30. **E** 𝘝𝘐𝘚𝘈. ⋙
   fermé mardi, merc. et jeudi en hiver sauf vacances scolaires – **29 ch** ⇌ 2800/3600.

🏨 **Artan Beach** sans rest, IJslandplein 12 (Zeedijk), ☏ 52 11 70, Fax 52 07 83, ≤, ⇐, 🔲 –
   ⧉ ⏺ ☎ – 🔼 25. 𝘼𝙀 ⏺ **E** 𝘝𝘐𝘚𝘈. ⋙
   fermé 3 dern. sem. nov. – **15 ch** ⇌ 2500/3800.

🏨 **Albert I** sans rest, Astridplein 11, ☏ 52 08 69, Fax 52 09 04 – ⧉ ⏺ ☎ ⇆. ⋙
   22 ch ⇌ 1700/3400.

🏨 **Argos** ⋙, Rozenlaan 20, ☏ 52 11 00, Fax 52 12 00 – ⏺ ☎ ⓟ. 𝘼𝙀 ⏺ **E** 𝘝𝘐𝘚𝘈. ⋙
   fermé du 15 au 30 nov. et du 5 au 31 janv. – **Repas** *Bécassine (fermé après 20 h 30 et merc. et jeudi sauf vacances scolaires)* Lunch *1000* – 1500/1750 – **6 ch** ⇌ 1800/3500 –
   ½ P 2000/2750.

🏨 **Hof ter Duinen**, Albert I laan 141, ☏ 51 32 41, Fax 52 04 21 – ⧉ ⏺ ☎ ⓟ. 𝘼𝙀 ⏺ **E** 𝘝𝘐𝘚𝘈.
   ⋙
   fermé 25 sept-11 oct. et fév. – **Repas** voir rest **Eglantier** ci-après – **10 ch** ⇌ 2150/2500 –
   ½ P 1650/1750.

🏠 **Westland** sans rest, Zeedijk 414, ☏ 51 31 97, Fax 51 42 07, ≤ – ⧉ ⏺ ☎. ⋙
   fermé 11 nov.-23 déc. – ⇌ 275 – **28 ch** 1250/1875.

🏠 **Vanneuville**, Albert I laan 109, ☏ 51 26 20 – ⏺. **E** 𝘝𝘐𝘚𝘈. ⋙ ch
   Repas *(fermé jeudi et Noël-Nouvel An)* Lunch *850* – carte 1250 à 1950 – **12 ch** ⇌ 1750/2600
   – ½ P 1600/1850.

XX **Eglantier** - H. Hof ter Duinen, Albert I laan 141, ☏ 51 32 41, Fax 52 04 21 – ⓟ. 𝘼𝙀 ⏺ **E**
   𝘝𝘐𝘚𝘈. ⋙
   fermé 25 sept-11 oct., fév., mardi soir et merc. d'oct. à mai et après 20 h 30 – Repas Lunch
   650 – 950/1600.

X **Westland**, IJslandplein 10 (Zeedijk), ☏ 51 26 58 – 𝘼𝙀 **E** 𝘝𝘐𝘚𝘈
   fermé merc. et 11 nov.-23 déc. – **Repas** Lunch *500* – 870/1450.

OOSTEEKLO 9968 Oost-Vlaanderen © Assenede 13 491 h. 213 ④ et 409 ③ – ✆ 0 9.
♦Bruxelles 76 – ♦Brugge 39 – ♦Gent 21 – Sint-Niklaas 39.

XX **Ter Braemen**, Rijkestraat 10, ☏ 373 91 49, Fax 371 91 49, ⇞ – ▤ ⓟ. **E** 𝘝𝘐𝘚𝘈. ⋙
   fermé lundi – **Repas** Lunch *950* – 1500/1850.

OOSTENDE (OSTENDE) 8400 West-Vlaanderen 213 ② et 409 ① – 69 118 h. – ✆ 0 59 – Station
balnéaire★★ – Casino Kursaal CY, Oosthelling ☏ 70 51 11, Fax 70 85 86.
🏌ᵢ₈ à De Haan par ① : 9 km, Koninklijke baan 2 ☏ (0 59) 23 32 83, Fax (0 59) 23 37 49.
🛿 Monacoplein 2 ☏ 70 11 99, Fax 70 34 77.
♦Bruxelles 115 ③ – ♦Brugge 28 ③ – Dunkerque 55 ⑤ – ♦Gent 64 ③ – Lille 81 ④.

Plans pages suivantes

🏨🏨 **Andromeda**, Kursaal Westhelling 5, ☏ 80 66 11, Fax 80 66 29, ≤, ⇞, 🔽, ⇐, 🔲 – ⧉ ⇆
   ⏺ ☎ ⇆ ⓟ – 🔼 25 à 70. 𝘼𝙀 ⏺ **E** 𝘝𝘐𝘚𝘈. ⋙   CZ **t**
   Repas *Gloria* Lunch *1000* – 1000/1450 – ⇌ 350 – **89 ch** 2600/6500, 1 suite – ½ P 3000/4400.

🏨🏨 ✿ **Oostendse Compagnie** (Daue) ⋙, Koningstraat 79, ☏ 70 48 16, Fax 80 53 16, ≤, ⇞,
   ⇆, ⋙ – ⧉ ⏺ ☎ ⇆ ⓟ – 🔼 25. 𝘼𝙀 ⏺ **E** 𝘝𝘐𝘚𝘈 𝘫𝘤𝘣   A **b**
   fermé 27 fév.-16 mars et 26 sept-27 oct. – **Repas** *Au Vigneron (fermé dim. soirs et lundis non fériés)* 1750 carte 2300 à 3000 – ⇌ 350 – **10 ch** 3500/5000, 3 suites
   Spéc. Turbot et langoustines, courte nage à la citronelle, Tempura de langoustines aux oignons nouveaux, gingembre et légumes aigre-doux, Côte de veau de lait en cocotte et oignons, échalotes et ail en chemise rôtis.

🏨🏨 **Thermae Palace** ⋙, Koningin Astridlaan 7, ☏ 80 66 44, Fax 80 52 74, ≤ – ⧉ ⏺ ☎ ⓟ
   – 🔼 25 à 600. 𝘼𝙀 ⏺ **E** 𝘝𝘐𝘚𝘈   A
   Repas Lunch *850* – carte env. 1500 – ⇌ 500 – **100 ch** 3950/5950 – ½ P 3650/7600.

🏨 **Strand**, Visserskaai 1, ☏ 70 33 83, Fax 80 36 78, ≤ – ⧉ ▤ rest ⏺ ☎. 𝘼𝙀 ⏺ **E** 𝘝𝘐𝘚𝘈. ⋙ ch
   fermé déc.-janv. – **Repas** Lunch *775* – 775/1350 – **21 ch** ⇌ 2750/4000 – ½ P 2525/3625.
                                                                                                           CZ **r**

🏨 **Burlington**, Kapellestraat 90, ☏ 70 15 52, Fax 70 81 93 – ⧉ ▤ rest ⏺ ☎ – 🔼 25 à 90.
   𝘼𝙀 ⏺ **E** 𝘝𝘐𝘚𝘈. ⋙ ch   CZ **c**
   Repas (Taverne-rest) Lunch *500* – 800/1200 – **40 ch** ⇌ 2300/3600 – ½ P 2000/3000.

🏨 **Royal York**, Hertstraat 15, ☏ 80 37 73, Telex 81450, Fax 80 23 90, 🔲 – ⧉ ⏺ ☎ &. 🔼 25
   à 70. 𝘼𝙀 ⏺ **E** 𝘝𝘐𝘚𝘈 𝘫𝘤𝘣. ⋙ rest   CY **d**
   Repas *(fermé de nov. à mars sauf week-end et vacances scolaires)* Lunch *550* – carte 1050
   à 1600 – **95 ch** ⇌ 2800/3400 – ½ P 1975/2200.

OOSTENDE

Acacialaan .... A 2
Blauwkasteelstraat....... B 3
Derbylaan .... A 55

Fortstraat .... B 6
Mariakerkelaan.......... AB 8
Paul Michielslaan .... A 9
Nieuwelangestr. .... B 10
Oprit .... B 12
Prins Albertlaan .... B 13

Sint-Catharinaplein ...... A 15
Slijkensesteenweg .... B 16
Troonstraat .... A 18
Zandvoorde-
 schorredijkstr. .... B 20
Zeedijk................. A 21

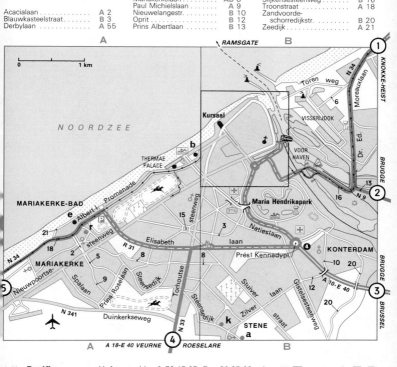

🏨 **Pacific** sans rest, Hofstraat 11, ☎ 70 15 07, Fax 80 35 66, ⇔ – 🛗 📺 ☎ ⇐ 🅿 ⚙ ⑩
 🗲 *VISA* – **58 ch** ⌫ 1800/3200.   CY **t**

🏨 **Ambassadeur** sans rest, Wapenplein 8a, ☎ 70 09 41, Fax 80 18 78 – 🛗 ⇔ 📺 ☎ ⇐,
 ⚙ ⑩ 🗲 *VISA*. ⌫ ⌫ 300 **24 ch** 2800.   CY **f**

🏨 **Glenmore,** Hofstraat 25, ☎ 70 20 22, Fax 70 47 08, ⇔ – 🛗 📺 ☎ ⇐. 🗲 *VISA*.
 ※ rest   CY **k**
 fermé 2 janv.-17 fév. – **Repas** (résidents seult) – **40 ch** ⌫ 2100/3400 – ½ P 1700/2600.

🏨 **Acces,** Van Iseghemlaan 21, ☎ 80 40 82, Fax 80 88 39, ⇔ – 🛗 ⇔ 📺 ☎ – 🛋 60. ⚙
 ⑩ 🗲 *VISA*. ※   CY **a**
 Repas (dîner pour résidents seult) – **63 ch** ⌫ 2900/3200 – ½ P 1850/2200.

🏨 **Melinda** sans rest, Mercatorlaan 21, ☎ 80 72 72, Fax 80 74 25 – 🛗 📺 ☎ 🅿 – 🛋 25 à
 120. ⚙ ⑩ 🗲 *VISA* – **38 ch** ⌫ 2950/3450.   CY **z**

🏨 **Old Flanders** sans rest, Jozef II straat 49, ☎ 80 66 03, Fax 80 16 95 – 📺 ☎. ⚙ ⑩ 🗲 *VISA*
 15 ch ⌫ 1800/3000.   CZ **h**

🏨 **Riff** sans rest, Leopold II laan 20, ☎ 70 76 63, Fax 80 84 06 – 🛗 📺 ☎. ⚙ ⑩ 🗲 *VISA*. ※
 fermé 20 déc.-1er fév. – **50 ch** ⌫ 1995/3400.   CZ **b**

🏨 **Prado** sans rest, Leopold II laan 22, ☎ 70 53 06, Fax 80 87 35 – 🛗 📺 ☎. ⚙ ⑩ 🗲 *VISA*
 28 ch ⌫ 2000/2850.   CZ **b**

🏨 **Impérial** sans rest, Van Iseghemlaan 76, ☎ 80 67 67, Fax 80 78 38 – 🛗 📺 ☎. ⚙ ⑩ 🗲 *VISA*
 60 ch ⌫ 1500/3700.   CZ **a**

🏨 **Danielle,** IJzerstraat 5, ☎ 70 63 49 – 🛗 📺 ☎ ⇐. ⚙ 🗲 *VISA*. ※ rest   CZ **u**
 Repas (déjeuner pour résidents seult) – **24 ch** ⌫ 2400/2600 – ½ P 2000/2200.

🏨 **Ter Kade,** Visserskaai 49, ☎ 50 09 15, Fax 51 04 87, ⇐ – 🛗 📺 ☎ ⇐. ⚙ ⑩ 🗲 *VISA*
 Repas (Taverne-rest) *Lunch 495* – 800/1700 – **30 ch** ⌫ 3500.   CY **n**

🏨 **Bero** sans rest, Hofstraat 1a, ☎ 70 23 35, Telex 82163, Fax 70 25 91, ⇔, 🔲 – 🛗 ▤ rest
 📺 ☎ ⇐ 🅿. ⚙ ⑩ 🗲 *VISA*. ※   CY **t**
 fermé du 4 au 29 janv. – **73 ch** ⌫ 2000/3700.

🏨 **Louisa** sans rest, Louisastraat 8b, ☎ 50 96 77, Fax 51 37 55 – 🛗 📺 ☎. ⚙ ⑩ 🗲 *VISA*. ※
 15 ch ⌫ 1900/2800.   CY **b**

OOSTENDE

Adolf Buylstr. . . . . CY 2
Alfons Pieterslaan . . . . CZ
Kapellestr. . . . . CZ
Vlaanderenstr. . . . . CY 30

Edith Cavellstr. . . . . CZ 4

Ernest Feyspl. . . . . CZ 6
Filip Van Maestrichtpl. . . . . CZ 8
Graaf de Smet
  de Nayerlaan . . . . CZ 9
Groentemarkt . . . . CY 10
Hendrik Serruyslaan . . . . . . CZ 13
Kanunnik Dr.
  Louis Colensstr. . . . . CZ 14
Koninginnelaan . . . . CZ 18

Nieuwpoortse steeweg . . . CZ 22
Oesterbankstr. . . . . CZ 24
Sir Winston Churchill
  Kaai . . . . CY 27
Stockholmstr. . . . . CZ 28
Wapenpl. . . . . CZ 32
Warschaustr. . . . . CZ 33
Wellingtonstr. . . . . CZ 35
Wittenonnenstr. . . . . CZ 36

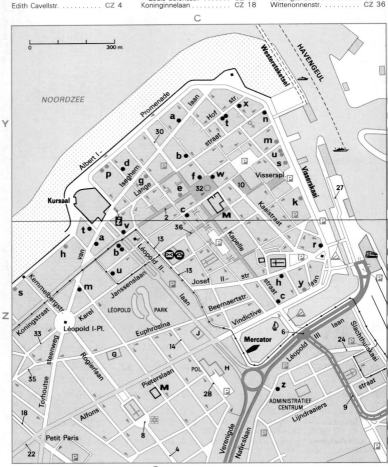

🏨 **Pick's,** Wapenplein 13, 🖉 70 28 97, Fax 50 68 62, 🛬 – 🛗 📺 ☎. 🖭 ① 🅴 💳   CY **w**
Repas *(fermé mardi d'oct. à mars)* Lunch 420 – carte 1250 à 1850 – **15 ch** ⚏ 1700/2200
– ½ P 1600/2200.

🏨 **Lido 2000** sans rest, L. Spilliaertstraat 1, 🖉 70 08 06, Fax 80 40 07 – 🛗 📺 ☎. 🖭 ① 🅴 💳
*fermé du 12 au 23 mars, du 10 au 20 déc. et 7 janv.-2 fév. ; en fév. et mars ouvert week-end
seult* – **65 ch** ⚏ 1650/2900.   CZ **m**

🏨 **Du Parc** sans rest, Marie-Joséplein 3, 🖉 70 16 80, Fax 80 08 79, ⏁ – 🛗 📺 ☎. 🖭 ① 🅴 💳
fermé du 15 au 31 janv. – **44 ch** ⚏ 1700/2700.   CZ **v**

XXXX **Villa Maritza,** Albert I Promenade 76, 🖉 50 88 08, Fax 70 04 40, ≤, « Villa du 19ᵉ s. » –
🅿 🖭 ① 🅴 💳   CZ **s**
fermé dim. soir sauf en juil.-août, lundi, 19 juin-5 juil., du 26 au 29 sept et du 24 au 27 janv.
– **Repas** Lunch 1150 – 1950/2500.

XX **Le Breton,** Vindictivelaan 23, ℰ 70 42 22, Fax 80 05 32 – ⒜Ⓔ ⓪ ⒠ 𝘝𝘐𝘚𝘈   CZ **y**
fermé lundi soir, mardi, Noël et Nouvel An – **Repas** carte 1800 à 2300.

XX **Le Grillon,** Visserskaai 31, ℰ 70 60 63 – ⒠. ⒜Ⓔ ⓪ ⒠ 𝘝𝘐𝘚𝘈 ⒿⒸⒷ   CY **s**
fermé jeudi et 10 oct.-10 nov. – **Repas** Lunch 1430 – carte 1250 à 1850.

XX **'t Vistrapje** avec ch, Visserskaai 37, ℰ 80 23 82 – ▤ rest ⒯⒱ ☎. ⒠ 𝘝𝘐𝘚𝘈   CY **m**
Repas Lunch 895 – carte env. 1400 – **6 ch** ☲ 1800/2800 – ½ P 1700/2200.

XX **Richard,** A. Buylstraat 9, ℰ 70 32 37 – ⓪ ⒠ 𝘝𝘐𝘚𝘈   CY **e**
fermé mardi, 12 juin-1ᵉʳ juil. et 14 janv.-2 fév. – **Repas** carte 1300 à 2100.

XX **Petit Nice,** Albert I Promenade 62b, ℰ 80 39 28, ≤ – ⒜Ⓔ ⓪ ⒠ 𝘝𝘐𝘚𝘈, ⅋   CZ **h**
fermé merc. soir, jeudi, 2ᵉ quinz. fév. et 2ᵉ quinz. oct. – **Repas** Lunch 790 – carte 1750 à 2050.

XX **Auteuil,** Albert I Promenade 54, ℰ 70 00 41, ≤ – ⒜Ⓔ ⓪ ⒠ 𝘝𝘐𝘚𝘈   CY **p**
fermé lundi soir, jeudi, et dern. sem. janv.-prem. sem. fév. – **Repas** carte env. 1900.

XX **Old Fisher,** Visserskaai 34, ℰ 50 17 68, Fax 51 13 90 – ⒠. ⒜Ⓔ ⓪ ⒠ 𝘝𝘐𝘚𝘈   CY **u**
← *fermé merc. soir sauf en juil.-août, jeudi, 26 juin-7 juil. et 13 nov.-8 déc.* – **Repas** Lunch 645
– 795/1495.

XX **Lusitania,** Visserskaai 35, ℰ 70 17 65, Fax 51 55 50, ≤, « Collection de tableaux » – ⒠.
⒜Ⓔ ⓪ ⒠ 𝘝𝘐𝘚𝘈   CY **u**
Repas Lunch 1450 – carte 1300 à 2400.

X **La Cà d'Oro di Venezia,** Christinastraat 21, ℰ 70 71 83, Cuisine italienne – ⒜Ⓔ ⓪ ⒠
𝘝𝘐𝘚𝘈   CY **g**
fermé mardi et merc. hors saison – **Repas** carte 1250 à 1650.

X **La Causette,** Albert I wandeling 54, ℰ 50 98 01, ≤ – ⒜Ⓔ ⓪ ⒠ 𝘝𝘐𝘚𝘈   CY **p**
fermé 15 nov.-2 déc. et dim. soir et lundi hors saison – **Repas** Lunch 750 – 1095/1250.

X **Cardiff,** St-Sebastiaanstraat 4, ℰ 70 28 98 – ⒜Ⓔ ⓪ ⒠ 𝘝𝘐𝘚𝘈, ⅋   CY **c**
← *fermé 3 sem. en nov., mardi hors saison et après 20 h 30* – **Repas** Lunch 475 – 575/825.

X **Midland,** Visserskaai 20, ℰ 70 35 13 – ⒠. ⒜Ⓔ ⓪ ⒠ 𝘝𝘐𝘚𝘈   CY **k**
fermé vend. sauf juil.-sept – **Repas** Lunch 575 – carte 950 à 2000.

X **Groeneveld** avec ch, Torhoutsesteenweg 655 (par ④), ℰ 80 86 51, Fax 50 02 81 – ⒯⒱ ⇦
Ⓟ. ⒠ 𝘝𝘐𝘚𝘈, ⅋
fermé sem. carnaval – **Repas** *(fermé mardi et après 20 h)* Lunch 520 – carte env. 1300 –
7 ch ☲ 1000/1500 – ½ P 1500.

à Gistel par ④ : 12 km – 10 270 h. – ✉ 8470 Gistel – ✪ 0 59 :

🏠 **Ten Putte** sans rest, Stationsstraat 9, ℰ 27 70 44, Fax 27 92 50, 🚗 – ⒯⒱ ☎ Ⓟ – 🔬 25
à 450. ⒠ 𝘝𝘐𝘚𝘈
fermé mardi – **11 ch** ☲ 1950/3100.

à Mariakerke Ⓒ *Oostende –* ✉ 8400 Oostende – ✪ 0 59 :

🏨 **Royal Albert,** Zeedijk 167, ℰ 70 42 36, Fax 80 61 09, ≤ – 🛗 ▤ rest ⒯⒱ ☎. ⒜Ⓔ ⓪ ⒠ 𝘝𝘐𝘚𝘈
ⒿⒸⒷ. ⅋   A **e**
Pâques-11 nov. – **Repas** *(fermé après 20 h)* Lunch 800 – carte env. 1200 – **22 ch**
☲ 2450/3300 – ½ P 1925/2875.

XX **Au Grenache,** Aartshertogstraat 80, ℰ 70 76 85 – ⒠. ⒜Ⓔ ⓪ ⒠ 𝘝𝘐𝘚𝘈   A **r**
fermé mardi et prem. sem. nov. – **Repas** 1975/2200.

à Stene Ⓒ *Oostende –* ✉ 8400 Stene – ✪ 0 59 :

XX **'t Vagevier,** Steensedijk 92, ℰ 50 86 79, Fax 51 15 22 – ⒜Ⓔ ⓪ ⒠ 𝘝𝘐𝘚𝘈   B **k**
fermé lundis et mardis non fériés et du 2 au 15 janv. – **Repas** Lunch 880 – 1450/1600.

X **'t Schorre,** Steensedijk 23, ℰ 80 36 80 – ⒜Ⓔ ⓪ ⒠ 𝘝𝘐𝘚𝘈   B **a**
fermé du 8 au 17 mars, du 20 au 24 nov., merc. et jeudi midi – **Repas** Lunch 1250 –
1100/1695.

OOSTKAMP West-Vlaanderen 𝟚𝟙𝟛 ③ et 𝟜𝟘𝟡 ② – voir à Brugge, environs.

OOSTKERKE West-Vlaanderen 𝟚𝟙𝟛 ③ et 𝟜𝟘𝟡 ② – voir à Damme.

OOSTMALLE 2390 Antwerpen Ⓒ Malle 12 797 h. 𝟚𝟙𝟚 ⑯ et 𝟜𝟘𝟡 ⑤ – ✪ 0 3.
◆Bruxelles 65 – ◆Antwerpen 26 – ◆Turnhout 15.

XX ✿ **De Eiken** (Smets), Lierselei 173 (S : 2 km sur N 14), ℰ 311 52 22, Fax 311 69 45, ≤, 🍴,
« Pièce d'eau, environnement boisé » – ▤ Ⓟ. ⒜Ⓔ ⓪ ⒠ 𝘝𝘐𝘚𝘈, ⅋
fermé sam. midi, dim. soir, lundi, sem. carnaval et 2ᵉ quinz. juil.-1ʳᵉ quinz. août – **Repas** Lunch
1200 – carte 2000 à 2400
Spéc. Fantaisie de foie gras d'oie, Queues de langoustines et pigeonneau aux aromates, Ris de
veau à la mousseline de pommes de terre.

OPOETEREN Limburg 𝟚𝟙𝟛 ⑩ et 𝟜𝟘𝟡 ⑥ – voir à Maaseik.

ORVAL (Abbaye d') ★★ Luxembourg belge 214 ⑯ ⑰ et 409 ㉕ G. Belgique-Luxembourg.

OTTIGNIES 1340 Brabant C Ottignies-Louvain-la-Neuve 24 091 h. 213 ⑲ et 409 ⑬ - ☎ 0 10.
Env. Louvain-la-Neuve★ E : 8 km, dans le musée : legs Charles Delsemme★.
18 à Louvain-la-Neuve E : 8 km, r. A. Hardy 68 ☎ (0 10) 45 05 15, Fax (0 10) 45 44 17.
♦Bruxelles 31 - ♦Namur 44 - ♦Charleroi 36.

Château Balzat (annexe 6 studios) sans rest, av. des Villas 14, ☎ 41 10 08, Fax 41 98 15, ≤, « Villa début du siècle avec parc », ≘s, ⌧, 🌳 - |‡| TV ☎ 🚗 P - 🏛 25 à 40. AE ① E VISA
9 ch ☕ 3000/5500, 1 suite.

Le Chavignol, r. Invasion 99, ☎ 45 10 40, Fax 45 54 19, 🌴 - AE E VISA
fermé dim. soir, mardi soir et merc. - **Repas** *Lunch 450* - 795/1150.

à Céroux-Mousty SO : 3 km C Ottignies-Louvain-la-Neuve 24 091 h. - ✉ 1341 Céroux-Mousty - ☎ 0 10 :

L'Aub. de Morimont, r. Bois des Rêves 63 (2 km par Mousty-Gare), ☎ 45 26 82, 🌴 - P. AE ① E VISA
fermé dim. soirs et lundis non fériés et 3 dern. sem. juil. - **Repas** *Lunch 885* - carte env. 1800.

à Louvain-la-Neuve E : 8 km C Ottignies-Louvain-la-Neuve - ✉ 1348 Louvain-la-Neuve - ☎ 0 10 :

de Lauzelle, av. de Lauzelle 61, ☎ 45 07 51, Telex 59059, Fax 45 09 11, 🌴, 🌳 - |‡| TV ☎ P - 🏛 40 à 250. AE ① E VISA. ✂ rest
Repas *(fermé sam. midi et dim.) Lunch 595* - 975/1620 - **77 ch** 2200/3750 - ½ P 3000/4200.

Roma, Traverse d'Esope 12, ☎ 45 01 28, Fax 45 63 37, Avec cuisine italienne, ouvert jusqu'à 23 h - AE ① E VISA
Repas 800.

OTTRÉ Luxembourg belge 214 ⑧ - voir à Vielsalm.

OUDENAARDE (AUDENARDE) 9700 Oost-Vlaanderen 213 ⑯ et 409 ⑫ - 27 237 h. - ☎ 0 55.
Voir Hôtel de Ville★★★ (Stadhuis) Z - Église N.-D. de Pamele★ (O.L. Vrouwekerk van Pamele) Z.
18 9 à Wortegem-Petegem par ④ : 5 km, Kortrijkstraat 52 ☎ (0 55) 31 54 81, Fax (0 55) 31 98 49.
Stadhuis, Markt ☎ 31 72 51, Fax 33 00 48.
♦Bruxelles 61 ② - ♦Gent 27 ⑥ - ♦Kortrijk 33 ④ - Valenciennes 61 ③.

Plan page ci-contre

de Rantere 🐦, Jan Zonder Vreeslaan 8, ☎ 31 89 88, Fax 33 01 11, 🌴, ≘s - |‡| TV ☎ - 🏛 25 à 40. AE ① E VISA Z e
Repas *(fermé dim., jours fériés et du 9 au 31 juil.) Lunch 850* - 1000/2000 - **19 ch** ☕ 2450/3400.

Da Vinci sans rest, Gentstraat 58 (par ⑥), ☎ 31 13 05, Fax 31 15 03 - TV ☎. AE ① E VISA
fermé fin déc.-début janv. - **5 ch** ☕ 2400/2900, 1 suite.

Wijnendael, Berchemweg 13 (par ③), ☎ 31 81 78, Fax 31 84 95, 🌳 - TV ☎ P - 🏛 30. AE ① E VISA. ✂
Repas *(fermé sam. midi, dim. soir et lundi) Lunch 585* - carte env. 1500 - **8 ch** ☕ 2200/2995 - ½ P 2785/2770.

Host. La Pomme d'Or avec ch, Markt 62, ☎ 31 19 00, Fax 30 08 44, ⌧ - |‡| TV ☎ - 🏛 25 à 60. AE ① E VISA Z z
Repas *(fermé dim. soir, lundi et du 1er au 21 août) Lunch 950* - 1285/1950 - **8 ch** ☕ 2300/3100.

De Zalm avec ch, Hoogstraat 4, ☎ 31 13 14, Fax 31 84 40 - |‡| ▤ ch TV ☎ - 🏛 50 à 150. AE ① E VISA. ✂ Z a
fermé du 10 au 31 juil. et du 23 au 30 janv. - **Repas** *(fermé dim. soir et lundi) Lunch 425* - carte env. 1200 - **7 ch** ☕ 1800/2200 - ½ P 1500/2200.

à Eine par ⑥ : 5 km C Oudenaarde - ✉ 9700 Eine - ☎ 0 55 :

't Craeneveldt, Serpentstraat 61a, ☎ 31 72 91, Fax 33 01 82, 🌴, « Ancienne fermette » - P. AE ① E VISA
fermé merc., sam. midi, dim. soir et du 10 au 31 juil. - **Repas** *Lunch 1050* - carte 1500 à 2100.

à Mater par ② : 4 km sur N 8, puis à gauche C Oudenaarde - ✉ 9700 Mater - ☎ 0 55 :

Ganzenplas, Boskant 49, ☎ 45 59 55, 🌴 - P. ① E VISA. ✂
fermé mardi soir, merc. et du 5 au 30 oct. - **Repas** *Lunch 600* - carte 800 à 1250.

à Mullem par ⑥ : 7,5 km sur N 60 C Oudenaarde - ✉ 9700 Mullem - ☎ 0 9 :

Moriaanshoofd avec ch, Moriaanshoofd 27, ☎ 384 37 87, Fax 384 67 25, 🌴, 🌳 - P. ① E VISA. ✂ rest
Repas *Lunch 675* - carte 800 à 1250 - **12 ch** ☕ 1050/1700 - ½ P 1225/1425.

OUDENAARDE

Beverestraat	Y 4
Broodstraat	Z 9
Grote Markt	Z
Hoogstraat	YZ 17
Krekelput	Z 23
Nederstraat	YZ 35
Stationsstraat	Y
Tussenbruggen	Z 40
Aalststraat	Z
Achterbrug	Z 2
Achter de Wacht	Y 3
Baarstraat	Z
Bekstraat	Y
Bergstraat	Z
Bourgondiëstraat	Z 7
Burg	Z 10
Dijkstraat	Y
Doornikstraat	Z
Fortstraat	Y
Gevaertsdreef	Y
Jezuïetenplein	Z 18
Kasteelstraat	Z 21
Kattestraat	Z
Louise-Mariekaai	Z 26
Margaretha van Parmastr.	Z 32
Marlboroughlaan	YZ
Matthijs Casteleinstr.	Z
Minderbroedersstr.	Z 33
Parkstraat	Y
Prins Leopoldstraat	Z
Remparden	Z
Tacambaroplein	Y 38
Voorburg	Z 42
Wijngaardstraat	Y 46
Woeker	Y

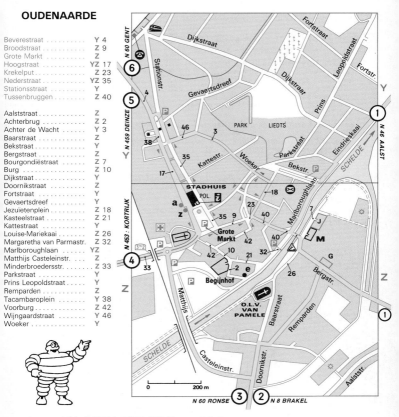

La carte Michelin 408 à 1/400 000 (1 cm = 4 Km),
donne, en une feuille, une image complète des Pays-Bas.

Elle présente en outre des agrandissements détaillés
des régions d'Amsterdam et de Rotterdam et une nomenclature des localités.

OUDENBURG 8460 West-Vlaanderen 213 ② et 409 ② – 8 360 h. – ✆ 0 59.
♦Bruxelles 109 – ♦Brugge 19 – ♦Oostende 8.

Abdijhoeve, Marktstraat 1, ✆ 26 51 67, Fax 26 53 10, 🌳, ⌲s – 📺 ☎ 🅿 – 🕍 60 à 250.
🖭 ⓞ 🇪 VISA. ✎ rest
fermé du 1er au 7 nov. – **Repas** *(fermé dim. soir et lundi)* Lunch 1150 – 1150/2600 – **23 ch**
⌸ 2300/3200 – ½ P 2000/2600.

à Roksem SE : 4 km ⓒ Oudenburg – ✉ 8460 Roksem – ✆ 0 59 :

De Stokerij 🅼 sans rest, Hoge dijken 2, ✆ 26 83 80, Fax 26 89 35, 🌴 – 🔳 📺 ☎ 🅿. 🖭
ⓞ 🇪 VISA
8 ch ⌸ 1800/4200.

Ten Daele, Brugsesteenweg 65, ✆ 26 80 35, 🌳, « Cadre champêtre » – 🅿. 🇪 VISA
fermé du 2 au 26 janv., mardi soir, merc., dim. soir et après 20 h 30 – **Repas** Lunch 1100
– carte env. 1900.

OUDERGEM Brabant – voir Auderghem à Bruxelles.

OUD-TURNHOUT Antwerpen 212 ⑯ ⑰ et 409 ⑤ – voir à Turnhout.

OUREN Liège 214 ⑨ et 409 ⑯ – voir à Burg-Reuland.

OVERIJSE Brabant 📕📕📕 ⑲ et 📗📗📗 ⑬ ㉒ – voir à Bruxelles, environs.

PALISEUL 6850 Luxembourg belge 📕📕📕 ⑯ et 📗📗📗 ㉔ – 4 880 h. – ✪ 0 61.

◆Bruxelles 146 – ◆Arlon 65 – Bouillon 15 – ◆Dinant 55.

XXX ✪✪ **Au Gastronome** (Libotte) avec ch, r. Bouillon 2 (Paliseul-Gare), ℘ 53 30 64, Fax 53 38 91, « Jardin fleuri avec ⌇ » – 📺 ☎ 🅿. 🆎 ⓞ 🅴 𝑉𝐼𝑆𝐴
fermé dim. soirs et lundis non fériés, janv., 1 sem. carnaval et dern. sem. juin-prem. sem. juil. – **Repas** *Lunch 1150* – carte 1850 à 2500 – **9 ch** ⚏ 2500/4500 – ½ P 3300/3800
Spéc. Jambonnettes de grenouilles au persil et aux croquettes d'ail, Gratin de langoustines au Champagne et pomme de terre au caviar, Cochon de lait rôti au miel, sauce aux épices.

X **La Hutte Lurette** avec ch, r. Station 64, ℘ 53 33 09, Fax 53 52 79 – 📺 ☎ 🅿. 🆎 🅴 𝑉𝐼𝑆𝐴
fermé 17 fév.-17 mars et prem. sem. sept – **Repas** *(fermé mardi soir et merc. midi sauf en juil.-août et merc. soir) Lunch 720* – 720/1250 – **7 ch** ⚏ 1800/1900 – ½ P 1650/1750.

De PANNE (LA PANNE) 8660 West-Vlaanderen 📕📕📕 ① et 📗📗📗 ① – 9 809 h. – ✪ 0 58 – Station balnéaire.

Voir Plage★.

🅱 (fermé dim. sauf Pâques-oct.) Gemeentehuis, Zeelaan 21 ℘ 42 18 18, Fax 42 16 17.

◆Bruxelles 143 ① – ◆Brugge 55 ① – Dunkerque 20 ③ – ◆Oostende 31 ① – Veurne 6 ②.

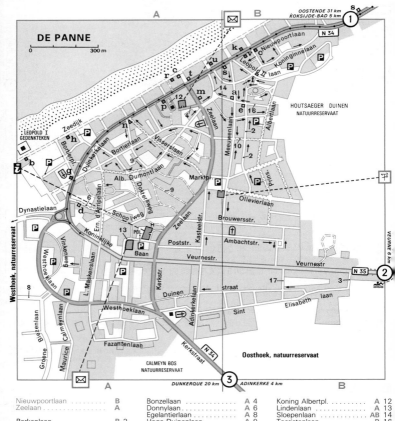

Nieuwpoortlaan	B	Bonzellaan	A 4	Koning Albertpl.	A 12
Zeelaan	A	Donnylaan	A 6	Lindenlaan	A 13
		Egelantierlaan	A 8	Sloepenlaan	AB 14
Barkenlaan	B 2	Hoge Duinenlaan	A 9	Toeristenlaan	B 16
Blauwe Distelweg	B 3	J. Demolderlaan	B 10	Wielewaalstr.	B 17

🏨🏨 **Host. Sparrenhof** ⟩, Koninginnelaan 26, ☎ 41 13 28, Fax 42 08 19, 🌳, « Jardin », 🌊, 🏊 – |🛗| ☰ rest 📺 🕿 🅿 – 🏤 25. 🖭 ⑩ 🖻 🎟. 🕸 rest   B **f**
fermé 3 janv.-10 fév. – **Repas La Bourgogne** *(fermé mardi soir et merc.)* Lunch 975 – carte 1500 à 2050 – **23 ch** ⊇ 2200/4000, 2 suites – ½ P 2750/3450.

🏨🏨 **Donny** ⟩, Donnylaan 17, ☎ 41 18 00, Fax 42 09 78, ≤, 🌳, 🎰, 🌊, 🖫, 🛲 – |🛗| 🎇 📺 🕿 ⟨⟩ 🅿 – 🏤 25 à 80. 🖭 🖻 🎟.   A **d**
fermé du 9 au 28 janv. – **Repas** Lunch 500 – 950/1250 – **35 ch** ⊇ 1950/3250 – ½ P 2300/3325.

🏨 **Iris,** Duinkerkelaan 41, ☎ 42 07 42, Fax 42 11 77, 🌳, 🌊, 🛲 – |🛗| 📺 🕿 🅿. 🖻 🎟. 🕸 ch   A **n**
Repas *(fermé merc. soir et jeudi)* Lunch 565 – carte env. 1500 – **11 ch** ⊇ 2050/3400.

🏨 **Seahorse** ⟩ sans rest, Toeristenlaan 7, ☎ 41 27 47, Fax 41 27 48 – |🛗| 📺 🕿 ⟨⟩. 🖭 ⑩ 🖻 🎟   B **a**
fermé 4 nov.-25 déc. – **19 ch** ⊇ 1800/2900.

🏨 **Cajou,** Nieuwpoortlaan 42, ☎ 41 13 03, Fax 42 01 23 – |🛗| 📺 🕿. 🖭 ⑩ 🖻 🎟. 🕸 ch
◆ *fermé prem. sem. fév., 1ʳᵉ quinz. déc. et 2ᵉ quinz. janv.* – **Repas** *(fermé dim. soir et lundi d'oct. à mars)* Lunch 665 – 700/1375 – **19 ch** ⊇ 1700/2500.

🏨 **du Val Joli** ⟩, Barkenlaan 55, ☎ 41 25 19, Fax 42 08 45, 🏊 – 📺 🕿 🅿. 🖻 🎟. 🕸 rest
◆ *avril-25 sept* – **Repas** (résidents seult) – **18 ch** ⊇ 1500/2900 – ½ P 1950/2400.   B **e**

🏨 **La Terrasse,** Zeelaan 204, ☎ 41 51 01, Fax 41 15 70 – |🛗| 📺 🕿. 🖭 🖻 🎟. 🕸 ch
◆ *fermé mardi et 15 nov.-6 déc.* – **Repas** Lunch 320 – 795 – **17 ch** ⊇ 2500.   A **t**

🏨 **Terlinck,** Zeelaan 175, ☎ 42 01 08, Fax 42 05 86, ≤ – |🛗| 📺 🕿 🅿. 🕸   A **c**
◆ *fermé du 1ᵉʳ au 15 déc. et du 8 au 20 janv.* – **Repas** *(fermé après 20 h 30)* Lunch 750 – 800/1750 – **64 ch** ⊇ 2300/2600 – ½ P 1950/2250.

🏨 **Royal,** Zeelaan 180, ☎ 41 11 16, Fax 41 10 16 – |🛗| 📺 🕿. 🖻 🎟. 🕸   A **m**
fermé 16 nov.-24 déc. et 4 janv.-début fév. – **Repas** (résidents seult) – **25 ch** ⊇ 1390/3100 – ½ P 1900/2250.

🏨 **Strand Motel** ⟩ sans rest, Nieuwpoortlaan 153, ☎ 42 02 22, Fax 42 06 85, « Dans les dunes » – 🕿 ⟨⟩. ⑩ 🖻 🎟. 🕸   B **s**
fermé 7 janv.-25 fév., 4 mars-1ᵉʳ avril et 14 nov.-13 déc. – ⊇ 185 – **43 ch** 1360/2200.

XXX ✿ **Host. Le Fox** (Buyens) avec ch, Walckiersstraat 2, ☎ 41 28 55, Fax 41 58 79 – |🛗| 📺 🕿 ⟨⟩. 🖭 ⑩ 🖻 🎟   A **u**
fermé lundi, 25 sept-20 oct. et du 15 au 27 janv. – **Repas** *(fermé mardi midi sauf en juil.-août et lundi)* Lunch 1800 – carte 1800 à 2500 – ⊇ 300 – **14 ch** 1800/2800 – ½ P 2800/3300
Spéc. Homard en trois services, Cappuccino de chou-fleur et de langoustines au caviar (juin-oct.).

XX **L'Avenue** avec ch, Nieuwpoortlaan 56, ☎ 41 13 70, Fax 42 12 21 – 📺. 🖭 ⑩ 🖻 🎟   B **v**
fermé 15 janv.-12 fév. et mardi soir et merc. sauf vacances scolaires – Repas Lunch 1000 – 1000/1395 – **4 ch** ⊇ 1900/2800 – ½ P 1950/2200.

XX **Trio's,** Nieuwpoortlaan 75, ☎ 41 13 78, Fax 42 04 16 – 🍽 🅿. 🖭 ⑩ 🖻 🎟   B **k**
fermé sem. carnaval, 13 nov.-2 déc., dim. soir sauf en juil.-août et merc. – **Repas** Lunch 980 – carte 1350 à 1900.

XX **Le Flore,** Duinkerkelaan 19b, ☎ 41 22 48, Fax 41 53 36 – 🅿. 🖭 🖻 🎟   A **p**
fermé mardis non fériés sauf en juil.-août, merc. non fériés, 2 sem. fin. nov. et 1 sem. fin fév. – **Repas** Lunch 995 – carte env. 1700.

XX **La Bonne Auberge,** Zeedijk 3, ☎ 41 13 98 – 🖭 ⑩ 🖻 🎟   A **r**
Pâques-fin sept, week-end et vacances scolaires ; fermé jeudi sauf en juil.-août – **Repas** Lunch 795 – 800/1195.

X **De Braise,** Bortierplein 1, ☎ 42 23 09, 🌳, Ouvert jusqu'à 23 h – 🖭 ⑩ 🖻 🎟   A **g**
fermé mardi midi sauf de mai à sept, lundi, 25 sept-20 oct. et du 15 au 27 janv. – Repas Lunch 950 – 950.

X **Impérial,** Leopold I Esplanade 9, ☎ 41 42 28, Fax 41 33 61, ≤, 🌳, Taverne-rest – 🏤 25. 🖭 ⑩ 🖻 🎟   A **b**
fermé merc. et 15 fév.-5 mars – **Repas** Lunch 990 – 990/1275.

X **Bistrot Merlot,** Nieuwpoortlaan 70, ☎ 41 40 61, Fax 42 23 88, 🌳, Ouvert jusqu'à minuit – 🖻 🎟   B **c**
◆ *fermé 13 nov.-1ᵉʳ déc. et lundi et mardi midi sauf juil.-sept* – **Repas** Lunch 595 – 595/895.

X **Parnassia,** Zeedijk 103, ☎ 42 05 20, 🌳, Taverne-rest   A **h**
Pâques-fin sept, week-end et vacances scolaires ; fermé merc. – **Repas** Lunch 835 – 930.

PARIKE 9661 Oost-Vlaanderen Ⓒ Brakel 13 609 h. 𝟚𝟙𝟛 ⑯ ⑰ et 𝟜𝟘𝟡 ⑫ – ✿ 0 55.
◆Bruxelles 48 – ◆Gent 47 – ◆Mons 55 – ◆Tournai 42.

🏨 **Molenwiek** ⟩, Molenstraat 1, ☎ 42 26 15, Cadre champêtre – 🅿. 🕸 rest
fermé 25 déc.-2 janv. – **Repas** (résidents seult) – **10 ch** ½ P seult 2400.

Pour avoir une vue d'ensemble sur le « Benelux »
procurez-vous
la carte Michelin **Benelux** 𝟜𝟘𝟟 à 1/400 000.

PEPINSTER 4860 Liège 213 ㉓ et 409 ⑯ – 9 103 h. – 🕿 0 87.

Env. SO : Tancrémont, Statue★ du Christ dans la chapelle.

◆Bruxelles 126 – ◆Liège 26 – Verviers 6.

XXX ۞۞ **Host. Lafarque** 🍴 avec ch, Chemin des Douys 20 (O : 4 km par N 61, lieu-dit Goffontaine), ℰ 46 06 51, Fax 46 97 28, ≼, 🐦, « Parc », 🐦 – 📺 🕿 🅿. 🝙 🕿 ch
fermé du 13 au 31 mars, du 20 au 30 nov., lundi soir et mardi – **Repas** carte 2700 à 3000
– 🍽 400 – **6 ch** 3000/4750 – ½ P 4595
Spéc. Foie d'oie maison, Coucou de Malines à l'instar de Visé, Gibiers (15 sept-fin déc.).

PÉRUWELZ 7600 Hainaut 213 ⑯, 214 ① et 409 ⑫ – 16 517 h. – 🕿 0 69.

◆Bruxelles 98 – ◆Mons 33 – ◆Tournai 21.

à Bon-Secours SE : 2 km © Péruwelz – ⊠ 7603 Péruwelz – 🕿 0 69 :

XX **Le Val de Verne**, av. de la Basilique 117, ℰ 77 35 27, Fax 77 35 27, 🐦 – 🝙 🝙 𝑉𝐼𝑆𝐴
fermé mardis et merc. non fériés, 2ᵉ quinz. août et 1ʳᵉ quinz. janv. – **Repas** Lunch 750 –
1200/2200.

PERWEZ (PERWIJS) 1360 Brabant 213 ⑳ et 409 ⑭ – 6 497 h. – 🕿 0 81.

◆Bruxelles 47 – ◆Charleroi 39 – ◆Namur 24 – Tienen 27.

XX **Le Bourbonnais**, av. de la Roseraie 9, ℰ 65 50 31, 🐦 – 🅿. 🝙 🝙 🝙 𝑉𝐼𝑆𝐴
fermé 2 sem. en juil. et 1 sem. en sept – **Repas** Lunch 875 – 995/1475.

PETIT HAN Luxembourg belge 214 ⑦ et 409 ⑮ – voir à Durbuy.

PETIT-ROEULX-LEZ-NIVELLES Hainaut 213 ⑱ et 409 ⑬ – voir à Nivelles.

PHILIPPEVILLE 5600 Namur 214 ④ et 409 ⑬ – 7 384 h. – 🕿 0 71.

🆔 (en saison) r. Religieuses 2 ℰ 66 64 96.

◆Bruxelles 88 – ◆Charleroi 26 – ◆Dinant 29 – ◆Namur 44.

XXX **La Côte d'Or** avec ch, r. Gendarmerie 1, ℰ 66 81 45, Fax 66 67 97, 🐦, 🐦 – 📺 🕿 🚗
🅿 – 🍽 80. 🝙 🝙 🝙
Repas (fermé dim. soir, lundi et 25 fév.-20 mars) Lunch 980 – carte 1700 à 2100 – **8 ch**
🍽 1500/2900 – ½ P 1730/2680.

X **Aub. des 4 Bras,** r. France 49, ℰ 66 72 38, 🐦 – 🅿. 🝙 🝙 🝙 𝑉𝐼𝑆𝐴
fermé dim. soir, lundi, 2ᵉ quinz. fév. et 1ʳᵉ quinz. sept – **Repas** Lunch 390 – 1095.

à Neuville SE : 3 km © Philippeville – ⊠ 5600 Neuville – 🕿 0 71 :

X **Chez Grand Mère,** rte de Mariembourg 45 (SE : 4 km sur N 5), ℰ 66 78 34, Fax 66 78 34
– 🅿. 🝙 🝙 𝑉𝐼𝑆𝐴
fermé 15 janv.-10 fév. et lundis et mardis non fériés – **Repas** Lunch 550 – 825/1295.

De PINTE Oost-Vlaanderen 213 ④ et 409 ③ – voir à Gent, environs.

PLANCENOIT Brabant 213 ⑱ ⑲ et 409 ⑬ – voir à Lasne.

POPERINGE 8970 West-Vlaanderen 213 ⑬ et 409 ⑩ – 19 341 h. – 🕿 0 57.

🆔 Stadhuis, Grote Markt 1 ℰ 33 40 81, Fax 33 75 81.

◆Bruxelles 134 – ◆Brugge 64 – ◆Kortrijk 41 – Lille 45 – ◆Oostende 54.

🏠 **Amfora,** Grote Markt 36, ℰ 33 88 66, Fax 33 88 77, 🐦, « Terrasse » – 📺 🕿. 🝙 🝙 🝙
𝑉𝐼𝑆𝐴. 🕿 ch
fermé merc., dim. soir, sem. carnaval et dern. sem. nov-prem. sem. déc. – **Repas** Lunch 1100
– carte 1200 à 1550 – **7 ch** 🍽 1400/2200 – ½ P 1600.

🏠 **Palace,** Ieperstraat 34, ℰ 33 30 93, Fax 33 35 35 – 📺 🕿 🅿 – 🍽 25 à 70. 🝙 🝙 🝙 𝑉𝐼𝑆𝐴
🗲 🕿
fermé du 15 au 31 août – **Repas** (fermé merc. soir, sam. midi et dim. soir) Lunch 650 –
650/900 – **11 ch** 🍽 1350/2100 – ½ P 1600.

🏠 **Belfort,** Grote Markt 29, ℰ 33 88 88, Fax 33 74 75 – 📺 🕿. 🝙 𝑉𝐼𝑆𝐴
fermé 13 nov.-5 déc. – **Repas** (Taverne-rest) (fermé lundi) Lunch 300 – 895 – **9 ch**
🍽 1400/2100 – ½ P 1600/1850.

XX **D'Hommelkeete,** Hoge Noenweg 3 (S : 3 km par Zuidlaan), ℰ 33 43 65, Fax 33 65 74, ≼,
🐦, « Jardin, cadre champêtre » – 🅿. 🝙 🝙 🝙 𝑉𝐼𝑆𝐴
fermé dim. soir, lundi et merc. soir – **Repas** Lunch 1650 – 1650.

X **De Kring** avec ch, Burg. Bertenplein 7, ℰ 33 38 61, 🐦 – 📺 🕿 – 🍽 40 à 200. 🝙 🝙
🝙 𝑉𝐼𝑆𝐴. 🕿 ch
fermé sem. carnaval et 25 juil.-12 août – **Repas** (fermé dim. soir et lundi) Lunch 275 –
895/1300 – 🍽 200 – **7 ch** 1100/1700 – ½ P 1600.

POUPEHAN 6830 Luxembourg belge Ⓒ Bouillon 5 551 h. 𝟤𝟣𝟦 ⑮ et 𝟦𝟢𝟫 ㉔ – ✆ 0 61.
◆Bruxelles 165 – ◆Arlon 82 – ◆Dinant 69 – Sedan 23.

　　à Frahan N : 6 km Ⓒ Bouillon – ✉ 6830 Poupehan – ✆ 0 61 :

🏛 **Aux Roches Fleuries** ⑤, Village 38, ✆ 46 65 14, Fax 46 72 09, ≤, « Terrasse et jardin »
　– 📺 ☎ ❷. 🅰🅴 ⑩ 🅴 𝘝𝘐𝘚𝘈
　14 avril-12 nov. et week-end du 13 nov. au 21 déc. – **Repas** *Lunch 825* – carte 1500 à 1900
　– 🖙 275 – **14 ch** 2500/2950 – ½ P 2520/2690.

🏠 **Beau Séjour** ⑤, Village 5, ✆ 46 65 21, Fax 46 78 80, 🍴, 🌳 – 📺 ☎ ❷. 🅰🅴 ⑩ 🅴 𝘝𝘐𝘚𝘈.
　🌺
　fermé 19 juin-6 juil., du 4 au 26 janv. et mardi et merc. de début nov. à fin mars – **Repas**
　(fermé après 20 h 30) Lunch 900 – carte env. 1600 – **16 ch** 🖙 2800 – ½ P 1850/2450.

PROFONDEVILLE 5170 Namur 𝟤𝟣𝟦 ⑤ et 𝟦𝟢𝟫 ⑭ – 9 891 h. – ✆ 0 81 – **Voir** Site★.
🏌₁₈ Chemin du Beau Vallon 45 ✆ 41 14 18, Fax 41 21 42.
◆Bruxelles 74 – ◆Dinant 17 – ◆Namur 12.

　🍴🍴 **La Sauvenière**, chaussée de Namur 57, ✆ 41 33 03, Fax 41 16 29, 🍴 – ❷. 🅴 𝘝𝘐𝘚𝘈
　　fermé lundis et mardis midis non fériés – **Repas** 890.

　🍴 **La Source Fleurie,** av. Général Gracia 11, ✆ 41 22 28, Fax 41 30 98, « Jardin fleuri » – ❷.
　　🅰🅴 ⑩ 🅴 𝘝𝘐𝘚𝘈
　　fermé mardi soir, merc., 16 août-4 sept et 1 sem. fin janv. – **Repas** *Lunch 950* – 950/1700.

QUAREGNON 7390 Hainaut 𝟤𝟣𝟦 ① ② et 𝟦𝟢𝟫 ⑫ – 19 660 h. – ✆ 0 65.
◆Bruxelles 77 – ◆Mons 12 – ◆Tournai 37 – Valenciennes 30.

　🍴🍴🍴 **Dimitri,** pl. du Sud 27 (Lourdes), ✆ 66 69 69 – ▤. 🅰🅴 ⑩ 🅴 𝘝𝘐𝘚𝘈. 🌺
　　fermé août et dim. soirs et lundis non fériés – **Repas** carte 1550 à 1850.

QUENAST 1430 Brabant Ⓒ Rebecq 9 458 h. 𝟤𝟣𝟥 ⑱ et 𝟦𝟢𝟫 ⑬ – ✆ 0 67.
◆Bruxelles 28 – ◆Charleroi 51 – ◆Mons 40.

　🍴🍴 **La Ferme du Faubourg,** r. Faubourg 2, ✆ 63 69 03, Fax 63 69 03, 🍴, « Ferme
　　brabançonne » – ❷. 🅰🅴 ⑩ 🅴 𝘝𝘐𝘚𝘈
　　fermé du 5 au 15 sept, 2 janv.-13 fév., lundi et mardi – **Repas** *Lunch 580* – 880/1650.

RANCE 6470 Hainaut Ⓒ Sivry-Rance 4 561 h. 𝟤𝟣𝟦 ③ et 𝟦𝟢𝟫 ⑬ – ✆ 0 60.
◆Bruxelles 92 – ◆Charleroi 39 – Chimay 12 – ◆Mons 44.

　🍴🍴🍴 **La Braisière,** rte de Chimay 13, ✆ 41 10 83, Fax 41 10 83, 🍴 – ❷. 🅰🅴 ⑩ 🅴 𝘝𝘐𝘚𝘈
　　*fermé dim. soirs, lundis soirs, mardis et merc. non fériés, 27 mars-6 avril, du 19 au 30 juin
　　et 21 août-27 sept* – **Repas** *Lunch 1100* – carte 1250 à 1750.

　　à Sautin NO : 4 km Ⓒ Sivry-Rance – ✉ 6470 Sautin – ✆ 0 60 :

　🏠 **Le Domaine de la Carrauterie** ⑤ sans rest, r. Station 11, ✆ 45 53 52, Fax 45 53 52,
　　« Style cottage », 🏊, 🌳 – 📺 ❷. ⑩ 🅴 𝘝𝘐𝘚𝘈. 🌺
　　4 ch 🖙 2250/2750.

RECOGNE Luxembourg belge 𝟤𝟣𝟦 ⑯ ⑰ et 𝟦𝟢𝟫 ㉕ – voir à Libramont.

REET 2840 Antwerpen Ⓒ Rumst 14 295 h. 𝟤𝟣𝟥 ⑥ et 𝟦𝟢𝟫 ④ – ✆ 0 3.
◆Bruxelles 32 – ◆Antwerpen 14 – ◆Gent 56 – ◆Mechelen 11.

　🍴🍴 **Pastorale,** Laarstraat 22, ✆ 844 65 26, Fax 844 73 47, « Presbytère du 19ᵉ s. sur parc
　　public » – ❷ – 🔏 45. 🅰🅴 ⑩ 🅴 𝘝𝘐𝘚𝘈
　　fermé lundi, sam. midi, 27 mars-6 avril et 16 août-sept – **Repas** *Lunch 950* – carte 1900 à
　　2700.

La REID Liège 𝟤𝟣𝟥 ㉓ et 𝟦𝟢𝟫 ⑯ – voir à Spa.

RENAIX Oost-Vlaanderen – voir Ronse.

RENINGE 8647 West-Vlaanderen Ⓒ Lo-Reninge 3 171 h. 𝟤𝟣𝟥 ① et 𝟦𝟢𝟫 ① – ✆ 0 57.
◆Bruxelles 131 – ◆Brugge 54 – Ieper 22 – ◆Oostende 53 – Veurne 21.

　🏛 ❀ **'t Convent** (De Volder) ⑤, Halve Reningestraat 1 (direction Oostvleteren), ✆ 40 07 71,
　　Fax 40 11 27, ≤, 🍴, « Hostellerie avec jardin fleuri et vigne », 🛏, 🔲 – 🛗 📺 ☎ ❷ – 🔏 25.
　　🅰🅴 ⑩ 🅴 𝘝𝘐𝘚𝘈
　　fermé 15 fév.-9 mars – **Repas** *(fermé mardi soir et merc.)* carte 2000 à 2700 – 🖙 350 –
　　10 ch 3500/5500, 5 suites
　　Spéc. Carpaccio de filet de turbot aux truffes, Mosaïque de jeunes légumes au foie gras et homard,
　　Pigeonneau au foie d'oie.

227

RESTEIGNE 6927 Luxembourg belge Ⓒ Tellin 2 121 h. **214** ⑥ et **409** ㉔ ㉕ – ❸ 0 84.
◆Bruxelles 116 – ◆Dinant 35 – ◆Namur 57.

🏠 **Host. de la Lesse** ⑤, Grand'rue 25, ℰ 38 81 29, Fax 38 83 82, 🍽, 🌳 – 🔟 ☎ ℗. 🆎
⓪ 🖻 _VISA_. 🍽
fermé lundi soir et mardi sauf 7 juil.-août – **Repas** *Lunch 950* – carte 1300 à 1700 – **10 ch**
🛏 1800/2300 – ½ P 2150/2250.

RETIE 2470 Antwerpen Ⓒ Oud-Turnhout 11 824 h. **212** ⑰ et **409** ⑤ – ❸ 0 14.
◆Bruxelles 89 – ◆Antwerpen 51 – ◆Turnhout 12 – ◆Eindhoven 38.

🏠 **Postel Ter Heyde** ⑤, Postelsebaan 74 (E : 4 km sur N 123), ℰ 37 23 21, Fax 37 23 31, 🍽
– ☎ ℗ – 🔬 25. 🆎 🖻 _VISA_
Repas *(fermé lundi midi) Lunch 500* – carte 1000 à 1750 – **10 ch** *(fermé 2 dern. sem. sept)*
🛏 2250/2500 – ½ P 1750.

RHODE-ST-GENÈSE Brabant – voir Sint-Genesius-Rode à Bruxelles, environs.

RIXENSART 1330 Brabant **213** ⑲ et **409** ⑬ – 21 177 h. – ❸ 0 2.
◆Bruxelles 24 – ◆Charleroi 38 – ◆Namur 45.

🏠 **Le Lido** ⑤, r. Limalsart 20, ℰ 654 05 05, Fax 654 06 55, ≤, 🍽 – 🔟 ☎ ℗ – 🔬 25 à 100.
🆎 ⓪ 🖻 _VISA_
Repas *(fermé dim. soir et Noël) Lunch 550* – 850/1050 – **27 ch** 🛏 3100/4250.

ROBERTVILLE 4950 Liège Ⓒ Waimes 6 033 h. **213** ㉔, **214** ⑨ et **409** ⑯ – ❸ 0 80.
Voir Lac★, ≤★ – 🗗 r. Centrale 53 ℰ 44 64 75.
◆Bruxelles 154 – ◆Liège 58 – Aachen 40 – Malmédy 14.

🏠 **Bains**, Lac de Robertville 2 (rte de Waimes S : 1,5 km), ⌗ 4950 Waimes, ℰ 67 95 71,
Fax 67 81 43, ≤ lac, 🍽, « Jardin au bord de l'eau », 🔲 – 🔌 🔟 ☎ ℗ – 🔬 25. 🆎 🖻 _VISA_. 🍽
avril-1er janv. et week-end ; fermé 2 janv.-9 fév. – **Repas** *(fermé merc. non fériés)* 1250/1950
– **Briscot d'Art** *(fermé dim.)* 750 – **14 ch** 🛏 2950/4900 – ½ P 3400/4100.

🏠 **Domaine des Hautes Fagnes** ⑤, r. Charmilles 67 (NO : 1,5 km, lieu-dit Ovifat),
ℰ 44 69 87, Fax 44 69 19, ⛱, 🔲, 🍽 – 🔌 🔟 ☎ ℗ – 🔬 25 à 80. 🆎 🖻 _VISA_. 🍽
Repas *Lunch 1100* – carte 1500 à 1950 – **68 ch** 🛏 2850/4300, 2 suites.

🏠 **International**, r. Lac 41, ℰ 44 62 58, 🍽 – 🔬 25. 🆎 ⓪ 🖻 _VISA_. 🍽 rest
fermé 20 mars-7 avril, du 3 au 13 juil., 28 août-14 sept et mardi et merc. hors saison –
Repas *(fermé après 20 h 30)* 950/1550 – **11 ch** 🛏 1400/2200.

✗ **Au Vieux Hêtre** avec ch, Andrifosse 47 (N : 1 km), ℰ 44 64 45, Fax 44 57 37, 🌳 – ℗. 🆎
⓪ 🖻 _VISA_. 🍽
fermé jeudi et du 1er au 20 juil. – **Repas** *(fermé après 20 h 30) Lunch 860* – 1020/1430 –
7 ch 🛏 1350/2100 – ½ P 1650.

✗ **Du Barrage**, r. Barrage 46, ℰ 44 62 61, « Terrasse avec ≤ lac » – 🖻 _VISA_
fermé du 20 au 30 mars, du 21 au 30 sept, 13 nov.-5 déc., lundi soir et mardi – **Repas**
Lunch 425 – 760/1200.

La ROCHE-EN-ARDENNE 6980 Luxembourg belge **214** ⑦ et **409** ⑮ – 3 984 h. – ❸ 0 84.
Voir Site★★ – Chapelle Ste-Marguerite ⛐★★ A B.
Env. Belvédère des Six Ourthe★★, le Hérou★★ par ② : 14,5 km – Point de vue des Crestelles★
– SE par ③ : Belvédère de Nisramont★ (avec ≤★ sur l'Ourthe).
🗗 *(avril-déc.), week-end et vacances scolaires ; fermé merc. sauf en juil.-août)* pl. du Marché ℰ 41 13 42,
Fax 41 23 43 – Fédération provinciale de tourisme, Quai de l'Ourthe 9 ℰ 41 10 11, Fax 41 24 39.
◆Bruxelles 127 ⑤ – ◆Arlon 75 ④ – ◆Liège 77 ① – ◆Namur 66 ⑤.

Plan page ci-contre

🏠 **Host. Linchet**, rte de Houffalize 11, ℰ 41 13 27, Fax 41 24 10, ≤, 🍽, « Aménagement
cossu » – 🔟 ☎ 🚗 ℗. 🆎 🖻 _VISA_. 🍽 ch   A w
*fermé 28 fév.-mars, 20 juin-13 juil. et mardi et merc. de mai à déc. ; de janv. à mai ouvert
week-end seult* – **Repas** *Lunch 1000* – carte 1700 à 2350 – **11 ch** 🛏 2500/4200 –
½ P 2750/3100.

🏠 **Le Chalet**, r. Chalet 61, ℰ 41 24 13, Fax 41 13 38, ≤, 🌳 – 🔟 ☎ ℗. 🆎 ⓪ 🖻 _VISA_ B d
fermé 20 juin-6 juil., 27 nov.-15 déc. et 2 janv.-10 fév. – **Repas** *(fermé mardi hors saison)
Lunch 980* – 1400/1850 – **17 ch** 🛏 2525/2750 – ½ P 2750/3850.

🏠 **La Claire Fontaine**, rte de Hotton 64 (O : par ⑤ : 2 km), ℰ 41 24 70, Fax 41 21 11, ≤,
« Jardin ombragé au bord de l'Ourthe » – 🔟 ☎ ℗. 🆎 🖻 _VISA_. 🍽
Repas *Lunch 900* – 900/1290 – **25 ch** 🛏 2200/3800 – ½ P 2400/3900.

🏠 **Pacific** sans rest, r. Chalet 14, ℰ 41 15 91 – ☎. 🆎 ⓪ 🖻 _VISA_. 🍽   B b
8 ch 🛏 1450/1900.

🏠 **Du Midi**, r. Beausaint 6, ℰ 41 11 38, Fax 41 22 38 – 🔟 ☎. 🆎 ⓪ 🖻 _VISA_   B t
fermé 2e quinz. juin et 2e quinz. janv. – **Repas** *Lunch 595* – 595/1175 – **8 ch** 🛏 1500/2200
– ½ P 1600/1800.

228

LA ROCHE EN ARDENNE

Bastogne (Rte de) . . . . A 2
Beausaint (R. de) . . . . B 3
Beausaint (VIle Rte de). A 4
Bon-Dieu-de-Maka (R.) . B 7
Châlet (R. du) . . . . B 8
Chamont (R.) . . . . B 10
Champlon (Rte de) . . . A 12
Chanteraine (Pl.) . . . . . B 13
Chanteraine (R. de) . . . B 14
Chats (R. des) . . . . . . B 15
Cielle (Rte de) . . . . . . A 16

Église (R. de l') . . . . . . B 17
Faubourg (Pont du) . . . B 18
Gare (R. de la) . . . . . . B 20
Gravier (Pt du) . . . . . . B 21
Gravier (Q. du) . . . . . . B 22
Hospice (R. de l') . . . . . B 24
Hotton (Rte de) . . . . . . A 25
Marché (Pl. du) . . . . . . B 27
Moulin (R. du) . . . . B 28
Nulay (R.) . . . . B 30
Ourthe (Q. de l') . . . . . B 32
Pafy (Ch. du) . . . . A 33
Presbytère (R. du) . . . . B 35
Purnalet (R. du) . . . . . . B 36
Rompré (R. et) . . . . B 37
Val-du-Pierreux . . . . . . A 39

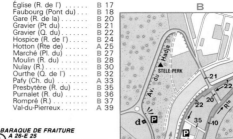

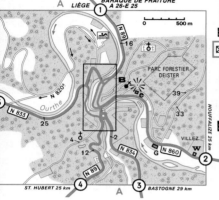

XX **Les Genêts** ⊗ avec ch, Corniche de Deister 2, ☏ 41 18 77, Fax 41 18 93, ≤ vallée de l'Ourthe et ville, 😳, 🌳 – 📺 🖭 ⑩ 🗲 𝘝𝘐𝘚𝘈 A e
fermé 25 juin-10 juil. et du 8 au 20 janv. ; déc.-avril, Noël-Nouvel An et fév. ouvert week-end seult – **Repas** *(fermé merc. et jeudi sauf 15 juil.-août)* Lunch 750 – 750/1500 – **8 ch** ☑ 1950/2450 – ½ P 1900/2450.

XX **La Huchette,** r. Église 6, ☏ 41 13 33 – 🖭 🗲 𝘝𝘐𝘚𝘈 B n
fermé mardi soir, merc., 22 fév.-10 mars et dern. sem. sept-prem. sem. oct. – **Repas** 980.

X **De la Place** avec ch, r. Beausaint 1, ☏ 41 12 52, Fax 41 22 52 – 🔳 rest 📺 ☎ 🖭 🗲 𝘝𝘐𝘚𝘈, 𝒮𝒶 ch B v
fermé 2ᵉ quinz. sept, 2 prem. sem. janv. et mardis soirs et merc. non fériés sauf en juil.-août – **Repas** 900/1550 – **8 ch** ☑ 1500/2000 – ½ P 1800.

à Jupille par ⑤ : 6 km ⓒ Rendeux 2 129 h. – ⊠ 6987 Hodister – ✆ 0 84 :

🏠 **Host. Relais de l'Ourthe,** r. Moulin 3, ☏ 47 76 88, Fax 47 70 85 – 📺 🅿. 🖭 ⑩ 🗲 𝘝𝘐𝘚𝘈
Repas *(fermé merc.)* Lunch 600 – 1100/1400 – **12 ch** ☑ 2300 – ½ P 2100.

X **Les Tilleuls** ⊗ avec ch, Clos Champs 11, ☏ 47 71 31, Fax 47 78 38, 😳, 🌳 – 📺 ☎ 🅿. 🖭 ⑩ 🗲 𝘝𝘐𝘚𝘈, 𝒮𝒶 rest
fermé 3 janv.-3 fév. – **Repas** *(fermé lundi et mardi hors saison)* Lunch 735 – 950 – **16 ch** ☑ 1125/2375 – ½ P 1725/2125.

ROCHEFORT 5580 Namur 𝟤𝟣𝟦 ⑥ et 𝟦𝟢𝟫 ⑮ – 11 450 h. – ✆ 0 84.

Voir Grotte★★.

Env. SO : 6 km à Han-sur-Lesse, Grotte★★★ - Safari★ - Fragment de diplôme★ (d'un vétéran romain) dans le Musée du Monde souterrain – NO : 15 km à Chevetogne, Domaine provincial Valéry Cousin★.

🏢 r. Behogne 2 ☏ 21 25 37.

◆Bruxelles 117 – ◆Namur 58 – Bouillon 49 – ◆Dinant 32 – ◆Liège 71.

🏨 **La Malle Poste,** r. Behogne 46, ☏ 21 09 87, Fax 22 11 13, ≤, 😳, « Demeure ancienne, terrasse et jardin » – 📺 ☎ 🅿 – 🔬 25. 🖭 ⑩ 🗲 𝘝𝘐𝘚𝘈
fermé 15 fév.-15 mars et merc. sauf en juil.-août – **Repas** *(fermé prem. sem. sept)* Lunch 975 – 975/1975 – **13 ch** ☑ 1850/2150 – ½ P 2700/3000.

🏠 **Le Vieux Logis** sans rest, r. Jacquet 71, ☏ 21 10 24, Rustique, 🌳 – ☎ 🅿. 🗲 𝘝𝘐𝘚𝘈
fermé 15 sept-1ᵉʳ oct. – **10 ch** ☑ 1250/2100.

XXX **Les Falizes** avec ch, r. France 90, ℰ 21 12 82, Fax 22 10 86, « Terrasse » – 📺 ☎ 🅿. 🝇
　　⓪ 🝈 𝚅𝚂𝙰 – *fermé 20 janv.-début mars, lundi soir sauf en juil.-août et mardi* – **Repas**
　　1395/1800 – 🖙 225 – **6 ch** 1900/2150 – ½ P 2500/2700.

XX **Le Limbourg** avec ch, pl. Albert Iᵉʳ 21, ℰ 21 10 36, Fax 21 44 23 – 📺 ☎. 🝇 ⓪ 🝈 𝚅𝚂𝙰
🛬 ❀ ch – *fermé 15 fév.-15 mars, 28 août-8 sept et mardi soir et merc. sauf 15 juil.-15 août*
　　– **Repas** (Taverne-rest) *Lunch* 795 – 795/1140 – **6 ch** 🖙 1450/1950 – ½ P 1800/2000.

XX **Le Luxembourg**, pl. Albert Iᵉʳ 2, ℰ 21 31 68, ≼, 🍽 – 🝇 ⓪ 🝈 𝚅𝚂𝙰
　　fermé jeudi – **Repas** *Lunch* 450 – *carte env.* 1100.

XX **Trou Maulin** avec ch, rte de Marche 19, ℰ 21 32 40 – 📺 ☎ 🅿. 🝇 🝈 𝚅𝚂𝙰 ❀ ch
🛬 *fermé du 11 au 28 sept, 2 janv.-8 fév. et mardi et merc. sauf en juil.-août* – **Repas** *Lunch*
　　790 – 790/1475 – **7 ch** 🖙 1600/1850 – ½ P 1530/1730.

X **Le Relais du Château,** r. Jacquet 22, ℰ 21 09 81 – 📺 ⓪ 🝈 𝚅𝚂𝙰
　　fermé du 15 au 30 sept et merc. soir et jeudi sauf en juil.-août – **Repas** *Lunch* 590 – 890/1490.

à *Belvaux* SO : 9 km 🄲 Rochefort – ✉ 5580 Belvaux – 🕭 0 84 :

XX **Aub. des Pérées** 🛬 avec ch, r. Pairées 37, ℰ 36 62 77, Fax 36 72 05, 🍽, 🎋 – 📺 ☎
　　🅿. 𝚅𝚂𝙰. ❀
　　fermé 20 sept-14 oct., 2 dern. sem. janv. et mardi et merc. sauf en juil.-août – **Repas** *Lunch*
　　900 – 900/1510 – **6 ch** 🖙 1850/2350 – ½ P 1820/2020.

à *Eprave* SO : 7 km 🄲 Rochefort – ✉ 5580 Eprave – 🕭 0 84 :

XX **Aub. du Vieux Moulin** 🛬 avec ch en annexe, r. Aujoule 51, ℰ 37 73 18, Fax 37 84 60,
🛬 🍽 – ☎ 🚐 🅿 – 🔬 25. 🝇 ⓪ 🝈 𝚅𝚂𝙰. ❀ rest
　　fermé mardi soir et merc. hors saison – **Repas** 795/1565 – **5 ch** 🖙 1850 – ½ P 2000/2200.

à *Han-sur-Lesse* SO : 6 km 🄲 Rochefort – ✉ 5580 Han-sur-Lesse – 🕭 0 84 :

🏠 **Ardennes,** r. Grottes 2, ℰ 37 72 20, Fax 37 80 62, 🍽, 🎋 – 🔬 40. 🝇 ⓪ 🝈 𝚅𝚂𝙰
🛬 *fermé 3 janv.-1ᵉʳ fév. sauf week-end et merc. sauf mai-15 sept* – **Repas** 675/1475 – **30 ch**
　　🖙 1600/2950 – ½ P 1700/2525.

🏠 **Host. Henry IV** 🛬, r. Chasseurs Ardennais 59 (N : 1 km), ℰ 37 72 21, Fax 37 81 78, 🍽,
🛬 🎋 – 🅿. 🝈 𝚅𝚂𝙰. ❀ rest
　　fermé du 4 au 18 déc. – **Repas** *(fermé jeudis non fériés sauf en saison)* *Lunch* 450 – 590/1280
　　– 🖙 175 – **8 ch** 1500/1650 – ½ P 1475/2300.

ROCHEHAUT 6830 Luxembourg belge 🄲 Bouillon 5 551 h. 𝟚𝟙𝟜 ⑮ et 𝟜𝟘𝟡 ㉔ – 🕭 0 61.
Voir ≼★★ – 🅱 r. Cense 6a ℰ 46 69 70.

◆Bruxelles 159 – ◆Arlon 76 – ◆Dinant 63 – Sedan 26.

🏨 **Aub. de la Ferme** 🛬, r. Cense 21, ℰ 46 69 71, Fax 46 83 23, ≼, 🎋 – 📺 ☎ 🅿 – 🔬 25. ❀
　　Repas *Lunch* 790 – *carte* 1100 à 1400 – **20 ch** 🖙 1800/2100 – ½ P 1800/1870.

🏠 **Les Tonnelles,** Grand-Place 30, ℰ 46 69 00, Fax 46 82 10, 🍽 – ☎. 🝇 ⓪ 🝈 𝚅𝚂𝙰. ❀ rest
　　fermé 1 sem. en sept et 1 sem. en janv. – **Repas** *Lunch* 450 – *carte env.* 1100 – **19 ch**
　　🖙 1680/1995 – ½ P 1550/1850.

XX **L'An 1600** avec ch, r. Palis 40, ℰ 46 65 33, Fax 46 83 82, 🍽, Rustique, 🎋 – 📺 ☎ 🅿.
　　🝈 𝚅𝚂𝙰
　　fermé 20 mars-4 avril, 19 juin-6 juil. et 2 janv.-17 fév. ; du 20 nov. au 24 déc. ouvert
　　week-end seult – **Repas** *(fermé après 20 h 30)* *Lunch* 690 – 800/1800 – **10 ch** 🖙 2000 –
　　½ P 2000.

ROESELARE (ROULERS) 8800 West-Vlaanderen 𝟚𝟙𝟛 ② et 𝟜𝟘𝟡 ② – 53 455 h. – 🕭 0 51.
🅱 (fermé dim.) Zuidstraat 5 ℰ 26 24 50, Fax 26 22 80.

◆Bruxelles 111 ③ – ◆Brugge 34 ① – ◆Kortrijk 24 ③ – Lille 45 ③.

Plan page ci-contre

🏨 **Parkhotel** (annexe Flanders Inn - 19 ch), Vlamingstraat 8, ℰ 22 03 65, Fax 22 53 72, ⛶
　　– 🛄 📺 ☎ 🅿 – 🔬 25 à 40. 🝇 ⓪ 🝈 𝚅𝚂𝙰　　　　　　　　　　　　　　　　　　　BY **a**
　　Repas *Lunch* 700 – *carte* 1000 à 1800 – **48 ch** 🖙 1950/2750 – ½ P 1800/3000.

XXX **De Ooievaar,** Noordstraat 91, ℰ 20 54 86, Fax 24 46 76, 🍽, « Terrasse » – 🗏 🅿. 🝇 ⓪
　　🝈 𝚅𝚂𝙰　　　　　　　　　　　　　　　　　　　　　　　　　　　　　　　　　　AY **s**
　　fermé dim. soir, lundi, 2 sem. en juil. et 1 sem. en août – **Repas** *carte* 1750 à 2050.

XX **Den Haselt,** Diksmuidsesteenweg 53, ℰ 22 52 40, Fax 24 10 64, 🍽 – 🝈 ⓪ 🝈 𝚅𝚂𝙰
　　fermé mardi soir et merc. – **Repas** *Lunch* 995 – *carte env.* 1700.　　　　　　　AZ **r**

XX **Orchidee** 12ᵉ étage, Begoniastraat 9, ℰ 21 17 23, Fax 20 01 04, ≼ ville – 🝇 ⓪ 🝈 𝚅𝚂𝙰
　　fermé dim. soir, lundi, merc. soir, 1 sem. carnaval et 18 juil.-8 août – **Repas** *Lunch* 750 – *carte*
　　1550 à 2150.　　　　　　　　　　　　　　　　　　　　　　　　　　　　　　　BZ **b**

X **Bistro Novo,** Hugo Verrieststraat 12, ℰ 24 14 77, Ouvert jusqu'à 23 h – 🝈 𝚅𝚂𝙰　AY **c**
　　fermé mardi, merc. midi, sam. midi, 3 dern. sem. août et fin déc. – **Repas** *carte env.* 1500.

à *Gits* par ① : 5 km sur N 32 🄲 Hooglede 9 314 h. – ✉ 8830 Gits – 🕭 0 51 :

🏨 **Oasis** sans rest, Bruggesteenweg 116d, ℰ 22 03 20, Fax 22 04 16 – 📺 ☎ 🅿. 🝇 ⓪ 🝈 𝚅𝚂𝙰.
　　❀ – *fermé 24 déc.-1ᵉʳ janv.* – **18 ch** 🖙 1950/2900.

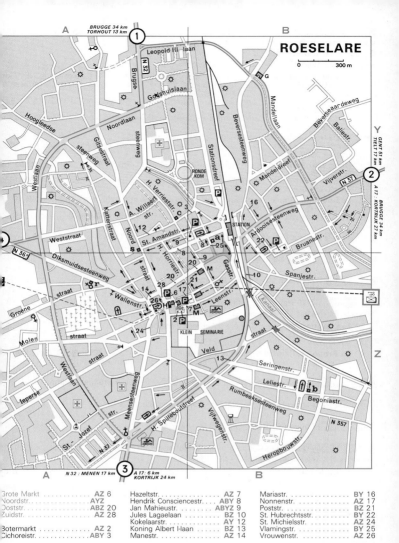

ROESELARE

0   300 m

Grote Markt	**AZ** 6	Hazeltstr.	**AZ** 7	Mariastr.	**BY** 16
Noordstr.	**AYZ**	Hendrik Consciencestr.	**ABY** 8	Nonnenstr.	**AZ** 17
Ooststr.	**ABZ** 20	Jan Mahieustr.	**ABYZ** 9	Poststr.	**BZ** 21
Zuidstr.	**AZ** 28	Jules Lagaelaan	**BZ** 10	St. Hubrechtsstr.	**BY** 22
		Kokelaarstr.	**AY** 12	St. Michielsstr.	**AZ** 24
Botermarkt	**AZ** 2	Koning Albert I-laan	**BZ** 13	Vlamingstr.	**BY** 25
Cichoreistr.	**ABY** 3	Manestr.	**AZ** 14	Vrouwenstr.	**AZ** 26

XXX **Gitsdaele,** Bruggesteenweg 118g, ℘ 22 82 27, « Jardin d'hiver » – 🍽 🅿. 🖭 ⓞ ㊤ 𝘃𝘪𝘴𝘢
fermé sam. midi, dim. soir, lundi, 26 fév.-6 mars et 16 août-7 sept – **Repas** *Lunch 1375* –
carte env. 1500.

XX **Epsom,** Bruggesteenweg 175, ℘ 20 25 10, 🏤 – 🅿. 🖭 ⓞ ㊤ 𝘃𝘪𝘴𝘢
fermé merc. soir, dim. soir et 21 juil.-7 août – **Repas** *Lunch 950* – carte 1400 à 1750.

à Hooglede par Hoogleedsesteenweg NE : 7 km - AY – 9 314 h. – ⊠ 8830 Hooglede –
🕲 0 51 :

🏯 **De Vossenberg,** Hogestraat 194, ℘ 70 25 83, Fax 70 06 42, ≤, 🏤, « Environnement
campagnard », 🥂 – 🍽 rest 📺 ☎ 🅿 – 🔏 30 à 80. 🖭 ⓞ ㊤ 𝘃𝘪𝘴𝘢 ⛛ rest
Repas (grillades) *(fermé vend. soir, sam., dim. soir et lundi) Lunch 295* – carte 1200 à 1550
– **15 ch** ⊑ 1900/2900 – ½ P 2200.

ROKSEM West-Vlaanderen 👢👢👢 ② et 👢👢👢 ② – voir à Oudenburg.

231

RONSE (RENAIX) 9600 Oost-Vlaanderen 213 ⑯ et 409 ⑫ – 24 227 h. – ✆ 0 55.

Voir Crypte★ de la Collégiale St-Hermès.

🛈 Hoge Mote, Biezenstraat 2, ✆ 21 25 01.

♦Bruxelles 57 – ♦Gent 38 – ♦Kortrijk 32 – Valenciennes 49.

XXX ⚘ **Host. Shamrock** (De Beyter) ⚘ avec ch, Ommegangstraat 148 (Louise-Marie, NE : 7 km par N 60 et N 425), ⊠ 9681 Maarkedal, ✆ 21 55 29, Fax 21 56 83, ≤, 佘, « Terrasse e parc », 無 – ⚏ ☎ ❷. ⌸ ⓞ Ε VISA. ⌇
fermé mardis et merc. non fériés et 17 juil.-3 août – **Repas** carte 2100 à 2550 – **5 ch** ⊒ 5900/6500, 1 suite
Spéc. Emincé de saumon aux asperges, Croquant de langoustines aux poireaux, Ris de veau aux pleurotes.

XXX **Beau Séjour,** Vier Maartlaan 109, ✆ 21 33 65, Fax 21 92 65, 佘 – ▤ ❷. ⌸ ⓞ E VISA
fermé dim. soir, lundi, merc. soir, 3 dern. sem. juil. et prem. sem. fév. – **Repas** Lunch 1000 – carte 1650 à 2100

XX **Host. Lou Pahou** avec ch, Zuidstraat 25, ✆ 21 91 11, Fax 20 91 04, 無 – ⚏ ☎. ⌸ ⓞ E VISA. ⌇
fermé 9 juil.-5 août – **Repas** (fermé mardi, merc. midi et dim. soir) Lunch 450 – 850/1500 – **6 ch** ⊒ 1850/2200 – ½ P 2300.

XX **Le Beaulieu,** Ommegangstraat 19 (NE : 4 km par N 60 et N 425), ✆ 21 10 17, Fax 21 10 17 ≤, 佘 – ❷. ⌸ ⓞ E VISA
fermé mardi soir, merc., 2 sem en sept et 1 sem en janv. – **Repas** Lunch 995 – 1550.

ROSELIES Hainaut 214 ④ – voir à Charleroi.

ROTHEUX-RIMIÈRE Liège 213 ㉒ et 409 ⑮ – voir à Liège, environs.

ROULERS West-Vlaanderen – voir Roeselare.

ROUVEROY 7120 Hainaut ☺ Estinnes 7 287 h. 214 ② et 409 ⑫ – ✆ 0 64.

♦Bruxelles 74 – ♦Mons 13 – ♦Charleroi 33 – Maubeuge 21.

🏠 **Les Ramiers** sans rest, Barrière d'Aubreux 2 (rte de Mons), ✆ 77 12 61, Fax 77 12 61 – ⚏ ☎ ❷. ⌸ ⓞ E VISA
fermé dim. – ⊒ 200 – **6 ch** 1675/1900.

X **La Brouette,** Barrière d'Aubreux 4 (rte de Mons), ✆ 77 13 42, 佘 – ❷. ⌸ ⓞ E VISA. ⌇
fermé merc. et du 1er au 15 fév. – **Repas** Lunch 750 – carte 1200 à 1850.

RUDDERVOORDE West-Vlaanderen 213 ③ et 409 ② – voir à Brugge, environs.

RUMST Antwerpen 213 ⑥ et 409 ④ – voir à Mechelen.

RIJMENAM Antwerpen 213 ⑦ et 409 ④ – voir à Mechelen.

SAINTE-CÉCILE 6820 Luxembourg belge ☺ Florenville 5 733 h. 214 ⑯ et 409 ㉕ – ✆ 0 61

♦Bruxelles 171 – ♦Arlon 46 – Bouillon 18 – Neufchâteau 30.

🏠 **Host. Sainte-Cécile** ⚘, r. Neuve 1, ✆ 31 31 67, Fax 31 50 04, ≤, « Jardin au bord de l'eau » – ⚏ ☎ ❷. ⌸ ⓞ E VISA. ⌇ rest
fermé 31 janv.-20 mars et prem. sem sept – **Repas** (fermé dim. soirs et lundis non férié sauf en juil.-août) Lunch 1250 – 1250/1800 – ⊒ 300 – **14 ch** 2500/2800 – ½ P 3000.

ST-GILLES (SINT-GILLIS) Brabant 409 ㉑ – voir à Bruxelles.

ST-HUBERT 6870 Luxembourg belge 214 ⑯ ⑰ et 409 ㉕ – 5 739 h. – ✆ 0 61.

Voir Intérieur★★ de la Basilique St-Hubert★.
Musée : de la Vie rurale en Wallonie★★.

Exc. Fourneau-St-Michel★★ N : 7 km : Musée du Fer et de la Métallurgie ancienne★.

🛈 (en saison) Palais Abbatial, pl. de l'Abbaye ✆ 61 30 10.

♦Bruxelles 137 – ♦Arlon 60 – La Roche-en-Ardenne 25 – Sedan 59.

🏠 **Borquin,** pl. de l'Abbaye 6, ✆ 61 14 56, Fax 61 20 18 – ❙╪❙ ⚏ ☎. ⌸ ⓞ E VISA
fermé 16 août-2 sept et du 1er au 14 janv. – **Repas** (fermé merc.) Lunch 420 – 800/1500 – ⊒ 300 – **9 ch** 1750/1950 – ½ P 2000/2100.

XXX ⚘ **Le Clos Saint-Michel** (Lekeu) (hôtel prévu en annexe), r. Saint-Michel 46, ✆ 61 25 59 ≤, 佘, « Terrasse et jardin » – ❷. ⌸ ⓞ E VISA
fermé du 3 au 7 juil., du 4 au 8 sept, du 1er au 12 janv., lundi soir et mardi – **Repas** Lunch 1150 – carte 1950 à 2500
Spéc. Rouget-barbet aux tomates confites, Parmentier de ris de veau à la coriandre, Pain perdu à l'ananas et son sorbet.

ST-HUBERT

Luxembourg avec ch, pl. du Marché 7, ℘ 61 10 93, Fax 61 32 20 – 📺 ☎. 🅰🅴 ⋿ 𝖵𝖨𝖲𝖠.
fermé 2 sem. en juin, 2 sem. en janv. et jeudi sauf vacances scolaires – **Repas** Lunch 525
– 525/1450 – **18 ch** ⊃⊂ 970/2190 – ½ P 1570/2130.

Le Cor de Chasse avec ch, av. Nestor Martin 3, ℘ 61 16 44, Fax 61 33 15 – ☎. 🅰🅴 ⋿ 𝖵𝖨𝖲𝖠
fermé 2e quinz. fév., 2e quinz. juin, 2e quinz. sept et lundi et mardi sauf en juil.-août –
Repas Lunch 380 – carte 950 à 1400 – **11 ch** ⊃⊂ 1750/1900 – ½ P 1900/2400.

La Petite Fringale, r. Saint-Gilles 36, ℘ 61 29 74 – 🅰🅴 ⋿ 𝖵𝖨𝖲𝖠. 🕸
fermé merc. – **Repas** 790.

ST-JOSSE-TEN-NOODE (SINT-JOOST-TEN-NODE) Brabant 🀄 ㉑ – voir à Bruxelles.

ST-NICOLAS Oost-Vlaanderen – voir Sint-Niklaas.

ST-TROND Limburg – voir Sint-Truiden.

ST-VITH Liège – voir Sankt-Vith.

SALMCHÂTEAU Luxembourg belge 🀄 ⑧ et 🀄 ⑯ – voir à Vielsalm.

When looking for a hotel or restaurant use the most efficient method.
*Look for the names of towns underlined in red on the **Michelin Maps** 🀄 and 🀄*

But make sure you have an up-to-date map !

SANKT-VITH (ST-VITH) 4780 Liège 🀄 ⑨ et 🀄 ⑯ – 8 675 h. – 🕲 0 80.
🛈 (fermé dim. sauf en saison) Mühlenbachstr. 2 ℘ 22 76 64, Fax 22 65 39.
◆Bruxelles 180 – ◆Liège 78 – Clervaux 36 – La Roche-en-Ardenne 51.

Pip-Margraff, Hauptstr. 7, ℘ 22 86 63, Fax 22 87 61, 🏖, 🍴 – 📺 ☎ – 🔬 25 à 80. 🅰🅴
⋿ 𝖵𝖨𝖲𝖠. 🕸
fermé 28 juin-9 juil. – **Repas** *(fermé dim. soirs et lundis non fériés)* Lunch 975 – 975/1400
– **20 ch** ⊃⊂ 1975/2800, 3 suites – ½ P 1850/2150.

Am Steineweiher 🔈, Rodter Str. 32, ℘ 22 72 70, Fax 22 91 53, 🏖, « Terrasse au bord
de l'eau », 🌳 – 📺 ☎ 🅿. 🅰🅴 ⋿ 𝖵𝖨𝖲𝖠
Repas *(fermé mardi de nov. à avril)* Lunch 700 – carte 900 à 1350 – **14 ch** ⊃⊂ 1800/2300 –
½ P 1650/2100.

🕸🕸 **Zur Post** (Pankert) avec ch, Hauptstr. 39, ℘ 22 80 27, Fax 22 93 10 – 📺 ☎. 🅰🅴 ⋿ 𝖵𝖨𝖲𝖠
*fermé dim. soirs, lundis et mardis midis non fériés, dern. sem. juin-2 prem. sem. juil. et
3 prem. sem. janv.* – **Repas** carte 2000 à 2800 – ⊃⊂ 400 – **8 ch** 1800/3000
Spéc. Salade champêtre et St-Jacques aux tomates et lardons (oct.-avril), Poêlée de homard et
St-Jacques à la vanille (oct.-avril), Côtelettes de pigeon et foie gras sur fondue de poireaux (janv.-
sept).

Le Luxembourg arrière-salle, Hauptstr. 71, ℘ 22 80 22 – ⋿ 𝖵𝖨𝖲𝖠. 🕸
fermé merc. soir, jeudi, 2 sem. après carnaval, 2 prem. sem. juil. et 2 prem. sem. janv. –
Repas Lunch 1000 – carte 1400 à 1950.

Eden - La Marmite avec ch, Malmedyer Str. 20a, ℘ 22 85 95, Fax 22 93 58, 🏖 – 📺 ☎.
⋿ 𝖵𝖨𝖲𝖠. 🕸
Repas *(fermé mardi soir et merc.)* Lunch 450 – 1450/2200 – **7 ch** ⊃⊂ 1600/2500 – ½ P 1850.

SART Liège 🀄 ㉓ et 🀄 ⑯ – voir à Spa.

SART-ST-LAURENT Namur 🀄 ④ et 🀄 ⑭ – voir à Fosses-la-Ville.

SAUTIN Hainaut 🀄 ③ et 🀄 ⑬ – voir à Rance.

SCHAERBEEK (SCHAARBEEK) Brabant 🀄 ㉑ ㉒ – voir à Bruxelles.

SCHEPDAAL Brabant 🀄 ⑱ et 🀄 ⑬ – voir à Bruxelles, environs.

SCHERPENHEUVEL (MONTAIGU) 3270 Brabant © Scherpenheuvel-Zichem 21 172 h. 🀄 ⑧ et
🀄 ⑤ – 🕲 0 13.
◆Bruxelles 52 – ◆Antwerpen 52 – ◆Hasselt 31.

🕸🕸 **De Zwaan** avec ch, Albertusplein 12, ℘ 77 13 69, Fax 78 17 77 – 🍴 📺 ☎ 🚗 🅿 – 🔬 25.
🅰🅴 ⓞ ⋿ 𝖵𝖨𝖲𝖠. 🕸
fermé sam. de sept à avril – **Repas** Lunch 895 – 895/1950 – **9 ch** ⊃⊂ 1500/2400 –
½ P 2000/2400.

233

2970 Antwerpen 208 ⑦ et 409 ④ – 19 190 h. – ✪ 0 3.

🐏 🐏 à 's Gravenwezel N : 5 km, St-Jobsteenweg 120, ✆ (0 3) 384 07 84, Fax (0 3) 384 29 33.
◆Bruxelles 62 – ◆Antwerpen 13 – ◆Turnhout 28.

XX **Henri IV,** Louis Mariënlaan 5, ✆ 383 11 49, 😊 – **P.** 🖭 ⓪ 🖰 𝘝𝘐𝘚𝘈
fermé mardi, sam. midi, 31 janv.-10 fév. et du 5 au 28 sept – **Repas** Lunch 1195 – carte 1400 à 1800.

XX **Apicius,** A. van de Sandelaan 65, ✆ 383 45 65, 😊, « Cadre de verdure » – **P.** 🖭 ⓪ 🖰 𝘝𝘐𝘚𝘈
fermé sam. midi, dim. soir, lundi et après 20 h 30 – **Repas** carte 1300 à 1900.

9200 Oost-Vlaanderen 🄲 Dendermonde 42 687 h. 208 ⑤ et 409 ③ – ✪ 0 52.
◆Bruxelles 39 – ◆Gent 26 – Aalst 11 – Dendermonde 7.

X **Het Palinghuis,** Oude Brugstraat 16, ✆ 42 32 46 – 🍽 **P.** 🖭 🖰 𝘝𝘐𝘚𝘈 😊
fermé vend., sam. midi et déc. – **Repas** carte 800 à 1200.

Antwerpen 202 ⑮ et 409 ④ ⑨ – voir à Antwerpen, environs.

★★ Luxembourg belge et Namur 204 ⑮ ⑯ et 409 ㉔ ㉕ G. Belgique-Luxembourg.

Liège 208 ㉓ et 409 ⑮ ⑰ – voir à Liège, environs.

5630 Namur 🄲 Cerfontaine 4 171 h. 204 ③ et 409 ⑬ – ✪ 0 71.
Env. S : Barrages de l'Eau d'Heure★ – Barrage de la Plate-Taille★.
◆Bruxelles 77 – ◆Charleroi 25 – ◆Dinant 39 – Maubeuge 40.

XX **La Plume d'Oie** avec ch, r. par delà l'eau 6, ✆ 63 35 35, Fax 63 38 22 – 📺 ☎. 🖭 🖰 𝘝𝘐𝘚𝘈. 😊 rest
fermé dern. sem. sept et 2 sem. en janv. – **Repas** *(fermé dim. soir, lundi, mardi soir et après 20 h 30)* Lunch 695 – carte 1200 à 1700 – **6 ch** ⇌ 2000/2400 – ½ P 2500/2800.

9112 Oost-Vlaanderen 🄲 Sint-Niklaas 68 472 h. 208 ⑤ et 409 ③ – ✪ 0 9.
◆Bruxelles 55 – ◆Antwerpen 33 – ◆Gent 35 – Sint-Niklaas 12.

XX **Klein Londen,** Wapenaarteinde 5, ✆ 349 37 47, Fax 349 37 44, 😊, « Environnement champêtre » – **P.** 🖰 𝘝𝘐𝘚𝘈
fermé sam. midi, dim. soir, lundi et 3 dern. sem. juil. – **Repas** Lunch 950 – carte 1700 à 2000.

Brabant – voir Berchem-Ste-Agathe à Bruxelles.

2890 Antwerpen 208 ⑥ et 409 ④ – 7 310 h. – ✪ 0 52.
◆Bruxelles 38 – ◆Antwerpen 32 – ◆Mechelen 23.

XX **'t Kombuis,** Kaai 24, ✆ 33 40 80, ≼, 😊 – 🖭 ⓪ 🖰 𝘝𝘐𝘚𝘈
fermé merc. et jeudi – **Repas** Lunch 995 – carte 1050 à 1500.

X **De Veerman,** Kaai 26, ✆ 33 32 75, Fax 33 25 70, ≼, 😊, Taverne-rest – 🖭 ⓪ 🖰 𝘝𝘐𝘚𝘈
fermé lundi et mardi – **Repas** Lunch 1250 – carte 1100 à 1600.

9630 Oost-Vlaanderen 🄲 Zwalm 7 506 h. 208 ⑯ et 409 ⑫ – ✪ 0 55.
◆Bruxelles 54 – ◆Gent 26 – Oudenaarde 13.

X **Ter Maelder,** Molenberg 8 (direction Horebeke : 3 km), ✆ 49 83 26, 😊, Cadre champêtre – **P.** 😊
fermé mardi soir, merc., jeudi midi, 2 sem. en fév. et après 20 h 30 – **Repas** Lunch 1300 – 1300/1750.

Oost-Vlaanderen 208 ④ et 409 ③ – voir à Gent, périphérie.

West-Vlaanderen 208 ⑮ et 409 ⑪ – voir à Waregem.

Brabant 208 ⑱ et 409 ⑬ – voir à Bruxelles, environs.

Brabant – voir St-Gilles à Bruxelles.

3910 Limburg 🄲 Neerpelt 14 412 h. 208 ⑩ et 409 ⑥ – ✪ 0 11.
◆Bruxelles 113 – ◆Antwerpen 84 – ◆Eindhoven 23.

XXX **Sint-Hubertushof,** Broekkant 23, ✆ 66 27 71, Fax 66 28 83, 😊 – **P.** 🖭 🖰 𝘝𝘐𝘚𝘈. 😊
fermé lundi, mardi soir, sam. midi et du 14 au 31 août – **Repas** Lunch 1350 – carte 1900 à 2400.

SINT-IDESBALD West-Vlaanderen 213 ① et 409 ① – voir à Koksijde-Bad.

SINT-JAN-IN-EREMO Oost-Vlaanderen 213 ④ et 409 ③ – voir à Sint-Laureins.

SINT-JANS-MOLENBEEK Brabant – voir Molenbeek-St-Jean à Bruxelles.

SINT-JOOST-TEN-NODE Brabant – voir St-Josse-Ten-Noode à Bruxelles.

SINT-KRUIS West-Vlaanderen 213 ③ et 409 ② – voir à Brugge, périphérie.

SINT-LAMBRECHTS-WOLUWE Brabant – voir Woluwé-St-Lambert à Bruxelles.

SINT-LAUREINS 9980 Oost-Vlaanderen 213 ④ et 409 ② – 6 516 h. – ✆ 0 9.
◆Bruxelles 98 – ◆Antwerpen 70 – ◆Brugge 25 – ◆Gent 28.

XX **Slependamme,** Lege Moerstraat 26 (SE : 5,5 km sur N 434), ✆ 377 78 31, Fax 377 78 31, 斎 – ▣ **℗** 亜 **E** 𝑉𝐼𝑆𝐴
fermé merc., jeudi midi et 21 août-8 sept – **Repas** Lunch 950 – carte 1200 à 1800.

à Sint-Jan-in-Eremo NE : 5,5 km © Sint-Laureins – ⊠ 9982 Sint-Jan-in-Eremo – ✆ 0 9 :

XXX **De Warande,** Warande 10 (Bentille), ✆ 379 00 51, Fax 379 03 77, ≤, 斎, « Jardin fleuri avec pièce d'eau » – **℗.** 亜 ⓞ **E** 𝑉𝐼𝑆𝐴
fermé lundi soir sauf en juil.-août, merc., 2 sem. Pâques et 2 sem. en nov. – **Repas** Lunch 1150 – 1750/2000.

XX **'t Schuurke,** St-Jansstraat 56 (Bentille), ✆ 379 86 61, Fax 379 08 00 – **℗.** 亜 ⓞ **E** 𝑉𝐼𝑆𝐴
fermé lundi, mardi et 2ᵉ quinz. oct. – **Repas** Lunch 1300 – 1300/1900.

SINT-MARTENS-LATEM (LAETHEM-ST-MARTIN) 9830 Oost-Vlaanderen 213 ④ et 409 ③ – 8 282 h. – ✆ 0 9.
🛅 Latemstraat 120 ✆ 282 54 11, Fax 282 90 19.
◆Bruxelles 65 – ◆Antwerpen 70 – ◆Gent 10.

XXX **De Kroon,** Kortrijksesteenweg 134, ✆ 282 38 56 – **℗.** 亜 **E** 𝑉𝐼𝑆𝐴
fermé merc., sam. midi, 3 sem. en août et 1 sem. Noël – **Repas** Lunch 950 – 1250/1950.

XX **'t Oude Veer,** Baarle Frankrijkstraat 90, ✆ 281 05 20, ≤, 斎, « Terrasse au bord de la Lys (Leie) » – 亜 **E** 𝑉𝐼𝑆𝐴
fermé lundi – **Repas** Lunch 995 – carte 1650 à 2150.

XX **Sabatini,** Kortrijksesteenweg 114, ✆ 282 80 35, Cuisine italienne – ▤ **℗.** 亜 ⓞ **E** 𝑉𝐼𝑆𝐴
fermé merc., sam. midi, 12 juil.-12 août et 24 déc.-1ᵉʳ janv. – **Repas** Lunch 980 – carte 1200 à 1600.

X **Tampopo,** Kortrijksesteenweg 17, ✆ 282 82 85, Fax 282 91 90, 斎, Cuisine asiatique – ▤ **℗.** **E** 𝑉𝐼𝑆𝐴. �
fermé mardi, merc. midi et juil. – **Repas** Lunch 565 – 895.

à Deurle E : 2 km © Sint-Martens-Latem – ⊠ 9831 Deurle – ✆ 0 9 :

🏛 **Aub. du Pêcheur** ♨, Pontstraat 41, ✆ 282 31 44, Fax 282 90 58, ≤, 斎, « Terrasse et jardin au bord de la Lys (Leie) » – 🛗 📺 ☎ **℗** – 🔬 25 à 80. 亜 ⓞ **E** 𝑉𝐼𝑆𝐴. ✁
Repas Orangerie (fermé lundi, sam. midi et 2ᵉ quinz. déc.) Lunch 990 – carte 1900 à 2500 – ⊆ 450 – **22 ch** (fermé 24 et 25 déc.) 2500/3600, 1 suite – ½ P 2140/2475.

SINT-MARTENS-LEERNE Oost-Vlaanderen 213 ④ – voir à Deinze.

SINT-NIKLAAS (ST-NICOLAS) 9100 Oost-Vlaanderen 213 ⑤ ⑥ et 409 ④ – 68 472 h. – ✆ 0 3.
Musée : municipal : section "de la boîte à musique au gramophone"★ (Afdeling "van muziekdoos tot grammofoon") BY M¹.
🛈 Grote Markt 45 ✆ 777 26 81 et 777 27 04.
◆Bruxelles 47 ② – ◆Gent 39 ③ – ◆Antwerpen 25 ② – ◆Mechelen 32 ②.

Plan page suivante

🏨 **Serwir,** Koningin Astridlaan 57, ✆ 778 05 11, Telex 32422, Fax 778 13 73, 斎 – 🛗 ▤ rest 📺 ☎ **℗** – 🔬 25 à 400. 亜 ⓞ **E** 𝑉𝐼𝑆𝐴. ✁ BZ **c**
fermé du 24 au 30 déc. – **Repas** (fermé du 8 au 30 juil. et du 24 au 30 déc.) Lunch 800 – carte 1350 à 2050 – **29 ch** ⊆ 2600/3800.

🏨 **Vlaanderens Gasthof,** Stationsplein 5, ✆ 777 10 02, Fax 777 05 96 – 🛗 ▤ rest 📺 ☎ – 🔬 30. 亜 ⓞ **E** 𝑉𝐼𝑆𝐴 AY **n**
Repas (fermé sam. et dim.) Lunch 570 – carte 1100 à 1700 – **20 ch** ⊆ 2500/3500 – ½ P 3070/3570.

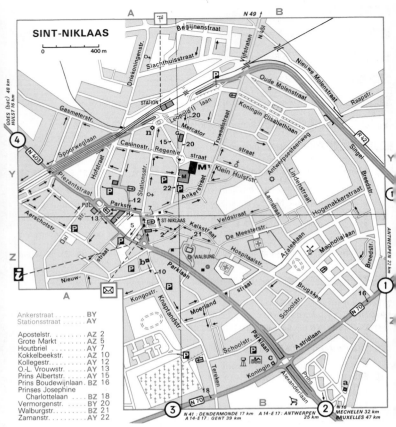

SINT-NIKLAAS

0 — 400 m

GOES (bac) 48 km
HULST 16 km

ANTWERPEN 22 km

Ankerstraat . . . . **BY**
Stationsstraat . . . . . . **AY**

Apostelstr. . . . . **AZ** 2
Grote Markt . . . . **AZ** 5
Houtbriel . . . . **AY** 7
Kokkelbeekstr. . . . . . . **AZ** 10
Kollegestr. . . . . **AY** 12
O.-L. Vrouwstr. . . . . . . **AY** 13
Prins Albertstr. . . . . . . **AY** 15
Prins Boudewijnlaan . . **BZ** 16
Prinses Josephine
  Charlottelaan . . . . . **BZ** 18
Vermorgenstr. . . . . . . **BY** 20
Walburgstr. . . . . **BZ** 21
Zamanstr. . . . . **AY** 22

A 41 : DENDERMONDE 17 km   A 14-E 17 : ANTWERPEN
A 14-E 17 : GENT 39 km   25 km

N 16
MECHELEN 32 km
BRUXELLES 47 km

XXX **'t Mezennestje,** De Meulenaerstraat 2, ℰ 776 28 73, Fax 766 24 61, ☆, « Villa sur jardin »
– **P**. AE ① E VISA
BZ **a**
fermé du 7 au 15 mars, 1 sem. en janv., mardi et merc. – **Repas** Lunch 1350 – carte env. 2100.

XXX **Den Silveren Harynck,** Grote Baan 51 (par ① : 5 km sur N 70), ℰ 777 50 62, Fax 766 67 61,
☆, Produits de la mer – **P**. AE ① E VISA. ✸
fermé du 19 au 28 fév., 18 juil.-2 août, sam. midi, dim. soir et lundi – **Repas** Lunch 975 –
1575/2100.

XXX **'t Begijnhofken,** Kokkelbeekstraat 73, ℰ 776 38 44, Fax 778 19 50, ☆ – **P**. AE ① E VISA
– fermé merc. soir et dim. – **Repas** Lunch 650 – carte env. 2000.
AZ **b**

à Sint-Pauwels par ④ : 7 km © Sint-Gillis-Waas 16 515 h. – ⊠ 9170 Sint-Pauwels – ☻ 0 3 :

XX **De Rietgaard,** Zandstraat 221 (sur N 403), ℰ 779 55 48, ☆ – **P**. AE E VISA. ✸
fermé lundi soir, mardi et dern. sem. août-prem. sem. sept – **Repas** Lunch 900 – carte 1450
à 1900.

SINT-PAUWELS Oost-Vlaanderen 213 ⑤ – voir à Sint-Niklaas.

SINT-PIETERS-LEEUW Brabant 213 ⑱ et 409 ⑬ ㉑ – voir à Bruxelles, environs.

SINT-PIETERS-WOLUWE Brabant – voir Woluwé-St-Pierre à Bruxelles.

SINT-TRUIDEN (ST-TROND) 3800 Limburg 213 ㉑ et 409 ⑭ – 37 304 h. – ☻ 0 11.
🛈 Stadhuis, Grote Markt ℰ 68 62 55, Fax 69 11 78.
♦Bruxelles 63 ⑥ – ♦Hasselt 17 ② – ♦Liège 35 ④ – ♦Maastricht 39 ③ – ♦Namur 50 ⑤.

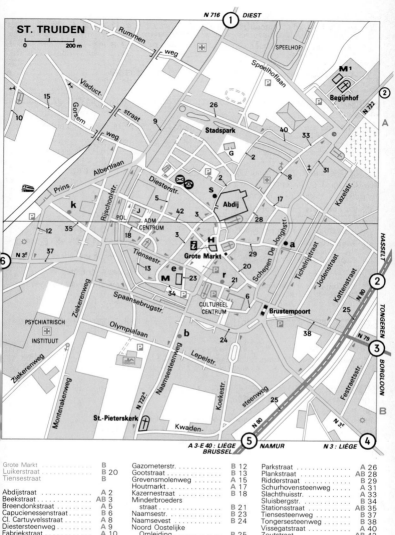

ST. TRUIDEN

Grote Markt	B	Gazometerstr.	B 12	Parkstraat	A 26
Luikerstraat	B 20	Gootstraat	B 13	Plankstraat	AB 28
Tiensestraat	B	Grevensmolenweg	A 15	Ridderstraat	B 29
		Houtmarkt	A 17	Schurhovensteenweg	A 31
Abdijstraat	A 2	Kazernestraat	B 18	Slachthuisstr.	A 33
Beekstraat	AB 3	Minderbroeders		Sluisbergstr.	B 34
Breendonkstraat	A 5	straat	B 21	Stationsstraat	AB 35
Capucienessenstraat	B 6	Naamsestr.	B 23	Tiensesteenweg	B 37
Cl. Cartuyvelsstraat	A 8	Naamsevest	B 24	Tongersesteenweg	B 38
Diestersteenweg	A 9	Noord Oostelijke		Vissegatstraat	A 40
Fabriekstraat	A 10	Omleiding	B 25	Zoutstraat	AB 42

🏨 **Regency,** Schepen Dejonghstraat 43, ℰ 68 48 81, Fax 67 41 89 – 📶 🗐 📺 ☎ 🅿 – 🔬 25
à 300. 🄰🄴 🄴 𝘝𝘐𝘚𝘈. 🛇 rest   B **a**
Repas (résidents seult) – **30 ch** ☲ 2150/3400.

🏨 **Cicindria** sans rest, Abdijstraat 6, ℰ 68 13 44, Fax 67 41 38 – 📶 📺 ☎ 🚗. 🄰🄴 🄾 🄴 𝘝𝘐𝘚𝘈
fermé 24 déc.-8 janv. – **25 ch** ☲ 2200/3800.   A **s**

🍴🍴🍴 **De Fakkels,** Stationsstraat 33, ℰ 68 76 34, Fax 68 67 63, 🍴, « Demeure du 19ᵉ s. » – 🅿.
🄰🄴 🄾 🄴 𝘝𝘐𝘚𝘈. 🛇   A **k**
fermé sam. midi, dim. soir, lundi, 3 sem. en août et 1 sem. en janv. – **Repas** Lunch 1250 – 1600.

🍴🍴🍴 **Aen de Kerck van Melveren,** St-Godfriedstraat 15 (NE : 3 km par N 722, lieu-dit Melveren),
ℰ 68 39 65, Fax 69 13 05, ≤, « Environnement champêtre » – 🅿. 🄰🄴 🄾 🄴 𝘝𝘐𝘚𝘈. 🛇
fermé sam. midi, dim. soir, lundi, 27 fév.-6 mars et 24 juil.-11 août – **Repas** Lunch 1200 –
1700/2100.

237

XX **De Markies,** Minderbroedersstraat 22, ℰ 67 24 85, Fax 69 11 05 – ΔΕ Ε 𝘝𝘐𝘚𝘈. 🚫 B **r**
fermé dim. soir, lundi, sem. carnaval et 2 sem. en juil. – **Repas** Lunch 1200 – 1200/1795.

XX **Truiershuis,** Naamsesteenweg 42, ℰ 67 31 44 – 🍴. ΔΕ ⓪ Ε 𝘝𝘐𝘚𝘈 B **b**
fermé mardi, merc. midi, sam. midi, 2 sem. en sept et 2 sem. en janv. – **Repas** Lunch 1080
– carte env. 1500.

X **Amico,** Naamsestraat 3, ℰ 68 81 50, Fax 68 81 50 – ΔΕ Ε 𝘝𝘐𝘚𝘈 B **e**
fermé mardi et du 15 au 31 juil. – **Repas** Lunch 520 – carte 900 à 1600.

SOHEIT-TINLOT 4557 Liège Ⓒ Tinlot 2 000 h. 𝟤𝟣𝟥 ㉒, 𝟤𝟣𝟦 ⑥ ⑦ et 𝟦𝟢𝟫 ⑮ – 🕓 0 85.
♦Bruxelles 96 – ♦Liège 29 – Huy 13.

XX ✿ **Le Coq aux Champs** (Horenbach), r. Monty 33, ℰ 51 20 14, « Auberge ardennaise » –
🅟. ΔΕ ⓪ Ε 𝘝𝘐𝘚𝘈
fermé lundi, mardi, 1ʳᵉ quinz. juil. et 3 dern. sem. déc. – **Repas** 1250 carte env. 1700
Spéc. Mousseline de brochet, beurre blanc et cêpes, Croquant aux fruits frais, Gibiers en saison.

SOIGNIES (ZINNIK) 7060 Hainaut 𝟤𝟣𝟥 ⑰ et 𝟦𝟢𝟫 ⑫ ⑬ – 24 086 h. – 🕓 0 67.
Voir Collégiale St-Vincent★★.
♦Bruxelles 41 – ♦Mons 18 – ♦Charleroi 40.

XX **La Fontaine St-Vincent,** r. Léon Hachez 7, ℰ 33 95 95 – Ε 𝘝𝘐𝘚𝘈
fermé lundi soir, mardi et juil. – **Repas** Lunch 1300 – carte env. 1600.

à Casteau S : 7 km par N 6 Ⓒ Soignies – ✉ 7061 Casteau – 🕓 0 65 :

🏨 **Moat House,** chaussée de Bruxelles 38, ℰ 72 87 41, Fax 72 87 44, 🚫 – ⇔ 📺 ☎ 🅟 –
🛎 30 à 180. ΔΕ ⓪ Ε 𝘝𝘐𝘚𝘈
Repas Lunch 730 – 960/1420 – **71 ch** ⊑ 2995/4210 – ½ P 3205/3435.

à Thieusies S : 6 km par N 6 Ⓒ Soignies – ✉ 7061 Thieusies – 🕓 0 65 :

XX **La Saisinne,** r. Saisinne 133, ℰ 72 86 63, Fax 73 02 61, « Environnement champêtre » –
🅟. ΔΕ ⓪ Ε 𝘝𝘐𝘚𝘈. 🚫
fermé du 20 au 26 fév., juil., dim. et lundi – **Repas** Lunch 1250 – 1680.

SOUGNÉ-REMOUCHAMPS 4920 Liège Ⓒ Aywaille 9 417 h. 𝟤𝟣𝟥 ㉓, 𝟤𝟣𝟦 ⑧ et 𝟦𝟢𝟫 ⑯ – 🕓 0 41.
Voir Grotte★★.
♦Bruxelles 122 – ♦Liège 28 – Spa 13.

X **Aub. du Cheval Blanc,** r. Louveigné 1, ℰ 84 44 17, Fax 84 73 10, 🏡 – ΔΕ ⓪ Ε 𝘝𝘐𝘚𝘈. 🚫
fermé 15 déc.-15 janv. et lundi et mardi d'oct. à mai – **Repas** Lunch 600 – 800/1500.

SPA 4900 Liège 𝟤𝟣𝟥 ㉓ et 𝟦𝟢𝟫 ⑯ – 10 383 h. – 🕓 0 87 – Station thermale★★ – Casino AY,
r. Royale 4 ℰ 77 20 52, Fax 77 02 06.
Voir Promenade des Artistes★ par ②.
Musée : de la Ville d'Eau : collection★ de "jolités" AY **M.**
Env. Circuit autour de Spa★ - Parc à gibier de la Reid★ par ③ : 9 km.
🏌 à Balmoral par ① : 2,5 km, av. de l'Hippodrome 1 ℰ (0 87) 77 16 13, Fax (0 87) 77 23 36.
🛈 Pavillon des Petits Jeux, pl. Royale 41 ℰ 77 17 00, Fax 77 07 00.
♦Bruxelles 139 ③ – ♦Liège 38 ③ – Verviers 16 ③.

Plan page ci-contre

🏨 **La Heid des Pairs** 🌳 sans rest, av. Prof. Henrijean 143 (SO : 1,5 km), ℰ 77 43 46,
Fax 77 06 44, « Villa, parc », 🏊, 🎾 – 📺 ☎ 🅟. ΔΕ Ε 𝘝𝘐𝘚𝘈. 🚫
fermé sem. carnaval – **11 ch** ⊑ 3900/5200.   par av. Clémentine AZ

🏨 **L'Auberge,** pl. du Monument 3, ℰ 77 44 10, Fax 77 48 40 – |📱| 🍴 rest 📺 ☎. ΔΕ ⓪ Ε 𝘝𝘐𝘚𝘈.
🚫   AY **a**
Repas *(fermé du 1ᵉʳ au 20 mars et 20 nov.-15 déc.)* Lunch 895 – carte 1000 à 1450 –
⊑ 300 – **21 ch** 1700/2600, 10 suites – ½ P 3250/4500.

🏨 **Le Pierre** 🌳, av. Reine Astrid 86, ℰ 77 52 10, Fax 77 52 20, 🏡 – 📺 ☎ 🅟. ΔΕ ⓪ Ε 𝘝𝘐𝘚𝘈
Repas *(fermé merc. et sam. midi d'oct. à mai et jeudi)* Lunch 725 – carte 1100 à 1400 –
⊑ 350 – **14 ch** 2200/2800 – ½ P 3250/5100.   AY **c**

🏨 **Le Relais,** pl. du Monument 22, ℰ 77 11 08 – 📺 ☎. ΔΕ ⓪ Ε 𝘝𝘐𝘚𝘈   AY **b**
fermé 15 nov.-7 déc. – **Repas** Lunch 595 – 595/1500 – **9 ch** ⊑ 1700/2200 – ½ P 1400/1650.

X **La Brasserie du Grand Maur,** r. Xhrouet 41, ℰ 77 36 16, Fax 77 36 16, 🏡, Ouvert jusqu'à
23 h, « Maison du 18ᵉ s. » – ΔΕ ⓪ Ε 𝘝𝘐𝘚𝘈   BYZ **d**
fermé du 5 au 20 juin, 24 déc.-16 janv., lundi et mardi – **Repas** Lunch 1000 – carte 900 à
1450.

X **La Source de Barisart,** rte de Barisart 295 (S : 3 km), ℰ 77 09 88, Fax 77 09 88, ≼, 🏡
Taverne-rest., « Environnement boisé » – 🅟. ΔΕ ⓪ Ε 𝘝𝘐𝘚𝘈   AZ
fermé mardi, merc. et 16 août-10 sept – **Repas** Lunch 580 – 580/1150.

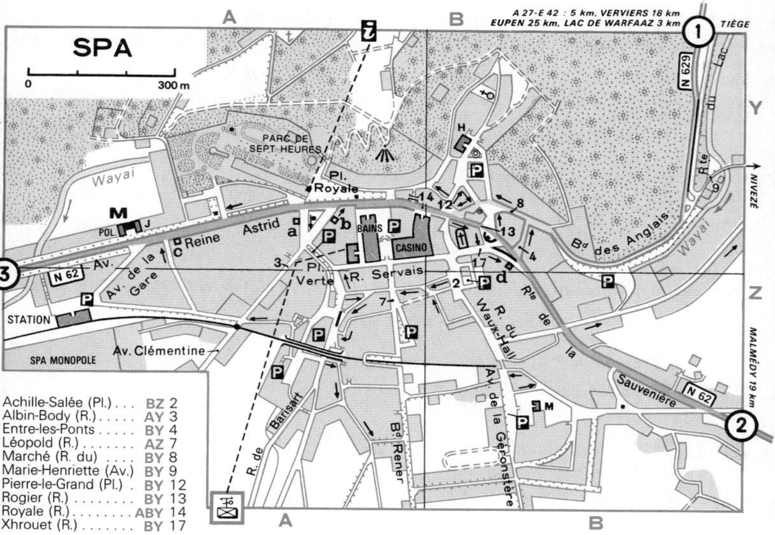

Achille-Salée (Pl.) . . . BZ 2
Albin-Body (R.) . . . . . AY 3
Entre-les-Ponts . . . . . BY 4
Léopold (R.) . . . . AZ 7
Marché (R. du) . . . . BY 8
Marie-Henriette (Av.) BY 9
Pierre-le-Grand (Pl.) . BY 12
Rogier (R.) . . . . BY 13
Royale (R.) . . . . ABY 14
Xhrouet (R.) . . . . BY 17

à Balmoral par ① : 3 km Ⓒ Spa – ✉ 4900 Spa – ☎ 0 87 :

Dorint, rte de Balmoral 33, ✆ 77 25 81, Fax 77 41 74, <, « Environnement boisé », – TV ☎ P – 25 à 250. AE ① E VISA. rest
Repas *Lunch 850* – carte 1300 à 1650 – **97 ch** ☕ 2850/4850 – ½ P 3700/5000.

à Creppe S : 4,5 km par av. Clémentine - AZ Ⓒ Spa – ✉ 4900 Spa – ☎ 0 87 :

XXX **Manoir de Lebioles** avec ch, ✆ 77 04 20, Fax 77 02 79, « Demeure seigneuriale, terrasse, < jardin et vallée boisée », – TV ☎ P. AE ① E VISA.
fermé sam. midi, dim. soir, lundi et mardi – **Repas** *Lunch 1450* – carte 2100 à 2750 – **4 ch** ☕ 7000/8700.

à Nivezé par rte de la Sauvenière, puis à gauche Ⓒ Spa – ✉ 4900 Spa – ☎ 0 87 :

X **La Fontaine du Tonnelet,** rte du Tonnelet 82, ✆ 77 26 03, Cuisine italienne – P. AE ①
fermé mardi, merc. et du 1er au 21 janv. – **Repas** carte env. 1100.

à la Reid par ③ : 9 km Ⓒ Theux 10 283 h. – ✉ 4910 La Reid – ☎ 0 87 :

XX **A la Retraite de Lempereur,** Basse Desnié 842, ✆ 37 62 15, Fax 37 60 58, « Ancienne ferme, jardin » – P. AE ① E VISA – *fermé du 6 au 10 avril, 21 août-15 sept, 21 déc.-5 janv., mardi et merc.* – **Repas** *Lunch 995* – 1275.

à Sart par ① : 7 km Ⓒ Jalhay 6 505 h. – ✉ 4845 Sart – ☎ 0 87 :

XX **Aub. les Santons** avec ch, Cokaifagne 47 (rte de Francorchamps), ✆ 47 43 15, « Terrasse et jardin » – TV ☎ P. E VISA
fermé lundis et mardis non fériés du 15 nov. au 15 avril et merc. – **Repas** *(fermé après 20 h 30) Lunch 1400* – carte 1500 à 1950 – ☕ 400 – **6 ch** 2150.

X **Le Petit Normand,** r. Roquez 47 (SE : 3 km, direction Francorchamps), ✆ 47 49 04, « Environnement boisé » – P. VISA
fermé lundi, mardi et janv. – **Repas** *Lunch 1050* – carte 1150 à 1450.

Voir aussi : ***Francorchamps par*** ② : 9 km, ***Stavelot par*** ② : 18 km

SPONTIN 5530 Namur Ⓒ Yvoir 7 153 h. 214 ⑤ et 409 ⑭ – ☎ 0 83.

Voir Château★.

♦Bruxelles 83 – ♦Namur 24 – ♦Dinant 11 – Huy 31.

X **Aub. des Nutons,** chaussée de Dinant 13, ✆ 69 91 42 – AE E VISA
fermé merc. – **Repas** 795/1600.

à Dorinne SO : 2,5 km Ⓒ Yvoir – ✉ 5530 Dorinne – ☎ 0 83 :

XXX ✿ **Le Vivier d'Oies** (Godelet), r. État 7, ✆ 69 95 71, Fax 69 90 36 – P. AE ① E VISA
fermé mardi soir, merc., 25 juin-15 juil. et 25 sept-15 oct. – **Repas** *Lunch 1500* – carte env. 1900
Spéc. Escalopes de St-Pierre poêlées aux chicons et beurre de langoustines, Canette fermière rôtie au miel et aux épices, Croquant chaud aux amandes et fruits caramélisés.

STAVELOT 4970 Liège 🗺🗺🗺 ⑧ et 🗺🗺🗺 ⑯ – 6 415 h. – 🕿 0 80.

Voir Carnaval du Laetare★★ (3ᵉ dim. avant Pâques) – Châsse de St-Remacle★★ dans l'église St-Sébastien.

Musée : religieux régional dans l'Ancienne Abbaye : section des Tanneries★.

Env. O : Vallée de l'Amblève★★ de Stavelot à Comblain-au-Pont – Cascade★ de Coo O : 8,5 km, Montagne de Lancre ※★.

🖪 (Pâques-Toussaint) Musée de l'Ancienne Abbaye, Cour de l'Hôtel de Ville 𝒫 86 23 39 et (en hiver) Burzheids 17 𝒫 86 27 06.

◆Bruxelles 158 – ◆Liège 59 – ◆Bastogne 64 – Malmédy 9 – Spa 18.

🏠 **d'Orange,** Devant les Capucins 8, 𝒫 86 20 05, Fax 86 20 05, « Ancien relais du 18ᵉ s. » –
➡ 🚗 ⚏ ⓞ ⋿ 𝘝𝘐𝘚𝘈
fermé 1 sem. en juin, 1 sem. en sept, 1 sem. en janv. et mardi et merc. sauf en juil.-août ; en janv.-fév. ouvert week-end seult – **Repas** Lunch 510 – 510/1520 – **22 ch** ⊇ 1900/2200 – ½ P 1600/1900.

🅇🅇🅇 **Le Val d'Amblève** avec ch, rte de Malmédy 7, 𝒫 86 23 53, Fax 86 41 21, ≤, 🌣, « Jardin »,
※ – 🆃🆅 🕿 ❷ – 🕿 35. 🕮 ⓞ ⋿ 𝘝𝘐𝘚𝘈
fermé 3 prem. sem. janv. – **Repas** *(fermé lundis non fériés et jeudi soir)* Lunch 1350 – carte env. 2100 – ⊇ 275 – **13 ch** 1725/3250.

à la cascade de Coo O : 8,5 km 🅒 Stavelot – ⊠ 4970 Stavelot – 🕿 0 80 :

🅇 **Au Vieux Moulin,** Petit-Coo 2, 𝒫 68 40 41, ≤ – 🕮 ⋿ 𝘝𝘐𝘚𝘈
fermé mardi soir, merc., début sept et début janv. – **Repas** 1085/1695.

STEKENE 9190 Oost-Vlaanderen 🗺🗺🗺 ⑤ et 🗺🗺🗺 ③ – 15 974 h. – 🕿 0 3.

◆Bruxelles 59 – ◆Antwerpen 30 – ◆Gent 32.

🅇 **'t Oud Gelaag,** Nieuwstraat 66b, 𝒫 779 82 94 – ⋿ 𝘝𝘐𝘚𝘈. ※
fermé jeudi, vend. midi et oct. – **Repas** carte env. 1300.

STENE West-Vlaanderen 🗺🗺🗺 ② – voir à Oostende.

STERREBEEK Brabant 🗺🗺🗺 ⑲ et 🗺🗺🗺 ⑬ ㉒ – voir à Bruxelles, environs.

STEVOORT Limburg 🗺🗺🗺 ⑨ et 🗺🗺🗺 ⑥ – voir à Hasselt.

STOUMONT 4987 Liège 🗺🗺🗺 ⑧ et 🗺🗺🗺 ⑯ – 2 712 h. – 🕿 0 80.

Env. O : Belvédère ''Le Congo'' ≤★ – Site★ du Fonds de Quareux.

◆Bruxelles 139 – ◆Liège 45 – Malmédy 24.

🅇🅇 **Les 7 Collines,** rte de l'Amblève 99, 𝒫 78 59 84, Fax 78 53 53, ≤ vallée de l'Amblève –
❷ 🕮 ⓞ ⋿ 𝘝𝘐𝘚𝘈. ※
fermé après 20 h 30 – **Repas** 990/1750.

🅇 **Zabonprés,** Zabonprés 3 (O : 4,5 km sur N 633, puis route à gauche), 𝒫 78 56 72,
Fax 78 61 41, 🌣, « Fermette au bord de l'Amblève » – ❷. 🕮 ⓞ ⋿ 𝘝𝘐𝘚𝘈
fermé lundi soir du 21 mars au 21 sept sauf en juil.-août, mardi et 21 sept-10 oct. ; du 11 oct. au 21 mars ouvert seult week-end et jours fériés – Repas Lunch 890 – 950/1120.

STROMBEEK-BEVER Brabant 🗺🗺🗺 ⑥ et 🗺🗺🗺 ④ – voir à Bruxelles, environs.

TAMISE Oost-Vlaanderen – voir Temse.

TEMSE (TAMISE) 9140 Oost-Vlaanderen 🗺🗺🗺 ⑥ et 🗺🗺🗺 ④ – 24 198 h. – 🕿 0 3.

🖪 De Watermolen, Wilfordkaai 23 𝒫 771 51 31, Fax 771 01 01.

◆Bruxelles 40 – ◆Gent 41 – ◆Antwerpen 26 – ◆Mechelen 25 – Sint-Niklaas 7,5.

🏠 **Belle-Vue,** Wilfordkaai 37, 𝒫 711 08 08, Fax 771 57 58 – 📳 🆃🆅 🕿. 🕮 ⓞ ⋿ 𝘝𝘐𝘚𝘈. ※ ch
fermé fin déc. – **Repas** *(fermé dim.)* carte 1500 à 2200 – **12 ch** ⊇ 2300/2700.

🅇🅇🅇 **Efgee,** Doornstraat 2 (près N 16), 𝒫 771 02 16, Fax 711 09 64, 🌣 – ❷. 🕮 ⓞ ⋿ 𝘝𝘐𝘚𝘈
fermé jeudi et dim. soir – **Repas** Lunch 900 – 1550/2050.

🅇🅇 **de Sonne,** Markt 10, 𝒫 771 37 73, Fax 771 37 73, 🌣 – 🕮 ⓞ ⋿ 𝘝𝘐𝘚𝘈
fermé merc., jeudi, sem. carnaval et 20 juil.-10 août – **Repas** Lunch 950 – 1500/1800.

🅇 **De Pepermolen,** Nijverheidsstraat 1 (près N 16), 𝒫 771 12 41 – ❷. 🕮 ⋿ 𝘝𝘐𝘚𝘈. ※
fermé mardi soir, merc., sem. carnaval et 2ᵉ quinz. juil. – **Repas** Lunch 380 – carte 1000 à 1500.

TERHULPEN Brabant – voir La Hulpe.

TERMONDE Oost-Vlaanderen – voir Dendermonde.

TERNAT 1740 Brabant 213 ⑱ et 409 ⑬ - 13 691 h. - ☎ 0 2.
◆Bruxelles 16 - ◆Gent 38.

Host. 't Fornuis ⛣, Brusselstraat 91, ☎ 582 02 21, Fax 582 63 78, 🏞, « Ancienne grange aménagée » - TV ☎ P - 🏛 25 à 60. AE ⓓ E VISA. ⛌
fermé dim. - **Repas** *Lunch 1500* - carte env. 2900 - **17 ch** ☕ 2600/3200, 4 suites.

TERTRE 7333 Hainaut C St-Ghislain 22 155 h. 214 ① et 409 ⑫ - ☎ 0 65.
18 à Baudour NE : 4 km, r. Mont Garni 3 ☎ (0 65) 62 27 19, Fax (0 65) 62 34 10.
◆Bruxelles 77 - ◆Mons 12 - ◆Tournai 37 - Valenciennes 30.

Le Vieux Colmar, rte de Tournai 197, ☎ 62 26 79, Fax 62 36 14, 🏞, « Jardin » - P. AE ⓓ E VISA
fermé mardi, 2 sem. carnaval et 22 juil.-10 août - **Repas** (déjeuner seult sauf vend. et sam.) *Lunch 985* - carte env. 1800.

La Cense de Lalouette, rte de Tournai 188, ☎ 62 08 70, Fax 62 35 58, 🏞, « Rustique » - P. AE ⓓ E VISA
fermé lundi et sam. midi - **Repas** (déjeuner seult sauf sam.) *Lunch 895* - 1320/1890.

TERVUREN Brabant 213 ⑲ et 409 ⑬ ㉒ - voir à Bruxelles, environs.

TESSENDERLO 3980 Limburg 213 ⑧ ⑨ et 409 ⑤ - 14 696 h. - ☎ 0 13.
Voir Jubé★ de l'église St-Martin (St-Martinuskerk).
◆Bruxelles 66 - ◆Antwerpen 57 - ◆Liège 70.

Lindehoeve ⛣, Zavelberg 12, ☎ 66 31 67, Fax 67 16 95, ←, 🏞, « Environnement boisé », ≘s, ⛳, 🏞 - TV ☎ P. AE ⓓ E VISA. ⛌
fermé 2 sem. Noël - **Repas** *(fermé sam. midi, dim. soir, lundi et vacances Pâques et Noël) Lunch 1000* - 1000/1500 - **6 ch** ☕ 2500/3000.

The Meadows, Industrieweg 29, ☎ 66 55 55, Fax 67 15 92, 🏞, 🏞 - TV ☎ P - 🏛 25. AE ⓓ E VISA. ⛌ rest
Repas *(fermé dim. soir et lundi) Lunch 950* - carte 1200 à 1700 - **12 ch** ☕ 1800.

La Forchetta, Stationsstraat 69, ☎ 66 40 14, Fax 66 40 14, 🏞 - P. AE ⓓ E VISA
fermé lundi, sam. midi, sem. carnaval et dern. sem. juil.-2 prem. sem. août - **Repas** *Lunch 1450* - 1450/1900.

TEUVEN 3793 Limburg C Voeren 4 242 h. 213 ㉓ et 409 ⑯ - ☎ 0 41.
◆Bruxelles 134 - ◆Liège 43 - Aachen 22 - Verviers 26.

Hof De Draeck ⛣, Hoofstraat 6, ☎ 81 10 17, Fax 81 11 88, 🏞, « Ferme-château », 🏞 - TV ☎ P. AE E VISA. ⛌
fermé sem. carnaval et du 15 au 31 août - **Repas** *(fermé lundi, mardi midi et sam. midi) Lunch 900* - 1150/1650 - **7 ch** ☕ 1800/2700 - ½ P 1950.

THEUX 4910 Liège 213 ㉓ et 409 ⑯ - 10 283 h. - ☎ 0 87.
Bruxelles 131 - ◆Liège 31 - Spa 7 - Verviers 12.

Le Relais du Marquisat, r. Hocheporte 13, ☎ 54 21 38, Fax 53 01 39, « Maisonnette restaurée » - AE ⓓ E VISA. ⛌
fermé dim. soir, lundi, 2 sem. en juil. et 2 sem. en nov. - **Repas** *Lunch 725* - 975/1450.

Loïc Leclerc, chaussée de Spa 87 (S : 2 km à Spixhe), ☎ 53 02 59 - E VISA
fermé mardi et sam. midi - **Repas** *Lunch 950* - carte 1350 à 1700.

THIEUSIES Hainaut 213 ⑰ et 409 ⑫ - voir à Soignies.

THIMISTER 4890 Liège C Thimister-Clermont 4 493 h. 213 ㉓ et 409 ⑯ - ☎ 0 87.
Bruxelles 121 - Aachen 22 - ◆Liège 29 - Verviers 12.

à Clermont E : 2 km C Thimister-Clermont - ✉ 4890 Clermont - ☎ 0 87 :

Le Charmes-Chambertin, Crawhez 40, ☎ 44 50 37, Fax 44 50 37 - P. AE ⓓ E VISA
fermé merc., dim. soir, 2 dern. sem. juil.-prem. sem. août et après 20 h 30 - **Repas** *Lunch 850* - 1600/1900.

THIRIMONT Hainaut 214 ③ et 409 ⑬ - voir à Beaumont.

THUIN 6530 Hainaut 214 ③ et 409 ⑬ - 14 476 h. - ☎ 0 71.
Voir Site★.
Bruxelles 79 - ◆Charleroi 18 - Maubeuge 29 - ◆Mons 34.

Le Pré Gourmand, rte d'Anderlues 159, ☎ 59 41 21, 🏞, « Terrasse dans cadre de verdure » - P. AE ⓓ E VISA
fermé merc., dim. soir et du 1er au 20 sept - **Repas** *Lunch 1450* - carte 1450 à 1950.

TIELT 8700 West-Vlaanderen 213 ③ et 409 ② – 19 377 h. – ⚙ 0 51.

◆Bruxelles 85 – ◆Brugge 30 – ◆Gent 32 – ◆Kortrijk 21.

🏠 **Shamrock,** Euromarktlaan 24 (près rte de ceinture), ℰ 40 15 31, Fax 40 40 92, ☞, ⬄, ℀ – ᐉ ▤ rest �📺 ☎ ❷ – 🔬 30 à 90. 🖭 ⓪ Ɛ 𝘝𝘐𝘚𝘈
fermé dim. et 2 dern. sem. juil.-prem. sem. août – **Repas** *(fermé dim. et lundi) Lunch 350 –* carte 1100 à 1400 – **27 ch** � 1650/3200 – ½ P 2000/2500.

XX **De Meersbloem,** Polderstraat 3 (NE : 4,5 km direction Ruislede, puis rte à gauche), ℰ 40 25 01, ☞, « Jardin » – ❷. 🖭 ⓪ Ɛ 𝘝𝘐𝘚𝘈
fermé mardi soir, merc., sam. midi et dim. soir – **Repas** *Lunch 1000 –* carte 1800 à 2200.

Benutzen Sie den Roten Michelin-Führer des laufenden Jahres.

TIENEN (TIRLEMONT) 3300 Brabant 213 ⑳ et 409 ⑭ – 31 657 h. – ⚙ 0 16.

Voir Église N.-D.-au Lac★ (O.L. Vrouw-ten-Poelkerk) : portails★ ABY D.

Env. Hakendover par ② : 3 km, retable★ de l'église St-Sauveur (Kerk van de Goddelijke Zalig-maker) – Zoutleeuw E : 15 km, Église St-Léonard★★ (St-Leonarduskerk) : intérieur★★ (musée d'art religieux, tabernacle★★).

🅱 Grote Markt 4 ℰ 81 97 85.

◆Bruxelles 46 ④ – ◆Charleroi 60 ④ – ◆Hasselt 35 ② – ◆Liège 57 ④ – ◆Namur 47 ④.

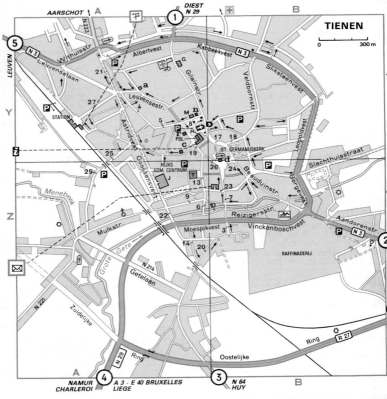

Beauduinstr.	BZ	Dr. Joseph Geensstr.	AY 5	O. L. V. Broedersstr.	BY 1
Leuvensestr.	AY	Driemolenstr.	AZ 6	Potterijstr.	AY 2
Nieuwstr.	BY 17	Grote Bergstr.	BZ 7	Raeymaeckersvest	AZ 2
Peperstr.	AY 19	Grote Markt	AY 8	St. Helenavest	AZ 2
Veemarkt	BZ 24	Hoegaardenstr.	AZ 9	Torsinpl.	BZ 2
		Huidevettersstr.	BZ 10	Viaductstr.	AY 2
Bostsestr.	BZ 3	Minderbroedersstr.	AZ 13	Wolmarkt	BZ 2
Delportestr.	AY 4	Moespikstr.	AZ 14	4de Lansierslaan	AY 2

🏨 **Alpha,** Leuvensestraat 95, ✆ 82 28 00, Fax 82 24 54 - |‡| TV ☎ P. AE ① E VISA. ✂ rest
Repas *(fermé dim.) Lunch 400* - carte 1000 à 1400 - ☕ 275 - **18 ch** 1850/2300 - ½ P 1170/2525. AY **a**

XXX **De Mene,** Broekstraat 9, ✆ 82 10 01, Fax 82 39 77, ☂ - P. AE ① E VISA AY **c**
fermé mardi, sam. midi, 2 dern. sem. juil. et 1 sem. en janv. - **Repas** *Lunch 1100* - 1750/2000.

XX **Vigiliae,** Grote Markt 10, ✆ 81 77 03, Fax 82 12 68, ☂, Ouvert jusqu'à 23 h 30 - ▤. AE ① E VISA AY **n**
fermé lundi et 2 dern. sem. juil. - **Repas** *Lunch 800* - 1320.

XX **Parma 2000,** Grote Markt 41, ✆ 81 68 55, Fax 82 26 56, ☂, Avec cuisine italienne, ouvert jusqu'à 23 h - ▤. AE ① E VISA. ✂ AY **r**
fermé merc. - **Repas** *Lunch 720* - carte 1000 à 1300.

X **De Valgaer,** Veemarkt 34, ✆ 82 12 53, ☂, « Rustique » - AE E BYZ **d**
fermé lundi, mardi et 3 prem. sem. sept - **Repas** *Lunch 800* - carte env. 1100.

TIHANGE Liège 213 ㉑ et 409 ⑮ - voir à Huy.

TILFF Liège 213 ㉒ et 409 ⑮ ⑱ - voir à Liège, environs.

TIRLEMONT Brabant - voir Tienen.

TONGEREN **(TONGRES) 3700** Limburg 213 ㉒ et 409 ⑮ - 29 569 h. - ☎ 0 12.

Voir Basilique Notre-Dame★★ (O.L. Vrouwebasiliek) : trésor★★, retable★, statue polychrome★ de Notre-Dame, cloître★ Y.

🅸 Stadhuisplein 9 ✆ 23 29 61, Fax 39 11 43.

◆Bruxelles 87 ④ - ◆Hasselt 20 ⑤ - ◆Liège 19 ③ - ◆Maastricht 19 ②.

TONGEREN

Grote Markt .... Y
Hasseltsestraat .... Y 12
Maastrichterstraat .... Y
St. Truidenstraat .... Y 42

Achttiende-Oogstlaan .... Y 2
Clarissenstraat .... Y 4
Corversstraat .... YZ 5
Eeuwfeestwal .... Y 6
Elisabethwal .... Z 9
Hasseltsesteenweg .... Y 10
Hondsstraat .... Y 14
Luikerstraat .... Z 15
Looierstraat .... Z 17
Minderbroederstraat .... Z 19
Moerenstraat .... Y 20
Momberstraat .... Z 23
Muntstraat .... Z 24
Nevenstraat .... Y 25
Piepelpoel .... Y 27
Pleinstraat .... Y 28
Pliniuswal .... Y 30
Predikherenstraat .... Y 31
Regulierenplein .... Z 34
Riddersstraat .... Y 35
de Schiervelstraat .... Y 37
St. Catharinastraat .... Y 38
St. Jansstraat .... Z 39
St. Maternuswal .... Y 41
Stationslaan .... Y 44
Vermeulenstraat .... Y 46
11 Novemberlaan .... Y 47

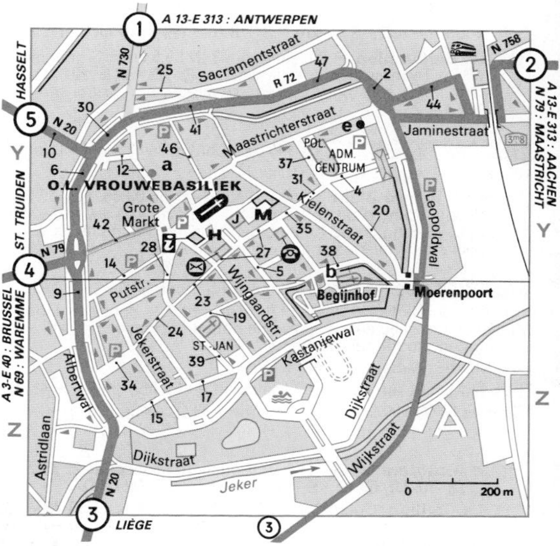

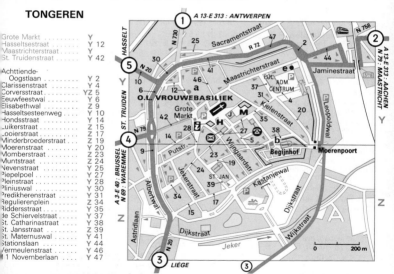

🏨 **Ambiotel** sans rest, Veemarkt 2, ✆ 26 29 50, Fax 26 15 42 - |‡| TV ☎ P - 🏛 25 à 50. AE ① E VISA - **22 ch** ☕ 3750. Y **e**

XXX **Biessenhuys,** Hasseltsestraat 23, ✆ 23 47 09, Fax 23 83 76, ☂, « Demeure ancienne, jardin » - ▤. AE ① E VISA. ✂ Y **a**
fermé mardi soir, merc., sem. carnaval et du 7 au 31 août - **Repas** *Lunch 1350* - 1950/2350.

X **d'n Homard,** St-Catharinastraat 29, ✆ 23 92 29, Fax 23 92 29, Produits de la mer - AE E VISA. ✂ YZ **b**
fermé merc., sam. midi, 1 sem. carnaval et fin août-début sept - **Repas** *Lunch 1100* - carte env. 1400.

à 's-Herenelderen NE : 4 km par N 758, direction Mopertingen 🄲 Tongeren - ✉ 3700 's-Herenelderen - ☎ 0 12 :

🏨 **Bavershof** sans rest, Elderenstraat 133, ✆ 23 43 18, Fax 39 25 18, ☂ - P. ✂
9 ch ☕ 1400/2000.

à Lauw (Lowaige) par ④ : 5 km © Tongeren – ⊠ 3700 Lauw – ✿ 0 12 :

XXX **Huize Hesbein,** Donkelstraat 193, ☎ 26 31 60, Fax 39 20 56, ㄹ, « Villa dans cadre champêtre » – **⊖**. 🖭 ⓪ ⌸ *VISA*. ※
fermé lundi, mardi, 2 sem. sept, 1 sem. Toussaint, dern. sem. janv. et 1 sem. en fév. – **Repas** *Lunch 1050* – carte env. 1800.

à Vliermaal par ⑤ : 5 km © Kortessem 7 805 h. – ⊠ 3724 Vliermaal – ✿ 0 12 :

XXXX ✿✿ **Clos St. Denis** (Denis), Grimmertingenstraat 24, ☎ 23 60 96, Fax 26 32 07, « Ferme-château du 17ᵉ s., terrasse et jardin » – **⊖**. 🖭 ⓪ ⌸ *VISA*. ※
fermé lundi, mardi, 1 sem. après Pâques, 17 juil.-2 août, 1 sem. en nov. et 27 déc.-7 janv. – **Repas** *Lunch 1500* – carte 2400 à 3250
Spéc. Homard préparé façon tartare, Grand ravioli de lentilles aux truffes du Périgord, Gâteau de tomates à l'estragon et rouget poêlé (21 juin-21 sept).

TORGNY Luxembourg belge 2️⃣1️⃣4️⃣ ⑪ et 4️⃣0️⃣9️⃣ ㉕ – voir à Virton.

TORHOUT 8820 West-Vlaanderen 2️⃣1️⃣3️⃣ ② et 4️⃣0️⃣9️⃣ ② – 18 408 h. – ✿ 0 50.
🛈 (fermé sam. et dim. sauf 15 mai-15 sept) Kasteel Ravenhof ☎ 22 07 70, Fax 22 05 80.
♦Bruxelles 107 – ♦Brugge 20 – ♦Oostende 25 – Roeselare 13.

🏨 **Host. 't Gravenhof,** Oostendestraat 343 (NO : 3 km à Wijnendale), ☎ 21 23 14, Fax 21 69 36, ㄹ, ☞ – 🗏 rest 🖭 ☎ **⊖** – 🔬 25 à 200. 🖭 ⓪ ⌸ rest
Repas *(fermé mardi et merc.)* 950/2600 – **10 ch** ⊇ 2000/3000 – ½ P 2900.

XX **Forum,** Rijksweg 42 (SO : 7 km sur N 35), ☎ 72 54 85, Fax 72 63 57 – 🗏 **⊖**. 🖭 ⓪ ⌸ *VISA*
fermé du 13 au 27 sept, du 16 au 24 janv., lundi soir et mardi – **Repas** *Lunch 700* – carte 1550 à 1900.

X **De Zwaan,** Oostendestraat 3, ☎ 21 26 58, Fax 22 15 50, Taverne-rest – **⊖**. 🖭 ⌸ *VISA*
fermé dim. soir, lundi et fév.-mars – **Repas** *Lunch 360* – 780/1150.

à Lichtervelde S : 7 km – 8 078 h. – ⊠ 8810 Lichtervelde – ✿ 0 50 :

XXX **De Bietemolen,** Hogelaanstraat 3 (N : 9,5 km à Groenhove), ☎ 21 38 34, Fax 22 07 60, ≼, ㄹ, « Terrasse fleurie et jardin » – **⊖**. 🖭 ⓪ ⌸ *VISA*
fermé dim. soir, lundi, 3 prem. sem. août et 2 prem. sem. janv. – **Repas** *Lunch 1900* – carte 1950 à 2300.

TOURINNES-ST-LAMBERT 1457 Brabant © Walhain 4 911 h. 2️⃣1️⃣3️⃣ ⑲ et 4️⃣0️⃣9️⃣ ⑭ – ✿ 0 10.
♦Bruxelles 43 – ♦Charleroi 39 – ♦Namur 40.

X ✿ **Au Beurre Blanc** (Hella), r. Nil 8, ☎ 65 03 65, Fax 65 05 68 – **⊖**. 🖭 ⓪ ⌸ *VISA*
Repas *(nombre de couverts limité - prévenir) Lunch 850* – carte 1400 à 1950
Spéc. Assiette du pêcheur au beurre blanc, Terrine de ris de veau aux pistaches, Fricassée de poularde fermière aux champignons des bois.

TOURNAI (DOORNIK) 7500 Hainaut 2️⃣1️⃣3️⃣ ⑮ et 4️⃣0️⃣9️⃣ ⑪ – 67 875 h. – ✿ 0 69.
Voir Cathédrale Notre-Dame★★★ : trésor★★ C – Pont des Trous★ : ≼★ AY – Beffroi★ C.
Musées : des Beaux-Arts★ (avec peintures anciennes★) C M² – d'histoire et d'archéologie : sarcophage en plomb gallo-romain★ C M³.
Env. Mont-St-Aubert ※★ N : 6 km AY.
🛈 Vieux Marché aux Poteries 14 (au pied du Beffroi) ☎ 22 20 45, Fax 21 62 21.
♦Bruxelles 86 ② – ♦Mons 48 ② – ♦Charleroi 93 ② – ♦Gent 70 ⑥ – Lille 28 ⑥.

Plan page ci-contre

🏨 **d'Alcantara** 🦢 sans rest, r. Bouchers St-Jacques 2, ☎ 21 26 48, Fax 21 28 24 – 🖭 ☎ **⊖** – 🔬 40. 🖭 ⓪ ⌸ *VISA*. ※ – **15 ch** ⊇ 2700/4200.   C d

XXX **Le Carillon,** Grand'Place 64, ☎ 21 18 48, Fax 21 33 79 – 🗏. 🖭 ⓪ ⌸ *VISA*   C
fermé sam. midi, dim. soir, lundi et du 1ᵉʳ au 30 août – **Repas** *Lunch 1050* – carte env. 1500

XX **Charles-Quint,** Grand'Place 3, ☎ 22 14 41, Fax 22 14 41 – 🖭 ⓪ ⌸ *VISA*. ※   C a
fermé merc. soir, jeudi et 3 dern. sem. juil. – **Repas** *Lunch 1100* – carte 1200 à 1700.

XX **Le Pressoir,** Vieux Marché aux Poteries 2, ☎ 22 35 13, Fax 22 35 13, « Maison du 17ᵉ s. avec ≼ cathédrale » – 🖭 ⓪ ⌸ *VISA*   C u
fermé mardi, sem. carnaval et août – **Repas** *(déjeuner seult sauf vend. et sam.)* carte 1400 à 1800.

XX **Il Valentino,** Quai Notre-Dame 19, ☎ 21 18 82, Fax 22 30 05, Cuisine italienne, ouvert jusqu'à 23 h – **⊖**. 🖭 ⓪ ⌸ *VISA*   C
Repas carte env. 1400.

à Mont-St-Aubert N : 6 km par r. Viaduc AY © Tournai – ⊠ 7542 Mont-St-Aubert – ✿ 0 69

XXX **Le Manoir de St-Aubert** 🦢 avec ch, r. Crupes 14, ☎ 21 21 63, Fax 84 27 05, « Parc avec pièce d'eau » – 🖭 ☎ **⊖**. 🖭 ⌸ *VISA*
fermé 16 août-1ᵉʳ sept, dim. soir et lundis sauf midis fériés – **Repas** *Lunch 990* – carte 1700 à 2250 – **7 ch** ⊇ 2400/2900.

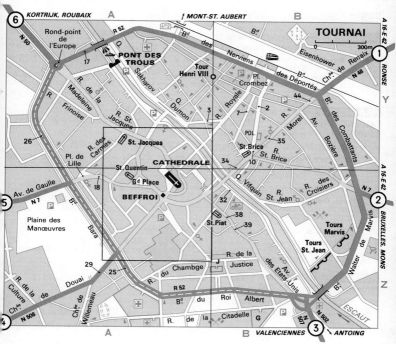

Chapeliers (R. des) . . . . . . **C 6**
Cordonnerie
  (R. de la) . . . . **C 14**
Gallait (R.) . . . . **C 20**
Grand Place . . . . **C**
Puits-d'Eau
  (R. des) . . . . **C 33**
Royale (R.) . . . . **BY**

Athénée (R. de l') . . . . **BY 2**
Becquerelle (R. du) . . . . . . **AY 3**
Bourdon-St-Jacques
  (R. du) . . . . **C 4**
Childeric (R.) . . . . **BY 7**
Clairisses (R. des) . . . . . . **C 8**
Clovis (Pl.) . . . . **BY 10**
Curé-N.-Dame (R. du) . . . . **C 15**
Delwart (Bd) . . . . **AY 17**
Dorée (R.) . . . . **AZ 18**
Hôpital-Notre-Dame
  (R. de l') . . . . **C 23**
Lalaing (Bd) . . . . **AZ 25**
Léopold (Bd) . . . . **AY 26**
Marché-aux-Poissons
  (Quai du) . . . . **C 27**
Montgomery (Av.) . . . . . . **AZ 29**
Notre-Dame (Quai) . . . . . . **C 30**
Paul-E.-Janson (Pl.) . . . . . . **C 31**
Poissonsceaux
  (Quai des) . . . . **BZ 32**
Pont (R. de) . . . . **BYZ 34**
Quesnoy (R. du) . . . . **BY 35**
Saint-Piat (R.) . . . . **BZ 38**
Sainte-Catherine (R.) . . . . **BZ 39**
Tête-d'Argent (R.) . . . . . . **C 42**
Volontaires
  (R. des) . . . . **BY 44**
Wallonie
  (R. de la) . . . . **C 45**

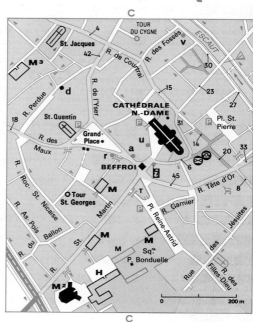

TOURNEPPE Brabant – voir Dworp à Bruxelles, environs.

TRANSINNE 6890 Luxembourg belge 🅒 Libin 4 297 h. 🔢🔢🔢 ⑯ et 🔢🔢🔢 ㉕ – ✪ 0 61.
Voir Euro Space Center★ – ◆Bruxelles 129 – ◆Arlon 64 – Bouillon 28 – ◆Dinant 44 – ◆Namur 73.

🏛 **La Barrière**, r. Barrière 2 (carrefour N 899 et N 40), ✆ 65 50 37, Fax 65 55 32, ☞ – 📺 ☎
🄿 – 🔬 25. 🄰🄴 ⓞ 🄴 ᴠɪꜱᴀ ⚏
Repas (fermé dim. soir, lundi, 2 sem. carnaval, 2ᵉ quinz. sept et 2ᵉ quinz. déc.-prem.
sem. janv.) (dîner seult sauf week-end) Lunch 950 – carte 1300 à 1850 – **14 ch** ⫣ 2100/2950
– ½ P 2300/3180.

TROIS-PONTS 4980 Liège 🔢🔢🔢 ⑧ et 🔢🔢🔢 ⑯ – 2 261 h. – ✪ 0 80.
Exc. Circuit des panoramas★ – 🄵 (fermé dim. sauf en juil.-août) pl. Communale 10 ✆ 68 40 45.
◆Bruxelles 152 – ◆Liège 54 – Stavelot 6.

à Basse-Bodeux SO : 4 km 🅒 Trois-Ponts – ⊠ 4983 Basse-Bodeux – ✪ 0 80 :

🏛 **Aub. Père Boigelot**, r. Pèlerin 1, ✆ 68 43 22, ☞, « Jardin » – ⭐≼ ☞ ⅁ 🄿 🄴 ᴠɪꜱᴀ ⚏
fermé janv. – **Repas** (fermé merc.) Lunch 750 – carte 800 à 1400 – **12 ch** ⫣ 1600/1950 –
½ P 1750.

à Haute-Bodeux SO : 7 km 🅒 Trois-Ponts – ⊠ 4983 Haute-Bodeux – ✪ 0 80 :

🏛 **Host. Doux Repos** ⑲, ✆ 68 42 07, Fax 68 42 82, ≼, ☞, ☞ – 📺 ☎ 🄿 🄴 ᴠɪꜱᴀ
↞ avril-15 nov., week-end et jours fériés ; fermé merc. et mars – **Repas** 800/1600 – **15 ch**
⫣ 2270/3825 – ½ P 1950/2050.

à Wanne SE : 6 km 🅒 Trois-Ponts – ⊠ 4980 Wanne – ✪ 0 80 :

🍴 **La Métairie**, Wanne 4, ✆ 86 40 89, Fax 86 40 89 – 🄰🄴 ⓞ 🄴 ᴠɪꜱᴀ ⚏
fermé du 13 au 24 mars, 25 sept-13 oct., merc. sauf en juil.-août et mardi – **Repas** Lunch
650 – carte 1800 à 2150.

TUBIZE (TUBEKE) 1480 Brabant 🔢🔢🔢 ⑱ et 🔢🔢🔢 ⑬ – 20 863 h. – ✪ 0 2.
◆Bruxelles 24 – ◆Charleroi 47 – ◆Mons 36.

à Oisquercq SE : 4 km 🅒 Tubize – ⊠ 1480 Oisquercq – ✪ 0 67 :

🍴🍴 **La Petite Gayolle**, r. Bon Voisin 79, ✆ 64 84 44, Fax 64 82 16, ☞, « Terrasse fleurie » –
🄿 ⓞ 🄴 ᴠɪꜱᴀ
fermé dim. soir, lundi, jeudi soir et 3 prem. sem. sept – **Repas** Lunch 1000 – 1100/1700.

TURNHOUT 2300 Antwerpen 🔢🔢🔢 ⑯ ⑰ et 🔢🔢🔢 ⑤ – 38 419 h. – ✪ 0 14.
🄵 (fermé sam. matin et dim. matin sauf en été) Grote Markt 44 ✆ 41 89 11, Fax 43 92 75.
◆Bruxelles 84 – ◆Antwerpen 45 – ◆Breda 37 – ◆Eindhoven 44 – ◆Liège 99 – ◆Tilburg 28.

🍴🍴🍴 **Ter Driezen** ⑳, Herentalsstraat 18, ✆ 41 87 57, Fax 42 03 10, ☞, « Terrasse » – 📺
☎ – 🔬 25 à 40. 🄰🄴 ⓞ 🄴 ᴠɪꜱᴀ – **Repas** (fermé sam. midi, dim., 3 dern. sem. juil. et fin déc.)
Lunch 1250 – carte 1850 à 2300 – **10 ch** (fermé fin déc.) ⫣ 2750/3950.

🍴🍴 **Boeket**, Klein Engeland 67 (N : 5 km direction Breda), ✆ 42 70 28, ☞ – 🄿 🄰🄴 ⓞ 🄴 ᴠɪꜱᴀ
fermé merc. et sam. midi – **Repas** Lunch 1300 – carte 1600 à 2200.

🍴🍴 **La Gondola**, Patersstraat 9, ✆ 42 43 81, Fax 43 87 00, ☞, Cuisine italienne – 🄰🄴 ⓞ 🄴 ᴠɪꜱᴀ
fermé sam. midi, dim. midi et lundi – **Repas** Lunch 990 – carte 1450 à 1850.

à Oud-Turnhout SE : 4 km – 11 824 h. – ⊠ 2360 Oud-Turnhout – ✪ 0 14 :

🏛 **Priorij Corsendonk** ⑲, Corsendonk 5 (près E 34 - sortie 25), ✆ 45 12 45, Fax 45 13 55,
« Parc », 🏊, ☞, 🍴 – 📺 ☎ 🄿 – 🔬 25 à 120. 🄰🄴 ⓞ 🄴 ᴠɪꜱᴀ ⚏
Repas Lunch 890 – 1390 – ⫣ 410 – **69 ch** 2380/4050, 2 suites – ½ P 3825/4300.

UCCLE (UKKEL) Brabant 🔢🔢🔢 ⑱ et 🔢🔢🔢 ⑬ ㉑ – voir à Bruxelles.

UCIMONT Luxembourg belge 🔢🔢🔢 ⑮ – voir à Bouillon.

VAALBEEK Brabant 🔢🔢🔢 ⑲ – voir à Leuven.

VARSENARE West-Vlaanderen 🔢🔢🔢 ② et 🔢🔢🔢 ② – voir à Brugge, environs.

VAUX-et-BORSET Liège 🔢🔢🔢 ㉑ et 🔢🔢🔢 ⑮ – voir à Villers-le-Bouillet.

VELDWEZELT Limburg 🔢🔢🔢 ㉒ et 🔢🔢🔢 ⑮ – voir à Lanaken.

VENCIMONT 5575 Namur 🅒 Gedinne 4 297 h. 🔢🔢🔢 ⑮ et 🔢🔢🔢 ㉔ – ✪ 0 61.
◆Bruxelles 129 – Bouillon 39 – ◆Dinant 35.

🍴🍴 **Le Barbouillon** ⑲ avec ch, r. Grande 25, ✆ 58 82 60, ☞ – 🄰🄴 🄴 ᴠɪꜱᴀ
fermé du 4 au 28 sept, du 1ᵉʳ au 30 janv. et merc. sauf en juil.-août – **Repas** Lunch 900 –
900/1580 – ⫣ 200 – **7 ch** 780 – ½ P 1200/1400.

246

Musées : des Beaux-Arts et de la Céramique★ D **M¹** – d'Archéologie et de Folklore : dentelles★ D **M²**.

Env. Barrage de la Gileppe★★, ≤★★ par ③ : 14 km.

📍 à Gomzé-Andoumont par ③ : 16 km, r. Gomzé 30 ℘ (0 41) 60 92 07, Fax (0 41) 60 92 06.

🛈 (fermé dim.) r. Xhavée 61 ℘ 33 02 13.

◆Bruxelles 122 ④ – ◆Liège 32 ④ – Aachen 36 ④.

VERVIERS

Brou (R. du)	C	4
Crapaurue	D	
Martyr (Pl. du)	C	28
Saint-Laurent (Pont)	C	37
Spintay (R.)	C	
Verte (Pl.)	C	
Anne de Molina (R.)	B	3
Carmes (R. des)	D	6
Chapelle (R. de la)	B	7
Chêne (Pont du)	C	9
Coronmeuse (R.)	D	10
Déportés (R. des)	B	12
Elisabeth (Av.)	B	13
Fabriques (R. des)	B	15
Franchimont (R. de)	B	16
Grappe (R. de la)	B	18
Grétry (R.)	B	19
Hanlet (Av.)	B	21
Harmonie (Av. de l')	C	22
Heid des Fawes	B	24
Lions (Pont aux)	D	25
Maçons (Quai des)	D	27
Ortmans-Hauzeur (R.)	D	30
Palais de Justice (Pl. du)	D	31
Paroisse (R. de la)	D	33
Raines (R. des)	C	34
Récollets (Pont des)	C	36
Sommeville (Pl.)	D	39
Sommeville (Pont)	D	40
Théâtre (R. du)	C	42
Thier-Mère-Dieu (R.)	D	43
Tribunal (R. du)	D	45
Verviers (R. de)	B	46
600 Franchimontois (R. des)	B	48

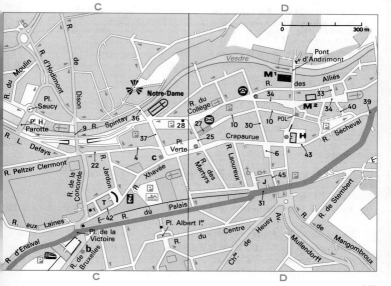

⚏ **Amigo** 🦢, r. Herla 1, ℘ 22 11 21, Telex 49128, Fax 23 03 69, 🏡, 🖙, 🔲, 🛲 – |𝄞| 📺 ☎
℗ – ⚙ 25 à 80. 🄰🄴 ① 🄴 𝕍𝕀𝕊𝔸, 🕉 rest   B **a**
Repas Lunch 980 – carte 1300 à 1600 – **48 ch** ⊆ 3400/4500, 2 suites – ½ P 2480/3860.

XXXX **Château Peltzer,** r. Grétry 1, ℘ 23 09 70, Fax 23 08 71, « Dans un parc centenaire » – **℗**
🄰🄴 ① 🄴 𝕍𝕀𝕊𝔸, 🕉   B **d**
fermé dim. soir, lundi, mardi, 20 fév.-16 mars, 17 juil.-3 août et du 24 au 30 déc. – **Repas**
Lunch 2350 – carte 2100 à 2850.

X **La Mouclade,** r. Bruxelles 1 (gare), ℘ 22 87 60, Fax 22 14 62, 🏡 – 🄰🄴 ① 🄴 𝕍𝕀𝕊𝔸   C **b**
fermé mardi soir, merc. et 15 mai-15 juin – **Repas** carte 1100 à 2800.

X **Les Folies Gourmandes,** r. Xhavée 4, ℘ 31 73 45 – ▤. 🄰🄴 ① 🄴 𝕍𝕀𝕊𝔸   C **c**
fermé lundi soir, mardi, sam. midi, 2e quinz. août et 2e quinz. janv. – **Repas** Lunch 790 –
800/1190.

à Heusy 🅲 Verviers – ⊠ 4802 Heusy – ⊛ 0 87 :

XXX **La Toque d'Or,** av. Nicolaï 43, ℘ 22 11 11, Fax 22 94 59, 🏡, « Jardin » – **℗**. 🄰🄴 ① 🄴
𝕍𝕀𝕊𝔸   B **u**
fermé merc. soir et dim. soir – **Repas** Lunch 1275 – carte 1500 à 1900.

XX **La Croustade,** r. Hodiamont 13 (par N 657), ℘ 22 68 39, Fax 22 79 21, « Jardin » – **℗**. 🄰🄴
① 🄴 𝕍𝕀𝕊𝔸   B
fermé sam. midi, dim. soir, lundi, juil. et 1 sem. Noël – **Repas** Lunch 950 – carte 1450 à 1800.

VEURNE (FURNES) 8630 West-Vlaanderen 🄯🄱🄲 ① et 🄰🄴🄶 ① – 11 307 h. – ⊛ 0 58.
Voir Grand-Place★★ (Grote Markt) – Procession des Pénitents★★ (Boetprocessie) – Cuirs★ à l'intérieur de l'Hôtel de Ville (Stadhuis).
Env. E : Diksmuide, Tour de l'Yser (Ijzertoren) 🕉★.
🄱 Landshuis, Grote Markt 29 ℘ 31 21 54, Fax 31 55 93.
◆Bruxelles 134 – ◆Brugge 47 – Dunkerque 21 – ◆Oostende 26.

XX **Croonhof** Ⓜ avec ch, Noordstraat 9, ℘ 31 31 28, Fax 31 56 81, 🏡 – |𝄞| 📺 ☎ – ⚙ 25
à 85. 🄰🄴 ① 🄴 𝕍𝕀𝕊𝔸, 🕉 ch
fermé du 15 au 25 fév. – **Repas** *(fermé dim. soir et lundi sauf en juil.-août)* Lunch 920 – 980
– **8 ch** ⊆ 2200/3500 – ½ P 2200/2600.

XX **Ibis,** Grote Markt 10, ℘ 31 37 00 – 🄰🄴 ① 🄴 𝕍𝕀𝕊𝔸
fermé mardi soir, merc., 23 fév.-9 mars et 29 juin-8 juil. – **Repas** 990.

à Beauvoorde SO : 8 km 🅲 Veurne – ⊠ 8630 Veurne – ⊛ 0 58 :

XX **Driekoningen** avec ch, Wulveringemstraat 40, ℘ 29 90 12, Fax 29 80 22 – 📺 **℗** – ⚙ 120.
🄴 𝕍𝕀𝕊𝔸
fermé du 11 au 22 sept et 15 janv.-2 fév. – **Repas** *(fermé mardi soir et merc. sauf en juil.-août)* Lunch 780 – carte 1000 à 1500 – **5 ch** ⊆ 1600/2200 – ½ P 1800/1900.

à Booitshoeke NE : 5 km 🅲 Veurne – ⊠ 8630 Booitshoeke – ⊛ 0 58 :

X **Boikenshoc,** P.H. Scherpereelstraat 23, ℘ 23 37 19, 🏡 – ▤
fermé du 21 au 30 juin, du 20 au 29 sept, 20 déc.-4 janv., merc. et jeudi – **Repas** Lunch
1200 – carte 1050 à 1900.

à Zoutenaaie SE : 8 km 🅲 Veurne – ⊠ 8630 Zoutenaaie – ⊛ 0 51 :

X **Zoutenaaie,** Zoutenaaiestraat 15, ℘ 55 51 00, ≤, 🏡, « Cadre champêtre » – **℗**. 🄰🄴 🄴
𝕍𝕀𝕊𝔸, 🕉
fermé lundi et 22 janv.-7 fév. – **Repas** Lunch 875 – 875/1680.

VICHTE 8570 West-Vlaanderen 🅲 Anzegem 13 257 h. 🄯🄱🄲 ⑮ et 🄰🄴🄶 ⑪ – ⊛ 0 56.
◆Bruxelles 83 – ◆Brugge 49 – ◆Gent 38 – ◆Kortrijk 11 – Lille 37.

⚏ **Rembrandt,** Oudenaardestraat 22, ℘ 77 73 55, Fax 77 57 04 – 📺 ☎ **℗** – ⚙ 25 à 280.
🄰🄴 🄴 𝕍𝕀𝕊𝔸, 🕉
fermé dim. soir et du 1er au 15 août – **Repas** Lunch 1150 – carte 1300 à 1750 – **18 ch**
⊆ 1800/3000, 1 suite – ½ P 2200.

VIELSALM 6690 Luxembourg belge 🄯🄱🄲 ⑧ et 🄰🄴🄶 ⑯ – 6 962 h. – ⊛ 0 80.
🄱 Pavillon d'accueil, r. Chasseurs ardennais 1 ℘ 21 50 52.
◆Bruxelles 171 – ◆Arlon 86 – Clervaux 40 – Malmédy 28.

⚏ **Belle Vue,** r. Jean Bertholet 5, ℘ 21 62 61, Fax 21 62 01, ≤, 🛲 – 📺 ☎. 🄰🄴 ① 🄴 𝕍𝕀𝕊𝔸,
🕉
*fermé 30 juin-7 juil., 31 août-13 sept, 31 déc.-14 janv. et dim. soirs et lundis non fériés
sauf en juil.-août* – **Repas** Lunch 820 – 1450 – **17 ch** ⊆ 1850/2200 – ½ P 1750/1850.

à Baraque de Fraiture O : 15 km 🅲 Vielsalm – ⊠ 6690 Vielsalm – ⊛ 0 80 :

⚏ **Aub. du Carrefour,** rte de Liège 42, ℘ 41 87 47, Fax 41 88 60, 🏡, 🛲 – 📺 **℗**. 🄰🄴 🄴 𝕍𝕀𝕊𝔸,
🕉
fermé merc. non fériés – **Repas** Lunch 480 – carte env. 1200 – ⊆ 180 – **15 ch** 900/2200
– ½ P 1550/1650.

à Grand-Halleux N : 5 km Ⓒ Vielsalm – ⊠ 6698 Grand-Halleux – ✪ 0 80 :

🏛 **Host. Les Linaigrettes,** Rocher de Hourt 60, ℘ 21 59 68, Fax 21 46 64, « Terrasse au bord de la Salm » – ☎ 🅿 – 🛄 25. ⅍ ① 🇪 𝗩𝗜𝗦𝗔
Repas *(fermé merc. soirs et jeudis non fériés sauf en saison) Lunch 620* – 800/2100 – **11 ch** ⊃ 1700/2700 – ½ P 2100/2500.

✗ **L'Ecurie,** av. de la Résistance 24a, ℘ 21 59 54, ≤, 🍴, Avec cuisine italienne, ouvert jusqu'à 23 h – 🅿. ⅍ ① 🇪 𝗩𝗜𝗦𝗔
fermé lundis et mardis midis non fériés sauf vacances scolaires – **Repas** carte 1000 à 1300.

à Hebronval O : 10 km Ⓒ Vielsalm – ⊠ 6690 Vielsalm – ✪ 0 80 :

🏛 **Le Val d'Hebron,** Hebronval 10, ℘ 41 88 73, Fax 41 80 73, 🚗 – 📺 ☎ 🅿 – 🛄 25 à 40.
➡ ⅍ ① 🇪 𝗩𝗜𝗦𝗔. 🍴 rest
fermé 17 août-1er sept et mardis non fériés sauf en juil.-août – **Repas** *Lunch 600* – 700/1500 – ⊃ 300 – **12 ch** 1100/1700 – ½ P 1700.

à Ottré SO : 9 km Ⓒ Vielsalm – ⊠ 6690 Vielsalm – ✪ 0 80 :

✗ **Le Clos d'Ottré,** Ottré-Bihain 23, ℘ 41 85 65, Grillades – 🅿. ⅍ 🇪 𝗩𝗜𝗦𝗔
fermé merc. et du 15 au 30 janv. – **Repas** carte env. 900.

à Salmchâteau S : 2 km Ⓒ Vielsalm – ⊠ 6690 Vielsalm – ✪ 0 80 :

✗✗ **Vieux Moulin** avec ch, rte de Cierreux 41 (sur N 68), ℘ 21 68 45, Fax 21 58 79 – 📺 ☎ 🅿. ⅍ ① 🇪 𝗩𝗜𝗦𝗔
fermé 10 janv.-10 fév. et mardis soirs et merc. non fériés sauf en saison – **Repas** carte 1150 à 1600 – **11 ch** ⊃ 1440/2240 – ½ P 1870.

VIERVES-SUR-VIROIN 5670 Namur Ⓒ Viroinval 5 611 h. 🔢🔢 ④ ⑭ et 🔢🔢 ㉔ – ✪ 0 60.

◆Bruxelles 115 – ◆Namur 72 – ◆Charleroi 56 – Charleville-Mézières 49 – ◆Dinant 33.

🏤 **Le Petit Mesnil** 🦢, r. Chapelle 7, ℘ 39 95 90, 🍴 – 🅿
fermé lundi – **Repas** carte env. 1000 – **12 ch** ⊃ 900/1450 – ½ P 1300.

VIEUX-GENAPPE 1472 Brabant Ⓒ Genappe 13 116 h. 🔢🔢 ⑲ et 🔢🔢 ⑬ – ✪ 0 67.

🏌 🏌 Bruyère d'Hulencourt 15 ℘ 78 01 24, Fax 78 09 19 – 🏌 🏌 à Ways E : 2 km, r. E. François 9 ℘ (0 67) 77 15 71, Fax (0 67) 77 18 33.

◆Bruxelles 34 – ◆Charleroi 24 – Nivelles 10.

✗✗✗ **Le Relais d'Hulencourt,** Bruyère d'Hulencourt 15, ℘ 79 40 20, Fax 79 40 20, 🍴, « Ferme brabançonne rénovée en bordure du golf » – 🅿 – 🛄 35 à 130. ⅍ ① 🇪 𝗩𝗜𝗦𝗔. 🍴
fermé lundi soir et mardi – **Repas** *Lunch 750* – carte 1750 à 2200.

VIEUXVILLE 4190 Liège Ⓒ Ferrières 3 929 h. 🔢🔢 ⑦ et 🔢🔢 ⑮ – ✪ 0 86.

🇧 r. Bouverie 1 ℘ 21 30 88.

◆Bruxelles 120 – ◆Liège 42 – Marche-en-Famenne 27 – Spa 30.

🏛 **Château de Palogne** 🦢 sans rest, rte de Palogne 3, ℘ 21 38 74, Fax 21 38 76, « Demeure ancienne, parc », 🚗 – 📺 ☎ 🅿. ⅍ ① 🇪 𝗩𝗜𝗦𝗔
⊃ 350 – **11 ch** 2500/3600.

🏤 **Le Lido** 🦢, r. Lorgé 8, ℘ 21 13 67, Fax 21 34 22, ≤, ♨, 🚗 – ☎ 🅿. ⅍ ① 🇪 𝗩𝗜𝗦𝗔
fermé merc., jeudi, 2e quinz. sept et du 4 au 15 janv. – **Repas** 800/1500 – **13 ch** ⊃ 1700/2400 – ½ P 1920.

🏤 **Au Chalet,** rte des Fagnes 2 (NE : 3 km, lieu-dit Ville), ℘ 40 03 35, Fax 40 05 78, ≤ – 📺
➡ ☎ 🅿. ⅍ ① 🇪 𝗩𝗜𝗦𝗔. 🍴 ch
fermé lundi, mardi et du 15 au 30 sept – **Repas** *(fermé après 20 h) Lunch 500* – 500/1000 – **8 ch** ⊃ 1500/1900 – ½ P 1500/2000.

✗✗ **Au Vieux Logis,** rte de Logne 1, ℘ 21 14 60, Fax 21 14 60 – 🅿. ⅍ ① 🇪 𝗩𝗜𝗦𝗔
fermé dern. sem. août-prem. sem. sept et mardis et merc. non fériés – **Repas** *Lunch 1100* – carte env. 1900.

VILLERS-LA-VILLE 1495 Brabant 🔢🔢 ⑲ et 🔢🔢 ⑬ – 8 413 h. – ✪ 0 71.

Voir Ruines de l'abbaye★★.

🏌 r. Châtelet 62 ℘ 87 77 65, Fax 87 77 83 - 🏌 à Sart-Dames-Avelines SO : 3 km, r. Jumerée 1 ℘ (0 71) 87 72 67, Fax (0 71) 87 72 67.

◆Bruxelles 36 – ◆Charleroi 28 – ◆Namur 33.

✗✗ **Ruines,** r. Abbaye 55, ℘ 87 70 57, Fax 87 70 57 – 🅿. ⅍ ① 🇪 𝗩𝗜𝗦𝗔
fermé lundis et mardis non fériés – **Repas** *Lunch 650* – 950/1250.

VILLERS-LE-BOUILLET 4530 Liège 🔢🔢 ㉑ et 🔢🔢 ⑮ – 5 125 h. – ✪ 0 85.

◆Bruxelles 86 – ◆Liège 25 – Huy 8 – ◆Namur 37.

à Vaux-et-Borset N : 5 km sur N 65 Ⓒ Villers-le-Bouillet – ⊠ 4530 Vaux-et-Borset – ✪ 0 19 :

✗ **Le Grandgagnage,** pl. de l'Église 5, ℘ 56 70 18 – ⅍ ① 🇪 𝗩𝗜𝗦𝗔
fermé merc. – **Repas** *Lunch 725* – carte 900 à 1350.

VILLERS-SUR-LESSE 5580 Namur © Rochefort 11 450 h. 214 ⑥ et 409 ⑭ – ⚙ 0 84.
◆Bruxelles 115 – ◆Namur 54 – ◆Dinant 25 – Rochefort 9.

🏨 **Beau Séjour** ⟍, r. Platanes 16, ℰ 37 71 15, Fax 37 81 34, ≼, 🍴, « Jardin fleuri », 🏊 –
📺 ☎ ❷ – 🏧 25. ⅍ ➀ ⓔ 𝘝𝘐𝘚𝘈
fermé du 20 au 28 sept, 15 janv.-15 mars et lundi soir et mardi sauf en juil.-août – **Repas**
Lunch 1100 – 1500/1700 – 🖙 380 – **18 ch** 2500/3750 – ½ P 3150/3800.

VILVOORDE (VILVORDE) Brabant 213 ⑦ et 409 ④ ㉒ – voir à Bruxelles, environs.

VIRELLES Hainaut 214 ③ et 409 ㉓ – voir à Chimay.

VIRTON 6760 Luxembourg belge 214 ⑪ et 409 ㉕ – 10 864 h. – ⚙ 0 63.
🄱 Pavillon, r. Grasses-Oies 2b ℰ 57 89 04, Fax 57 71 14.
◆Bruxelles 221 – ◆Arlon 29 – Longwy 32 – Montmedy 15.

🏨 **Le Relais de la Venerie** ⟍, (NE : 2 km par N 82, lieu-dit Au dessus de Rabais), ℰ 57 70 84,
Fax 57 17 87, ≼ – 📺 ☎ ❷, ⅍ ➀ ⓔ 𝘝𝘐𝘚𝘈
Repas *(fermé sam. midi, dim. soir et du 1ᵉʳ au 15 janv.)* *Lunch* 990 – 990/1490 – 🖙 210
– **8 ch** 2200/2400 – ½ P 1990/2600.

✗✗ **Le Franc Gourmet**, r. Roche 13, ℰ 57 01 36, Fax 58 17 19, 🍴 – ⅍ ➀ ⓔ 𝘝𝘐𝘚𝘈. 🛇
fermé lundis non fériés, prem. sem. mars et dern. sem. août – **Repas** 850/1400.

à Latour E : 4 km © Virton – ✉ 6761 Latour – ⚙ 0 63 :

🏨 **Château de Latour** ⟍, r. 24 Août, ℰ 57 83 52, Fax 57 83 52, ≼, « Dans les ruines d'une
demeure ancienne » , 🌳 – 📺 ☎ ❷. ⅍ ➀ ⓔ 𝘝𝘐𝘚𝘈. 🛇
fermé 28 août-7 sept et du 2 au 27 janv. – **Repas** *(fermé merc.)* *Lunch* 1050 – carte 1350
à 1650 – 🖙 250 – **7 ch** 1750/1950 – ½ P 2800.

à Torgny S : 6 km © Virton – ✉ 6767 Torgny – ⚙ 0 63 :

✗✗ **Aub. de la Grappe d'Or** ⟍ avec ch, r. Ermitage 18, ℰ 57 70 56, Fax 57 03 44, « Dans
un village gaumais typique », 🌳 – 📺 ☎ ❷. ⅍ ➀ ⓔ 𝘝𝘐𝘚𝘈. 🛇 rest
fermé 1 sem. carnaval et fin août-début sept – **Repas** *(fermé dim. soir et lundi)* 1100/1750
– 🖙 280 – **5 ch** 1750/2100 – ½ P 2700/2900.

VITRIVAL 5070 Namur © Fosses-la-Ville 8 276 h. 214 ④ et 409 ⑭ – ⚙ 0 71.
◆Bruxelles 82 – ◆Namur 21 – ◆Charleroi 17.

✗✗ **Le Mistral**, r. Giloterie 14, ℰ 71 15 38, Fax 71 28 29, ≼ – ❷. ⅍ ➀ ⓔ 𝘝𝘐𝘚𝘈
fermé fév.-10 mars et lundis et mardis non fériés – **Repas** *Lunch* 750 – carte 1000 à 1400.

VLEZENBEEK Brabant 213 ⑱ et 409 ⑬ – voir à Bruxelles, environs.

VLIERMAAL Limburg 213 ㉒ et 409 ⑮ – voir à Tongeren.

VLISSEGEM West-Vlaanderen 213 ② et 409 ② – voir à De Haan.

VORST Brabant – voir Forest à Bruxelles.

VRESSE-SUR-SEMOIS 5550 Namur 214 ⑮ et 409 ㉔ – 2 669 h. – ⚙ 0 61.
Env. NE : Gorges du Petit Fays★ – Route de Membre à Gedinne ≼★★ sur "Jambon de la Semois" :
6,5 km.
🄱 r. Albert Raty 112 ℰ 50 08 27.
◆Bruxelles 154 – ◆Namur 95 – Bouillon 27 – Charleville-Mézières 30.

🏨 **Host. de la Semois**, r. Albert Raty 63, ℰ 50 00 33, Fax 50 16 91 – ⌶ ☎ ❷
fermé de carnaval à Pâques, lundi soir, mardi et merc. – **Repas** *Lunch* 650 – carte env. 1000
– **21 ch** 🖙 1800/2500 – ½ P 2600.

✗✗ **Au Relais** avec ch, r. Albert Raty 72, ℰ 50 00 46, Fax 50 02 26, 🍴, 🌳 – 🍽 rest 📺 ☎
❷. ⅍ ➀ ⓔ 𝘝𝘐𝘚𝘈
avril-déc. – **Repas** *(fermé après 20 h 30 et merc. soir et jeudi du 20 sept au 1ᵉʳ juil.)* 890
– **10 ch** 🖙 2200.

✗✗ **Pont St. Lambert** avec ch, r. Ruisseau 8, ℰ 50 04 49, Fax 50 16 93, ≼, 🍴 – ⅍ ➀ ⓔ 𝘝𝘐𝘚𝘈.
🛇 rest
fermé 27 mars-28 avril, du 18 au 29 sept et mardi soir et merc. sauf en juil.-août – **Repas**
(fermé après 20 h 30) 990 – **7 ch** 🖙 1200/1900 – ½ P 1300/1550.

à Laforêt S : 2 km © Vresse-sur-Semois – ✉ 5550 Laforêt – ⚙ 0 61 :

🏨 **Aub. du Moulin Simonis** ⟍, rte de Charleville 42, ℰ 50 00 81, Fax 50 17 41,
« Environnement boisé », 🌳 – ❷. 🛇
fermé 1 sem. en sept et merc. sauf en juil.-août – **Repas** *(fermé après 20 h 30)* 595 –
🖙 250 – **10 ch** 1200/1500 – ½ P 1550/1650.

à Membre S : 3 km ⓒ Vresse-sur-Semois – ⊠ 5550 Membre – ✆ 0 61 :

🏠 **Des Roches,** rte de Vresse 93, ✆ 50 00 51 – **❷, E** *VISA*. ⅏
➡ *fermé janv.-carnaval et merc. du 15 nov. à Pâques* – **Repas** *(fermé après 20 h 30)* 675/1250 – ヱ 160 – **14 ch** 1250/1375 – ½ P 1400/1500.

VUCHT Limburg 𝟚𝟙𝟛 ⑩ ⑪ – voir à Maasmechelen.

WAARDAMME West-Vlaanderen 𝟚𝟙𝟛 ③ et 𝟜𝟘𝟡 ② – voir à Brugge, environs.

WAARMAARDE 8581 West-Vlaanderen ⓒ Avelgem 9 058 h. 𝟚𝟙𝟛 ⑮ – ✆ 0 55.
◆Bruxelles 64 – ◆Gent 42 – ◆Kortrijk 24 – ◆Tournai 26.

XXX **De Gouden Klokke,** Trappelstraat 25, ✆ 38 85 60, Fax 38 79 29, 🌣 – **❷. AE ① E** *VISA*. ⅏
fermé dim. soir, lundi, mardi soir, sem. carnaval et 16 août-6 sept – **Repas** *Lunch 1000* – 1399/2120.

WAASMUNSTER 9250 Oost-Vlaanderen 𝟚𝟙𝟛 ⑤ et 𝟜𝟘𝟡 ③ – 9 732 h. – ✆ 0 3.
◆Bruxelles 39 – ◆Antwerpen 31 – ◆Gent 31.

XXX **Zilverberk,** Veldstraat 32 (E : 2 km, lieu-dit Sombeke), ✆ (0 52) 46 16 47, Fax (0 52) 46 13 61, 🌣 – **❷** – ᎮᎮ 35. **AE ① E** *VISA*
fermé dim. soir, lundi, merc. soir, sem. carnaval et 2 dern. sem. juil.-prem. sem. août – **Repas** *Lunch 1250* – carte 1650 à 1900.

XXX **Pichet,** Belselestraat 4 (sortie 13 sur E 17), ✆ (0 52) 46 00 29, Fax (0 52) 46 34 59, 🌣 – **AE ① E** *VISA*. ⅏
fermé lundi soir, mardi, sam. midi et sept – **Repas** *Lunch 1150* – carte 1800 à 2500.

XX ✿ **De Snip** (De Wolf), Schrijberg 122 (carrefour N 446 et N 70), ✆ 772 20 81, Fax 722 06 95, 🌣 – **❷. AE ① E** *VISA*
fermé du 3 au 14 avril, du 2 au 20 juil., 24 déc.-2 janv., sam. midi, dim. soir et lundi – **Repas** *Lunch 1670* – carte 1900 à 2300
Spéc. Filet de grondin au four, caviar d'aubergines et pommes vertes au curry léger, Cabillaud rôti sur sa peau sauce au vin rouge, anchois et foie de morue, Gibiers (oct.-déc.).

WACHTEBEKE 9185 Oost-Vlaanderen 𝟚𝟙𝟛 ⑤ et 𝟜𝟘𝟡 ③ – 6 947 h. – ✆ 0 9.
◆Bruxelles 58 – ◆Antwerpen 43 – ◆Gent 19 – Sint-Niklaas 24.

XXX **De Sterre "Chez Jacques",** Sint-Elooispolder 11 (N : 7 km à la frontière, Sint-Elooispolder), ✆ 345 74 11, Fax 345 56 55, 🌣, « Cadre champêtre » – **❷. AE ① E** *VISA*. ⅏
fermé lundi, 2 prem. sem. sept et 1 sem. en janv. – **Repas** *Lunch 1000* – carte 1500 à 1950.

WAIMES (WEISMES) 4950 Liège 𝟚𝟙𝟜 ⑨ et 𝟜𝟘𝟡 ⑯ – 6 033 h. – ✆ 0 80.
◆Bruxelles 164 – ◆Liège 65 – Malmédy 8 – Spa 27.

🏠 **Hotleu,** r. Hottleux 106 (O : 2 km), ✆ 67 97 05, Fax 67 84 62, 🌣, « Terrasse ◁ vallée », ⅃, 🐎, ⅏ – **TV ☎ ❷** – ᎮᎮ 80. **AE ① E** *VISA*. ⅏ rest
fermé du 2 au 12 janv. et mardis soirs et merc. non fériés sauf vacances scolaires – **Repas** *Lunch 800* – carte 1200 à 1600 – **12 ch** ヱ 1400/2600 – ½ P 1850/2850.

X **Aub. de la Warchenne** avec ch, r. Centre 20, ✆ 67 93 63 – **☎ ❷. AE ① E** *VISA*
➡ *fermé merc. et fin juin-début juil.* – **Repas** *Lunch 725* – 725/1275 – ヱ 225 – **7 ch** 1150/1850 – ½ P 1700.

X **Cyrano** avec ch, r. Gare 23, ✆ 67 99 89, Fax 67 83 85, 🌣, « Terrasse » – **❷. AE E** *VISA*. ⅏ rest
fermé 1 sem. en avril, 1 sem. en janv. et merc. non fériés sauf vacances scolaires – **Repas** *Lunch 990* – carte 1100 à 1650 – ヱ 250 – **7 ch** 1200/1600 – ½ P 2100/2700.

à Faymonville E : 2 km ⓒ Waimes – ⊠ 4950 Faymonville – ✆ 0 80 :

XXX **Au Vieux Sultan** avec ch, r. Wemmel 12, ✆ 67 91 97, Fax 67 81 28, 🌣 – ▤ rest **TV ☎ ⟺ ❷** – ᎮᎮ 30. **AE ① E** *VISA*. ⅏
fermé du 1ᵉʳ au 15 juil., du 12 au 25 déc., du 2 au 20 janv. et lundi de nov. à mai – **Repas** *(fermé dim. soir et lundi de nov. à mai) Lunch 850* – 1050 – **8 ch** ヱ 1500/2500 – ½ P 1650/2000.

WALCOURT 5650 Namur 𝟚𝟙𝟜 ③ et 𝟜𝟘𝟡 ⑬ – 16 121 h. – ✆ 0 71.
Voir Basilique St-Materne✶ : jubé✶, trésor✶.
Env. Barrage de l'Eau d'Heure✶, Barrage de la Plate Taille✶ S : 6 km.
◆Bruxelles 81 – ◆Namur 53 – ◆Charleroi 21 – ◆Dinant 43 – Maubeuge 44.

🏠 **Host. de l'Abbaye** ⅏, r. Jardinet 7, ✆ 61 14 23, Fax 61 11 04, 🌣, « Jardin d'hiver » – **TV ☎ ❷. AE ① E** *VISA*. ⅏ ch
fermé mardi soir et jeudi soir sauf en juil.-août, merc., 15 fév.-15 mars et 1 sem. en sept – **Repas** *Lunch 890* – 890/1850 – **9 ch** ヱ 1500/2600 – ½ P 2500.

WAREGEM 8790 West-Vlaanderen 🗺🗺🗺 ⑮ et 🗺🗺🗺 ⑪ – 35 318 h. – ✪ 0 56.

🛅 European Sports and Business Center, Bergstraat 41 ℰ 60 88 08, Fax 60 83 78.

◆Bruxelles 79 – ◆Brugge 47 – ◆Gent 34 – ◆Kortrijk 17.

🏨 **St-Janshof** sans rest, Anzegemseweg 26 (S : 3 km, près E 17 - sortie 5), ℰ 61 08 88, Fax 60 34 45 – 📺 ☎ 🅿 – 🕍 25 à 100. 🖭 **E** 𝑽𝑰𝑺𝑨. ✎ – **21 ch** ⌑ 2395/3030.

🏨 **De Peracker,** Caseelstraat 45 (O : 3 km sur rte de Desselgem, puis rte à gauche), ℰ 60 03 31, Fax 60 03 25, ≼, 🍴, « Cadre champêtre », 🐎 – 📺 ☎ ⇔ 🅿 – 🕍 40 à 60. 🖭 **E** 𝑽𝑰𝑺𝑨. ✎
Repas (fermé dim. soir de sept à Pâques et lundi midi) Lunch 850 – carte env. 1000 – **14 ch** ⌑ 2700/3200 – ½ P 2820/3350.

✕✕✕✕ ✿✿ **'t Oud Konijntje** (Mme Desmedt), Bosstraat 53 (S : 2 km près E 17), ℰ 60 19 37, Fax 60 92 12, 🍴, « Terrasse fleurie » – 🅿. 🖭 ⓞ **E** 𝑽𝑰𝑺𝑨
fermé jeudi soir, vend., dim. soir, 22 juil.-13 août et 23 déc.-début janv. – **Repas** carte 2000 à 2700
Spéc. La trilogie de grenailles, Raviolis de foie de canard au carpaccio de magret de canard fumé, Dos de turbot aux tomates confites à la coriandre.

✕✕ **De Wijngaard,** Holstraat 32, ℰ 60 26 56, Fax 61 40 85, 🍴 – 🅿. 🖭 ⓞ **E** 𝑽𝑰𝑺𝑨
fermé mardi soir en juil.-août, merc., dim. soir, jours fériés soirs, sem. carnaval, 1re quinz. juil. et 31 août – **Repas** Lunch 850 – 1475.

à Sint-Eloois-Vijve NO : 3 km 🄲 Waregem – ✉ 8793 Sint-Eloois-Vijve – ✪ 0 56 :

🏨 **De Jager,** Kerkplein 2, ℰ 60 95 96, Fax 60 66 07 – 📺 ☎ 🅿 – 🕍 25 à 200. 🖭 **E** 𝑽𝑰𝑺𝑨. ✎ ch
fermé 21 juil.-11 août – **Repas** (fermé merc. et dim. soir) Lunch 995 – 995/1200 – **12 ch** ⌑ 2000/2500.

✕✕ **De Houtsnip,** Posterijstraat 56, ℰ 61 13 77, 🍴 – 🅿. 🖭 ⓞ **E** 𝑽𝑰𝑺𝑨
fermé jeudi, dim. soir, 1 sem. carnaval et 21 juil.-12 août – **Repas** Lunch 1050 – 1450.

WAREMME (BORGWORM) 4300 Liège 🗺🗺🗺 ㉑ et 🗺🗺🗺 ⑮ – 12 734 h. – ✪ 0 19.

◆Bruxelles 76 – ◆Liège 28 – ◆Namur 50 – Sint-Truiden 19.

✕✕ **AB,** av. G. Joachim 25, ℰ 32 23 32, 🍴, « Terrasse » – **E** 𝑽𝑰𝑺𝑨. ✎
fermé lundi, sam. midi, 27 août-10 sept et du 24 au 31 déc. – **Repas** Lunch 900 – carte env. 1500.

WATERLOO 1410 Brabant 🗺🗺🗺 ⑱ et 🗺🗺🗺 ⑬ – 28 111 h. – ✪ 0 2.

🛅 (2 parcours) 🔂 à Ohain E : 5 km, Vieux Chemin de Wavre 50 ℰ (0 2) 633 18 50, Fax (0 2) 633 28 66 - 🛅 (2 parcours) 🔂 à Braine-l'Alleud SO : 5 km, chaussée d'Alsemberg 1021 ℰ (0 2) 353 02 46, Fax (0 2) 354 68 75.

🄳 chaussée de Bruxelles 149 ℰ 354 99 10, Fax 354 22 23.

◆Bruxelles 17 – ◆Charleroi 37 – Nivelles 15.

🏨🏨 **Grand H.** 🎍, chaussée de Tervuren 198, ℰ 352 18 15, Fax 352 18 88, 🍴 – |🛗| ⇔ 📺 ☎ ♨ 🅿 – 🕍 25 à 85. 🖭 ⓞ **E** 𝑽𝑰𝑺𝑨
Repas (fermé sam. midi et dim. midi) Lunch 375 – carte 900 à 1400 – **72 ch** ⌑ 6650/7300, 5 suites.

🏨 **Le 1815** ⌂, rte du Lion 367 (S : 3 km), ℰ 387 00 60, Fax 387 12 92, 🍴, « Aménagement personnalisé évoquant la bataille », 🐎 – ⇔ ▤ rest 📺 ☎ 🅿 – 🕍 60. 🖭 **E** 𝑽𝑰𝑺𝑨 🦏. ✎ rest
Repas (fermé sam. midi et dim. soir) Lunch 590 – carte env. 1400 – **14 ch** ⌑ 3250/4500, 1 suite.

🏨 **Le Côté Vert** ⌂, chaussée de Bruxelles 200g, ℰ 354 01 05, Fax 354 08 60, 🍴 – |🛗| 📺 ☎ 🅿 – 🕍 30. 🖭 **E** 𝑽𝑰𝑺𝑨. ✎ rest
Repas (fermé vend., sam. et dim.) (dîner seult) carte env. 1100 – ⌑ 380 – **28 ch** 3700/4050.

🏨 **Le Joli-Bois** ⌂ sans rest, r. Ste-Anne 59 (à Joli-Bois, S : 2 km), ℰ 353 18 18, Fax 353 05 16, 🐎 – |🛗| 📺 ☎ 🅿. 🖭 ⓞ **E** 𝑽𝑰𝑺𝑨
fermé 23 déc.-8 janv. – **14 ch** ⌑ 2600/3600.

🏨 **Comfort Inn,** bd Henri Rolin 5, ℰ 351 00 30, Fax 351 01 31 – ⇔ ▤ rest 📺 ☎ ♨ 🅿 – 🕍 25 à 60. 🖭 **E** 𝑽𝑰𝑺𝑨 – **Repas** Lunch 575 – 695 – **70 ch** ⌑ 2950.

✕✕✕ **La Maison du Seigneur,** chaussée de Tervuren 389 (NO : 3,5 km sur RO), ℰ 354 07 50, Fax 353 11 34, 🍴, « Ancienne ferme brabançonne du 17e s. » – 🅿. 🖭 ⓞ **E** 𝑽𝑰𝑺𝑨
fermé lundi, mardi, fév.-1er mars et du 15 au 30 août – **Repas** Lunch 1350 – 1600/2300.

✕✕ **L'Asie Impériale,** chaussée de Bruxelles 30, ℰ 354 15 16, Fax 353 11 64, 🍴, Cuisine chinoise – ▤ 🅿. 🖭 ⓞ **E** 𝑽𝑰𝑺𝑨 – fermé merc. – **Repas** Lunch 650 – carte env. 1100.

✕✕ **Rêve Richelle,** Drève Richelle 96, ℰ 354 82 24. 🖭 **E** 𝑽𝑰𝑺𝑨
fermé sam. midi, dim. soir, lundi, 3 sem. en juil. et 1 sem. Toussaint – **Repas** Lunch 595 – 995/1490.

✕✕ **Le Sphinx,** chaussée de Tervuren 178, ℰ 354 86 43, Fax 354 19 69, 🍴 – 🅿. 🖭 ⓞ **E** 𝑽𝑰𝑺𝑨
fermé dim. soir, lundi, 17 janv.-7 fév. et du 11 au 25 juil. – **Repas** Lunch 525 – 950/1590.

✕ **Le Jardin des Délices,** chaussée de Bruxelles 253, ℰ 354 80 33, Fax 354 80 33, 🍴 – 🖭 ⓞ **E** 𝑽𝑰𝑺𝑨 – fermé dim. soir, lundi et 26 août-25 sept – **Repas** Lunch 450 – 750.

WAVRE (WAVER) 1300 Brabant 👁️👁️👁️ ⑲ et 👁️👁️👁️ ⑬ - 29 101 h. - 😊 0 10.

🏌️ ☎️ chaussée du Château de La Bawette 5 ☎️ 22 33 32, Fax 22 90 04 - ☎️ à Grez-Doiceau NE : 10 km, Domaine du Bercuit, Les Gottes 3 ☎️ (0 10) 84 15 01, Fax (0 10) 84 55 95.

🛈 (fermé dim.) Hôtel de Ville, r. Nivelles 1 ☎️ 23 03 52, Fax 23 03 13.

♦Bruxelles 27 - ♦Charleroi 45 - ♦Liège 87 - ♦Namur 38.

🏨 **Novotel,** r. Wastinne 45 (près sortie 6 sur E 411), ⊠ 1301, ☎️ 41 13 63, Fax 41 19 22, 🌲, 🏊, 🐎 - 🛗 🔌 📺 ☎️ 🅿️ - 🛗 50 à 170. 🆎 ⓞ 🅴 🆚🅸🆂🅰. 🦟 rest
Repas Lunch 400 - carte env. 1200 - 🖙 400 - **102 ch** 2900.

🏨 **Le Domaine des Champs** ⑂, Chemin des Charrons 14 (N 25), ☎️ 22 75 25, Fax 24 17 31, ≤, 🌲 - 📺 ☎️ 🅿️ - 🛗 25 à 50. 🆎 ⓞ 🅴 🆚🅸🆂🅰
Repas La Cuisine des Champs (fermé dim. et lundi) Lunch 840 - 840/1100 - 🖙 250 - **18 ch** 2250/2850, 1 suite.

🏨 **Comfort Inn,** r. Manil 91, ⊠ 1301, ☎️ 24 33 34, Fax 24 36 80, 🌲 - 🦟 📺 ☎️ 🔌 🅿️ - 🛗 30. 🆎 🆚🅸🆂🅰
Repas Lunch 575 - carte env. 1000 - **70 ch** 🖙 2650 - ½ P 1400/2000.

🏨 **Nouvelle-Orléans,** av. Lavoisier 8 (NO : 2 km sur N 4), ☎️ 22 60 50, Fax 22 57 01 - 🛗 📺 ☎️ 🅿️ - 🛗 25 à 80. 🆎 🅴 🆚🅸🆂🅰
Repas (fermé sam. soir) Lunch 720 - 720/1130 - 🖙 250 - **63 ch** 2250 - ½ P 3200.

🍴🍴 **Le Jardin Gourmand,** Ruelle Nuit et Jour 21, ☎️ 24 15 26, Fax 68 95 80, 🌲 - 🆎 ⓞ 🅴 🆚🅸🆂🅰
fermé merc. et jeudi - **Repas** Lunch 590 - 650/1350.

🍴🍴 **Le Vert Délice,** Chemin du Pauvre Diable 2 (NO : 1 km sur N 4), ☎️ 22 90 01, Fax 22 90 01, 🌲 - 🆎 ⓞ 🅴
fermé du 15 au 28 fév., du 1er au 15 sept, mardi et sam. midi - Repas Lunch 450 - 890/1350.

🍴🍴 **Carte Blanche,** av. Reine Astrid 8, ☎️ 24 23 63, Fax 24 23 63 - 🆎 🅴 🆚🅸🆂🅰
fermé sam. midis et dim. non fériés et 22 juil.-14 août - **Repas** Lunch 495 - 750/1550.

🍴 **La Figuière,** r. Source 15, ☎️ 24 21 58 - 🆎 🅴 🆚🅸🆂🅰
fermé sam. midi, dim., 1 sem. carnaval et 21 juil.-15 août - **Repas** Lunch 750 - carte 1000 à 1500.

WEERT 2880 Antwerpen © Bornem 19 124 h. 👁️👁️👁️ ⑥ et 👁️👁️👁️ ④ - 😊 0 3.
Voir Route★ longeant le Vieil Escaut (Oude Schelde).

🛈 (fermé sam. et dim. sauf en été) Streekmuseum De Zilverreiger, Scheldestraat 18 ☎️ 889 06 03, Fax 899 16 17.

♦Bruxelles 42 - ♦Antwerpen 31 - Sint-Niklaas 12.

🍴🍴 **Tempeliershof,** Molenstraat 2, ☎️ 889 16 67, Fax 899 23 85, « Ferme du 17e s., cadre champêtre » - 🅿️. 🆎 ⓞ 🅴 🆚🅸🆂🅰
fermé dim. soir, lundi, 24 juil.-14 août et fin déc. - **Repas** carte 1500 à 1900.

WEISMES Liège - voir Waimes.

WELLIN 6920 Luxembourg belge 👁️👁️👁️ ⑥ et 👁️👁️👁️ ㉔ - 2 830 h. - 😊 0 84.
♦Bruxelles 110 - ♦Dinant 34 - ♦Namur 53 - Rochefort 14.

🍴🍴 **La Papillote,** r. Station 59, ☎️ 38 88 16, Fax 38 97 05 - 🅴 🆚🅸🆂🅰
fermé merc., prem. sem. juil. et prem. sem. janv. - **Repas** Lunch 850 - 1250.

WEMMEL Brabant 👁️👁️👁️ ⑥ et 👁️👁️👁️ ⑬ ㉑ - voir à Bruxelles, environs.

WENDUINE 8420 West-Vlaanderen © De Haan 10 809 h. 👁️👁️👁️ ② et 👁️👁️👁️ ② - 😊 0 50.
♦Bruxelles 111 - ♦Brugge 16 - ♦Oostende 16.

🏨 **Georges** sans rest, de Smet de Naeyerlaan 19, ☎️ 41 90 17, Fax 41 90 17 - 🛗 📺 ☎️. 🅴 🆚🅸🆂🅰
fermé du 2 au 19 oct. et mardi et merc. sauf vacances scolaires - **18 ch** 🖙 2000/2600.

🏨 **Bristol-Kallistra,** De Bruynehelling 15, ☎️ 41 84 84, Fax 42 81 59, 🌲 - 🛗 📺 ☎️. 🆎 ⓞ 🅴 🆚🅸🆂🅰
Repas (fermé jeudi de sept à mi-juin) Lunch 325 - carte 1100 à 1600 - **17 ch** 🖙 2170.

🏨 **Les Mouettes,** Zeedijk 7, ☎️ 41 15 14, ≤, 🍴 - 🛗 🆚🅸🆂🅰. 🦟 rest
fermé 8 nov.-20 déc. - **Repas** (résidents seult) - 🖙 40 - **30 ch** 1395/2640 - ½ P 1275/1625.

🍴🍴 **Odette** avec ch, Kerkstraat 34, ☎️ 41 36 90, Fax 42 81 34 - 📺 ☎️. 🆎 ⓞ 🅴 🆚🅸🆂🅰. 🦟 ch
fermé du 10 au 31 janv. et mardis et merc. non fériés sauf vacances scolaires - **Repas** Lunch 675 - 1900 - **6 ch** 🖙 2500 - ½ P 1850.

🍴 **Ensor-Inn,** Zeedijk 63, ☎️ 41 41 59, Fax 42 87 24, ≤, 🌲, Grillades - 🔳. 🆎 ⓞ 🅴 🆚🅸🆂🅰
fermé du 8 au 19 janv., lundis soirs, mardis soirs et jeudis d'oct. au 3 avril et merc. d'oct. à juin - **Repas** Lunch 795 - 795/1295.

WÉPION Namur 𝟤𝟣𝟦 ⑤ et 𝟦𝟢𝟫 ⑭ – voir à Namur.

WESTENDE-BAD 8434 West-Vlaanderen 🅲 Middelkerke 15 715 h. 𝟤𝟣𝟥 ① et 𝟦𝟢𝟫 ① – 😊 0 59
– Station balnéaire.

◆Bruxelles 127 – ◆◆Brugge 40 – Dunkerque 40 – ◆Oostende 11 – Veurne 14.

🏠 **Splendid,** Meeuwenlaan 20, 𝒫 30 00 32, Fax 31 09 17 – |𝔰| 🅃🅅 ☎. 🆀🅴 ⓞ 🅴 𝒱𝒾𝓈𝒶. 🕸 rest
avril-sept, week-end et vacances scolaires – **Repas** (fermé lundi soir et mardi soir hors
saison) Lunch 675 – carte 1250 à 1600 – **18 ch** ⯒ 2000/2600 – ½ P 2000/2200.

🏠 **Isba,** Henri Jasparlaan 148, 𝒫 30 23 64, Fax 31 06 26, 🌳 – 🅃🅅 ☎ 🄿. 🆀🅴 ⓞ 🅴 𝒱𝒾𝓈𝒶
Repas (dîner pour résidents seult) – **6 ch** ⯒ 1600/2800.

🅇🅇🅇 **Host. Melrose** avec ch, Henri Jasparlaan 127, 𝒫 30 18 67, Fax 31 02 35, 🌴 – 🅃🅅 ☎ 🄿.
🆀🅴 ⓞ 🅴 𝒱𝒾𝓈𝒶
fermé merc. et dim. soir sauf en juil.-août – **Repas** Lunch 980 – carte env. 1400 – **10 ch**
⯒ 2025/2950 – ½ P 2375.

🅇🅇 **Cesar,** de Broquevillelaan 17, 𝒫 31 06 01 – 🄿. 🆀🅴 ⓞ 🅴 𝒱𝒾𝓈𝒶
fermé 3 sem. en oct. et mardi et merc. sauf en juil.-août – **Repas** Lunch 1400 – 1400/1800.

🅇🅇 **Nelson,** Priorijlaan 30, 𝒫 30 23 07 – 🆀🅴 ⓞ 🅴 𝒱𝒾𝓈𝒶
sem. avant Pâques-fin sept et week-end sauf 15 déc.-16 janv. ; fermé mardi et merc. d'oct.
à mars et jeudi – **Repas** Lunch 590 – carte env. 1300.

🅇 **La Plage,** Meeuwenlaan 4, 𝒫 30 11 90 – 🆀🅴 ⓞ 🅴
fermé 15 nov.-16 déc., 8 janv.-1ᵉʳ fév. et jeudi sauf vacances scolaires – **Repas** carte 800
à 1100.

🅇 **Van Gogh,** Koning Ridderdijk 24, 𝒫 30 28 76, Fax 30 28 76, ≼ – 🅴 𝒱𝒾𝓈𝒶
fermé du 2 au 31 janv. et merc. soir et jeudi sauf en juil.-août – **Repas** carte 1000 à 1350.

Unsere Hotel-, Reiseführer und Straßenkarten ergänzen sich.
Benutzen Sie sie zusammen.

WESTERLO 2260 Antwerpen 𝟤𝟣𝟥 ⑧ et 𝟦𝟢𝟫 ⑤ – 20 900 h. – 😊 0 14.
Env. N : Tongerlo, Musée Léonard de Vinci★.

◆Bruxelles 57 – ◆Antwerpen 46 – Diest 20 – ◆Turnhout 30.

🏠 **Vivaldi,** Bell Telephonelaan 4 (près E 313, sortie 23), 𝒫 58 10 03, Fax 58 11 20, 🌴 – |𝔰| 🅃🅅
☎ 🄿 – 🅓 25 à 80. 🆀🅴 ⓞ 🅴 𝒱𝒾𝓈𝒶. 🕸 rest
Repas Lunch 425 – carte env. 1100 – **47 ch** ⯒ 2450/3100 – ½ P 3000.

🅇🅇🅇 **Geerts** avec ch, Grote Markt 50, 𝒫 54 40 17, Fax 54 18 80, « Jardin » – |𝔰| 🍽 rest 🅃🅅 ☎
🚙 🄿. 🆀🅴 ⓞ 🅴 𝒱𝒾𝓈𝒶. 🕸 ch
fermé merc., 14 fév.-1ᵉʳ mars et 18 sept-20 oct. – **Repas** (fermé merc. et dim. soir) Lunch
1200 – 1200/1800 – **10 ch** ⯒ 2300/3300.

🅇🅇🅇 **'t Kempisch Pallet,** Bergveld 120 (O : 3 km sur N 152), 𝒫 54 70 97, Fax 54 70 57 – 🄿. 🆀🅴
ⓞ 🅴 𝒱𝒾𝓈𝒶. 🕸
fermé sam. midi et dim. – **Repas** Lunch 1100 – carte env. 2000.

WESTKAPELLE West-Vlaanderen 𝟤𝟣𝟥 ③ et 𝟦𝟢𝟫 ② – voir à Knokke-Heist.

WESTMALLE 2390 Antwerpen 🅲 Malle 12 797 h. 𝟤𝟣𝟤 ⑯ et 𝟦𝟢𝟫 ④ ⑤ – 😊 0 3.
◆Bruxelles 65 – ◆Antwerpen 23 – ◆Turnhout 18.

🏠 **De Witte Lelie,** Antwerpsesteenweg 333, 𝒫 309 09 61, Fax 309 01 55, 🌴 – 🅃🅅 ☎ 🄿. 🆀🅴
ⓞ 🅴 𝒱𝒾𝓈𝒶. 🕸
fermé 2 sem. en juil. et fin déc.-début janv. – **Repas** (fermé lundi) Lunch 345 – carte 1300
à 1800 **14 ch** ⯒ 1850/2800 – ½ P 2300.

🏠 **Beukenhof,** Antwerpsesteenweg 503 (SE : 3 km sur N 12), 𝒫 383 41 62, Fax 385 02 89
🌴 – 🅃🅅 ☎ 🄿. 🆀🅴 ⓞ 🅴 𝒱𝒾𝓈𝒶. 🕸
Repas (dîner seult) carte env. 1200 – **16 ch** ⯒ 1750/2600 – ½ P 1645.

🅇🅇 **Pastourelle,** Antwerpsesteenweg 519, 𝒫 385 20 40, Fax 385 20 39, ≼, 🌴, « Terrasse et
étang » – 🄿. 🆀🅴 ⓞ 🅴 𝒱𝒾𝓈𝒶
fermé sam. midi, dim. soir, lundi et fin août-début sept – **Repas** Lunch 595 – 1125/1850.

🅇🅇 **The Old Inn,** Antwerpsesteenweg 190, 𝒫 312 17 32 – 🍽 🄿. 🆀🅴 ⓞ 🅴 𝒱𝒾𝓈𝒶
fermé merc., sam. midi, 3 dern. sem. juil. et 1 sem. en janv. – **Repas** Lunch 1100 – carte env.
1700.

WESTOUTER 8954 West-Vlaanderen 🅲 Heuvelland 8 467 h. 𝟤𝟣𝟥 ⑬ et 𝟦𝟢𝟫 ⑩ – 😊 0 57.
◆Bruxelles 136 – ◆Brugge 66 – Ieper 14 – Lille 39.

🅇 **Berkenhof,** Bellestraat 53 (à la frontière), 𝒫 44 44 26, Fax 44 75 21, 🌴, Taverne-rest – 🅴
𝒱𝒾𝓈𝒶
fermé lundi soir, mardi, fév. et dern. sem. sept-prem. sem. oct. – **Repas** Lunch 750 – 750/1350

WEVELGEM **8560** West-Vlaanderen 213 ⑭ ⑮ et 409 ⑪ - 30 883 h. - ☎ 0 56.
◆Bruxelles 99 - ◆Brugge 54 - ◆Kortrijk 6,5 - Lille 23.

Cortina, Lauwestraat 59, ☎ 41 25 22, Fax 41 45 67 - |☰| ▤ rest ▣ ☎ Ⓟ - 🏛 25 à 800. AE ⓓ E VISA
Repas *(fermé dim. soir) Lunch 1170* - carte env. 1800 - **26 ch** ▭ 2800/3000 - ½ P 3500.

XXX ✿ **St-Christophe** (Pélissier), Kortrijkstraat 219, ☎ 41 49 43, Fax 42 35 02, ☂, « Terrasse et jardin » - ▤ Ⓟ. AE ⓓ E VISA
fermé mardi soir, merc., dim. soir, 2 sem. en fév. et 3 sem. en août - **Repas** *Lunch 1750* - carte 1800 à 2350
Spéc. Rouget-barbet à l'huile d'olive, poireaux et citron confit, Filet de colin au jus de viande, Paume de ris de veau au jus de truffes.

WEZEMBEEK-OPPEM Brabant 213 ⑲ et 409 ⑬ ㉒ - voir à Bruxelles, environs.

WIBRIN Luxembourg belge 214 ⑧ et 409 ⑮ ⑯ - voir à Houffalize.

WIERDE **5100** Namur © Namur 104 372 h. 214 ⑤ - ☎ 0 81.
◆Bruxelles 67 - Marche-en-Famenne 39 - ◆Namur 10.

XX **La Bonne Idée,** r. Fort d'Andoy 13 (NE : 2 km par N 4, lieu-dit Andoy), ☎ 40 15 96, ←, ☂, « Environnement champêtre » - Ⓟ. AE ⓓ E VISA
fermé dim. soir et lundi - **Repas** *Lunch 1190* - 1190.

WILLEBROEK **2830** Antwerpen 213 ⑥ et 409 ④ - 22 178 h. - ☎ 0 3.
◆Bruxelles 29 - ◆Antwerpen 22 - ◆Mechelen 10 - Sint-Niklaas 22.

XX **Breendonck,** Dendermondsesteenweg 309 (près du fort), ☎ 886 61 63, Fax 886 25 40, ☂ - Ⓟ. AE ⓓ E VISA. ✗
Repas *Lunch 1350* - carte 1350 à 1800.

WILRIJK Antwerpen 213 ⑥ et 409 ④ ⑨ - voir à Antwerpen, péripherie.

WINKSELE Brabant 213 ⑦ ⑲ et 409 ⑬ - voir à Leuven.

WOLUWÉ-ST-LAMBERT (SINT-LAMBRECHTS-WOLUWE) Brabant 213 ⑱ ⑲ et 409 ⑬ ㉒ - voir à Bruxelles.

WOLUWÉ-ST-PIERRE (SINT-PIETERS-WOLUWE) Brabant 213 ⑱ ⑲ et 409 ⑬ ㉒ - voir à Bruxelles.

WORTEGEM-PETEGEM **9790** Oost-Vlaanderen 213 ⑯ et 409 ⑪ - 5 926 h. - ☎ 0 56.
18 9 Kortrijkstraat 52 ☎ (0 55) 31 54 81, Fax (0 55) 31 98 49.
◆Bruxelles 83 - ◆Gent 38 - ◆Kortrijk 23 - Oudenaarde 8.

XX ✿ **Piet Huysentruyt,** Waregemseweg 155 (Wortegem), ☎ 61 11 22, Fax 60 38 11, ☂, « Ensemble de caractère artistique » - Ⓟ. E VISA
fermé sam. midi, dim., lundi midi, 15 juil.-15 août et 1 sem. en janv. - **Repas** 2000/3000 carte 1900 à 2450
Spéc. Jambon et foie d'oie en gelée de poivre et muscat, Consommé de langoustines, homard et grenade, Croustillant de ris et cervelle de veau, chèvre et romarin au jus de truffes.

WIJNEGEM Antwerpen 212 ⑮ et 409 ④ ⑨ - voir à Antwerpen, environs.

YPRES West-Vlaanderen - voir Ieper.

YVOIR **5530** Namur 214 ⑤ et 409 ⑭ - 7 153 h. - ☎ 0 82.
Env. O : Vallée de la Molignée★.
18 à Profondeville N : 10 km, Chemin du Beau Vallon 45 ☎ (0 81) 41 14 18, Fax (0 81) 41 21 42.
◆Bruxelles 92 - ◆Namur 22 - ◆Dinant 8.

XXX **Host. Henrotte - Au Vachter** avec ch, chaussée de Namur 140, ✉ 5537 Anhée, ☎ 61 13 14, Fax 61 28 58, ←, ☂, « Jardin au bord de la Meuse (Maas) » - ▣ ☎ Ⓟ. AE ⓓ E VISA. ✗ ch
fermé 10 janv.-13 fév. - **Repas** *(fermé dim. soir et lundi) Lunch 1450* - 1490/1990 - **8 ch** ▭ 2275/4200 - ½ P 2800.

XX **Le Pré Fleuri,** r. Fostrie 1 (SE : 2 km), ☎ 61 17 75, Fax 61 43 39, ☂ - Ⓟ. AE ⓓ E VISA
fermé fév., 1re quinz. sept et lundi soir et mardi sauf en juil.-août - **Repas** *Lunch 1000* - 1200/1450.

ZAFFELARE 9080 Oost-Vlaanderen Ⓒ Lochristi 17 427 h. 🗺 ⑤ et 🗺 ③ – ☎ 0 9.

◆Bruxelles 53 – ◆Antwerpen 50 – ◆Gent 16.

XX **Riviera,** Dam 116, ℰ 355 65 07, 佘, « Jardin fleuri » – ℗. 🗚 ℂ 𝐕𝐈𝐒𝐀. ⚘
fermé lundi, mardi et 2ᵉ quinz. juil. – **Repas** 1490/1990.

ZANDE West-Vlaanderen 🗺 ② – voir à Koekelare.

ZAVENTEM Brabant 🗺 ⑲ et 🗺 ⑬ ㉒ – voir à Bruxelles, environs.

ZEDELGEM West-Vlaanderen 🗺 ② et 🗺 ② – voir à Brugge, environs.

ZEEBRUGGE West-Vlaanderen Ⓒ Brugge 116 871 h. 🗺 ③ et 🗺 ② – ✉ 8380 Zeebrugge (Brugge) – ☎ 0 50.

🚢 Liaison maritime Zeebrugge-Felixstowe : P and O European Ferries R.M.T. car Ferry Terminal, Doverlaan 7 ℰ 54 22 22. Zeebrugge-Hull : North Sea Ferries, Leopold II Dam 13 (Havendam) ℰ 54 34 30, Fax 54 71 12.

◆Bruxelles 111 ② – ◆Brugge 14 ② – Knokke-Heist 8 ① – ◆Oostende 25 ③.

Heistraat	B	Kap. Fryattstr.	AB 10
Markt	B	Rederskaai	B 12
		Reingaardsvliet	B 13
Adm. Keyesplein	B 2	St. Christianastr.	A 14
Azorenstraat	A 3	St. Donaasstr.	B 15
Doverlaan	A 6	Tijdokstraat	B 17
Duinpad	A 7	Vismijnstraat	B 18
Hullstraat	B 8	Westhinderstraat	B 20

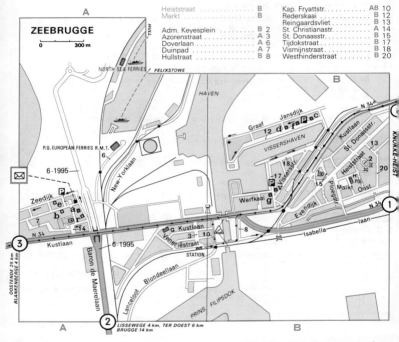

🏨 **Maritime** sans rest, Zeedijk 6, ℰ 54 40 66, Telex 81709, Fax 54 66 08, ≤ – 🛗 📺 ☎ – 🔬 25. 🗚 ⓸ ℂ 𝐕𝐈𝐒𝐀. ⚘ – **14 ch** ⌧ 2500/3750.
A **e**

🏨 **Maritime Palace** sans rest, Brusselstraat 15, ℰ 54 52 76, Fax 54 66 08 – 🛗 📺 ☎ ℗ – 🔬 25. 🗚 ⓸ ℂ 𝐕𝐈𝐒𝐀. ⚘ – **16 ch** ⌧ 2500/2750.
A **b**

🏨 **Monaco,** Baron de Maerelaan 26, ℰ 54 44 37, Fax 54 44 85 – 🛗 📺 ☎. 🗚 ⓸ ℂ 𝐕𝐈𝐒𝐀. ⚘
Repas *(fermé vend.)* carte env. 1200 – **15 ch** ⌧ 2200/2800 – ½ P 1800/1950.
A **r**

XXX ❀ **Maison Vandamme,** Tijdokstraat 7, ℰ 54 58 61, Fax 55 01 79 – ☰. 🗚 ⓸ ℂ 𝐕𝐈𝐒𝐀 B **g**
fermé du 2 au 7 juil., du 1ᵉʳ au 6 oct., du 7 au 27 janv., mardi soir et merc. – **Repas** Lunch 1150 – 1950/2450 carte 1900 à 2250
Spéc. Loempia de saumon au gingembre et curry, Foie d'oie chaud à la sauce aigre-douce au Banyuls, Viennoise de barbue et farandole de légumes.

XXX **De Barcadère,** Tijdokstraat 8, ℰ 54 49 69, Fax 54 40 05, 佘, Produits de la mer – ☰. 🗚 ⓸ ℂ 𝐕𝐈𝐒𝐀. ⚘
B **v**
fermé du 20 au 31 mars, du 6 au 24 nov., dim. soir et lundi – **Repas** Lunch 1450 – carte 1500 à 2400.

256

XX **Le Chalut,** Rederskaai 26, ℰ 54 41 15, Fax 54 53 62, 🐜, Produits de la mer – ■. ஊ ⓞ
Ε 𝚅𝚒𝚜𝚊
B **d**
fermé mardi soir de mi-sept à fin mars, merc. et 2 dern. sem. janv.-prem. sem. fév. – **Repas**
Lunch 950 – 1200/1800.

XX **Slipway,** Rederskaai 42, ℰ 54 44 45, Produits de la mer – ■. ஊ ⓞ Ε 𝚅𝚒𝚜𝚊. 🌱 B **c**
fermé merc. soir, jeudi, 2 sem. en fév. et 3 sem. en oct. – **Repas** *Lunch 1500* – 1550/2200.

XX **Mon Manège à Toi,** Rederskaai 13, ℰ 54 46 59, 🐜, Produits de la mer – ஊ ⓞ Ε 𝚅𝚒𝚜𝚊
fermé mardi soir, merc. et fév. – **Repas** *Lunch 850* – 1400/1600.
B **f**

X **Michel's,** Baron de Maerelaan 18, ℰ 54 57 86, Fax 54 64 50 – ஊ ⓞ Ε 𝚅𝚒𝚜𝚊 𝙹𝙲𝙱 A **a**
fermé dim. non fériés sauf en juil.-août, merc. soirs non fériés et 1re quinz. juil. – **Repas**
Lunch 760 – 925/1595.

par ② : 2 km sur N 31 :

XX ❀ **'t Molentje** (Horseele), Baron de Maerelaan 211, ℰ 54 61 64, Fax 54 79 94, 🐜,
« Fermette avec décor personnalisé » – 🅿. ஊ ⓞ Ε 𝚅𝚒𝚜𝚊. 🌱
fermé merc. soirs et dim. non fériés, 2 sem. carnaval et 2 dern. sem. sept – **Repas** (nombre
de couverts limité - prévenir) *Lunch 1100* – carte 2000 à 2750
Spéc. Salade de langoustines, vinaigrette de roses, rhubarbe et truffes, Pigeonneau à l'infusion
de chocolat et sirop d'oranges, Ile flottante et glace à la réglisse et noisette.

ZELLIK Brabant 𝟮𝟭𝟯 ⑱ et 𝟰𝟬𝟵 ⑬ ㉑ – voir à Bruxelles, environs.

ZELZATE 9060 Oost-Vlaanderen 𝟮𝟭𝟯 ④ ⑤ et 𝟰𝟬𝟵 ③ – 12 352 h. – ☎ 0 9.
◆Bruxelles 76 – ◆Brugge 44 – ◆Gent 21.

🏠 **Cosmos,** J. F. Kennedylaan 2, ℰ 345 64 15, 🌿 – 🅃🅅 ☎ 🅿 – 🔥 25. ஊ ⓞ Ε 𝚅𝚒𝚜𝚊. 🌱 ch
fermé 16 juil.-6 août – **Repas** *(fermé vend. soir et sam.) Lunch 895* – 895/1575 – **17 ch**
☷ 1800/2500 – ½ P 2250.

XX **Den Hof** avec ch, Stationsstraat 22, ℰ 345 60 48, Fax 342 93 60, 🐜, 🌿 – 🅃🅅 ☎ 🅿. ஊ
ⓞ Ε 𝚅𝚒𝚜𝚊. 🌱 ch
fermé du 10 au 30 juil., 22 déc.-5 janv. et dim. – **Repas** *Lunch 350* – carte env. 1500 – **7 ch**
☷ 2150/2750.

ZINNIK Hainaut – voir Soignies.

ZOLDER 3550 Limburg Ⓒ Heusden-Zolder 28 965 h. 𝟮𝟭𝟯 ⑨ et 𝟰𝟬𝟵 ⑥ – ☎ 0 11.
⛳ à Houthalen NE : 10 km, Golfstraat 1 ℰ (0 89) 38 35 43, Fax (0 89) 84 12 08.
🅱 Domein Bovy, Galgeneinde 22 à Heusden ℰ (0 11) 25 13 17, Fax (0 11) 25 65 34.
◆Bruxelles 77 – ◆Hasselt 12 – Diest 22.

XX **Villa Buzet,** Stationstraat 110, ℰ 57 13 34, Fax 57 13 34 – 🅿. ஊ ⓞ Ε 𝚅𝚒𝚜𝚊. 🌱
fermé mardi soir, merc. et sam. midi – **Repas** *Lunch 950* – carte 1550 à 1850.

au Sud-Ouest : 7 km par N 729, sur Omloop (circuit) Terlamen – ✉ 3550 Zolder – ☎ 0 11 :

🏠 **Chicane** sans rest, Kerkstraat 105, ℰ 42 17 46, Fax 42 17 52 – 🅃🅅 ☎ 🅿. ⓞ. 🌱
10 ch ☷ 3250/3500.

XXX **De Gulden Schalmei,** Sterrenwacht 153, ℰ 25 17 50, Fax 25 38 75, ≤, 🐜 – 🅿. ஊ ⓞ Ε 𝚅𝚒𝚜𝚊
fermé jeudi, dim. soir, 2 sem. en fév. et 2 sem. en juil. – **Repas** *Lunch 950* – 1450/1950.

à Bolderberg SO : 8 km sur N 729 Ⓒ Heusden-Zolder – ✉ 3550 Zolder – ☎ 0 11 :

🏠 **Soete Wey** ⑤, Kluisstraat 48, ℰ 25 20 66, Fax 87 10 59, « Environnement boisé », 🌿 –
🅃🅅 ☎ 🅿 – 🔥 25 à 60. ஊ ⓞ Ε 𝚅𝚒𝚜𝚊. 🌱 rest
Repas *(fermé sam. midi, dim. soir, lundi et 16 juil.-9 août) Lunch 950* – 1200/1650 – **18 ch**
☷ 2750/6500 – ½ P 3750/4250.

XX **Oud Bolderberg,** St-Jobstraat 83, ℰ 25 33 66, Fax 25 33 92, 🐜 – ■ 🅿. ஊ ⓞ Ε 𝚅𝚒𝚜𝚊
fermé lundi, merc. soir et sam. midi – **Repas** carte 1350 à 1650.

à Heusden NO : 6 km Ⓒ Heusden-Zolder – ✉ 3550 Heusden – ☎ 0 11 :

🏠 **Claridge** sans rest, Vogelsancklaan 2 (sur N 72 près E 314), ℰ 53 35 73, Fax 53 35 81 – 🅃🅅
☎ 🅿. ஊ ⓞ Ε 𝚅𝚒𝚜𝚊. 🌱
13 ch ☷ 2800/3400.

XX **De Wijnrank,** Kooidries 10, ℰ 42 55 57, 🐜 – 🅿. ஊ ⓞ Ε 𝚅𝚒𝚜𝚊
fermé mardi, sam. midi et fin juil.-début août – **Repas** *Lunch 950* – carte 1650 à 2100.

ZONHOVEN 3520 Limburg 𝟮𝟭𝟯 ⑨ et 𝟰𝟬𝟵 ⑥ – 17 912 h. – ☎ 0 11.
◆Bruxelles 86 – Diest 31 – ◆Hasselt 7.

🏠 **Goudbloem** ⑤ sans rest, Nachtegalenstraat 49 (NO : 3 km par N 72), ℰ 81 35 50,
Fax 81 87 70, 🌿 – 🅃🅅 ☎ 🅿. ஊ ⓞ Ε 𝚅𝚒𝚜𝚊 – **6 ch** ☷ 2200/3000.

X **De 4 Jaargetijden,** Houthalenseweg 32, ℰ 82 11 04, Fax 82 11 04, 🐜 – 🅿. ஊ ⓞ Ε 𝚅𝚒𝚜𝚊.
🌱
fermé merc., sam. midi et 2 dern. sem. juil. – **Repas** *Lunch 1000* – carte env. 1800.

257

ZOTTEGEM **9620** Oost-Vlaanderen 213 ⑯ ⑰ et 409 ⑫ - 24 574 h. - ☎ 0 9.
◆Bruxelles 46 - ◆Gent 28 - Aalst 24 - Oudenaarde 18.

à Elene N : 2 km Ⓒ Zottegem - ✉ 9620 Elene - ☎ 0 9 :

XXX **In den Groenen Hond,** Leopold III straat 1, ✆ 360 12 94, Fax 361 08 03, 🍽, « Ancien moulin à eau » - Ⓟ. AE ⓓ E VISA
fermé merc. soir, jeudi, dim. soir, 1 sem. carnaval et dern. sem. août-2 prem. sem. sept - **Repas** carte 1900 à 2300.

HET-ZOUTE West-Vlaanderen Ⓒ Knokke-Heist 212 ⑪ et 409 ② - voir à Knokke-Heist.

ZOUTENAAIE West-Vlaanderen 213 ① - voir à Veurne.

ZUIENKERKE West-Vlaanderen 213 ② et 409 ② - voir à Blankenberge.

ZUTENDAAL **3690** Limburg 213 ⑩ et 409 ⑥ - 6 260 h. - ☎ 0 89.
◆Bruxelles 104 - ◆Hasselt 20 - ◆Liège 38 - ◆Maastricht 8.

Velian, Nieuwstraat 6, ✆ 61 17 14, Fax 61 32 34, ⛵, 🏊, 🎾 - |‡| TV ☎ Ⓟ - 🏋 25 à 95. AE ⓓ E VISA. ✂
Repas *(fermé lundi) Lunch 675* - carte 1100 à 1750 - **40 ch** ☕ 2500/3650 - ½ P 2900/3230.

De Klok, Daalstraat 9, ✆ 61 11 31, Fax 61 24 70, 🍽 - TV ☎. AE ⓓ E VISA
Repas *(fermé merc. et sam. midi) Lunch 1550* - 1850 - **11 ch** ☕ 1500/2800.

ZWEVEGEM **8550** West-Vlaanderen 213 ⑮ et 409 ⑪ - 23 038 h. - ☎ 0 56.
◆Bruxelles 91 - ◆Brugge 48 - ◆Gent 46 - ◆Kortrijk 5 - Lille 31.

Sachsen Ⓜ sans rest, Avelgemstraat 23, ✆ 75 94 75, Fax 75 50 66 - |‡| TV ☎ Ⓟ. AE ⓓ E VISA
18 ch ☕ 3300.

XXX ✿ **'t Ovenbuur** (Winne), Bellegemstraat 48, ✆ 75 64 40, Fax 75 64 65, <, 🍽, « Cadre champêtre » - Ⓟ. AE ⓓ E VISA
fermé merc. soir, dim. et 23 juil.-20 août - **Repas** *Lunch 1750* - 2250 carte 1850 à 2500
Spéc. Moules au Champagne (juil.-mars), Salade de langoustines aux pommes et céleri rave, Pigeonneau au four à l'ail.

XX **Gambrinus** avec ch, Otegemstraat 102, ✆ 75 55 66, Fax 75 50 90, ⛵ - TV ☎ Ⓟ - 🏋 25 à 120. AE ⓓ E VISA
fermé 21 juil.-16 août et 22 déc.-2 janv. - **Repas** *(fermé sam. midi et dim.) Lunch 1200* - carte env. 1600 - ☕ 300 - **8 ch** 1800/2800.

XX **'t Huizeke,** Kortrijkstraat 151, ✆ 75 70 00, Fax 75 43 42, 🍽 - Ⓟ. AE E VISA. ✂
fermé merc., dim. soir et fin août-début sept - **Repas** *Lunch 1195* - 1475/1995.

ZWIJNAARDE Oost-Vlaanderen 213 ④ et 409 ③ - voir à Gent, périphérie.

Grand-Duché
de
Luxembourg

Lëtzebuerg

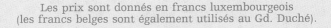

Les prix sont donnés en francs luxembourgeois
(les francs belges sont également utilisés au Gd. Duché).

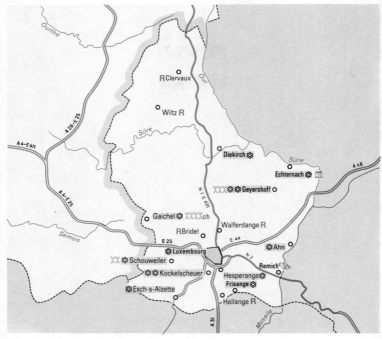

(OHN) Ⓒ Wormeldange 2 123 h. 215 ⑤ et 409 ㉗.

◆Luxembourg 26 – Remich 15 – Trier 27.

XX ❀ **Mathes,** rte du Vin 37, ⊠ 5401, ℰ 7 61 06, Fax 7 66 45, ≤, 佘, « Terrasse et jardin »
– ℗. AE ① E VISA
fermé 11 déc.-17 janv., mardi d'oct. à mars et lundi – **Repas** *1250/1950 carte 1800 à 2200*
Spéc. Galette de St-Jacques à la vapeur d'algues (oct.-avril), Turbotin en croûte de sel, Poularde
de Bresse cuite en boule de mie de pain. Vins Pinot gris, Riesling Koëppchen.

(AASSELBUR) Ⓒ Wincrange 2 751 h. 215 ⑩ et 409 ⑯.

◆Luxembourg 74 – ◆Bastogne 26 – Clervaux 13.

XX **Vieux Moulin Luxembourg** ⑤ avec ch, Maison 158, ⊠ 9940, ℰ 9 86 16, Fax 9 86 17,
佘, « Cadre de verdure » – TV ☎ ℗ – 益 25. AE E VISA. ⅋ rest
fermé du 15 au 31 nov. et 15 janv.-1ᵉʳ fév. – **Repas** *Lunch 900 –* carte 1200 à 1500 – **15 ch**
⊇ 1600/2500 – ½ P 2200/2500.

(BASCHELT) 215 ⑪ – voir à Boulaide.

(BEFORT) 215 ③ et 409 ㉗ – 1 202 h.

Voir Ruines du château★ – Gorges du Hallerbach★ SE : 4 km et 30 mn AR à pied.

🛈 (fermé le matin) r. Église 9, ⊠ 6315, ℰ 8 60 81.

◆Luxembourg 35 – Diekirch 15 – Echternach 15.

🏨 **Meyer** ⑤, Grand'Rue 120, ⊠ 6310, ℰ 8 62 62, Fax 86 90 85, 佘, « Jardin », ≘s, ⊠ –
|✿| TV ☎ ⇔ ℗ – 益 30. AE ① E VISA. ⅋ rest
31 mars-1ᵉʳ janv. – **Repas** *(fermé après 20 h 30) Lunch 1400 –* carte env. 1800 – **33 ch**
⊇ 2800/3500 – ½ P 2200/2700.

🏠 **Aub. Rustique,** r. Château 55, ⊠ 6313, ℰ 8 60 86, Fax 86 92 22, 佘 – E VISA
17 fév.-29 déc. – **Repas** *Lunch 390 –* carte env. 1100 – **7 ch** ⊇ 1400/1950 – ½ P 1350.

– voir à Luxembourg, périphérie.

(BIELES) Ⓒ Sanem 11 534 h. 215 ⑭.

◆Luxembourg 24 – ◆Arlon 31 – Esch-sur-Alzette 5 – Longwy 21.

X **St. Laurent,** r. Alliés 24, ⊠ 4412, ℰ 59 10 80, Fax 59 21 82, Ouvert jusqu'à 23 h – AE E
VISA
fermé du 16 au 31 août, du 15 au 31 janv., mardi soir et merc. – **Repas** *Lunch 800 –*
800/1600.

(BÄERDREF) 215 ③ et 409 ㉗ – 988 h.

Voir NO : Ile du Diable★★ – N : Plateau des Sept Gorges★ (Sieweschluff), Kasselt★ –
Werschrumschluff★ S : 2 km.

Exc. Promenade à pied★★ : Perekop.

🛈 (fermé sam. et dim.) Hôtel de Ville, ⊠ 6551, ℰ 7 96 43.

◆Luxembourg 32 – Diekirch 24 – Echternach 6.

🏨 **Parc** ⑤, rte de Grundhof 16, ⊠ 6550, ℰ 7 91 95, Fax 7 92 23, 佘, « Parc ombragé avec
terrasses et ⊼ », ☞ – |✿| ⅋ TV ☎ ⇔ ℗. AE ① E VISA. ⅋
12 avril-23 oct. – **Repas** *(fermé après 20 h 30) Lunch 1050 –* carte env. 1700 – **19 ch**
⊇ 2100/4200 – ½ P 2200/2800.

🏨 **Kinnen,** rte d'Echternach 2, ⊠ 6550, ℰ 7 91 83, Fax 79 90 02 – |✿| ☎ ⇔ ℗. AE E VISA. ⅋
avril-5 nov. – **Repas** *(fermé après 20 h) Lunch 750 –* 900/1300 – **35 ch** ⊇ 1100/2600 –
½ P 1550/2020.

🏨 **Bisdorff** ⑤, r. Heisbich 39, ⊠ 6551, ℰ 7 92 08, Fax 7 96 29, 佘, « Cadre de verdure »,
⊠, ☞ – |✿| TV ☎ ℗ – 益 25. AE ① E VISA. ⅋ rest
fermé 1 sem. après carnaval-1 sem. avant Pâques – **Repas** *(fermé lundi, mardi et après*
20 h 30) carte 1350 à 1850 – **26 ch** ⊇ 1800/3600 – ½ P 2200.

🏨 **Le Chat Botté,** rte d' Echternach 1, ⊠ 6550, ℰ 7 91 86, Fax 7 97 19, ☞ – TV ☎ ℗. E
VISA. ⅋
Repas *(fermé mardi) Lunch 690 –* 800/1250 – **16 ch** ⊇ 2500/3300 – ½ P 2100.

🏠 **Herber,** rte d'Echternach 53, ⊠ 6550, ℰ 7 91 88, Fax 79 90 77 – |✿| ☎ ⇔ ℗. E VISA
⅋ rest
24 fév.-19 nov. – **Repas** *(fermé après 20 h 30) Lunch 1250 –* 1250/1800 – **16 ch**
⊇ 1300/2600 – ½ P 1450/1900.

(BOLLENDORFER-BRÉCK) Ⓒ Berdorf 988 h. 215 ③ et 409 ㉗.

◆Luxembourg 36 – Diekirch 21 – Echternach 7.

🏨 **André,** rte de Diekirch 23, ⊠ 6555, ℰ 7 23 93, Fax 72 87 70, 佘, ≘s – |✿| TV ☎ ℗. E
VISA. ⅋
fermé janv.-23 fév. et lundi d'oct. à avril – **Repas** *(fermé après 20 h 30) Lunch 850 –* carte
1000 à 1550 – **22 ch** ⊇ 3200 – ½ P 1850/2000.

BOULAIDE (BAUSCHELT) 215 ⑪ et 409 ㉖ – 592 h.
◆Luxembourg 56 – ◆Arlon 30 – ◆Bastogne 27.

🏠 **Hames**, r. Curé 2, ⌧ 9640, ℘ 9 30 07, Fax 9 36 49, �⇔, 🐎 – 📺 ⒫. Ε 𝚅𝙸𝚂𝙰. ⅍ rest
fermé mardi soir, merc., 26 juin-1er juil., du 4 au 22 sept et janv.-1er fév. – **Repas** Lunch 320
– carte env. 1400 – **12 ch** ⌲ 950/1900 – ½ P 1200/1300.

à Baschleiden (Baschelt) N : 1 km © Boulaide :

🏠 **An der Flébour** ⦂, r. Principale 45, ⌧ 9633, ℘ 9 35 04, Fax 9 30 03, 🌲, « Ancienne ferme » – 📺 ☎ ⒫. Ε 𝚅𝙸𝚂𝙰. ⅍ rest
fermé du 13 au 20 mars, 13 nov.-4 déc. et lundi – **Repas** Lunch 320 – carte 1050 à 1400
– **13 ch** ⌲ 1500/2400 – ½ P 1750.

BOUR (BUR) © Tuntange 739 h. 215 ⑫ et 409 ㉖.
◆Luxembourg 16 – ◆Arlon 18 – Mersch 12.

✗✗✗ **Janin**, r. Arlon 2, ⌧ 7412, ℘ 3 03 78, Fax 30 79 02 – ⒫. Ε 𝚅𝙸𝚂𝙰
fermé lundi, mardi midi et fin déc.-fin janv. – **Repas** carte 1300 à 1950.

BOURGLINSTER (BUERGLËNSTER) © Junglinster 4 761 h. 215 ④ et 409 ㉖.
◆Luxembourg 15 – Echternach 25 – Ettelbruck 29.

✗✗ **La Distillerie**, r. Château 8, ⌧ 6162, ℘ 78 81 81, Fax 78 81 84, ≤, 🌲, « Dans un château-fort dominant la ville » – ⒫. 𝙰Ε ⓪ Ε 𝚅𝙸𝚂𝙰
fermé sam. midi, dim. soir, lundi, 3 dern. sem. fév. et sem. Toussaint – **Repas** Lunch 1330
– 1450/1980.

BOURSCHEID (BUURSCHENT) 215 ③ ⑪ et 409 ㉖ – 1 031 h.
Voir Route du château ≤★★ – Ruines★ du château★, ≤★.
◆Luxembourg 37 – Diekirch 14 – Wiltz 22.

🏠 **St-Fiacre**, r. Principale 4, ⌧ 9140, ℘ 9 00 23, Fax 9 06 66, 🐎 – ⧚ 📺 ☎ ⒫. 𝙰Ε ⓪ Ε 𝚅𝙸𝚂𝙰. ⅍
fermé 15 fév.-15 mars et 20 nov.-14 déc. – **Repas** (fermé mardi soir, merc. et après 20 h 30) Lunch 1150 – carte env. 1300 – **19 ch** ⌲ 1620/2400 – ½ P 1785/2150.

✗✗ **Host. de Bourscheid**, r. Principale 5, ⌧ 9140, ℘ 9 00 08, Fax 90 80 17 – ⒫. 𝙰Ε ⓪ Ε 𝚅𝙸𝚂𝙰
fermé lundi soir et mardi – **Repas** Lunch 990 – carte env. 1800.

à Bourscheid-Moulin (Buurschenter-millen) E : 4 km :

🏠 **Du Moulin** ⦂, ⌧ 9164, ℘ 9 00 15, Fax 9 07 40, ≤, �⇔, 🐎 – ⧚ 📺 ☎ ⬅ ⒫. Ε 𝚅𝙸𝚂𝙰
20 mars-2 janv. – **Repas** (fermé lundi) Lunch 450 – 900/1450 – **13 ch** ⌲ 2300/3000 –
½ P 1950.

à Bourscheid-Plage E : 5 km :

🏠 **Theis** ⦂, ⌧ 9164, ℘ 9 00 20, Fax 9 07 34, ≤, « Au bord de la Sûre », 🐎, ✗ – ⧚ ▤ rest
📺 ☎ ⬅ ⒫ – 🕭 30. ⓪ Ε 𝚅𝙸𝚂𝙰. ⅍
18 mars-13 nov. – **Repas** (fermé après 20 h 30) Lunch 800 – 800/1600 – **19 ch**
⌲ 1700/2800 – ½ P 1760/2130.

BRIDEL (BRIDDEL) 215 ⑤ – voir à Luxembourg, environs.

CAPELLEN (KAPELLEN) © Mamer 6 268 h. 215 ⑬ et 409 ㉖.
◆Luxembourg 12 – ◆Arlon 18 – Mondorf-les-Bains 37 – Longwy 30.

🏠 **Drive-In** sans rest, rte d'Arlon 1, ⌧ 8310, ℘ 30 91 53, Fax 30 73 53 – 📺 ☎ ⒫. 𝙰Ε ⓪ Ε 𝚅𝙸𝚂𝙰
fermé 20 déc.-15 janv. – ⌲ 200 – **22 ch** 1600/2700.

CLERVAUX (KLIERF) 215 ⑩ et 409 ㉖ – 1 567 h.
Voir Site★★ – Château★ : exposition de maquettes★ – S : route de Luxembourg ≤★★.
🛆 à Eselborn NO : 3 km, Mecherwee, ⌧ 9748, ℘ 92 93 95, Fax 92 94 51.
🅱 (avril-oct. ; fermé dim. sauf juil.-août) Château, ⌧ 9712, ℘ 9 20 72, Fax 92 93 12.
◆Luxembourg 62 – ◆Bastogne 28 – Diekirch 30.

🏠 **International**, Grand-rue 10, ⌧ 9710, ℘ 92 93 91, Fax 9 24 92, ≈s, ▦, – ⧚ 📺 ☎ ⬅
– 🕭 25 à 50. ⓪ Ε 𝚅𝙸𝚂𝙰
Repas Lunch 1200 – 1200/2200 – **42 ch** ⌲ 2200/3700 – ½ P 2200/2800.

🏠 **Le Claravallis**, r. Gare 3, ⌧ 9707, ℘ 9 10 34, Fax 92 90 89, ≈s – 📺 ☎ ⒫. 𝙰Ε ⓪ Ε 𝚅𝙸𝚂𝙰
fermé fév.-15 mars et jeudi du 15 sept au 15 juin – **Repas** (fermé après 20 h 30) Lunch
790 – 790/1450 – **28 ch** ⌲ 1400/2950 – ½ P 2200/2300.

🏠 **Koener**, Grand-rue 14, ⌧ 9710, ℘ 9 10 02, Fax 9 28 26, ≈s, ▦, – ⧚ 📺 ☎. 𝙰Ε ⓪ Ε 𝚅𝙸𝚂𝙰
fermé 15 janv.-15 fév. – **Repas** Lunch 450 – 800/1600 – **48 ch** ⌲ 1600/2600 –
½ P 1750/1950.

🏠 **Du Commerce**, r. Marnach 2, ⌧ 9709, ℘ 9 10 32, Fax 92 91 08, ≈s, 🐎 – ⧚ 📺 ☎ ⒫.
Ε 𝚅𝙸𝚂𝙰
15 mars-nov. ; fermé mardi sauf mai-sept – **Repas** (fermé après 20 h) Lunch 500 – carte env.
1300 – **52 ch** ⌲ 1900/2700 – ½ P 1750/1850.

Central, pl. Princesse Maria Theresa 9, ✉ 9710, ☎ 9 11 05, Fax 92 97 20 – |♦| TV. AE ⊕ E VISA. ✻ – *20 mars-20 déc. ; fermé mardi* – **Repas** *Lunch 1200* – carte 1500 à 2200 – **15 ch** ☐ 1900/2700 – ½ P 2000/2200.

du Parc ⅋ avec ch, r. Parc 2, ✉ 9708, ☎ 9 10 68, Fax 9 10 68, <, ≘s – TV ☎ P. E VISA
fermé 3 sem. en janv. – **Repas** (dîner seult sauf en saison) carte env. 1300 – **7 ch** ☐ 1500/2300 – ½ P 1850.

L'Ilot Sacré, Grand-rue 42, ✉ 9710, ☎ 9 27 06 – AE E VISA
fermé jeudi – **Repas** *Lunch 850* – 850/1000.

*à **Eselborn*** (Eselbuer) NO : 3 km C Clervaux :

du Golf ⅋, Mecherwee, ✉ 9748, ☎ 92 93 95, Fax 92 94 51, <, ☂, « Sur le green », ≘s – TV ☎ P – 🏃 35. ⊕ E VISA
fermé janv.-fév. – **Repas** *(fermé mardi) Lunch 700* – 940 – **10 ch** ☐ 1800/2900 – ½ P 2150.

*à **Reuler*** (Reiler) E : 1 km par N 18 C Clervaux :

St-Hubert, ✉ 9768, ☎ 9 24 32, Fax 92 93 04, <, « Chalet fleuri », ≘s, ☘, ✂ – |♦| TV ☎ P. AE ⊕ E VISA. ✻
Repas *(fermé mi-déc.-mi-fév., mardi sauf vacances scolaires et après 20 h 30) Lunch 650* – 650/950 – **20 ch** *(fermé mi-déc.-mi-fév. et mardi de nov. à avril)* ☐ 1700/2600 – ½ P 1800.

DIEKIRCH (DIKRECH) 215 ③ et 409 ㉖ – 5 586 h.

Env. Falaise de Grenglay <★★ N : 8 km et 15 mn AR à pied.

🅸 (fermé sam. et dim. sauf juil.-mi-août) Esplanade 1, ✉ 9227, ☎ 80 30 23, Fax 80 27 86.

♦Luxembourg 33 – ♦Bastogne 46 – Clervaux 30 – Echternach 28.

Parc, av. de la Gare 28, ✉ 9233, ☎ 80 34 72, Fax 80 98 61 – |♦| ⇔ TV ☎ P. E VISA. ✻
avril-15 nov. – **Repas** *(fermé mardi et après 20 h 30) Lunch 550* – carte 850 à 1500 – **40 ch** ☐ 2050/2800 – ½ P 1990/2150.

✿ **Hiertz** (Pretti) avec ch, r. Clairefontaine 1, ✉ 9220, ☎ 80 35 62, Fax 80 88 69, « Terrasse et jardin fleuris » – ≡ rest TV ☎. AE ⊕ E VISA
fermé lundi soir, mardi, 2e quinz. août et fin déc.-début janv. – **Repas** (nombre de couverts limité - prévenir) carte 2000 à 2550 – **9 ch** ☐ 2200/2800 – ½ P 2900
Spéc. Lotte au curry léger et pommes caramélisées, Homard rôti au beurre d'herbes, Gibiers. Vins Riesling, Pinot gris.

DIFFERDANGE (DÉIFFERDANG) 215 ⑬ et 409 ㉖ – 15 699 h.

♦Luxembourg 24 – ♦Arlon 27 – Esch-sur-Alzette 9 – Longwy 19.

Au Petit Casino, pl. du Marché 10, ✉ 4621, ☎ 582 30 11, Fax 58 38 91 – |♦| TV ☎ – 🏃 40. AE ⊕ E VISA – **Repas** *Lunch 350* – carte 1100 à 1500 – ☐ 190 – **24 ch** 2000/3300 – ½ P 2690.

DOMMELDANGE (DUMMELDÉNG) 215 ⑤ – voir à Luxembourg, périphérie.

DUDELANGE (DIDDELENG) 215 ⑥ et 409 ㉖ – 14 677 h.

🅸 (fermé sam., dim. et lundi) av. Grande-Duchesse Charlotte 90, ✉ 3440, ☎ 51 09 71.

♦Luxembourg 16 – Longwy 37 – Thionville 21.

Parc Le'h, r. Parc, ✉ 3542, ☎ 51 99 90, Fax 51 16 90, ☂ – P. AE ⊕ E VISA. ✻
fermé lundi – **Repas** *Lunch 980* – carte env. 1700.

Le Casino, r. Libération 150, ✉ 3511, ☎ 51 40 72, Fax 51 94 91 – P. AE ⊕ E VISA
fermé lundi, 1 sem. carnaval et 2 sem. en août – **Repas** *Lunch 280* – carte env. 1200.

ECHTERNACH (IECHTERNACH) 215 ③ et 409 ㉗ – 4 211 h.

Voir Place du Marché★ Y 10 - **Abbaye**★ X – O : Gorge du Loup★★ (Wolfschlucht), <★ du belvédère de Troosknepchen Z.

🅸 (fermé sam. et dim. sauf en saison) Porte St-Willibrord (Basilique), ✉ 6401, ☎ 7 22 30.

♦Luxembourg 35 ② – Bitburg 21 ① – Diekirch 28 ③.

Plans pages suivantes

Eden au Lac ⅋, au-dessus du lac, ✉ 6478, ☎ 72 82 83, Fax 72 81 44, < ville et vallée boisée, ☂, 🏋, ≘s, 🏊, ☘ – |♦| TV ☎ P – 🏃 40 à 80. AE ⊕ E VISA. ✻ Z m
fermé 2 janv.-fév. – **Repas** *Lunch 950* – carte 1800 à 2100 – **74 ch** ☐ 2250/5300 – ½ P 2350/3650.

✿ **Bel Air** ⅋, rte de Berdorf 1, ✉ 6409, ☎ 72 93 83, Telex 2640, Fax 72 86 94, <, ☂, « Parc avec pièce d'eau », ☘, ✂ – |♦| ⇔ TV ☎ 🚗 P – 🏃 25 à 100. AE ⊕ E VISA. ✻
Repas 1600 carte env. 2200 – **23 ch** ☐ 2700/4850, 10 suites – ½ P 3250/3850 Z n
Spéc. Carpaccio de foie de canard aux truffes, Loup de mer en croûte à la mousse de homard, Filet d'agneau au beurre de thym. Vins Riesling, Pinot gris.

Grand H., rte de Diekirch 27, ✉ 6430, ☎ 72 96 72, Fax 72 90 62, <, ☂, ☘ – |♦| TV ☎ 🚗 P. AE ⊕ E VISA. ✻ Z p
5 avril-12 nov. – **Repas** *(fermé après 20 h 30) Lunch 875* – carte 1300 à 1850 – **30 ch** ☐ 2600/3300 – ½ P 1975/2500.

ECHTERNACH

Gare (R. de la) . . . . **X**
Luxembourg (R. de) . . . **Y** 9
Marché (Pl. du) . . . . . . **Y** 10
Montagne (R. de la) . . . **Y** 13
Pont (R. du) . . . . **XY**

Bénédictins (R. des) . . . . **Y** 2
Bons Malades (R. des) . . **Y** 3
Breilekes (R.) . . . . **Y**
Devant le Marché . . . . . **Y** 4
Duchscher (R. André) . . **Y**
Ermesinde (R.) . . . . **Y**
Gibraltar (R.) . . . . **Y**
Haut-Ruisseau (R.) . . . . **X** 6
Hoovelek . . . . **Y**
Hôpital (R. de l') . . . . . . **Y**
Maximilien (R.) . . . . **XY**
Merciers (R. des) . . . . . **X** 12
Ramparts (R. des) . . . . . **Y**
Sigefroi (R. Comte) . . . . **Y** 15
Sûre (R. de la) . . . . **Y**
Val des Roses . . . . **X**
Wasserbillig (R. de) . . . . **Y** 17

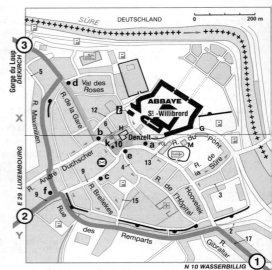

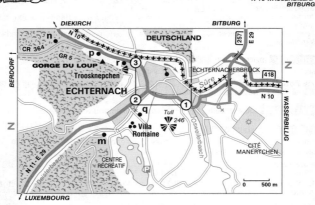

🏨 **De la Bergerie** ⤸, rte de Luxembourg 47, ⊠ 6450, ℰ 72 85 041, Fax 72 85 08, « Terrasse avec pièce d'eau », ♨, ⤠, ☞ – 🛗 📺 ☎ 🅿. ⅋ ⓸ Ⅽ 𝑉𝐼𝑆𝐴　　　　　　Z **q**
fermé dim. soir, lundi, 15 janv.-fin fév. et prem. sem. sept – **Repas** voir rest *La Bergerie* ci-après, 6,5 km par navette – **15 ch** ⤢ 3400/4200.

🏨 **Host. de la Basilique,** pl. du Marché 7, ⊠ 6460, ℰ 72 94 83, Fax 72 88 90, ☞ – 🛗 📺 ☎. ⅋ Ⅽ 𝑉𝐼𝑆𝐴. ⤨　　　　　　　　　　　　　　Y
Pâques-15 nov. ; fermé jeudi en oct. et nov. – **Repas** *Lunch 450* – carte env. 1200 – **14 ch** ⤢ 2500/3200.

🏨 **Le Pavillon,** r. Gare 2, ⊠ 6440, ℰ 72 98 09, Fax 72 86 23 – 📺 ☎ ⟲. ⅋ Ⅽ 𝑉𝐼𝑆𝐴 XY **b**
Repas *Lunch 350* – carte 1000 à 1250 – **10 ch** ⤢ 1600/2500 – ½ P 2100.

🏠 **Welcome,** rte de Diekirch 9, ⊠ 6430, ℰ 7 23 54, Fax 72 85 81 – 📺 ☎. 𝑉𝐼𝑆𝐴. ⤨　　　Z **r**
➤ *15 mars-15 nov.* – **Repas** *(fermé merc.) Lunch 700* – 800/1800 – **16 ch** ⤢ 2600 – ½ P 1500/1850.

🏠 **Le Postillon,** r. Luxembourg 7, ⊠ 6402, ℰ 7 21 88 – ▤ rest 📺 ☎. ⅋ Ⅽ 𝑉𝐼𝑆𝐴. ⤨ ch
➤ **Repas** (grill) *(fermé sam. midi sauf en été) Lunch 690* – 800/980 – **6 ch** ⤢ 2100/2750 – ½ P 1800/1850.　　　　　　　　　　　　　　　　　　　　　Y **c**

🏠 **Ardennes,** r. Gare 38, ⊠ 6440, ℰ 7 21 08, Fax 72 94 80, ⤠ – 🛗 📺 ☎. ⅋ Ⅽ 𝑉𝐼𝑆𝐴. ⤨
Repas *(fermé fin janv.-début mars et jeudi et dim. soir hors saison) Lunch 900* – 900/1400 – **30 ch** ⤢ 2100/2700 – ½ P 2000.　　　　　　　　　　　　X **d**

🏠 **Du Commerce,** pl. du Marché 16, ⊠ 6460, ℘ 7 23 01, Fax 72 87 90, 🕹, 🚐, 🚗 – 🔌 📺
➡ 🕿. 🖭 Ɛ 🌇
20 fév.-15 nov. – **Repas** *Lunch 450* – 800/1450 – **45 ch** ⊇ 2000/2500 – ½ P 1650/1900.
Y **e**

🏠 **Universel,** rte de Luxembourg 40, ⊠ 6450, ℘ 72 99 91 – 🔌 📺 🕿 🅿. Ɛ 🌇. ⚘ rest
avril-oct. – **Repas** *(fermé jeudi et après 20 h 30) Lunch 450* – 1000/1500 – **45 ch** ⊇ 2700
– ½ P 1800/1900.
Y **f**

✗ **Quatre Saisons,** r. Haut-Ruisseau 2, ⊠ 6446, ℘ 72 80 39, Fax 72 96 17 – 🗐. 🖭 ⓞ Ɛ
🌇
XY **k**
fermé merc. et fév. – **Repas** *Lunch 495* – carte env. 1300.

à Geyershaff (Geieschhaff) *par* ② : 6,5 km par E 27 ⒼBech 787 h :

XXX ۞۞ **La Bergerie** (Phal) - H. de la Bergerie,, ⊠ 6251, ℘ 7 94 64, Fax 7 97 71, ≤, 🏡, « Cadre champêtre, abords fleuris » – 🅿. 🖭 ⓞ Ɛ 🌇
fermé dim. soir, lundi, 15 janv.-fin fév. et prem. sem. sept – **Repas** *Lunch 1800* – carte env.
2500
Spéc. Foie d'oie au naturel, Homard rôti aux fines herbes, Noisettes de chevreuil St-Hubert (oct.-déc.). Vins Pinot gris.

à Steinheim (Stenem) *par* ① : 4 km ⒼRosport 1 429 h :

🏠 **Gruber,** rte d'Echternach 36, ⊠ 6585, ℘ 7 24 33, Fax 72 87 56, 🏡, « Jardin », ⚘ – 📺
🕿 🅿. Ɛ 🌇. ⚘ rest
avril-nov. – **Repas** *(fermé après 20 h 30) Lunch 500* – carte 1150 à 1600 – **21 ch**
⊇ 1800/2600 – ½ P 1650/1850.

Voir aussi : *Weilerbach par* ③ : 3 km

EHNEN (ÉINEN) ⒼWormeldange 2 123 h. 🎞 ⑤ et 🏁 ㉗.
♦Luxembourg 21 – Remich 9,5 – Trier 32.

🏠 **Bamberg's,** rte du Vin 131, ⊠ 5416, ℘ 7 60 22, Fax 7 60 56, ≤ – 🔌 📺 🕿. 🖭 Ɛ 🌇.
⚘
fermé mardi et déc.-15 janv. – **Repas** carte env. 1800 – **14 ch** ⊇ 2100/3000 – ½ P 2300.

XXX **Simmer** avec ch, rte du Vin 117, ⊠ 5416, ℘ 7 60 30, Fax 7 63 06, ≤, 🏡, « Terrasse »
– 🕿 🅿. 🖭 Ɛ 🌇. ⚘
fermé mardi – **Repas** *Lunch 950* – carte env. 1900 – **16 ch** *(fermé fév.-1er mars et du 15 au
30 nov.)* ⊇ 2200/2700 – ½ P 2900/3050.

EICH (EECH) – voir à Luxembourg, périphérie.

ELLANGE (ELLÉNG) 🎞 ⑤ – voir à Mondorf-les-Bains.

ERNZ NOIRE (Vallée de l') (MULLERTHAL-MËLLERDALL)★★★ 🎞 ③ ④ et 🏁 ㉗ G. Belgique-Luxembourg.

ERPELDANGE (IERPELDÉNG) 🎞 ③ et 🏁 ㉖ – voir à Ettelbruck.

ESCHDORF (ESCHDUERF) ⒼHeiderscheid 1 015 h. 🎞 ⑪ et 🏁 ㉖.
Env. S : 4,5 km à Rindschleiden : Église paroissiale★.
♦Luxembourg 43 – ♦Bastogne 30 – Diekirch 22.

🏠 **Braas,** An Haesbich 1, ⊠ 9151, ℘ 8 92 13, Fax 8 95 78 – 🔌 📺 🕿 🅿. Ɛ 🌇. ⚘
fermé 3 janv.-3 fév., lundi soir, mardi et après 20 h 30 – **Repas** *Lunch 500* – carte env. 1000
– **20 ch** ⊇ 1600/2400 – ½ P 1800.

ESCH-SUR-ALZETTE (ESCH-UELZECHT) 🎞 ⑭ et 🏁 ㉖ – 24 012 h.
🚩 *(fermé sam. et dim.)* Hôtel de Ville, bureau 8, ⊠ 4004, ℘ 54 73 83 (ext. 246).
♦Luxembourg 19 ① – Longwy 26 ④ – Thionville 32 ③.

Plan page suivante

🏠 **Renaissance** ⚘, pl. Boltgen 2, ⊠ 4044, ℘ 54 19 91, Fax 54 19 90 – 🔌 🗐 rest 📺 🕿 🅿
– 🔬 30. 🖭 ⓞ Ɛ 🌇. ⚘ rest
t
Repas *(fermé sam. midi, dim. soir, lundi et 17 juil.-11 août) Lunch 1500* – 1500/2400 carte
2000 à 2600 – **41 ch** ⊇ 2750/4700 – ½ P 3700/5650.

🏠 **Acacia,** r. Libération 10, ⊠ 4210, ℘ 54 10 61, Fax 54 35 02 – 🔌 🗐 rest 📺 🕿. 🖭 ⓞ Ɛ
🌇
b
Repas *(fermé dim., jours fériés et Noël-Nouvel An)* carte 1400 à 1700 – **23 ch** ⊇ 1750/2600
– ½ P 2000/2500.

🏠 **Le Carrefour,** r. Victor Hugo 1, ⊠ 4140, ℘ 54 51 44, Fax 54 51 45 – 🔌 📺 🕿. 🖭 ⓞ Ɛ
🌇
c
Repas *(fermé vend., dim. soir et 1re quinz. juil.) Lunch 350* – 995/1800 – **20 ch** ⊇ 1600/2700
– ½ P 1700/2350.

265

Alzette (R. de l')
Boltgen (Pl.) 8
Gare (Av. de la) 15

Acacias (R. des) 2
Belvaux (Rte de) 4
Bernard-Zénon (R.) 5
Berwart (Bd) 6
Brill (R. du) 10
Commerce (R. du) 12
Charbons (R. des) 13
Grand-Rue 16
Grobirchen (Pl.) 17
Hôtel-de-Ville (Pl. de l') .. 18
Jean-Jaurès (Pl.) 19
Joseph-Wester (R.) 20
Léon-Jouhaux (R.) 21
Léon-Weirich (R.) 23
Libération (R. de la) 24
Norbert-Metz (Pl.) 26
Pierre-Krier (Bd) 27
Remparts (Pl. des) 29
Remparts (R. des) 30
Résistance (Pl. de la) 32
Sacrifiés 1940-45
    (Pl. des) 33
St. Vincent (Pl.) 34
St. Vincent (R.) 36
Sidney-Thomas (R.) 37
Stalingrad (Pl.) 39
Stalingrad (R.) 40
Terres-Rouges
    (Av. des) 42
Xavier-Brasseur (R.) 44
10-Septembre (R. du) 45

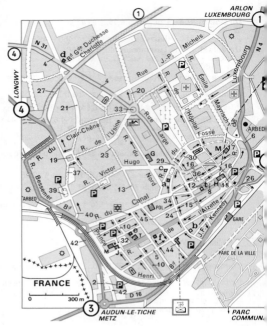

XXX ❀ **Fridrici**, rte de Belvaux 116, ⊠ 4026, ℰ 55 80 94, Fax 57 33 35 – ⌶ 🔳 VISA. 🛠 **c**
fermé mardi, 16 août-8 sept et du 1ᵉʳ au 6 janv. – **Repas** Lunch 1180 – 1600/1800 carte
1700 à 2000
Spéc. Tresse de sole et saumon au jus de viande, Croustade de navarin de homard, Crême brulée
à la vanille. Vins Pinot gris, Riesling Koëppchen.

XXX **Aub. Royale** avec ch, r. Remparts 19, ⊠ 4303, ℰ 54 91 47, Fax 53 08 15, Avec cuisine
italienne – 🔳 ☎ – 🔬 40. ⌶ ⓪ 🔳 VISA **a**
fermé début mars et fin juil.-début août – **Repas** (fermé dim. soir et lundi) Lunch 1380 – carte
1950 à 2300 – **7 ch** 🖙 1800/2400 – ½ P 2700/3300.

XX **Domus**, r. Brill 60, ⊠ 4042, ℰ 54 69 94, Fax 54 00 43, Cuisine italienne – 🍽. ⌶ ⓪ 🔳 VISA
fermé lundi, 27 fév.-8 mars, du 14 au 31 août et du 24 au 29 déc. – **Repas** carte env.
1800. **c**

XX **Postkutsch** 1ᵉʳ étage, r. Alzette 107, ⊠ 4011, ℰ 54 51 69, Fax 54 82 35 – ⌶ ⓪ 🔳 VISA **n**
fermé lundi – **Repas** Lunch 390 – 850/1400.

à Rumelange (Rëmmeléng) SE : 6 km – 3 501 h :

XX **Host. de la Poste** avec ch, Grand-rue 41, ⊠ 3730, ℰ 56 44 94, Fax 56 73 04 – 🔳 ☎. ⌶
⓪ 🔳 VISA
fermé lundi – **Repas** Lunch 980 – 1350 – **10 ch** 🖙 1400/1850 – ½ P 2000/2500.

ESCH-SUR-SÛRE (ESCH SAUER) 🔢🔢🔢 ⑪ et 🔢🔢🔢 ㉖ – 199 h.

Voir Site⋆ – Tour de Guet ≤⋆.

Env. O : rte de Kaundorf ≤⋆ – O : Lac de la Haute-Sûre⋆, ≤⋆ – SO : Hochfels⋆.

🖪 (Pâques, Pentecôte et juil.-mi-sept ; fermé lundi) Hôtel de Ville, Parking, ⊠ 9650, ℰ 8 93 67 e
8 91 12.

♦Luxembourg 45 – ♦ Bastogne 27 – Diekirch 24.

🏛 **Le Postillon**, r. Eglise 1, ⊠ 9650, ℰ 89 90 33, Fax 89 90 34, ≤ – 📶 🔳 ☎. ⌶ ⓪ 🔳 VISA.
🛠 rest
fermé du 1ᵉʳ au 15 janv. – **Repas** (fermé après 20 h 30) Lunch 650 – carte env. 1600 – **24 c**
🖙 2000/3000 – ½ P 2000/2500.

🏠 **Du Moulin**, r. Moulin 6, ⊠ 9650, ℰ 8 91 07, Fax 89 91 37 – 🔳 ☎ 🅿. ⓪ 🔳 VISA. 🛠
➡ *15 fév.-5 déc. ; fermé lundi hors saison* – **Repas** (fermé après 20 h) Lunch 550 – 740/114**0**
– **25 ch** 🖙 1760/2550 – ½ P 1700/2040.

ESELBORN (ESELBUER) 🔢🔢🔢 ⑩ – voir à Clervaux.

266

ETTELBRÜCK (ETTELBRÉCK) 215 ③ et 409 ㉖ – 6 565 h.

Env. NE : 2,5 km à Erpeldange : cadre★.

🛈 (fermé sam. et dim. sauf en saison) pl. de la Gare 1, ⊠ 9044, ℘ 8 20 68.

◆Luxembourg 28 – ◆Bastogne 41 – Clervaux 34.

🏨 **Central,** r. Bastogne 25, ⊠ 9010, ℘ 8 21 16, Fax 8 21 38 – 🛗 📺 🕾. 🖭 ⓪ 🗲 VISA. ⠩
   fermé lundi, 25 août-8 sept et 22 déc.-5 janv. – **Repas** Lunch 850 – 1200/1380 – **15 ch**
   � 1700/2600 – ½ P 2300/2500.

🏨 **Lanners,** r. Gare 1, ⊠ 9044, ℘ 8 21 27, Fax 81 62 77, 🏤 – 📺 🕾. 🖭 🗲 VISA. ⠩
   Repas *(fermé sam. midi)* Lunch 450 – 940/1780 – **11 ch** *(fermé 22 déc.-8 janv.)* ⊑ 1600/2200
   – ½ P 1800/1900.

🏨 **Cames,** r. Prince Henry 45 (face à la gare), ⊠ 9047, ℘ 8 21 80, Fax 81 97 82 – 🛗 📺 🕾.
   🖭 🗲 VISA
   Repas *(fermé sam. midi)* (ouvert jusqu'à 23 h) Lunch 295 – carte env. 1300 – ⊑ 295 – **6 ch**
   1250/1750 – ½ P 2000/2500.

🍴 **Brasserie de la Poste** 1ᵉʳ étage, Grand-rue 119, ⊠ 9051, ℘ 81 00 62 – 🗲 VISA
   fermé dim. – **Repas** Lunch 800 – 800/900.

   à Erpeldange (Ierpeldéng) NE : 2,5 km par N 27 – 1 546 h :

🏨 **Dahm,** Porte des Ardennes 57, ⊠ 9145, ℘ 816 25 51, Fax 816 25 52 10, 🏤, 🐖 – 🛗 📺
   🕾 🕭 ↺ ⓟ – 🔬 25 à 120. 🖭 🗲 VISA. ⠩ rest
   fermé 18 déc.-20 janv. – **Repas** *(fermé lundi, jeudi et après 20 h 30)* Lunch 500 – carte 1150
   à 1650 – **25 ch** ⊑ 2200/3200 – ½ P 2020/2200.

   Ga handig te werk wanneer u een hotel of een restaurant zoekt.

   Weet hoe u gebruik kunt maken van de rood onderstreepte plaatsnamen
   op de Michelinkaarten nrs. 408 en 409. Maar zorg dat u de nieuwste kaart heeft !

FRISANGE (FRÉISENG) 215 ⑤ et 409 ㉖ – 2 049 h.

◆Luxembourg 12 – Thionville 20.

🏨 **De la Frontière,** r. Robert Schuman 52 (au poste frontière), ⊠ 5751, ℘ 66 84 05,
   Fax 66 17 53, 🏤, 🐖 – 📺 🕾 🗲 VISA. ⠩ rest
   fermé lundi, mardi midi, fév. et oct. – **Repas** carte 800 à 1200 – **18 ch** ⊑ 1300/2000 –
   ½ P 1600/1800.

🍴🍴🍴 ✿ **Lea Linster,** rte de Luxembourg 17, ⊠ 5752, ℘ 6 84 11, Fax 67 64 47, ≤, 🏤 – 🔲 ⓟ.
   🖭 ⓪ 🗲 VISA. ⠩
   fermé lundi, mardi, 2 sem. en fév., 2 sem. en août et du 24 au 30 déc. – **Repas** 1800 carte
   2350 à 2750
   Spéc. Homard rôti à l'huile d'olive, Selle d'agneau en croûte de pomme de terre, Soufflé chaud
   au chocolat. Vins Riesling, Pinot gris.

   à Hellange (Helléng) O : 3 km © Frisange :

🍴 **Lëtzebuerger Kaschthaus,** r. Bettembourg 4, ⊠ 3333, ℘ 51 65 73, Fax 52 18 80 – 🗲 VISA.
   ⠩
   fermé août et 24 déc.-1ᵉʳ janv. – **Repas** Lunch 720 – 720.

GAICHEL (GÄICHEL) © Hobscheid 2 099 h. 215 ⑫ et 409 ㉕.

◆Luxembourg 26 – ◆Arlon 4,5 – Diekirch 35.

🍴🍴🍴🍴 ✿ **La Gaichel** ⠾ avec ch, ⊠ 8469 Eischen, ℘ 3 91 29, Fax 3 90 37, ≤, 🏤, « Parc ombragé
   avec 🏌 », ≦ₛ, 🎾 – 📺 🕾 ⓟ – 🔬 30. 🖭 ⓪ 🗲 VISA. ⠩
   fermé du 20 au 30 août, 7 janv.-7 fév., dim. soir et lundi – **Repas** Lunch 1600 – 2700 carte
   2200 à 2600 – **13 ch** ⊑ 3750/4250
   Spéc. Croustillant de ris de veau, homard et julienne de céleri, Tartare de saumon, Magret de
   canard sauvage au poivre vert (sept.-déc.). Vins Riesling Koëppchen, Pinot blanc.

🍴🍴🍴 **La Bonne Auberge** ⠾ avec ch,, ⊠ 8469 Eischen, ℘ 3 91 40, Fax 39 71 13, ≤, « Parc avec
   pièce d'eau », 🐖 – 📺 🕾 ⓟ. 🖭 ⓪ 🗲 VISA
   fermé 12 déc.-16 janv. – **Repas** *(fermé mardi)* Lunch 1450 – 1450/2150 – **16 ch**
   ⊑ 2100/2500 – ½ P 2450.

GEYERSHAFF (GEIESCHHAFF) 215 ④ – voir à Echternach.

GONDERANGE (GONNERÉNG) © Junglinster 4 761 h. 215 ④ et 409 ㉗.
🏌 à Junglinster N : 3 km, Behlenhof ℘ 78 71 28, Fax 78 71 28.

◆Luxembourg 14 – Echternach 22.

🏨 **Euro,** rte de Luxembourg 11, ⊠ 6182, ℘ 78 85 51, Fax 78 85 50 – 🛗 ▤ rest 📺 🕾 🕭 ⓟ
   – 🔬 25 à 80. 🖭 🗲 VISA. ⠩ rest
   Repas Lunch 980 – 980/1950 – **40 ch** ⊑ 2350/2950 – ½ P 2000.

GORGE DU LOUP (WOLLEFSSCHLUCHT)★★ 215 ③ et 409 ㉗ G. Belgique-Luxembourg.

GRUNDHOF (GRONDHAFF) © Beaufort 1 202 h. 🅿🄹🄻 ③ et 🄸🄾🄾 ㉗.

◆Luxembourg 32 - Diekirch 18 - Echternach 9,5.

🏠 **Brimer,** rte de Beaufort 1, ⊠ 6360, ℰ 8 62 51, Fax 8 62 12, 🚗 - 🛗 📺 ☎ 🄿. 🄰🄴 🄾 🄴 *VISA*. 🦌
25 fév.-15 nov. - **Repas** *(fermé après 20 h 30)* carte 1600 à 2000 - **23 ch** ⊠ 3600 - ½ P 2175/2450.

🏠 **Ferring,** rte de Beaufort 4, ⊠ 6360, ℰ 8 60 15, Fax 86 91 40 - 🛗 ☎ 🄿. 🄰🄴 🄾 🄴 *VISA*. 🦌
avril-15 nov. - **Repas** *(fermé après 20 h 30)* carte 950 à 1400 - **25 ch** ⊠ 1750/2700 - ½ P 1700/2250.

🍴🍴🍴 **L'Ernz Noire** avec ch, rte de Beaufort 2, ⊠ 6360, ℰ 8 60 40, Fax 86 91 51, « Terrasse fleurie » - 📺 ☎ 🄿 🄿. 🄰🄴 🄴 *VISA*. 🦌
fermé 14 fév.-23 mars - **Repas** *(fermé mardi)* Lunch 1600 - 1600/2200 - **11 ch** ⊠ 2200/3000 - ½ P 2050/2400.

HALLER (HALER) © Waldbillig 843 h. 🅿🄹🄻 ③ et 🄸🄾🄾 ㉗.

Voir Gorges du Hallerbach★ : 30 mn AR à pied.

◆Luxembourg 32 - Echternach 24 - Mersch 19.

🏠 **Hallerbach** ♨, r. Romains 2, ⊠ 6370, ℰ 8 65 26, Fax 8 61 51, « Terrasse ombragée, jardin avec pièce d'eau », 🚗, 🏊, 🦌 - 🛗 📺 ☎ 🄿 - 🛎 25. 🄾 🄴 *VISA*. 🦌 rest
fermé 3 janv.-16 fév. et du 4 au 20 déc. - **Repas** Lunch 950 - 1300/1700 - **28 ch** ⊠ 2300/3800 - ½ P 2700/2900.

HAUT-MARTELANGE (UEWER-MAARTEL) © Rambrouch 2 742 h. 🅿🄹🄻 ⑪.

◆Luxembourg 49 - ◆Bastogne 22 - Diekirch 38.

à Rombach (Rombech) N : 1,5 km © Rambrouch :

🍴🍴 **Maison Rouge** arrière salle, rte d'Arlon 5, ⊠ 8832, ℰ 6 40 06, Fax 64 90 14 - 🄿. 🄰🄴 🄴 *VISA*
fermé merc. soir, jeudi, mi-fév.-mi-mars et dern. sem. août - **Repas** 1150.

HELLANGE (HELLÉNG) 🅿🄹🄻 ⑬ - voir à Frisange.

HESPERANGE (HESPER) 🅿🄹🄻 ⑤ et 🄸🄾🄾 ㉖ - voir à Luxembourg, environs.

HOSCHEID (HOUSCHENT) 🅿🄹🄻 ③ et 🄸🄾🄾 ㉖ - 315 h.

◆Luxembourg 47 - Clervaux 19 - Vianden 14.

🏠 **Des Ardennes,** r. Principale 33, ⊠ 9376, ℰ 9 00 77, Fax 9 07 19 - 📺 ☎ 🄿. 🄾 🄴 *VISA*
fermé du 1er au 28 janv. et mardi et merc. midi de nov. à mars - **Repas** carte 1000 à 1400 - **24 ch** ⊠ 1175/2300 - ½ P 1475/1700.

HOSTERT (HUESCHTERT) 🅿🄹🄻 ④ ⑤ - voir à Luxembourg, environs.

HULDANGE (HULDANG) © Troisvierges 1 994 h. 🅿🄹🄻 ⑨ et 🄸🄾🄾 ⑯.

◆Luxembourg 74 - Clervaux 22.

🍴🍴 **Knauf** avec ch, r. Stavelot 67 (E : sur N 7), ⊠ 9964, ℰ 97 90 56, Fax 9 75 17, 🌳, Grillades, 🌳 - 📺 🄿. 🄰🄴 🄾 🄴 *VISA*
fermé lundis non fériés, 24 et 25 déc. et 1er et 2 janv. - **Repas** *(fermé après 20 h 30)* Lunch 690 - 690/1170 - **10 ch** ⊠ 850/1400.

🍴 **La Fermette,** r. Stavelot 56b (E : sur N 7), ⊠ 9964, ℰ 9 74 74, Fax 97 80 71 - 🄿. 🄾 🄴 *VISA*
fermé merc., sem. carnaval et fin sept.-début oct. - **Repas** carte 800 à 1350.

KAUNDORF (KAUNEREF) © Lac Haute-Sûre 1 125 h. 🅿🄹🄻 ⑪.

◆Luxembourg 52 - ◆Bastogne 24 - Diekirch 28.

🏠 **Zeimen,** Am Enneschtduerf 2, ⊠ 9662, ℰ 8 91 72, Fax 8 95 73 - 📺 ☎ 🄿. 🄴 *VISA*
Repas *(fermé lundi)* Lunch 350 - 800/1500 - **6 ch** ⊠ 1380/2400 - ½ P 1500/1600.

KAUTENBACH (KAUTEBAACH) 🅿🄹🄻 ⑪ et 🄸🄾🄾 ㉖ - 239 h.

◆Luxembourg 58 - Clervaux 24 - Wiltz 11.

🏠 **Hatz** ♨, ⊠ 9663, ℰ 95 85 61, Fax 95 81 31, 🌳 - 🛗 📺 ☎ 🄿. 🄴 *VISA*. 🦌 rest
fermé 3 janv.-16 fév. - **Repas** *(fermé merc. midi)* Lunch 690 - 800/1370 - ⊠ 200 - **19 ch** 1350/2200 - ½ P 1510/1810.

L'EUROPE en une seule feuille Cartes Michelin :
- routière (pliée) : n° 🄾🄷🄾
- politique (plastifiée) : n° 🄾🄷🄹

268

Voir Nommerlayen★ O : 5 km.

🅱 (fermé sam. et dim. sauf en saison) Hôtel de Ville, ⊠ 7619, ℘ 8 76 76.

♦Luxembourg 26 – ♦Arlon 35 – Diekirch 12 – Echternach 20.

🏨 **Château,** r. Medernach 1, ⊠ 7619, ℘ 8 70 09, Fax 87 96 36, 🍽 – 🛗 📺 ☎ 🅿 – 🔬 40.
   ⊷ 🄰🄴 ⓪ 🄴 𝑽𝑰𝑺𝑨. 🛇
   Repas *Lunch 800* – 800/1250 – **40 ch** � 2300/2800 – ½ P 2800/3200.

🏠 **Résidence,** r. Medernach 14, ⊠ 7619, ℘ 8 73 91, Telex 60529, Fax 87 94 42, 🍽, 🌳 –
   ⊷ 📺 ☎ 🅿. 🄰🄴 ⓪ 🄴 𝑽𝑰𝑺𝑨. 🛇
   fév.-15 nov. – **Repas** *Lunch 650* – carte env. 1400 – **20 ch** ⊠ 2200/2800 – ½ P 2000/2100.

Voir Falaise de Grenglay ≤★★ E : 2 km et 15 mn AR à pied.

♦Luxembourg 43 – Clervaux 24 – Diekirch 10.

🏨 **Leweck,** contrebas E 420, ⊠ 9378, ℘ 9 00 22, Fax 9 06 77, « Jardin avec pièce d'eau et
   ≤ vallée », 🚐, 🏊, 🎾 – 🛗 📺 ☎ 🅿 – 🔬 30. 🄴 𝑽𝑰𝑺𝑨
   Repas *(fermé mardi midi)* *Lunch 500* – carte env. 1400 – **25 ch** ⊠ 1750/3050 –
   ½ P 2150/2825.

🏠 **Ponies Haff** 🦌, r. Principale 6, ⊠ 9164, ℘ 9 03 78, Fax 9 06 77, ≤ vallée et ruines, 🍽
   – 📺 ☎ 🅿. ⓪ 🄴 𝑽𝑰𝑺𝑨
   fermé 8 janv.-25 fév. – **Repas** *(fermé mardi et merc. midi sauf en juil.-août)* carte env. 1000
   – **12 ch** ⊠ 1450/2500 – ½ P 1550/1850.

Luxembourg
Lëtzebuerg

215 ⑤ et 409 ㉖ – 75 377 h.

Voir Site★★ – La vieille ville★★ G : Place de la Constitution ≤★★ F, Plateau St-Esprit ≤★★ G, Chemin de la Corniche★★, ≤★★ G, Le Bock ≤★★, Casemates du Bock★★ G, Boulevard Victor Thorn ≤★ G 108, Palais Grand-Ducal★ G, Cathédrale Notre-Dame★ F – Pont Grande-Duchesse Charlotte★ DY – Les Trois Glands ≤★ DY.

Musée : national d'Histoire et d'Art★, section gallo-romaine★, section Vie luxembourgeoise (arts décoratifs, arts et traditions populaires)★★ G **M**[1].

☞ Hoehenhof (Senningerberg) près de l'Aéroport, rte de Trèves 1, ✉ 2633, 𝒫 34 00 90.

✈ Findel par ③ : 6 km 𝒫 40 08 08 – Aérogare : pl. de la Gare 𝒫 48 11 99.

🛈 (fermé sam. et dim. sauf mi-juin à mi-sept.) pl. d'Armes, ✉ 2011, 𝒫 22 28 09, Fax 47 48 18 – Air Terminus (fermé dim. sauf avril-oct.), pl. de la Gare, ✉ 1616, 𝒫 48 11 99.

◆Amsterdam 391 ⑧ – Bonn 190 ③ – ◆Bruxelles 219 ⑧.

Plans de Luxembourg
Luxembourg Centre .... p. 2 et 3
Agglomération .... p. 4
Nomenclature des hôtels et des restaurants .... p. 5 à 7

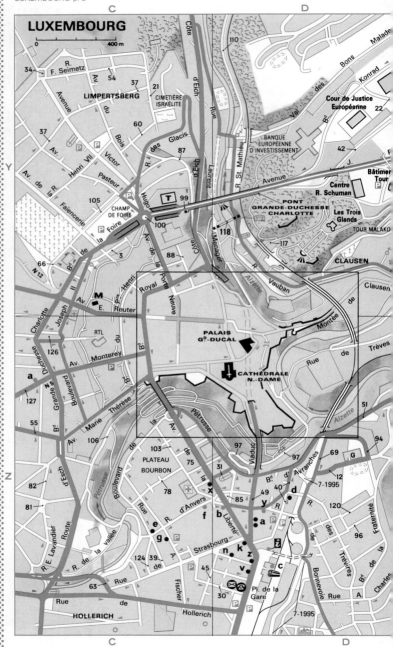

Capucins (R. des) . . . . . . F
Chimay (R.) . . . . F 24
Curé (R. du) . . . . F
Fossé (R. du) . . . . F 46
Gare (Av. de la) . . . . DZ 49
Grand-Rue . . . . F
Liberté (Av. de la) . . . . . CDZ
Philippe II (R.) . . . . F 91
Porte-Neuve (Av. de la) . . CY
Strasbourg (R. de) . . . . . CDZ

Adames (R.) . . . . CY 3
Albert Wehrer (R.) . . . . . EY 4
Alcide de Gasperi (R.). . . EY 6
Aldringen (R.) . . . . F 7
Athénée (R. de l') . . . . . F 9
Auguste Lumière (R.) . . . DZ 12
Bains (R. des) . . . . F 13
Boucherie (R. de la) . . . . G 15
Bruxelles (Pl. de) . . . . . . F 16
Cerisiers (R. des) . . . . . . CY 21
Charles-Léon Hammes
(R.) . . . . DY 22
Clairefontaine (Pl.) . . . . . FG 27
Clausen (R. de) . . . . EY 28
Commerce (R. du) . . . . . CDZ 30
Diks (R.) . . . . CDZ 31
Eau (R. de l') . . . . G 33
Edouard André
(Square) . . . . CY 34
Ermesinde (R.) . . . . CY 37
Etats-Unis (R. des) . . . . CZ 39
Fort Neipperg (R. du) . . . DZ 40
Fort Niedergrünewald
(R. du) . . . . DY 42
Fort Thüngen (R. du) . . . EY 43
Fort Wedell (R. du) . . . . CDZ 45
Franklin-Roosevelt (Bd) . . F 48
Général Patton (Bd du) . . DZ 51
Georges Willmar (R.) . . . CY 54
Guillaume (Av.) . . . . CZ 55
Guillaume II (R.) . . . . . . F 58
Guillaume Schneider
(R.) . . . . CY 60
Jean Baptiste Merkels
(R.) . . . . CZ 63

Jean Ulveling (Bd) . . . . . FG 64
J.P. Probst (R.) . . . . CY 66
Jules Wilhem (R.) . . . . . EY 67
Laboratoire (R. du) . . . . DZ 69
Léon Hengen (R.) . . . . . EY 70
Marché (Pl. du) . . . . G 72
Marché aux Herbes
(R. du) . . . . FG 73
Martyrs (Pl. des) . . . . . . CZ 75
Michel Rodange (R.) . . . CZ 78
Nancy (Pl. de) . . . . CZ 81
Nassau (R. de) . . . . CZ 82
Notre-Dame (R.) . . . . . . F 84
Paris (Pl. de) . . . . DZ 85
Paul Eyschen (R.) . . . . . CY 87
Pescatore (Av.) . . . . CY 88
Pfaffenthal
(Montée de) . . . . FG 90
Pierre de Mansfeld
(Allée) . . . . DY 93
Pierre et Marie Curie
(R.) . . . . DZ 94
Pierre Hentges (R.) . . . . DZ 96
Prague (R. de) . . . . DZ 97
Robert Schuman (Bd) . . . CY 99
Robert Schuman
(Rond-Point) . . . . CY 100
Sainte-Zithe (R.) . . . . . . CZ 103
Scheffer (Allée) . . . . CY 105
Semois (R. de la) . . . . . CZ 106
Sigefroi (R.) . . . . G 108
Sosthène Weis (R.) . . . . G 109
Stavelot (R. de) . . . . DY 110
Théâtre (Pl. du) . . . . F 114
Tour Jacob
(Av. de la) . . . . EY 115
Trois Glands
(R. des) . . . . DY 117
Vauban (Pont) . . . . DY 118
Verger (R. du) . . . . DZ 120
Victor Thorn (Bd) . . . . . G 121
Willy Georgen (R.) . . . . . F 123
Wilson (R.) . . . . CZ 124
Winston Churchill (Pl.) . . CZ 126
10 Septembre
(Av. du) . . . . CZ 127

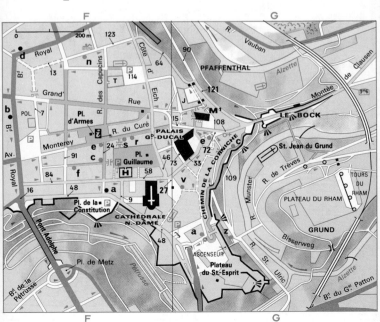

273

LUXEMBOURG

Arlon (Rte d') . . . . AV
Auguste Charles (R.) . . . . . . BX 10
Beggen (R. de) . . . . ABV
Carrefours (R. des) . . . . . . AV 18
Cents (R.) . . . . BV 19
Cimetière (R. du) . . . . BX 25

Echternach (Rte d') . . . . . . BV
Eich (R. d') . . . . BV 36
Général Patton (Bd du) . . . BV 51
Guillaume (Av.) . . . . AV 55
Hamm (R. de) . . . . BVX
Hamm (Val de) . . . . BV
Hespérange (R. d') . . . . . . BX 61
Itzig (R. d') . . . . BX
Kohlenberg . . . . AX

Kopstal (Rte de) . . . . AV
Longwy (Rte de) . . . . AVX
Merl (R. de) . . . . AX 76
Mulhenbach (R. de) . . . . . AV 79
Neudorf (R. de) . . . . BV
Rollingergrund (R. de) . . . AV 102
Strassen (R. de) . . . . AV 112
Thionville (Rte de) . . . . . . BX
10 Septembre (Av. du) . . . AV 127

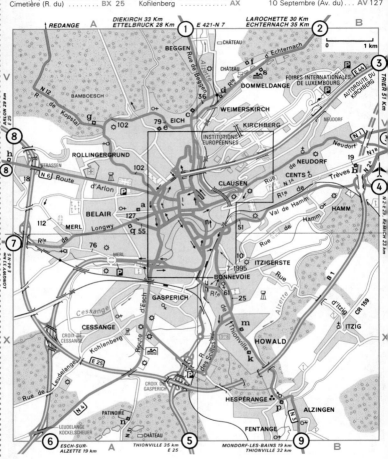

Sur la route :

la signalisation routière est rédigée

dans la langue de la zone linguistique traversée.

Dans ce guide,

les localités sont classées selon leur nom officiel :

Antwerpen pour Anvers, **Mechelen** pour Malines.

Luxembourg-Centre - plan p. 3 sauf indication spéciale :

Le Royal, bd Royal 12, ⌧ 2449, 𝒫 4 16 16, Telex 2979, Fax 22 59 48, ⨼, ⌂, ⬜ - ▐ ⟷
▤ 📺 ☎ 🅿 - 🏛 25 à 350. 𝔸𝔼 ⓞ 𝐄 𝑉𝐼𝑆𝐴 𝐽𝐶𝐵. ⚘ rest   F d
Repas *Le Relais Royal (fermé sam. midi, dim. midi, jours fériés, 31 juil.-21 août et du 25
au 30 déc.)* Lunch 1500 – carte 1900 à 2350 – *Le Jardin* carte 1100 à 1600 – **158 ch**
⌑ 7900/10300, 12 suites.

Cravat, bd Roosevelt 29, ⌧ 2450, 𝒫 22 19 75, Telex 2846, Fax 22 67 11 – ▐ 📺 ☎ – 🏛 25
à 70. 𝔸𝔼 ⓞ 𝐄 𝑉𝐼𝑆𝐴. ⚘ rest   F a
Repas Lunch 1250 – **59 ch** ⌑ 5400/7200 – ½ P 6200.

Rix sans rest, bd Royal 20, ⌧ 2449, 𝒫 47 16 66, Fax 22 75 35 – ▐ ⟷ 📺 ☎ 🅿. 𝐄 𝑉𝐼𝑆𝐴.
⚘   F b
fermé 22 déc.-2 janv. – **21 ch** ⌑ 4280/6180.

❀ Clairefontaine (Tintinger), pl. de Clairefontaine 9, ⌧ 1341, 𝒫 46 22 11, Fax 47 08 21,
🌤 – ▤ 🅿. 𝔸𝔼 ⓞ 𝐄 𝑉𝐼𝑆𝐴   G v
fermé sam. midi, dim., jours fériés, 27 fév.-4 mars, du 18 au 22 avril, du 12 au 28 août,
30 oct.-5 nov. et du 24 au 26 déc. – **Repas** Lunch 1840 – 2250 carte env. 2500
Spéc. Croustillant de pied de porc truffé, Côtes d'agneau aux épices douces et curcuma, Soufflé chaud à la banane. Vins Auxerrois, Pinot gris.

❀ St-Michel (Glauben) 1er étage, r. Eau 32, ⌧ 1449, 𝒫 22 32 15, Fax 46 25 93, « Dans la
vieille ville, cadre rustique » – 𝔸𝔼 ⓞ 𝐄 𝑉𝐼𝑆𝐴   G e
fermé sam. midi, dim., 31 juil.-15 août et 24 déc.-2 janv. – **Repas** Lunch 1750 – carte 2250
à 2700
Spéc. Tête de veau en vinaigrette d'estragon, Sandre à la vapeur et ravioli de choucroute, Chariot
de pâtisseries.

Hemmen, Plateau du St-Esprit 5, ⌧ 1475, 𝒫 47 00 23, Fax 47 00 24, 🌤, « Terrasse avec
< vieille ville » – ▤. 𝔸𝔼 ⓞ 𝐄 𝑉𝐼𝑆𝐴   G a
fermé dim. soir – **Repas** Lunch 1200 – carte env. 2000.

Speltz, r. Chimay 1, ⌧ 1333, 𝒫 47 49 50, Fax 47 46 77 – 𝔸𝔼 ⓞ 𝐄 𝑉𝐼𝑆𝐴   F c
fermé du 10 au 17 avril, 31 juil.-15 août, 25 déc.-1er janv., sam., dim. et jours fériés – **Repas**
Lunch 1250 – 1250/1450.

La Cigogne, r. Curé 24, ⌧ 1368, 𝒫 22 82 50, Fax 46 51 21 – 𝐄 𝑉𝐼𝑆𝐴. ⚘   F r
fermé sam., dim., jours fériés et août – **Repas** Lunch 1750 à 2150.

La Lorraine, pl. d'Armes 7, ⌧ 1136, 𝒫 47 46 20, Fax 47 09 64, 🌤, Écailler et produits de
la mer – ▤. 𝔸𝔼 ⓞ 𝐄 𝑉𝐼𝑆𝐴   F e
fermé dim. soir, 15 août-6 sept, sam. midi et dim. – **Repas** carte 1850 à 2650.

Aux Bains 1er étage, r. Bains 9, ⌧ 1212, 𝒫 22 44 88, Fax 22 44 89 – 𝔸𝔼 𝐄 𝑉𝐼𝑆𝐴   F n
fermé dim. et jours fériés – **Repas** Lunch 380 – carte 950 à 1900.

Thaïland, av. Gaston Diderich 72, ⌧ 1420, 𝒫 44 27 66, Fax 22 58 28, Cuisine thaïlandaise
– 𝔸𝔼 ⓞ 𝐄 𝑉𝐼𝑆𝐴. ⚘   plan p. 4 AV v
fermé lundi, sam. midi et 15 août-début sept – **Repas** Lunch 650 – carte 900 à 1250.

Am Pays, r. Curé 20, ⌧ 1368, 𝒫 22 26 18, Fax 46 24 40, Produits de la mer – 𝔸𝔼 ⓞ 𝐄
𝑉𝐼𝑆𝐴   F s
fermé sam. midi et dim. – **Repas** Lunch 1250 – 1350.

Brédewée, r. Large/Corniche 9, ⌧ 1917, 𝒫 22 26 96, 🌤 – 𝔸𝔼 ⓞ 𝐄 𝑉𝐼𝑆𝐴   G c
fermé du 15 au 30 août, prem. sem. janv. et dim. – **Repas** Lunch 490 – 1390/1790.

Roma, r. Louvigny 5, ⌧ 1946, 𝒫 22 36 92, Fax 22 03 30, 🌤, Cuisine italienne – ▤. 𝔸𝔼
ⓞ 𝐄 𝑉𝐼𝑆𝐴   F f
fermé dim. soir, lundi et du 24 au 26 déc. – **Repas** carte env. 1500.

Céladon, Montée du Grund 28, ⌧ 1645, 𝒫 47 49 34, Fax 22 58 28, Cuisine thaïlandaise
– 𝔸𝔼 ⓞ 𝐄 𝑉𝐼𝑆𝐴. ⚘   G z
fermé sam. midi, dim. et du 1er au 15 nov. – **Repas** Lunch 550 – carte 950 à 1350.

Caves Gourmandes, r. Eau 32, ⌧ 1449, 𝒫 46 11 24, Fax 46 11 24, « Ancienne cave
voûtée » – 𝔸𝔼 𝐄 𝑉𝐼𝑆𝐴   G e
fermé sam. midi et dim. – **Repas** Lunch 550 – 1390.

Luxembourg-Gare - plan p. 2 :

President, pl. de la Gare 32, ⌧ 1024, 𝒫 48 61 61, Telex 1510, Fax 48 61 80 – ▐ ▤ 📺
☎ – 🏛 40. 𝔸𝔼 ⓞ 𝐄 𝑉𝐼𝑆𝐴. ⚘   DZ v
Repas *(fermé dim., jours fériés et août-1er sept)* (dîner seult) carte env. 1200 – **35 ch**
⌑ 4600/6400.

Arcotel sans rest, av. de la Gare 43, ⌧ 1611, 𝒫 49 40 01, Fax 40 56 24 – ▐ 📺 ☎. 𝔸𝔼 ⓞ
𝐄 𝑉𝐼𝑆𝐴. ⚘   DZ a
30 ch ⌑ 4100/4800.

Central Molitor, av. de la Liberté 28, ⌧ 1930, 𝒫 48 99 11, Telex 2613, Fax 48 33 82 – ▐
▤ rest 📺 ☎. 𝔸𝔼 ⓞ 𝐄 𝑉𝐼𝑆𝐴   CDZ x
Repas *(fermé dim. soir, lundi et dern. sem. juil.-1re quinz. août)* Lunch 340 – carte 1000 à 1550
– **36 ch** ⌑ 3500/4900.

City Ⓜ sans rest, r. Strasbourg 1, ⌧ 2561, 𝒫 29 11 22, Fax 29 11 33 – ▐ 📺 ☎ 🚗 –
🏛 25 à 70. 𝔸𝔼 ⓞ 𝐄 𝑉𝐼𝑆𝐴. ⚘   DZ k
35 ch ⌑ 3750/5300.

🏨 **International,** pl. de la Gare 20, ⊠ 1616, ☎ 48 59 11, Telex 2761, Fax 49 32 27 – 📶 📺
☎ – 🔬 40. 🎫 ⓞ 🗲 🗺. ⅗ ch DZ **z**
Repas *(fermé 22 déc.-7 janv.)* Lunch *915* – 915/1325 – **53 ch** � 3550/5600.

🏨 **Nobilis** sans rest, av. de la Gare 47, ⊠ 1611, ☎ 49 49 71, Fax 40 31 01 – 📶 ▤ 📺 ☎ –
🔬 50. 🎫 ⓞ 🗲 🗺. ⅗ DZ **a**
☎ 300 – **43 ch** 3000/3600.

🏨 **Marco Polo** sans rest, r. Fort Neipperg 27, ⊠ 2230, ☎ 406 41 41, Fax 40 48 84 – 📶 📺
☎ ⬅️. 🎫 ⓞ 🗲 🗺 DZ **d**
18 ch ⊒ 2975/3850.

🏨 **Delta,** r. Ad. Fischer 74, ⊠ 1521, ☎ 49 30 96, Fax 40 43 20, 🛋 – 📶 📺 ☎. 🎫 ⓞ 🗲
🗺 CZ **g**
fermé 15 août-5 sept et Noël – **Repas** *(fermé sam. midi, dim. et jours fériés)* Lunch *440* –
695/2000 – **20 ch** ⊒ 2650/3400 – ½ P 3270/3720.

🏨 **Aub. Du Coin** sans rest, bd de la Pétrusse 2, ⊠ 2320, ☎ 40 21 01, Fax 40 36 66 – 📶 📺
☎ – 🔬 30. 🎫 ⓞ 🗲 🗺 CZ **e**
30 ch ⊒ 2500/3500.

🏨 **Relais Mercure** sans rest, r. Joseph Junck 30, ⊠ 1839, ☎ 49 24 96, Telex 60545,
Fax 49 21 09 – 📶 📺 ☎ ⬅️. 🎫 ⓞ 🗲 🗺. ⅗ DZ **n**
67 ch ⊒ 3000/3600.

🍴🍴🍴 **Cordial** 1er étage, pl. de Paris 1, ⊠ 2314, ☎ 48 85 38, Fax 40 77 76 – 🗲 🗺 DZ **b**
fermé vend., sam. midi, sem. carnaval, sem. Pentecôte et 15 juil.-15 août – **Repas** Lunch
1350 – 1350.

🍴🍴 **Italia** avec ch, r. Anvers 15, ⊠ 1130, ☎ 48 66 26, Fax 48 08 07, 🛋, Avec cuisine italienne
– 📺 ☎. 🎫 ⓞ 🗲 🗺 CZ **t**
Repas carte 950 à 1800 – **20 ch** ⊒ 2400/2800.

🍴🍴 **Relais Gastronomique** dans la gare, 1er étage, pl. de la Gare 13, ⊠ 1616, ☎ 48 61 71,
Fax 40 46 12 – 🎫 ⓞ 🗲 🗺 DZ **c**
fermé sam., dim. et jours fériés – **Repas** *(déjeuner seult)* carte 1000 à 1400.

🍴 **Saint-Exupéry** 1er étage, r. Bonnevoie 16, ⊠ 1260, ☎ 40 75 10, Fax 40 75 20 – 🎫 ⓞ 🗲
🗺 DZ **y**
fermé dim. – **Repas** Lunch *740* – 740/1390.

Périphérie - plan p. 4 sauf indication spéciale :

à l'Aéroport par ③ : 8 km :

🏨 **Sheraton Aérogolf** ⑤, rte de Trèves, ⊠ 1019, ☎ 34 05 71, Telex 2662, Fax 34 02 17, ⩽
– 📶 ⅗ ▤ 📺 ☎ ⓟ – 🔬 25 à 120. 🎫 ⓞ 🗲 🗺 ᴊᴄʙ
Repas *Le Montgolfier* Lunch *900* – carte 1150 à 1850 – ⊒ 550 – **146 ch** 5900/8400, 4 suites.

🏨 **Ibis,** rte de Trèves, ⊠ 2632, ☎ 43 88 01, Telex 60790, Fax 43 88 02, ⩽ – 📶 ▤ 📺 ☎ 🔧
ⓟ – 🔬 25 à 80. 🎫 ⓞ 🗲 🗺
Repas Lunch *340* – 740/940 – **120 ch** ⊒ 2900/3900.

🏨 **Trust Inn** sans rest, r. Neudorf 679, ⊠ 2220, ☎ 42 30 51, Fax 42 30 56 – 📺 ☎ ⓟ. 🎫 ⓞ
🗲 🗺
7 ch ⊒ 2200/3500.

🍴🍴 **Le Grimpereau,** r. Cents 140, ⊠ 1319, ☎ 43 67 87, Fax 42 60 26, 🛋 – ⓟ. 🎫 🗲 🗺. ⅗
fermé merc. soir, jeudi, 1 sem. carnaval, 3 sem. en août et 1 sem. Toussaint – **Repas** Lunch
1200 – carte 1150 à 1900. BV **b**

à Belair Ⓛ Luxembourg :

🏨 **Parc Belair** Ⓜ ⑤, av. du X Septembre 109, ⊠ 2551, ☎ 44 23 23, Telex 1416, Fax 44 44 84,
⩽, 🛋 – 📶 ⅗ rest 📺 ☎ 🔧 – 🔬 60. 🎫 ⓞ 🗲 🗺 AV **q**
Repas *(dîner seult sauf dim.)* carte 1050 à 1500 – **46 ch** ⊒ 5700/6200.

🍴🍴🍴 **Astoria,** av. du X Septembre 14, ⊠ 2550, ☎ 44 62 23, Fax 45 82 93 – 🎫 ⓞ 🗲
🗺 plan p. 2 CZ **a**
fermé sam. et 26 déc.-2 janv. – **Repas** *(déjeuner seult)* carte 1900 à 2200.

à Dommeldange (Dummeldéng) Ⓛ Luxembourg :

🏨 **Inter.Continental** ⑤, r. Jean Engling 12, ⊠ 1466, ☎ 4 37 81, Telex 3754, Fax 43 60 95,
⩽, 🛋, 🗂, 🚟, 🏊 – 📶 ⅗ ▤ 📺 ☎ 🔧 ⓟ – 🔬 25 à 360. 🎫 ⓞ 🗲 🗺. ⅗ rest BV **v**
Repas *(fermé sam. midi, dim. midi et août)* Lunch *1350* – carte 2050 à 2500 – ⊒ 620 –
314 ch 5800/8950, 30 suites.

🏨 **Parc,** rte d'Echternach 120, ⊠ 1453, ☎ 43 56 43, Fax 43 69 03, 🛋, 🚟, 🗂, 🚟, 🏊 – 📶
📺 🔧 ⓟ – 🔬 40 à 2000. 🎫 ⓞ 🗲 🗺 BV **s**
Repas *(ouvert jusqu'à 23 h 30)* Lunch *600* – carte 950 à 1700 – **261 ch** ⊒ 3600/4400, 10 suites – ½ P 2800.

🏨 **Host. du Grünewald,** rte d'Echternach 10, ⊠ 1453, ☎ 43 18 82 et 42 03 14 (rest)
Fax 42 06 46, 🚟 – 📶 📺 ☎ ⓟ – 🔬 25 à 40. 🎫 ⓞ 🗲 🗺. ⅗ BV **d**
Repas *(fermé sam. midi, dim., jours fériés et du 1er au 23 janv.)* Lunch *1580* – carte 1750
à 2350 – **25 ch** ⊒ 3900/4900, 3 suites.

à Eich (Eech) C Luxembourg :

XX **La Mirabelle,** pl. Dargent 9, ✉ 1413, ☎ 42 22 69, Fax 42 22 69, Ouvert jusqu'à 23 h – E VISA AV **c**
fermé du 15 au 30 août, du 1er au 9 janv., sam. midi et dim. – **Repas** *Lunch 850* – carte 1350 à 1650.

au plateau de Kirchberg (Kiirchbierg) :

Sofitel, r. Fort Niedergrünewald 6 (Centre Européen), ✉ 2015, ☎ 43 77 61, Telex 2751, Fax 43 86 58, ≦s, ▢ – |‡| ⇋ ▤ TV ☎ ♿ ⇔ P – 🏟 25 à 300. AE ⓓ E VISA. ✗ rest
Repas ***Les Trois Glands*** *(fermé sam. midi et août) Lunch 1100* – carte 1400 à 1850 – ***Brasserie Europa*** carte 900 à 1300 – **359 ch** ⊐ 6300/8500, 5 suites. plan p. 3 EY **a**

à la patinoire de Kockelscheuer (Kockelscheier) :

XXX ✿✿ **Patin d'Or** (Berring), rte de Bettembourg 40, ✉ 1899, ☎ 22 64 99, Fax 40 40 11 – ▤ P. ⓓ E VISA. ✗ AX **n**
fermé sam., dim. et jours fériés – **Repas** 1950 carte 2100 à 2900
Spéc. Emincé de homard au vieux vinaigre, Filet de rouget sur confit niçois au basilic, Pied de porc farci et truffé à l'ancienne. **Vins** Pinot gris, Riesling.

à Limpertsberg (Lampertsbierg) C Luxembourg :

XXX **Bouzonviller,** r. A. Unden 138, ✉ 2652, ☎ 47 22 59, Fax 46 43 89, ≤ – E VISA AV **e**
fermé sam., dim., 1 sem. Pâques, 3 sem. en août et Noël-Nouvel An – **Repas** *Lunch 1600* – carte env. 2100.

à Rollingergrund (Rolléngergronn) C Luxembourg :

Sieweburen, r. Septfontaines 36, ✉ 2534, ☎ 44 23 56, Fax 44 23 53, ≤, 🏠, « Environnement boisé », 🐎 – TV ☎ P. E VISA AV **g**
fermé 20 déc.-4 janv. – **Repas** (Taverne-rest) *(fermé merc.) Lunch 340* – carte 900 à 1300 – **13 ch** ⊐ 2500/3500.

Environs

à Bridel (Briddel) par N 12 : 7 km - AV - C Kopstal 2 974 h :

XX **Le Rondeau,** r. Luxembourg 82, ✉ 8140, ☎ 33 94 73, Fax 33 37 46 – P. AE E VISA
fermé lundi soir, mardi, 3 dern. sem. août et 2 prem. sem. janv. – **Repas** *Lunch 900* – 980.

à Hesperange (Hesper) - plan p. 4 – 9 918 h :

XXX ✿ **L'Agath** (Steichen) avec ch, rte de Thionville 274 (Howald), ✉ 5884, ☎ 48 86 87, Fax 48 55 05, 🏠, 🐎 – TV ☎ P – 🏟 60. AE ⓓ E VISA BX **k**
fermé dim., lundi, mi-juil.-début août, Noël et Nouvel An – **Repas** 1700 carte 2400 à 2800 – **5 ch** ⊐ 2200/3300
Spéc. Ravioles d'escargots, cressonière aux girolles, Turbot rôti au persil plat, Blanc de volaille farci au pied de porc, sauce périgueux. **Vins** Pinot gris, Riesling.

XXX **Klein,** rte de Thionville 432, ✉ 5886, ☎ 36 08 42, Fax 36 08 43 – AE ⓓ E VISA BX **p**
fermé du 1er au 8 fév., du 1er au 8 sept, dim. soir et lundi – **Repas** *Lunch 1300* – 1650/1950.

à Hostert (Hueschtert) par ③ : 12 km C Niederanven 5 054 h :

XX **Le Gastronome,** r. Andethana 90, ✉ 6970, ☎ 34 00 39, Fax 34 00 39, 🏠 – P. AE ⓓ E VISA
fermé sam. midi, dim., jours fériés, 1 sem. carnaval, 2e quinz. août et fin déc. – **Repas** *Lunch 920* – carte 1450 à 2000.

à Sandweiler par ④ : 7 km – 2 024 h :

XX **Hoffmann,** r. Principale 21, ✉ 5240, ☎ 3 51 80, Fax 35 79 36, 🏠 – AE E VISA. ✗
fermé lundi soir, mardi, 3 prem. sem. août et 27 déc.-15 janv. – **Repas** *Lunch 1350* – 1350/1750.

à Strassen (Stroossen) - plan p. 4 – 4 919 h :

L'Olivier avec appartements, rte d'Arlon 140, ✉ 8008, ☎ 313 66 61 et 31 88 13 (rest), Fax 31 36 27, 🏠 – |‡| ⇋ TV ☎ ♿ ⇔ P – 🏟 25 à 350. AE ⓓ E VISA AV **h**
Repas *Lunch 925* – 1365/1985 – ⊐ 420 – **42 ch** 3950/4650, 4 suites – ½ P 2475/3325.

Mon Plaisir sans rest, rte d'Arlon 218 (par ⑧ : 4 km), ✉ 8010, ☎ 31 15 41, Fax 31 61 44 – |‡| TV ☎ P. AE E VISA
25 ch ⊐ 1950/2650.

à Walferdange (Walfer) par ① : 5 km – 5 818 h :

Moris M, pl. des Martyrs, ✉ 7201, ☎ 33 01 05, Fax 33 30 70 – |‡| ▤ rest TV ☎ P – 🏟 50. AE ⓓ E VISA
Repas *(fermé lundi et 24 juil.-14 août) Lunch 450* – 1150 – **16 ch** ⊐ 2600/3600 – ½ P 2450/3250.

XX **l'Etiquette,** rte de Diekirch 50, ✉ 7220, ☎ 33 51 67, Fax 33 51 69 – P. AE ⓓ E VISA
fermé 21 août-8 sept et fin déc.-début janv. – **Repas** *Lunch 700* – 700/1350.

MACHTUM (MIECHTEM) ⓒ Wormeldange 2 123 h. 🟦🟦🟦 ④ et 🟫🟫🟫 ㉗.

♦Luxembourg 32 – Grevenmacher 3,5 – Mondorf-les-Bains 29.

※ **Aub. du Lac** avec ch, rte du Vin 77, ⊠ 6841, ℰ 7 52 53, Fax 75 88 87, ≤, 🏕 – 📺 ☎ 🅿.
ⁿ 🖿 𝘃𝘪𝘴𝘢
fermé du 1er au 15 sept, 15 déc.-15 janv. et mardi – **Repas** *Lunch 600* – 890/1250 – **4 ch**
⊆ 1300/2400 – ½ P 1600/1900.

MERSCH (MIERSCH) 🟦🟦🟦 ④ et 🟫🟫🟫 ㉖ – 5 965 h.

Voir Vallée de l'Eisch★ de Koerich à Mersch.

Env. SO : 4 km, Hunnebour : cadre★.

🄱 (fermé sam. et dim.) Hôtel de Ville, ⊠ 7501, ℰ 3 25 23 et (juil.-août) Tour St-Michel ℰ 32 96 18.

♦Luxembourg 17 – ♦Bastogne 53 – Diekirch 20.

🏨 **Chalet Mierscherbierg**, rte de Colmar-Berg, ⊠ 7525, ℰ 3 22 57, Fax 32 98 38 – 📺 ☎
🅿 – 🔬 25 à 110. ① 🖿 𝘃𝘪𝘴𝘢. ⁓
Repas (ouvert jusqu'à minuit) carte 1000 à 1400 – ⊆ 280 – **22 ch** 2100/2600 – ½ P 2660.

🏠 **Host. Val Fleuri**, r. Lohr 28, ⊠ 7545, ℰ 32 89 75, Fax 32 61 09, 🍹 – 📲 📺 ☎ 🚗, 𝘃𝘪𝘴𝘢
➡ ⁓ rest
fermé sam. et 15 avril-10 mai – **Repas** *(fermé après 20 h)* *Lunch 750* – 750/1300 – **13 ch**
⊆ 2000/3050 – ½ P 2250/2700.

Dans ce guide
un même symbole, un même mot,
imprimés en noir ou en rouge, en maigre ou en gras
n'ont pas tout à fait la même signification.

Lisez attentivement les pages explicatives.

MERTERT (MÄERTERT) 🟦🟦🟦 ④ et 🟫🟫🟫 ㉗ – 2 923 h.

♦Luxembourg 32 – Thionville 56 – Trier 15.

※※※ **Goedert** avec ch, pl. de la Gare 4, ⊠ 6674, ℰ 7 40 21, Fax 74 84 71, 🏕 – 📺 ☎ 🅿. ⁿ
🖿 𝘃𝘪𝘴𝘢
fermé lundis soirs et mardis non fériés, 2e quinz. août et janv. – **Repas** *Lunch 1350* –
1350/1850 – **10 ch** ⊆ 1800/2500 – ½ P 2400/2600.

MONDORF-LES-BAINS (MUNNERËF) 🟦🟦🟦 ⑤ ⑥ et 🟫🟫🟫 ㉗ – 2 878 h. – Station thermale – Casino
2000, r. Flammang ℰ 661 01 01, Fax 661 01 02 29.

Voir Parc★ – Mobilier★ de l'église St-Michel.

Env. E : Vallée de la Moselle Luxembourgeoise★ de Schengen à Wasserbillig.

🄱 (fermé sam. et dim. sauf Pâques-sept) rte de Luxembourg 22, ⊠ 5634, ℰ 6 75 75, Fax 66 13 46.

♦Luxembourg 19 – Remich 11 – Thionville 22.

🏨🏨 **Parc** ⁓, Domaine thermal, ⊠ 5601, ℰ 66 12 12, Fax 66 10 93, *ℓ5*, ≦s, 🟥, 🍹, ※ – 📲
📺 ☎ 🔥 🚗 🅿 – 🔬 25 à 450. ⁿ 🖿 𝘃𝘪𝘴𝘢. ⁓
fermé fin-déc.-début janv. – **Repas** *Brasserie De Jangeli* carte 850 à 1250 – ⊆ 350 –
84 ch 3800/5690, 29 suites – ½ P 4500.

🏨🏨 **Casino 2000**, r. Flammang, ⊠ 5618, ℰ 661 01 01, Telex 3652, Fax 661 01 02 29, 🏕, 🚗
– 📲 🗒 📺 ☎ 🅿 – 🔬 25 à 350. ⁿ ① 🖿 𝘃𝘪𝘴𝘢. ⁓ rest
Repas *La Calèche* *(fermé 24 déc.)* *Lunch 1300* – 1300/2200 – **34 ch** *(fermé 23 et 24 déc.)*
⊆ 3400/4300.

🏨🏨 **Grand Chef** ⁓, av. des Bains 36, ⊠ 5610, ℰ 66 80 12, Fax 66 15 10, 🚗 – 📲 📺 ☎ 🚗
🅿 – 🔬 30. ⁿ ① 🖿 𝘃𝘪𝘴𝘢. ⁓ rest
15 avril-20 nov. – **Repas** *Lunch 970* – 1270/1600 – **36 ch** ⊆ 2280/3550, 2 suites –
½ P 2200/2650.

🏠 **Beau-Séjour**, av. Dr Klein 3, ⊠ 5630, ℰ 6 81 08, Fax 66 08 89 – 📺 ☎. 🖿 𝘃𝘪𝘴𝘢. ⁓
fermé jeudi et 17 déc.-8 janv. – **Repas** *Lunch 700* – 1250/1850 – ⊆ 300 – **10 ch** 2100/3100
– ½ P 2300/2500.

à Ellange-gare (Elléng) NO : 2,5 km ⓒ Mondorf-les-Bains :

※※※ **La Rameaudière**, r. Gare 10, ⊠ 5690, ℰ 66 10 63, Fax 66 10 64, 🏕, « Terrasse et jardin »
– 🅿. ⁿ ① 🖿 𝘃𝘪𝘴𝘢
fermé lundis non fériés, fév., 26 juin-3 juil. et 23 oct.-6 nov. – **Repas** *Lunch 1400* – carte env.
2000.

MOUTFORT (MUTFERT) ⓒ Contern 967 h. 🟦🟦🟦 ⑤ et 🟫🟫🟫 ㉖ ㉗.

♦Luxembourg 12 – Grevenmacher 24 – Remich 11.

※※ **Le Bouquet Garni,** rte de Remich 57, ⊠ 5330, ℰ 35 99 77, Fax 35 98 60, 🏕 – 🅿. ⁿ 🖿
𝘃𝘪𝘴𝘢
fermé lundis non fériés, sem. carnaval, 1re quinz. sept et sem. Toussaint – **Repas** *Lunch 850*
– 1300/1900.

MULLERTHAL (MËLLERDALL) 🄲 Waldbillig 843 h. 🗺️🖸🖼️ ④ et 🗺️🖸🖼️ ㉗.

Voir Vallée des meuniers★★★ (Vallée de l'Ernz Noire).

📍 à Christnach SO : 2 km, ✉ 7641, 🖉 87 83 83, Fax 87 95 64.

◆Luxembourg 26 – Echternach 14.

🏨 **Central**, r. Ernz Noire 1, ✉ 6245, 🖉 79 94 95, Fax 79 93 83, 🏡, 🦌 – 📺 ☎ 🅿. 🖭 ⓞ 🗲 ᵛⁱˢᵃ. 🦐 rest
fermé janv. et fév. – **Repas** *Le Cigalon (fermé mardi de sept à Pâques) Lunch 1750* – carte env. 1800 – **13 ch** ⊐ 2000/3100 – ½ P 2350.

NIEDERANVEN (NIDDERANWEN) 🗺️🖸🖼️ ④ ⑤ et 🗺️🖸🖼️ ㉗ – 5 054 h..

◆Luxembourg 12 – Grevenmacher 16 – Remich 19.

🍴 **Host. de Niederanven,** r. Münsbach 2, ✉ 6941, 🖉 34 00 61, Fax 34 93 92 – 🗲 ᵛⁱˢᵃ. 🦐
fermé lundi soir, mardi, sem. carnaval, mi-juil.-mi-août et sem. Toussaint – **Repas** *Lunch 1250* – carte 1500 à 1850.

OUR (Vallée de l') (URDALL)★★ 🗺️🖸🖼️ ② ③ et 🗺️🖸🖼️ ㉖ G. Belgique-Luxembourg.

PERLÉ (PÄREL) 🄲 Rambrouch 2 742 h. 🗺️🖸🖼️ ⑫ et 🗺️🖸🖼️ ㉖.

◆Luxembourg 42 – ◆Bastogne 25 – ◆Arlon 16.

🏨 **La Perle d'Or** 🦐, r. Neuve 4, ✉ 8824, 🖉 6 46 60, Fax 6 44 55, 🏡, 🔄 – 📺 🅿. 🗲 ᵛⁱˢᵃ
fermé jeudi et 21 août-14 sept – **Repas** *(ouvert jusqu'à minuit) Lunch 270* – carte 900 à 1400 – **6 ch** ⊐ 1150/1800 – ½ P 1450.

🏨 **Roder** 🦐, r. Église 13, ✉ 8826, 🖉 6 40 32, Fax 64 91 42, 🏡 – 🅿. ⓞ 🗲 ᵛⁱˢᵃ
fermé mardi, 7 fév.-4 mars et 28 août-13 sept – **Repas** *Lunch 300* – carte env. 1500 – **8 ch** ⊐ 1980 – ½ P 1420.

POMMERLOCH (POMMERLACH) 🄲 Winseler 641 h. 🗺️🖸🖼️ ⑪.

◆Luxembourg 59 – ◆Bastogne 12 – Diekirch 37 – Wiltz 7.

🏨 **Motel Bereler Stuff** sans rest, rte de Bastogne, ✉ 9638, 🖉 95 79 09, Fax 95 79 08 – 📺 ☎ 🅿. 🗲 ᵛⁱˢᵃ
17 ch ⊐ 950/1650.

REMERSCHEN (RÉMERSCHEN) 🗺️🖸🖼️ ⑥ et 🗺️🖸🖼️ ㉗ – 1 155 h.

◆Luxembourg 31 – Mondorf-les-Bains 13 – Thionville 25.

🍴 **Host. de Remerschen,** rte du Vin 50, ✉ 5440, 🖉 6 05 96, Fax 6 07 85 – 🅿. 🖭 🗲 ᵛⁱˢᵃ. 🦐
fermé lundi, 1 sem. en fév. et 2 sem. en sept – **Repas** *Lunch 960* – carte env. 1400.

REMICH (RÉIMECH) 🗺️🖸🖼️ ⑤ et 🗺️🖸🖼️ ㉗ – 2 590 h.

Voir Vallée de la Moselle Luxembourgeoise★ de Schengen à Wasserbillig.

📍 à Canach NO : 12 km, Scheierhaff, ✉ 5412, 🖉 35 61 35.

🅸 (juil.-août) Esplanade (gare routière), ✉ 5533, 🖉 69 84 88.

◆Luxembourg 23 – Mondorf-les-Bains 11 – Saarbrücken 77.

🏨 **Des Vignes** 🦐, rte de Mondorf 29, ✉ 5552, 🖉 69 91 48, Fax 69 84 63, ≤ vignobles et vallée de la Moselle, 🏡 – 🛗 📺 ☎ 🅿 – 🔬 25 à 40. 🖭 ⓞ 🗲 ᵛⁱˢᵃ
fermé 22 déc.-25 janv. – Repas (fermé mardi midi) Lunch 1250 – 1250/1600 – **23 ch** ⊐ 2400/3000 – ½ P 2300/3200.

🏨 **Saint Nicolas** 🦐, Esplanade 31, ✉ 5533, 🖉 69 83 33, Fax 69 90 69, ≤, 🏡, 🚣, 🔄 – 🛗 ⤱ 📺 ☎ – 🔬 60. 🖭 ⓞ 🗲 ᵛⁱˢᵃ. 🦐 ch
Repas *Lunch 790* – 800/1750 – **40 ch** ⊐ 2400/3200 – ½ P 2400/3200.

🏨 **L'Esplanade,** Esplanade 5, ✉ 5533, 🖉 6 91 71, Fax 69 89 24, ≤, 🏡 – 📺 ☎. 🗲 ᵛⁱˢᵃ
fermé déc.-janv. et lundi hors saison – **Repas** *Lunch 525* – carte env. 1300 – **18 ch** ⊐ 1800/2450 – ½ P 1700/1900.

REULAND 🄲 Heffingen 686 h. 🗺️🖸🖼️ ④ et 🗺️🖸🖼️ ㉗.

◆Luxembourg 22 – Diekirch 18 – Echternach 19.

🍴🍴 **Reilander Millen,** E : 2 km sur rte Junglinster-Müllerthal, ✉ 7639, 🖉 8 72 52, Fax 87 97 43, 🏡, « Moulin du 18ᵉ s., intérieur rustique » – 🅿. 🗲 ᵛⁱˢᵃ. 🦐
fermé lundi, mardi midi, 3 sem. carnaval et 2 sem. en sept – **Repas** carte env. 2000.

REULER (REILER) 🗺️🖸🖼️ ⑩ – voir à Clervaux.

ROLLINGERGRUND (ROLLÉNGERGRONN) – voir à Luxembourg, périphérie.

ROMBACH (ROMBECH) 🗺️🖸🖼️ ⑪ – voir à Haut-Martelange.

RUMELANGE (RÉMMELÉNG) 🗺️🖸🖼️ ⑭ ⑥ et 🗺️🖸🖼️ ㉖ – voir à Esch-sur-Alzette.

(SËLL) 🗺 ⑫ et 🗺 ㉘ – 444 h.

◆Luxembourg 21 – ◆Arlon 14 – Mersch 11.

XX **Maison Rouge,** r. Principale 10, ⊠ 7470, ℰ 6 32 21, Fax 6 37 58 –
fermé lundi, mardi, 3 sem. en fév. et 3 sem. en août – **Repas** *Lunch 1600* – 1600/1800.

SANDWEILER 🗺 ⑤ et 🗺 ㉖ ㉗ – voir à Luxembourg, environs.

SCHEIDGEN (SCHEEDGEN) 🆑 Consdorf 1 432 h. 🗺 ④ et 🗺 ㉗.

◆Luxembourg 29 – Echternach 8.

🏨 **Station** ⚓, rte d'Echternach 10, ⊠ 6250, ℰ 7 90 39, Fax 79 91 64, ≤ – ⏸ 📺 ☎ ⟵ 🅿
ＡＥ ⓪ Ｅ 𝘝𝘐𝘚𝘈. ❄ rest
21 mars-2 janv. – **Repas** *(fermé après 20 h 30 et lundi et mardi d'oct. à mi-déc.) Lunch 800*
– carte env. 1500 – **26 ch** ⊇ 1800/2600 – ½ P 1900/2030.

SCHOUWEILER (SCHULLER) 🆑 Dippach 2 598 h. 🗺 ⑬ et 🗺 ㉖.

◆Luxembourg 13 – ◆Arlon 20 – Longwy 18 – Mondorf-les-Bains 29.

XX ❀ **A la table des Guilloux,** r. Résistance 17, ⊠ 4996, ℰ 37 00 08, Fax 37 11 61, 🏡,
« Ferme-auberge »
fermé mardi, sam. midi, sem. carnaval, août et Noël – **Repas** *Lunch 1200* – carte env. 1500
Spéc. Fondu de saumon à l'huile de noisettes et basilic, Filet de bœuf à la ficelle, Gratin de
macaronis au Gorgonzola.

XX **La Chaumière,** r. Gare 65, ⊠ 4999, ℰ 37 05 66, « Terrasse » – 🅿. Ｅ 𝘝𝘐𝘚𝘈
fermé lundi soir, mardi et août – **Repas** *Lunch 1000* – carte 1300 à 1700.

SCHWEBSANGE (SCHWÉIDSBÉNG) 🆑 Wellenstein 991 h. 🗺 ⑤ et 🗺 ㉗.

◆Luxembourg 27 – Mondorf-les-Bains 10 – Thionville 28.

X **La Rotonde,** rte du Vin 11, ⊠ 5447, ℰ 6 01 51 – 🅿. Ｅ 𝘝𝘐𝘚𝘈
fermé lundis non fériés, mardi, 1 sem. en sept et mi-déc.-fin janv. – **Repas** carte 1050 à
1500.

SEPTFONTAINES (SIMMER) 🗺 ⑫ et 🗺 ㉖ – 623 h.

◆Luxembourg 21 – ◆Arlon 13 – Diekirch 32.

XXX **Host. du Vieux Moulin,** Leisbech (E : 1 km), ⊠ 8363, ℰ 30 50 27, ≤, 🏡, « Au creux d'un
vallon boisé » – 🍽 🅿. Ｅ 𝘝𝘐𝘚𝘈
fermé du 19 au 27 juin, 8 janv.-8 fév. et lundis et mardis midis non fériés – **Repas** carte
1600 à 2050.

STADTBREDIMUS (STADBRIEDEMES) 🗺 ⑤ et 🗺 ㉗ – 879 h.

Env. N : rte de Greiveldange ≤★.

◆Luxembourg 22 – Mondorf-les-Bains 14 – Saarbrücken 80.

🏨 **L'Écluse,** rte du Vin 29, ⊠ 5450, ℰ 6 95 46, Fax 69 76 12, 🍃 – 📺 ☎ ⟵ 🅿. Ｅ 𝘝𝘐𝘚𝘈. ❄ rest
Repas *(fermé mardi et 24 déc.-7 janv.) Lunch 400* – carte 800 à 1200 – **16 ch** ⊇ 1600/2100
– ½ P 1550.

STEINHEIM (STENEM) 🗺 ③ – voir à Echternach.

STRASSEN (STROOSSEN) 🗺 ⑤ et 🗺 ㉖ – voir à Luxembourg, environs.

SUISSE LUXEMBOURGEOISE (Petite) ★★★ 🗺 ③ ④ et 🗺 ㉗ G. Belgique-Luxembourg.

SÛRE (Vallée de la) (SAUERDALL) ★★ 🗺 ⑪ ③ et 🗺 ㉖ G. Belgique-Luxembourg.

TROISVIERGES (ELWEN) 🗺 ⑨ et 🗺 ⑯ – 1 994 h.

◆Luxembourg 100 – ◆Bastogne 28 – Clervaux 19.

🏨 **Aub. Lamy,** r. Asselborn 51, ⊠ 9907, ℰ 9 80 41, Fax 97 80 72, ≤, 🍃 – ⏸ 📺 🅿. Ｅ 𝘝𝘐𝘚𝘈
❄
fermé lundi soir, mardi, 3 sem. carnaval et 28 août-21 sept – **Repas** *Lunch 475* – 1150/1400
– **6 ch** ⊇ 1250/2100 – ½ P 1800.

TUNTANGE (TÉNTEN) 🗺 ⑫ et 🗺 ㉖ – 739 h.

◆Luxembourg 18 – ◆Arlon 17 – Diekirch 27.

X **Au Coq d'Alsace,** r. Luxembourg 23, ⊠ 7480, ℰ 6 37 23 – 🅿. Ｅ 𝘝𝘐𝘚𝘈
fermé lundi et mardi – **Repas** *Lunch 750* – 800/975.

VIANDEN (VEIANEN) **215** ③ et **409** ㉖ – 1 471 h.

Voir Site★★, ≤★★, ✳★ par le télésiège – Château★★ : chemin de ronde ≤★ – Bassins supérieurs du Mont St-Nicolas (route ≤★★ et ≤★) NO : 4 km – Bivels : site★ N : 3,5 km.

Exc. N : Vallée de l'Our★★.

🛈 (fermé merc. sauf avril-oct.) Maison Victor-Hugo, r. Gare 37, ✉ 9420, ✆ 8 42 57, Fax 84 90 81.

◆Luxembourg 44 – Clervaux 31 – Diekirch 11.

🏠 **Host. des Remparts,** Grand-Rue 77, ✉ 9411, ✆ 8 45 74, Fax 8 47 20, � – |‡| 📺 ☎. **E**
VISA. ✾ ch
fermé 5 déc.-15 janv. – **Repas** (Taverne-rest, grillades) *(fermé jeudi sauf en juil.-août)* Lunch
395 – carte 900 à 1200 – **14 ch** ☑ 2200/2900 – ½ P 1700/1850.

🏠 **Heintz,** Grand-Rue 55, ✉ 9410, ✆ 8 41 55, Fax 8 45 59, �, 🌳 – |‡| 📺 ☎ 🅿. 🆎 ⓪ **E** **VISA**
↝ *14 avril-12 nov.* – **Repas** *(fermé merc. sauf en juil.-août)* Lunch 760 – 760/1450 – **30 ch**
☑ 1900/2800 – ½ P 1650/2100.

🍴🍴🍴 **Le Châtelain-Oranienburg** avec ch, Grand-Rue 126, ✉ 9411, ✆ 8 41 53, Fax 8 43 33,
« Terrasse », 🌳 – |‡| 📺 ☎ – 🔬 25 à 40. 🆎 ⓪ **E** **VISA**
fermé 9 janv.-9 mars et du 13 au 23 nov. – **Repas** *(fermé lundi et mardi d'oct. à juin)* Lunch
1350 – carte 1800 à 2150 – **13 ch** ☑ 1800/3350 – ½ P 2050/2575.

🍴🍴 **Aub. du Château** avec ch, Grand-Rue 74, ✉ 9410, ✆ 8 45 74, Fax 8 47 20, 🌳 – 📺 ☎.
E **VISA**. ✾
12 avril-10 déc. – **Repas** *(fermé mardi et merc. midi)* Lunch 695 – 995/1475 – **21 ch**
☑ 2200/2900 – ½ P 1700/1850.

🍴 **Aub. Aal Veinen** avec ch, Grand-Rue 114, ✉ 9411, ✆ 8 43 68, Fax 8 40 84, Rustique –
📺 ☎. **E** **VISA**
fermé mardi et 1ᵉʳ janv. – **Repas** (Grillades) Lunch 265 – carte 800 à 1250 – **8 ch** ☑ 1700/1900
– ½ P 1750.

WALFERDANGE (WALFER) **215** ④ ⑤ et **409** ㉖ – voir à Luxembourg, environs.

WASSERBILLIG (WAASSERBËLLEG) 🅒 Mertert 2 923 h. **215** ④ et **409** ㉗.

◆Luxembourg 35 – Thionville 58 – Trier 18.

🍴🍴 **Kinnen** avec ch, rte de Luxembourg 32, ✉ 6633, ✆ 7 40 88, Fax 7 41 08, � – |‡| ▤ rest
📺 ☎ 🅿. **E** **VISA**. ✾
fermé fév. et 22 juin-7 juil. – **Repas** *(fermé merc.)* carte 1300 à 2150 – **10 ch** ☑ 1500/2200.

WEILERBACH (WEILERBAACH) 🅒 Berdorf 988 h. **215** ③ et **409** ㉗.

◆Luxembourg 39 – Diekirch 24 – Echternach 4,5.

🏠 **Schumacher,** rte de Diekirch 1, ✉ 6590, ✆ 7 21 33, Fax 72 87 13, ≤, �, 🌳 – |‡| 📺 ☎
↝ 🅿. **VISA**. ✾
15 mars-15 nov. – **Repas** *(fermé jeudi et après 20 h 30)* Lunch 780 – 780/1200 – **25 ch**
☑ 2000/2750 – ½ P 1700/1750.

🍴🍴 **Bois Fleuri** avec ch, rte de Diekirch 8, ✉ 6590, ✆ 7 22 11, Fax 72 84 38, �, 🌳 – ☎ 🅿.
🆎 ⓪ **E** **VISA**
mars-nov. – **Repas** *(fermé merc. et après 20 h 30)* Lunch 850 – 850/1500 – **15 ch**
☑ 1300/2000 – ½ P 1700/1850.

WEISWAMPACH (WÄISWAMPECH) **215** ① ⑨ et **409** ⑯ – 976 h.

◆Luxembourg 68 – Clervaux 16 – Diekirch 36.

🏠 **Keup,** rte de Stavelot 143 (sur N 7), ✉ 9991, ✆ 9 75 99, Fax 9 75 96 – |‡| 📺 ☎ 🕭 🅿 –
🔬 40. 🆎 ⓪ **E** **VISA**
Repas *(fermé merc.)* Lunch 495 – 800/1450 – **25 ch** ☑ 1625/2400 – ½ P 1965.

🍴🍴 **Host. du Nord** avec ch, rte de Stavelot 113, ✉ 9991, ✆ 9 83 19, Fax 9 83 19, �, 🌳 –
📺 🅿. **E** **VISA**
Repas *(fermé lundi soir et mardi)* Lunch 360 – carte env. 1300 – **9 ch** ☑ 1050/2050 –
½ P 1250/1450.

WELSCHEID (WELSCHENT) 🅒 Bourscheid 1 031 h. **215** ③ ⑪ et **409** ㉖.

◆Luxembourg 35 – ◆Bastogne 38 – Diekirch 12.

🏠 **Reuter** 🍴, r. Wark 2, ✉ 9191, ✆ 8 29 17, Fax 81 73 09, ≤, 🌳 – |‡| 📺 ☎ 🅿 – 🔬 25.
⓪ **E** **VISA**. ✾
fermé lundi soir de déc. à Pâques, mardi, 29 janv.-24 fév. et 13 nov.-15 déc. – **Repas** Lunch
780 – 950/1500 – **18 ch** ☑ 2430/2950 – ½ P 1780/2265.

Die Michelin-Länderkarte Nr. **407**
Benelux im Maßstab 1 : 400 000
gibt einen Überblick über die Benelux-Staaten

🛈 (15 juin-15 sept et mardi) Château, ⊠ 9516, 🖉 95 74 44.

◆Luxembourg 54 – ◆Bastogne 21 – Clervaux 21.

🏠 **Du Commerce,** r. Tondeurs 9, ⊠ 9570, 🖉 95 82 20, Fax 95 78 06 – 📺 ☎ – 🔬 25 à 80. 🗲 _VISA_. 🛠
fermé lundi, mars et oct. – Repas *(fermé dim. soir, lundi et après 20 h)* Lunch 650 – carte 950 à 1350 – **13 ch** ⊇ 1600/2800 – ½ P 1700/1800.

XXX **Du Vieux Château** 🦌 avec ch, Grand rue 1, ⊠ 9530, 🖉 95 80 18, Fax 95 77 55, ⟨⟨ « Terrasse ombragée », ☎, ☞ – 📺 ☎ 🅿. 🗲 _VISA_. 🛠
fermé 3 prem. sem. août et 27 déc.-2 prem. sem. janv. – Repas *(fermé dim. soir et lundi)* Lunch 600 – 950/1730 – **7 ch** ⊇ 2500/2850, 1 suite – ½ P 2450/2650.

XX **Host. des Ardennes,** Grand rue 61, ⊠ 9530, 🖉 95 81 52, ≤ – 📧 🗲 _VISA_. 🛠
fermé sam., 19 fév.-12 mars, 19 août-10 sept et après 20 h 30 – Repas Lunch 450 – carte 1100 à 1800.

à Winseler (Wanseler) O : 3 km – 641 h :

X **L'Aub. Campagnarde,** r. Village 12, ⊠ 9696, 🖉 95 84 71, Fax 95 84 71, ⟨⟨ – 📧 🗲 _VISA_
fermé lundi soir, mardi, fév. et dern. sem. août- 1ʳᵉ quinz. sept – Repas Lunch 890 – 980/1300.

◆Luxembourg 73 – ◆Bastogne 31 – Diekirch 41.

XX **L'Ecuelle,** r. Principale 15, ⊠ 9980, 🖉 9 89 56, Fax 97 93 44, ⟨⟨ – 🅿. 📧 🗲 _VISA_. 🛠
fermé mardi soir, merc., dern. sem. juil. et 15 déc.-15 janv. – Repas Lunch 700 – 700/1500.

◆Luxembourg 65 – ◆Bastogne 32 – Clervaux 11 – Wiltz 11.

🏠 **Host. La Bascule,** r. Principale 24, ⊠ 9776, 🖉 9 14 15, Fax 9 10 88 – 📺 🅿. 🗲 _VISA_. 🛠
fermé 29 déc.-3 fév. – Repas *(fermé lundi et mardi sauf en juil.-août)* Lunch 550 – 800/950 – **12 ch** ⊇ 1250/2050 – ½ P 1550/1600.

Nederland
Pays-Bas

Het is gebruikelijk, dat bepaalde restaurants in Nederland pas geopend zijn vanaf 16 uur, vooral in het weekend. Reserveert u daarom uit voorzorg.

De prijzen zijn vermeld in guldens.

L'usage veut que certains restaurants aux Pays-Bas n'ouvrent qu'à partir de 16 heures, en week-end particulièrement. Prenez donc la précaution de réserver en conséquence.

Les prix sont donnés en florins (guldens).

MICHELIN BANDEN
Huub van Doorneweg 2 - 5151 DT DRUNEN
☎ (04163) 8 41 00

LES ÉTOILES – DE STERREN
DIE STERNE – THE STARS

L'AGRÉMENT
AANGENAAM VERBLIJF
ANNEHMLICHKEIT
PEACEFUL ATMOSPHERE AND SETTING

REPAS SOIGNÉS à prix modérés
VERZORGDE MAALTIJDEN voor een schappelijke prijs
SORGFÄLTIG ZUBEREITETE preiswerte MAHLZEITEN
GOOD FOOD at moderate prices

Repas **(R)**

R Alkmaar

Heemskerk

Zaandam

Overveen

R Bennebroek

Oegstgeest

R Scheveningen

Den Haag

Leidschendam

R Delft

R Rotterdam

Bergambacht

Schiedam

Hendrik-Ido-Ambacht

R Spijkenisse

Zwijndrecht

R Middelharnis

Etten-Leur

Wolphaartsdijk

R Bergen op Zoom

Westkapelle

Yerseke R

A 58- E 312

Kruiningen

Groede

Sluis

A 18 - E 40

A 10 - E 40

Izer

A 17

Lele

Schelde

A 14 - E 17

Bruxelles
Brussel

A 3 - E 40

AALSMEER Noord-Holland 408 ⑩ – 21 999 h. – ✆ 0 2977.

Voir Vente de fleurs aux enchères★★ (Bloemenveiling).

🛈 Drie Kolommenplein 1, ✉ 1431 LA, ✆ 2 53 74.

◆Amsterdam 19 – Hilversum 31 – ◆Rotterdam 59 – ◆Utrecht 36.

🏨 **Aalsmeer,** Dorpsstraat 15, ✉ 1431 CA, ✆ 2 43 21, Fax 4 35 35 – |≣| 📺 ☎ 🅟 – 🔏 60. 🖭 ⓞ ⋿ ᴠᴵˢᴬ
 fermé du 24 au 31 déc. – **Repas** *Lunch* 15 – carte 47 à 72 – **58 ch** ⊇ 120/150 – ½ P 155.

XX **De Zonnehoek,** Stommeerweg 72 (au port de plaisance), ✉ 1431 EX, ✆ 2 55 79, ≤, 🏤 – 🅟. 🖭 ᴠᴵˢᴬ
 fermé 23 déc.-5 janv. – **Repas** carte 66 à 96.

X **Den Ouden Dorpshoek,** Dorpsstraat 93, ✉ 1431 CB, ✆ 2 49 51, « Rustique » – 🅟. 🖭 ⓞ ⋿ ᴠᴵˢᴬ. ⋇
 fermé dim. et 20 juil.-20 août – **Repas** (dîner seult) carte 52 à 87.

 à Kudelstaart S : 4 km 🄲 Aalsmeer – ✆ 0 2977 :

XX **De Kempers Roef,** Kudelstaartseweg 226, ✉ 1433 GR, ✆ 2 41 45, Fax 2 98 19, ≤, 🏤 – ≣ 🅟. 🖭 ⓞ ⋿ ᴠᴵˢᴬ
 fermé lundi, mardi et 15 janv.-1ᵉʳ fév. – **Repas** *Lunch* 48 – carte 68 à 95.

X **Brasserie Westeinder,** Kudelstaartseweg 222, ✉ 1433 GL, ✆ 4 18 36 – 🅟. 🖭 ⓞ ⋿ ᴠᴵˢᴬ
 fermé merc. et 2 dern. sem. mars – **Repas** carte 46 à 83.

AALST Gelderland 🄲 Brakel 6 772 h. 212 ⑦ et 408 ⑱ – ✆ 0 4187.

◆Amsterdam 82 – ◆Arnhem 77 – ◆'s-Hertogenbosch 20 – ◆Rotterdam 68 – ◆Utrecht 50.

XXX **De Fuik,** Maasdijk 1, ✉ 5308 JA, ✆ (0 4185) 22 47, Fax (0 4185) 29 80, ≤ Maas (Meuse), 🏤, « Terrasse au bord de l'eau » – 🅟. 🖭 ⓞ ⋿ ᴠᴵˢᴬ. ⋇
 fermé lundi et sem. après Noël – **Repas** *Lunch* 35 – carte 55 à 88.

AALTEN Gelderland 408 ⑬ – 18 414 h. – ✆ 0 5437.

🛈 Prinsenstraat 35, ✉ 7121 AE, ✆ 7 30 52.

◆Amsterdam 151 – ◆Arnhem 53 – ◆Enschede 47 – Winterswijk 11.

🏨 **De Kroon,** Dijkstraat 62, ✉ 7121 EW, ✆ 7 30 51, Fax 7 63 89 – ☎ 🅟. 🖭 ⓞ ⋿ ᴠᴵˢᴬ. ⋇
 fermé 24 déc.-9 janv. – **Repas** carte 53 à 62 – **13 ch** ⊇ 55/115 – ½ P 75/93.

AARDENBURG Zeeland 212 ⑫ et 408 ⑮ – 3 658 h. – ✆ 0 1177.

◆Amsterdam (bac) 226 – ◆Middelburg (bac) 28 – ◆Gent 37 – Knokke-Heist 16.

XX **De Roode Leeuw** avec ch, Kaai 31, ✉ 4527 AE, ✆ 14 00, 🏤 – 🔏 25 à 100. ⋿ ᴠᴵˢᴬ. ⬤
 fermé mardi soir sauf en juil.-août, merc. et 30 oct.-16 nov. – **Repas** *Lunch* 38 – 38/75 – **6 ch** ⊇ 80/110.

XX **De Munck,** Beekmanstraat 1, ✉ 4527 GA, ✆ 22 08, 🏤 – 🖭 ⓞ ⋿ ᴠᴵˢᴬ
 fermé sam. midi d'oct. à avril et vend. – **Repas** *Lunch* 38 – carte 59 à 74.

AASTEREIN Friesland – voir Oosterend à Waddeneilanden (Terschelling).

When in EUROPE never be without :

Michelin Main Road Maps ;

Michelin Sectional Maps ;

Michelin Red Guides :

**Benelux, Deutschland, España Portugal, Main Cities Europe, France,
Great Britain and Ireland, Italia, Suisse** (hotels and restaurants listed with
symbols ; preliminary pages in English) ;

Michelin Green Guides :

**Austria, England : The West Country, France, Germany, Great Britain, Greece,
Ireland, Italy, London, Netherlands, Portugal, Rome, Scotland, Spain, Switzerland,
Atlantic Coast, Auvergne Périgord, Brittany, Burgundy Jura, Châteaux of the Loire, Côte
Atlantique, Dordogne, Flanders, Picardy and the Paris region, French Riviera, Normandy,
Paris, Provence, Vallée du Rhône**

(sights and touring programmes described fully in English ; town plans).

ABCOUDE Utrecht 408 ⑩ ㉘ – 8 017 h. – ☎ 0 2946.

◆Amsterdam 14 – ◆Utrecht 25 – Hilversum 20.

Abcoude, Kerkplein 7, ✉ 1391 GJ, ☎ 12 71, Fax 56 21 – |♦| TV ☎ P – 🏔 40. AE ⓓ E VISA
Repas ***De Wakende Haan*** *(fermé dim., 23 juil.-12 août et 24 déc.-2 janv.)* *Lunch 50* – carte env. 70 – **19 ch** ☕ 135/165 – ½ P 180.

XX **Aub. Fleurie,** Koppeldijk 1, ✉ 1391 CW, ☎ 42 40, Fax 44 91 – AE E VISA. ✂
fermé dim., lundi et jours fériés – **Repas** (dîner seult) 45/70.

ADUARD Groningen 408 ⑥ – voir à Groningen.

AFFERDEN Limburg C Bergen 13 047 h. 212 ⑩ et 408 ⑲ – ☎ 0 8853.

◆Amsterdam 142 – ◆Eindhoven 61 – ◆Nijmegen 30 – Venlo 32.

XXX **Aub. De Papenberg** avec ch, Hengeland 1a (N : 1 km sur N 271), ✉ 5851 EA, ☎ 17 44, Fax 22 64, 🏠, « Terrasse et jardin » – TV ☎ P. AE ⓓ E VISA. ✂
fermé 22 juil.-8 août et 27 déc.-10 janv. – **Repas** *(fermé dim.)* (dîner seult) carte 78 à 93 – **21 ch** ☕ 110/175.

AFSLUITDIJK (DIGUE DU NORD)★★ Friesland et Noord-Holland 408 ④ **G. Hollande.**

AKERSLOOT Noord-Holland 408 ⑩ – 4 725 h. – ☎ 0 2513.

◆Amsterdam 31 – ◆Haarlem 23 – Alkmaar 13.

Akersloot, Geesterweg 1a (près A 9), ✉ 1921 NV, ☎ 1 91 02, Fax 1 45 08, 🏠, Fō, ≘s, 🏊, ✂ – |♦| ▤ rest TV ☎ P – 🏔 25 à 500. AE ⓓ E VISA. ✂
Repas (ouvert jusqu'à 23 h 30) *Lunch 18* – carte env. 50 – ☕ 11 – **184 ch** 90/100 – ½ P 118.

AKKRUM Friesland C Boarnsterhim 17 784 h. 408 ⑤ – ☎ 0 5665.

◆Amsterdam 137 – ◆Leeuwarden 20 – ◆Groningen 60 – ◆Zwolle 74.

XX **De Oude Schouw** avec ch, Oude Schouw 6 (NO : 3 km), ✉ 8491 MP, ☎ 21 25, Fax 21 02, ⩽, 🏠, « Terrasse au bord de l'eau », 🏊, ✂ – ▤ rest TV ☎ P – 🏔 25 à 80. AE ⓓ E VISA. ✂ rest
fermé 27 déc.-3 janv. – **Repas** *Lunch 38* – carte 46 à 72 – **14 ch** ☕ 109/155, 1 suite – ½ P 115/125.

ALBLASSERDAM Zuid-Holland 212 ⑤ et 408 ⑰ – 17 604 h. – ☎ 0 1859.

Voir Moulins de Kinderdijk★★, ⩽★ (de la rive gauche du Lek) N : 5 km.

ℹ (fermé sam. sauf mai-sept et dim.) Cortgene 3, ✉ 2951 EA, ☎ 1 43 00.

◆Amsterdam 92 – ◆Den Haag 46 – ◆Arnhem 101 – ◆Breda 45 – ◆Rotterdam 20 – ◆Utrecht 59.

Het Wapen van Alblasserdam, Dam 24, ✉ 2952 AB, ☎ 1 47 11, Fax 1 61 16 – ▤ rest TV ☎ P – 🏔 40 à 170. AE ⓓ E VISA
Repas 45/85 – **22 ch** ☕ 95/140 – ½ P 95.

X **Kinderdijk** avec ch, West-Kinderdijk 361 (NO : 3 km), ✉ 2950 AH, ☎ 1 24 25, Fax 1 50 71, ⩽ moulins et rivière Noord, 🏠 – TV P. AE ⓓ E VISA
Repas carte env. 45 – **12 ch** ☕ 75/115.

ALDTSJERK Friesland – voir Oudkerk à Leeuwarden.

ALKMAAR Noord-Holland 408 ⑩ – 92 421 h. – ☎ 0 72.

Voir Marché au fromage★★ (Kaasmarkt) sur la place du Poids public (Waagplein) Y 34 – Grandes orgues★, petit orgue★ dans la Grande église ou église St-Laurent (Grote- of St. Laurenskerk) Y **A.**

⛳9 Sluispolderweg 6, ✉ 1817 BM, ☎ 15 68 07.

🚗 (départs de 's-Hertogenbosch) ☎ 15 84 34.

ℹ Waagplein 3, ✉ 1811 JP, ☎ 11 42 84.

◆Amsterdam 40 ③ – ◆Haarlem 31 ③ – ◆Leeuwarden 109 ②.

Plan page suivante

X **'t Stokpaardje,** Vrouwenstraat 1, ✉ 1811 GA, ☎ 12 88 70 – ▤. AE E VISA. ✂ Z **e**
Repas (dîner seult) 38/63.

à ***Heerhugowaard*** NE : 7 km – 36 798 h. – ☎ 0 2207 :

De Zandhorst, Gildestraat 2, ✉ 1704 AG, ☎ 4 44 44, Fax 4 47 44, 🏠, Fō, ≘s – |♦| ▤ rest TV ☎ ♿ P – 🏔 30 à 150. AE E VISA. ✂
fermé 25 et 26 déc. et 1er janv. – **Repas** *Lunch 27* – carte env. 60 – **50 ch** ☕ 98/140.

Voir aussi : ***Heiloo*** par ④ : 5 km

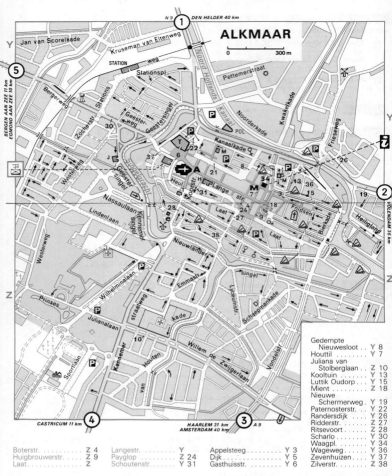

Boterstr.	Z 4	Langestr.	Y	Appelsteeg	Y 3
Huigbrouwerstr.	Z 9	Payglop	Z 24	Dijk	Y 5
Laat	Z	Schoutenstr.	Y 31	Gasthuisstr.	Y 6

Gedempte
  Nieuwesloot . . Y 8
Houttil . . . . Y 7
Juliana van
  Stolberglaan . . Z 10
Kooltuin . . . . Y 13
Luttik Oudorp . . . Y 15
Mient . . . . Z 18
Nieuwe
  Schermerweg . Y 19
Paternosterstr. . . Y 22
Randersdijk . . . . Y 26
Ridderstr. . . . . . . Z 27
Ritsevoort . . . . . . Z 28
Scharlo . . . . Y 30
Waagpl. . . . . Y 34
Wageweg . . . . . . Y 36
Zevenhuizen . . . . Y 37
Zilverstr. . . . . Z 38

Au moment de chercher un hôtel ou un restaurant, soyez efficace.

Sachez utiliser les noms soulignés en rouge sur les cartes Michelin n°s 408 et 409

Mais ayez une carte à jour.

ALMELO Overijssel 408 ⑬ – 63 988 h. – ✆ 0 546.

🏌 à Wierden O : 4 km, Rijssensestraat 142a, ⊠ 7642 NN, 𝒫 (0 546) 57 61 50.

🛈 Centrumplein 2, ⊠ 7607 SB, 𝒫 81 87 65.
◆Amsterdam 146 – ◆Zwolle 48 – ◆Enschede 23.

  🏨 **Theater,** Schouwburgplein 1, ⊠ 7607 AE, 𝒫 81 00 61, Fax 82 16 65, �, ⅃ሬ, ⇔, ⃞ –
    📶 🗏 rest 📺 ☎ 🅿 – 🕿 25 à 750. 🆀 ⓪ 🄴 𝘝𝘐𝘚𝘈
    Repas (ouvert jusqu'à minuit) carte env. 45 – ⌑ 20 – **110 ch** 90/100 – ½ P 89.

ALMEN Gelderland 🅒 Gorssel 13 366 h. 408 ⑫ – ✆ 0 5751.
◆Amsterdam 119 – ◆Arnhem 43 – ◆Apeldoorn 32 – ◆Enschede 52.

  🏨 **De Hoofdige Boer,** Dorpsstraat 38, ⊠ 7218 AH, 𝒫 17 44, Fax 15 67, �うち, « Terrasse et
    jardin » – 📺 ☎ ╚ 🅿 – 🕿 25 à 100. 🆀 ⓪ 🄴 𝘝𝘐𝘚𝘈. ⋙
    fermé 1er janv. – **Repas** *(fermé après 20 h 30 sauf vend. et sam.)* 58 – **21 ch** ⌑ 110/185
    – ½ P 115/128.

ALMERE Flevoland 408 ⑪ – 91 689 h. – 🕾 0 36.

📍 📍 Watersnipweg 21, ☒ 1341 AA, ℘ 532 18 18.

🅱 (fermé sam. après-midi et dim.) Spoordreef 20 (Almere-Stad), ☒ 1315 GP, ℘ 533 46 00.

◆Amsterdam 30 – ◆Apeldoorn 86 – Lelystad 34 – ◆Utrecht 46.

à Almere-Haven 🄲 Almere – 🕾 0 36 :

XX **Rivendal,** Kruisstraat 33, ☒ 1357 NA, ℘ 531 90 00, Fax 531 90 00 – ▤. 🆎 ⓞ 🄴 𝑉𝐼𝑆𝐴. ⌘
Repas Lunch 25 – 45/65.

X **Bestevaer,** Sluiskade 16, ☒ 1357 NX, ℘ 531 15 57, 🍽
fermé lundi de sept à avril, mardi, sam. midi, dim. midi, 2 prem. sem. sept et 2 prem.
sem. janv. – **Repas** Lunch 37 – 50.

à Almere-Stad 🄲 Almere – 🕾 0 36 :

🏨 **Bastion** sans rest, Audioweg 1 (près A 6 sortie 3, Almere-West), ☒ 1322 AT, ℘ 536 77 55,
Fax 536 70 09 – 📺 ☎ 🅿. 🆎 ⓞ 🄴 𝑉𝐼𝑆𝐴. ⌘
40 ch � 119/133.

XX **Groene Wig,** Amsterdamweg 1, ☒ 1324 RL, ℘ 533 17 79, Fax 533 46 11, 🍽 – 🅿. 🆎 🄴
𝑉𝐼𝑆𝐴
fermé merc., prem. sem. vacances bâtiment et prem. sem. janv. – **Repas** Lunch 38 – carte
55 à 88.

ALPHEN Noord-Brabant 🄲 Alphen en Riel 6 193 h. 212 ⑯ et 408 ⑰ – 🕾 0 4258.

◆Amsterdam 122 – ◆'s-Hertogenbosch 37 – ◆Breda 25 – ◆Tilburg 14.

XX **Bunga Melati,** Oude Rielseweg 2 (NE : 2 km), ☒ 5131 NN, ℘ 17 28, Fax 19 63, Cuisine
indonésienne, « Terrasse et jardin » – ▤ 🅿. 🆎 ⓞ 🄴 𝑉𝐼𝑆𝐴. ⌘
Repas Lunch 23 – 43/53.

ALPHEN AAN DEN RIJN Zuid-Holland 408 ⑩ – 65 051 h. – 🕾 0 1720.

📍 Kromme Aarweg 5, ☒ 2403 NB, ℘ 7 45 67.

🅱 Wilhelminalaan 1, ☒ 2405 EB, ℘ 9 56 00, Fax 7 33 53.

◆Amsterdam 36 – ◆Den Haag 32 – ◆Rotterdam 35 – ◆Utrecht 38.

🏨 **Toor,** Stationsplein 2, ☒ 2405 BK, ℘ 9 01 00, Fax 9 37 81 – 🛗 ▤ rest 📺 ☎ 🅿 – 🕭 25
à 175. 🆎 ⓞ 🄴 𝑉𝐼𝑆𝐴 𝐽𝐶𝐵
Repas Lunch 35 – 42/70 – **57 ch** ⊇ 107/135 – ½ P 137.

🏨 **Avifauna,** Hoorn 65, ☒ 2404 HG, ℘ 8 75 07, Fax 8 75 06, 🍽, « Parc ornithologique »,
🏞 🚣 – 🛗 📺 ☎ 🅿 – 🕭 25 à 400. 🆎 ⓞ 🄴 𝑉𝐼𝑆𝐴
Repas (ouvert jusqu'à 23 h) Lunch 30 – carte env. 45 – ⊇ 10 – **94 ch** 85/95 – ½ P 85.

XX **'s Molenaarsbrug** 🦢 avec ch, 's Molenaarsweg 2, ☒ 2401 LL, ℘ 3 20 87, Fax 3 21 18,
⩠, 🍽, « Terrasse au bord de l'eau » – ☎ 🅿 – 🕭 25 à 40. 🆎 🄴 𝑉𝐼𝑆𝐴. ⌘ ch
fermé 31 déc. et 1er janv. – **Repas** Lunch 43 – carte env. 65 – **7 ch** ⊇ 98/128 – ½ P 97/130.

AMELAND (Ile de) Friesland 408 ④ ⑤ – voir à Waddeneilanden.

AMERONGEN Utrecht 408 ⑪ – 7 041 h. – 🕾 0 3434.

🅱 (fermé lundi sauf juin-août) Drostestraat 14, ☒ 3958 BK, ℘ 5 20 20.

◆Amsterdam 71 – ◆Arnhem 38 – ◆Utrecht 33.

X **Herberg Den Rooden Leeuw,** Drostestraat 35, ☒ 3958 BK, ℘ 5 40 55 – 🅿. 🆎 ⓞ 🄴 𝑉𝐼𝑆𝐴
fermé merc. et dern. sem. juil.-prem. sem. août – **Repas** (dîner seult) carte 64 à 80.

AMERSFOORT Utrecht 408 ⑪ – 106 923 h. – 🕾 0 33.

Voir Vieille Cité⋆ : Muurhuizen⋆ (maisons de rempart) BYZ – Tour Notre-Dame⋆ (O. L. Vrouwe
Toren) AZ **C** – Koppelpoort⋆ AY.

🚂 (départs de 's-Hertogenbosch) ℘ 61 56 20 et (0 30) 33 25 55.

🅱 (fermé sam. après-midi sauf mai-sept et dim.) Stationsplein 9, ☒ 3818 LE, ℘ 63 51 51.

◆Amsterdam 51 ① – ◆Utrecht 22 ④ – ◆Apeldoorn 46 ① – ◆Arnhem 51 ③.

Plan page suivante

🏨 **Berghotel,** Utrechtseweg 225, ☒ 3818 EG, ℘ 62 04 44, Fax 65 05 05, 🍽, ⩥, 🖾 – 🛗 📺
☎ 🕭 🅿 – 🕭 25 à 120. 🆎 ⓞ 🄴 𝑉𝐼𝑆𝐴
Repas carte 51 à 66 – **92 ch** ⊇ 150/200.   AX **a**

XX **De Rôtisserie,** Kleine Haag 2 (angle Stadsring), ☒ 3811 HE, ℘ 63 29 79, Fax 65 51 26, 🍽
– ▤ – 🕭 40. 🆎 ⓞ 🄴 𝑉𝐼𝑆𝐴. ⌘
fermé sam. midi et dim. midi – **Repas** Lunch 50 – carte env. 60.   BZ **b**

XX **Tollius,** Utrechtseweg 42, ☒ 3818 EM, ℘ 65 17 93, 🍽 – 🆎 🄴 𝑉𝐼𝑆𝐴   ABX **d**
fermé sam. midi, dim., lundi midi et du 17 au 31 juil. – **Repas** Lunch 30 – carte env. 75.

289

AMERSFOORT

Arnhemsestr. . . . . AZ 5
Krommestr. . . . . AY 20
Langestr. . . . . ABZ
Utrechtsestr. . . . . AZ 26

Appelmarkt . . . . BY 2

Arnhemseweg . . . . AZ 3
Bloemendalse Binnenpoort . ABY 6
van Campenstr. . . . . AX 8
Everard Meysterweg . . . . . . BX 10
Gasthuislaan . . . . BY 12
Groenmarkt . . . . BY 12
Grote Spui . . . . AY 14
Herenstr. . . . . BZ 15

Kleine Spui . . . . AY 17
Krandeledenstr. . . . . AZ 18
Kwekersweg . . . . AX 21
Lieve Vrouwekerkhof . . . . . . AZ 23
Lieve Vrouwestr. . . . . AY 24
Varkensmarkt . . . . AY 27
Vondellaan . . . . AX 29
Windsteeg . . . . BY 30

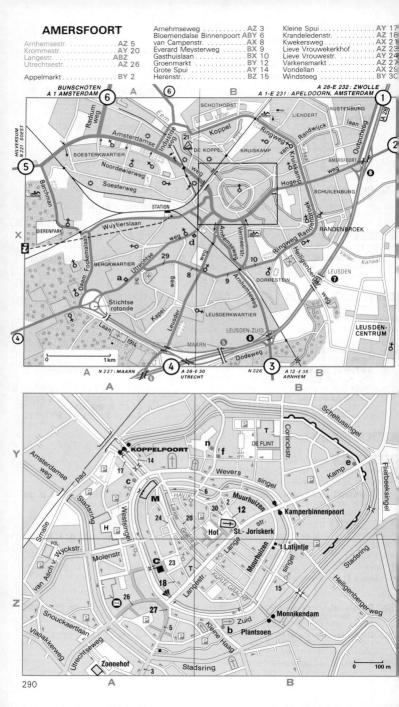

XX **Dorloté,** Bloemendalsestraat 24, ✉ 3811 ES, ✆ 72 04 44, ☂ – **ⓟ**. 🆑 ⓞ 🅴 𝘝𝘐𝘚𝘈. ✖
fermé 24 et 25 déc. – **Repas** *Lunch 50* – 55/65.
BY **n**

XX **'t Bloemendaeltje,** Bloemendalsestraat 3, ✉ 3811 EP, ✆ 75 00 01, Fax 75 00 01 – 🆑 ⓞ
🅴 𝘝𝘐𝘚𝘈
BY **f**
fermé merc., 3 sem. vacances bâtiment et 2 prem. sem. janv. – **Repas** (dîner seult) 53/80.

X **De Verliefde Kreeft,** Kamp 88, ✉ 3811 AT, ✆ 75 60 96, Fax 70 01 26, Produits de la mer
– ▤. 🆑 ⓞ 🅴 𝘝𝘐𝘚𝘈
BY **e**
fermé merc. et 2 dern. sem. juil. – **Repas** (dîner seult) 50.

X **Het Croontje,** Westsingel 48, ✉ 3811 BB, ✆ 61 38 77, Fax 65 35 36, ☂ – 🆑 ⓞ 🅴 𝘝𝘐𝘚𝘈
Repas *Lunch 48* – carte 57 à 78.
AY **c**

Voir aussi : **Leusden** SE : 4 km

▭ **AMMERZODEN** Gelderland 🄽🄽🄽 ⑦ et 🄽🄽🄽 ⑱ – 4 410 h. – ✪ 0 4199.
◆Amsterdam 81 – ◆'s-Hertogenbosch 8 – ◆Utrecht 49.

X **'t Oude Veerhuis,** Molendijk 1, ✉ 5324 BC, ✆ 13 42, Fax 44 02, ≤, ☂, « Terrasse » –
ⓟ. 🆑 ⓞ 🅴 𝘝𝘐𝘚𝘈 𝗝𝗖𝗕
fermé lundi – **Repas** *Lunch 40* – carte 56 à 78.

▭ **AMSTELVEEN** Noord-Holland 🄽🄽🄽 ⑩ ㉗ – voir à Amsterdam, environs.

Amsterdam

Noord-Holland 408 ⑩ ㉗ ㉘ – 719 856 h. – ✪ 0 20.

Casino KZ, Max Euweplein 62 (près Leidseplein) ℰ 620 10 06, Fax 620 36 66.

Voir Le vieil Amsterdam★★★ – Les canaux★★★ (Grachten) : Promenade en bateau★ (Rondvaart) – Dam : Palais Royal★ (Koninklijk Paleis) LY, chaire★ de la Nouvelle église★ (Nieuwe Kerk) LY – Béguinage★★ (Begijnhof) LY – Marché aux fleurs★ (Bloemenmarkt) LY – Maisons Cromhout★ (Cromhouthuizen) – Reguliersgracht ≼★ – Keizersgracht ≼★ – ≼★ du pont-écluse Oudezijds Kolk-Oudezijds Voorburgwal MX – Groenburgwal ≼★ LMY – Pont Maigre★ (Magere Brug) MZ – Artis★ (jardin zoologique) HU – Westerkert KX.

Musées : Historique d'Amsterdam★★ (Amsterdams Historisch Museum) LY – Madame Tussaud Scenerama★ : musée de cires LY **M¹** – Rijksmuseum★★★ KY – National (Rijksmuseum) Vincent van Gogh★★★ FUV **M²** – Municipal★★ (Stedelijk Museum) : art moderne FUV **M³** – Amstelkring « Le Bon Dieu au Grenier »★ (Museum Amstelkring Ons' Lieve Heer op Solder) : ancienne chapelle clandestine MX **M⁴** – Maison de Rembrandt★ (Rembrandthuis) : œuvres graphiques du maître MY **M⁵** – Historique juif★ (Joods Historisch Museum) MY **M⁶** – Allard Pierson★ : collections archéologiques LY **M⁷** – des Tropiques★ (Tropenmuseum) HU **M¹⁵** – Histoire maritime des Pays-Bas★ (Nederlands Scheepvaart Museum) HU **M** – Maison d'Anne Frank KX **M⁸**.

🎱 Bauduinlaan 35 ✉ 1165 NE à Halfweg (AR) ℰ (0 2907) 78 66 – 🎱 Zwarte Laantje 4 ✉ 1099 CE à Duivendrecht (DS) ℰ (0 20) 694 36 50 – 🎱 Abcouderstraatweg 46 ✉ 1105 AA à Holendrecht (DS) ℰ (0 2946) 12 41 – 🎱 Buikslotermeerdijk 141 ✉ 1027 AC par ① ℰ (0 20) 632 56 50.

✈ à Schiphol (p.2 AS) : 9,5 km ℰ (0 20) 601 91 11.

🚄 (départs de 's-Hertogenbosch) ℰ 620 22 66, 622 04 51 et 601 05 41 (Schiphol).

🛈 Stationsplein 10. ✉ 1012 AB ℰ 06 – 34 03 40 66.

♦Bruxelles 204 ③ – Düsseldorf 227 ③ – ♦Den Haag 60 ④ – ♦Luxembourg 419 ③ – ♦Rotterdam 76 ④.

Plans d'Amsterdam	
Agglomération	p. 2 et 3
Amsterdam Centre	p. 4 et 5
Agrandissement partie centrale	p. 6 et 7
Répertoire des rues	p. 8
Liste alphabétique des hôtels et des restaurants	p. 9
La cuisine que vous recherchez	p. 10 et 11
Nomenclature des hôtels et des restaurants	p. 12 à 17

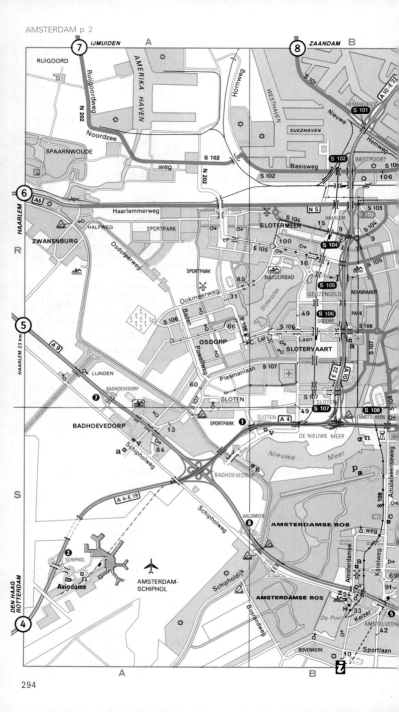

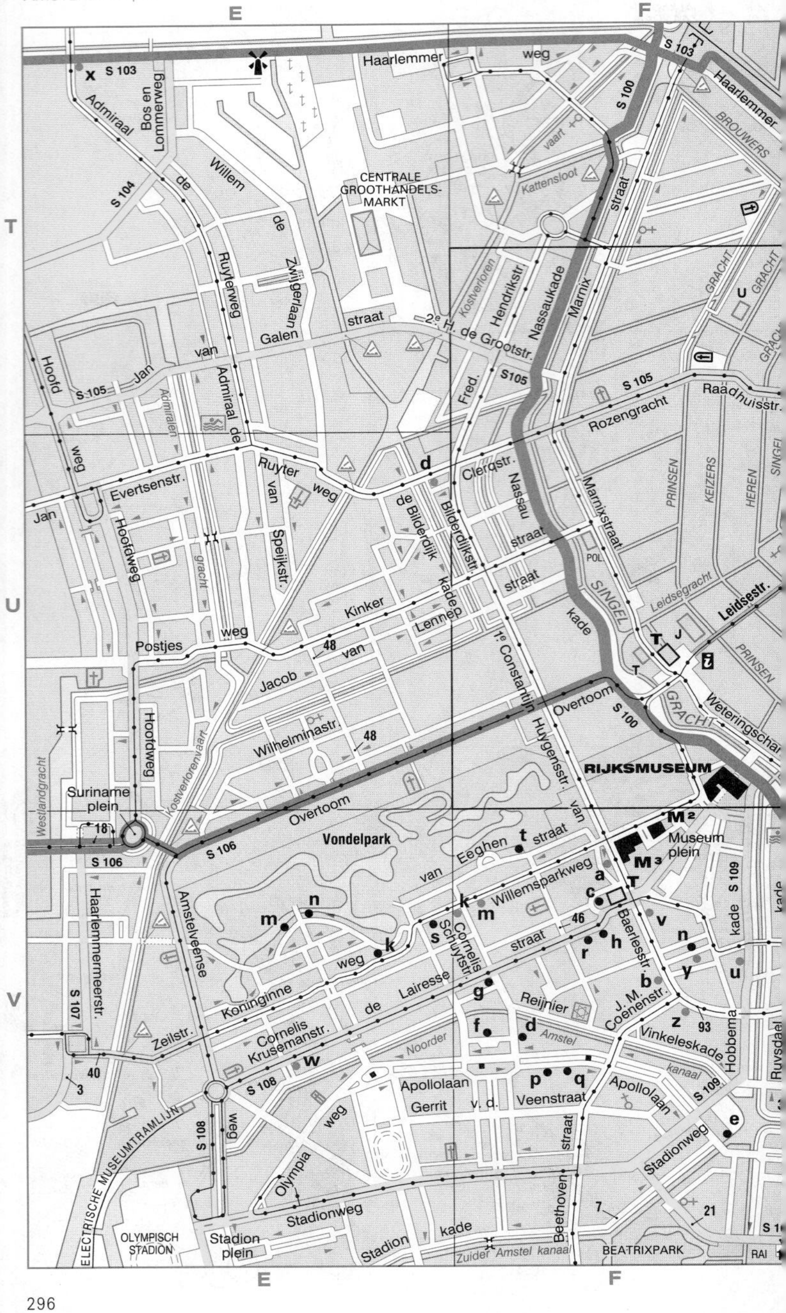

E   F

T

Haarlemmer weg

S 103

S 100

Haarlemmer

BROUWERS

x S 103

Admiraal

Bos en Lommerweg

Willem

de

Zwijgerlaan

Ruijterweg

CENTRALE GROOTHANDELS-MARKT

Kattensloot

GRACHT

GRACHT

U

S 104

Jan

van

Galen

straat

2e H. de Grootstr.

Hendrikstr.

Nassaukade

Marnix

straat

Hoofd

weg

S 105

Admiraal de

Fred

S 105

Clercqstr.

Nassau

Marnixstraat

S 105

Rozengracht

Raadhuisstr.

PRINSEN

KEIZERS

HEREN

SINGEL

Jan Evertsenstr.

Ruyter

van

weg

de Bilderdijk

Bilderdijkstr.

straat

POL.

Singel

Jan

Hoofdweg

Speijkstr.

Kinker

Lennep

kade

straat

Leidsegracht

Leidsestr.

U

Postjes

weg

48

van

Jacob

Constantijn

kade

T

J

PRINSEN

Wilhelminastr.

48

Huygensstr.

Overtoom

S 100

Weteringschar

GRACHT

Westlandgracht

Overtoom

RIJKSMUSEUM

Surinameplein

18

S 106

Vondelpark

van

Eeghen

t

straat

M²

Museumplein

M³

S 109

Amstelveense

weg

S 106

n

m

k

Cornelis Schuijtstr.

k

m

Willemsparkweg

a

c

Baerlestr.

T

v

n

kade

Haarlemmermeerstr.

weg

s

straat

46

r

h

y

u

Koninginne

de Lairesse

g

Reijnier

b

J. M. Coenenstr.

z

93

V

Zeilstr.

Cornelis Krusemanstr.

f

d

Amstel

Vinkeleskade

Hobbema

Ruysdael

S 107

40

w

Apollolaan

p

q

Apollolaan

S 109

e

3

S 108

weg

Gerrit

v. d.

Veenstraat

straat

Stadionweg

ELECTRISCHE MUSEUMTRAMLIJN

S 108

Olympia

Beethoven

7

21

S 1

OLYMPISCH STADION

Stadionplein

Stadionweg

Stadion

kade

Zuider Amstel kanaal

BEATRIXPARK

RAI

E   F

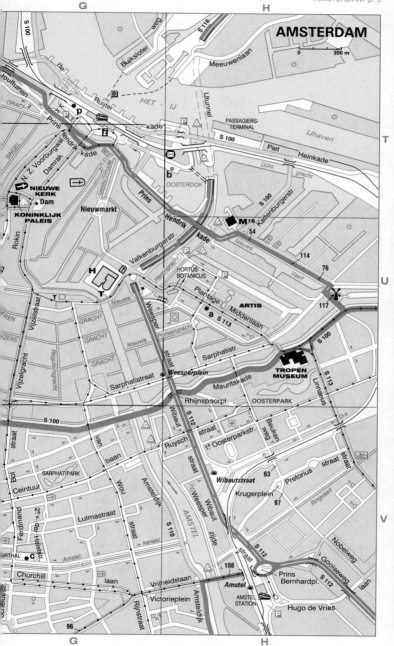

AMSTERDAM

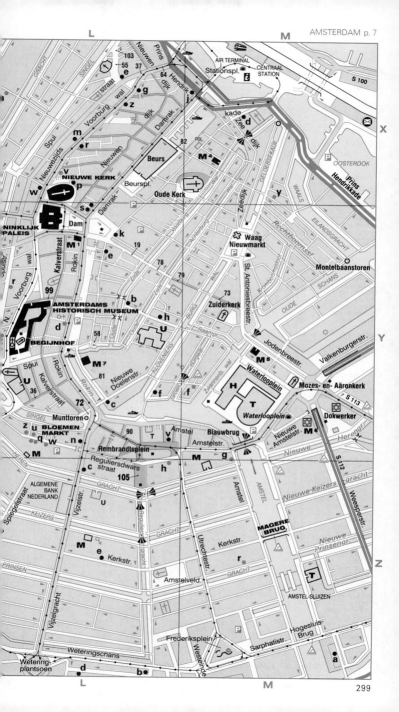

RÉPERTOIRE GÉNÉRAL DES RUES D'AMSTERDAM

van Baerlestr. ......p.6 JZ 6
Damrak ....p.7 LX
Damstr. ....p.7 LY 19
Heiligeweg ....p.7 LY 36
Kalverstr. ....p.7 LY
Kinkerstr. ....p.6 JY
Leidsestr. ....p.6 KYZ
Nieuwendijk ....p.7 LX
P. C. Hooftstr. ......p.6 KZ
Raadhuisstr. ....p.6 KXY
Reguliersbreestr. ....p.7 LY 90
Rokin ....p.7 LY
Rozengracht ....p.6 JKY
Spui ....p.7 LY
Utrechtsestr. ....p.7 MZ

Aalsmeerweg ......p.4 EV 3
Admiraal de
Ruyterweg ....p.4 ET
Amstel ....p.7 MYZ
Amsteldijk ....p.5 GHV
Amstelstr. ....p.7 MY
Amstelveenseweg ...p.4 EV
Amstelveld ....LMZ
Amsterdamseweg ...p.2 DS
Angeliersstr. ....KX
Apollolaan ....p.4 EFV
Archimedesweg ....p.3 DR 4
Baden Powellweg ...p.2 AR
Basisweg ....p.2 BR
Beethovenstr. ......p.4 FV
Beneluxbaan ....p.3 CS
Bernard Zweerskade.p.4 FV 7
Beukenweg ....p.5 HV
Beursplein ....p.7 LX
Bijlmerdreef ....p.3 DS
Bilderdijkkade ......p.4 EU
Bilderdijkstr. ....p.6 JY
Blauwbrug ....p.7 MY
de Boelelaan ......p.3 CS
Bolsboom
Toussaintstr. ....JYZ
Bos en Lommerweg .p.2 BR 9
Bosrandweg ....p.2 ABS
Bovenkerkerweg ....p.2 BS 10
Buiksloterweg ......p.5 GT
Buitenveldertselaan ..p.3 CS 12
Burgemeester
Amersfoordtlaan ..p.2 AS 13
Burgemeester
de Vlugtlaan ......p.2 BR 15
Burgemeester
Roëllstr. ....p.2 BR 16
Burgemeester
Stramanweg ......p.3 CDS
Ceintuurbaan ......p.5 GV
Churchilllaan ......p.5 GV
de Clercqstr. ....p.6 JY
Constantijn
Huygensstr.(1e)...p.6 JZ
Cornelis
Krusemanstr. ......p.4 EV
Cornelis Lelylaan ....p.4 EUV 18
Cornelis Schuytstr. ..p.4 EFV
Daalwijkdreef ......p.3 DS
Dam ....p.7 LY
Diepenbrockstr. ......p.4 FV 21
Dolingadreef ....p.3 DS 22
Dorpsstr. ....p.2 BS 24
van Eeghenstr. ......p.4 EFV
Egelantiersstr. ....KX
Elandsgracht ......p.6 KY
Elandsstr. ....JKY
Elsrijkdreef ....p.3 DS 25
Europaboulevard ....p.3 CS 27
Ferdinand Bolstr. ....p.5 GV
Flevoweg ....p.3 DR 28
Frederik Hendrikstr...p.6 JX
Frederikspl. ....p.7 MZ
Galileiplantsoen ....p.3 DR 30
Geer Ban ....p.2 AR 31
Gerrit v. d. Veenstr...p.4 EFV
Gooiseweg ....p.3 DRS
Haarlemmer
Houttuinen ......p.4 FT

Haarlemmermeerstr..p.4 EV
Haarlemmerweg ....p.4 EFT
Handweg ....p.2 BS 33
Hartenstr. ....KY
Hartveldseweg ......p.3 DS 34
Hekelveld ....p.7 LX 37
van der Helststr. (2e).p.5 GV
van Hilligaertstr. ....p.4 FV 39
Hobbemakade ......p.4 FV
Hogesluis-Brug ......MZ
Hoofddorpweg ......p.4 EV 40
Hoofdweg ....p.4 ETU
van der Hooplaan ...p.2 BS 42
Hornweg ....p.2 AR
Hugo de
Grootstr.(2e) .....p.6 JX
Hugo de Vrieslaan ..p.3 DR 43
IJdoornlaan ....p.3 DR
Insulindeweg ......p.3 DR 45
Jacob Obrechtstr. ...p.4 FV 46
Jacob van
Lennepstr. ....p.4 EFU
Jan Evertsenstr. ....p.4 EU
Jan Pieter Heijestr. ..p.4 EU 48
Jan van Galenstr. ...p.4 ET
Jodenbreestr. ....p.7 MY
Johan
Huizingalaan ....p.2 BR 49
Joh. M. Coenenstr. ..p.4 FV
Johan van
Hasseltweg ......p.3 CR 51
Kamperfoelieweg ...p.3 CR 52
Kattenburgergracht .p.5 HU 54
Kattenburgerstr. ....p.5 HTU
Kattengat ....p.7 LX 55
Keizer Karelweg ....p.2 BS
Kerkstr. ....p.7 KLZ
Klaprozenweg ......p.3 CR 57
Koninginneweg ....p.4 EV
Krugerpl. ....p.5 HV
Kruislaan ....p.3 DR
de Lairessestr. ......p.4 EFV
Langebrugsteeg ....p.7 LY 58
Langsomlaan ......p.2 AR 60
Laurierstr. ....JKY
Leidseplein ....p.6 KZ
van Leijenberghlaan .p.3 CS 61
Linnaeusstr. ....p.5 HUV
Lutmastr. ....p.5 GV
Magerebrug ....p.7 MZ
Maritzstr. ....p.5 HV 63
Marnixstr. ....p.6 JXY
Martelaarsgracht ...p.7 LX 64
Mauritskade ......p.5 HU
Meer en Vaart ......p.2 AR 66
Meeuwenlaan ......p.5 HT
Middenweg ....p.3 DR
Molukkenstr. ....p.3 DR 67
Mr. G. Groen v.
Prinstererlaan ....p.3 CS 69
Muiderstraatweg ...p.3 DS 70
Muntplein ....p.7 LY 72
Nassaukade ....p.6 JXY
Nieuwe Amstelstr....p.7 MY
Nieuwe Doelenstr....p.7 LY
Nieuwe Hemweg ...p.2 BR
Nieuwe Hoogstr.....p.7 MY 73
Nieuwe Leliestr. ....KX
Nieuwe Spiegelstr. ..p.7 LZ
Nieuwezijds
Voorburgwal ....p.7 LXY
Nieuwendijk ....p.7 LX
Nieuwmarkt ....p.7 MY
van Nijenrodeweg ..p.3 CS 75
Nobelweg ....p.5 HV
Noordzeeweg ......p.2 AR
Olympiaweg ....p.4 EV
Ookmeerweg ......p.2 AR
Oostenburgerstr.....p.5 HU 76
Oosterparkstr. (1e) ..p.5 HV
Oosterringdijk ......p.3 DR
Oranjebaan ....p.3 CS
Osdorperweg ......p.2 AR
Oude Doelenstr. ....p.7 LY 78
Oude Hoogstr......p.7 LMY 79
Oude Turfmarkt....p.7 LY 81

Oudebrugsteeg ....p.7 LMX 82
Overtoom ....p.4 EFU
Pa Verkuyllaan ......p.2 AS 84
Paulus Potterstr. ....p.6 KZ
Piet Heinkade ......p.5 HT
Plantage
Middenlaan ......p.5 HU
Plesmanlaan ......p.2 ABR
Postjesweg ....p.4 EU
President
Allendelaan ......p.2 AR 85
Pretoriusstr. ....p.5 HV
Prins Bernhardpl. ....p.5 HV
Prins Hendrikkade ...p.7 LMX
Provincialeweg ......p.3 DS 87
Purmerweg ....p.3 DR
Raamstr. ....KY
Reestraat ....p.6 KY 88
Reguliersdwarsstr. ..p.7 LY
Reijnier
Vinkeleskade ......p.4 FV
Rembrandtsplein ...p.7 LMY
Rembrandtweg ....p.2 BS 91
Rhijnspoorpl. ....p.5 HU
Rijnstr. ....p.5 GV
Roelof Hartstr. ......p.4 FV 93
Ronde Hoep Oost ..p.3 CS 94
Rooseveltlaan ......p.5 GV 96
Ruijgoordweg ......p.2 AR
de Ruijterkade ......p.5 GT
Runstr. ....KY
Ruyschstr. ....p.5 HV
Ruysdaelkade ......p.4 FV
Sarphatistr. ....p.5 GHU
Schalk Burgerstr. ...p.5 HV 97
Scheldestr. ....p.5 GV
Schipholdijk ....p.2 AS
Schipholweg ......p.2 AS
Sint
Antoniesbreestr.....p.7 MY
Sint
Luciensteeg ......p.7 LY 99
Slotermeerlaan ....p.2 BR 100
Spaarndammerstr. ..p.3 CR 102
van Speijkstr. ......p.4 EU
Sportlaan ....p.2 BS
Spuistr. ....p.7 LX
Stadhouderskade ...p.6 KZ
Stadionkade ......p.4 EFV
Stadionpl. ....p.4 EV
Stadionweg ....p.4 EV
Stationsplein ......p.7 MX
Stromarkt ....p.7 LX 103
Surinamepl. ....p.4 EU
Thorbeckepl. ......p.7 LZ 105
Transformatorweg ..p.2 BR 106
Treublaan ....p.5 HV 108
Valkenburgerstr. ....p.7 MY
Victoriepl. ....p.5 GV
Vijzelgracht ....p.7 LZ
Vijzelstr. ....p.7 LZ
Volendammerweg ..p.3 DR 109
Vondelstr. ....p.6 JZ
Vrijheidslaan ......p.5 GHV
Waterlooplein ......p.7 MY
Weesperstr. ....p.7 MZ
Weesperzijde ......p.5 HV
Westeinde ....p.7 MZ
Westermarkt ......p.6 KX 110
Westerstr. ....p.6 KX
Weteringplantsoen ..p.7 LZ
Weteringschans ....p.6 KLZ
Wibautstr. ....p.5 HV
Wielingenstr. ......p.4 FV 112
Wilhelminastr. ......p.4 EU
Willem de
Zwijgerlaan ......p.4 ET
Willemsparkweg ....p.4 FV
Wittenburgergracht .p.5 HU 114
Wolvenstr. ....KY
van Woustr. ....p.5 GV
Zeeburgerdijk ......p.3 DR 116
Zeeburgerstr. ......p.5 HU 117
Zeedijk ....p.7 MX
Zeilstr. ....p.4 EV
Zuiderzeeweg ......p.3 DR

Nos guides hôteliers, nos guides touristiques et nos cartes routières sont complémentaires. Utilisez-les ensemble.

Liste alphabétique
(Hôtels et restaurants)

A

Agora 13
Ambassade 13
American 12
Amstel 12
Apollofirst 16
Ascot 12
Asterisk 13
Atlas 15
Aub. Aquarius 17
Aujourd'hui 16
Avenue 13

B

Barbizon Centre 12
Barbizon Palace 12
Bartholdy 16
Bastion Noord 17
Bastion Zuid-West ... 16
Beddington's 16
Belle Auberge
  (La) 17
Bistro La Forge 15
Blauwe Parade (De)
  (H. Die Port van Cleve) 14
Boekanier
  (De) 17
Bols Taverne 14
Bosch (Het) 16
Brasserie
  Van Baerle 16

C

Canal Grown 12
Canal House 13
Caransa 12
Casalo (La) 16
Castheele (De) 17
Champêtre 16
Chez Georges 15
Christophe 14
Churrasco 15
Citadel 13
Classic 13
Cok Hotels 15
Concert Inn 16

D

Delphi 16
Dorint 18
Dynasty 14

E – F – G

Edo (H. Gd H.
  Krasnapolsky) 15
Estheréa 13
Europe 12
Forte Crest Apollo ... 15
Galaxy 17
Garage (Le) 16
Garden 15
Gouden Reael (De) .. 15
Grand Hotel 17
Gd H. Krasnapolsky .. 12
Grand (The) 12

H – I – J

Haesje Claes 15
Halvemaan 17
Heemskerk 16
Herbergh (De) 18
Hilton 15
Hilton International ... 18
Holiday Inn 17
Holiday Inn Crowne Plaza 12
Ibis Centre 13
Indrapura 14
Jagershuis ('t) 18
Jan Luyken 15
Jolly Carlton 12
Jonge Dikkert (De) ... 17

K – L

Kampje (Het) 18
Kantjil 15
Keyzer 16
Klein Paardenburg ... 18
Kopenhagen 14
Koriander 15
Lairesse 15
Lancaster 13
Lotus 14
Lucius 15

M – N

Manchurian 14
Marriott 12
Memphis 15
Mercure Airport 17
Mercure a/d Amstel .. 15
Nederhoven 17
Nes 13
Nicolaas Witsen 13
Novotel 17
Nuova Vita (La) 16

O – P – Q – R

Oesterbar (De) 14
Okura 15
Oriënt 16
Owl 13
Paardenburg 18
Pakistan 16
Pêcheur (Le) 14
Pescadou (Le) 17
Piet Hein 13
Port van Cleve (Die) .. 13
Prinsen 13
Prinsengracht 13
Pulitzer 12
Quatre Canetons (Les) 14
Radèn Mas 14
Radisson SAS 12
Ravel 17
Reghthuys ('t) 16
Renaissance 12
Résidence Fontaine Royale
  (H. Grand Hotel) ... 17
Rho 13
Rive (La) (H. Amstel) .. 13
Roode Leeuw (De) 13
Rosarium 17

S – T

Sancerre 14
Sea Palace 14
Sichuan Food 14
Sofitel 12
Swarte Schaep ('t) .. 14
Tom Yam 15
Toro 15
Tout Court 14
Treasure 14
Trechter (De) 16
Tuynhuys (Het) 14

V – W – Y – Z

Vermeer
  (H. Barbizon Palace) .. 14
Victoria 12
Villa Borgmann 15
Villa d'Este 17
Voetangel (De) 18
Vijff Vlieghen (D') ... 14
Washington 16
Wiechmann 13
Yamazato (H. Okura) .. 16
Zandbergen 16

La cuisine que vous recherchez...
Het soort keuken dat u zoekt
Welche Küche, welcher Nation suchen Sie
That special cuisine

Buffet scandinave

Kopenhagen (Q. Centre) 14

Grillades

Churrasco (Q. Centre) 15

Produits de la mer

Lucius (Q. Centre) 15   **Le Pêcheur** (Q. Centre) 14
De Oesterbar (Q. Centre) 14   **Le Pescadou** (env. à Amstelveen) 17

Taverne – Brasseries

Brasserie Reflet
(H. Gd H. Krasnapolsky)
(Q. Centre) 12

Brasserie Van Baerle
(Q. Sud et Ouest) 16

Café Roux (H. The Grand)
(Q. Centre) 12

Le Garage (Q. Sud et Ouest) . 16

Kantjil (Q. Centre) 15

Keyzer
(Q. Sud et Ouest) 16

Mangerie De Kersentuin
(H. Garden)
(Q. Sud et Ouest) 15

Ravel
(Q. Buitenveldert) 17

Asiatique

Sea Palace (Q. Centre) 14

Chinoise

Lotus (Q. Centre) 14   **Treasure** (Q. Centre) 14
Sichuan Food (Q. Centre) 14

Hollandaise régionale

De Roode Leeuw (Q. Centre) 13

Indienne

Pakistan (Q. Sud et Ouest) 16

Indonésienne

Indrapura (Q. Centre) 14   **Orient** (Q. Sud et Ouest) 16
Kantjil (Q. Centre) 15   **Radèn Mas** (Q. Centre) 14

Italienne

La Nuova Vita (Q. Sud et Ouest)   16   **Villa d'Este** (env. à Amstelveen) .   17

Japonaise

Edo (**H. Gd H. Kraspanolsky**)   **Yamazato** (**H. Okura**)
(Q. Centre) 15   (Q. Sud et Ouest) 16

Orientale

Dynasty (Q. Centre) 14   **Manchurian** (Q. Centre) 14

Thaïlandaise

Tom Yam (Q. Centre) 15

Quartiers du Centre - plans p. 6 et 7 sauf indication spéciale :

🏨🏨🏨🏨 **Amstel** ⤷, Prof. Tulpplein 1, ⊠ 1018 GX, ℘ 622 60 60, Telex 11004, Fax 622 58 08, ≤, 🍴, *Lʒ*, ⓢ, ☒ – 🛗 🖂 ☎ 🅟 – 🔬 25 à 180. ☒ ⑩ ☰ 🗺 🗺. MZ **a**
Repas voir rest *La Rive* ci-après – ⊊ 40 – **58 ch** 725/825, 21 suites.

🏨🏨🏨🏨 **The Grand** ⤷, O.Z. Voorburgwal 197, ⊠ 1001 EX, ℘ 555 31 11, Telex 13074, Fax 555 32 22, « Immeuble historique, salons Art Nouveau authentiques, jardin intérieur », ⓢ, ☒ – 🛗 🖂 rest 🖂 ☎ 🖛 – 🔬 25 à 320. ☒ ⑩ ☰ 🗺. 🛠 LY **b**
Repas *Café Roux* (ouvert jusqu'à 23 h) carte 43 à 62 – ⊊ 28 – **155 ch** 525/625, 11 suites.

🏨🏨🏨🏨 **Europe,** Nieuwe Doelenstraat 2, ⊠ 1012 CP, ℘ 623 48 36, Telex 12081, Fax 624 29 62, ≤, 🍴, *Lʒ*, ⓢ, ☒ – 🛗 🖂 🖂 ☎ 🖛 – 🔬 25 à 250. ☒ ⑩ ☰ 🗺 🗺. LY **c**
Repas *Excelsior* (fermé sam. midi) (ouvert jusqu'à 23 h) Lunch 63 – 90/135 – *Le Relais* (ouvert jusqu'à minuit) 40/50 – ⊊ 35 – **95 ch** 445/620, 6 suites – ½ P 495.

🏨🏨🏨🏨 **Barbizon Palace,** Prins Hendrikkade 59, ⊠ 1012 AD, ℘ 556 45 64, Telex 10187, Fax 624 33 53, *Lʒ*, ⓢ – 🛗 🖂 🖂 rest 🖂 ☎ 🕭 🖛 – 🔬 25 à 210. ☒ ⑩ ☰ 🗺. 🛠 rest MX **d**
Repas voir rest *Vermeer* ci-après – *Café Barbizon* carte 46 à 62 – ⊊ 33 – **263 ch** 360/510, 3 suites.

🏨🏨🏨🏨 **Marriott,** Stadhouderskade 21, ⊠ 1054 ES, ℘ 607 55 55, Telex 15087, Fax 607 55 11, *Lʒ*, ← – 🛗 🖂 🖂 🖂 ☎ 🕭 🖛 – 🔬 25 à 360. ☒ ⑩ ☰ 🗺. 🛠 KZ **f**
Repas (fermé dim. et lundi) (dîner seult) 43/95 – ⊊ 34 – **387 ch** 400/450, 5 suites – ½ P 515/570.

🏨🏨🏨🏨 **Radisson SAS** ⤷, Rusland 17, ⊠ 1012 CK, ℘ 623 12 31, Telex 10365, Fax 520 82 00, « Patio avec presbytère du 18e s. », *Lʒ*, ⓢ – 🛗 🖂 🖂 🖂 ☎ 🕭 🖛 – 🔬 25 à 150. ☒ ⑩ ☰ 🗺. 🛠 rest LY **h**
Repas Lunch 58 – 68 – ⊊ 32 – **246 ch** 350, 1 suite.

🏨🏨🏨🏨 **Renaissance,** Kattengat 1, ⊠ 1012 SZ, ℘ 621 22 23, Telex 17149, Fax 627 52 45 « Collection d'œuvres d'art contemporain », *Lʒ*, ⓢ – 🛗 🖂 🖂 🖂 ☎ 🕭 🖛 – 🔬 25 à 400. ☒ ⑩ ☰ 🗺 🗺. LX **e**
Repas 55 – ⊊ 33 – **425 ch** 365, 6 suites – ½ P 270.

🏨🏨🏨🏨 **Holiday Inn Crowne Plaza,** N.Z. Voorburgwal 5, ⊠ 1012 RC, ℘ 620 05 00, Telex 15183, Fax 620 11 73, *Lʒ*, ⓢ, ☒ – 🛗 🖂 🖂 🖂 ☎ 🕭 🖛 – 🔬 25 à 260. ☒ ⑩ ☰ 🗺 🗺. LX **g**
Repas *Dorrius* carte env. 60 – ⊊ 30 – **268 ch** 395/545, 2 suites.

🏨🏨🏨🏨 **Gd H. Krasnapolsky,** Dam 9, ⊠ 1012 JS, ℘ 554 91 11, Telex 12262, Fax 622 86 07 « Jardin d'hiver 19e s. » – 🛗 🖂 🖂 🖂 ☎ 🕭 🖛 – 🔬 25 à 750. ☒ ⑩ ☰ 🗺 🗺. LY **k**
Repas voir rest *Edo* ci-après – *Brasserie Reflet* (dîner seult) carte env. 50 – ⊊ 30 – **420 ch** 410/485, 5 suites.

🏨🏨🏨 **Victoria,** Damrak 1, ⊠ 1012 LG, ℘ 623 42 55, Telex 16625, Fax 625 29 97, *Lʒ*, ⓢ, ☒ – 🛗 🖂 rest 🖂 ☎ 🕭 – 🔬 25 à 250. ☒ ⑩ ☰ 🗺 🗺. 🛠 rest LMX
Repas carte 43 à 80 – ⊊ 28 – **321 ch** 395/425 – ½ P 393/423.

🏨🏨🏨 **Barbizon Centre,** Stadhouderskade 7, ⊠ 1054 ES, ℘ 685 13 51, Telex 12601 Fax 685 16 11, *Lʒ*, ⓢ – 🛗 🖂 🖂 🖂 ☎ 🕭 – 🔬 25 à 200. ☒ ⑩ ☰ 🗺 🗺. 🛠 rest KZ
Repas (fermé dim. et du 8 au 21 août) (dîner seult) carte env. 75 – ⊊ 32 – **236 ch** 360/485, 2 suites.

🏨🏨🏨 **Pulitzer,** Prinsengracht 323, ⊠ 1016 GZ, ℘ 523 52 35, Telex 16508, Fax 627 67 53, « Façade composée de 24 maisons 17 et 18e s. », 🍴 – 🛗 🖂 🖂 rest 🖂 ☎ 🖛 – 🔬 25 à 160. ☒ ⑩ ☰ 🗺 🗺. 🛠 KY **n**
Repas *De Goudsbloem* (fermé 2 dern. sem. juil.) (dîner seult) carte env. 80 – ⊊ 33 – **230 ch** 395/540, 2 suites.

🏨🏨🏨 **Jolly Carlton,** Vijzelstraat 4, ⊠ 1017 HK, ℘ 622 22 66, Telex 11670, Fax 626 61 83 – 🛗 🖂 🖂 🖂 ☎ 🖛 – 🔬 25 à 200. ☒ ⑩ ☰ 🗺. 🛠 rest LY
Repas (fermé lundi) 50/65 – ⊊ 30 – **219 ch** 300/400 – ½ P 390.

🏨🏨🏨 **American,** Leidsekade 97, ⊠ 1017 PN, ℘ 624 53 22, Telex 12545, Fax 625 32 36, 🍴, *Lʒ* ⓢ – 🛗 🖂 ☎ – 🔬 80 à 160. ☒ ⑩ ☰ 🗺. 🛠 KZ
Repas *Café Américain* (ouvert jusqu'à 23 h) Lunch 20 – carte env. 65 – ⊊ 32 – **186 ch** 295/525, 2 suites.

🏨🏨🏨 **Ascot,** Damrak 95, ⊠ 1012 LP, ℘ 626 00 66, Telex 16620, Fax 627 09 82 – 🛗 🖂 🖂 🖂 ☎ 🕭 – 🔬 25 à 60. ☒ ⑩ ☰ 🗺. 🛠 rest LXY
Repas Lunch 34 – carte 52 à 68 – ⊊ 28 – **109 ch** 355/395 – ½ P 355/455.

🏨🏨🏨 **Sofitel,** N.Z. Voorburgwal 67, ⊠ 1012 RE, ℘ 627 59 00, Telex 14494, Fax 623 89 32, *Lʒ*, ⓢ – 🛗 🖂 🖂 🖂 ☎ – 🔬 30 à 100. ☒ ⑩ ☰ 🗺. 🛠 LX
Repas (dîner seult) 45/58 – ⊊ 30 – **148 ch** 310/345.

🏨🏨🏨 **Caransa,** Rembrandtsplein 19, ⊠ 1017 CT, ℘ 622 94 55, Fax 622 27 73, 🍴 – 🛗 🖂 🖂 c 🖂 ☎ – 🔬 25 à 225 LY
66 ch

🏨🏨🏨 **Canal Crown** sans rest, Herengracht 519, ⊠ 1017 BV, ℘ 420 00 55, Fax 420 09 93 – 🖂 ☎. ☒ ⑩ ☰ 🗺 LZ
57 ch ⊊ 150/315.

🏛 **Ambassade** sans rest, Herengracht 341, ✉ 1016 AZ, ✆ 626 23 33, Fax 624 53 21, ← – ‖
📺 ☎, 𝗔𝗘 ⓞ 𝗘 𝘝𝘐𝘚𝘈
46 ch ☲ 225/275, 3 suites.
KY **x**

🏛 **Estheréa** sans rest, Singel 305, ✉ 1012 WJ, ✆ 624 51 46, Telex 14019, Fax 623 90 01 –
‖ 📺 ☎. 𝗔𝗘 ⓞ 𝗘 𝘝𝘐𝘚𝘈 𝗝𝗖𝗕. ⚘
75 ch ☲ 300/355.
LY **y**

🏛 **Die Port van Cleve**, N.Z. Voorburgwal 178, ✉ 1012 SJ, ✆ 624 48 60, Fax 622 02 40 – ‖
📺 ☎ – 🔏 25 à 50. 𝗔𝗘 ⓞ 𝗘 𝘝𝘐𝘚𝘈 𝗝𝗖𝗕. ⚘
Repas voir rest **De Blauwe Parade** ci-après – **99 ch** ☲ 267/342 – ½ P 185/269.
LX **w**

🏛 **Classic** sans rest, Gravenstraat 14, ✉ 1012 NM, ✆ 623 37 16, Fax 638 11 56 – ‖ 📺 ☎.
𝗔𝗘 ⓞ 𝗘 𝘝𝘐𝘚𝘈. ⚘
33 ch ☲ 160/235.
LX **p**

🏛 **Canal House** ⚑ sans rest, Keizersgracht 148, ✉ 1015 CX, ✆ 622 51 82, Fax 624 13 17,
« Intérieur avec mobilier de style », ⚘ – ‖ ☎. 𝗔𝗘 ⓞ 𝗘 𝘝𝘐𝘚𝘈. ⚘
26 ch ☲ 210/250.
KX **k**

🏛 **De Roode Leeuw**, Damrak 93, ✉ 1012 LP, ✆ 624 03 96 et 555 06 66 (rest), Telex 10569,
Fax 620 47 16 – ‖ ⇆ 🔳 📺 ☎. 𝗔𝗘 ⓞ 𝗘 𝘝𝘐𝘚𝘈. ⚘ rest
LXY **s**
Repas (cuisine régionale hollandaise) Lunch 48 – carte 48 à 76 – **80 ch** ☲ 199/295 –
½ P 185/235.

🏛 **Citadel** sans rest, N.Z. Voorburgwal 100, ✉ 1012 SG, ✆ 627 38 82, Fax 627 46 84 – ‖ 📺
☎. 𝗔𝗘 ⓞ 𝗘 𝘝𝘐𝘚𝘈 𝗝𝗖𝗕.
38 ch ☲ 120/230.
LX **m**

🏛 **Avenue** sans rest, N.Z. Voorburgwal 27, ✉ 1012 RD, ✆ 623 83 07, Fax 638 39 46 – ‖ 📺
☎. 𝗔𝗘 ⓞ 𝗘 𝘝𝘐𝘚𝘈 𝗝𝗖𝗕
50 ch ☲ 120/230.
LX **z**

🏛 **Owl** sans rest, Roemer Visscherstraat 1, ✉ 1054 EV, ✆ 618 94 84, Fax 618 94 41 – ‖ 📺
☎. 𝗔𝗘 ⓞ 𝗘 𝘝𝘐𝘚𝘈. ⚘
34 ch ☲ 115/190.
JZ **a**

🏛 **Asterisk** sans rest, Den Texstraat 16, ✉ 1017 ZA, ✆ 626 23 96, Fax 638 27 90 – ‖ 📺 ☎.
𝗘 𝘝𝘐𝘚𝘈
29 ch ☲ 149/179.
LZ **d**

🏛 **Nicolaas Witsen** sans rest, Nicolaas Witsenstraat 4, ✉ 1017 ZH, ✆ 626 65 46,
Fax 620 51 13 – ‖ 📺 ☎. 𝗘 𝘝𝘐𝘚𝘈
31 ch ☲ 80/170.
LZ **b**

🏛 **Rho** sans rest, Nes 11, ✉ 1012 KC, ✆ 620 73 71, Fax 620 78 26 – ‖ 📺 ☎. ⓟ. 𝗔𝗘 𝗘 𝘝𝘐𝘚𝘈.
⚘
148 ch ☲ 130/225.
LY **e**

🏨 **Wiechmann** sans rest, Prinsengracht 328, ✉ 1016 HX, ✆ 626 33 21, Fax 626 89 62 – 📺
☎
38 ch ☲ 195/250.
KY **c**

🏨 **Agora** sans rest, Singel 462, ✉ 1017 AW, ✆ 627 22 00, Fax 627 22 02 – 📺 ☎. 𝗔𝗘 ⓞ 𝗘
𝘝𝘐𝘚𝘈
14 ch ☲ 170/190.
LY **m**

🏨 **Prinsen** sans rest, Vondelstraat 36, ✉ 1054 GE, ✆ 616 23 23, Fax 616 61 12 – ‖ 📺 ☎.
𝗔𝗘 ⓞ 𝗘 𝘝𝘐𝘚𝘈
41 ch ☲ 125/200.
JZ **e**

🏨 **Prinsengracht** sans rest, Prinsengracht 1015, ✉ 1017 KN, ✆ 623 77 79, Fax 623 89 26 –
‖ 📺 ☎. 𝗔𝗘 ⓞ 𝗘 𝘝𝘐𝘚𝘈
34 ch ☲ 115/225.
LZ **e**

🏨 **Ibis Centre,** Stationsplein 49, ✉ 1012 AB, ✆ 638 99 99, Fax 620 01 56 – ‖ ⇆ 📺 ☎ ⅃
– 🔏 25 à 50. 𝗔𝗘 ⓞ 𝗘 𝘝𝘐𝘚𝘈
plan p. 5 GT **p**
Repas carte env. 45 – ☲ 18 – **177 ch** 175 – ½ P 223/270.

🏨 **Nes** sans rest, Kloveniersburgwal 137, ✉ 1011 KE, ✆ 624 47 73, Fax 620 98 42 – ‖ 📺 ☎.
𝗔𝗘 ⓞ 𝗘 𝘝𝘐𝘚𝘈
36 ch ☲ 160/250.
LY **f**

🏨 **Piet Hein** sans rest, Vossiusstraat 53, ✉ 1071 AK, ✆ 662 72 05, Fax 662 15 26 – ‖ 📺 ☎.
𝗔𝗘 ⓞ 𝗘 𝘝𝘐𝘚𝘈. ⚘
40 ch ☲ 125/175.
JZ **g**

🏨 **Lancaster** sans rest, Plantage Middenlaan 48, ✉ 1018 DH, ✆ 626 65 44, Telex 16755,
Fax 622 66 28 – ‖ 📺 ☎ – 🔏 25. 𝗔𝗘 ⓞ 𝗘 𝘝𝘐𝘚𝘈
plan p. 5 HU **a**
88 ch ☲ 210.

XXXX ❀ **La Rive** - H. Amstel, Prof. Tulpplein 1, ✉ 1018 GX, ✆ 622 60 60, Telex 11004,
Fax 622 58 08, ←, 🌣, « Au bord de l'Amstel » – 🔳 ⓟ. 𝗔𝗘 ⓞ 𝗘 𝘝𝘐𝘚𝘈. ⚘
MZ **a**
fermé sam. midi et dim. midi – **Repas** 125/175 carte 133 à 170
Spéc. Filets de maquereau marinés en gelée de caviar, Tronçon de turbot grillé, beurre noisette
aux pistaches et à la moutarde, Perdreau en chartreuse.

7

XXX ❀ **Vermeer** - H. Barbizon Palace, Prins Hendrikkade 59, ✉ 1012 AD, ☎ 556 48 85, Telex 10187, Fax 624 33 53 – 🍽 **℗**. 🆀 **⓿** 🄴 **VISA**. ✵   MX **d**
fermé sam. midi, dim., 17 juil.-14 août et 26 déc.-3 janv. – **Repas** 75 carte 87 à 116
Spéc. Tartare de veau aux truffes et parmesan, Langoustines en risotto au jambon, Soufflé chaud au mascarpone.

XXX **D'Vijff Vlieghen,** Spuistraat 294, ✉ 1012 VX, ☎ 638 81 71, Fax 623 64 04, « Maisonettes du 17e s. » – 🆀 **⓿** 🄴 **VISA JCB**. ✵   LY **p**
fermé 26 déc. et 1er janv. – **Repas** (dîner seult) carte env. 80.

XXX **Radèn Mas,** Stadhouderskade 6, ✉ 1054 ES, ☎ 685 40 41, Fax 685 39 81, Cuisine indonésienne, ouvert jusqu'à 23 h, « Décor exotique » – 🍽. 🆀 **⓿** 🄴 **VISA**   JKZ **k**
fermé sam. midi et dim. midi – **Repas** Lunch 48 – 55/99.

XXX **De Blauwe Parade** - H. Die Port van Cleve, N.Z. Voorburgwal 178, ✉ 1012 SJ, ☎ 624 00 47, Fax 622 02 40, « Faïences de Delft » – 🆀 **⓿** 🄴 **VISA JCB**. ✵   LX **w**
Repas (dîner seult) 40/65.

XXX ❀ **Christophe** (Royer), Leliegracht 46, ✉ 1015 DH, ☎ 625 08 07, Fax 638 91 32 – 🍽. 🆀 **⓿** 🄴 **VISA**   KX **c**
fermé du 1er au 4 janv. et dim. – **Repas** (dîner seult jusqu'à 23 h) 75/95 carte 102 à 123
Spéc. Fondant d'aubergine au cumin, Homard rôti à l'ail doux et aux pommes de terre, Figues fraîches rôties et glace au thym.

XX **Dynasty,** Reguliersdwarsstraat 30, ✉ 1017 BM, ☎ 626 84 00, Fax 622 30 38, 🍴, Cuisine orientale – 🍽. 🆀 **⓿** 🄴 **VISA**. ✵   LY **q**
fermé mardi et janv. – **Repas** (dîner seult) carte 70 à 105.

XX **'t Swarte Schaep** 1er étage, Korte Leidsedwarsstraat 24, ✉ 1017 RC, ☎ 622 30 21, Fax 624 82 68, Ouvert jusqu'à 23 h, « Intérieur vieil hollandais du 17e s. » – 🍽. 🆀 **⓿** 🄴 **VISA JCB**   KZ **n**
fermé 25, 26 et 31 déc. et 1er janv. – **Repas** Lunch 48 – carte 73 à 90.

XX **Het Tuynhuys,** Reguliersdwarsstraat 28, ✉ 1017 BM, ☎ 627 66 03, Fax 627 66 03, 🍴, « Terrasse » – 🆀 **⓿** 🄴 **VISA**   LY **q**
fermé sam. midi et dim. midi – **Repas** Lunch 55 – 58/79.

XX **Les Quatre Canetons,** Prinsengracht 1111, ✉ 1017 JJ, ☎ 624 63 07, Fax 638 45 99 – 🆀 **⓿** 🄴 **VISA JCB**   MZ **r**
fermé dim., lundi de Pâques et lundi de Pentecôte – **Repas** Lunch 58 – 83/108.

XX **Tout Court,** Runstraat 13, ✉ 1016 GJ, ☎ 625 86 37, Fax 625 44 11, Ouvert jusqu'à 23 h 30 – 🆀 **⓿** 🄴 **VISA**   KY **s**
fermé prem. sem. janv. – Repas Lunch 40 – 50/85.

XX **Indrapura,** Rembrandtsplein 42, ✉ 1017 CV, ☎ 623 73 29, Fax 622 30 38, Cuisine indonésienne – 🆀 **⓿** 🄴 **VISA**   LYZ **h**
Repas (dîner seult) 43/70.

XX ❀ **Sichuan Food,** Reguliersdwarsstraat 35, ✉ 1017 BK, ☎ 626 93 27, Fax 627 72 81, Cuisine chinoise – 🍽. 🆀 **⓿** 🄴 **VISA**. ✵   LY **u**
fermé 31 déc. – **Repas** (dîner seult jusqu'à 23 h, nombre de couverts limité - prévenir) carte 55 à 78
Spéc. Dim Sum, Canard laqué, Huîtres sautées maison.

XX **Bols Taverne,** Rozengracht 106, ✉ 1016 NH, ☎ 624 57 52, Fax 620 41 94 – 🍽. 🆀 **⓿** 🄴 **VISA JCB**   JKY **b**
fermé dim., 31 déc. et 1er janv. – **Repas** Lunch 40 – carte env. 70.

XX **De Oesterbar,** Leidseplein 10, ✉ 1017 PT, ☎ 623 29 88, Fax 623 21 99, Produits de la mer, ouvert jusqu'à 1 h du matin – 🍽. 🆀 **⓿** 🄴 **VISA**. ✵   KZ **t**
Repas carte 45 à 84.

XX **Treasure,** N.Z. Voorburgwal 115, ✉ 1012 RH, ☎ 626 09 15, Fax 640 12 02, Cuisine chinoise – 🍽. 🆀 **⓿** 🄴 **VISA**. ✵   LX **v**
Repas Lunch 28 – carte 48 à 80.

XX **Manchurian,** Leidseplein 10a, ✉ 1017 PT, ☎ 623 13 30, Fax 626 21 05, Cuisine orientale – 🍽. 🆀 **⓿** 🄴 **VISA**. ✵   KZ **t**
Repas Lunch 40 – 43/58.

XX **Sancerre,** Reestraat 28, ✉ 1016 DN, ☎ 627 87 94, Fax 623 87 49 – 🆀 **⓿** 🄴 **VISA JCB**. ✵   KY **a**
fermé Pâques, Pentecôte et 31 déc. – **Repas** Lunch 50 – carte env. 75.

XX **Le Pêcheur,** Reguliersdwarsstraat 32, ✉ 1017 BM, ☎ 624 31 21, Fax 624 31 21, 🍴, Produits de la mer, ouvert jusqu'à 23 h – 🆀 **⓿** 🄴 **VISA**. ✵   LY **w**
fermé dim., 30 avril et 31 déc. – **Repas** carte env. 70.

XX **Kopenhagen,** Enge Kapelsteeg 1 (angle Rokin), ✉ 1012 NT, ☎ 624 93 76, Buffet scandinave – 🍽. 🆀 **⓿** 🄴 **VISA**   LY **d**
fermé dim. sauf Pâques et Pentecôte, lundi de Pâques, lundi de Pentecôte, 25 et 26 déc. et 1er janv. – **Repas** Lunch 43 – carte 48 à 76.

XX **Lotus,** Binnen Bantammerstraat 7, ✉ 1011 CH, ☎ 624 26 14, Fax 624 38 05, Cuisine chinoise – 🍽. 🆀 **⓿** 🄴 **VISA**   MX **y**
Repas (dîner seult jusqu'à 23 h) carte 47 à 80.

XX **Sea Palace,** Oosterdokskade 8, ✉ 1011 AE, ☎ 626 47 77, Fax 620 42 66, Cuisine asiatique, « Restaurant flottant avec ≤ ville » – 🍽. 🆀 **⓿** 🄴 **VISA JCB**. ✵   plan p. 5 HT **b**
Repas Lunch 25 – carte env. 50.

✗ **De Gouden Reael,** Zandhoek 14, ☒ 1013 KT, ℘ 623 38 83, Fax 626 05 46, « Maison du 17ᵉ s. dans site typique » – ⟨AE⟩ ⓞ ⟨E⟩ *VISA* plan p. 3 CR **d**
fermé sam., dim., jours fériés et 25 déc.-1er janv. – **Repas** *Lunch* 55 – carte env. 80.

✗ **Chez Georges,** Herenstraat 3, ☒ 1015 BX, ℘ 626 33 32 – ⟨AE⟩ ⓞ ⟨E⟩ *VISA* LX **n**
fermé merc., dim., 3 dern. sem. juil. et 1 sem. fin janv. – **Repas** (dîner seult jusqu'à 23 h) 57/75.

✗ **Tom Yam,** Staalstraat 22, ☒ 1011 JM, ℘ 622 95 33, Fax 420 13 88, Cuisine thaïlandaise – ⟨AE⟩ ⟨E⟩ *VISA* MY **f**
fermé fév. et 24 et 31 déc. – **Repas** (dîner seult) carte 67 à 102.

✗ **Edo** - H. Gd H. Krasnapolsky, Dam 9, ☒ 1012 JS, ℘ 554 60 96, Fax 639 31 46, Cuisine japonaise, teppan-yaki – ⟨AE⟩ ⓞ ⟨E⟩ *VISA* ⟨JCB⟩. ⟨✗⟩ LY **k**
Repas *Lunch* 45 – 55/100.

✗ **Koriander,** Amstel 212, ☒ 1017 AH, ℘ 627 78 79, ≤, Ouvert jusqu'à minuit – ⟨AE⟩ ⓞ ⟨E⟩ *VISA* MYZ **g**
fermé sam. midi, dim. midi, 31 déc. et 1er janv. – **Repas** carte env. 60.

✗ **Bistro La Forge,** Korte Leidsedwarsstraat 26, ☒ 1017 RC, ℘ 624 00 95 – ⟨AE⟩ ⓞ ⟨E⟩ *VISA*
fermé 31 déc. et 1er janv. – **Repas** (dîner seult jusqu'à 23 h) 45/55. KZ **n**

✗ **Lucius,** Spuistraat 247, ☒ 1012 VP, ℘ 624 18 31, Fax 627 61 53, Produits de la mer – ⟨AE⟩ ⓞ ⟨E⟩ *VISA* LY **r**
fermé dim. et jours fériés – **Repas** (dîner seult jusqu'à minuit) 48/95.

➤ **Haesje Claes,** Spuistraat 273, ☒ 1012 VR, ℘ 624 99 98, Fax 627 48 17, Ambiance amstellodamoise – ⟨AE⟩ ⓞ ⟨E⟩ *VISA*. ⟨✗⟩ LY **x**
fermé mars – **Repas** *Lunch* 25 – 43.

✗ **Kantjil,** Spuistraat 291, ☒ 1012 VS, ℘ 620 09 94, Fax 623 21 66, ⟨⟩, Taverne-rest, cuisine indonésienne – ⟨AE⟩ ⓞ ⟨E⟩ *VISA*. ⟨✗⟩ LY **x**
fermé 4 mai et 25, 26 et 31 déc. – **Repas** (dîner seult jusqu'à 23 h) carte env. 50.

✗ **Churrasco,** Reguliersdwarsstraat 27, ☒ 1017 BJ, ℘ 627 65 65, Grillades – ⟨AE⟩ ⟨E⟩ *VISA*
fermé mardi – **Repas** (dîner seult jusqu'à 23 h) carte env. 50. LY **z**

Quartiers Sud et Ouest - plans p. 4 et 5 sauf indication spéciale :

🏨🏨🏨 **Okura,** Ferdinand Bolstraat 333, ☒ 1072 LH, ℘ 678 71 11, Telex 16182, Fax 671 23 44, ⟨⟩ – ⟨⟩ ⟨⟩ ⟨TV⟩ ☎ ⟨⟩ ⟨P⟩ – ⟨⟩ 25 à 650. ⟨AE⟩ ⓞ ⟨E⟩ *VISA* ⟨JCB⟩. ⟨✗⟩ GV **c**
Repas voir rest *Yamazato* ci-après – *Ciel Bleu*, 23ᵉ étage, ≤ ville *(fermé 2 prem. sem. août)* (dîner seult) 75/90 – ⟨⟩ 37 – **358 ch** 355/400, 12 suites.

🏨🏨🏨 **Forte Crest Apollo,** Apollolaan 2, ☒ 1077 BA, ℘ 673 59 22, Telex 14084, Fax 570 57 44, ⟨⟩, « Terrasse avec ≤ canal » – ⟨⟩ ⟨✗⟩ ⟨TV⟩ ☎ ⟨P⟩ – ⟨⟩ 25 à 200. ⟨AE⟩ ⓞ ⟨E⟩ *VISA*. ⟨✗⟩ rest FV **e**
Repas (ouvert jusqu'à 23 h) *Lunch* 53 – carte env. 60 – ⟨⟩ 30 – **225 ch** 338/422, 3 suites.

🏨🏨🏨 **Hilton,** Apollolaan 138, ☒ 1077 BG, ℘ 678 07 80, Telex 11025, Fax 662 66 88 – ⟨⟩ ⟨✗⟩ ⟨⟩ rest ⟨TV⟩ ☎ ⟨P⟩ – ⟨⟩ 25 à 830. ⟨AE⟩ ⓞ ⟨E⟩ *VISA* ⟨JCB⟩. ⟨✗⟩ FV **f**
Repas *Lunch* 40 – carte env. 70 – ⟨⟩ 38 – **268 ch** 395/660, 3 suites.

🏨🏨🏨 **Garden,** Dijsselhofplantsoen 7, ☒ 1077 BJ, ℘ 664 21 21, Fax 679 93 56 – ⟨⟩ ⟨✗⟩ ⟨TV⟩ ☎ ⟨P⟩ – ⟨⟩ 40 à 150. ⟨AE⟩ ⓞ ⟨E⟩ *VISA*. ⟨✗⟩ FV **d**
Repas *Mangerie De Kersentuin* *(fermé dim., 31 déc. et 1er janv.)* (dîner seult jusqu'à 23 h) 58/68 – ⟨⟩ 35 – **96 ch** 330/465, 2 suites.

🏨🏨 **Mercure a/d Amstel** Ⓜ, Joan Muyskenweg 10, ☒ 1096 CJ, ℘ 665 81 81, Telex 13382, Fax 694 87 35, ⟨⟩, ⟨⟩ – ⟨⟩ ⟨✗⟩ ⟨TV⟩ ☎ ⟨⟩ ⟨P⟩ – ⟨⟩ 25 à 450. ⟨AE⟩ ⓞ ⟨E⟩ *VISA*. ⟨✗⟩ ch
Repas *Lunch* 25 – carte env. 60 – ⟨⟩ 23 – **178 ch** 200/315, 2 suites – ½ P 228/368.
plan p. 3 CS **z**

🏨🏨 **Memphis** sans rest, De Lairessestraat 87, ☒ 1071 NX, ℘ 673 31 41, Telex 12450, Fax 673 73 12 – ⟨⟩ ⟨✗⟩ ⟨TV⟩ ☎ – ⟨⟩ 25 à 45. ⟨AE⟩ ⓞ ⟨E⟩ *VISA* FV **g**
⟨⟩ 25 – **74 ch** 285/360.

🏨 **Toro** ⟨⟩ sans rest, Koningslaan 64, ☒ 1075 AG, ℘ 673 72 23, Fax 675 00 31, « Terrasse au bord de l'eau, face au parc » – ⟨⟩ ⟨TV⟩ ☎. ⟨AE⟩ ⓞ ⟨E⟩ *VISA* EV **m**
22 ch ⟨⟩ 170/200.

🏨 **Lairesse** sans rest, De Lairessestraat 7, ☒ 1071 NR, ℘ 671 95 96, Telex 14275, Fax 671 17 56 – ⟨⟩ ⟨TV⟩ ☎. ⟨AE⟩ ⓞ ⟨E⟩ *VISA* FV **h**
34 ch ⟨⟩ 240/350.

🏨 **Jan Luyken** sans rest, Jan Luykenstraat 58, ☒ 1071 CS, ℘ 573 07 30, Telex 16254, Fax 676 38 41 – ⟨⟩ ⟨TV⟩ ☎ – ⟨⟩ 25 à 60. ⟨AE⟩ ⓞ ⟨E⟩ *VISA* plan p. 6 KZ **r**
63 ch ⟨⟩ 275/350.

🏨 **Cok Hotels,** Koninginneweg 34, ☒ 1075 CZ, ℘ 664 61 11, Fax 664 53 04 – ⟨⟩ ⟨✗⟩ ⟨⟩ rest ⟨TV⟩ ☎ ⟨⟩ – ⟨⟩ 25 à 80. ⟨AE⟩ ⓞ ⟨E⟩ *VISA* EV **k**
Repas (dîner seult) carte env. 50 – **159 ch** ⟨⟩ 130/240.

🏨 **Villa Borgmann** sans rest, Koningslaan 48, ☒ 1075 AE, ℘ 673 52 52, Fax 676 25 80 – ⟨⟩ ⟨TV⟩ ☎. ⟨AE⟩ ⓞ ⟨E⟩ *VISA*. ⟨✗⟩ EV **n**
15 ch ⟨⟩ 165/205.

🏨 **Atlas,** Van Eeghenstraat 64, ☒ 1071 GK, ℘ 676 63 36, Fax 671 76 33 – ⟨⟩ ⟨TV⟩ ☎ ⟨P⟩. ⟨AE⟩ ⓞ ⟨E⟩ *VISA*. ⟨✗⟩ rest FV **t**
Repas (résidents seult) – **23 ch** ⟨⟩ 145/210 – ½ P 150/180.

Apollofirst, Apollolaan 123, ⊠ 1077 AP, ☎ 673 03 33 et 679 79 71 (rest.), Fax 675 03 48 – ⬧ ▤ rest 📺 ☎. 🅰🅴 ① 🄴 VISA. FV **p**
Repas *(fermé dim.)* 60/75 – **40 ch** ⊑ 235/285.

Concert Inn sans rest, De Lairessestraat 11, ⊠ 1071 NR, ☎ 675 00 51, Fax 675 39 34 – ⬧ 📺 ☎. 🅰🅴 ① 🄴 VISA. ⫸ FV **r**
23 ch ⊑ 170/195.

Delphi sans rest, Apollolaan 105, ⊠ 1077 AN, ☎ 679 51 52, Fax 675 29 41 – ⬧ 📺 ☎. 🅰🅴 ① 🄴 VISA FV **q**
50 ch ⊑ 190/230.

La Casalo ⤴ sans rest, Amsteldijk 862, ⊠ 1079 LN, ☎ 642 36 80, Fax 644 74 09, ⪕, « Hôtel flottant sur l'Amstel », ⫸ – 📺 ☎. 🅰🅴 ① 🄴 VISA. ⫸ plan p. 3 CS **s**
4 ch ⊑ 165/275.

Washington sans rest, Frans van Mierisstraat 10, ⊠ 1071 RS, ☎ 679 67 54, Fax 673 44 35 – 📺 ☎. 🅰🅴 ① 🄴 VISA. ⫸ FV **n**
fermé 25 déc.-2 janv. – **17 ch** ⊑ 115/185, 4 suites.

Zandbergen sans rest, Willemsparkweg 205, ⊠ 1071 HB, ☎ 676 93 21, Fax 676 18 60 – 📺 ☎. 🅰🅴 ① 🄴 VISA. ⫸ EV **s**
17 ch ⊑ 115/195, 1 suite.

Bastion Zuid-West sans rest, Nachtwachtlaan 11, ⊠ 1058 EV, ☎ 669 16 21, Fax 669 16 31 – 📺 ☎ 🄿. 🅰🅴 ① 🄴 VISA. ⫸ plan p. 2 BR **m**
40 ch ⊑ 139/153.

Heemskerk sans rest, J.W. Brouwersstraat 25, ⊠ 1071 LH, ☎ 679 49 80, Fax 671 07 26 – 📺 ☎. 🅰🅴 ① 🄴 VISA. ⫸ FV **c**
9 ch ⊑ 125/175.

XX ✿ **De Trechter** (de Wit), Hobbemakade 63, ⊠ 1071 XL, ☎ 671 12 63, Fax 671 23 63 – 🅰🅴 ① 🄴 VISA. FV **u**
fermé dim., lundi, 11 juil.-3 août et dern. sem. déc.-prem. sem. janv. – **Repas** (dîner seult, nombre de couverts limité - prévenir) carte 95 à 115
Spéc. Filet de rouget-barbet au jus d'échalotes fumées et rouille, Terrine de filet de bœuf en foie gras d'oie au jus de persil, Soupe d'endives au roquefort et noix.

XX **Aujourd'hui**, C. Krusemanstraat 15, ⊠ 1075 NB, ☎ 679 08 77, Fax 676 76 27 – 🅰🅴 ① 🄴 VISA EV **w**
fermé sam. midi, dim. et du 1er au 21 août – **Repas** Lunch 55 – 85.

XX **Le Garage**, Ruysdaelstraat 54, ⊠ 1071 XE, ☎ 679 71 76, Fax 662 22 49, Brasserie – 🅰🅴 ① 🄴 VISA FV **y**
fermé Noël et Pâques – **Repas** Lunch 25 – 65.

XX **Het Bosch**, Jollenpad 10, ⊠ 1081 KC, ☎ 644 58 00, Fax 644 19 64, ⪕, �;, « Terrasse au bord du lac » – 🄿. 🅰🅴 ① 🄴 VISA. ⫸ plan p. 2 BS **n**
fermé sam. midi – **Repas** Lunch 53 – carte env. 75.

XX **Beddington's**, Roelof Hartstraat 6, ⊠ 1071 VH, ☎ 676 52 01, Fax 671 74 29 – 🅰🅴 ① 🄴 VISA. ⫸ FV **z**
fermé sam. midi, dim., lundi midi et dern. sem. déc.-prem. sem. janv. – **Repas** Lunch 55 – carte env. 80.

XX **Bartholdy**, Van Baerlestraat 35, ⊠ 1071 AP, ☎ 662 26 55, Fax 671 09 19 – 🅰🅴 ① 🄴 VISA. ⫸ FV **v**
Repas (dîner seult jusqu'à 23 h) 43/58.

XX **Yamazato** - H. Okura, Ferdinand Bolstraat 333, ⊠ 1072 LH, ☎ 678 71 11, Telex 16182 Fax 671 23 44, Cuisine japonaise – ▤ 🄿. 🅰🅴 ① 🄴 VISA JCB. ⫸ GV **c**
Repas Lunch 30 – carte env. 100.

XX **'t Reghthuys**, Adm. de Ruyterweg 468, ⊠ 1055 NH, ☎ 686 11 58, Fax 673 89 17 – 🅰🅴 ① 🄴 VISA ET **x**
fermé dim. et 24 juil.-13 août – **Repas** Lunch 55 – carte 75 à 91.

XX **Keyzer**, Van Baerlestraat 96, ⊠ 1071 BB, ☎ 671 14 41, Fax 673 73 53, Taverne-rest – 🅰🅴 ① 🄴 VISA. ⫸ FV **a**
fermé dim. et jours fériés – **Repas** Lunch 58 – 58.

X **La Nuova Vita**, Willemsparkweg 155, ⊠ 1071 GX, ☎ 679 38 68, Fax 679 38 68, Cuisine italienne – 🅰🅴 ① 🄴 VISA FV **n**
fermé 5, 24 et 31 déc. – **Repas** (dîner seult) 65.

X **Brasserie Van Baerle**, Van Baerlestraat 158, ⊠ 1071 BG, ☎ 679 15 32, Fax 671 71 96, �; Taverne-rest, ouvert jusqu'à 23 h – 🅰🅴 ① 🄴 VISA FV **l**
fermé sam. et 25 déc.-1er janv. – **Repas** Lunch 45 – 55/68.

X **Champêtre**, Willemsparkweg 177, ⊠ 1071 GZ, ☎ 676 99 70, Fax 676 99 70 – 🅰🅴 ① 🄴 VISA FV
fermé lundi, mardi et juil. – **Repas** (dîner seult) carte env. 60.

X **Pakistan**, De Clercqstraat 65, ⊠ 1053 AD, ☎ 618 11 20, Cuisine indienne – 🅰🅴 ① 🄴 VISA EU
Repas (dîner seult) carte env. 50.

X **Oriënt**, Van Baerlestraat 21, ⊠ 1071 AN, ☎ 673 49 58, Fax 676 82 57, Cuisine indonésienne – ▤. 🅰🅴 ① 🄴 VISA plan p. 6 JZ **l**
fermé du 25 au 31 déc. – **Repas** (dîner seult) 43/65.

Quartier Buitenveldert (RAI) - plan p. 3 :

🏫 **Holiday Inn,** De Boelelaan 2, ⊠ 1083 HJ, 𝒸 646 23 00, Telex 13647, Fax 646 47 90 – 🛗
※ 🗏 rest 📺 ☎ ₺ 🅿 – 🔬 25 à 350. 🆎 ⓞ ⋿ 𝘝𝘐𝘚𝘈
CS **f**
Repas (ouvert jusqu'à 23 h) Lunch 25 – 60/65 – ⊇ 32 – **259 ch** 360/420, 2 suites.

🏫 **Novotel,** Europaboulevard 10, ⊠ 1083 AD, 𝒸 541 11 23, Telex 13375, Fax 646 28 23 – 🛗
※ 🗏 ch 📺 ☎ ₺ 🅿 – 🔬 280. 🆎 ⓞ 𝘝𝘐𝘚𝘈
CS **r**
Repas (ouvert jusqu'à minuit) Lunch 38 – carte env. 60 – ⊇ 25 – **598 ch** 248/260, 2 suites.

XXX ❀ **Halvemaan,** van Leyenberghlaan 20 (Gijsbrecht van Aemstelpark), ⊠ 1082 GM,
𝒸 644 03 48, Fax 644 17 77, 🍽, « Terrasse avec ≤ pièce d'eau » – 🅿. 🆎 ⓞ ⋿ 𝘝𝘐𝘚𝘈.
※
CS **a**
fermé sam., dim. et 24 déc.-prem. sem. janv. – **Repas** 75/125 – carte 80 à 95
Spéc. Foie gras brûlé, Homard mer et terre, Cabillaud poêlé parmentier à l'aïoli de légumes.

XX **De Casteele,** Kastelenstraat 172, ⊠ 1082 EJ, 𝒸 644 72 67, 🍽 – 🆎 ⓞ ⋿
𝘝𝘐𝘚𝘈
CS **p**
fermé sam. midi, dim., lundi et dern. sem. juil.-2 prem. sem. août – **Repas** Lunch 30 – carte
60 à 80.

XX **Nederhoven,** Nederhoven 13, ⊠ 1083 AM, 𝒸 642 56 19, 🍽 – 🆎 ⓞ ⋿ 𝘝𝘐𝘚𝘈 𝘑𝘊𝘉
CS **t**
Repas Lunch 45 – 48.

XX **Rosarium,** Amstelpark 1, ⊠ 1083 HZ, 𝒸 644 40 85, Fax 646 60 04, 🍽, « Parc fleuri » –
🅿 – 🔬 300. 🆎 ⓞ ⋿ 𝘝𝘐𝘚𝘈
CS **n**
fermé dim. – **Repas** Lunch 43 – carte env. 95.

X **Ravel,** Gelderlandplein 233, ⊠ 1082 LX, 𝒸 644 16 43, Fax 642 86 84, Taverne-rest – 🆎 ⓞ
➖ ⋿ 𝘝𝘐𝘚𝘈
CS **v**
fermé dim. midi – **Repas** Lunch 35 – 43/58.

Quartiers Nord - plan p. 3 :

🏨 **Galaxy,** Distelkade 21, ⊠ 1031 XP, 𝒸 634 43 66, Telex 18607, Fax 636 03 45 – 🛗 📺 ☎
₺ 🅿 – 🔬 25 à 250. 🆎 ⓞ ⋿ 𝘝𝘐𝘚𝘈
CR **b**
Repas Lunch 40 – carte env. 50 – **280 ch** ⊇ 215/250 – ½ P 255.

🏨 **Bastion Noord** sans rest, Rode Kruisstraat 28 (par Nieuwe Purmerweg), ⊠ 1025 KN,
𝒸 632 31 31, Fax 634 44 96 – 📺 ☎ 🅿. 🆎 ⓞ ⋿ 𝘝𝘐𝘚𝘈. ※
CDR **a**
40 ch ⊇ 139/153.

Périphérie - plan p. 2 :

par autoroute de Den Haag (A 4) – ❀ 0 20 :

🏫 **Mercure Airport,** Oude Haagseweg 20, ⊠ 1066 BW, 𝒸 617 90 05, Telex 15524,
Fax 615 90 27 – 🛗 ※ 🗏 rest 📺 ☎ ₺ 🅿 – 🔬 25 à 250. 🆎 ⓞ ⋿ 𝘝𝘐𝘚𝘈. ※
BS **v**
Repas Lunch 25 – carte env. 65 – ⊇ 23 – **150 ch** 250, 1 suite – ½ P 275/325.

XXX De Boekanier, Oude Haagseweg 49, ⊠ 1066 BV, 𝒸 617 35 25, Fax 669 31 36, ≤, 🍽 –
🅿
BS **s**

Environs

à Amstelveen - plans p. 2 et 3 – 72 923 h. – ❀ 0 20 :.

🛈 Plein 1960 n° 2, ⊠ 1181 ZM, 𝒸 547 51 11

🏫 **Grand Hotel** Ⓜ ※, Bovenkerkerweg 81 (S : 2,5 km direction Uithoorn), ⊠ 1187 XC,
𝒸 645 55 58, Fax 641 21 21 – 🛗 ※ 📺 ☎ ₺ ⇔ 🅿. 🆎 ⓞ ⋿ 𝘝𝘐𝘚𝘈 𝘑𝘊𝘉
Repas voir rest **Résidence Fontaine Royale** ci-après, par navette – **81 ch** ⊇ 250/290,
10 suites – ½ P 210/326.

XXX **De Jonge Dikkert,** Amsterdamseweg 104a, ⊠ 1182 HG, 𝒸 641 13 78, Fax 645 91 62,
« Moulin à vent du 17° s. » – 🅿. 🆎 ⓞ ⋿ 𝘝𝘐𝘚𝘈
BS **a**
Repas Lunch 55 – 55.

XXX **Résidence Fontaine Royale** - H. Grand Hotel, Dr Willem Dreesweg 1 (S : 2 km, direction
Uithoorn), ⊠ 1185 VA, 𝒸 640 15 01, Fax 640 16 51, 🍽 – 🗏 🅿 – 🔬 25 à 225. 🆎 ⓞ ⋿
𝘝𝘐𝘚𝘈
fermé dim., lundi soir et 13 et 24 déc. – **Repas** Lunch 30 – carte 55 à 92.

XX **La Belle Auberge,** Kostverlorenhof 54 (dans un centre commercial), ⊠ 1183 HG,
𝒸 643 31 00 – 🗏. 🆎 ⋿.
CS **b**
fermé sam., dim., 3 sem. en juil. et fin déc.-début janv. – **Repas** Lunch 53 – carte 66 à 85.

XX **Le Pescadou,** Amsterdamseweg 448, ⊠ 1181 BW, 𝒸 647 04 43, Produits de la mer – 🗏.
🆎 ⓞ ⋿ 𝘝𝘐𝘚𝘈
BS **c**
fermé 6 juil.-1ᵉʳ août et 20 déc.-6 janv. – **Repas** Lunch 35 – carte 68 à 96.

X **Villa d'Este,** Laan Nieuwer-Amstel 25, ⊠ 1182 JR, 𝒸 641 56 84, Fax 641 39 91, 🍽, Cuisine
italienne – 🆎 ⓞ ⋿ 𝘝𝘐𝘚𝘈
BS **z**
fermé 25, 26 et 31 déc. – **Repas** Lunch 20 – carte 43 à 88.

X **Aub. Aquarius,** Bosbaan 4, ⊠ 1182 AG, 𝒸 646 13 77, Fax 646 58 63, 🍽 – 🅿. 🆎 ⓞ ⋿
𝘝𝘐𝘚𝘈
BS **p**
fermé sam. et dim. – **Repas** Lunch 48 – carte 55 à 74.

à Badhoevedorp - plan p. 2 - © Haarlemmermeer 102 781 h. - © 0 20 :

Dorint, Sloterweg 299, ⊠ 1171 VB, ℰ 658 81 11, Telex 13117, Fax 659 71 01, ⥾, ⬛, ✕ - ▯ ❄ ▤ rest ▥ ☎ & ❷ - 🚗 25 à 150. ⬛ ⬛ ⬛ ⬛ ⬛ ⬛

AS **a**

Repas (ouvert jusqu'à 23 h) carte 43 à 69 - ⌧ 27 - **197 ch** 290/345.

De Herbergh avec ch, Sloterweg 259, ⊠ 1171 CP, ℰ 659 26 00, Fax 659 83 90, ⇱ - ▤ rest ▥ ☎ ❷. ⬛ ⬛ ⬛

AS **v**

Repas (fermé 11 juil.-7 août) Lunch 50 - 50 - ⌧ 15 - **15 ch** 140/145.

à Ouderkerk aan de Amstel - plan p. 3 - © Amstelveen 72 923 h. - © 0 2963 :

't Jagershuis, Amstelzijde 2, ⊠ 1184 VA, ℰ 20 20, Fax 45 41, ≤, « Auberge avec terrasse au bord de l'Amstel » - ▥ ☎ ❷ - 🚗 30. ⬛ ⬛ ⬛ ⬛ ⬛

CS **y**

Repas Lunch 45 - 55/63 - ⌧ 23 - **12 ch** 165/290.

Paardenburg, Amstelzijde 55, ⊠ 1184 TZ, ℰ 12 10, Fax 40 17, ⇱, « Peintures murales du 19ᵉ s., terrasse au bord de l'eau » - ▤ ❷. ⬛ ⬛ ⬛ ⬛

CS **y**

fermé du 15 au 31 janv. - **Repas** Lunch 50 - 70/100.

Klein Paardenburg, Amstelzijde 59, ⊠ 1184 TZ, ℰ 13 35, Fax 16 90 - ⬛ ⬛ ⬛ ⬛

CS **y**

fermé dim., jours fériés et fin déc. - **Repas** Lunch 60 - 68/85.

Het Kampje, Kerkstraat 56, ⊠ 1191 JE, ℰ 19 43, Fax 57 01, ⇱ - ⬛ ⬛

CS **e**

fermé sam., dim., 23 avril-13 mai et 23 déc.-5 janv. - **Repas** 50/60.

De Voetangel, Ronde Hoep Oost 3 (SE : 3 km), ⊠ 1191 KA, ℰ (0 2946) 13 73, Fax (0 2946) 49 39, ≤ - ❷. ⬛ ⬛

fermé merc., jeudi, Noël et 31 déc. et 1ᵉʳ janv. - **Repas** Lunch 25 - carte 43 à 69.

à Schiphol (Aéroport international) - plan p. 2 - © Haarlemmermeer 102 781 h. - © 0 20 :

Hilton International, Herbergierstraat 1, ⊠ 1118 ZK, ℰ 603 45 67, Telex 15186, Fax 648 09 17, ⅓, ⥾ - ▯ ❄ ▤ ▥ ☎ & ❷ - 🚗 25 à 110. ⬛ ⬛ ⬛ ⬛ ⬛

AS **n**

✲ rest

Repas (fermé sam., dim. et juil.-août) Lunch 60 - carte 57 à 85 - ⌧ 37 - **273 ch** 400/605, 1 suite.

Voir aussi : **Hoofddorp** S : 2,5 km

Un conseil Michelin
pour réussir vos voyages, préparez-les à l'avance.

Les cartes et guides Michelin vous donnent toutes indications utiles sur :
itinéraires, visite des curiosités, logement, prix etc.

APELDOORN Gelderland 408 ⑫ - 149 504 h. - © 0 55.

Voir Musée-Palais (Rijksmuseum Paleis) Het Loo✱✱✱ : nouvelle salle à manger✱✱✱, cabinet privé✱✱✱ de la reine, porte✱✱✱ vers la terrasse ✕ - Appartements✱✱✱, Salon et bureau de la reine Wilhelmine✱, Les Jardins✱✱.

⌐ à Hoog Soeren O : 6 km par Soerenseweg, Hoog Soeren 57, ⊠ 7346 AC, ℰ (0 5769) 12 75 -
⌐ au Domaine de Bussloo ④ : 10 km, Bussloselaan 6, ⊠ 7383 RP, ℰ (0 5716) 19 55.

🖪 Stationsstraat, ⊠ 7311 NZ, ℰ 78 84 21, Fax 21 12 90.

◆Amsterdam 90 ⑦ - ◆Arnhem 27 ⑥ - ◆Enschede 73 ④ - ◆Groningen 145 ② - ◆Utrecht 72 ⑦.

Plan page ci-contre

De Keizerskroon, Koningstraat 7, ⊠ 7315 HR, ℰ 21 77 44, Telex 49221, Fax 21 47 37, ⇱, ⅓, ⥾, ⬛ - ▯ ▥ ☎ ⥦ ❷ - 🚗 25 à 220. ⬛ ⬛ ⬛ ⬛ ⬛

X **a**

Repas Le Petit Prince (fermé dim.) Lunch 33 - 60/140 - **96 ch** ⌧ 255/295, 4 suites - ½ P 185.

De Cantharel, Van Golsteinlaan 20 à Ugchelen (SO : par Europaweg, près A 1), ⊠ 7339 GT, ℰ 41 44 55, Fax 33 41 07, ⇱, ⥾, ⇐, ✕ - ▯ ▤ rest ▥ ☎ ❷ - 🚗 50 à 500. ⬛ ⬛

Y

⬛ rest

Repas (ouvert jusqu'à 23 h 30) carte env. 45 - ⌧ 10 - **94 ch** 90.

Astra sans rest, Bas Backerlaan 14, ⊠ 7316 DZ, ℰ 22 30 22, Fax 22 30 21, ⇐ - ▥ ☎ ❷. ⬛ ⬛ ⬛ ⬛ ✲

X **n**

28 ch ⌧ 110.

Berg en Bos, Aquamarijnstraat 58, ⊠ 7314 HZ, ℰ 55 23 52, Fax 55 47 82 - ▥. ⬛ ⬛ ⬛ ⬛ ⬛

X **d**

✲ rest

fermé 25 et 26 déc.et 1ᵉʳ janv. - **Repas** (dîner pour résidents seult) - **15 ch** ⌧ 48/110 - ½ P 73/80.

Le Bouquetier, Van Kinsbergenstraat 9, ⊠ 7311 BL, ℰ 22 57 20 - ⬛ ⬛ ⬛ ⬛

Z **b**

fermé merc. - **Repas** (dîner seult) carte env. 55.

Poppe, Paslaan 7, ⊠ 7311 AH, ℰ 22 32 86, Fax 78 51 73, ⇱ - ❷. ⬛ ⬛ ⬛ ⬛

Z **u**

fermé lundi - **Repas** 44/53.

Balkan Rest. Internationaal, Beekstraat 43, ⊠ 7311 LE, ℰ 21 56 40 - ▤. ⬛ ⬛ ⬛ ⬛ ⬛

Z **r**

✲

fermé lundis non fériés - **Repas** (dîner seult) carte 43 à 66.

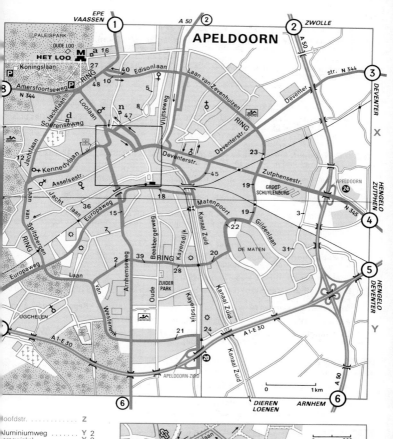

APELDOORN

EPE VAASSEN · A 50 · ZWOLLE · DEVENTER · HENGELO ZUTPHEN · HENGELO DEVENTER · DIEREN LOENEN · ARNHEM

Hoofdstr. . . . . Z

Aluminiumweg . . . . Y 2
Barnewinkel . . . . Y 3
Boerhaavestr. . . . . X 5
Eendrachtstr. . . . . Y 7
Gen. van Heutszlaan . . . . X 8
Hertenlaan . . . . X 10
J. C. Wilslaan . . . . X 12
Kapelstr. . . . . Z 13
Koning Stadhouderlaan . . Y 15
Koningstr. . . . . Z 16
Korenstr. . . . . Z 17
Laan van de
  Mensenrechten . . . . XY 18
Laan van Erica . . . . X 19
Laan van Kuipershof . . . Y 20
Laan
  van Malkenschoten . . Y 21
Laan van Maten . . . . . . Y 22
Laan van Osseveld . . . . X 23
Lange Amerikaweg . . . . Y 24
Marchantstr. . . . . Y 28
Marktpl. . . . . Z 30
Marskramersdonk . . . . . X 31
Molenstr. . . . . Z 32
Mr. van Rhemenslaan . . . Z 34
Paul Krügerstr. . . . . . . Z 35
Prins W. Alexanderlaan . Y 36
Ravenweg . . . . Y 39
Reeënlaan . . . . X 40
Sprengenweg . . . . Z 43
Stationspl. . . . . Z 44
Vapenrustlaan . . . . X 45
Wilhelminapark . . . . . . X 47
Wolsweg . . . . X 48

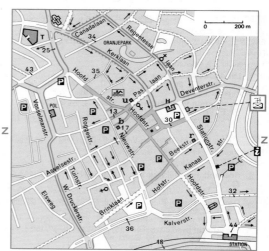

à Beekbergen par ⑥ : 5 km 🅒 Apeldoorn – 🕪 0 5766 :

🏠 **Landgoed de Wipselberg** ⟨S⟩, Wipselbergweg 30 (SE : 3 km), ⊠ 7361 TK, *𝒫* 26 26, Fax 31 49, ≤, 🎝, « Parc », 🛥, 🔲, 🎿, 🎾 – 🖐 🔟 ☎ 🅟 – 🔏 25 à 100. 🕮 🕦 **E** 𝓥𝓘𝓢𝓐. 🦖 rest
Repas *(mars à 20 h 30)* Lunch 27 – 43 – **122 ch** ⊐ 163/210 – ½ P 98.

🏠 **Engelanderhof**, Arnhemseweg 484, ⊠ 7361 CM, *𝒫* 33 18, Fax 32 20, 🎝, 🛥, 🎾 – 🔟 ☎ 🅟. 🕮 🕦 **E** 𝓥𝓘𝓢𝓐. 🦖 rest
Repas *(fermé 31 déc.-9 janv. et dim. d'oct. à mars)* Lunch 25 – carte 48 à 69 – **17 ch** ⊐ 90/130 – ½ P 95.

à Hoog Soeren O : 6 km par Soerenseweg × 🅒 Apeldoorn – 🕪 0 5769 :

🏠 **Oranjeoord** ⟨S⟩, Hoog Soeren 134, ⊠ 7346 AH, *𝒫* 12 27, Fax 14 51, 🎝, « Dans les bois », 🛥 – 🔟 ☎ 🅟 – 🔏 25. 🕮 **E**. 🦖 rest
fermé 27 déc.-15 janv. – **Repas** *(fermé après 20 h 30)* Lunch 35 – 55 – **26 ch** ⊐ 85/143, 1 suite – ½ P 125/137.

🏵🏵🏵 ❀ **De Echoput**, Amersfoortseweg 86 (par ⑧ : 5 km), ⊠ 7346 AA, *𝒫* 12 48, Fax 14 09, 🎝, « Terrasse et jardin » – ▤ 🅟. 🕮 🕦 **E** 𝓥𝓘𝓢𝓐
fermé lundi, sam. midi et 27 déc.-1ᵉʳ janv. – **Repas** 88/115
Spéc. Selle de chevreuil rôtie au vin rouge (janv.-mi-mars et mi-mai-mi-sept), Carpaccio de palombe, Dessert aux airelles.

🏵🏵 ❀ **Het Jachthuis**, Hoog Soeren 55, ⊠ 7346 AC, *𝒫* 13 97, Fax 18 06, 🎝, « Terrasse et jardin » – 🅟. 🕮 🕦 **E** 𝓥𝓘𝓢𝓐
fermé lundi et du 17 au 31 juil. – **Repas** Lunch 50 – 65 carte 83 à 90
Spéc. Pâtes aux olives, à la palombe et pesto (juil.-avril), Agneau de lait deux façons, Fantaisie de homard et crevettes.

à Twello par ③ : 10 km 🅒 Voorst 23 678 h. – 🕪 0 5712 :

🏵🏵 **Le Petit Gourmet**, Dorpsstraat 12, ⊠ 7391 DD, *𝒫* 7 16 10, 🎝 – 🅟. **E**
fermé lundi, mardi et juil. – **Repas** (dîner seult) carte 43 à 60.

à Voorst par ④ : 10 km – 23 678 h. – 🕪 0 5758 :

🏵🏵 **De Middelburg**, Zandwal 1 (Domaine Bussloo, N : 4,5 km), ⊠ 7383 RP, *𝒫* (0 5716) 19 00, Fax (0 5716) 19 38, 🎝, « Ferme du 19ᵉ s. » – 🅟. 🕮 **E**. 🦖
fermé mardi, 1 sem. en fév., du 17 au 31 juil., 31 déc. et 1ᵉʳ janv. – **Repas** carte 57 à 95.

à Wenum-Wiesel par ① : 5 km 🅒 Apeldoorn – 🕪 0 5762 :

🏵🏵 **Le Triangle**, Elburgerweg 1, ⊠ 7345 ED, *𝒫* 12 65, 🎝 – ▤ 🅟. 🕮 🕦 **E** 𝓥𝓘𝓢𝓐
➥ *fermé 17 juil.-3 août* – **Repas** (dîner seult) 38/75.

APPELSCHA Friesland 🅒 Ooststellingwerf 24 968 h. 🔢🔢🔢 ⑤ – 🕪 0 5162.
♦Amsterdam 190 – ♦Leeuwarden 55 – Assen 19.

🏠 **Appelscha**, Boerestreek 2, ⊠ 8426 BP, *𝒫* 15 93, Fax 26 63 – 🛗 🔟 ☎ 🅟. 🕮 🕦 **E** 𝓥𝓘𝓢𝓐. 🦖 rest
Repas *(fermé après 20 h)* carte 50 à 85 – ⊐ 10 – **34 ch** 85/110 – ½ P 110.

🏵🏵 **La Tourbe**, Vaart Z.Z. 77, ⊠ 8426 AH, *𝒫* 24 81, Fax 26 29, 🎝 – ▤. 🦖.

APPINGEDAM Groningen 🔢🔢🔢 ⑥ – 12 436 h. – 🕪 0 5960.
Voir ≤★ de la passerelle (Smalle brug).
Env. NO : 20 km à Uithuizen★ : Château Menkemaborg★.
🛈 Wijkstraat 38, ⊠ 9901 AJ, *𝒫* 2 03 00.
♦Amsterdam 208 – ♦Groningen 25.

🏠 **Landgoed Ekenstein** ⟨S⟩, Alberdaweg 70 (O : 3 km), ⊠ 9901 TA, *𝒫* 2 85 28, Fax 2 06 21, 🎝, 🛥 – 🔟 ☎ 🅟 – 🔏 25 à 200. 🕮 🕦 **E** 𝓥𝓘𝓢𝓐. 🦖 rest
Repas carte 62 à 84 – **28 ch** ⊐ 140/165 – ½ P 118/175.

🏠 **Het Wapen van Leiden**, Wijkstraat 44, ⊠ 9901 AJ, *𝒫* 2 29 63, Fax 2 48 53 – 🔟 ☎. 🕮 🕦 **E** 𝓥𝓘𝓢𝓐. 🦖 rest
fermé 1ᵉʳ janv. – **Repas** *(fermé après 20 h)* carte 43 à 75 – **28 ch** ⊐ 85/110.

ARCEN Limburg 🅒 Arcen en Velden 8 902 h. 🔢🔢🔢 ⑳ et 🔢🔢🔢 ⑲ – 🕪 0 4703.
🛈 Raadhuisplein 5, ⊠ 5944 AH, *𝒫* 12 47.
♦Amsterdam 167 – ♦Maastricht 88 – ♦Nijmegen 53 – Venlo 13.

🏠 **Rooland**, Roobeekweg 1 (N : 3 km sur N 271), ⊠ 5944 EZ, *𝒫* 21 21, Fax 29 15 – 🛗 🔟 ☎ 🅟 – 🔏 25 à 400. 🕮 🕦 **E** 𝓥𝓘𝓢𝓐
fermé 31 déc. – **Repas** Lunch 25 – 45/53 – **54 ch** ⊐ 103/150 – ½ P 88/100.

🏠 **De Oude Hoeve**, Raadhuisplein 6, ⊠ 5944 AH, *𝒫* 20 98, Fax 19 62 – 🔟 ☎ 🅟 – 🔏 25 à 200. 🕮 🕦 **E** 𝓥𝓘𝓢𝓐. 🦖
avril-oct. et week-end – **Repas** Lunch 30 – carte env. 50 – **11 ch** ⊐ 120/155 – ½ P 103/130.

🏵🏵🏵 **Maashotel** avec ch, Schans 18, ⊠ 5944 AG, *𝒫* 15 56, Fax 25 45, ≤ Meuse (Maas) – 🔟 ☎ 🅟 – 🔏 25 à 40. 🕮 **E** 𝓥𝓘𝓢𝓐. 🦖
début mars-mi-nov. – **Repas** *(fermé lundi)* 73 – **13 ch** ⊐ 95/157 – ½ P 108/125.

ARNEMUIDEN Zeeland 212 ⑫ et 408 ⑮ – 4 810 h. – ☎ 0 1182.
◆Amsterdam 195 – ◆Middelburg 6 – ◆Antwerpen 82 – ◆Breda 93.

✗ **Oranjeplaat,** Muidenweg 1 (NE : 3 km, Jachthaven), ✉ 4341 PS, ☎ 16 21, Fax 35 75, ≤ lac et port de plaisance, 🍽 – Ⓟ. AE ⓓ E VISA
avril-sept ; fermé lundi – **Repas** carte env. 70.

*Our **hotel and restaurant guides,** our **tourist guides** and our **road maps** are complementary. Use them together.*

ARNHEM Ⓟ Gelderland 408 ⑫ – 133 272 h. – ☎ 0 85.
Voir Parc de Sonsbeek★ (Sonsbeek Park) CY.
Musées : Néerlandais de plein air★★ (Het Nederlands Openluchtmuseum) AV – Municipal★ (Gemeentemuseum) AVX **M.**
Env. NE : Parc National (Nationaal Park) Veluwezoom★, route de Posbank ☀★ par ②.
⛳18 Apeldoornseweg 450, ✉ 6816 SN, par Zutphensestraatweg ☎ 42 14 38 – ⛳9 Papendallaan par ⑥ ☎ (0 8308) 2 19 85.
🚗 (départs de 's-Hertogenbosch) ☎ 45 14 57 et 43 68 93.
ℹ Stationsplein 45, ✉ 6811 KL, ☎ 42 03 30, Fax 42 26 44.
◆Amsterdam 100 ⑥ – ◆Apeldoorn 27 ① – Essen 110 ③ – ◆Nijmegen 19 ④ – ◆Utrecht 64 ⑥.

ARNHEM

Arnhemsestraatweg	BV	4
Beekhuizenseweg	BV	6
Beukenweg	BV	7
Bronbeeklaan	BV	10
Burg Matsersingel	AX	12
Cattepoelseweg	AV	13
van Heemstralaan	AV	18
Heijenoordseweg	AV	19
Hulkesteinseweg	AX	22
Huygenslaan	BV	24
Jacob Marislaan	AV	27
Johan de Wittlaan	AX	33
Koppelstraat	AX	36
Lerensteinselaan	BV	37
Nijmeegseweg	AX	42
Nordlaan	BV	43
van Oldenbarneveldstr.	AX	45
Onderlangs	AX	46
Parkweg	AV	49
President Kennedylaan	BV	52
Ringallee	BV	54
Rosendaalseweg	BV	57
Thomas a Kempislaan	AV	58
Voetiuslaan	ABX	64
Weg achter het Bos	AV	67
Zijpendaalseweg	AV	69
Zutphensestraatweg	BV	70

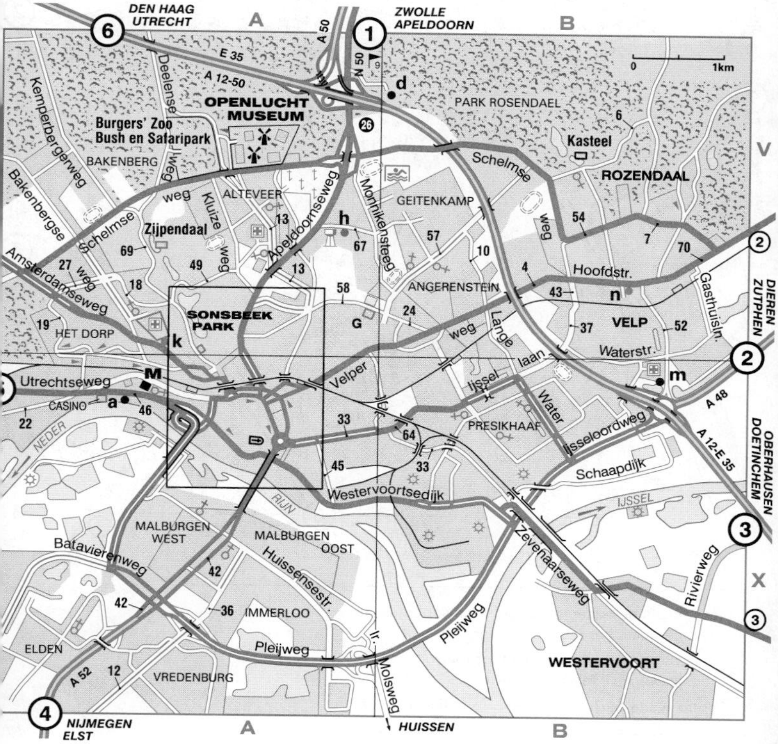

ARNHEM

Jansbinnensingel . . . . CZ 28
Janstraat . . . . CZ 31
Ketelstraat . . . . CDZ 34
Looierstraat . . . . DZ 39

Rijnstraat . . . . CZ
Roggestraat . . . . DZ 55
Vijzelstraat . . . . CZ 63

Apeldoornsestr. . . . . DY 3
Bouriciusstraat . . . . CY 9
Eusebiusbinnensingel . . . . DZ 16

Heuvelink Bd. . . . . DZ 21
Ir. J. P. van Muylwijkstr. . . . DZ 25
Jansplein . . . . CZ 30
Oranjewachtstr. . . . . DZ 48
Velperbinnensingel . . . . . . DZ 60
Velperbuitensingel . . . . DZ 61
Walburgstraat . . . . DZ 66

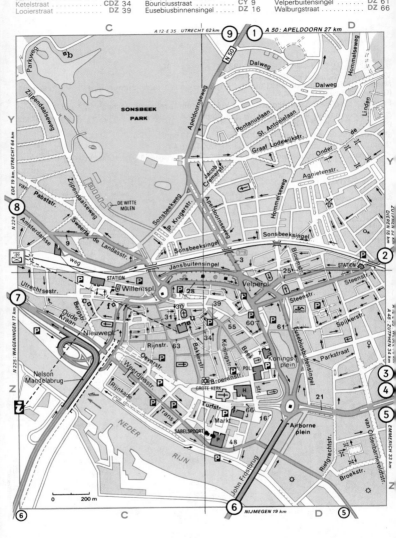

Les hôtels ou restaurants agréables sont indiqués
dans le guide par un signe rouge.

Aidez-nous et nous signalant les maisons où, par expérience,
vous savez qu'il fait bon vivre.

Votre **guide Michelin** sera encore meilleur.

ﲟﲟﲟﲟ ... 🏠

XXXXX ... X

🏠🏠 **Rijnhotel,** Onderlangs 10, ⊠ 6812 CG, ℰ 43 46 42, Fax 45 48 47, ⇌ – 📳 ⇔ 📺 ☎ 🅿
– 🔏 25 à 80. 🆎 ⑩ 🅔 𝘝𝘐𝘚𝘈
AX **a**
Repas *Lunch 22* – carte env. 75 – **56 ch** ⊇ 200/300, 1 suite – ½ P 160/238.

🏠🏠 **Groot Warnsborn** ⑤, Bakenbergsweg 277 (par ⑥ : 5 km), ⊠ 6816 VP, ℰ 45 57 51,
Fax 43 10 10, ⇌, « Environnement boisé », 💐 – ☰ rest 📺 ☎ 🅿 – 🔏 25 à 100. 🆎 ⑩
🅔 𝘝𝘐𝘚𝘈 rest
fermé 27 déc.-15 janv. – **Repas** *Lunch 53* – carte env. 80 – **29 ch** ⊇ 90/250 – ½ P 138/175.

🏠🏠 **Motel West-End,** Amsterdamseweg 505 (par ⑥ : 7 km), ⊠ 6816 VK, ℰ (0 8308) 2 11 00,
Fax (0 8308) 2 16 14, ⇌, ⇌ – 📳 📺 ☎ 🅿 – 🔏 25 à 250. 🆎 ⑩ 🅔 𝘝𝘐𝘚𝘈
Repas (ouvert jusqu'à 23 h 30) carte env. 50 – **79 ch** ⊇ 95/105.

🏠🏠 **Haarhuis,** Stationsplein 1, ⊠ 6811 KG, ℰ 42 74 41, Fax 42 74 49 – 📳 ☰ rest 📺 ☎ 🅿
🔹 – 🔏 25 à 600. 🆎 ⑩ 🅔 𝘝𝘐𝘚𝘈 rest
CZ **f**
Repas 40 – **83 ch** ⊇ 155/260 – ½ P 150/160.

🏠🏠 **Postiljon,** Europaweg 25 (près A 12), ⊠ 6816 SL, ℰ 57 33 33, Fax 57 33 61 – 📳 ⇔ 📺
☎ 🕭 🅿 – 🔏 25 à 300. 🆎 ⑩ 🅔 𝘝𝘐𝘚𝘈
ABV **d**
Repas *Lunch 37* – carte env. 50 – ⊇ 16 – **84 ch** 115/161 – ½ P 100/186.

🏠 **Blanc** sans rest, Coehoornstraat 4, ⊠ 6811 LA, ℰ 42 80 72, Fax 43 47 49 – 📳 ☎ 🅿.
🆎 ⑩ 🅔 𝘝𝘐𝘚𝘈
CZ **c**
22 ch ⊇ 105/150.

XX **De Boerderij,** Parkweg 2, ⊠ 6815 DJ, ℰ 42 43 96, Fax 42 82 60, ⇌, « Ferme du 19ᵉ s. »
– 🅿. 🆎 ⑩ 🅔 𝘝𝘐𝘚𝘈
CY **b**
fermé sam. midi, dim. et 27 déc.-1ᵉʳ janv. – **Repas** *Lunch 40* – 45/65.

XX **De Steenen Tafel,** Weg achter het Bosch 1, ⊠ 6822 LV, ℰ 43 53 13 – 🅿. 🆎 ⑩ 🅔 𝘝𝘐𝘚𝘈.
AV **h**
fermé 24 juil.-24 août – **Repas** (dîner seult) 58/100.

XX **Chez Arie,** Amsterdamseweg 160, ⊠ 6814 GJ, ℰ 45 61 91, Fax 45 54 90, ⇌ – 🆎 ⑩ 🅔
𝘝𝘐𝘚𝘈
AVX **k**
Repas (dîner seult) 55.

X **Da Zilli,** Mariënburgstraat 1, ⊠ 6811 CS, ℰ 42 02 88, Cuisine italienne – 🆎 ⑩ 🅔 𝘝𝘐𝘚𝘈.
CZ **u**
fermé lundi – **Repas** (dîner seult) carte 51 à 78.

à Duiven 8 km par Rivierweg BX – 19 583 h. – ✆ 0 8303 :

🏠 **Bastion** sans rest, Nieuwgraaf 3 (sortie Westervoort sur A 12), ⊠ 6921 RJ, ℰ 1 11 50,
Fax 1 74 60 – 📺 ☎ 🅿. 🆎 ⑩ 🅔 𝘝𝘐𝘚𝘈
40 ch ⊇ 99/113.

à Schaarsbergen 10 km par Kemperbergerweg AV © Arnhem – ✆ 0 85 :

XX **Rijzenburg,** Koningsweg 17 (à l'entrée du parc national), ⊠ 6816 TC, ℰ 43 67 33,
Fax 43 77 07, ⇌ – ☰ 🅿. 🆎 ⑩ 🅔 𝘝𝘐𝘚𝘈
fermé mardi d'oct. à mars et lundi – **Repas** *Lunch 37* – carte env. 55.

à Velp © Rheden 44 963 h. – ✆ 0 85 :

🏠🏠 **Velp,** Pres. Kennedylaan 102, ⊠ 6883 AX, ℰ 64 98 49, Fax 64 24 27, ⇌, 🛁, ⇌ – ⇔
☰ rest 📺 ☎ 🅿 – 🔏 25 à 100. 🆎 ⑩ 🅔 𝘝𝘐𝘚𝘈 rest
BVX **m**
Repas *Lunch 33* – carte env. 65 – ⊇ 19 – **74 ch** 149/200 – ½ P 120.

X **La Coquerie,** Emmastraat 25, ⊠ 6881 SN, ℰ 61 89 63, Fax 63 03 40, ⇌ – ☰. 🆎 ⑩ 🅔
𝘝𝘐𝘚𝘈
BV **n**
fermé 24 déc. – **Repas** (dîner seult) carte 62 à 85.

De Michelinkaart ⁴⁰⁸ schaal 1 : 400 000 (1 cm = 4 km) geeft,
op één blad, een volledig overzicht van Nederland.

Ze biedt bovendien gedetailleerde vergrotingen
van Amsterdam en Rotterdam en een register van plaatsnamen.

ASSEN 🅿 Drenthe ⁴⁰⁸ ⑥ – 51 713 h. – ✆ 0 5920.

Voir Musée de la Drenthe★ (Drents Museum) : section archéologique★ – Ontvangershuis★ Y M¹.
Env. NO : Midwolde, monument funéraire★ dans l'église – E : Eexterhalte, hunebed★ (dolmens).
🅱 Brink 42, ⊠ 9401 HV, ℰ 1 43 24, Fax 1 73 06.
◆Amsterdam 187 ③ – ◆Groningen 26 ① – ◆Zwolle 76 ③.

Plan page suivante

🏠🏠 **Motel Assen,** Balkenweg 1 (par ④ : 2 km), ⊠ 9405 CC, ℰ 5 15 15, Fax 5 56 37, ✵ – 📳
📺 ☎ 🅿 – 🔏 25 à 400. 🆎 ⑩ 🅔 𝘝𝘐𝘚𝘈
Repas (ouvert jusqu'à 23 h) carte 43 à 60 – ⊇ 13 – **136 ch** 100 – ½ P 85/135.

XXX **La Belle Époque,** Markt 6, ⊠ 9401 GS, ℰ 1 58 18, Fax 1 86 10 – ☰. 🆎 ⑩ 🅔 𝘝𝘐𝘚𝘈 Y **s**
fermé dim. non fériés et 2 prem. sem. vacances bâtiment – **Repas** *Lunch 58* – 73/115.

315

ASSEN

Gedemptesingel . . . . . Y 13
Kruisstr. . . . . Y 27
Marktstr. . . . . Y 30
Oudestr. . . . . Y 37
Singelpassage . . . . . . Y 43

Brinkstr. . . . . Y 3
Burg. Jollesstr. . . . . . Z 4
Ceresstr. . . . . Y 5
Collardslaan . . . . Z 6
van de Feltzpark . . . . . Z 12
Havenkade . . . . Y 18
Julianastr . . . . Y 22
Kloekhorststr. . . . . . . Y 23
Kloosterstr. . . . . YZ 24
Koopmansplein . . . . . Y 25
Minervalaan . . . . Y 31
Neptunusplein . . . . . . Y 32
Nieuwe Huizen . . . . . Y 33
Noordersingel . . . . . . Y 34
Oude Molenstr. . . . . . Y 36
Parkstr. . . . . Z 39
Prinses Beatrixlaan . . . Z 40
Torenlaan . . . . Z 48
Zuidersingel . . . . Z 57

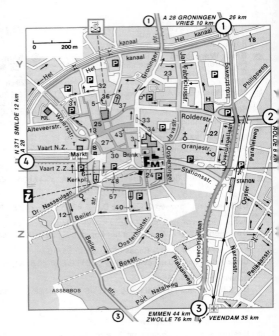

Ga vandaag niet op reis met kaarten van gisteren.

ASTEN Noord-Brabant 212 ⑲ et 408 ⑲ – 15 611 h. – ✆ 0 4936.

Musée : National du Carillon★ (Nationaal Beiaardmuseum).

Env. SE : De Groote Peel★ (réserve naturelle d'oiseaux).

◆Amsterdam 152 – ◆'s-Hertogenbosch 63 – ◆Eindhoven 24 – Helmond 14 – Venlo 33.

🏨 **Nobis,** Nobisweg 1, ⊠ 5721 VA, ℰ 9 68 00, Fax 9 10 58, 🏤 – 📺 ☎ 🅿 – 🔏 25 à 400. 🆎 ① 🗜 𝚅𝙸𝚂𝙰. ℅ ch
Repas carte env. 45 – � 15 – **24 ch** 113/145 – ½ P 103.

✗ **In 't Eeuwig Leven,** Pr. Bernhardstraat 22, ⊠ 5721 GC, ℰ 9 35 62, 🏤 – 🆎 ① 🗜 𝚅𝙸𝚂𝙰. ℅
fermé merc. et vacances bâtiment – **Repas** Lunch 36 – carte 62 à 78.

AXEL Zeeland 212 ⑬ et 408 ⑯ – 12 158 h. – ✆ 0 1155.

🏌 Justaasweg 4, ⊠ 4571 NB, ℰ 6 44 67.

🅱 Stadhuis, Markt 1, ⊠ 4571 BG, ℰ 6 22 20.

◆Amsterdam (bac) 193 – ◆Middelburg (bac) 50 – ◆Antwerpen 42 – ◆Gent 29.

✗✗✗ **Zomerlust,** Boslaan 1, ⊠ 4571 SW, ℰ 6 16 93, Fax 6 36 45, 🏤, « Terrasses et jardin » – 🅿. 🆎 ① 🗜 𝚅𝙸𝚂𝙰. ℅
fermé lundi, sam. midi et 22 juil.-14 août – **Repas** Lunch 68 – carte 53 à 83.

✗ **In d'Ouwe Baencke,** Kerkstraat 10, ⊠ 4571 BC, ℰ 6 33 73, 🏤 – 🆎 ① 🗜. ℅
fermé merc., jeudi, dern. sem. juil.-prem. sem. août et 31 déc.-1er janv. – **Repas** Lunch 50 – carte 61 à 76.

BAARLE-NASSAU Noord-Brabant 212 ⑯ et 408 ⑰ – 5 911 h. – ✆ 0 4257.

🅱 (fermé dim. sauf mi-juin-mi-août et lundi) St-Annaplein 10, ⊠ 5111 CA, ℰ 99 21.

◆Amsterdam 126 – ◆'s-Hertogenbosch 43 – ◆Antwerpen 57 – ◆Breda 23 – ◆Eindhoven 54.

✗✗ **Den Engel** avec ch, Singel 3, ⊠ 5111 CD, ℰ 93 30, Fax 82 69, 🏤 – 🔳 rest 📺 ☎. 🆎 ① 🗜 𝚅𝙸𝚂𝙰. ℅
Repas Lunch 35 – 43/70 – ⊐ 15 – **7 ch** 100/150 – ½ P 165/200.

BAARN Utrecht 408 ⑪ - 24 906 h. - ✆ 0 2154.

ℹ (fermé sam. après-midi et dim.) Stationsplein 7, ✉ 3743 KK, ✆ 1 32 26.

◆Amsterdam 38 - ◆Utrecht 25 - ◆Apeldoorn 53.

Kasteel De Hooge Vuursche ⛰, Hilversumsestraatweg 14 (O : 2 km), ✉ 3744 KC, ✆ 1 25 41, Fax 2 32 88, ←, 🏛, « Parc et fontaines », - 🛗 ▤ rest TV ☎ P - 🏛 25 à 80. AE ⓓ E VISA. ✈
fermé 30 juil.-20 août et 27 déc.-3 janv. - **Repas** *Lunch 43* - 63 - ☕ 20 - **20 ch** 150/375.

De Prom, Amalialaan 1, ✉ 3743 KE, ✆ 1 29 13, Fax 1 57 75, 🏛 - ▤ rest TV ☎ - 🏛 25 à 80. AE E VISA. ✈
fermé 24 et 31 déc. - **Repas** *Lunch 43* - 48/80 - **31 ch** ☕ 100 - ½ P 135.

à Lage-Vuursche SO : 7 km C Baarn - ✆ 0 2156 :

XXX **De Kastanjehof** ⛰ avec ch, Kloosterlaan 1, ✉ 3749 AJ, ✆ 82 48, Fax 84 44, 🏛, « Terrasses et jardin fleuris » - TV ☎ P - 🏛 30. AE ⓓ E VISA
fermé 31 déc.-6 janv. - **Repas** *Lunch 48* - 58/68 - **10 ch** ☕ 155/185.

BADHOEVEDORP Noord-Holland 408 ⑩ ㉗ - voir à Amsterdam, environs.

BAKKEVEEN (BAKKEFEAN) Friesland C Opsterland 27 273 h. 408 ⑤ - ✆ 0 5169.

◆Amsterdam 159 - Assen 31 - ◆Groningen 36 - ◆Leeuwarden 41.

XX **De Slotplaats,** Foarwûrkerwei 3, ✉ 9243 JZ, ✆ 13 33, Fax 12 59, 🏛, « Demeure du 19e s., jardin » - P. AE ⓓ E VISA
fermé du 1er au 14 août, 27 déc.-2 janv., lundi et mardi - **Repas** (dîner seult) 68/80.

BALK Friesland C Gaasterlân-Sleat 9 380 h. 408 ④ - ✆ 0 5140.

◆Amsterdam 119 - ◆Groningen 84 - ◆Leeuwarden 50 - ◆Zwolle 63.

à Harich NO : 1 km C Gaasterlân-Sleat - ✆ 0 5140 :

Welgelegen ⛰ sans rest, Welgelegen 15, ✉ 8571 RG, ✆ 40 76, ← campagne frisonne - TV ☎ P. AE ⓓ E VISA
15 ch ☕ 88/135.

BALLUM Friesland 408 ④ - voir à Waddeneilanden (Ameland).

BARENDRECHT Zuid-Holland 212 ⑤ et 408 ⑰ ㉕ - voir à Rotterdam, environs.

BAVEL Noord-Brabant 212 ⑥ - voir à Breda.

BECKUM Overijssel 408 ⑬ - voir à Hengelo.

BEEK Gelderland 212 ⑨ et 408 ⑲ - voir à Nijmegen.

BEEK Gelderland 212 ⑩ et 408 ⑫ - voir à Zeddam.

BEEK Limburg 212 ① et 408 ㉖ - 16 789 h. - ✆ 0 46.

✈ ✆ (0 43) 66 66 80.

◆Amsterdam 201 - ◆Maastricht 15 - Aachen 32 - Roermond 34.

XX **De Bokkeriejer** avec ch, Prins Mauritslaan 22, ✉ 6191 EG, ✆ 37 13 19, Fax 37 47 47 - AE ⓓ E. ✈
fermé lundi, prem. sem. août et 27 déc.-1er janv. - **Repas** *Lunch 45* - 60/78 - **7 ch** ☕ 50/125 - ½ P 80/93.

à l'aéroport S : 2,5 km :

Mercure, Vliegveldweg 19, ✉ 6191 SB, ✆ (0 43) 64 21 31, Fax (0 43) 64 46 68, ← - TV ☎ P - 🏛 35 à 100. AE ⓓ E VISA. ✈ ch
Repas *Lunch 30* - 43 - ☕ 15 - **62 ch** 75/118.

à Geverik SO : 1 km C Beek - ✆ 0 46 :

X **Bistro La Bergerie,** Geverikerstraat 42, ✉ 6191 RP, ✆ 37 47 27, Fax 37 47 27 - ▤ P. AE ⓓ E VISA. ✈
fermé du 1er au 5 mars, 19 juil.-6 août, lundi et mardi - **Repas** 47/65.

BEEKBERGEN Gelderland 408 ⑫ - voir à Apeldoorn.

BEEK EN DONK Noord-Brabant 𝟤𝟣𝟤 ⑧ ⑨ et 𝟦𝟢𝟪 ⑱ ⑲ – 9 432 h. – ✆ 0 4929.

◆Amsterdam 116 – ◆Eindhoven 20 – ◆Nijmegen 54.

XX **Paradijs,** Brugstraat 8 (Donk), ⊠ 5741 PB, ℘ 6 14 39, Fax 6 55 94, Cuisine asiatique – ▤ **₱**. 🆎 ⓪ 𝐄 𝘝𝘐𝘚𝘈. ❄
Repas (dîner seult) carte 43 à 80.

XX **Woo Ping,** Piet van Thielplein 10 (Donk), ⊠ 5741 CP, ℘ 6 22 13, Cuisine asiatique – 🆎 ⓪ 𝐄 𝘝𝘐𝘚𝘈. ❄
fermé lundis non fériés – **Repas** Lunch 25 – carte env. 60.

BEETSTERZWAAG (BEETSTERSWEACH) Friesland 🅲 Opsterland 27 273 h. 𝟦𝟢𝟪 ⑤ – ✆ 0 5126.
🐟 van Harinxmaweg 8a, ⊠ 9244 CJ, ℘ 25 94.

◆Amsterdam 143 – ◆Leeuwarden 34 – ◆Groningen 43.

🏨 **Lauswolt** ⑤, van Harinxmaweg 10, ⊠ 9244 CJ, ℘ 12 45, Fax 14 96, 🏡, « Demeure du 19ᵉ s. sur parc », ≘s, 🔽, ❄ – 🛗 🖵 ☎ ₱ – 🔬 25 à 80. 🆎 ⓪ 𝐄 𝘝𝘐𝘚𝘈. ❄ rest
Repas Lunch 63 – 75/130 – 🖙 28 – **58 ch** 190/400 – ½ P 225/315.

X **Prins Heerlijck,** Hoofdstraat 23, ⊠ 9244 CL, ℘ 24 55, Fax 33 71, 🏡, « Terrasse » – 🆎 ⓪ 𝐄 𝘝𝘐𝘚𝘈
fermé mardi et prem. sem. janv. – **Repas** Lunch 40 – carte 44 à 60.

à Olterterp NE : 2 km 🅲 Opsterland – ✆ 0 5126 :

XX **Het Witte Huis** avec ch, van Harinxmaweg 20, ⊠ 9246 TL, ℘ 22 22, Fax 59407, 🏡, 🌹 – 🖵 ☎ ₱ – 🔬 25 à 100. 🆎 ⓪ 𝐄 𝘝𝘐𝘚𝘈. ❄ rest
Repas (fermé lundi midi et 1ᵉʳ janv.) Lunch 39 – 43/68 – **8 ch** (fermé 31 déc. et 1ᵉʳ janv.) 🖙 90/135 – ½ P 95.

BEILEN Drenthe 𝟦𝟢𝟪 ⑥ – 14 348 h. – ✆ 0 5930.

◆Amsterdam 169 – Assen 17 – ◆Groningen 44 – ◆Leeuwarden 70 – ◆Zwolle 59.

à Spier SO : 5 km 🅲 Beilen – ✆ 0 5936 :

🏨 **De Woudzoom,** Oude Postweg 2, ⊠ 9417 PE, ℘ 26 45, Fax 25 50, 🏡, « Terrasse », 🛵, ≘s – 🖵 ☎ & ₱ – 🔬 25 à 250. 🆎 ⓪ 𝐄 𝘝𝘐𝘚𝘈. ❄ rest
fermé 29 déc.-9 janv. – **Repas** Lunch 48 – carte env. 90 – **36 ch** 🖙 200 – ½ P 110/135.

BELFELD Limburg 𝟤𝟣𝟤 ⑳ et 𝟦𝟢𝟪 ⑲ – 5 233 h. – ✆ 0 4705.

◆Amsterdam 172 – ◆Eindhoven 61 – ◆Maastricht 67 – Roermond 17.

🏨 **De Krekelberg,** Parallelweg 11 (NE : 2 km sur N 271), ⊠ 5951 AP, ℘ 12 66, Fax 35 05, ≘s – 🖵 ☎ ₱ – 🔬 30. 🆎 𝐄 𝘝𝘐𝘚𝘈. ❄
Repas (fermé carnaval et 24 déc. soir) Lunch 32 – carte 61 à 89 – **7 ch** 🖙 90/120.

BENNEBROEK Noord-Holland 𝟦𝟢𝟪 ⑩ – 5 246 h. – ✆ 0 2502.
Voir Vogelenzang ≼★ : Tulipshow★ N : 1,5 km.

◆Amsterdam 30 – ◆Den Haag 37 – ◆Haarlem 8 – ◆Rotterdam 62.

XX **De Jonge Geleerde Man,** Rijksstraatweg 51, ⊠ 2121 AB, ℘ 4 87 32, Fax 4 61 98, 🏡 – **₱**. 🆎 ⓪ 𝐄 𝘝𝘐𝘚𝘈
fermé sam. midi, dim. midi, lundi, 31 déc. et 1ᵉʳ janv. – Repas Lunch 48 – 55.

XX **Les Jumeaux,** Bennebroekerlaan 19b, ⊠ 2121 GP, ℘ 4 63 34, Fax 4 96 83, 🏡 – ▤. 🆎 ⓪ 𝐄 𝘝𝘐𝘚𝘈
fermé 24 et 31 déc. – **Repas** Lunch 48 – 55/80.

BENNEKOM Gelderland 🅲 Ede 97 230 h. 𝟦𝟢𝟪 ⑪ ⑫ – ✆ 0 8389.

◆Amsterdam 83 – ◆Arnhem 22 – ◆Apeldoorn 45 – ◆Utrecht 45.

XXX **Het Koetshuis,** Panoramaweg 23a (E : 3 km), ⊠ 6721 MK, ℘ 1 73 70, Fax 1 73 70, 🏡, Rustique – **₱**. 🆎 ⓪ 𝐄
fermé mardi – **Repas** (dîner seult) carte env. 80.

BENTVELD Noord-Holland – voir à Zandvoort.

BERGAMBACHT Zuid-Holland 𝟤𝟣𝟤 ⑥ et 𝟦𝟢𝟪 ⑩ – 9 212 h. – ✆ 0 1825.

◆Amsterdam 64 – Gouda 11 – ◆Rotterdam 23 – ◆Utrecht 34.

🏨 **De Arendshoeve,** Molenlaan 14 (O : par N 207), ⊠ 2861 LB, ℘ 10 00, Fax 11 55, 🏡, ≘s, 🔽, 🌹, ❄ – 🛗 🔄 ▤ rest 🖵 ☎ ₱ – 🔬 25 à 150. 🆎 ⓪ 𝐄 𝘝𝘐𝘚𝘈. ❄
fermé 28 déc.-7 janv. – **Repas** *Puccini* (avec cuisine italienne) Lunch 63 – 90/150 – 🖙 30 – **24 ch** 235/460, 3 suites – ½ P 195/340.

XX **Onder de Molen,** Molenlaan 16 (O : sur N 207), ⊠ 2861 LB, ℘ 13 00, Fax 39 69, 🏡, Rustique – **₱**. 🆎 ⓪ 𝐄 𝘝𝘐𝘚𝘈
fermé lundi, 2 prem. sem. en juin et prem. sem. janv. – **Repas** Lunch 43 – 53/79.

318

BERGEN Noord-Holland 408 ⑩ – 14 024 h. – ✪ 0 2208.

🖪 (fermé dim. sauf 3 avril-3 sept et du 2 au 22 oct.) Plein 1, ⊠ 1861 JX, 𝒫 1 31 00, Fax 1 38 90.
◆Amsterdam 45 – Alkmaar 6 – ◆Haarlem 38.

🏨 **Marijke** (avec annexe Marijkehoeve), Dorpsstraat 23, ⊠ 1861 KT, 𝒫 1 23 81, Fax 9 77 71,
↩ – |‡| 🔟 ☎ 🅿 – 🔏 100. 🖭 ⓞ 🗲 𝓥𝓢𝓐. ⋙
Repas 43 – **86 ch** ⊡ 100/230 – ½ P 80/125.

🏨 **Parkhotel,** Breelaan 19, ⊠ 1861 GC, 𝒫 9 78 67, Fax 9 74 35, 🏤 – |‡| 🔟 ☎ – 🔏 30 à
70. 🖭 ⓞ 🗲 𝓥𝓢𝓐. ⋙
Repas Lunch 25 – carte env. 50 – ⊡ 8 – **28 ch** 75/125 – ½ P 80/90.

🏠 **Het Witte Huis,** Ruïnelaan 15, ⊠ 1861 LK, 𝒫 1 25 30, Fax 1 39 57, 🏤 – |‡| 🔟 ☎ 🅿 –
🔏 60. 🖭 ⓞ 🗲 𝓥𝓢𝓐
Repas (résidents seult) – **31 ch** ⊡ 100.

🏠 **Sans Souci** ⬙ sans rest, Hoflaan 7, ⊠ 1861 CP, 𝒫 1 80 55, Fax 1 80 90, « Jardin » – 🔟
☎. 🖭 🗲 𝓥𝓢𝓐. ⋙ – **6 ch** ⊡ 110/145.

🏠 **Elzenhof** ⬙ sans rest, Dorpsstraat 78, ⊠ 1861 KZ, 𝒫 1 24 01, Fax 9 90 81, ⭐ – 🔟 ☎. ⋙
30 ch ⊡ 85/125.

🏠 **Duinpost** ⬙, Kerkelaan 5, ⊠ 1861 EA, 𝒫 1 21 50, Fax 9 96 96, ⭐ – ☎ 🅿. ⋙
avril-1ᵉʳ nov. – **Repas** (dîner pour résidents seult) – **16 ch** ⊡ 61/107 – ½ P 66/74.

✗ **De Vlieger,** Breelaan 130, ⊠ 1861 GH, 𝒫 9 77 77, 🏤, Ouvert jusqu'à 1 h du matin – 🅿.
🖭 ⓞ 🗲 𝓥𝓢𝓐 – fermé merc. – **Repas** (dîner seult à partir de avril) carte 45 à 81.

✗ **De Kleine Prins,** Oude Prinsweg 29, ⊠ 1861 CS, 𝒫 9 69 69 – ▤. 🖭 ⓞ 🗲 𝓥𝓢𝓐. ⋙
fermé lundi et mardi – **Repas** (dîner seult) carte env. 80.

à Bergen aan Zee O : 5 km 🅲 Bergen – ✪ 0 2208 – Station balnéaire.

🖪 Van der Wijckplein 16, ⊠ 1865 AP, 𝒫 1 24 00

🏨 **Nassau Bergen,** Van der Wijckplein 4, ⊠ 1865 AP, 𝒫 9 75 41, ≼, ⬛, – 🔟 ☎ 🅿 – 🔏 25
à 60. 🖭 🗲 𝓥𝓢𝓐. ⋙ rest
fermé 23 déc.-4 janv. – **Repas** Lunch 23 – 50/73 – **42 ch** ⊡ 150/250 – ½ P 145/175.

🏠 **Victoria,** Zeeweg 33, ⊠ 1865 AB, 𝒫 1 23 58, Fax 9 60 01 – ▤ rest 🔟 ☎ 🅿 – 🔏 25. 🖭
ⓞ 🗲 𝓥𝓢𝓐 – **Repas** Lunch 20 – carte 43 à 65 – **30 ch** ⊡ 85/180.

🏠 **Prins Maurits,** Van Hasseltweg 7, ⊠ 1865 AL, 𝒫 1 23 64, Fax 1 82 98 – 🔟 ☎ ⬅ 🅿.
⋙ rest
mars-5 nov. – **Repas** (dîner pour résidents seult) – **22 ch** ⊡ 78/160 – ½ P 95/110.

BERG EN DAL Gelderland 212 ⑨ et 408 ⑲ – voir à Nijmegen.

BERG EN TERBLIJT Limburg 212 ① et 408 ㉖ – voir à Maastricht.

BERGEN OP ZOOM Noord-Brabant 212 ⑭ et 408 ⑯ – 47 546 h. – ✪ 0 1640.

Voir Markiezenhof★ AY M¹.

🕞 à Wouwse Plantage (Wouw) par ② : 9 km, Zoomvlietweg 66, ⊠ 4725 TD, 𝒫 (0 1657) 95 93.
🖪 (fermé dim.) Beursplein 7, ⊠ 4611 JG, 𝒫 6 60 00, Fax 4 60 31.
◆Amsterdam 143 ② – ◆'s-Hertogenbosch 90 ② – ◆Antwerpen 39 ③ – ◆Breda 40 ② – ◆Rotterdam 70 ②.

Plan page suivante

🏨🏨 **De Draak,** Grote Markt 36, ⊠ 4611 NT, 𝒫 3 36 61, Fax 5 70 01, 🏤 – |‡| ⋙ 🔟 ☎ – 🔏 25
à 75. 🖭 ⓞ 🗲 𝓥𝓢𝓐. ⋙ AY **a**
Repas *De Beurze* (fermé sam. midi et dim. midi) Lunch 55 – carte env. 80 – ⊡ 25 – **35 ch**
fermé du 1ᵉʳ au 22 août et 25 déc.-2 janv.) 195/285.

🏠 **De Gouden Leeuw** sans rest, Fortuinstraat 14, ⊠ 4611 NP, 𝒫 3 50 00, Fax 3 60 01 – |‡|
🔟 ☎. 🖭 ⓞ 🗲 𝓥𝓢𝓐. ⋙ AY **c**
28 ch ⊡ 105/205, 1 suite.

✗✗✗ **Moerstede,** Vogelenzang 5 (Moerstraatsebaan, N : 5 km), ⊠ 4614 PP, 𝒫 5 88 00,
Fax 5 99 21, 🏤, « Cadre de verdure » – ▤ 🅿 – 🔏 40. 🖭 ⓞ 🗲 𝓥𝓢𝓐
fermé lundi – **Repas** Lunch 58 – 65/80. par Ravelstraat BY

✗✗✗ **La Bonne Auberge** avec ch, Grote Markt 3, ⊠ 4611 NR, 𝒫 5 44 52, Fax 5 52 98, 🏤 –
▤ rest 🔟 ☎. 🖭 ⓞ 🗲 𝓥𝓢𝓐 AY **f**
Repas 60/108 – **13 ch** ⊡ 130/310.

✗✗ **La Pucelle,** Hofstraat 2a (dans le musée Markiezenhof M¹), ⊠ 4611 TJ, 𝒫 6 64 45,
Fax 5 93 77 – 🖭 🗲 𝓥𝓢𝓐 AY
fermé dim. et carnaval – **Repas** (dîner seult) 49/95.

✗✗ **De Fortuyn,** Molstraat 1, ⊠ 4611 NL, 𝒫 3 43 40, Fax 6 53 82 – 🖭 🗲 𝓥𝓢𝓐. ⋙ AY **b**
fermé lundi, 1 sem. carnaval et 2 dern. sem. juin – **Repas** Lunch 53 – carte env. 75.

✗✗ **Napoli,** Kerkstraat 10, ⊠ 4611 NV, 𝒫 4 37 04, 🏤, Cuisine italienne – ▤. 🖭 ⓞ 🗲 𝓥𝓢𝓐. ⋙
fermé jeudi et 24 et 31 déc. – **Repas** carte env. 70. BZ **r**

✗ **De Bloemkool,** Wouwsestraatweg 146 (par ②), ⊠ 4623 AS, 𝒫 3 30 45, Fax 4 52 61, 🏤
– 🅿. 🖭 ⓞ 🗲 𝓥𝓢𝓐
fermé mardi, sam. midi et dim. midi – Repas Lunch 30 – 50/80.

BERGEN OP ZOOM

Fortuinstr.	**AY** 13	Auvergnestr.	**AZ** 6	Lange Parkstr.	**BY** 25
Kortemeestr.	**AY** 23	Blauwehandstr.	**BY** 7	Lieve Vrouwestr.	**AY** 26
Kremerstr.	**AY** 24	Boutershemstr.	**AZ** 8	Minderbroedersstr.	**ABY** 28
Zuivelstr.	**BY** 43	Burg. Stulemeijerlaan	**AY** 9	van Overstratenlaan	**AY** 30
		Burg. van Hasseltstr.	**BZ** 10	van de Rijtstr.	**BY** 32
Antwerpsestraatweg	**BZ** 3	Glymesstr.	**AZ** 14	St. Josephstr.	**BYZ** 34
Arn. Asselbergsstr.	**BY** 4	Grote Markt	**AY** 15	Stationsstr.	**BY** 36
		Halsterseweg	**AY** 16	Steenbergsestr.	**AY** 37
		Kerkstr.	**BZ** 20	Rooseveltlaan	**BZ** 39
		Kloosterstr.	**BZ** 22	Wouwsestraatweg	**BY** 41

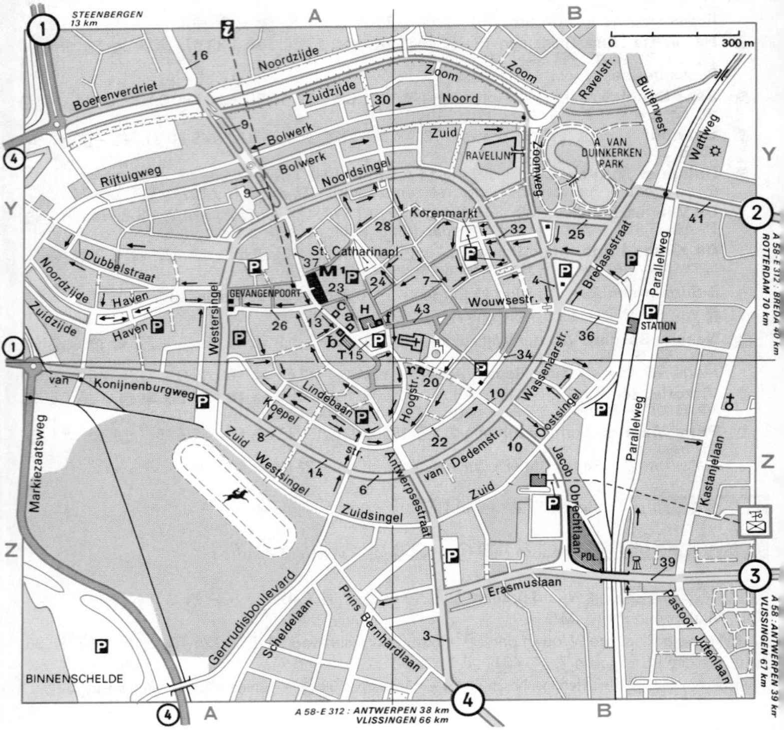

BEST Noord-Brabant ⠃⠃⠃ ⑧ et ⠃⠃⠃ ⑱ – 22 454 h. – ✆ 0 4998.

🏌 Golflaan 1, ✉ 5683 RZ, ℘ 9 14 43.

◆Amsterdam 111 – ◆'s-Hertogenbosch 22 – ◆Breda 53 – ◆Eindhoven 11.

🏨 **Days Inn** ⑳, De Maas 2 (S : 2 km par A 58), ✉ 5684 PL, ℘ 9 01 00, Fax 9 16 50, ☎, ▦ – 🛗 ✕ 📺 ☎ 🕭 🖬 – 🔬 25 à 200. 🝙 ① 🅴 𝗩𝗜𝗦𝗔. 🛠 rest
Repas carte env. 60 – ⊇ 15 – **68 ch** 108/158 – ½ P 153/180.

BEUNINGEN Gelderland ⠃⠃⠃ ⑨ et ⠃⠃⠃ ⑲ – voir à Nijmegen.

BEVERWIJK Noord-Holland ⠃⠃⠃ ⑩ – 35 523 h. – ✆ 0 2510.

◆Amsterdam 26 – Alkmaar 22 – ◆Haarlem 13.

🍴🍴🍴 **'t Gildehuys,** Baanstraat 32, ✉ 1942 CJ, ℘ 2 15 15, Fax 1 38 66, ☞ – 🝙 ① 🅴 𝗩𝗜𝗦𝗔
⟶ fermé lundi et 23 déc.-4 janv. – **Repas** (dîner seult) 40/50.

🍴🍴 **Ind' Hooghe Heeren** 1ᵉʳ étage, Meerstraat 82, ✉ 1941 JD, ℘ 1 18 77 – 🝙 ① 🅴 𝗩𝗜𝗦𝗔
fermé dim., lundi et 2 prem. sem. août – **Repas** Lunch 48 – 65/80.

🍴 **De Halewijn,** Duinwijklaan 46, ✉ 1942 GC, ℘ 2 08 59, ☞ – 🝙 ① 🅴 𝗩𝗜𝗦𝗔. 🛠
fermé mardi et 31 déc. – **Repas** Lunch 45 – carte env. 70.

BIDDINGHUIZEN Flevoland © Dronten 27 893 h. 408 ⑪ ⑫ – ✪ 0 3211.
◆Amsterdam 70 – ◆Apeldoorn 58 – ◆Utrecht 74 – ◆Zwolle 41.

🏨 **Dorhout Mees** ⌂, Strandgaperweg 30 (S : 6 km, direction Veluwemeer), ⊠ 8256 PZ, ℘ 11 38, Fax 10 57, ⇄ – 🛗 📺 ☎ 🅿 – 🔬 25 à 300. ⓞ 🗲 𝘝𝘐𝘚𝘈
fermé Pâques, Pentecôte et Noël – **Repas** Lunch 25 – carte 54 à 85 – **42 ch** ☲ 125/200 – ½ P 150/225.

✗ **De Klink,** Bremerbergdijk 27 (SE : 8 km, Veluwemeer), ⊠ 8256 RD, ℘ 14 65, ≼, � – 🅿.
🖭 ⓞ 🗲 𝘝𝘐𝘚𝘈
avril-sept et week-end d'oct. à mi-nov. et de mi-fév. à fin mars ; fermé lundi – **Repas** Lunch 35 – carte 50 à 73.

De BILT Utrecht 408 ⑪ – 33 002 h. – ✪ 0 30.
◆Amsterdam 49 – ◆Utrecht 6 – ◆Apeldoorn 65.

🏨 **Motel De Biltsche Hoek,** De Holle Bilt 1 (sur N 225), ⊠ 3732 HM, ℘ 20 58 11, Fax 20 28 12, �, 🏊 – 🛗 📺 ☎ 🅿 – 🔬 25 à 100. 🖭 ⓞ 🗲 𝘝𝘐𝘚𝘈. 🞉 ch
Repas (ouvert jusqu'à minuit) Lunch 25 – carte 43 à 59 – **102 ch** ☲ 105/115.

BILTHOVEN Utrecht © De Bilt 33 002 h. 408 ⑪ – ✪ 0 30.
◆Amsterdam 48 – ◆Utrecht 9 – ◆Apeldoorn 65.

🏨 **Heidepark** ⌂, Jan Steenlaan 22, ⊠ 3723 BV, ℘ 28 24 77, Fax 29 21 84, � – ▤ rest 📺 ☎ 🅿 – 🔬 25 à 200. 🖭 ⓞ 🗲 𝘝𝘐𝘚𝘈 𝘑𝘤𝘣. 🞉
fermé dim. et mi-juil.-mi-août – **Repas** Lunch 35 – 45/100 – **21 ch** ☲ 150/200.

✗ **Kukeleku,** Soestdijkseweg Noord 492 (N : 2 km), ⊠ 3723 HM, ℘ 25 00 52, Volailles – 🅿.
🖭 ⓞ 🗲 𝘝𝘐𝘚𝘈
fermé lundi sauf Pâques et Pentecôte, mardi et 25, 26 et 31 déc. – **Repas** (dîner seult sauf sam. et dim.) carte env. 50.

BLADEL Noord-Brabant © Bladel en Netersel 10 279 h. 212 ⑰ et 408 ⑱ – ✪ 0 4977.
🛈 (fermé sam. sauf en saison et dim.) Markt 20, ⊠ 5531 BC, ℘ 83 00, Fax 8 59 22.
◆Amsterdam 141 – ◆'s-Hertogenbosch 52 – ◆Antwerpen 67 – ◆Eindhoven 21.

🏨 **Bladel,** Europalaan 75, ⊠ 5531 BE, ℘ 8 33 19, Fax 8 36 30 – 📺 ☎ – 🔬 25. 🖭 ⓞ 🗲 𝘝𝘐𝘚𝘈
Repas Lunch 18 – carte env. 75 – **10 ch** ☲ 95/130 – ½ P 110/140.

BLARICUM Noord-Holland 408 ⑪ – 10 282 h. – ✪ 0 2153.
◆Amsterdam 34 – ◆Apeldoorn 63 – Hilversum 9 – ◆Utrecht 24.

✗✗ **Rust Wat,** Schapendrift 79, ⊠ 1261 HP, ℘ 8 32 86, Fax 1 60 23, �, « Terrasse au bord de l'eau » – 🅿. 🖭 ⓞ 🗲 𝘝𝘐𝘚𝘈
fermé merc. – **Repas** Lunch 49 – carte env. 75.

BLERICK Limburg 212 ⑳ et 408 ⑲ – voir à Venlo.

BLOEMENDAAL Noord-Holland 408 ⑩ – voir à Haarlem.

BLOKZIJL Overijssel © Brederwiede 12 157 h. 408 ⑫ – ✪ 0 5272.
◆Amsterdam 102 – ◆Zwolle 33 – Assen 66 – ◆Leeuwarden 65.

🏨 ✿✿ **Kaatje bij de Sluis** ⌂, Brouwerstraat 20, ⊠ 8356 DV, ℘ 18 33, Fax 18 36, ≼, 🌼 – ▤ 📺 ☎ 🅿. 🖭 ⓞ 🗲 𝘝𝘐𝘚𝘈
fermé lundi, mardi, fév. et fin déc. – **Repas** (fermé lundi, mardi et sam. midi) Lunch 65 – 75/110 carte 112 à 161 – ☲ 33 – **8 ch** 195/250
Spéc. Feuillantines au saumon cru et caviar, Foie d'oie sur lit de choucroute (sept-avril), Rondelles de hareng sauce à l'Aquavit.

BODEGRAVEN Zuid-Holland 408 ⑩ – 19 007 h. – ✪ 0 1726.
◆Amsterdam 48 – ◆Den Haag 45 – ◆Rotterdam 37 – ◆Utrecht 30.

🏨 **AC Hotel,** Goudseweg 32 (près A 12), ⊠ 2411 HL, ℘ 5 00 03, Fax 1 81 01 – 🛗 📺 ☎ 🅿 – 🔬 25 à 250. 🖭 ⓞ 🗲 𝘝𝘐𝘚𝘈
Repas Lunch 22 – carte env. 50 – ☲ 13 – **64 ch** 100.

BOEKEL Noord-Brabant 212 ⑨ et 408 ⑲ – 8 893 h. – ✪ 0 4922.
◆Amsterdam 119 – ◆'s-Hertogenbosch 31 – ◆Eindhoven 31 – ◆Nijmegen 43.

✗✗ **Brabants Hof,** Erpseweg 16 (O : 1 km), ⊠ 5427 PG, ℘ 20 03, « Ferme du 18ᵉ s. » – 🅿.
🖭 ⓞ 🗲 𝘝𝘐𝘚𝘈. 🞉
Repas (dîner seult) carte 56 à 88.

321

BOEKELO Overijssel 408 ⑬ – voir à Enschede.

BOLLENVELDEN (CHAMPS DE FLEURS)★★★ Zuid-Holland 408 ⑩ G. Hollande.

BOLSWARD Friesland 408 ④ – 9 626 h. – ✪ 0 5157.
Voir Hôtel de ville★ (Stadhuis) – Stalles★ et chaire★ de l'église St-Martin (Martinikerk).
Exc. SO : Digue du Nord★★ (Afsluitdijk).
🖪 Broereplein 1, ⊠ 8701 JC, ℘ 27 27.
◆Amsterdam 114 – ◆Leeuwarden 30 – ◆Zwolle 85.

🏠 **De Wijnberg,** Marktplein 5, ⊠ 8701 KG, ℘ 22 20, Fax 26 65, ⌫ – 🛗 📺 ⅏ ❷ – 🏛 25 à 75. 🖭 ⓞ 🗲 💳
Repas Lunch 28 – **30 ch** ⊑ 55/110 – ½ P 75.

XX **De Doele,** Nieuwmarkt 22, ⊠ 8701 KL, ℘ 25 62, Fax 34 45 – 🏛 150. 🖭 ⓞ 🗲 💳 🚕
fermé sam. midi et dim. midi – **Repas** Lunch 45 – 65/75.

X **In die Stadt Bolswerd,** Kloosterlaan 24 (SE : 1 km sur A 7), ⊠ 8701 PD, ℘ 35 43 – ❷.
ⓞ 🗲
fermé lundi – **Repas** Lunch 25 – 45/53.

BORCULO Gelderland 408 ⑬ – 10 005 h. – ✪ 0 5457.
🖪 Hofstraat 5, ⊠ 7271 AP, ℘ 7 19 66.
◆Amsterdam 134 – ◆Arnhem 61 – ◆Apeldoorn 48 – ◆Enschede 34.

XX **De Stenen Tafel,** Het Eiland 1, ⊠ 7271 BK, ℘ 7 20 30, Fax 7 33 36, 🎄, « Moulin à eau du 17ᵉ s. » – ❷. 🖭 ⓞ 🗲 💳
fermé lundi et 27 déc.-9 janv. – **Repas** Lunch 45 – 68/98.

BORGER Drenthe 408 ⑥ – 12 993 h. – ✪ 0 5998.
Voir Hunebed★ (dolmens).
◆Amsterdam 198 – Assen 22 – ◆Groningen 39.

🏠 **Bieze,** Hoofdstraat 21, ⊠ 9531 AA, ℘ 3 43 21, Fax 3 43 21 – 📺 ☎ ❷ – 🏛 25 à 150. 🖭 ⓞ 🗲 💳, 🍴 rest
fermé 31 déc.-2 janv. – **Repas** Lunch 25 – 53 – **28 ch** ⊑ 80/135 – ½ P 100/110.

BORN Limburg 212 ① et 408 ⑲ – 14 300 h. – ✪ 0 4498.
◆Amsterdam 190 – ◆Maastricht 28 – Aachen 43 – ◆Eindhoven 62 – Roermond 23.

🏰 **Born,** Langereweg 21 (E : 2 km près A 2), ⊠ 6121 SB, ℘ 5 16 66, Fax 5 12 23, 🎄, 🍴 – ➡ 🛗 🍴 📺 ☎ ❷ – 🏛 25 à 200. 🖭 ⓞ 🗲 💳
Repas (week-end fermé après 20 h 30) 43/80 – ⊑ 21 – **49 ch** 152/180.

BORNE Overijssel 408 ⑬ – 21 572 h. – ✪ 0 74.
🖪 Dorsetplein 8, ⊠ 7622 CH, ℘ 66 65 02.
◆Amsterdam 145 – ◆Apeldoorn 61 – ◆Arnhem 83 – ◆Groningen 135 – Munster 77.

à Hertme N : 3 km © Borne – ✪ 0 74 :

🏠 **Jachtlust** 🦌, Weerselo9sestraat 306, ⊠ 7626 LJ, ℘ 66 16 65, Fax 66 81 50, 🍴 – 📺 ☎ ❷. 🖭 🗲 💳 🍴
Repas (ferme après 20 h 30) carte 49 à 70 – **17 ch** ⊑ 110 – ½ P 80/90.

Den BOSCH 🅿 Noord-Brabant – voir 's-Hertogenbosch.

BOSCH EN DUIN Utrecht 408 ⑪ – voir à Zeist.

BOSKOOP Zuid-Holland 408 ⑩ – 14 887 h. – ✪ 0 1727.
◆Amsterdam 42 – ◆Den Haag 29 – ◆Rotterdam 28 – ◆Utrecht 40.

X **Neuf** avec ch, Barendstraat 10, ⊠ 2771 DJ, ℘ 1 20 31, Fax 1 00 21 – 📺 ☎ ❷ – 🏛 50. 🖭 ⓞ 🗲 💳
fermé dim. du 25 oct. au 27 mars – **Repas** 45 – **12 ch** ⊑ 90/110 – ½ P 85/100.

BOVENKARSPEL Noord-Holland 408 ⑪ – voir à Enkhuizen.

Les hôtels ou restaurants agréables sont indiqués
dans le guide par un signe rouge.

Aidez-nous en nous signalant les maisons où, par expérience,
vous savez qu'il fait bon vivre.

Votre guide Michelin sera encore meilleur.

🏨🏨🏨 ... 🏠

🎗🎗🎗🎗🎗 ... 🎗

BOXMEER Noord-Brabant 212 ⑨ et 408 ⑲ – 14 908 h. – ☎ 0 8855.
♦Amsterdam 139 – ♦'s-Hertogenbosch 57 – ♦Eindhoven 46 – ♦Nijmegen 31.

Riche, Steenstraat 51, ✉ 5831 JB, ☎ 7 82 22, Fax 7 81 01 – TV ☎ 🚗 – 25 à 150. AE ⓓ E VISA
Repas *(fermé sam. et dim.)* Lunch 25 – carte 59 à 92 – **22 ch** ☕ 95/155 – ½ P 130/170.

BOXTEL Noord-Brabant 212 ⑦ ⑧ et 408 ⑱ – 25 521 h. – ☎ 0 4116.
♦Amsterdam 101 – ♦'s-Hertogenbosch 12 – ♦Breda 48 – ♦Eindhoven 21.

Aub. Van Boxtel, Stationsplein 2, ✉ 5281 GH, ☎ 7 22 37, Fax 7 41 24 – ▤ rest TV ☎ – 30. AE ⓓ E VISA. ✂ – **Repas** Lunch 35 – carte 57 à 74 – **11 ch** ☕ 80/110 – ½ P 115.

XX **De Ceulse Kaar,** Eindhovenseweg 41 (SE : 2 km), ✉ 5283 RA, ☎ 7 62 82, Fax 8 52 12, « Auberge du 18ᵉ s. » – Ⓟ. AE ⓓ E VISA
fermé lundi, mardi et 27 déc.-3 janv. – **Repas** Lunch 40 – 48/68.

XX **De Negenmannen,** Fellenoord 8, ✉ 5281 CB, ☎ 7 85 64, Fax 7 62 76 – ▤. AE ⓓ E VISA. ✂
fermé du 17 au 31 juil. et lundis non fériés – **Repas** 53/70.

BREDA Noord-Brabant 212 ⑥ et 408 ⑰ – 128 185 h. – ☎ 0 76 – Casino B, Bijster 30 ☎ 22 76 00, Fax 22 50 29.

Voir Carnaval★ – Grande église ou Église Notre-Dame★ (Grote- of O. L. Vrouwekerk) : clocher★, tombeau★ d'Englebert II de Nassau C B – Valkenberg★ D.
Env. N : Parc national De Biesbosch★ : promenade en bateau★ par ①.
Exc. Raamsdonksveer par ① : 15 km : Musée national de l'Automobile★.
18 à Molenschot par ② : 4 km, Veenstraat 89, ✉ 5124 NC, ☎ (0 1611) 23 47.
🚗 (départs de 's-Hertogenbosch) ☎ 14 38 61.
ℹ (fermé dim.) Willemstraat 17, ✉ 4811 AJ, ☎ 22 24 44, Fax 21 85 30.
♦Amsterdam 103 ① – ♦Antwerpen 56 ⑤ – ♦Rotterdam 52 ⑦ – ♦Tilburg 22 ② – ♦Utrecht 72 ①.

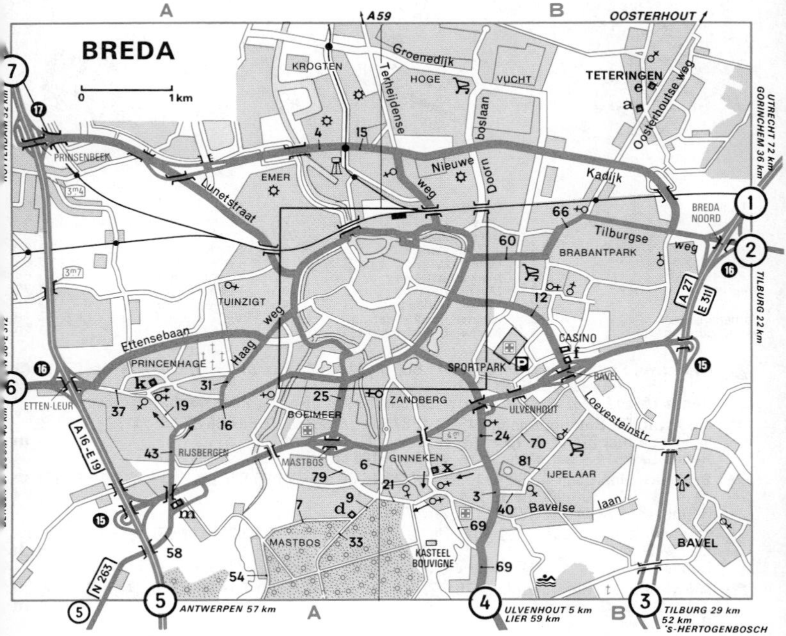

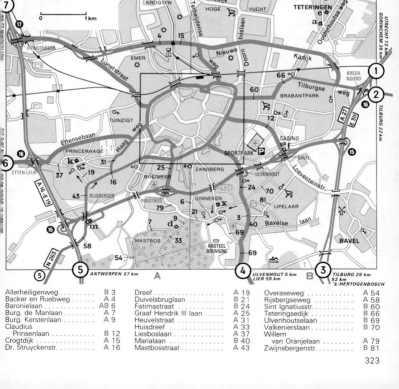

Allerheiligenweg . . . . B 3
Backer en Ruebweg . . . . . . A 4
Baronielaan . . . . AB 6
Burg. de Manlaan . . . . A 7
Burg. Kerstenlaan . . . . A 9
Claudius Prinsenlaan . . . . B 12
Crogtdijk . . . . A 15
Dr. Struyckenstr. . . . . A 16
Dreef . . . . A 19
Duivelsbruglaan . . . . B 21
Fatimastraat . . . . B 24
Graaf Hendrik III laan . . . . A 25
Heuvelstraat . . . . A 31
Huisdreef . . . . A 33
Liesboslaan . . . . A 37
Marialaan . . . . B 40
Mastbosstraat . . . . A 43
Overaseweg . . . . A 54
Rijsbergseweg . . . . A 58
Sint Ignatiusstr. . . . . B 60
Teteringsedijk . . . . B 66
Ulvenhoutselaan . . . . B 69
Valkenierslaan . . . . B 70
Willem van Oranjelaan . . . . A 79
Zwijnsbergenstr. . . . . B 81

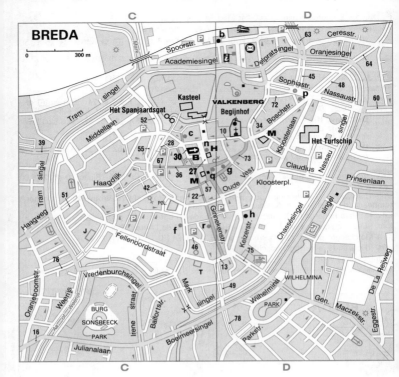

BREDA

Eindstraat	C 22
Ginnekenstraat	C
Grote Markt	C 27
Lange Brugstraat	C 36
Ridderstraat	C 57
Tolbrugstraat	C 67
Veemarktstraat	D 73
Catharinastraat	CD 10
van Coothplein	CD 13
Dr. Struyckenstr.	C 16
Haven	C 28
Havermarkt	C 30
J. F. Kennedylaan	D 34
Lunetstraat	D 39
Markendaalseweg	C 42
Mauritsstraat	D 45
Mr. Dr. Frederickstr.	C 46
Nieuwe Boschstraat	D 48
Nieuwe Ginnekenstraat	CD 49
Nieuwe Haagdijk	C 51
Nieuwe Prinsenkade	C 52
Prinsenkade	C 55
Sint Ignatiusstraat	D 60
Terheijdenstraat	D 63
Teteringenstraat	D 64
Valkenstraat	D 72
Vierwindenstraat	D 75
Vincent van. Goghstr.	C 76
Wihlelminastraat	D 78

Mercure, Stationsplein 14, ⊠ 4811 BB, ℰ 22 02 00, Fax 21 49 67, 済 – 墫 ﹡ TV ☎ ℗ – 🔏 25 à 180. ℻ ⓪ ℰ 💳 ✻   CD **b**
Repas *(fermé sam. midi et dim. midi)* carte 49 à 65 – ☑ 20 – **40 ch** 145/180.

Novotel, Dr. Batenburglaan 74, ⊠ 4837 BR, ℰ 65 92 20, Fax 65 87 58, 済, ⌇, 🐟, ﹡ – 墫 ﹡ ☰ rest TV ☎ ᖴ ℗ – 🔏 25 à 150. ℻ ⓪ ℰ 💳   A **m**
Repas *Lunch* 38 – carte env. 50 – ☑ 23 – **106 ch** 159.

Brabant, Heerbaan 4, ⊠ 4817 NL, ℰ 22 46 66, Fax 21 95 92, ☎s, ⌇ – 墫 ☰ rest TV ☎ ℗ – 🔏 25 à 300. ℻ ⓪ ℰ 💳. ✻ ch   B **f**
Repas 43 – **72 ch** ☑ 140/215 – ½ P 215/275.

Keyser, Keizerstraat 5, ⊠ 4811 HL, ℰ 20 51 73, Fax 20 52 25 – 墫 TV ☎ ⟵ – 🔏 30. ℻ ⓪ ℰ 💳   D **h**
Repas *(fermé 21 juil.-12 août)* 35/50 – ☑ 15 – **20 ch** 120/135 – ½ P 118/170.

Mirabelle, Dr. Batenburglaan 76, ⊠ 4837 BR, ℰ 65 66 50, Fax 65 50 40, 済 – ℗ – 🔏 25 à 40. ℻ ⓪ ℰ 💳. ✻   A **m**
Repas carte 60 à 82.

La Grille d'Or, Nieuwe Ginnekenstraat 20, ⊠ 4811 NR, ℰ 20 43 33 – ℻ ⓪ ℰ 💳 C **r**
fermé dim. midi, lundi, mardi, carnaval et vacances bâtiment – **Repas** carte 73 à 99.

Bali, Markendaalseweg 68, ⊠ 4811 KD, ℰ 21 32 06, Fax 20 64 64, Cuisine indonésienne – ☰. ℻ ℰ 💳. ✻   C **f**
Repas 48.

Den Coninck van Vranckrijk, St. Janstraat 21, ⊠ 4811 ZK, ℰ 14 38 92 – ℻ ⓪ ℰ 💳 D **g**
fermé dim., lundi et carnaval – **Repas** (dîner seult) carte 66 à 95.

XX **Walliser Stube,** Grote Markt 44, ✉ 4811 XS, ☎ 21 50 27 - AE ⓓ E VISA C n
Repas *Lunch 30* - carte 73 à 99.

XX **Amadeus,** Grote Markt 40, ✉ 4811 XS, ☎ 21 10 80, Fax 20 04 68, 余 - ▤. AE ⓓ E VISA. ※ C n
Repas carte 45 à 68.

X **Aub. de Arent,** Schoolstraat 2, ✉ 4811 WB, ☎ 14 46 01, Fax 21 57 82, « Maison du 15e s. » - ▤. AE ⓓ E VISA C c
fermé carnaval et 25, 26 et 31 déc. - **Repas** *Lunch 45* - 45/65.

X **De Pepermolen,** Korte Boschstraat 8, ✉ 4811 ES, ☎ 21 73 74 - ▤. AE ⓓ E VISA. ※
fermé lundi - **Repas** *Lunch 65* - carte 65 à 80. D p

X **Algarve,** Veemarktstraat 4, ✉ 4811 ZE, ☎ 21 44 43, 余, Cuisine portugaise - AE E. ※
fermé lundi et sem. carnaval - **Repas** (dîner seult de sept à mi-mai) *Lunch 29* - 50. CD q

à Ginneken C Breda - ☎ 0 76 :

XX **Vivaldi,** Ginnekenweg 309, ✉ 4835 NC, ☎ 60 02 01, Fax 65 20 42, 余 - AE ⓓ E VISA. ※
fermé dim., carnaval et 2 prem. sem. août - **Repas** carte env. 80. B x

au Mastbos - ☎ 0 76 :

Mastbosch, Burg. Kerstenslaan 20, ✉ 4837 BM, ☎ 65 00 50, Fax 60 00 40, 余 - |♦| TV ☎ P - 🏛 30 à 120. AE ⓓ E VISA A d
fermé 15 juil.-7 août - **Repas** *Lunch 29* - 44/48 - **51 ch** ☐ 138/250 - ½ P 120/170.

à Princenhage C Breda - ☎ 0 76 :

XXX **Le Canard,** Haagsemarkt 22, ✉ 4813 BB, ☎ 22 16 40, Fax 22 68 03, 余, « Terrasse » - AE ⓓ E VISA A k
fermé dim., lundi, sem. carnaval, dern. sem. juil.-prem. sem. août et prem. sem. janv. - **Repas** *Lunch 48* - carte 79 à 104.

à Bavel par ③ : 5 km C Nieuw-Ginneken 11 783 h. - ☎ 0 1613 :

XX **Vanouds' de Brouwers,** Gilzeweg 24, ✉ 4854 SG, ☎ 22 72, Fax 39 67, 余, « Terrasse » - P. AE E. ※
fermé sam. midi, dim. midi et lundi - **Repas** *Lunch 38* - carte 65 à 86.

à Dorst par ② : 5 km C Oosterhout 49 655 h. - ☎ 0 1611 :

X **De Beijerse Hoeve,** Rijksweg 118, ✉ 4849 BS, ☎ 12 82 - P
fermé merc. - **Repas** (dîner seult) carte 50 à 74.

à Teteringen NE : 2,5 km - 5 520 h. - ☎ 0 76 :

XXX **Boschlust,** Oosterhoutseweg 139, ✉ 4847 DB, ☎ 71 33 83, Fax 71 17 47, 余 - P - 🏛 25 à 50. AE ⓓ E VISA. ※ B
fermé sam. midi, dim. midi et lundi - **Repas** 70/95.

XXX **Withof,** Hoolstraat 86, ✉ 4847 AD, ☎ 71 33 81 - P. AE ⓓ E VISA. ※ B a
fermé lundi, mardi et 3 prem. sem. août - **Repas** *Lunch 25* - 48/74.

XX **Heestermans,** A. Oomenstraat 1a, ✉ 4847 DH, ☎ 71 32 59, 余 - P. AE ⓓ E VISA B e
fermé dim., lundi et 2 dern. sem. juil.-2 prem. sem. août - **Repas** *Lunch 63* - carte 68 à 92.

à l'Ouest : par ⑥ : 8 km - ☎ 0 76 :

XX **Boswachter Liesbosch,** Nieuwe Dreef 4, ✉ 4839 AJ, ☎ 21 27 36, Fax 20 06 34, 余, « Dans les bois » - P - 🏛 25. AE ⓓ E VISA. ※
fermé lundi - **Repas** 65.

BRESKENS Zeeland C Oostburg 17 869 h. 212 ⑫ et 408 ⑮ - ☎ 0 1172.

⛴ vers Vlissingen : Prov. Stoombootdiensten Zeeland ☎ 16 63 et 33 50. Durée de la traversée : 20 min. Prix passager : gratuit (en hiver) et 1,00 Fl (en été) ; voiture : 9,00 Fl (en hiver) et 12,50 Fl (en été).

ℹ Boulevard 14, ✉ 4511 AC, ☎ 18 88.

♦Amsterdam 205 - ♦Middelburg 8 - ♦Antwerpen 87 - ♦Brugge 41.

De Milliano 🐦 sans rest, Promenade 4, ✉ 4511 RB, ☎ 18 55, Fax 35 92, ≤ embouchure de l'Escaut (Schelde), 🚗 - TV ☎ P. AE ⓓ E VISA
24 ch ☐ 113/155.

Scaldis, Langeweg 3, ✉ 4511 GA, ☎ 24 20, 🚗 - ☎ P. E VISA. ※
fermé du 1er au 15 janv. - **Repas** carte env. 65 - **13 ch** ☐ 63/140 - ½ P 90.

XXX **De Milliano,** Scheldekade 27, ✉ 4511 AW, ☎ 18 12, Produits de la mer - P. AE ⓓ E VISA
fermé janv. et lundi de sept à Pâques - **Repas** carte 70 à 108.

BREUGEL Noord-Brabant C Son en Breugel 14 457 h. 212 ⑧ et 408 ⑱ - ☎ 0 4990.

♦Amsterdam 114 - ♦'s-Hertogenbosch 27 - ♦Eindhoven 8.

XX **Gertruda Hoeve,** Van den Elsenstraat 23, ✉ 5694 ND, ☎ 7 10 37, 余, « Ferme du 17e s. » - P. AE ⓓ E VISA. ※
fermé lundi, mardi et 19 juil.-3 août - **Repas** *Lunch 45* - 50/78.

BREUKELEN Utrecht 408 ⑩ – 13 787 h. – ☎ 0 3462.
Env. S : route ≤★.
◆Amsterdam 27 – ◆Utrecht 14.

- **Motel Breukelen,** Stationsweg 91 (près A 2), ✉ 3621 LK, ☎ 6 58 88, Fax 6 28 94, ☕, « Pavillon et jardin chinois », ≋, – |‡| ▤ TV ☎ P – 🏟 25 à 100. AE ⓓ E VISA. ✗ ch
  Repas (ouvert jusqu'à minuit) *Lunch 28* – carte env. 45 – ☕ 13 – **132 ch** 105, 4 suites – ½ P 93/115.
- XX **L'Escargot,** Stationsweg 1, ✉ 3621 LJ, ☎ 6 32 22, Fax 6 39 48, ☕, Ouvert jusqu'à 23 h – E VISA. ✗
  fermé merc. – **Repas** *Lunch 40* – 70.
- X **Bisantiek,** Stationsweg 16, ✉ 3621 LL, ☎ 6 34 40, ☕ – AE ⓓ E
  fermé lundi et mardi – **Repas** (dîner seult) carte 55 à 71.

BRIELLE Zuid-Holland 212 ④ et 408 ⑨ ㉓ – 15 170 h. – ☎ 0 1810.
⛳18 Krabbeweg 9, ✉ 3231 NB, ☎ 1 78 09.
ℹ Oude Veerdam 14, ✉ 3231 NC, ☎ 1 24 11, Fax 1 81 18.
◆Amsterdam 100 – ◆Den Haag (bac) 37 – ◆Breda 75 – ◆Rotterdam 34.

- **De Zalm,** Voorstraat 6, ✉ 3231 BJ, ☎ 1 33 88, Fax 1 77 12 – TV ☎ P. AE E VISA. ✗
  fermé Noël – **Repas** ***De Gekroonde Zalm*** carte 43 à 70 – **45 ch** ☕ 55/135.
- **Bastion** sans rest, Amer 1, ✉ 3232 HA, ☎ 1 65 88, Fax 1 01 15 – TV ☎ P. AE ⓓ E VISA. ✗
  40 ch ☕ 119/133.
- XX **Pablo,** Voorstraat 89, ✉ 3231 BG, ☎ 1 29 60, Fax 1 02 06, Cuisine indonésienne – ▤. AE E
  fermé lundi et 25 sept-25 oct. – **Repas** *Lunch 19* – carte 43 à 65.
- X **Paraplu Parasol,** Voorstraat 41, ✉ 3231 BE, ☎ 1 52 30, Fax 1 80 84, ☕ – AE E VISA
  fermé mardi et du 1er au 18 janv. – **Repas** carte env. 55.

BROEKHUIZENVORST Limburg C Broekhuizen 1 876 h. 212 ⑩ et 408 ⑲ – ☎ 0 4763.
◆Amsterdam 162 – ◆Eindhoven 65 – ◆Maastricht 91 – ◆Nijmegen 51 – Venlo 18.

- XX **Kasteel Ooyen,** Blitterwijckseweg 2, ✉ 5871 CE, ☎ 23 32, ☕, « Terrasse fleurie » – P. AE E VISA
  fermé jeudi de sept à avril – **Repas** *Lunch 45* – carte 62 à 102.

BROEK IN WATERLAND Noord-Holland C Waterland 17 909 h. 408 ⑩ ㉘ – ☎ 0 2903.
◆Amsterdam 12 – Alkmaar 40 – ◆Leeuwarden 124.

- XX **Neeltje Pater,** Dorpsstraat 4, ✉ 1151 AD, ☎ 33 11, Fax 36 42, ≤, ☕, « Terrasse au bord de l'eau » – AE ⓓ E VISA. ✗
  fermé sam. midi et dim. midi – **Repas** *Lunch 55* – 78/95.

BRONKHORST Gelderland C Steenderen 4 586 h. 408 ⑫ – ☎ 0 5755.
◆Amsterdam 119 – ◆Arnhem 28 – ◆Apeldoorn 33 – ◆Enschede 67.

- XXX **Herberg de Gouden Leeuw** avec ch, Bovenstraat 2, ✉ 7226 LM, ☎ 12 31, Fax 25 66, ☕, « Auberge du 17e s. » – P. AE ⓓ E VISA. ✗ ch
  fermé lundi et 30 janv.-23 fév. – **Repas** *Lunch 55* – 70/103 – **8 ch** ☕ 50/145.
- X **Het Wapen van Bronkhorst,** Gijsbertplein 1344 n° 1, ✉ 7226 LJ, ☎ 12 65 – P. E
  Repas *Lunch 30* – carte 43 à 65.

BROUWERSHAVEN Zeeland 212 ③ et 408 ⑯ – 3 747 h. – ☎ 0 1119.
◆Amsterdam 143 – ◆Middelburg 57 – ◆Rotterdam 79.

- X **De Brouwerie,** Molenstraat 31, ✉ 4318 BS, ☎ 18 80, Fax 25 51, ☕ – AE ⓓ E VISA
  12 avril-16 oct. ; fermé lundi et mardi sauf en juil.-août – **Repas** (dîner seult) 45/65.

BRUMMEN Gelderland 408 ⑫ – 20 788 h. – ☎ 0 5756.
◆Amsterdam 113 – ◆Apeldoorn 25 – ◆Arnhem 24 – ◆Enschede 63.

- **Engelenburg** ⛰, Eerbeekseweg 6, ✉ 6971 LB, ☎ 36 11, Fax 10 77, ≤, « Château du 17e s. », 🌳, 🎾 – TV ☎ P – 🏟 25 à 40. AE ⓓ E VISA. ✗
  fermé 25 déc.-6 janv. – **Repas** carte env. 65 – ☕ 22 – **23 ch** 155/210 – ½ P 187/237.

BUITENKAAG Noord-Holland – voir à Lisse.

BUNNIK Utrecht 408 ⑪ – 14 285 h. – ☎ 0 3405.
◆Amsterdam 49 – ◆Arnhem 52 – ◆Utrecht 8.

- **Postiljon,** Kosterijland 8 (sur A 12), ✉ 3981 AJ, ☎ 6 92 22, Fax 64 07 41 – |‡| ✗ ▤ rest TV ☎ ♿ P – 🏟 25 à 300. AE ⓓ E VISA
  Repas *Lunch 37* – carte env. 50 – ☕ 16 – **84 ch** 138/178 – ½ P 100/202.

BUNSCHOTEN Utrecht 408 ⑪ – 18 928 h. – ✪ 0 3499.

Voir Costumes traditionnels*.

🛈 (fermé lundi sauf juin-août et dim.) Oude Schans 25 à Spakenburg, ⌂ 3752 AG, ✆ 8 21 56.

◆Amsterdam 46 – ◆Utrecht 36 – Amersfoort 12 – ◆Apeldoorn 52.

à Spakenburg N : 2,5 km 🅒 Bunschoten – ✪ 0 3499 :

XX **De Mandemaaker,** Kerkstraat 103, ⌂ 3751 AT, ✆ 8 16 15, Fax 8 18 58 – 🆎 ⓞ 🇪 𝗩𝗜𝗦𝗔
fermé dim. – **Repas** *Lunch 22* – carte 60 à 77.

X **Nelson's,** Hoekstraat 10, ⌂ 3751 AM, ✆ 8 32 49, Fax 8 80 99, ♨, Produits de la mer –
◆ 🆎 ⓞ 🇪 𝗩𝗜𝗦𝗔 ✳
fermé lundi – **Repas** (dîner seult) 40/60.

BUREN Friesland 408 ⑤ – voir à Waddeneilanden (Ameland).

BUREN Gelderland 212 ⑧ et 408 ⑪ – 10 057 h. – ✪ 0 3447.

🛈 Markt 1, ⌂ 4116 BE, ✆ 19 22.

◆Amsterdam 74 – ◆Nijmegen 48 – ◆'s-Hertogenbosch 29 – ◆Utrecht 42.

XXX ✿ **Gravin van Buren** (Bloier), Kerkstraat 4, ⌂ 4116 BL, ✆ 16 63, Fax 21 81, ♨ – 🆎 ⓞ
🇪 𝗩𝗜𝗦𝗔
fermé dim. et lundi – **Repas** *Lunch 75* – 90/110 carte 104 à 113
Spéc. Homard tiède aux épinards et truffes, Pigeon de Bresse aux oignons glacés, Poire pochée
à la mousse de canelle et dattes.

X **Floris,** Kerkstraat 5, ⌂ 4116 BL, ✆ 23 16, Fax 21 81. 🆎 ⓞ 🇪 𝗩𝗜𝗦𝗔
◆ **Repas** *Lunch 40* – 40/55.

Den BURG Noord-Holland 408 ③ – voir à Waddeneilanden (Texel).

BUSSUM Noord-Holland 408 ⑪ – 31 328 h. – ✪ 0 2159.

🛈ᵦ à Hilversum S : 7 km, Soestdijkerstraatweg 172, ⌂ 1213 XJ, ✆ (0 35) 85 70 60.

🚅 (départs de 's-Hertogenbosch) ✆ (0 30) 33 25 55 et (0 35) 25 94 57.

◆Amsterdam 21 – ◆Apeldoorn 66 – ◆Utrecht 30.

🏨 **Jan Tabak,** Amersfoortsestraatweg 27, ⌂ 1401 CV, ✆ 5 99 11, Telex 73388, Fax 5 94 16,
♨, ⇌s, ☒, ℀ – ▯ ⤢ ▤ rest ▥ ☎ ⅙ ⇐ ⓟ – 🔼 150. 🆎 ⓞ 🇪 𝗩𝗜𝗦𝗔 𝗝𝗖𝗕. ✳ rest
Repas *Bredius (fermé sam. midi et dim.)* Lunch 48 – carte 59 à 98 – ⇌ 32 – **86 ch** 275/385,
1 suite.

X **Man Wah,** Havenstraat 9, ⌂ 1404 EK, ✆ 1 06 66, Fax 2 03 29, Cuisine chinoise – ▤. 🆎
ⓞ 🇪 𝗩𝗜𝗦𝗔
Repas carte 43 à 60.

CADZAND Zeeland 🅒 Oostburg 17 869 h. 212 ⑫ et 408 ⑮ – ✪ 0 1179.

🛈 Boulevard De Wielingen 44d, ⌂ 4506 JK, ✆ 12 98.

◆Amsterdam 218 – ◆Middelburg (bac) 21 – ◆Brugge 23 – ◆Gent 53 – Knokke-Heist 12.

à Cadzand-Bad NO : 3 km 🅒 Oostburg – ✪ 0 1179 :

🏨 **De Blanke Top** ⑤, Boulevard De Wielingen 1, ⌂ 4506 JH, ✆ 20 40, Fax 14 27, ≤ mer
et dunes, ♨, ↸6, ⇌s, ☒ – ▯ ▤ rest ▥ ☎ ⓟ – 🔼 25 à 70. 🆎 ⓞ 🇪 𝗩𝗜𝗦𝗔. ✳
fermé 8 janv.-1ᵉʳ fév. – **Repas** *Lunch 60* – 69 – **27 ch** ⇌ 115/320 – ½ P 133/208.

🏨 **De Wielingen** ⑤, Kanaalweg 1, ⌂ 4506 KN, ✆ 15 11, Fax 16 30, ≤, ♨, ⇌s, ☒ – ▯
▥ ☎ ⅙ ⓟ – 🔼 25 à 40. 🇪 𝗩𝗜𝗦𝗔
Repas *(fermé après 20 h 30)* Lunch 25 – carte 49 à 90 – **30 ch** ⇌ 102/185 – ½ P 105/125.

🏨 **Strandhotel,** Boulevard De Wielingen 49, ⌂ 4506 JK, ✆ 21 10, Fax 15 35, ≤, ♨, ⇌s, ☒,
℀ – ▯ ▥ ☎ ⅙ ⓟ. 🆎 ⓞ 🇪 𝗩𝗜𝗦𝗔
fermé 15 nov.-15 déc. – **Repas** *(fermé après 20 h 30 et mardi du 8 nov. à avril)* Lunch 58
– 65/78 – **37 ch** ⇌ 150/200 – ½ P 118/135.

🏨 **De Schelde,** Scheldestraat 1, ⌂ 4506 KL, ✆ 17 20, Fax 22 24, ♨, ⇌s, ☒ – ▥ ☎ ⓟ
– 🔼 30. 🆎 🇪 𝗩𝗜𝗦𝗔. ✳ rest
Repas Lunch 45 – 55/85 – **29 ch** ⇌ 130/200 – ½ P 95/125.

🏨 **Noordzee** ⑤, Noordzeestraat 2, ⌂ 4506 KM, ✆ 18 10, Fax 14 16, ≤, ♨, ⇌s, ☒ – ▯ ▥
☎ ⓟ. 🆎 ⓞ 🇪 𝗩𝗜𝗦𝗔. ✳ rest
Repas *(fermé après 20 h 30)* Lunch 48 – 58/68 – **24 ch** ⇌ 105/230 – ½ P 108/153.

CALLANTSOOG Noord-Holland 🅒 Zijpe 11 096 h. 408 ⑩ – ✪ 0 2248.

🛈 (fermé dim. sauf juin-août) Jewelweg 8, ⌂ 1759 HA, ✆ 15 41, Fax 15 40.

◆Amsterdam 67 – Alkmaar 27 – Den Helder 22.

🏨 **Landgoed de Horn** ⑤, Previnaireweg 4a, ⌂ 1759 GX, ✆ 12 42, Fax 25 18, ≤, ♨, ⚘
– ▥ ☎ ⓟ – 🔼 25. 🇪 𝗩𝗜𝗦𝗔. ✳
Repas (dîner seult) 43/60 – **30 ch** ⇌ 98/145 – ½ P 68/98.

CAPELLE AAN DEN IJSSEL Zuid-Holland 🔢🔢🔢 ⑤ et 🔢🔢🔢 ⑩ ㉕ – voir à Rotterdam, environs.

CASTRICUM Noord-Holland 🔢🔢🔢 ⑩ – 22 542 h. – ✪ 0 2518.
♦Amsterdam 32 – Alkmaar 11 – ♦Haarlem 20.

XX **Jasmin Garden,** Dorpsstraat 2, ✉ 1901 EL, ℘ 5 11 41, Fax 5 49 74, Cuisine chinoise – 🗏 🅿 ⏍ ⏍ 🄴 ⏍ ⏍. 🎇 – **Repas** Lunch 19 – carte 43 à 69.

X **Le Moulin,** Dorpsstraat 96, ✉ 1901 EN, ℘ 5 15 00, 🍸, Rustique – 🄰🄴 ⏍ 🄴. 🎇
fermé lundi, mardi, 3 prem. sem. août et 2 prem. sem. janv. – **Repas** (dîner seult) 68.

CHAMPS DE FLEURS – voir Bollenvelden.

De COCKSDORP Noord-Holland 🔢🔢🔢 ③ – voir à Waddeneilanden (Texel).

COEVORDEN Drenthe 🔢🔢🔢 ⑬ – 14 413 h. – ✪ 0 5240.
🛈 (fermé sam. sauf mi-juin-mi-sept et dim.) 't Kasteel 31, ✉ 7741 GC, ℘ 9 42 77, Fax 1 15 72.
♦Amsterdam 163 – Assen 54 – ♦Enschede 72 – ♦Groningen 75 – ♦Zwolle 53.

XX **Gasterie Het Kasteel,** Kasteel 30, ✉ 7741 GD, ℘ 1 21 70, Dans une cave voûtée – 🄰🄴 ⏍ 🄴 🆅🆂🄰
fermé 2 prem. sem. août et dim. et lundis non fériés – **Repas** Lunch 30 – carte env. 70.

CULEMBORG Gelderland 🔢🔢🔢 ⑪ – 22 897 h. – ✪ 0 3450.
🛈 Herenstraat 29, ✉ 4101 BR, ℘ 1 39 12.
♦Amsterdam 60 – ♦Breda 67 – ♦'s-Hertogenbosch 35 – ♦Utrecht 28.

XX **Casa Blanca** avec ch, Waldeck Pyrmontdreef 2, ✉ 4101 KJ, ℘ 1 82 82, Fax 2 12 84, 🍸 – 🆅 ☎ 🅿. 🄰🄴 ⏍ 🄴 🄹🄲🄱. 🎇 ch
fermé dim. et 22 juil.-14 août – **Repas** Lunch 43 – carte env. 75 – **6 ch** ⫅ 145/185 – ½ P 175/195.

XX **Ménage de Marron,** Havendijk 6, ✉ 4101 AB, ℘ 2 00 97, Fax 2 00 79 – 🗏. 🄰🄴 ⏍ 🄴 🆅🆂🄰
fermé dim. et lundi – **Repas** (dîner seult jusqu'à 20 h) 65.

CUIJK Noord-Brabant 🄲 Cuijk 17 861 h. 🔢🔢🔢 ⑨ et 🔢🔢🔢 ⑲ – ✪ 0 8850.
♦Amsterdam 126 – ♦'s-Hertogenbosch 44 – ♦Nijmegen 15 – Venlo 54.

X **De Beurs,** Grotestraat 26, ✉ 5431 DK, ℘ 1 30 69, Fax 1 45 17 – 🄰🄴 ⏍ 🄴 🆅🆂🄰. 🎇
fermé merc. – **Repas** Lunch 18 – carte 43 à 75.

DALFSEN Overijssel 🔢🔢🔢 ⑫ – 15 673 h. – ✪ 0 5293.
♦Amsterdam 130 – Assen 64 – ♦Enschede 64 – ♦Zwolle 20.

XXX **Pien,** Kerkplein 23, ✉ 7721 AD, ℘ 44 44, Fax 47 44, 🍸 – 🄰🄴 🄴
fermé dim., lundi, prem. sem. août et prem. sem. janv. – **Repas** Lunch 48 – 70/99.

De – voir au nom propre.

DELDEN Overijssel 🄲 Stad Delden 7 408 h. 🔢🔢🔢 ⑬ – ✪ 0 5407.
🛈 Kortestraat 2b, ✉ 7491 AX, ℘ 6 13 00, Fax 6 51 79.
♦Amsterdam 144 – ♦Zwolle 60 – ♦Apeldoorn 59 – ♦Enschede 17.

🏨 **Carelshaven,** Hengelosestraat 30, ✉ 7491 BR, ℘ 6 13 05, Fax 6 12 91, 🍸, « Terrasse et jardin fleuri » – 🆅 ☎ ⏍ 🅿 – 🔏 40. 🄰🄴 ⏍ 🄴 🆅🆂🄰. 🎇 ch
fermé 27 déc.-4 janv. – **Repas** Lunch 64 – 75/90 – ⫅ 20 – **20 ch** 130/170 – ½ P 150/188.

XXX **In den Drost van Twenthe** avec ch, Hengelosestraat 8, ✉ 7491 BR, ℘ 6 40 55, Fax 6 11 85, 🍸, 🔳, 🎇 – 🆅 ☎ 🅿. 🄰🄴 ⏍ 🄴 🆅🆂🄰
fermé sam. midi et 23 déc.-1er janv. – **Repas** Lunch 48 – 68/85 – **6 ch** ⫅ 100/175 – ½ P 155/205.

XX **In den Weijenborg,** Spoorstraat 16, ✉ 7491 CK, ℘ 6 30 79, Fax 6 13 27, 🍸 – 🄰🄴 ⏍ 🄴
🠔 🆅🆂🄰 🄹🄲🄱
fermé mardi, 12 fév.-3 mars et du 9 au 21 juil. – **Repas** (dîner seult) 38/80.

DELFT Zuid-Holland 🔢🔢🔢 ⑨ ⑩ ㉔ – 91 013 h. – ✪ 0 15.
Voir Nouvelle Église★ (Nieuwe Kerk) : mausolée de Guillaume le Taciturne★, de la tour ≼★ CDY – Vieux canal★ (Oude Delft) CYZ – Pont de Nieuwstraat ≼★ CY – Porte de l'Est★ (Oostpoort) DZ – Promenade sur les canaux★ ☜ CZ – Centre historique et canaux★★.
Musées : Prinsenhof★ CY – "Huis Lambert van Meerten" : collection de carreaux de faïence★ CY **M³** – royal de l'Armée et des Armes des Pays-Bas★ (Koninklijk Nederlands Leger- en Wapenmuseum) CZ **M²**.
🛝 à Bergschenhoek E : 12 km, Lagebergsche Bos, Rottebandreef ℘ (0 1892) 2 00 52.
🛈 Markt 85, ✉ 2611 GS, ℘ 12 61 00, Fax 13 28 24.
♦Amsterdam 58 ④ – ♦Den Haag 13 ④ – ♦Rotterdam 15 ② – ♦Utrecht 62 ④.

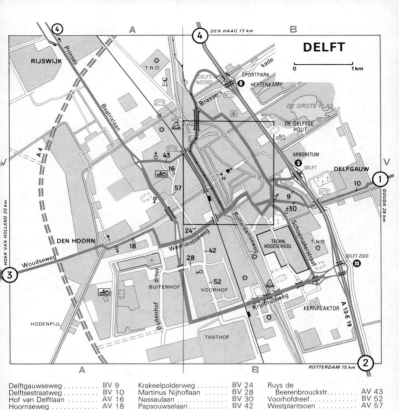

Delftgauwseweg	BV 9	
Delftsestraatweg	BV 10	
Hof van Delftlaan	AV 16	
Hoornseweg	AV 18	
Krakeelpolderweg	BV 24	
Martinus Nijhoflaan	BV 28	
Nassaulaan	BV 30	
Papsouwselaan	BV 42	
Ruys de Beerenbrouckstr.	AV 43	
Voorhofdreef	BV 52	
Westplantsoen	AV 57	

🏦 **Museumhotel Residence** sans rest, Oude Delft 189, ⊠ 2611 HD, 𝒞 14 09 30, Fax 14 09 35 – 📺 ☎. 🅰🄴 ⓞ ⴹ 𝗩𝗜𝗦𝗔
CY **a**
fermé 24 déc.-2 janv. – ⴲ 18 – **21 ch** ⴲ 175/280, 2 suites.

🏦 **Leeuwenbrug** sans rest, Koornmarkt 16, ⊠ 2611 EE, 𝒞 14 77 41, Fax 15 97 59 – |‡| 📺 ☎ – 🛋 40. 🅰🄴 ⴹ 𝗩𝗜𝗦𝗔. ⴱ
CZ **b**
fermé 23 déc.-1er janv. – **38 ch** ⴲ 125/155.

🏦 **Coen** sans rest, Coenderstraat 47, ⊠ 2613 SN, 𝒞 14 59 14, Fax 12 63 84 – |‡| 📺 ☎. 🅰🄴 ⓞ ⴹ 𝗩𝗜𝗦𝗔. ⴱ
CZ **g**
30 ch ⴲ 150/175.

🏦 **Special De Kok** sans rest, Hugo de Grootstraat 145, ⊠ 2613 VS, 𝒞 14 18 95, Fax 14 18 95 – 📺 ☎. 🅰🄴 ⓞ ⴹ 𝗩𝗜𝗦𝗔. ⴱ
CZ **s**
9 ch ⴲ 95/145.

🏦 **De Vlaming** sans rest, Vlamingstraat 52, ⊠ 2611 KZ, 𝒞 13 21 27, Fax 12 20 06 – 📺 ☎. 🅰🄴 ⓞ ⴹ 𝗩𝗜𝗦𝗔
DY **f**
12 ch ⴲ 150/180.

🏦 **De Kok** sans rest, Houttuinen 15, ⊠ 2611 AJ, 𝒞 12 21 25, Fax 12 21 25 – 📺 ☎. 🅰🄴 ⓞ ⴹ 𝗩𝗜𝗦𝗔
CZ **e**
14 ch ⴲ 65/135.

🏦 **Juliana** sans rest, Maerten Trompstraat 33, ⊠ 2628 RC, 𝒞 56 76 12, Fax 56 57 07 – 📺 ☎. 🅰🄴 ⓞ ⴹ 𝗩𝗜𝗦𝗔
DZ **d**
25 ch ⴲ 120/145.

🏦 **De Koophandel** sans rest, Beestenmarkt 30, ⊠ 2611 GC, 𝒞 14 23 02, Fax 12 06 74 – 📺 ☎. 🅰🄴 ⓞ ⴹ 𝗩𝗜𝗦𝗔. ⴱ
DY **t**
10 ch ⴲ 112/124.

🏦 **De Ark** sans rest, Koornmarkt 65, ⊠ 2611 EC, 𝒞 15 79 99, Fax 14 49 97 – |‡| 📺 ☎ 🅿. 🅰🄴 ⓞ ⴹ 𝗩𝗜𝗦𝗔 𝗝𝗖𝗕
CZ **c**
fermé 20 déc.-5 janv. – **16 ch** ⴲ 175/235.

DELFT

Choorstraat . . . . CY 7
Hippolytusbuurt . . . . CY 15
Jacob Gerritstr. . . . . CYZ 19
Markt . . . . CYZ 27
Oude Langendijk . . . . CYZ 40
Voldersgracht . . . . CY 51
Wijnhaven . . . . CYZ 58

Brabantse Turfmarkt . . . . . DZ 3
Breestraat . . . . CZ 4
Camaretten . . . . CY 6
Doelenstraat . . . . CY 12
Havenstraat . . . . CZ 13
Jorisweg . . . . DY 21
Koornmarkt . . . . CZ 22
Lange Geer . . . . CDZ 25
Nassaulaan . . . . DZ 30
Nieuwe Langendijk . . . . . DY 33

Nieuwstraat . . . . CY 34
Noordeinde . . . . CY 36
Oostpoortweg . . . . DZ 37
Oude Kerkstraat . . . . CY 39
Schoemakerstraat . . . . . . DZ 45
Schoolstraat . . . . CY 46
Sint Agathaplein . . . . CY 48
Stalpaert v. d. Wieleweg . . DY 49
Voorstraat . . . . CY 54
Westlandseweg . . . . CZ 55

XXX ✿ **De Zwethheul,** Rotterdamseweg 480 (SE : 5 km), ⊠ 2629 HJ, ℘ (0 10) 470 41 66, Fax (0 10) 470 65 22, ⇗, « Au bord de l'eau avec ← » – **Ⓟ**. **AE ⓞ E VISA**　　　BV
fermé lundi et 24 déc.-1er janv. – **Repas** 85/140 carte 96 à 112
Spéc. Boudin noir tiède et foie gras sauté au jus de veau, Blanc de barbue en croûte à la badiane, Gourmandise de yaourt et ananas à la meringue de coco.

XX **L'Orage,** Oude Delft 111b, ⊠ 2611 BE, ℘ 12 36 29, Fax 14 19 34 – **AE ⓞ E VISA** CZ **h**
fermé lundi et 3 sem. vacances bâtiment – **Repas** Lunch 38 – 52/69.

XX **Le Vieux Jean,** Heilige Geest Kerkhof 3, ⊠ 2611 HP, ℘ 13 04 33, Fax 14 67 20 – **AE ⓞ E VISA**　　　CY **p**
fermé dim. et lundi – **Repas** Lunch 43 – carte env. 70.

XX **De Klikspaan,** Koornmarkt 85, ⊠ 2611 ED, ℘ 14 15 62, Fax 14 15 62 – **AE E VISA** CZ **u**
fermé du 5 au 11 avril, 28 août-12 sept, lundi et mardi – **Repas** (dîner seult) carte 67 à 87.

XX **Bastille,** Havenstraat 6, ⊠ 2613 VK, ℰ 13 23 90, Fax 14 65 31 – **⑫**. **ℼ ⓞ ㅌ 𝘝𝘐𝘚𝘈** CZ **m**
Repas Lunch 55 – carte 72 à 95.

XX **Het Straatje van Vermeer,** Molslaan 18, ⊠ 2611 RM, ℰ 12 64 66, Fax 13 81 17, « Copies
de Vermeer » – **ℼ ⓞ ㅌ 𝘝𝘐𝘚𝘈 ᴊᴄʙ** CDZ **k**
Repas (dîner seult) carte 71 à 97.

XX **De Prinsenkelder,** Schoolstraat 11 (dans le musée Prinsenhof), ⊠ 2611 HS, ℰ 12 18 60,
Fax 13 33 13, 霜 – **ℼ ⓞ ㅌ 𝘝𝘐𝘚𝘈** CY
fermé sam. midi, dim. et 27 déc.-1ᵉʳ janv. – **Repas** Lunch 48 – carte 65 à 94.

XX **L'Escalier,** Oude Delft 125, ⊠ 2611 BE, ℰ 12 46 21, Fax 15 80 48, 霜 – **ℼ ⓞ ㅌ 𝘝𝘐𝘚𝘈**. ᐟ
fermé mardi, sam. midi, dim. et du 12 au 27 août – **Repas** Lunch 40 – 60/80. CYZ **n**

X **Redjeki,** Choorstraat 50, ⊠ 2611 JH, ℰ 12 50 22, Cuisine indonésienne – **ℼ ㅌ 𝘝𝘐𝘚𝘈**
Repas Lunch 18 – carte 45 à 60. CY **q**

X **De Dis,** Beestenmarkt 36, ⊠ 2611 GC, ℰ 13 17 82, 霜, Cuisine hollandaise – **ℼ ㅌ 𝘝𝘐𝘚𝘈**.
➤ ᐟ DY **r**
fermé merc. et Noël – **Repas** (dîner seult) 43/48.

Voir aussi : **Rijswijk** (environs de Den Haag) par ④ : 4 km

---

DELFZIJL Groningen 𝟜𝟘𝟠 ⑥ – 31 088 h. – ✆ 0 5960.

🖪 (fermé sam. sauf avril-sept et dim.) J. v.d. Kornputplein 1, ⊠ 9934 EA, ℰ 1 81 04.
♦Amsterdam 213 – ♦Groningen 30.

🏛 **Eemshotel,** Zeebadweg 2, ⊠ 9933 AV, ℰ 1 26 36, Fax 1 96 54, ≤, « Sur pilotis au bord
de l'eau », 𝘧ₒ, ☞ – **ⓣⓥ ☎ ⑫**. **ℼ ⓞ ㅌ 𝘝𝘐𝘚𝘈**
fermé 30 déc.-2 janv. – **Repas** Lunch 29 – carte env. 60 – **20 ch** ⛚ 110/145 – ½ P 85/149.

🏛 Du Bastion, Waterstraat 78, ⊠ 9934 AX, ℰ 1 87 71, Fax 1 71 47 – **ⓣⓥ ☎**. ᐟ
Repas Lunch 30 – carte env. 60 – **40 ch**.

X **De Kakebrug,** Waterstraat 8, ⊠ 9934 AV, ℰ 1 71 22 – **ℼ ⓞ ㅌ 𝘝𝘐𝘚𝘈**
fermé vacances bâtiment et dim. non fériés – **Repas** Lunch 45 – 55.

à **Woldendorp** SE : 7 km par N 362 Ⓒ Delfzijl – ✆ 0 5962 :

🏛 **Wilhelmina,** A.E. Gorterweg 1, ⊠ 9946 PA, ℰ 14 81, Fax 15 73, 霜 – **ⓣⓥ ☎ ⑫** – ⚒ 150.
ℼ ㅌ. ᐟ rest
Repas (fermé sam., dim. et 23 déc.-2 janv.) (dîner seult) carte 43 à 70 – **11 ch** ⛚ 125.

Den – voir au nom propre.

DENEKAMP Overijssel 𝟜𝟘𝟠 ⑬ ⑭ – 12 261 h. – ✆ 0 5413.

🖪 Kerkplein 2, ⊠ 7591 DD, ℰ 5 12 05, Fax 5 12 39.
♦Amsterdam 169 – ♦Zwolle 77 – ♦Apeldoorn 85 – ♦Enschede 19.

🏛 **Dinkeloord,** Denekamperstraat 48 (SO : 2 km), ⊠ 7588 PW, ℰ 5 13 87, Fax 5 38 75, 霜,
☞, 🔲 – 🛗 **ⓣⓥ ☎ ⑫** – ⚒ 25 à 200. **ℼ ⓞ ㅌ 𝘝𝘐𝘚𝘈**. ᐟ rest
Repas Lunch 20 – carte env. 80 – **55 ch** ⛚ 98/171 – ½ P 125/140.

X **De Watermolen,** Schiphorstdijk 4 (près château Singraven), ⊠ 7591 PS, ℰ 5 13 72,
Fax 5 51 50, ≤, 霜, « Ancien moulin à eau » – **⑫**. **ℼ ⓞ ㅌ**. ᐟ
fermé lundi – **Repas** carte 43 à 85.

DEURNE Noord-Brabant 𝟚𝟙𝟚 ⑲ et 𝟜𝟘𝟠 ⑲ – 30 136 h. – ✆ 0 4930.

♦Amsterdam 136 – ♦'s-Hertogenbosch 51 – ♦Eindhoven 25 – Venlo 33.

XX **Hof van Deurne,** Haageind 29, ⊠ 5751 BB, ℰ 1 21 41, Ancienne ferme – **⑫** – ⚒ 40 à
80. **ℼ ⓞ ㅌ 𝘝𝘐𝘚𝘈**
fermé mardi soir, sam. midi et dim. midi – **Repas** Lunch 45 – carte env. 85.

DEVENTER Overijssel 𝟜𝟘𝟠 ⑫ – 68 529 h. – ✆ 0 5700.

Voir Ville★.

🏌 à Diepenveen N : 4 km par Laan van Borgele, Golfweg 2, ⊠ 7431 PR, ℰ (0 5709) 32 69.
🖪 Brink 55, ⊠ 7411 BV, ℰ 1 62 00, Fax 1 83 24.
♦Amsterdam 106 ④ – ♦Zwolle 38 ② – ♦Apeldoorn 16 ⑤ – ♦Arnhem 40 ④ – ♦Enschede 59 ④.

Plan page suivante

🏛 **Postiljon,** Deventerweg 121 (par ④ : 2 km près A 1), ⊠ 7418 DA, ℰ 2 40 22, Fax 2 53 46,
霜 – 🛗 🌐 ▤ rest **ⓣⓥ ☎ ⑫** – ⚒ 25 à 250. **ℼ ⓞ ㅌ 𝘝𝘐𝘚𝘈**
Repas carte env. 50 – ⛚ 16 – **99 ch** 126/161 – ½ P 100/185.

XX **'t Diekhuus,** Bandijk 2 (à Terwolde), ⊠ 7396 NB, ℰ (0 5712) 7 39 68, Fax (0 5712) 7 52 59,
➤ ≤, 霜 – **⑫**. **ℼ ⓞ ㅌ 𝘝𝘐𝘚𝘈**. ᐟ par Lage Steenweg X
fermé lundi, mardi midi et sam. midi – **Repas** Lunch 39 – 39/73.

DEVENTER

Brink .... Z 12
Broederenstr. .... Z 16
Engestraat .... Z 19
Grote Poot .... Z 28
Kleine Poote .... Z 42
Korte Bisschopstr. ... Z 45
Lange Bisschopstr. ... Z 46
Nieuwstraat .... YZ 55

Amstellaan .... X 3
Bagijnenstraat ...... Y 4
Bergkerkplein ...... Z 6
Bergstraat .... Z 7
Binnensingel .... Z 9
Bokkingshang ...... Z 10
Brinkgreverweg ..... X 13
Brinkpoortstr. ...... Y 15
Deensestraat .... Z 18
Europaplein .... X 21
Gedampte Gracht ... Y 22
Graven .... Z 24
Grote Kerkhof ..... Z 25
Grote Overstraat .... Z 27
Henri Dunantlaan ... X 30
Herman
  Boerhaavelaan .... X 31
Hofstraat .... X 33
Hoge Hondstraat .... Y 34
Industrieweg ...... Z 36
Joh. van Vlotenlaan . X 37
Kapjeswelle .... Z 39
Kerksteeg .... Z 40
Koningin
  Wilhelminalaan ... X 43
Lebuïnuslaan ...... X 48
Leeuwenbrug ...... Y 49
Margijnenenk ...... X 51
Menstraat .... Z 52
Mr. H. F. de Boerlaan . XZ 54
Noordenbergstr. .... Z 57
van Oldenielstr. .... X 58
Oosterwechelseweg . X 60
Ossenweerdstraat ... Y 61
Pontstraat .... Z 63

Roggestraat .... Z 64
Snipperlingsdijk ...... XZ 66
Spijkerboorsteeg ..... Z 67
Stromarkt .... Z 69
T. G. Gibsonstraat ... Y 70
van Twickelostraat ... Y 72

Verlengde Kazernestr. ... Z 73
Verzetslaan .... Y 75
Zamenhoffplein ...... X 76
Zandpoort .... Z 78
Zutphenselaan ...... X 79
Zutphenseweg ...... X 81

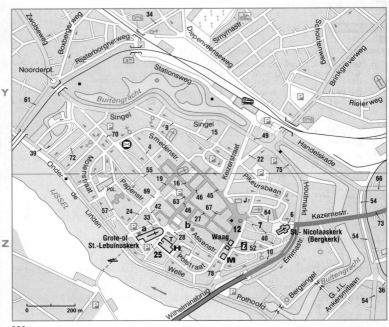

✗ **'t Arsenaal,** Nieuwe Markt 33, ⊠ 7411 PC, ℰ 1 64 95, Fax 1 57 52, 🚔 – 🖭 ⓞ 🗉 Z a
fermé sam. et dim. – **Repas** carte 73 à 88.

✗ **Da Mario,** Vleeshouwerstraat 6, ⊠ 7411 JN, ℰ 1 93 93, 🚔, Cuisine italienne – 🖭 ⓞ 🗉
✦ ▦ ⁝⁝ Z b
fermé lundi – **Repas** (dîner seult) 40/50.

DIDAM Gelderland 🖪🖫🖫 ⑫ – 16 302 h. – ✪ 0 8362.
◆Amsterdam 116 – ◆Arnhem 14 – Emmerich 23.

🏠 **Liemershof,** Deken Reuvekamplaan 1, ⊠ 6941 AN, ℰ 2 18 41, Fax 2 66 47 – 🖭 ☎ ⓟ –
✦ ⛴ 25 à 300. 🖭 ⓞ 🗉 ▦. ⁝⁝
Repas *Lunch 23* – 40/53 – **23 ch** ⊑ 80/115 – ½ P 112/128.

DIEVER Drenthe 🖪🖫🖫 ⑤ – 3 615 h. – ✪ 0 5219.
◆Amsterdam 159 – Assen 27 – ◆Groningen 52 – ◆Leeuwarden 69 – ◆Zwolle 49.

✗ **De Walhof** 🌭 avec ch, Hezenes 6, ⊠ 7981 LC, ℰ 17 93, Fax 25 57, 🚔, « Environnement
boisé » – 🖭 ☎ ⓟ. 🖭 ⓞ 🗉 ▦. ⁝⁝
fermé du 1ᵉʳ au 24 janv. – **Repas** *(fermé après 20 h)* *Lunch 48* – 63/70 – **10 ch** ⊑ 100/175
– ½ P 125/175.

*Rood onderstreepte **plaatsnamen** op de Michelinkaarten van **Nederland**.*

*Op **kaart** nr. 🔢🔢 duiden zij op alle in deze gids vermelde
plaatsen ; op **kaart** nr. 🔢🔢🔢 duiden zij alleen op de plaatsen waar hotels
en restaurants geselekteerd zijn.*

DIFFELEN Overijssel – voir à Hardenberg.

DIGUE DU NORD – voir Afsluitdijk.

DOENRADE Limburg 🔢🔢🔢 ① ② – voir à Sittard.

DOESBURG Gelderland 🖪🖫🖫 ⑫ – 10 746 h. – ✪ 0 8334.
🅑 Kerkstraat 16, ⊠ 6981 CM, ℰ 7 90 88.
◆Amsterdam 118 – ◆Arnhem 20 – ◆Apeldoorn 30 – ◆Enschede 77.

✗✗ **De Waag,** Koepoortstraat 2, ⊠ 6981 AS, ℰ 7 24 62, Fax 7 90 79, « Poids Public du 15ᵉ s. »
– 🖭 ⓞ 🗉 ▦
fermé lundi et 27 déc.-2 janv. – **Repas** *Lunch 53* – carte 66 à 87.

DOETINCHEM Gelderland 🖪🖫🖫 ⑫ ⑬ – 43 317 h. – ✪ 0 8340.
🅕 à Hoog-Keppel NO : 8 km, Oude Zutphenseweg 15, ⊠ 6997 CH, ℰ (0 8348) 14 16.
🅑 Walmolen, IJsselkade 30, ⊠ 7001 AP, ℰ 2 33 55, Fax 4 50 27.
◆Amsterdam 130 – ◆Arnhem 32 – ◆Apeldoorn 43 – ◆Enschede 60.

🏠 **De Graafschap,** Stationsplein 12, ⊠ 7001 BM, ℰ 2 45 41, Fax 2 58 63 – 🖭 ☎ ⓟ – ⛴ 25
à 70. 🖭 ⓞ 🗉 ▦. ⁝⁝ rest
Repas *Lunch 20* – carte env. 55 – **27 ch** ⊑ 90/140 – ½ P 98/105.

✗ **Balkan,** Hoge Molenstraat 25, ⊠ 7001 AS, ℰ 3 38 70 – 🖭 🗉
fermé lundi et 18 déc.-1ᵉʳ janv. – **Repas** carte 43 à 68.

DOKKUM Friesland 🄲 Dongeradeel 24 322 h. 🖪🖫🖫 ⑤ – ✪ 0 5190.
Env. O : Hoogebeintum, 16 armoiries funéraires★ dans l'église.
🅑 Grote Breedstraat 1, ⊠ 9101 KH, ℰ 9 38 00, Fax 9 80 15.
◆Amsterdam 163 – ◆Leeuwarden 24 – ◆Groningen 59.

🏠 **De Posthoorn,** Diepswal 21, ⊠ 9101 LA, ℰ 9 35 00, Fax 9 73 29 – 🖭 ☎ – ⛴ 200. 🖭
ⓞ 🗉 ▦
Repas *Lunch 22* – carte 48 à 73 – **30 ch** ⊑ 65/125 – ½ P 75/95.

✗✗ **Old Inn,** Hantumerweg 6, ⊠ 9101 AB, ℰ 9 23 08, Fax 2 03 51 – ⓟ. 🖭 ⓞ 🗉 ▦
fermé dim. – **Repas** *Lunch 25* – carte env. 60.

Den DOLDER Utrecht 🄲 Zeist 59 096 h. 🖪🖫🖫 ⑪ – ✪ 0 30.
◆Amsterdam 46 – Amersfoort 13 – ◆Utrecht 13.

✗✗ **Salle à Manger,** Dolderseweg 77, ⊠ 3734 BD, ℰ 25 20 00, Fax 25 15 12, 🚔 – 🖭 🗉 ▦
Repas *Lunch 55* – carte env. 60.

✗ **Anak Dêpok,** Dolderseweg 85, ⊠ 3734 BD, ℰ 29 29 15, Cuisine indonésienne – 🍽. 🖭
ⓞ 🗉 ▦. ⁝⁝
fermé mardi et 24 et 31 déc. – **Repas** (dîner seult) carte 50 à 72.

333

DOMBURG Zeeland 🔲🔲🔲 ② et 🔲🔲🔲 ⑮ – 3 943 h. – 🕿 0 1188 – Station balnéaire.

🔚 Schelpweg 26, ⊠ 4357 BP, ℘ 15 73.

🅱 Schuitvlotstraat 32, ⊠ 4357 EB, ℘ 13 42.

◆Amsterdam 190 – ◆Middelburg 16 – ◆Rotterdam 111.

🏨 **Duinvliet** ⑤ sans rest, Domburgseweg 44, ⊠ 4357 NH, ℘ 39 21, Fax 39 22, 🌳 – 📺 🕿 🅿. 🖭 ⓞ 🗲 𝖵𝖨𝖲𝖠. ⸙
fermé janv. – **7 ch** ☲ 110/225.

🏨 **The Wigwam** ⑤, Herenstraat 12, ⊠ 4357 AL, ℘ 12 75, Fax 25 25, 🌳 – 📳 📺 🕿 🅿. 🗲 𝖵𝖨𝖲𝖠. ⸙
25 mars-4 nov. et carnaval – **Repas** (dîner pour résidents seult) – **31 ch** ☲ 92/190 – ½ P 103/148.

🏨 **Duinheuvel** sans rest, Badhuisweg 2, ⊠ 4357 AV, ℘ 12 82, Fax 33 45 – 📳 📺 🕿 🅿. 🖭 ⓞ 🗲 𝖵𝖨𝖲𝖠
20 ch ☲ 205.

🏠 **De Burg**, Ooststraat 5, ⊠ 4357 BE, ℘ 13 37, Fax 20 72 – 📺. 🖭 🗲 𝖵𝖨𝖲𝖠
mars-10 nov. ; fermé mardi – **Repas** carte env. 50 – **23 ch** ☲ 53/130 – ½ P 78/90.

DOORN Utrecht 🔲🔲🔲 ⑪ – 10 320 h. – 🕿 0 3430.

Voir Collection d'objets d'art★ dans le château (Huis Doorn).

🅱 (fermé dim.) Dorpsstraat 4, ⊠ 3941 JM, ℘ 1 20 15.

◆Amsterdam 59 – ◆Utrecht 21 – Amersfoort 14 – ◆Arnhem 45.

ⅩⅩ **Het Wapen van Sandenburg**, Sandenburgerlaan 2 (SE : 2 km), ⊠ 3941 ME, ℘ 1 21 27, Fax 1 69 23, 🍃 – 🅿. 🗲 𝖵𝖨𝖲𝖠
Repas Lunch 39 – carte env. 65.

DOORWERTH Gelderland 🇨 Renkum 32 867 h. 🔲🔲🔲 ⑫ – 🕿 0 85.

◆Amsterdam 98 – ◆Arnhem 8.

ⅩⅩⅩ **Kasteel Doorwerth**, Fonteinallee 4, ⊠ 6865 ND, ℘ 33 34 20, Fax 33 81 16, 🍃, « Dans les dépendances du château » – 🅿. 🖭 ⓞ 🗲 𝖵𝖨𝖲𝖠
Repas (dîner seult) 53/123.

ⅩⅩ **de Valkenier**, Oude Oosterbeekseweg 8 (Heveadorp), ⊠ 6865 VS, ℘ 33 64 23, Fax 33 81 31, 🍃 – 🅿. 🖭 ⓞ 🗲 𝖵𝖨𝖲𝖠
fermé lundi et fin déc. – **Repas** Lunch 35 – carte env. 70.

DORDRECHT Zuid-Holland 🔲🔲🔲 ⑤ ⑥ et 🔲🔲🔲 ⑰ – 112 687 h. – 🕿 0 78.

Voir La Vieille Ville★ – Grande Église ou église Notre-Dame★ (Grote- of O.L. Vrouwekerk) : stalles★, de la tour ≤★★ CV B – Groothoofdspoort : du quai ≤★ DV.

Musée : Mr. Simon van Gijn★ CV M¹.

🔚 Baanhoekweg 50, ⊠ 3313 LP, ℘ 21 12 21 - 🔚 à Numansdorp SO : 20 km, Veerweg 26, ⊠ 3281 LX, ℘ (0 1865) 44 55.

✈ à Rotterdam-Zestienhoven NO : 23 km par ④ ℘ (0 10) 446 34 44.

🅱 (fermé dim.) Stationsweg 1, ⊠ 3311 JW, ℘ 13 28 00, Fax 13 17 83.

◆Amsterdam 95 ① – ◆Den Haag 53 ④ – ◆Arnhem 106 ① – ◆Breda 29 ② – ◆Rotterdam 23 ④ – ◆Utrecht 58 ①.

Plans pages suivantes

🏨 **Postiljon**, Rijksstraatweg 30 ('s-Gravendeel), ⊠ 3316 EH, ℘ 18 44 44, Fax 18 79 40 – 📳 🍴 🟰 rest 📺 🕿 🕭 🅿 – 🔬 25 à 500. 🗲 𝖵𝖨𝖲𝖠   AZ **u**
Repas Lunch 57 – carte env. 50 – ☲ 16 – **96 ch** 132/178 – ½ P 100/202.

🏨 **Dordrecht**, Achterhakkers 12, ⊠ 3311 JA, ℘ 13 60 11, Fax 13 74 70 – 📺 🕿. 🖭 🗲 𝖵𝖨𝖲𝖠   CX **d**
fermé 24 déc.-2 janv. – **Repas** (dîner seult) carte 43 à 60 – **21 ch** ☲ 118/170.

🏠 **Bastion** sans rest, Laan der Verenigde Naties 363, ⊠ 3318 LA, ℘ 51 15 33, Fax 17 81 63 – 📺 🕿 🅿. 🖭 ⓞ 𝖵𝖨𝖲𝖠. ⸙   BZ **a**
40 ch ☲ 119/133.

🏠 **Klarenbeek** sans rest, Joh. de Wittstraat 35, ⊠ 3311 KG, ℘ 14 41 33, Fax 14 08 61 – 📳 🕿   DX **s**
23 ch ☲ 65/110.

ⅩⅩⅩ **Levien**, Albert Cuypsingel 389, ⊠ 3311 HG, ℘ 31 32 55, Fax 31 60 50 – 🅿. 🖭 ⓞ 🗲 𝖵𝖨𝖲𝖠
fermé sam. midi, dim. midi, lundi et 24 juil.-14 août – **Repas** Lunch 48 – 58/75.   CX **b**

ⅩⅩ **Le Mouton**, Toulonselaan 12, ⊠ 3312 ET, ℘ 13 50 09, Fax 31 57 37, 🍃 – 🖭 ⓞ 🗲 𝖵𝖨𝖲𝖠   DX **u**
← *fermé sam. midi, dim. midi et 24 et 31 déc.* – **Repas** Lunch 13 – 30/90.

ⅩⅩ **Merlina**, Wijnstraat 239, ⊠ 3311 BV, ℘ 13 88 08, Fax 10 51 25, Cuisine chinoise – 🟰. 🖭 ⓞ 🗲 𝖵𝖨𝖲𝖠. ⸙   CDV **x**
Repas (dîner seult) carte env. 60.

ⅩⅩ **Au Bon Coin**, Groenmarkt 1, ⊠ 3311 BD, ℘ 13 82 30, Fax 13 82 30 – 🟰. 🖭 ⓞ 🗲 𝖵𝖨𝖲𝖠 𝖩𝖢𝖡. ⸙   CV **n**
fermé sam. midi, dim. midi et lundi – **Repas** Lunch 52 – carte env. 80.

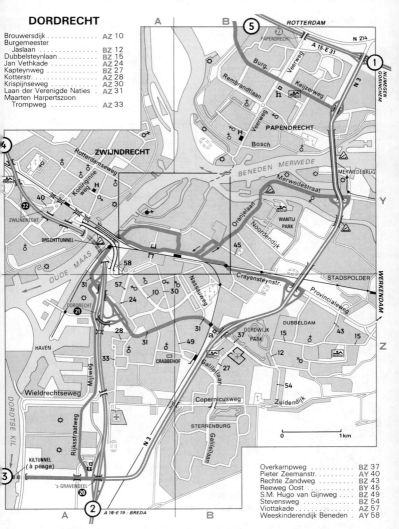

DORDRECHT

Brouwersdijk	AZ	10
Burgemeester Jaslaan	BZ	12
Dubbelsteynlaan	BZ	15
Jan Vethkade	AZ	24
Kapteynweg	BZ	27
Kotterstr.	AZ	28
Krispijnseweg	AZ	30
Laan der Verenigde Naties	AZ	31
Maarten Harpertszoon Trompweg	AZ	33

Overkampweg	BZ	37
Pieter Zeemanstr.	AY	40
Rechte Zandweg	BZ	43
Reeweg Oost	BY	45
S.M. Hugo van Gijnweg	BZ	49
Stevensweg	BZ	54
Viottakade	AZ	57
Weeskinderendijk Beneden	AY	58

De Stroper, Wijnbrug 1, ⊠ 3311 EV, ℰ 13 00 94, Fax 31 57 37, Produits de la mer – 🅰🅴
🅞 🄴 *VISA*　　　　　　　　　　　　　　　　　　　　　　　　　　　　　DV **v**
fermé sam. midi, dim. midi et 24 et 31 déc. – **Repas** *Lunch* 13 – 30/90.

Bonne Bouche, Groenmarkt 8, ⊠ 3311 BE, ℰ 14 05 00, Fax 31 25 36 – 🗐. 🅰🅴 🅞 🄴 *VISA*
fermé mardi, 2 sem. en juil. et fin déc.-début janv. – **Repas** *Lunch* 53 – carte env. 60.　　CV **a**

Marktzicht, Varkenmarkt 17, ⊠ 3311 BR, ℰ 13 25 84, Fax 13 61 69, Produits de la mer
– 🗐. 🅰🅴 🅞 🄴 *VISA*. 🛠　　　　　　　　　　　　　　　　　　　　　　　CV **e**
fermé dim., lundi, 2 dern. sem. juil.-2 prem. sem. août et 31 déc. – **Repas** *Lunch* 50 – 58/80.

Jongepier 1ᵉʳ étage, Groothoofd 8, ⊠ 3311 AG, ℰ 13 06 16, Fax 31 77 33, ≤, 🍴 – 🅰🅴
🅞 🄴 *VISA* – *fermé 31 déc.* – **Repas** *Lunch* 37 – carte env. 60.　　　　　　DV **r**

à Papendrecht NE : 4 km – 28 481 h. – 🕓 0 78 :

Papendrecht, Lange Tiendweg 2, ⊠ 3353 CW, ℰ 15 20 99, Fax 15 85 97, 🍴 – 🛗 🌣
🗐 rest 📺 ☎ 🅿 – 🛎 25 à 175. 🅰🅴 🅞 🄴 *VISA*. 🛠 rest　　　　　　　　　　BY **h**
Repas 43/63 – **76 ch** ⚌ 184/233 – ½ P 108/159.

335

DORDRECHT

Achterhakkers	CX	3
Aert de Gelderstr.	CX	4
Blauwpoortspl.	CV	7
Bleijenhoek	DV	9
Dubbeldamseweg	DX	13
Groothoofd	DV	18
Grote Kerksbuurt	CV	19
Hoogstratensingel	DVX	22
Johan de Wittstr.	DX	25
Museumstr.	DV	34
Oranjelaan	DX	36
Papeterspad	CX	39
Prinsenstr.	CV	42
Riedijk	DV	46
Schefferspl.	CDV	48
Stationsweg	DX	51
Steegoversloot	DV	52
Twintighuizen	DV	55
Wilgenbos	CX	60
Wolwevershaven	CV	61

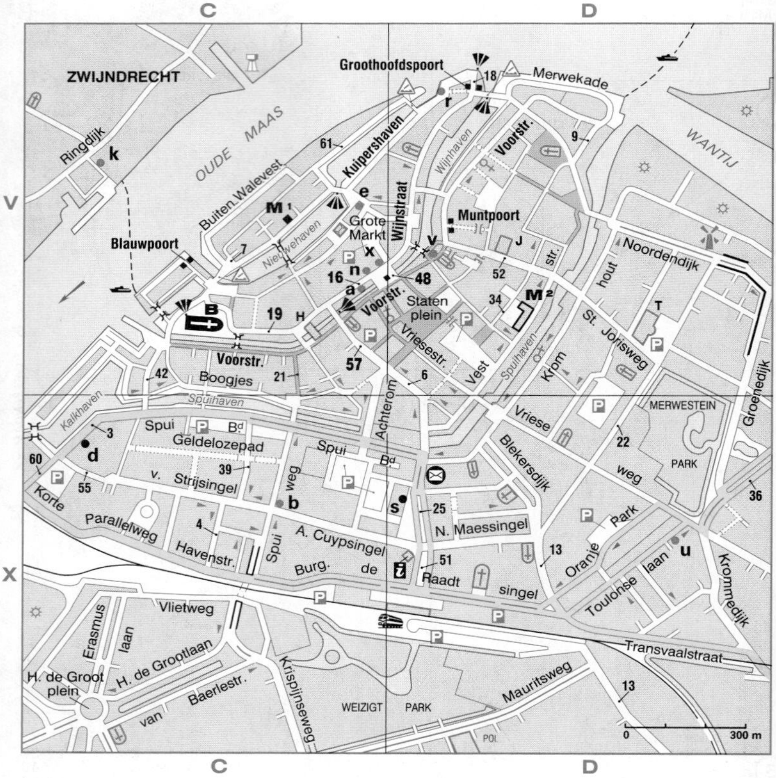

Bagijnhof	DV	6
Groenmarkt	CV	16
Grote Spuistr.	CV	21
Spuiweg	CX	
Visstr.	CV	57
Voorstr.	CDV	
Vriesestr.	DV	

à **Zwijndrecht** NO : 4 km – 42 684 h. – ✆ 0 78 :

XX ❀ **Hermitage** (Klein), Veerplein 16, ⊠ 3331 LE, ✆ 12 84 89, Fax 19 23 11 – ⚠ ⓪ ⋿ 𝖵𝖨𝖲𝖠
🦐 CV **k**
fermé du 10 au 31 juil., 26 déc.-9 janv., sam. midi, dim. et lundi – **Repas** Lunch 55 – 68
Spéc. Tartare de saumon au yaourt, Canard rôti au poivre vert et zeste d'orange confit, Tarte aux prunes, crème à la cannelle.

DORST Noord-Brabant 🄩🄩🄩 ⑥ – voir à Breda.

DRACHTEN Friesland Ⓒ Smallingerland 50 446 h. 🄫🄶🄶 ⑤ – ✆ 0 5120.
🇿 Burg. Wuiteweg 56, ⊠ 9203 KL, ✆ 1 77 71, Fax 3 24 13.
♦Amsterdam 147 – ♦Leeuwarden 27 – ♦Groningen 36 – ♦Zwolle 85.

🏩 **Drachten**, Zonnedauw 1, ⊠ 9202 PE, ✆ 2 07 05, Fax 2 32 32, 🦐 – ▌⋚▐ 🗱 📺 ☎ 🅿 – 🕍 25
à 200. ⚠ ⓪ ⋿ 𝖵𝖨𝖲𝖠. 🦐 rest
fermé 25 et 26 déc. – **Repas** carte 64 à 84 – ⊇ 25 – **48 ch** 140/190 – ½ P 90/115.

XXX **De Wilgenhoeve**, De Warren 2, ⊠ 9203 HT, ✆ 1 25 10, Fax 3 14 19, 🍃, « Ancienne ferme » – 🅿. ⚠ ⓪ ⋿ 𝖵𝖨𝖲𝖠
fermé lundi et du 1er au 15 août – **Repas** Lunch 45 – 60/65.

DRIEBERGEN-RIJSENBURG Utrecht 408 ⑪ – 18 501 h. – ✆ 0 3438.

🖪 (fermé dim.) Hoofdstraat 87a, ✉ 3971 KE, 𝒫 1 31 62.

◆Amsterdam 54 – ◆Utrecht 16 – Amersfoort 22 – ◆Arnhem 49.

🏠 **De Koperen Ketel** ⑤ sans rest, Welgelegenlaan 28, ✉ 3971 HN, 𝒫 1 61 74, Fax 3 24 65, « Terrasse » – **ⓟ**. 𝖠𝖤 ⓞ 𝖤 𝖵𝖨𝖲𝖠 – **15 ch** ☑ 95/170.

✕✕ **La Provence,** Hoofdstraat 109, ✉ 3971 KG, 𝒫 1 29 20, Fax 2 08 33 – **ⓟ**. 𝖠𝖤 ⓞ 𝖤 𝖵𝖨𝖲𝖠
fermé lundi et 2 dern. sem. juil.-prem. sem. août – **Repas** 55/80.

✕✕ **Lai Sin's Rest.,** Arnhemse Bovenweg 46, ✉ 3971 MK, 𝒫 1 68 58, Fax 1 71 97, 😋, Cuisine chinoise – 𝖤. 🍽
fermé sam. midi, dim., lundi midi, 27 fév.- 4 mars, 24 juil.-12 août, 31 déc. et 1ᵉʳ janv. –
Repas Lunch 45 – 68/145.

DRONTEN Flevoland 408 ⑪ ⑫ – 27 893 h. – ✆ 0 3210.

◆Amsterdam 72 – ◆Apeldoorn 51 – ◆Leeuwarden 94 – Lelystad 23 – ◆Zwolle 31.

🏠 **Het Galjoen,** De Rede 50, ✉ 8251 EW, 𝒫 1 70 30, Fax 1 58 22 – |𝄌| ☎ **ⓟ** – 𝖠 25 à 300.
𝖠𝖤 ⓞ 𝖤 𝖵𝖨𝖲𝖠
Repas *(fermé 24 déc. soir et 31 déc. soir)* Lunch 35 – carte 43 à 77 – **20 ch** ☑ 85/140 –
½ P 100/125.

à Ketelhaven N : 8 km 🅒 Dronten – ✆ 0 3210 :

✕ **Lands-End,** Vossemeerdijk 23, ✉ 8251 PM, 𝒫 1 33 18, ≤ – **ⓟ**. 𝖤
fermé lundi et 22 janv.-16 fév. – **Repas** carte 53 à 84.

DRUNEN Noord-Brabant 212 ⑦ et 408 ⑱ – 18 536 h. – ✆ 0 4163.

◆Amsterdam 101 – ◆'s-Hertogenbosch 15 – ◆Breda 34 – ◆Rotterdam 73.

✕✕✕ ⌘ **Duinrand** (Engel) avec ch, Steegerf 2 (S : 2 km), ✉ 5151 RB, 𝒫 7 24 98, Fax 7 49 19,
≤, 😋, « Terrasse, environnement boisé » – 🍴 ☞ **ⓟ**. 𝖠𝖤 ⓞ 𝖤 𝖵𝖨𝖲𝖠
fermé 25 fév.-3 mars et 31 déc. – **Repas** carte 80 à 102 – **10 ch** ☑ 165/195
Spéc. Crêpes de pommes de terre au saumon fumé et aux œufs de caille, Bouillabaisse à notre
façon, Soufflé chaud.

N.V. Nederlandse Banden-Industrie MICHELIN Bedrijvenpark Groenewoud II, Huub van Doorneweg 2 – ✉ 5151 DT, 𝒫 (0 4163) 8 41 00, Fax (0 4163) 8 41 26

DUIVEN Gelderland 408 ⑫ – voir à Arnhem.

Den DUNGEN Noord-Brabant 212 ⑧ et 408 ⑱ – 4 278 h. – ✆ 0 4194.

◆Amsterdam 91 – ◆'s-Hertogenbosch 6.

🏠 **Boer Goossens,** Heilig Hartplein 2, ✉ 5275 BM, 𝒫 12 91, Fax 31 11 – 📺 ☎ **ⓟ** – 𝖠 25
à 300. 𝖠𝖤 𝖤 𝖵𝖨𝖲𝖠
fermé 14 juil.-3 août – **Repas** *(fermé après 20 h 30)* Lunch 24 – carte 43 à 65 – **15 ch**
☑ 50/96 – ½ P 75/88.

DWINGELOO Drenthe 408 ⑤ – 3 826 h. – ✆ 0 5219.

🖪 Brink 46, ✉ 7991 CJ, 𝒫 13 31, Fax 37 11.

◆Amsterdam 158 – Assen 30 – ◆Groningen 50 – ◆Leeuwarden 70 – ◆Zwolle 50.

🏠 **Wesseling,** Brink 26, ✉ 7991 CH, 𝒫 15 44, Fax 25 87, 😋 – |𝄌| 📺 ☎ & **ⓟ** – 𝖠 50. 𝖠𝖤
ⓞ 𝖤 𝖵𝖨𝖲𝖠. 🍽
fermé 31 déc.-17 janv. – **Repas** *(fermé après 20 h 30)* Lunch 40 – carte env. 70 – **23 ch**
☑ 93/150 – ½ P 95/113.

🏠 **De Brink,** Brink 30, ✉ 7991 CH, 𝒫 13 19, Fax 25 87, 😋 – **ⓟ**
fermé 15 janv.-15 mars – **Repas** Lunch 23 – 43 – **6 ch** ☑ 70/110.

à Lhee SO : 1,5 km 🅒 Dwingeloo – ✆ 0 5219 :

🏠 **De Börken** ⑤, Lhee 76, ✉ 7991 PJ, 𝒫 72 00, Fax 72 87, 🐎 – 📺 ☎ & **ⓟ** – 𝖠 30 à
80. 𝖠𝖤 ⓞ 𝖤 𝖵𝖨𝖲𝖠
fermé 31 déc.-7 janv. – **Repas** Lunch 55 – carte 70 à 85 – **44 ch** ☑ 108/155.

ECHTELD Gelderland 212 ⑧ et 408 ⑪ – 6 685 h. – ✆ 0 3444.

◆Amsterdam 84 – ◆Arnhem 34 – ◆Nijmegen 33 – Tiel 6.

✕✕ **Het Wapen van Balveren,** Voorstraat 8, ✉ 4054 MX, 𝒫 32 70, Fax 35 90, 😋 – **ⓟ**. 𝖠𝖤
ⓞ 𝖤 𝖵𝖨𝖲𝖠
Repas Lunch 40 – 50.

EDAM Noord-Holland 🅒 Edam-Volendam 25 242 h. 408 ⑩ ⑪ – ✆ 0 2993.

🖪 Damplein 1, ✉ 1135 BK, 𝒫 7 17 27.

◆Amsterdam 22 – Alkmaar 28 – ◆Leeuwarden 116.

🏠 **De Fortuna,** Spuistraat 1, ✉ 1135 AV, 𝒫 7 16 71, Fax 7 14 69, « Jardin fleuri au bord de
l'eau » – 📺 ☎. 𝖠𝖤 ⓞ 𝖤 𝖵𝖨𝖲𝖠 𝖩𝖢𝖡 – **Repas** (dîner seult) 43 – **29 ch** ☑ 132/168.

EDE Gelderland 408 ⑪ ⑫ – 97 230 h. – ☎ 0 8380.

Env. Parc National de la Haute Veluwe★★★ (Nationaal Park de Hoge Veluwe) : Parc★★★, Musée national (Rijksmuseum) Kröller-Müller★★★ – Parc à sculptures★★ (Beeldenpark) NE : 13 km.

ℹ Achterdoelen 36, ✉ 6711 AV, ✆ 1 44 44.

◆Amsterdam 81 – ◆Arnhem 19 – ◆Apeldoorn 32 – ◆Utrecht 43.

- **De Bosrand** sans rest, Bosrand 28 (NE : 1 km), ✉ 6718 ZN, ✆ 5 01 50 – ☎ P – 25 à 100. AE ⓓ E VISA.
  fermé 23 déc.-3 janv. – **43 ch** ☐ 98/116.
- XXX **De Driesprong,** Wekeromseweg 1 (NE : 3 km), ✉ 6718 SC, ✆ 1 04 73, Fax 1 80 37, – P. AE ⓓ E VISA
  fermé lundi et 27 déc.-6 janv. – **Repas** *Lunch 30* – carte env. 75.
- XX **De Bergerie,** Verlengde Arnhemseweg 99 (E : 5 km), ✉ 6718 SM, ✆ 1 86 97, Fax 1 86 96, « Rustique » – P. AE ⓓ E VISA
  fermé sam. midi, dim. midi, lundi midi et 27 déc.-1er janv. – **Repas** *Lunch 35* – carte env. 75.
- XX **La Façade,** Notaris Fischerstraat 31, ✉ 6711 BB, ✆ 1 62 54, Fax 5 27 55, – AE ⓓ E VISA
  fermé mardi et 2e quinz. janv. – **Repas** *Lunch 35* – 65/80.
- X **Het Pomphuis,** Klinkenbergerweg 41, ✉ 6711 MJ, ✆ 5 31 33, Fax 5 39 24, « Terrasse » – P. AE E VISA
  fermé lundi et 2 dern. sem. janv. – **Repas** *Lunch 38* – 48.
- X **Gea,** Stationsweg 2, ✉ 6711 PP, ✆ 1 00 00 – AE ⓓ E VISA
  fermé dim. – **Repas** 45.

EERBEEK Gelderland C Brummen 20 788 h. 408 ⑫ – ☎ 0 8338.

◆Amsterdam 107 – ◆Apeldoorn 23 – ◆Arnhem 26 – ◆Enschede 71.

- **Het Huis te Eerbeek** , Prof. Weberlaan 1, ✉ 6961 LX, ✆ 5 91 35, Fax 5 41 75, – TV ☎ P – 25 à 80. AE ⓓ E VISA.
  Repas *(fermé après 20 h)* carte 44 à 72 – **38 ch** ☐ 100/135.

EERSEL Noord-Brabant 212 ⑰ ⑱ et 408 ⑱ – 12 471 h. – ☎ 0 4970.

ℹ (fermé mardi après-midi hors saison, sam. sauf en juil.-août et dim.) Markt 30a, ✉ 5521 AN, ✆ 1 31 63, Fax 1 41 32.

◆Amsterdam 136 – ◆'s-Hertogenbosch 47 – ◆Antwerpen 72 – ◆Eindhoven 16.

- XXX **De Acht Zaligheden,** Markt 3, ✉ 5521 AJ, ✆ 1 28 11 – . AE E VISA.
  fermé dim., 25 fév.-5 mars et 16 juil.-2 août – **Repas** *Lunch 48* – 65/85.
- XX **De Linde,** Markt 21, ✉ 5521 AK, ✆ 1 71 74, – AE ⓓ E VISA.
  fermé merc., carnaval et 27 juin-14 juil. – **Repas** *Lunch 48* – 63/73.
- X **Ereslo,** Markt 14, ✉ 5521 AL, ✆ 1 77 77, Fax 1 85 28, – AE ⓓ E VISA
  fermé merc., 27 juin-6 juil. et 27 déc.-5 janv. – **Repas** *Lunch 40* – 43/73.

EGMOND AAN ZEE Noord-Holland C Egmond 11 453 h. 408 ⑩ – ☎ 0 2206.

ℹ Voorstraat 82a, ✉ 1931 AN, ✆ 13 62, Fax 50 54.

◆Amsterdam 41 – Alkmaar 10 – ◆Haarlem 34.

- **Bellevue,** Strandboulevard A 7, ✉ 1931 CJ, ✆ 10 25, Fax 11 16, ←, – rest TV ☎ – 40 à 60. AE ⓓ E VISA. rest
  Repas *Lunch 25* – 40/75 – **50 ch** ☐ 81/240 – ½ P 113/140.
- **De Boei,** Westeinde 2, ✉ 1931 AB, ✆ 13 75, Fax 24 54, – TV ☎ – 40. E VISA
  Repas *Lunch 21* – 43 – ☐ 14 – **34 ch** 80/135 – ½ P 103.
- **Golfzang,** Boulevard Ir. de Vassy 19, ✉ 1931 CN, ✆ 15 16, Fax 22 22 – TV ☎. AE ⓓ E VISA.
  fermé 15 déc.-15 janv. – **Repas** (dîner pour résidents seult) – **20 ch** ☐ 80/140 – ½ P 75/105.
- **De Vassy,** Boulevard Ir. de Vassy 3, ✉ 1931 CN, ✆ 15 73, Fax 53 06, – TV ☎. AE ⓓ E VISA
  20 mars-15 oct. – **Repas** *(fermé merc.)* (dîner seult) carte env. 60 – **23 ch** ☐ 168 – ½ P 95/108.
- XX **La Châtelaine,** Smidstraat 7, ✉ 1931 EX, ✆ 23 55, Fax 69 26 – AE ⓓ E VISA
  fermé merc. – **Repas** (dîner seult) 50/60.

EIBERGEN Gelderland 408 ⑬ – 16 331 h. – ☎ 0 5454.

◆Amsterdam 146 – ◆Apeldoorn 60 – ◆Arnhem 71 – ◆Enschede 24.

- **De Greune Weide** , Lutterweg 1 (S : 2 km), ✉ 7152 CC, ✆ 7 16 92, Fax 7 56 04, « Cadre champêtre », – TV ☎ P. AE ⓓ E VISA.
  fermé 27 déc.-1er janv. – **Repas** *Lunch 38* – carte 57 à 81 – **12 ch** ☐ 85/150 – ½ P 88/103.
- XX **Belle Fleur,** J.W. Hagemanstraat 85, ✉ 7151 AE, ✆ 7 21 49, Fax 7 59 53, – P. E
  fermé lundi, 31 juil.-17 août et 27 déc.-9 janv. – **Repas** carte 69 à 83.

EINDHOVEN Noord-Brabant 212 ⑱ et 408 ⑱ – 195 267 h. – ✪ 0 40 – Casino BY , Heuvel Galerie 134 ♪ 43 54 54, Fax 43 81 38.

Musée : Van Abbe★ (Stedelijk Van Abbemuseum) BZ **M¹**.

🏌 Velddoornweg 2, ⊠ 5644 SZ, ♪ 52 09 62 - 🏇 à Valkenswaard par ④ : 11 km, Eindhoven-seweg 300, ⊠ 5553 VB, ♪ (0 4902) 1 27 13.

✈ 5 km par Noord Brabantlaan AV ♪ 51 61 42.

🚗 (départs de 's-Hertogenbosch) ♪ 46 14 80 et 65 43 09.

🚩 (femé dim.) Stationsplein 17, ⊠ 5611 AC, ♪ 44 92 31, Fax 43 31 35.

◆Amsterdam 122 ⑦ – ◆'s-Hertogenbosch 35 ⑦ – ◆Antwerpen 86 ④ – Duisburg 99 ③ – ◆Maastricht 86 ③ – ◆Tilburg 36 ⑥.

Plan page suivante

🏨 **Holiday Inn,** Veldm. Montgomerylaan 1, ⊠ 5612 BA, ♪ 43 32 22, Fax 44 92 35, ⇔, 🔲 – 📳 ⇔ ▤ 📺 ☎ 🕭 🅟 – 🔏 40 à 150. 🖭 ⓪ 🗲 𝒱𝒾𝒮𝒜. 🎇 rest   BY **t**
Repas (dîner seult) 43/58 – ⊇ 27 – **201 ch** 197/300.

🏨 **Dorint,** Vestdijk 47, ⊠ 5611 CA, ♪ 32 61 11, Fax 44 01 48, 🎿, ⇔ – 📳 ⇔ ▤ 📺 ☎ ⟚
➤ – 🔏 25 à 400. 🖭 ⓪ 🗲 𝒱𝒾𝒮𝒜 𝒿𝒸ᵦ   BY **h**
Repas *Lunch* 40 – 43/98 – ⊇ 22 – **197 ch** 150/280, 6 suites – ½ P 180/192.

🏩 **The Mandarin,** Geldropseweg 17, ⊠ 5611 SC, ♪ 12 50 55, Fax 12 15 55, ⇔, 🔲 – 📳 ⇔
▤ 📺 ☎ 🅟 – 🔏 30 à 150. 🖭 ⓪ 🗲 𝒱𝒾𝒮𝒜. 🎇 ch   BZ **y**
Repas voir rest *The Mandarin Garden* ci-après – *Mei-Ling* (cuisine chinoise, 2 cts min., ouvert jusqu'à 23 h) 88/180 – *Momoyama* (cuisine japonaise, teppan-yaki, dîner seult) 50/120 – **103 ch** ⊇ 255/310, 2 suites – ½ P 195.

🏩 **Pierre,** Leenderweg 80, ⊠ 5615 AB, ♪ 12 10 12, Fax 12 12 61 – 📳 📺 ☎ 🅟 – 🔏 25 à 150. 🖭 ⓪ 🗲 𝒱𝒾𝒮𝒜   BX **n**
Repas *(fermé vend. et sam.)* (dîner seult) carte env. 60 – **60 ch** ⊇ 160/190 – ½ P 190.

🏩 **Eindhoven** sans rest, Markt 35, ⊠ 5611 EC, ♪ 45 45 45, Fax 43 56 45 – 📳 ▤ 📺 ☎ 🅟 – 🔏 35 à 70. 🖭 ⓪ 🗲 𝒱𝒾𝒮𝒜   BY **f**
– 🔏 35 à 70. 🖭 ⓪ 🗲 𝒱𝒾𝒮𝒜 – **58 ch** 173/198.

🏩 **Motel Eindhoven,** Aalsterweg 322 (par ④ : 3 km), ⊠ 5644 RL, ♪ 12 34 35, Fax 12 07 74, 🍴, 🎿, ⇔, 🔲, 🎾 – 📳 📺 ☎ 🅟 – 🔏 25 à 500. 🖭 ⓪ 🗲 𝒱𝒾𝒮𝒜
Repas (ouvert jusqu'à 23 h 30) carte env. 45 – ⊇ 25 – **175 ch** 95 – ½ P 84/131.

🏠 **Parkzicht,** Alb. Thijmlaan 18, ⊠ 5615 EB, ♪ 11 41 00, Telex 51253, Fax 11 41 00, 🍴 –
📺 ☎ 🅟. 🖭 ⓪ 🗲 𝒱𝒾𝒮𝒜   BZ **c**
Repas *Lunch* 28 – carte env. 60 – **44 ch** ⊇ 110/140 – ½ P 98/195.

🏠 **Campanile,** Noord-Brabantlaan 309 (O : 2 km), ⊠ 5657 GB, ♪ 54 54 00, Fax 54 44 10, 🍴
➤ – 📳 📺 ☎ 🕭 🅟 – 🔏 40 à 65. 🖭 ⓪ 🗲 𝒱𝒾𝒮𝒜
Repas *Lunch* 39 – 43 – ⊇ 12 – **84 ch** 94 – ½ P 139/145.

🍴🍴🍴🍴 ✿ **De Karpendonkse Hoeve,** Sumatralaan 3, ⊠ 5631 AA, ♪ 81 36 63, Telex 59190, Fax 81 11 45, 🍴, « Terrasse avec ≤ parc et lac » – 🅟. 🖭 ⓪ 🗲 𝒱𝒾𝒮𝒜. 🎇   BV **b**
fermé dim. et lundis non fériés, 27 fév.-5 mars, 14 avril et du 1ᵉʳ au 14 août – **Repas** *Lunch* 63 – 90/130 carte 88 à 112
Spéc. Terrine de foie gras de canard et son suprême confit, Pomme de terre farcie de salpicon de homard au curry, sauce homardine, Saumon sauvage sauté aux courgettes.

🍴🍴🍴 **De Luytervelde,** Jo Goudkuillaan 11 (NO : 7 km par ⑦), ⊠ 5626 GC, ♪ 62 31 11, Fax 62 20 90, 🍴, « Jardin fleuri » – 🅟. 🖭 ⓪ 🗲 𝒱𝒾𝒮𝒜
fermé dim., carnaval, 2 dern. sem. juil. et 24 et 31 déc. – **Repas** *Lunch* 38 – 60/80.

🍴🍴🍴 **The Mandarin Garden** - H. The Mandarin, Geldropseweg 17, ⊠ 5611 SC, ♪ 12 50 55, Telex 51124, Fax 11 66 67, Cuisine asiatique – ▤ 🅟. 🖭 ⓪ 🗲 𝒱𝒾𝒮𝒜   BZ **y**
Repas *Lunch* 25 – carte 43 à 84.

🍴🍴 **De Blauwe Lotus,** Limburglaan 20, ⊠ 5652 AA, ♪ 51 48 76, Fax 51 15 25, Cuisine asiatique, « Décor oriental » – ▤. 🖭 ⓪ 🗲 𝒱𝒾𝒮𝒜. 🎇 – **Repas** *Lunch* 35 – carte 43 à 69. AX **m**

🍴🍴 **The Gandhi,** Willemstraat 43a, ⊠ 5611 HC, ♪ 44 54 52, Cuisine indienne – ▤. 🖭 ⓪ 🗲 𝒱𝒾𝒮𝒜. 🎇 – **Repas** (dîner seult) 50/85.   BY **e**

🍴🍴 **L'Aubergade,** Wilhelminaplein 9, ⊠ 5611 HE, ♪ 44 67 09, Fax 44 92 54 – ▤. 🖭 ⓪ 🗲 𝒱𝒾𝒮𝒜. **Repas** carte env. 50.   BY **a**

🍴 **De Waterkers,** Geldropseweg 4, ⊠ 5611 SH, ♪ 12 49 99 – 🖭 ⓪ 🗲 𝒱𝒾𝒮𝒜   BZ **b**
fermé lundi, 25 fév.-3 mars, 17 juil.-8 août et 27 déc.-3 janv. – **Repas** (dîner seult) carte 55 à 78.

🍴 **Djawa,** Keldermansstraat 58, ⊠ 5622 PJ, ♪ 44 37 86, Cuisine indonésienne – ▤. 🎇
fermé merc. – **Repas** (dîner seult) 55.   AV **x**

🍴 **La Fontana,** Stratumseind 50, ⊠ 5611 EV, ♪ 44 46 17, Cuisine italienne – 🖭 ⓪ 🗲 𝒱𝒾𝒮𝒜 fermé mardi – **Repas** (dîner seult) carte env. 45.   BZ **u**

à l'aéroport O : 5 km :

🏩 **Novotel,** Anthony Fokkerweg 101, ⊠ 5657 EJ, ♪ 52 65 75, Fax 52 28 50, 🍴, 🔲 – 📳 ⇔
▤ 📺 ☎ 🕭 🅟 – 🔏 25 à 200. 🖭 ⓪ 🗲 𝒱𝒾𝒮𝒜. 🎇 rest
Repas carte env. 66 – ⊇ 23 – **92 ch** 159.

🍴 **Belvéd'Air** 1ᵉʳ étage, Luchthavenweg 15n, ⊠ 5657 EA, ♪ 52 65 46, Fax 51 39 35, ≤, Taverne-rest – ▤. 🖭 ⓪ 🗲 𝒱𝒾𝒮𝒜. 🎇
fermé sam., dim. et après 19 h 30 – **Repas** *Lunch* 40 – carte env. 60.

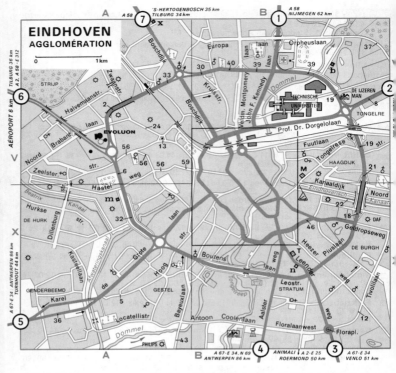

EINDHOVEN
AGGLOMÉRATION

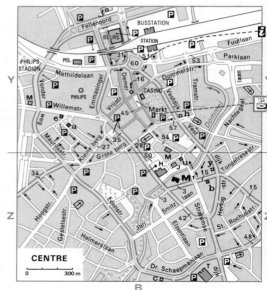

Demer	BY
Hermanus Boexstr.	BY 16
Kerkstr.	BY 28
Lardinoisstr.	Y 31
Rechtestr.	BY 45
Vrijstr.	BY
18 Septemberpl.	BY 60

Beukenlaan	AV 2
Bilderdijklaan	BZ 3
Blaarthemseweg	AX 5
Botenlaan	AV 6
Eisenhowerlaan	BV 8
Floralaan Oost	BX 12
Frederiklaan	AV 13
Geldropseweg	BZ 15
H. van der Goeslaan	BX 18
Insulindelaan	BV 19
Jeroen Boschlaan	BX 21
Kanaaldijk Zuid	BX 22
Kastanjelaan	AV 24
Keizersgracht	BY 25
Kleine Berg	BY 27
Kronehoefstr.	BV 30
Limburglaan	AX 32
Marconilaan	AV 33
Mecklenburgstr.	BZ 34
Meerveldhovenseweg	AX 36
v. Oldenbarneveltlaan	BV 37
Onze Lieve Vrouwstr.	BV 39
Pastoriestr.	BV 40
P. C. Hooftlaan	BZ 42
Prof. Holstlaan	AX 43
St. Jorislaan	BZ 48
Stadhuispl.	BZ 50
Stationspl.	BY 51
Stationsweg	BY 53
Stratumseind	BY 54
Strijpsestr.	AV 56
Ten Hagestr.	BY 57
Willemstr.	AV 59

à *Veldhoven* O : 2 km – 39 663 h. – ❀ 0 40 :

✗✗ **The Fisherman,** Kruisstraat 23, ⊠ 5502 JA, ℰ 54 58 38, Fax 54 58 57, Produits de la mer
– ❷. 🕮 ⓞ 🗲 𝒱𝐼𝒮𝐴 𝐉𝐂𝐁
fermé 2 dern. sem. juil., 31 déc. et 1er janv. – **Repas** *Lunch* 55 – carte 68 à 89.

ELSLOO Limburg 🄲 Stein 26 781 h. 𝟤𝟣𝟤 ① et 𝟦𝟢𝟪 ㉖ – ❀ 0 46.
◆Amsterdam 205 – ◆Eindhoven 70 – ◆Maastricht 17.

🏛 **Kasteel Elsloo,** Maasberg 1, ⊠ 6181 GV, ℰ 37 76 66, Fax 37 75 70, ☵ – 📺 ☎ ❷ – 🏛 25
à 60. 🕮 ⓞ 🗲 𝒱𝐼𝒮𝐴. ✵
fermé 2 7 déc.-2 janv. – **Repas** *Lunch* 53 – 60/88 – **24 ch** ⊒ 95/150, 1 suite – ½ P 118/133.

EMMELOORD Flevoland 🄲 Noordoostpolder 39 053 h. 𝟦𝟢𝟪 ⑪ ⑫ – ❀ 0 5270.
🛈 (fermé sam. après-midi et dim.) De Deel 25a, ⊠ 8302 EK, ℰ 1 20 00.
◆Amsterdam 89 – ◆Zwolle 36 – ◆Groningen 94 – ◆Leeuwarden 66.

🏛 **'t Voorhuys,** De Deel 20, ⊠ 8302 EK, ℰ 1 24 41, Fax 1 75 44 – |‡| 📺 ☎ ❷ – 🏛 25 à
100. 🕮 🗲 𝒱𝐼𝒮𝐴
Repas carte 45 à 80 – **34 ch** ⊒ 68/150 – ½ P 96/148.

✗ **Le Mirage** 2e étage, Beursstraat 2, ⊠ 8302 CW, ℰ 9 91 04, Fax 9 80 35 – 🕮 ⓞ 🗲 𝒱𝐼𝒮𝐴.
✵
fermé merc. et 24 juil.-10 août – **Repas** *Lunch* 43 – 53.

Die *Michelin-Karte Nr.* 𝟦𝟢𝟪 *im Maßstab 1 : 400 000*
– *die* **Niederlande** *auf einem Kartenblatt*
– *vereinfachte Stadtpläne von Amsterdam und Rotterdam*
– *Ortsverzeichnis*

EMMEN Drenthe 𝟦𝟢𝟪 ⑥ – 93 246 h. – ❀ 0 5910.
Voir Hunebed d'Emmerdennen★ (dolmen) – Jardin zoologique★ (Noorder Dierenpark).
Env. Noordsleen : Hunebed★ (dolmen) O : 6,5 km – Orvelte★ NO : 18 km.
🎛 à Aalden O : 12 km, Gebbeveenseweg 1, ℰ (0 5917) 17 84.
🛈 Marktplein 17, ⊠ 7811 AM, ℰ 1 30 00, Fax 4 41 06.
◆Amsterdam 180 – Assen 44 – ◆Groningen 57 – ◆Leeuwarden 97 – ◆Zwolle 70.

🏛 **Ten Cate,** Noordbargerstraat 44, ⊠ 7812 AB, ℰ 1 76 00, Fax 1 84 32 – 📺 ☎ ❷ – 🏛 35
à 65. 🕮 ⓞ 🗲 ✵ ch
fermé 26 déc. et 29 janv. – **Repas** *Lunch* 30 – 30/50 – ⊒ 10 – **33 ch** 70/125 – ½ P 110/113.

🏛 **Boerland** sans rest, Hoofdstraat 57, ⊠ 7811 ED, ℰ 1 37 46, Fax 1 65 25 – 📺 ☎ ❷. 🕮
🗲 𝒱𝐼𝒮𝐴. ✵
fermé 24 déc.-1er janv. – **14 ch** ⊒ 95/128.

✗✗ **Zuudbarge,** Zuidbargerstraat 108 (S : 3 km à Zuidbarge), ⊠ 7812 AK, ℰ 3 08 13,
Fax 3 33 64 – ❷. 🕮 🗲
fermé lundi et 3 sem. vacances bâtiment – **Repas** *Lunch* 17 – carte 51 à 74.

ENGELEN Noord-Brabant 𝟤𝟣𝟤 ⑦ et 𝟦𝟢𝟪 ⑱ – voir à 's-Hertogenbosch.

ENKHUIZEN Noord-Holland 𝟦𝟢𝟪 ⑪ – 16 081 h. – ❀ 0 2280.
Voir La vieille ville★ – Jubé★ dans l'église de l'Ouest ou de St-Gommaire (Wester- of St.Goma-
ruskerk) AB – Dromedaris★ : du sommet ✳✱★, du quai ≼★ B.
Musée : du Zuiderzee★ (Zuiderzeemuseum) : Binnenmuseum★ en Buitenmuseum★★ B.
🚢vers Stavoren : Rederij Naco B.V., De Ruyterkade, Steiger 7 à Amsterdam ℰ (0 20) 626 24 66,
Fax 624 40 61. Durée de la traversée : 1 h 25. Prix AR : 15,00 Fl, bicyclette : 9,50 Fl. - vers Urk :
Rederij F.R.O. à Urk ℰ (0 5276) 17 37, Fax 17 43. Renseignements à Enkhuizen ℰ 1 31 64. Durée
de la traversée : 1 h 30. Prix AR : 18,00 Fl, bicyclette : 10,00 Fl.
🛈 Tussen Twee Havens 1, ⊠ 1601 EM, ℰ 1 31 64.
◆Amsterdam 62 ① – ◆Leeuwarden 113 ① – Hoorn 19 ②.

Plan page suivante

🏛 **Die Port van Cleve,** Dijk 74, ⊠ 1601 GK, ℰ 1 25 10, Fax 1 87 65 – |‡| 📺 ☎ – 🏛 70. 🕮
ⓞ 🗲 𝒱𝐼𝒮𝐴. ✵ rest   B **c**
Repas *Lunch* 43 – carte 43 à 85 – **27 ch** ⊒ 95/165 – ½ P 105/120.

✗✗ **Die Drie Haringhe** 1er étage, Dijk 28, ⊠ 1601 GJ, ℰ 1 86 10, ≼, « Entrepôt du 17e s. »
– 🕮 ⓞ 🗲 𝒱𝐼𝒮𝐴   B **b**
fermé 24 et 31 déc., mardi d'avril à oct. et dim. de nov. à mars – **Repas** *Lunch* 45 – carte
63 à 83.

✗✗ **d'Alsace,** Westerstraat 116, ⊠ 1601 AM, ℰ 1 52 25, Fax 1 98 36, ☵ – 🕮 ⓞ 🗲 𝒱𝐼𝒮𝐴 B **a**
Repas *Lunch* 58 – carte env. 70.

ENKHUIZEN

Westerstraat . . . . AB

Bocht . . . . B 3
Driebanen . . . . B 4
Hoornseveer . . . . A 6
Kaasmarkt . . . . B 7

Karnemelksluis . . . . B 9
Klopperstraat . . . . A 10
Melkmarkt . . . . B 12
Nieuwstraat . . . . B 13
Noorder Havendijk . . . . B 15
Oosterhavenstr. . . . . B 16
Piet Smitstraat . . . . B 18
St. Janstraat . . . . B 19
Spijtbroeksburgwal . . . . . . A 21

Staeleversgracht . . . . B 22
Sijbrandsplein . . . . B 24
Venedie . . . . B 25
Waagstraat . . . . B 27
Wegje . . . . B 28
Zuider Boerenvaart . . . . B 30
Zuider Havendijk . . . . B 31
Zuiderspui . . . . B 33
Zwaanstraat . . . . B 34

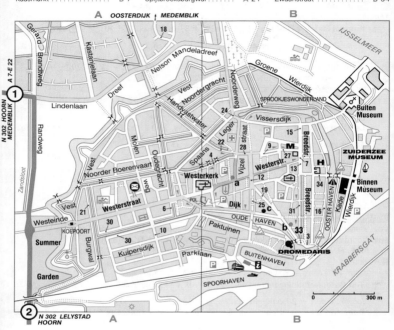

à Bovenkarspel O : 3,5 km par Westeinde [C] Stede Broec 18 743 h. – ✿ 0 2285 :

XX **Het Roode Hert** avec ch, Hoofdstraat 235, ⊠ 1611 AG, ✆ 1 14 12, Fax 1 54 13, « Collection d'horloges françaises » – 📺 ☎ 🅟 – 🏛 25 à 350. 🆎 ⓪ 🈡 𝓥𝓘𝓢𝓐
fermé 1er janv. – **Repas** carte env. 70 – **12 ch** ⊆ 80/110 – ½ P 105.

ENSCHEDE Overijssel 🔢 ⑬ – 147 349 h. – ✿ 0 53.

Musée : de la Twente★ (Rijksmuseum Twenthe) V.

🐟 à Hengelo par ③ : 9 km, Enschedesestraat 381, ⊠ 7552 CV, ✆ (0 74) 91 27 73.
☎ Twente ✆ 35 20 86 – 🚺 Oude Markt 31, ⊠ 7511 GB, ✆ 32 32 00, Fax 30 41 62.
◆Amsterdam 160 ⑤ – ◆Zwolle 73 ⑥ – Düsseldorf 141 ④ – ◆Groningen 148 ① – Münster 64 ②.

Plan page ci-contre

🏨 **De Broeierd** Ⓜ, Hengelosestraat 725 (par ⑥ : 3 km), ⊠ 7521 PA, ✆ 35 98 82, Fax 34 05 02, 🍴, « Terrasse » – 📳 📺 ☎ 🅟 🆎 ⓪ 🈡 𝓥𝓘𝓢𝓐. 🈂
Repas *Lunch 48* – 50 – **30 ch** ⊆ 175/275 – ½ P 138.

🏨 **Dish,** Boulevard 1945 nº 2, ⊠ 7511 AE, ✆ 86 66 66, Fax 35 31 04 – 📳 🍽 rest 📺 ☎ 🅟 – 🏛 25 à 250. 🆎 ⓪ 🈡 𝓥𝓘𝓢𝓐. 🈂
Repas *(fermé dim. midi)* Lunch 35 – 45/80 – ⊆ 29 – **80 ch** 130/150 – ½ P 140/195.
Z b

🏨 **Amadeus,** Oldenzaalsestraat 103, ⊠ 7511 DZ, ✆ 35 74 86, Fax 30 43 83 – 📺 ☎ 🚗 🅟. 🆎 ⓪ 🈡 𝓥𝓘𝓢𝓐. 🈂 – **Repas** carte 43 à 83 – ⊆ 15 – **12 ch** 100/125.
Y c

XXX ❀ **Het Koetshuis Schuttersveld** (Böhnke), Hengelosestraat 111, ⊠ 7514 AE, ✆ 32 28 66, Fax 33 39 57, 🍴 – 🅟. 🆎 ⓪ 🈡 𝓥𝓘𝓢𝓐. 🈂
fermé du 1er au 16 août, 23 déc.-10 janv., sam. midi, dim. et lundi – **Repas** Lunch 63 – 90 carte env. 110
V r
Spéc. Tian de St-Jacques, caviar et poireau, Queues de langoustines aux asperges, sauce mousseline d'huîtres (30 avril-26 juin), Filet de bœuf à la purée de pommes de terre aux petits gris, crème à l'ail et persil.

ENSCHEDE

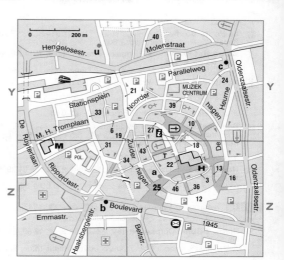

Haverstraatpassage	Z 10
Hendrik Jan van Heekpl.	Z 12
Hengelosestr.	V
Hofpassage	Z 13
Kalanderstr.	Z 16
Langestr.	Z 22
van Loenshof	Z 25
Marktstr.	Y 27
Raadhuisstr.	Z 36
Achter 't Hofje	Z 3
Bisschopstr.	X 4
Blijdensteinlaan	V 6
Brammelerstr.	Y 7
Gronausestr.	X 9
Hlokkenplas	YZ 18
Korte Haaksbergerstr.	YZ 19
Korte Hengelosestr.	Y 21
Lochemstr.	Y 24
Minkaatstr.	X 28
Nijverheidstr.	Z 31
Piet Heinstr.	Z 33
Pijpenstr.	Z 34
Schouwinkstr.	V 37
Stadsgravenstr.	Y 39
Visserijstr.	Y 40
Volksparksingel	X 42
Walstr.	YZ 43
Windbrugstr.	Z 46

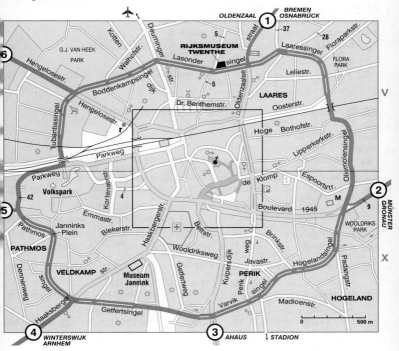

Bediening en belasting

In België, in Luxemburg en in Nederland zijn bediening en belasting bij de prijzen inbegrepen.

XX **La Petite Bouffe,** Deurningerstraat 11, ☒ 7514 BC, ℘ 35 85 91, 😋 – 🖭 ⓸ 🗲 Y u
Repas (dîner seult) carte 55 à 80.

X **Bistro Het Koetshuis,** Hengelosestraat 111, ☒ 7514 AE, ℘ 35 41 02, Fax 33 39 57, 😋
V r
– ☻. 🖭 ⓸ 🗲 *VISA*
fermé du 1ᵉʳ au 16 août, 23 déc.-10 janv., sam. midi, dim. midi et lundi – **Repas** 50.

X **Kaatje van de Wal,** Walstraat 9, ☒ 7511 GE, ℘ 30 17 44, Fax 32 63 22 – 🖭. 🖭 ⓸ 🗲
VISA
Z a
Repas (dîner seult) 48.

à Boekelo par ④ : 8 km © Enschede – ☻ 0 53 :

🏨 **Bad Boekelo** ⌚, Oude Deldenerweg 203, ☒ 7548 PM, ℘ 28 30 05, Fax 28 30 35, 😋,
« Environnement boisé », 😋, 🔲, 🐎, ⚁ – ☻ – 🔏 25 à 350. 🖭 ⓸ 🗲 *VISA*. ⚘
Repas carte env. 55 – **76 ch** ⊆ 120/160, 2 suites – ½ P 120/160.

à Usselo par ① : 4 km © Enschede – ☻ 0 53 :

XX **Hannink's Hof,** Usselerhofweg 5, ☒ 7548 RZ, ℘ 28 31 29, Fax 28 21 29, 😋 – ☻. 🖭 ⓸
fermé 29 déc.-2 janv. – **Repas** *Lunch 38* – carte 60 à 84.

ENTER Overijssel © Wierden 22 811 h. ⒋⓿⒏ ⑬ – ☻ 0 5478.
♦Amsterdam 131 – ♦Zwolle 45 – ♦Apeldoorn 45 – ♦Enschede 33.

X **Bistro T-Bone,** Dorpsstraat 154, ☒ 7468 CS, ℘ 12 59, Fax 27 67, 😋, Grillades – ☻. 🖭
⓸ 🗲 *VISA*. ⚘
fermé mardi, merc. et du 7 au 23 août – **Repas** (dîner seult) carte 66 à 92.

EPE Gelderland ⒋⓿⒏ ⑫ – 33 675 h. – ☻ 0 5780.
🛈 Past. Somstraat 6, ☒ 8162 AK, ℘ 1 26 96, Fax 1 55 81.
♦Amsterdam 97 – ♦Arnhem 44 – ♦Apeldoorn 21 – ♦Zwolle 25.

🏨 **Dennenheuvel,** Heerderweg 27 (N : 2 km), ☒ 8161 BK, ℘ 1 23 26, Fax 2 18 57, 😋, 😋
– 🖭 rest 📺 ☎ ☻ – 🔏 25 à 50. 🖭 ⓸ 🗲 *VISA*
Repas *Lunch 40* – 45/53 – **28 ch** ⊆ 90/160.

XXX **'t Soerel,** Soerelseweg 22 (O : 7 km, direction Nunspeet), ☒ 8162 PB, ℘ 8 82 76,
Fax 8 82 86, 😋 – ☻. 🖭 ⓸ 🗲 *VISA*
fermé lundis non fériés et 31 janv.-27 fév. – **Repas** 60/90.

EPEN Limburg © Wittem 7 780 h. ⒉⒈⒉ ② et ⒋⓿⒏ ㉖ – ☻ 0 4455.
Voir Route de Epen à Slenaken ≤★.
🛈 Julianastraat 15, ☒ 6285 AG, ℘ 13 46, Fax 24 33.
♦Amsterdam 235 – ♦Maastricht 25 – Aachen 15.

🏨 **Zuid Limburg,** Julianastraat 23a, ☒ 6285 AH, ℘ 18 18, Telex 56731, Fax 24 15, ≤, 😋,
🕼, 😋, 🔲, 🐎 – ☻ – 🔏 25 à 60. 🖭 ⓸ 🗲 *VISA*
Repas *(fermé après 20 h 30)* carte 44 à 79 – **23 ch** ⊆ 185/230, 24 suites – ½ P 220.

🏨 **Creusen** ⌚, Wilhelminastraat 50, ☒ 6285 AW, ℘ 12 15, Fax 12 15, ≤, 🐎 – 📳 📺 ☎ ☻.
🖭 🗲 *VISA*. ⚘
mars-25 nov. – **Repas** (dîner pour résidents seult) – **19 ch** ⊆ 102/208 – ½ P 104.

🏨 **Schoutenhof** ⌚, Molenweg 1, ☒ 6285 NJ, ℘ 20 02, Fax 26 05, ≤ campagne vallonnée,
🐎 – 📺 ☎ ☻. 🖭 🗲 *VISA*. ⚘
Repas (dîner pour résidents seult) – **10 ch** ⊆ 110/185 – ½ P 85/130.

🏨 **Ons Krijtland,** Julianastraat 22, ☒ 6285 AJ, ℘ 15 57, Fax 21 45, ≤ – 📳 📺 ☎ ☻. 🗲. ⚘
Repas *(fermé lundi et après 20 h)* *Lunch 25* – carte env. 55 – **32 ch** ⊆ 140/170.

🏨 **Alkema,** Kap. Houbenstraat 12, ☒ 6285 AB, ℘ 13 35, Fax 27 44 – 📳 📺 ☎ ☻. ⓸ 🗲 *VISA*.
⚘ rest
Repas (dîner pour résidents seult) – **16 ch** ⊆ 85/180, 2 suites.

🏨 **Os Heem,** Wilhelminastraat 19, ☒ 6285 AS, ℘ 16 23, Fax 22 85 – 📳 🖭 rest 📺 ☎ ☻ ☻.
🖭 ⓸ 🗲 *VISA* ᴊᴄʙ. ⚘ rest
Repas (dîner pour résidents seult) – **22 ch** ⊆ 88/175 – ½ P 125/145.

🏨 **Berg en Dal,** Roodweg 18, ☒ 6285 AA, ℘ 13 83, Fax 27 05, 😋, 🐎 – 📺 ☎ ☻. 🗲 *VISA*.
⚘ rest
Repas *(fermé jeudi de nov. à avril et après 20 h)* *Lunch 29* – 43/48 – **32 ch** ⊆ 80/125 –
½ P 70/83.

🏨 **De Kroon,** Wilhelminastraat 8, ☒ 6285 AV, ℘ 12 50, Fax 27 15 – 📺 ☎ ☻. 🖭 🗲 *VISA*.
⚘ rest
Repas *(fermé jeudi et après 20 h 30)* *Lunch 30* – carte env. 65 – **18 ch** ⊆ 110/145 –
½ P 88/98.

ESCAUT ORIENTAL (Barrage de l') – voir Oosterscheldedam.

ETTEN-LEUR Noord-Brabant 212 ⑤ et 408 ⑰ – 33 193 h. – ☎ 0 1608.
◆Amsterdam 115 – ◆'s-Hertogenbosch 63 – ◆Antwerpen 59 – ◆Breda 13 – ◆Rotterdam 56.

XXX ❀ **De Zwaan,** Markt 7, ⊠ 4875 CB, ℘ 1 26 96, Fax 1 73 59, « Collection de tableaux » – ▤ – 🏛 25. 🖭 ⓞ ᴇ 𝑽𝑰𝑺𝑨
fermé sam. midi, dim. midi, lundi et 24 juil.-14 août – Repas Lunch 75 – 90/110 carte 74 à 103
Spéc. Tartelette de St-Jacques et truffes, Entrecôte de veau aux petits gris et basilic, Parfait au spéculoos (21 sept-21 mars).

FRANEKER Friesland © Franekeradeel 20 694 h. 408 ④ – ☎ 0 5170.
Voir Hôtel de Ville★ (Stadhuis) – Planetarium★.
🖪 Voorstraat 51, ⊠ 8801 LA, ℘ 9 46 13.
◆Amsterdam 122 – ◆Leeuwarden 17.

🏦 **De Valk,** Hertog van Saxenlaan 78, ⊠ 8802 PP, ℘ 9 80 00, Fax 9 31 11 – 🛗 📺 ☎ ⓺ ⓟ – 🏛 350. 🖭 ⓞ ᴇ 𝑽𝑰𝑺𝑨
Repas Lunch 18 – carte 50 à 64 – **34 ch** ⊇ 90/130 – ½ P 85/95.

X **De Stadsherberg,** Oud Kaatsveld 8, ⊠ 8801 AB, ℘ 9 26 86, Fax 9 80 95, � – 🖭 ⓞ ᴇ 𝑽𝑰𝑺𝑨. 🌫
fermé dern. sem. déc.-1er janv. – Repas carte env. 60.

FREDERIKSOORD Drenthe © Vledder 3 724 h. 408 ⑤ – ☎ 0 5212.
◆Amsterdam 154 – Assen 37 – ◆Groningen 62 – ◆Leeuwarden 62 – ◆Zwolle 44.

🏠 **Frederiksoord,** Maj. van Swietenlaan 20, ⊠ 8382 CG, ℘ 12 34, Fax 15 24, 🍃 – ⓟ. 🖭 ⓞ ᴇ 𝑽𝑰𝑺𝑨
fermé 27 déc.-4 janv. et lundi d'oct. à avril – Repas carte 60 à 97 – **11 ch** ⊇ 75/130 – ½ P 95/105.

GARDEREN Gelderland © Barneveld 44 062 h. 408 ⑫ – ☎ 0 5776.
🖪 Korenmolen (moulin) ''de Hoop'', Oud Milligenseweg 5, ⊠ 3886 MB, ℘ 15 66.
◆Amsterdam 72 – ◆Arnhem 44 – ◆Apeldoorn 20 – ◆Utrecht 54.

🏰 **Résidence Groot Heideborgh** 🌿, Hogesteeg 50 (S : 1,5 km), ⊠ 3886 MA, ℘ 27 00, Fax 28 00, 🌁, 🅵🆂, 🈺, 🔲, 🍃, 🌫 – 🛗 ⇆ 📺 ☎ ⓺ ⓟ – 🏛 25 à 350. 🖭 ⓞ ᴇ 𝑽𝑰𝑺𝑨. 🌫 rest
Repas Lunch 45 – 65/123 – **84 ch** ⊇ 185/239.

🏰 **'t Speulderbos** 🌿, Speulderbosweg 54, ⊠ 3886 AP, ℘ 15 41, Fax 11 24, 🌁, « Dans les bois », 🅵🆂, 🈺, 🔲, 🍃, 🈺 – 🛗 📺 ☎ ⓺ ⓟ – 🏛 25 à 250. 🖭 ⓞ ᴇ 𝑽𝑰𝑺𝑨. 🌫 rest
fermé 31 déc. et 1er janv. – Repas Lunch 43 – 64/119 – **100 ch** ⊇ 165/245, 2 suites – ½ P 119.

🏠 **Anastasius** 🌿, Speulderweg 40, ⊠ 3886 LB, ℘ 12 54, Fax 21 76, 🌁, 🍃 – 📺 ☎ ⓟ – 🏛 25. 🌫 rest
fermé 28 déc.-5 janv. – Repas Lunch 25 – 45/90 – **16 ch** ⊇ 93/135 – ½ P 88.

X **Camposing,** Oud Milligenseweg 7, ⊠ 3886 MB, ℘ 22 88, Cuisine chinoise – ▤ ⓟ. ⓞ ᴇ 𝑽𝑰𝑺𝑨
fermé nov. et lundi sauf en juil.-août – Repas carte 43 à 61.

X **Gasterij Zondag,** Apeldoornsestraat 163 (S : 2 km), ⊠ 3886 MN, ℘ 12 51, Fax 17 33, 🌁 – ⓟ. 🖭 ⓞ ᴇ 𝑽𝑰𝑺𝑨
fermé jeudi et janv.-fév. – Repas 60.

GASSELTE Drenthe 408 ⑥ – 4 232 h. – ☎ 0 5999.
🍃 à Gasselternijveen NE : 4 km, Nieuwe Dijk 1, ⊠ 9514 BR, ℘ (0 5999) 6 46 61.
◆Amsterdam 206 – Assen 25 – ◆Groningen 34.

XX **Gasterie De Wiemel,** Gieterweg 2 (N : 1 km), ⊠ 9462 TD, ℘ 6 47 25, Fax 6 44 43, 🌁 – ⓟ. 🖭 ⓞ ᴇ 𝑽𝑰𝑺𝑨
fermé 31 déc. et 1er janv. – Repas 45.

GEERTRUIDENBERG Noord-Brabant 212 ⑥ et 408 ⑰ – 6 561 h. – ☎ 0 1621.
◆Amsterdam 90 – ◆Breda 20 – ◆Rotterdam 55 – ◆'s-Hertogenbosch 36.

X **Het Weeshuys,** Markt 52, ⊠ 4931 BT, ℘ 1 36 98, Fax 1 60 02, 🌁, Dans une chapelle du 15e s. – 🖭 ⓞ ᴇ 𝑽𝑰𝑺𝑨 ᴊᴄʙ
fermé du 9 au 23 juil. et 27 déc.-1er janv. – Repas carte env. 65.

GEERVLIET Zuid-Holland © Bernisse 12 251 h. 212 ④ 408 ⑯ ㉓– ☎ 0 1887.
◆Amsterdam 93 – ◆Den Haag 41 – ◆Rotterdam 20.

XXX **In de Bernisse Molen,** Spuikade 1, ⊠ 3211 BG, ℘ 12 92, Fax 4 14 46, 🌁, « Moulin du 19e s. » – ⓟ. 🖭 ⓞ ᴇ 𝑽𝑰𝑺𝑨
fermé du 11 au 26 juil., 31 déc.-9 janv., dim. et lundi – Repas Lunch 55 – 63/80.

GELDROP Noord-Brabant 212 ⑱ et 408 ⑱ – 26 555 h. – ✪ 0 40.

◆Amsterdam 137 – ◆'s-Hertogenbosch 49 – Aachen 106 – ◆Eindhoven 6 – Venlo 48.

🏛 **Geldrop,** Bogardeind 219 (près A 67), ⊠ 5664 EG, 𝒫 86 75 10, Telex 51983, Fax 85 57 64, ⌂, 🕿, 🔲, ☎, ✕ – ▐ 🔲 ☎ ⚒ ⅋ ℗ – 🔏 25 à 200. ﷽ ⓞ Ⅼ 𝘝𝘐𝘚𝘈. ✾ rest
Repas Lunch 33 – carte 46 à 75 – � 20 – **134 ch** 120/240, 2 suites.

🏠 **De Gouden Leeuw,** Korte Kerkstraat 46, ⊠ 5664 HH, 𝒫 86 23 93 – ☎ ℗ – 🔏 25 à 60. ﷽ Ⅼ 𝘝𝘐𝘚𝘈
Repas (Brasserie) (fermé dim. et après 20 h) Lunch 24 – 43 – **18 ch** � 50/125.

GELEEN Limburg 212 ① et 408 ⑲ ㉖ – 34 123 h. – ✪ 0 46.

◆Amsterdam 202 – ◆Maastricht 20 – Aachen 33 – ◆Eindhoven 74.

🏠 **Normandie** sans rest, Wolfstraat 7, ⊠ 6162 BB, 𝒫 74 58 83, Fax 75 33 88 – 🔲 ☎. ﷽ ⓞ Ⅼ 𝘝𝘐𝘚𝘈. ✾
20 ch ⊵ 78/108.

🏠 **Bastion** sans rest, Rijksweg Zuid 301, ⊠ 6161 BN, 𝒫 74 75 17, Fax 74 89 33 – 🔲 ☎ ℗. ﷽ ⓞ Ⅼ 𝘝𝘐𝘚𝘈. ✾
40 ch ⊵ 99/113.

✕✕✕ **De Lijster,** Rijksweg Zuid 172, ⊠ 6161 BV, 𝒫 74 39 57, Fax 74 38 38 – ℗. ﷽ ⓞ Ⅼ 𝘝𝘐𝘚𝘈
fermé mardi, sam. midi, dim. midi et sem. carnaval – **Repas** 50/85.

✕✕ **Chez Jean,** Rijksweg Centrum 24, ⊠ 6161 EE, 𝒫 74 22 63 – ﷽ ⓞ Ⅼ 𝘝𝘐𝘚𝘈
fermé lundi et 26 déc.-2 janv. – **Repas** carte 70 à 86.

✕✕ **Stadion** avec ch, Mauritslaan 2, ⊠ 6161 HV, 𝒫 74 36 48, Fax 74 46 32 – 🔲 ☎. ﷽ ⓞ Ⅼ 𝘝𝘐𝘚𝘈. ✾ rest
Repas Lunch 35 – carte env. 55 – **12 ch** ⊵ 75/110 – ½ P 90/110.

GEMERT Noord-Brabant 212 ⑨ et 408 ⑲ – 18 394 h. – ✪ 0 4923.

◆Amsterdam 111 – ◆Eindhoven 25 – ◆Nijmegen 54.

à Handel NE : 3,5 km © Gemert – ✪ 0 4922 :

🏠 **Handelia,** Past. Castelijnsstraat 1, ⊠ 5423 SP, 𝒫 12 90, Fax 38 41, 🔲, 🔛, ✕ – 🔲 ☎ ℗. ✾
fermé 24 déc.-1er janv. – **Repas** (résidents seult) – **9 ch** ⊵ 75/130 – ½ P 80/95.

GEVERIK Limburg 212 ① – voir à Beek.

GIETHOORN Overijssel © Brederwiede 12 157 h. 408 ⑫ – ✪ 0 5216.

Voir Village lacustre★★.

🚩 (fermé dim.) (bateau) Beulakerweg, ⊠ 8355 AM, 𝒫 12 48, Fax 22 81.

◆Amsterdam 135 – ◆Zwolle 28 – Assen 63 – ◆Leeuwarden 63.

🏠 **De Pergola,** Ds. T.O. Hylkemaweg 7, ⊠ 8355 CD, 𝒫 13 21, 😊 – 🔲 ☎ ℗
avril-mi-oct. – **Repas** (Taverne-rest) (fermé après 20 h 30) Lunch 27 – 47 – **15 ch** ⊵ 110.

✕✕ **De Lindenhof,** Beulakerweg 77 (N : 1,5 km), ⊠ 8355 AC, 𝒫 14 44, Fax 14 44, 😊 – ℗. ﷽ ⓞ Ⅼ 𝘝𝘐𝘚𝘈
fermé jeudi, 2 prem. sem. mars et 2 dern. sem. oct. – Repas (dîner seult) 59/99.

GILZE Noord-Brabant © Gilze en Rijen 23 296 h. 212 ⑥ et 408 ⑰ – ✪ 0 1615.

🛏 Bavelseweg 153, ⊠ 5126 NM, 𝒫 (0 1613) 15 31.

◆Amsterdam 105 – ◆Breda 15 – ◆'s-Hertogenbosch 37 – ◆Tilburg 10.

🏛 **Motel Gilze-Rijen,** Klein Zwitserland 8 (près A 58), ⊠ 5126 TA, 𝒫 49 51, Fax 21 71, 😊, ⌂, 🕿, 🔲, ✕ – ▐ 🔲 ☎ ℗ – 🔏 25 à 350. ﷽ ⓞ Ⅼ 𝘝𝘐𝘚𝘈
Repas (ouvert jusqu'à minuit) Lunch 25 – carte 43 à 70 – ⊵ 11 – **141 ch** 100, 4 suites – ½ P 91.

GINNEKEN Noord-Brabant 212 ⑥ et 408 ⑰ – voir à Breda.

GLIMMEN Groningen 408 ⑥ – voir à Haren.

GOEDEREEDE Zuid-Holland 212 ③ et 408 ⑯ – 10 781 h. – ✪ 0 1879.

◆Amsterdam 118 – ◆Den Haag 66 – ◆Middelburg 76 – ◆Rotterdam 49.

✕ **De Gouden Leeuw,** Markt 11, ⊠ 3252 BC, 𝒫 13 71 – ﷽ Ⅼ
fermé du 10 au 31 janv. – **Repas** Lunch 55 – carte 43 à 63.

GOES Zeeland 212 ⑬ et 408 ⑯ – 33 023 h. – ✪ 0 1100.

🚩 Stationsplein 3, ⊠ 4461 HP, 𝒫 2 05 77.

◆Amsterdam 165 ② – ◆Middelburg 22 ③ – ◆Antwerpen 68 ② – ◆Breda 78 ② – ◆Rotterdam 87 ①.

346

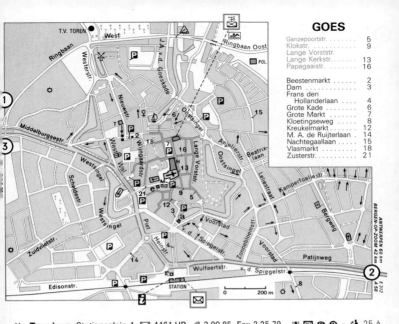

GOES

Ganzepoortstr.	5
Klokstr.	9
Lange Vorstr.	
Lange Kerkstr.	13
Papagaaistr.	16
Beestenmarkt	2
Dam	3
Frans den Hollanderlaan	4
Grote Kade	6
Grote Markt	7
Kloetingseweg	8
Kreukelmarkt	12
M. A. de Ruijterlaan	14
Nachtegaallaan	15
Vlasmarkt	18
Zusterstr.	21

🏨 **Terminus,** Stationsplein 1, ✉ 4461 HP, 𝒫 3 00 85, Fax 3 25 79 – 📲 📺 ☎ 🅿 – 🔏 25 à 100. 🆎 ⓞ 🗄 𝘝𝘐𝘚𝘈, ✀ ch **r**
Repas *(fermé dim.)* Lunch 25 – carte env. 65 – **27 ch** *(fermé dim. d'oct. à mars)* ⬜ 100/125 – ½ P 75/125.

🍴🍴 **Bon Vivant,** Dam 2, ✉ 4461 HV, 𝒫 3 00 66, 🏖, « Terrasse au bord de l'eau » – ▤. 🆎 🗄 𝘝𝘐𝘚𝘈 **a**
fermé lundi et 27 déc.-13 janv. – **Repas** Lunch 53 – 68/88.

🍴🍴 **De Stadsschuur,** Schuttershof 32, ✉ 4461 DZ, 𝒫 1 23 32, Fax 5 02 29, 🏖 – 🆎 ⓞ 🗄 𝘝𝘐𝘚𝘈 **e**
fermé 27 déc.-2 janv. – **Repas** 45/70.

GOIRLE Noord-Brabant 212 ⑦ et 408 ⑱ – voir à Tilburg.

GORINCHEM Zuid-Holland 212 ⑥ ⑦ et 408 ⑰ ⑱ – 30 106 h. – ✆ 0 1830.
🛈 *(fermé dim.)* Zusterhuis 6, ✉ 4201 EH, 𝒫 3 15 25, Fax 3 40 40.
◆Amsterdam 74 – ◆Den Haag 68 – ◆Breda 41 – ◆'s-Hertogenbosch 40 – ◆Rotterdam 42 – ◆Utrecht 41.

🏨 **Gorinchem,** Van Hogendorpweg 10 (O : 2,5 km, près échangeur E 311), ✉ 4204 XW, 𝒫 2 24 00, Fax 2 29 48 – 📺 ☎ 🅿 – 🔏 25 à 150
25 ch.

🏨 **Campanile,** Franklinweg 1 (NE : 2 km, près A 15), ✉ 4207 HX, 𝒫 2 58 77, Fax 2 95 36 – 📺 ☎ 🖧 🅿 – 🔏 25. 🆎 ⓞ 🗄 𝘝𝘐𝘚𝘈
Repas 43 – ⬜ 12 – **53 ch** 94.

🍴🍴 **Merwezicht,** Eind 19, ✉ 4201 CP, 𝒫 6 05 22, Fax 6 09 91, 🏖, « Terrasse, ≤ écluse et la Merwede » – 🆎 ⓞ 🗄 𝘝𝘐𝘚𝘈
fermé sam. midi, dim., Pâques, Ascension, Pentecôte et 27 déc.-8 janv. – **Repas** Lunch 43 – 48/100.

🍴 **Solo,** Zusterhuis 1, ✉ 4201 EH, 𝒫 3 77 90, Fax 3 77 91 – ▤. 🆎 ⓞ 🗄 𝘝𝘐𝘚𝘈
fermé dim. midi – **Repas** Lunch 50 – 69.

GOUDA Zuid-Holland 408 ⑩ – 68 617 h. – ✆ 0 1820.
Voir Le Cœur de la ville★ – Hôtel de Ville★ (Stadhuis) BY H¹ – Vitraux★★★ de l'église St-Jean★ (St. Janskerk) BY A.
Musée : municipal (Stedelijk Museum) Het Catharina Gasthuis★ BY M¹.
Env. Étangs de Reeuwijk★ (Reeuwijkse Plassen) par ① – de Gouda à Oudewater route de digue ≤★ par Goejanverwelledijk BZ.
🛈 *(fermé dim.)* Markt 27, ✉ 2801 JJ, 𝒫 1 36 66, Fax 8 32 10.
◆Amsterdam 53 ④ – ◆Den Haag 30 ④ – ◆Rotterdam 23 ③ – ◆Utrecht 36 ④.

347

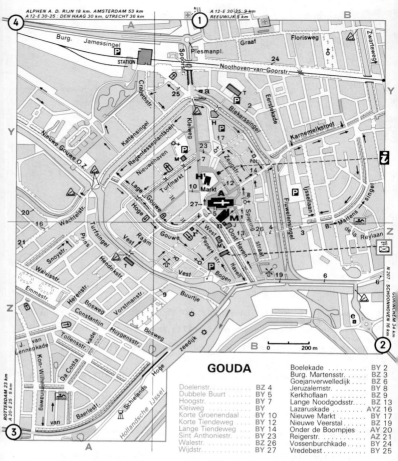

GOUDA

Doelenstr.	BZ 4
Dubbele Buurt	BY 5
Hoogstr.	BY 7
Kleiweg	BY
Korte Groenendaal	BY 10
Korte Tiendeweg	BY 12
Lange Tiendeweg	BY 14
Sint Anthoniestr.	BZ 23
Walestr.	BZ 26
Wijdstr.	BY 27

Boelekade	BY 2
Burg. Martensstr.	BZ 3
Goejanverwelledijk	BZ 6
Jeruzalemstr.	BY 8
Kerkhoflaan	BZ 9
Lange Noodgodsstr.	BZ 13
Lazaruskade	AYZ 16
Nieuwe Markt	BY 17
Nieuwe Veerstal	BZ 19
Onder de Boompjes	AY 20
Reigerstr.	AZ 21
Vossenburchkade	BY 24
Vredebest	BY 25

🏠 **Campanile,** Kampenringweg 39 (par ④ : 3 km près A 12), ⊠ 2803 PE, ℰ 3 55 55, Telex 20014, Fax 7 15 75, ☎ – 📶 📺 ☎ ℗ – 🔏 30. 🖭 ⓞ 🗲 🎟 🆓
Repas (fermé 24 déc. soir) 43 – � 12 – **75 ch** 94 – ½ P 131/144.   AY

XX **Rôtiss. l'Etoile,** Blekerssingel 1, ⊠ 2806 AA, ℰ 1 22 53, Fax 1 22 53, ☎ – 🔏 80. 🖭 ⓞ
🗲 🎟 – fermé dim. et lundi – **Repas** Lunch 45 – carte 68 à 98.   BY **a**

XX **Jean Marie,** Oude Brugweg 4, ⊠ 2808 NP, ℰ 1 62 62, ☎ – ℗. 🖭 ⓞ 🗲 🎟   BZ **e**
fermé dim., lundi et 25 juil.-14 août – **Repas** Lunch 48 – 60.

XX **La Grenouille,** Oosthaven 20, ⊠ 2801 PC, ℰ 1 27 31 – 🔳. 🖭 ⓞ 🗲 🎟   BZ **n**
fermé jeudi et 15 juil.-10 août – **Repas** (dîner seult) – 70/85.

XX **Brunel,** Hoge Gouwe 23, ⊠ 2801 LA, ℰ 1 89 79, Fax 8 60 08 – 🖭 ⓞ 🗲 🎟, 🛇 BZ **r**
fermé 24 et 31 déc. – **Repas** (dîner seult) 59.

X **De Zes Sterren,** Achter de Kerk 14 (dans le musée municipal **M¹**), ⊠ 2801 JX, ℰ 1 60 95,
☎, Avec cuisine traditionnelle hollandaise – 🔳. 🖭 ⓞ 🗲 🎟   BY
fermé dim., lundi et 3 sem. en juil. – **Repas** Lunch 45 – carte 68 à 88.

à Reeuwijk par ① : 6 km – 12 795 h. – 😊 0 1829 :

XX **D'Ouwe Stee,** 's Gravenbroekseweg 80, ⊠ 2811 GG, ℰ 40 08, Fax 51 92, ☎, « Intérieur
vieil hollandais et terrasse au bord de l'eau » – 🔳 ℗. 🖭 ⓞ 🗲 🎟
fermé mardi – **Repas** Lunch 60 – carte 70 à 95.

Die aktuellsten Informationen finden Sie im Michelin-Führer des laufenden Jahres.

GRAVE Noord-Brabant 212 ⑨ et 408 ⑲ – 10 819 h. – ۞ 0 8860.
◆Amsterdam 115 – ◆'s-Hertogenbosch 33 – ◆Eindhoven 47 – ◆Nijmegen 15.

XX **De Stadspoort,** Maasstraat 22, ⊠ 5361 GG, ℰ 7 59 75, Fax 7 59 75 – AE E VISA. ﷽
fermé lundi et 3 sem. carnaval – **Repas** carte env. 75.

X **Het Wapen van Grave,** Arnoud van Gelderweg 61, ⊠ 5361 CV, ℰ 7 32 68, 斎 – P. AE
ⓄⒹ E VISA
fermé lundi, 26 juin-13 juil. et du 17 au 23 fév. – **Repas** Lunch 46 – carte env. 60.

's-GRAVELAND Noord-Holland 408 ⑪ – voir à Hilversum.

's-GRAVENHAGE P Zuid-Holland – voir Den Haag.

's-GRAVENZANDE Zuid-Holland 408 ⑨ ㉓ – 18 845 h. – ۞ 0 1748.
◆Amsterdam 77 – ◆Den Haag 17 – ◆Rotterdam 30.

XX **De Spaansche Vloot,** Marktplein 1, ⊠ 2691 BD, ℰ 1 24 95, Fax 1 71 24 – P. AE ⓄⒹ E
VISA
fermé 2 dern. sem. juil. et dim. sauf en mai-juin – **Repas** 43/78.

X **Hoeve de Viersprong,** Nieuwlandsedijk 10 (SO : 1 km), ⊠ 2691 KW, ℰ 1 33 22, Fax 1 77 24,
斎 – ▤ P. ﷽

HOLLANDE
Un guide Vert Michelin

Paysages, Monuments
Routes touristiques
Géographie
Histoire, Art
Plans de villes et de monuments

GROEDE Zeeland 🄲 Oostburg 17 869 h. 212 ⑫ et 408 ⑮ – ۞ 0 1171.
◆Amsterdam 209 – ◆Middelburg (bac) 12 – ◆Antwerpen 89 – ◆Brugge 33 – Knokke-Heist 22.

🏠 **Het Vlaemsche Duyn** ﹥, Gerard de Moorsweg 4, ⊠ 4503 PD, ℰ 12 10, Fax 17 28, 斎,
﷽ – ☎ P. ﷽
fermé janv. – **Repas** *(fermé lundi hors saison)* carte 49 à 64 – **14 ch** ⊇ 65/130 – ½ P 98.

GROESBEEK Gelderland 212 ⑨ et 408 ⑲ – voir à Nijmegen.

GRONINGEN P 408 ⑥ – 170 038 h. – ۞ 0 50 – Casino Z, Gedempte Kattendiep 150
ℰ 12 34 00, Fax 12 98 31.

Voir Goudkantoor★ Z A – Tour★ (Martinitoren) de l'église St-Martin (Martinikerk) Z.
Musée : maritime du Nord★ (Noordelijk Scheepvaartmuseum) Z **M¹.**

Env. Les églises rurales★ par ②: Loppersum (fresques★ dans l'église) – par ②: Zeerijp (coupoles★
dans l'église) – par ⑦: Uithuizen : château Menkemaborg★★ – par ⑥ Leens : buffet d'orgues★
dans l'église St-Pierre (Petruskerk).

Exc. par ② à Garmerwolde : église★.

🄑₈ à Glimmen (Haren) par ④ : 12 km, Pollselaan 5, ⊠ 9756 GJ, ℰ (0 5906) 20 04.

✈ à Eelde par ④ : 12 km ℰ (0 5907) 9 34 00.

🚂 (départs de 's-Hertogenbosch) ℰ 12 27 55 et 12 93 38.

🄑 (fermé dim. et jours fériés) Gedempte Kattendiep 6, ⊠ 9711 PN, ℰ 0 6-32 02 30 50, Fax 13 63 58.
◆Amsterdam 181 ⑤ – Bremen 181 ③ – ◆Leeuwarden 59 ⑥.

Plans pages suivantes

🏦 **Mercure,** Expositielaan 7 (S : 2 km près N 7), ⊠ 9727 KA, ℰ 25 84 00, Fax 27 18 28, ﷽,
▨ – ▤ ﷽ ▥ ☎ P – 🄐 30 à 60. AE ⓄⒹ E VISA. ﷽ rest   X **v**
Repas Lunch 38 – carte 57 à 85 – ⊇ 18 – **156 ch** 140/220, 2 suites – ½ P 165/220.

🏦 **Martini,** Donderslaan 156 (S : 2 km près N 7), ⊠ 9728 KX, ℰ 25 20 40, Fax 26 21 09 – ▤
﷽ ▥ ☎ ₠ P – 🄐 25 à 200. AE ⓄⒹ E VISA. ﷽ ch   X **y**
Repas *(fermé dim. midi)* carte env. 50 – **58 ch** ⊇ 115/165 – ½ P 80/100.

🏦 **Schimmelpenninck Huys,** Oosterstraat 53, ⊠ 9711 NR, ℰ 18 95 02, Fax 18 31 64, 斎,
« Maison classée » – ▥ ☎. AE ⓄⒹ E VISA   Z **h**
Repas Lunch 38 – 50/78 – **6 ch** ⊇ 175/200 – ½ P 125/138.

🏠 **Aub. Corps de Garde,** Oude Boteringestraat 74, ⊠ 9712 GN, ℰ 14 54 37, Fax 13 63 20
– ▥ ☎ P. AE ⓄⒹ E VISA   Y **n**
Repas *(fermé lundi)* (dîner seult) 68 – **8 ch** ⊇ 155/180 – ½ P 183.

🏠 **Bastion** sans rest, Bornholmstraat 99 (par ③: 5 km), ⊠ 9723 AW, ℰ 41 49 77, Fax 41 30 12
– ▥ ☎ P. AE ⓄⒹ E VISA. ﷽ – **40 ch** ⊇ 119/133.

349

GRONINGEN

Asingastraat	X	6
Emmaviaduct	X	13
Europaweg	X	16
Helperbrink	X	19
Helperzoom	X	21
Hoendiep	X	24
van Iddekingeweg	X	25
Ieperlaan	X	27
Julianaplein	X	28
Julianaweg	X	30
Kastanjelaan	X	31
Metaallaan	X	36
Noorderstationsstr.	X	40
Oosterhamriklaan	X	42
Overwinningsplein	X	48
Paterswoldseweg	X	49
Pleiadenlaan	X	52
Prof. Dr. J. C. Kapteijnlaan	X	54
Sontweg	X	61
Sumatralaan	X	64
Weg der Verenigde Naties	X	69
Winsumerweg	X	73
Zonnelaan	X	75

XX ✿ **Muller** (Hengge), Grote Kromme Elleboog 13, ⊠ 9712 BJ, 𝒫 18 32 08, Fax 12 58 76 – ⁂ AE ⓪ E VISA JCB   Z c
fermé dim., lundi, 30 juil.-21 août et 21 janv.-5 fév. – **Repas** (dîner seult) 65/98
Spéc. Gratin de langoustines, Rognonnade d'agneau dans son propre jus, Grand dessert.

XX **De Pauw,** Gelkingestraat 52, ⊠ 9711 NE, 𝒫 18 13 32, Fax 13 34 63 – ▤ AE ⓪ E VISA
fermé 31 déc.-11 janv. et lundi et mardi en juil.-août – **Repas** (dîner seult) 58/68.   Z e

XX **Ganga,** Carolieweg 11, ⊠ 9711 LP, 𝒫 13 32 20, Fax 13 34 80, Cuisine indienne – AE ⓪ E VISA
Repas (dîner seult jusqu'à 23 h) carte env. 50.   Z f

XX **De Coendersborg,** Coendershaag 1 (SE : 3 km par Hereweg), ⊠ 9722 LS, 𝒫 25 44 00, Fax 26 62 28, ⌖, « Jardin » – ❷. AE ⓪ E VISA   X d
fermé sam., dim., jours fériés, 24 juil.-13 août et 24 déc.-2 janv. – **Repas** (déjeuner seult) 50/75.

XX **Passe Pierre,** Gedempte Kattendiep 15, ⊠ 9711 PL, 𝒫 14 39 86 – AE ⓪ E VISA   Z m
fermé dim., 3 sem. vacances bâtiment et 27 déc.-3 janv. – **Repas** (dîner seult jusqu'à 23 h) carte env. 90.

X **De Benjamin,** Nieuwe Kijk in 't Jatstraat 25, ⊠ 9712 SC, 𝒫 14 00 98, Fax 13 15 13, ⌖ – E. ⌖   Y k
fermé du 1er au 21 août, 27 déc.-1er janv., dim. et lundi – **Repas** (dîner seult) carte 51 à 80.

à Aduard par ⑥ : 6 km ⒸZuidhorn 17 372 h. – ☯ 0 5903 :

🏠 **Aduard,** Friesestraatweg 13 (sur N 355), ⊠ 9831 TB, 𝒫 14 00, Fax 12 16 – �📺 ☎ ❷ – 🔼 80. AE ⓪ E VISA   ⌖ rest
Repas *Lunch* 35 – carte 43 à 75 – **22 ch** ⇌ 38/135 – ½ P 50/185.

XXX ✿ **Herberg Onder de Linden** (Slenema) ❧ avec ch, Burg. van Barneveldweg 3, ⊠ 9831 RD, 𝒫 14 06, Fax 18 14, ⌖, « Auberge ancienne » – 📺 ☎ ❷. AE ⓪ E VISA
fermé sam. midi, dim., lundi, 24 juil.-3 août et du 1er au 9 janv. – **Repas** *Lunch* 68 – 75/90 carte env. 100 – **5 ch** ⇌ 110/160 – ½ P 178/210
Spéc. Tartelette au saumon et barbue, sauce ciboulette, Ris de veau croquant à la potée de scarole, Filet pur sur lit de poireaux, sauce moutarde.

à Paterswolde S : 5 km par Paterswoldseweg X Ⓒ Eelde 10 674 h. – ☯ 0 5907 :

🏨 **'t Familiehotel,** Groningerweg 19, ⊠ 9765 TA, 𝒫 9 54 00, Fax 9 11 57, ⌖s, ▨, ⌖, ⌖ – ⌖ ⌖ 📺 ☎ ❷ – 🔼 80 à 250. AE ⓪ E VISA. ⌖ rest
fermé 28 déc.-2 janv. – **Repas** *Lunch* 48 – 58/68 – **76 ch** ⇌ 260/310, 2 suites – ½ P 158/208.

GRONINGEN

Grote Markt	Z	
Herestraat	Z	
Oosterstraat	Z	
Oude Boteringestr.	Z	45
Oude Ebbingestr.	Y	46
Vismarkt	Z	67
A-Kerkhof	Z	3

A-Straat	Z	4
de Brink	Z	7
Brugstraat	Z	9
Eeldersingel	Z	10
Eendrachtskade	Z	12
Emmaviaduct	Z	13
Gedempte Zuiderdiep	Z	18
Lopende Diep	Y	33
Martinikerkhof	Z	34
Noorderhaven N. Z.	Y	37
Noorderhaven Z. Z.	Z	39

Ossenmarkt	Y	43
Paterswoldseweg	Z	49
Rademarkt	Z	55
Radesingel	Z	57
Schuitendiep	Z	58
St. Jansstraat	Z	60
Spilsluizen	Y	63
Verlengde Oosterstr.	Z	66
Westerhaven	Z	70
Westersingel	Z	72
Zuiderpark	Z	76

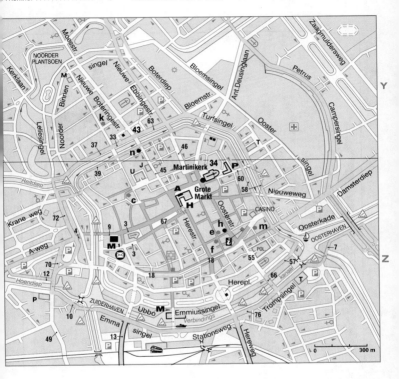

La carte Michelin 409 à 1/350 000 (1 cm = 3, 5 km)
donne, en une feuille, une image complète de la Belgique et du Luxembourg.

Elle présente en outre des agrandissements détaillés
des régions de Bruxelles, d'Anvers, de Liège et une nomenclature des localités.

GRONSVELD Limburg © Eijsden 11 551 h. 212 ① et 408 ㉖ – ✪ 0 4408.
♦Amsterdam 217 – Aachen 31 – ♦Maastricht 7.

XXX **De Keizerskroon,** Europapark 1, ⊠ 6247 AX, ℘ 15 32, Fax 35 55, 斎, « Terrasse avec
≼ jardin fleuri » – ▤ ℗. 碇 ⑩ ⋿ VISA. ⋘
fermé lundi, 24 déc. et 1er janv. – **Repas** 50/85.

GROUW (GROU) Friesland © Boarnsterhim 17 784 h. 408 ⑤ – ✪ 0 5662.
🛈 Doorbraak 4, ⊠ 9001 AL, ℘ 13 33 Fax 13 99.
♦Amsterdam 140 – ♦Groningen 71 – ♦Leeuwarden 15 – ♦Zwolle 82.

🏠 **Oostergoo,** Nieuwe Kade 1, ⊠ 9001 AE, ℘ 13 09, ≼ – ☎ ℗ – 🔏 25 à 100. ⋿ VISA. ⋘ rest
fermé du 17 au 31 oct. et 19 déc.-2 janv. – **Repas** carte 49 à 79 – **16 ch** ⊇ 85/145 –
½ P 100/140.

351

Den Haag

P Zuid-Holland 408 ⑨ – 444 661 h. – ✪ 0 70.

Voir Binnenhof★ : salle des Chevaliers★ (Ridderzaal) JY – Étang de la Cour (Hofvijver) ≼★ HJY – Lange Voorhout★ HJX – Madurodam★ ET – Scheveningen★★.

Musées : Mauritshuis★★★ JY – Galerie de peintures Prince Guillaume V★ (Schilderijengalerij Prins Willem V) HY M² – Panorama Mesdag★ HX – Musée Mesdag★ EU – Municipal★★ (Gemeentemuseum) DEU – Bredius★ JY.

┎9 Lindelaan 7 ✉ 2267 BL à Leidschendam (CR) ℰ (070) 395 45 56 – ┎18 Delfweg 59 ✉ 2289 AL à Rijswijk (CR) ℰ (0 70) 399 50 40 – ┎18 Groot Haesebroekseweg 22 ✉ 2243 EC à Wassenaar NE : 11 km ℰ (0 1751) 7 96 07 – ┎9 Hoge klei 1 ✉ 2243 XZ à Wassenaar NE : 11 km ℰ (0 1751) 1 78 46.

✈ Amsterdam-Schiphol NE : 37 km ℰ (0 20) 601 91 11 – Rotterdam-Zestienhoven SE : 17 km ℰ (0 10) 446 34 44.

🚊 (départs de 's-Hertogenbosch) ℰ 347 02 28 et 06 92 96.

🛈 Kon. Julianaplein 30. ✉ 2595 AA. ℰ 06-34 03 50 51, Fax 347 21 02.

◆Amsterdam 55 ② - ◆Bruxelles 182 ④ - ◆Rotterdam 24 ④ – Delft 13 ④.

Plans de Den Haag
Agglomération .... p. 2 et 3
Den Haag – Plan général .... p. 4 et 5
Den Haag Centre .... p. 6
Scheveningen .... p. 7
Liste alphabétique des hôtels et des restaurants .... p. 8
Nomenclature des hôtels et des restaurants
Den Haag .... p. 9 et 10
Scheveningen .... p. 10 et 11
Périphérie et environs .... p. 11

RÉPERTOIRE
DES RUES DU PLAN
DE DEN HAAG

Denneweg . . . . p. 6 JX
Hoogstr. . . . . p. 6 HY
Korte Poten . . . . p. 6 JY   54
Lange Poten . . . . p. 6 JY
Noordeinde . . . . p. 6 HXY
Paleispromenade . . . . p. 6 HY   81
de Passage . . . . p. 6 HY   85
Spuistr. . . . . p. 6 JYZ
Venestr. . . . . p. 6 HYZ
Vlamingstr. . . . . p. 6 HZ   114
Wagenstr. . . . . p. 6 JZ

Alexanderstr. . . . . . . p. 6 HX
van Alkemadelaan . . p. 3 BQ
Amaliastr. . . . . p. 6 HX   3
Amsterdamse
Veerkade . . . . p. 6 JZ   4
Anna Paulownastr. . . p. 5 FU   6
Annastr. . . . . p. 6 HY   7
Ary
van der Spuyweg . p. 4 ETU   9
Badhuiskade . . . . . . p. 7 DS   10
Badhuisweg . . . . p. 7 ES
Bankastr. . . . . p. 5 FTU
Beatrixlaan . . . . p. 5 GU
Beeklaan . . . . p. 4 DUV
Belgischepl. . . . . p. 7 ES
Benoordenhoutseweg . p. 5 GTU
Binckhorstlaan . . . . . p. 5 GV
Bleijenburg . . . . p. 6 JY   12
Boekhorststr. . . . . . . p. 6 HZ
van Boetzelaerlaan . . p. 4 DU   13
Breedstr. . . . . p. 6 HY
Buitenhof . . . . p. 6 HY
Buitenom . . . . p. 6 FV
Burg. de Monchyplein . p. 5 FU   15
Burg. Patijnlaan . . . . p. 5 FU
Carnegielaan . . . . . . p. 4 EU   18
Conradkade . . . . p. 4 DEU
Delftselaan . . . . p. 4 EV
Dierenselaan . . . . . . p. 4 EV
Dr. Kuyperstr. . . . . . . p. 5 FU   19
Dr. Lelykade . . . . p. 7 DT
Dr. de Visserpl. . . . . . p. 7 DS   21
Doornstr. . . . . p. 7 DT
Drie Hoekjes . . . . . . p. 6 HY   22
Duinstr. . . . . p. 7 DT
Duinweg . . . . p. 7 ET
Dunne Bierkade . . . . p. 6 JZ
Eisenhowerlaan . . . . p. 4 DET
Elandstr. . . . . p. 4 EUF
Erasmusweg . . . . . . p. 2 AR
Escamplaan . . . . p. 2 AR
Fahreneitstr. . . . . . . p. 4 DUV
Fluwelen Burgwal . . . p. 6 JY   24
Frankenslag . . . . p. 7 DT
Fred. Hendriklaan . . . p. 7 DT
Geest . . . . p. 6 HY
Gentsestr. . . . . p. 7 ES
Gevers Deynootplein . p. 7 ES   27
Gevers Deynootstr. . . p. 7 ES   28
Gevers Deynootweg . . p. 7 DES
Goeverneurlaan . . . . p. 3 BR
Goudenregenstr. . . . . p. 4 DV
Groen
van Prinstererlaan . p. 2 AR   30
Groene Wegje . . . . . p. 6 JZ   31
Groenmarkt . . . . p. 6 HZ
Groot
Hertoginnelaan . . . p. 4 DEU
Grote Marktstr. . . . . . p. 6 HJZ
Haringkade . . . . p. 7 EST
Harstenhoekweg . . . . p. 7 ES
Herengracht . . . . p. 6 JY
Hobbemastr. . . . . . . p. 5 FV
Hoefkade . . . . p. 5 FV
Hofweg . . . . p. 6 HJY
Hofzichtlaan . . . . p. 3 CQ
van Hogenhoucklaan . p. 5 FT
Hogewal . . . . p. 6 HX
Hooikade . . . . p. 6 JX   33
Houtmarkt . . . . p. 6 JZ
Houtrustweg . . . . . . p. 4 DU
Houtwijklaan . . . . . . p. 2 AR   34
Houtzagerssingel . . . p. 5 FV
Hubertusviaduct . . . . p. 5 FT
Huygenspark . . . . . . p. 6 JZ
Jacob Catslaan . . . . . p. 4 EU
Jacob Catsstr. . . . . . p. 5 FV

Jacob Pronkstr. . . . . . p. 7 DS   36
Jan Hendrikstr. . . . . . p. 6 HZ
Jan
van den Heydenstr. . p. 3 BR   39
Jan
van Nassaustr. . . . . p. 5 FU
Javastr. . . . . p. 5 FU
Johan de Wittlaan . . . p. 4 ETU   40
Jozef Israëlslaan . . . . p. 5 GU
Juliana van Stolberglaan . p. 5 GU   42
Jurrian Kokstr. . . . . . p. 7 DS
Kalvermarkt . . . . p. 6 JY
Kanaalweg . . . . p. 7 ET
Kazernestr. . . . . p. 6 HJ
Keizerstr. . . . . p. 7 DES
Kempstr. . . . . p. 5 EV
Kijkduinsestr. . . . . . . p. 2 AR   43
Kneuterdijk . . . . p. 6 HY   45
Koningin
Emmakade . . . . . . p. 4 EUV

Koningin Julianaplein . p. 5 GU   48
Koningin Marialaan . . p. 5 GU   51
Koninginnegracht . . . p. 5 FTU
Koningspl. . . . . p. 4 EU
Koningstr. . . . . p. 5 FV
Korte Molenstr. . . . . . p. 6 HY   52
Korte Vijverberg . . . . p. 6 JY   55
Kranenburgerweg . . . p. 4 DU
Laan Copes
van Cattenbuech . . p. 5 FU   57
Laan
van Eik en Duinen . . p. 4 DV
Laan
van Meerdervoort . . p. 4 DVE
Laan van Nieuw Oost Indie . p. 5 GU
Landscheidingsweg . . p. 3 BQ
Lange Houtstr. . . . . . p. 6 JY
Lange Vijverberg . . . . p. 6 HJY   60
Lange Voorhout . . . . p. 6 JX
Leidsestraatweg . . . . p. 3 BCQ

Lekstr.	p. 5	GV
Leyweg	p. 2	AR
Lisztstr.	p. 2	AR 63
Loevesteinlaan	p. 2	AR
Loosduinsekade	p. 4	DEV
Lozerlaan	p. 2	AR
Lutherse Burgwal	p. 6	HZ 64
Maanweg	p. 3	CR 66
Machiel Vrijenhoeklaan	p. 2	AR 67
Mauritskade	p. 6	HX
Melis Stokelaan	p. 2	AR
Meppelweg	p. 2	AR
Mercuriusweg	p. 5	GV
Middachtenweg	p. 3	BR 69
Mient	p. 4	DV
Moerweg	p. 3	BR
Molenstr.	p. 6	HY 70
Monsterstr.	p. 4	EV
van Musschenbroek straat	p. 3	BR 72

Muzenstr.	p. 6	JY
Nassauplein	p. 5	FU
Neherkade	p. 5	GV
Nieboerweg	p. 4	DU
Nieuwe Duinweg	p. 7	ES 73
Nieuwe Parklaan	p. 7	EST
Nieuwe Schoolstr.	p. 6	HJX 75
Nieuwestr.	p. 6	HZ
Nieuweweg	p. 2	AR
Noord West Buitensingel	p. 4	EV 76
Noordwal	p. 4	EFU
Ockenburghstr.	p. 2	AR 78
Oostduinlaan	p. 5	FT
Oranjeplein	p. 5	FV
Oranjestr.	p. 6	HX
Oude Haagweg	p. 2	AR
Oude Haagweg	p. 4	DV
Paleisstr.	p. 6	HXY 82
Papestr.	p. 6	HY 84

Parallelweg	p. 5	FGV
Parkstr.	p. 6	HX
Paul Krugerlaan	p. 4	EV
Paviljoensgracht	p. 6	JZ
Piet Heinstr.	p. 4	EUF
Pisuissestr.	p. 2	AR 87
Plaats	p. 6	HY
Plein	p. 6	JY
Plein 1813	p. 6	HX
Plesmanweg	p. 5	FT
Pletterijkade	p. 5	GV 88
President Kennedylaan	p. 4	DU
Prins Bernhard viaduct	p. 5	GU
Prins Hendrikpl.	p. 4	EU
Prins Hendrikstr.	p. 4	EU
Prins Mauritslaan	p. 7	DT 93
Prins Willemstr.	p. 7	DT 94
Prinsegracht	p. 6	HZ
Prinsessegracht	p. 6	JXY

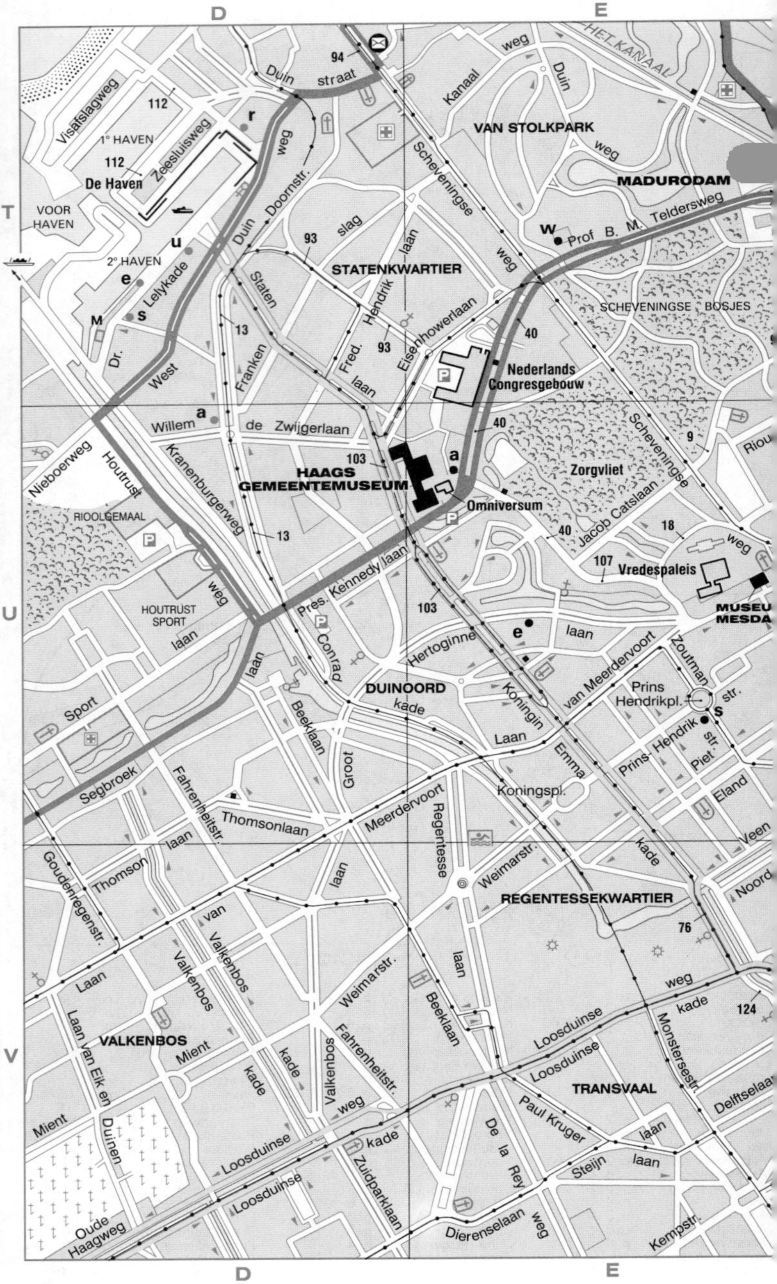

D · E

Duin straat 94

Kanaal weg · HET KANAAL

112 · 1° HAVEN
Visafslagweg
Zeesluisweg
112 · De Haven
r
VAN STOLKPARK
Duin weg
MADURODAM
Prof. B. M. Teldersweg · W

VOOR HAVEN · T

Duin weg
Doornstr.
slag
93
STATENKWARTIER
Scheveningse weg
SCHEVENINGSE BOSJES

u · 2° HAVEN
Lelykade
e
M · s
Dr. · West
Staten
Franken
Fred. laan
Hendrik laan
93
Eisenhowerlaan
40
Nederlands Congresgebouw
9 · Riou

13

Willem · a
de Zwijgerlaan
a
40
Zorgvliet
Scheveningse weg

Nieboerweg
Houtrust
Kranenburgerweg
103
HAAGS GEMEENTEMUSEUM
Omniversum
Jacob Catslaan
18
weg

RIOOLGEMAAL
13
P
40
107
Vredespaleis
MUSEU MESDA

HOUTRUST SPORT
laan
Pres. Kennedylaan
103
Hertoginne
e · laan
van Meerdervoort
Zoutman
Prins Hendrikpl.
Prins Hendrik · S · str.
Piet

U

Sport
Conrad
DUINOORD
kade
Koningin
Emma
Laan
Eland
Veen · Noord

Segbroek
Fahrenheitstr.
Thomsonlaan
Groot
Beeklaan
Meerdervoort
Regentesse
Koningspl.
Koningin
Weimarstr.
REGENTESSEKWARTIER
76

Goudenregenstr.
Thomson · laan
van
Valkenbos
Weimarstr.
Fahrenheitstr.
laan
Beeklaan
weg
kade
124

V · VALKENBOS
Mient
Valkenbos
kade
weg
kade
Loosduinse
Loosduinse
TRANSVAAL
Delftselaan

Mient
Laan van Eik en Duinen
Oude Haagweg
Loosduinse
Loosduinse · kade
Zuidparklaan
Paul Kruger
De la Rey
Steijn
laan
Dierenselaan weg
Kempstr.

D · E

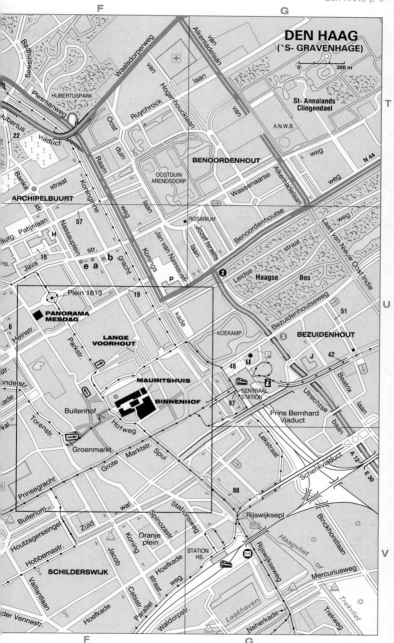

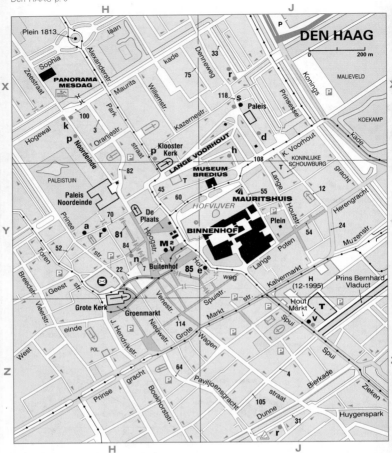

DEN HAAG

0   200 m

RÉPERTOIRE DES RUES DU PLAN DE DEN HAAG (SUITE)

Prinsestr. . . . . p. 6 HY
Prof. B. M.
  Teldersweg . . . . . . p. 4 ET
Raamweg . . . . p. 5 FTU
Regentesselaan . . . . p. 4 EUV
Rijnstr. . . . . p. 5 GU 97
Rijswijksepl. . . . . . . p. 5 GV
Rijwijkseweg . . . . . . p. 5 GV
Riouwstr. . . . . p. 4 EUF
Ruychrocklaan . . . . p. 5 FGT
de Savornin
  Lohmanlaan . . . . . p. 2 AR 99
Schenkkade . . . . . . p. 3 BCR
Schenkviaduct . . . . p. 5 GV
Scheveningseveer . . p. 6 HX 100
Scheveningseweg . . p. 4 TEU
Segbroeklaan . . . . . p. 4 DU
Soestdijksekade . . . p. 2 AR 102
Sophialaan . . . . p. 6 HX
Spinozastr. . . . . p. 5 FV
Sportlaan . . . . p. 2 AR
Spui . . . . p. 6 JZ
Stadhouderslaan . . . p. 4 DEU 103
Statenlaan . . . . p. 7 DT

Stationsweg . . . . . . p. 5 FGV
Steijnlaan . . . . p. 4 EV
Stevinstr. . . . . p. 7 ES
Stille Veerkade . . . . p. 6 JZ 105
Strandweg . . . . p. 7 DS
Thomsonlaan . . . . . p. 4 DUV
Thorbeckelaan . . . . p. 2 AR 106
Tobias Asserlaan . . p. 4 EU 107
Torenstr. . . . . p. 6 HY
Tournooiveld . . . . . . p. 6 JXY 108
Trekweg . . . . p. 5 GV
Troelstrakade . . . . . p. 3 BR 109
Utrechtsebaan . . . . p. 5 GUV
Vaillantlaan . . . . p. 5 FV
Valkenboskade . . . . p. 4 DV
Valkenboslaan . . . . p. 4 DV
Veenkade . . . . p. 5 EUV
van der Vennestr. . . p. 5 FV
Visafslagweg . . . . . p. 7 DT
Visserhavenstr . . . . p. 7 DS 110
Visserhavenweg . . . p. 7 DT 112
Vleerstr. . . . . p. 6 HZ
Volendamlaan . . . . . p. 2 AR 115
Vondelstr. . . . . p. 5 FU

Vos in Tuinstr. . . . . . p. 6 JX 118
Vreeswijkstr. . . . . . . p. 2 AR 120
Waalsdorperweg . . . p. 5 FT
Waldorpstr. . . . . p. 5 FGV
Wassenaarseweg . . p. 5 GT
Wassenaarsestr. . . . p. 7 DS 121
Weimarstr. . . . . p. 4 DEV
West Duinweg . . . . p. 7 DT
Westeinde . . . . p. 6 HZ
Willem de Zwijgerlaan . p. 4 DU
Willemstr. . . . . p. 6 HX
Zeesluisweg . . . . . . p. 7 DT
Zeestr. . . . . p. 6 HX
Zieken . . . . p. 6 JZ
Zoutkeetsingel . . . . p. 4 EV 124
Zoutmanstr. . . . . . . p. 4 EU
Zuidparklaan . . . . . p. 4 DV
Zuidwal . . . . p. 5 FV
Zwolsestr. . . . . p. 7 ES

LEIDSCHENDAM

Heuvelweg . . . . p. 3 CQ
Koningin
  Julianaweg . . . . . p. 3 CQ 49

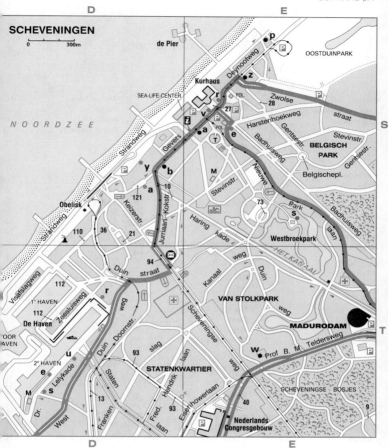

RÉPERTOIRE DES RUES DU PLAN DE DEN HAAG (FIN)

Noordsingel . . . . p. 3 CQ
Oude Trambaan . . . p. 3 CQ 79
Voorburgseweg . . . . p. 3 CQ 117
Westvlietweg . . . . . . p. 3 CR

RIJSWIJK

Burg. Elsenlaan . . . . p. 3 BR 16
Delftweg . . . . p. 3 BR
Geestbrugweg . . . . . p. 3 BR 25
Gen. Spoorlaan . . . . p. 3 BR
Haagweg . . . . p. 3 BR

Jan Thijssenweg . . . . p. 3 CR 37
Lindelaan . . . . p. 3 BR 61
Prinses
  Beatrixlaan . . . . p. 3 BR
Schaapweg . . . . p. 3 BR
Sir Winston
  Churchilllaan . . . . . p. 3 BR

VOORBURG

Koningin
  Julianalaan . . . . . . p. 3 CR 46

Laan van Nieuw
  Oost Einde . . . . . . p. 3 CR 58
Mgr. van Steelaan . . p. 3 CQR
Oosteinde . . . . p. 3 CR
Parkweg . . . . p. 3 CR
Potgieterlaan . . . . . . p. 3 CR 90
Prins Bernhardlaan . p. 3 CR 91
Prinses
  Mariannelaan . . . . p. 3 CR 96
Rodelaan . . . . p. 3 CR
Westeinde . . . . p. 3 CR 123

De taal die u ziet op de borden langs de wegen,
is de taal van de streek waarin u zich bevindt.

In deze gids zijn de plaatsen vermeld onder hun officiële naam :
Liège voor Luik, **Huy** voor Hoei.

Liste alphabétique
(Hôtels et restaurants)

A

Atlantic 11
Aub. de Kieviet 11
Aubergerie 9

B

Badhotel 10
Bali 10
Barquichon (Le) 11
Bel Air 9
Bistro-mer 10
Bistroquet 10
Bon Mangeur (Le) 10
Bouquetin (Le) 11

C

Cadettt 11
Carlton Beach 10
Chez Eliza 9
China Delight 10
Corona 9

D – E

Da Roberto 9
Djawa 10
Ducdalf 10
Duinoord 11
Europa 10

F – G

Fouquet 10
Galleria (La) 10
Ganzenest ('t) 9
Gobelet (Le) 9
Goede Reede (De) 10
Green Park 11

H – I – J – K

Hoogwerf (De) 9
Ibis 10
Indes (Des) 9
Julien 9
Kandinsky (H. Kurhaus) 10
Kurhaus 10

M – N – O

Mercure Central 9
Mero 10
Novotel 9
Ombrelles (Les) 10

P

Paleis 9
Parkhotel 9
Park Lane 10
Petit 9
Promenade 9

R

Radèn Mas 10
Roma 9
Rousseau 9
Royal Dynasty 9

S

Saur 10
Sebel 9
Seinpost 10
Shirasagi 9
Sofitel 9
Solmar 11

T

Taverne
  Meer en Bosch 11
Tequila
  Chez Jean-Marc 10

V

Villa la Ruche 11
Villa Rozenrust 11
Vreugd en Rust 11

W

Westbroekpark 10

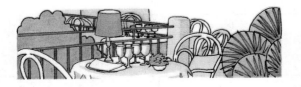

Quartiers du Centre - plans p. 5 et 6 sauf indication spéciale :

🏨🏨 **Des Indes,** Lange Voorhout 54, ⌧ 2514 EG, 𝒫 363 29 32, Telex 31196, Fax 345 17 21, « Demeure fin 19ᵉ s. » – 🛗 ⇝ 📺 ☎ 🅿 – 🔬 25 à 60. 🆀 ⑩ 🗲 𝗩𝗜𝗦𝗔 JCB JX **s**
Repas Le **Restaurant** (ouvert jusqu'à 23 h) *Lunch* 65 – carte 84 à 97 – 🖃 38 – **70 ch** 505, 6 suites – ½ P 375.

🏨🏨 **Sofitel,** Koningin Julianaplein 35, ⌧ 2595 AA, 𝒫 381 49 01, Telex 34001, Fax 382 59 27 – 🛗 ⇝ 📺 ☎ 🖐 ⇌ – 🔬 25 à 100. 🆀 ⑩ 🗲 𝗩𝗜𝗦𝗔 ⅋ rest GU **u**
Repas 50/65 – 🖃 30 – **143 ch** 275/395.

🏨🏨 **Promenade,** van Stolkweg 1, ⌧ 2585 JL, 𝒫 352 51 61, Fax 354 10 46, ≼, 🏛, « Collection de peintures néerlandaises modernes » – 🛗 ▤ rest 📺 ☎ 🅿 – 🔬 25 à 400. 🆀 ⑩ 🗲 𝗩𝗜𝗦𝗔
Repas *La Cigogne* carte 78 à 94 – 🖃 30 – **97 ch** 325/365, 4 suites. plan p. 4 ET **w**

🏨🏨 **Bel Air,** Johan de Wittlaan 30, ⌧ 2517 JR, 𝒫 350 20 21, Telex 33468, Fax 351 26 82, 🔲 – 🛗 📺 ☎ 🅿 – 🔬 25 à 250. 🆀 ⑩ 🗲 𝗩𝗜𝗦𝗔 JCB ⅋ rest plan p. 4 EU **a**
Repas *Lunch* 49 – carte 54 à 75 – 🖃 28 – **348 ch** 250/265, 2 suites – ½ P 190/308.

🏨🏨 **Mercure Central** sans rest, Spui 180, ⌧ 2511 BW, 𝒫 363 67 00, Telex 32000, Fax 363 93 98, 🖢, 🖙 – 🛗 ⇝ 📺 ☎ 🖐 ⇌ 🅿 – 🔬 25 à 110. 🆀 ⑩ 🗲 𝗩𝗜𝗦𝗔 JZ **v**
🖃 22 – **156 ch** 185/240, 3 suites.

🏨🏨 **Corona,** Buitenhof 42, ⌧ 2513 AH, 𝒫 363 79 30, Telex 31418, Fax 361 57 85, 🏛 – 🛗 ◆ ▤ rest 📺 ☎ – 🔬 30 à 100. 🆀 ⑩ 🗲 𝗩𝗜𝗦𝗔 HY **v**
Repas (Brasserie) *Lunch* 43/48 – 🖃 25 – **26 ch** 240/325.

🏨🏨 **Parkhotel** sans rest, Molenstraat 53, ⌧ 2513 BJ, 𝒫 362 43 71, Telex 33005, Fax 361 45 01 – 🛗 📺 ☎ – 🔬 25 à 100. 🆀 ⑩ 🗲 𝗩𝗜𝗦𝗔 HY **a**
114 ch 🖃 148/255.

🏨🏨 **Novotel,** Hofweg 5, ⌧ 2511 AA, 𝒫 364 88 46, Telex 30975, Fax 356 28 89 – 🛗 ⇝ ▤ rest 📺 ☎ 🖐 ⇌ – 🔬 25 à 70. 🆀 ⑩ 🗲 𝗩𝗜𝗦𝗔 HJY **e**
Repas 43 – 🖃 23 – **104 ch** 210, 2 suites – ½ P 235/270.

🏨 **Paleis** sans rest, Molenstraat 26, ⌧ 2513 BL, 𝒫 362 46 21, Fax 361 45 33, 🖙 – 🛗 📺 ☎. 🆀 ⑩ 🗲 𝗩𝗜𝗦𝗔 HY **r**
🖃 20 – **20 ch** 155/219.

🏠 **Petit** sans rest, Groot Hertoginnelaan 42, ⌧ 2517 EH, 𝒫 346 55 00, Fax 346 32 57 – 🛗 📺 ☎ 🅿. 🆀 🗲 𝗩𝗜𝗦𝗔 plan p. 4 EU **e**
20 ch 🖃 110/180.

🏠 **Sebel** sans rest, Zoutmanstraat 40, ⌧ 2518 GR, 𝒫 345 92 00, Fax 345 58 55 – 📺 ☎. 🆀 ⑩ 🗲 𝗩𝗜𝗦𝗔. ⅋ plan p. 4 EU **s**
fermé 24 déc.-2 janv. – **27 ch** 🖃 110/150.

XXX **De Hoogwerf,** Zijdelaan 20, ⌧ 2594 BV, 𝒫 347 55 14, Fax 381 95 96, 🏛, « Ferme du 17ᵉ s., jardin » – 🆀 ⑩ 🗲 𝗩𝗜𝗦𝗔. ⅋ plan p. 3 CQ **a**
fermé dim. – **Repas** *Lunch* 45 – 55/125.

XXX **Da Roberto,** Noordeinde 196, ⌧ 2514 GS, 𝒫 346 49 77, Fax 362 52 86, Cuisine italienne – ▤. 🆀 ⑩ 🗲 𝗩𝗜𝗦𝗔 HX **k**
fermé sam. midi et dim. – **Repas** *Lunch* 53 – carte env. 85.

XXX **Royal Dynasty,** Noordeinde 123, ⌧ 2514 GG, 𝒫 365 25 98, Fax 365 25 22, Cuisine asiatique – ▤. 🆀 ⑩ 🗲 𝗩𝗜𝗦𝗔 HX **k**
fermé 31 déc. – **Repas** *Lunch* 35 – carte 52 à 80.

XX **Rousseau,** Van Boetzelaerlaan 134, ⌧ 2581 AX, 𝒫 355 47 43, 🏛 – 🆀 ⑩ 🗲 𝗩𝗜𝗦𝗔
fermé sam. midi, dim., lundi, 26 fév.-6 mars et 20 août-4 sept – **Repas** *Lunch* 45 – 55/80. plan p. 4 DU **a**

XX **Chez Eliza,** Hooikade 14, ⌧ 2514 BH, 𝒫 346 26 03, Fax 346 26 03, 🏛, Ouvert jusqu'à 23 h, « Rustique » – 🆀 ⑩ 🗲 𝗩𝗜𝗦𝗔 JX **r**
fermé lundi et 27 déc.-4 janv. – **Repas** *Lunch* 48 – 57/70.

XX **Julien,** Vos in Tuinstraat 2a, ⌧ 2514 BX, 𝒫 365 86 02, Fax 361 45 51, Ouvert jusqu'à minuit, « Décor Art Nouveau » – 🆀 ⑩ 🗲 𝗩𝗜𝗦𝗔 JX **s**
fermé sam. midi et dim. – **Repas** *Lunch* 43 – 50/83.

XX **Aubergerie,** Nieuwe Schoolstraat 19, ⌧ 2514 HT, 𝒫 364 80 70, Fax 360 73 38, 🏛 – 🆀 ⑩ 🗲 𝗩𝗜𝗦𝗔 JX **b**
fermé dim. et lundi – **Repas** *Lunch* 48 – 48/70.

XX **Le Gobelet,** Noordeinde 143, ⌧ 2514 GG, 𝒫 346 58 38, Fax 346 32 64 – 🆀 ⑩ 🗲 𝗩𝗜𝗦𝗔
fermé dim., lundi, dern. sem. juil.-prem. sem. août et fin déc. – **Repas** *Lunch* 45 – carte env. 75. HX **k**

XX 🕸 **'t Ganzenest** (Visbeen), Groenewegje 115, ⌧ 2515 LP, 𝒫 389 67 09, Fax 380 07 41 – 🆀 ⑩ 🗲 JZ **r**
fermé lundi, mardi, Pâques, Pentecôte, 3 prem. sem. août et prem. sem. janv. – **Repas** (dîner seult) 50/65 carte env. 80
Spéc. Carpaccio de thon mariné à la vinaigrette de soja, Crème de witlof aux St-Jacques (oct.-avril), Colvert au chou, sauce moutarde aux girolles (août-janv.).

XX **Roma,** Papestraat 22, ⌧ 2513 AW, 𝒫 346 23 45, Cuisine italienne – 🆀 ⑩ 🗲 𝗩𝗜𝗦𝗔. ⅋
fermé mardi – **Repas** (dîner seult) carte 53 à 79. HY **n**

XX **Shirasagi,** Spui 170, ⌧ 2511 BW, 𝒫 346 47 00, Fax 346 26 01, Cuisine japonaise, teppanyaki – ▤. 🆀 ⑩ 🗲 𝗩𝗜𝗦𝗔 JCB. ⅋ JZ **v**
fermé sam. midi, dim. midi et lundi midi – **Repas** *Lunch* 25 – 45/115.

X **Le Bistroquet,** Lange Voorhout 98, ⊠ 2514 EJ, ℘ 360 11 70, Fax 360 55 30, 斧 – ■. 硏
　🆗 ▤ ᵛᶦˢᵃ　　　　　　　　　　　　　　　　　　　　　　　　　　　　　　　　　　　　JX　**d**
fermé dim. et jours fériés – **Repas** *Lunch* 55 – carte 66 à 88.

X **Saur,** Lange Voorhout 47, ⊠ 2514 EC, ℘ 346 25 65, Fax 365 86 14, Produits de la mer –
　■. 硏 🆗 ▤ ᵛᶦˢᵃ ᴶᶜᴮ. ⅍ – **Repas** *Lunch* 43 – carte 45 à 70.　　　　　　　　　JX　**h**

X **Les Ombrelles,** Hooistraat 4a, ⊠ 2514 BM, ℘ 365 87 89, Fax 389 75 19, 斧, Produits de
　la mer, ouvert jusqu'à 23 h – 硏 🆗 ▤ ᵛᶦˢᵃ　　　　　　　　　　　　　　　　　　　JX　**r**
　Repas *Lunch* 44 – 49.

X **Bistro-mer,** Javastraat 9, ⊠ 2585 AB, ℘ 360 73 89, Fax 360 73 89, Produits de la mer,
　ouvert jusqu'à 23 h – 硏 🆗 ▤ ᵛᶦˢᵃ – **Repas** carte 60 à 92.　　　　　　　　　FU　**e**

X **Park Lane,** Parkstraat 37, ⊠ 2514 JD, ℘ 365 37 54 – ■. 硏 🆗 ▤ ᵛᶦˢᵃ　　　HXY　**p**
　fermé sam. midi, dim. et 15 août-29 sept – **Repas** *Lunch* 40 – carte env. 70.

X **Fouquet,** Javastraat 31a, ⊠ 2585 AC, ℘ 360 62 73, Fax 354 61 17, 斧 – 硏 🆗 ▤ ᵛᶦˢᵃ
✦ *fermé 25, 26 et 31 déc. et 1ᵉʳ janv.* – **Repas** (dîner seult) 43/56.　　　　　　　FU　**a**

X **Tequila - Chez Jean-Marc,** Noordeinde 160, ⊠ 2514 GR, ℘ 365 52 22, Fax 354 04 13,
✦ Ouvert jusqu'à 23 h – 硏 🆗 ▤ ᵛᶦˢᵃ　　　　　　　　　　　　　　　　　　　　　HX　**p**
　fermé 31 déc. – **Repas** 33.

X **Djawa,** Mallemolen 12a, ⊠ 2585 XJ, ℘ 363 57 63, Fax 362 30 80, 斧, Cuisine indoné-
　sienne – ■. 硏 🆗 ▤ ᵛᶦˢᵃ　　　　　　　　　　　　　　　　　　　　　　　　　　FU　**b**
　fermé jours fériés – **Repas** (dîner seult) carte 58 à 70.

　à Scheveningen - plan p. 7 - Ⓒ 's-Gravenhage – ❸ 0 70 – Station balnéaire★★ – Casino Kurhaus
　ES, G.Deijnootplein 30 ℘ 351 26 21, Fax 354 31 83.
　🛈 Gevers Deijnootweg 1134, ⊠ 2586 BX, ℘ 0 6-34 03 50 51, Fax 352 04 26

🏨 **Kurhaus,** Gevers Deijnootplein 30, ⊠ 2586 CK, ℘ 416 26 36, Fax 416 26 46, ≤, 斧,
　« Ancienne salle de concert fin 19ᵉ s. » – 🛗 ⅍ 📺 ☎ & 🄿 – 🔬 35 à 480. 硏 🆗 ▤ ᵛᶦˢᵃ
　ᴶᶜᴮ. ⅍ rest　　　　　　　　　　　　　　　　　　　　　　　　　　　　　　　　　ES
　Repas voir rest *Kandinsky* ci-après – *Kurzaal* (Buffets) *lunch* 45 – 50/60 – ☲ 40 – **233 ch**
　380/490, 8 suites.

🏨 **Europa,** Zwolsestraat 2, ⊠ 2587 VJ, ℘ 351 26 51, Telex 33138, Fax 350 64 73, 𝓘ₐ, 🈲, 🔲
　– 🛗 ⅍ 📺 ☎ ⌷ – 🔬 25 à 450. 硏 🆗 ▤ ᵛᶦˢᵃ ᴶᶜᴮ　　　　　　　　　　　　　　　ES　**z**
　Repas (dîner seult) carte env. 50 – ☲ 21 – **173 ch** 170/210, 1 suite.

🏨 **Carlton Beach,** Gevers Deijnootweg 201, ⊠ 2586 HZ, ℘ 354 14 14, Telex 33687,
　Fax 352 00 20, ≤, 𝓘ₐ, 🈲, 🔲 – 🛗 ⅍ 📺 ☎ 🄿 – 🔬 30 à 250. 硏 🆗 ▤ ᵛᶦˢᵃ　ES　**p**
　Repas (ouvert jusqu'à minuit) carte env. 60 – ☲ 23 – **183 ch** 225/265 – ½ P 195/257.

🏨 **Ibis** sans rest, Gevers Deijnootweg 63, ⊠ 2586 BJ, ℘ 354 33 00, Fax 352 39 16 – 🛗 ⅍
　📺 ☎ & 🄿 – 🔬 25 à 40. 硏 🆗 ▤ ᵛᶦˢᵃ – ☲ 17 – **87 ch** 102/163.　　　　　ES　**a**

🏨 **Badhotel,** Gevers Deijnootweg 15, ⊠ 2586 BB, ℘ 351 22 21, Fax 355 58 70 – 🛗 ⅍
✦ ☎ 🄿 – 🔬 25 à 200. 硏 🆗 ▤ ᵛᶦˢᵃ ᴶᶜᴮ　　　　　　　　　　　　　　　　　　DS　**b**
　Repas (dîner seult) 35/48 – **90 ch** ☲ 150/250 – ½ P 180.

XXXX **Kandinsky** - H. Kurhaus, Gevers Deijnootplein 30, ⊠ 2586 CK, ℘ 416 26 36, Fax 416 26 46,
　≤ – ■. 硏 🆗 ▤ ᵛᶦˢᵃ ᴶᶜᴮ. ⅍　　　　　　　　　　　　　　　　　　　　　　　　ES
　fermé sam. midi et dim. – **Repas** (dîner seult en juil.-août) *Lunch* 55 – carte 84 à 106.

XXX **Radèn Mas,** Gevers Deijnootplein 125, ⊠ 2586 CR, ℘ 354 54 32, Fax 354 54 32, Avec
　cuisine indonésienne – ■. 硏 🆗 ▤ ᵛᶦˢᵃ – **Repas** (dîner seult) carte env. 70.　ES　**v**

XXX **Seinpost,** Zeekant 60, ⊠ 2586 AD, ℘ 355 52 50, Fax 355 50 93, ≤, Produits de la mer –
　■. 硏 🆗 ▤ ᵛᶦˢᵃ　　　　　　　　　　　　　　　　　　　　　　　　　　　　　　DS　**y**
　fermé sam. midi, dim. et jours fériés – **Repas** *Lunch* 50 – 55/65.

XX **China Delight,** Dr Lelykade 118, ⊠ 2583 CN, ℘ 355 54 50, Fax 354 66 52, Cuisine chinoise
　– ■. 硏 🆗 ▤ ᵛᶦˢᵃ. ⅍ – **Repas** carte env. 55.　　　　　　　　　　　　　　　DT　**u**

XX **Bali,** Badhuisweg 1, ⊠ 2587 CA, ℘ 350 24 34, Fax 354 03 63, Cuisine indonésienne – 🄿,
　硏 🆗 ▤ ᵛᶦˢᵃ　　　　　　　　　　　　　　　　　　　　　　　　　　　　　　　　ES　**e**
　Repas (dîner seult) 55/85.

X **De Goede Reede,** Dr Lelykade 236, ⊠ 2583 CP, ℘ 354 88 20, Fax 358 46 46, Produits de
✦ la mer – ■. 硏 🆗 ▤ ᵛᶦˢᵃ　　　　　　　　　　　　　　　　　　　　　　　　　DT　**s**
　fermé sam. midi et dim. midi – **Repas** *Lunch* 40 – 43/63.

X **Mero,** Schokkerweg 50, ⊠ 2583 BJ, ℘ 352 36 00, Produits de la mer – ■. 硏 🆗 ▤ ᵛᶦˢᵃ
　Repas *Lunch* 50 – carte 74 à 112.　　　　　　　　　　　　　　　　　　　　DT　**r**

X **Ducdalf,** Dr Lelykade 5, ⊠ 2583 CL, ℘ 355 76 92, Fax 355 15 28, ≤, Produits de la mer
　– 🄿. 硏 🆗 ▤ ᵛᶦˢᵃ ᴶᶜᴮ – **Repas** *Lunch* 50 – carte 52 à 85.　　　　　　　　DT　**t**

X **Westbroekpark,** Kapelweg 35, ⊠ 2587 BK, ℘ 354 60 72, Fax 354 85 60, ≤, 斧, « Parc,
　parterres de roses » – 🄿. 硏 🆗 ▤ ᵛᶦˢᵃ　　　　　　　　　　　　　　　　　　ES　**x**
　fermé lundi et 24 déc.-2 janv. – **Repas** 50.

X **Le Bon Mangeur,** Wassenaarsestraat 119, ⊠ 2586 AM, ℘ 355 92 13 – 硏 🆗 ▤ ᵛᶦˢᵃ
　⅍　　　　　　　　　　　　　　　　　　　　　　　　　　　　　　　　　　　　　DS　**a**
　fermé dim., lundi, 25 juin-16 juil. et 24 déc.-2 janv. – **Repas** (dîner seult) carte env. 65.

X **La Galleria,** Gevers Deijnootplein 105, ⊠ 2586 CP, ℘ 352 11 56, Fax 350 19 99, 斧, Cui-
✦ sine italienne, ouvert jusqu'à minuit – ■. 硏 🆗 ▤ ᵛᶦˢᵃ　　　　　　　　　　　ES　**g**
　Repas *Lunch* 35 – 43/80.

à Kijkduin O : 4 km - plan p. 2 - 🄲 's-Gravenhage – 🕾 0 70 :

🏨 **Atlantic,** Deltaplein 200, ⊠ 2554 EJ, ℰ 325 40 25, Fax 368 67 21, ≤, 綜, *fᴏ*, ⇔, 🖾 –
➜ ⮀ 🆃🆅 🅿 – 🄰 25 à 300. 🄰🄴 ⓞ ⋿ 𝘝𝘐𝘚𝘈
AR **e**
Repas 43 – **119 ch** ⮀ 238/305 – ½ P 277.

✕✕ **Taverne Meer en Bosch,** Heliotrooplaan 5, ⊠ 2555 MA, ℰ 325 77 48, Fax 368 30 92, 綜
– 🄰🄴 ⋿
AR **s**
fermé mardi – **Repas** *Lunch* 50 – 58/88.

Environs

à Leidschendam - plan p. 3 - 33 808 h. – 🕾 0 70 :

🏨 **Green Park,** Weigelia 22, ⊠ 2262 AB, ℰ 320 92 80, Telex 33090, Fax 327 49 07, ≤, *fᴏ*
➜ – ⮀ 🆈 🅴 rest 🆃🆅 🕾 🅿 – 🄰 25 à 300. 🄰🄴 ⓞ ⋿ 𝘝𝘐𝘚𝘈
CQ **n**
Repas 38/58 – **92 ch** ⮀ 250/290, 4 suites – ½ P 290/305.

✕✕✕ ❀ **Villa Rozenrust,** Veursestraatweg 104, ⊠ 2265 CG, ℰ 327 74 60, Fax 327 50 62, 綜,
« Terrasse » – 🅿, 🄰🄴 ⓞ ⋿ 𝘝𝘐𝘚𝘈
CQ **s**
fermé 31 juil.-13 août – **Repas** *Lunch* 63 – carte env. 110
Spéc. Dégustation de carpaccio, Sole grillée aux tortellini, sauce au crabe, Chevreuil aux mûres et au poivre (6 juin-6 sept).

à Rijswijk - plan p. 3 - 47 121 h. – 🕾 0 70 :

✕ **Le Bouquetin,** Willemstraat 5, ⊠ 2282 CB, ℰ 390 00 00 – ⋿ 𝘝𝘐𝘚𝘈. ❀
BR **b**
fermé mardi – **Repas** (dîner seult).

à Voorburg - plan p. 3 - 39 734 h. – 🕾 0 70 :

🏨 **Cadettt** 🅼, Stationsplein 8, ⊠ 2275 AZ, ℰ 337 37 37, Fax 337 37 00 – ⮀ 🆈 ▤ 🆃🆅 🕾
Ⓖ ⇔ – 🄰 25 à 160. 🄰🄴 ⓞ ⋿ 𝘝𝘐𝘚𝘈 ᴊᴄʙ
CR **u**
Repas *Lunch* 30 – 43 – ⮀ 18 – **120 ch** 149/195 – ½ P 127/150.

✕✕✕ **Vreugd en Rust** ⏳ avec ch, Oosteinde 14, ⊠ 2271 EH, ℰ 387 20 81, Fax 387 77 15, ≤,
綜, « Maison du 17ᵉ s. avec terrasse sur parc public » – ⮀ 🆈 🆃🆅 🕾 🅿 – 🄰 35. 🄰🄴 ⓞ
⋿ 𝘝𝘐𝘚𝘈
CR **p**
fermé 27 déc.-10 janv. – **Repas** *(fermé sam. midi)* *Lunch* 50 – carte env. 100 – **14 ch**
⮀ 250/495 – ½ P 200/325.

✕✕ **Villa la Ruche,** Prinses Mariannelaan 71, ⊠ 2275 BB, ℰ 386 01 10, Fax 386 50 64 – ▤.
🄰🄴 ⓞ ⋿ 𝘝𝘐𝘚𝘈
CR **e**
fermé 27 déc.-2 janv. – **Repas** *Lunch* 45 – carte 74 à 105.

✕ **Le Barquichon,** Kerkstraat 6, ⊠ 2271 CS, ℰ 387 11 81 – 🄰🄴 ⓞ ⋿ ᴊᴄʙ
CR **v**
fermé merc., 2 dern. sem. juin-prem. sem. juil. et 25, 26 et 31 déc. – **Repas** (dîner seult)
carte env. 75.

✕ **Solmar,** Herenstraat 98, ⊠ 2271 CK, ℰ 386 45 04, Avec cuisine ibérique – 🄰🄴 ⓞ ⋿ 𝘝𝘐𝘚𝘈
Repas (dîner seult) carte env. 65.
CR **r**

à Wassenaar NE : 11 km - 26 058 h. – 🕾 0 1751 :

🏨 **Aub. de Kieviet,** ⏳, Stoeplaan 27, ⊠ 2243 CX, ℰ 1 92 32, Fax 1 09 69, 綜, « Terrasse
fleurie » – ⮀ 🆈 ▤ 🆃🆅 🕾 🅿 – 🄰 25 à 50
plan p. 3 CQ **r**
23 ch, 1 suite.

🏨 **Duinoord** ⏳, Wassenaarseslag 26 (O : 3 km), ⊠ 2242 PJ, ℰ 1 93 32, Fax 1 22 10, ≤, 綜,
« Dans les dunes » – 🆃🆅 🕾 🅿 – 🄰 25. 🄰🄴 ⋿ 𝘝𝘐𝘚𝘈
Repas *(fermé 31 déc.-1ᵉʳ janv. et lundi midi sauf Pâques et Pentecôte)* *Lunch* 34 – 43/55
– **20 ch** ⮀ 80/155 – ½ P 113/128.

HAAMSTEDE Zeeland 🄲 Westerschouwen 5 737 h. ⎁⎁⎁ ② ③ et ⎃⎂⎃ ⑮ ⑯ – 🕾 0 1115.
◆Amsterdam 142 – ◆Middelburg 59 – ◆Rotterdam 104.

✕ **Bom** avec ch, Noordstraat 2, ⊠ 4328 AL, ℰ 22 29, Fax 38 80 – 🄰🄴 ⓞ ⋿ 𝘝𝘐𝘚𝘈. ❀ ch
➜ *fermé 18 déc.-1ᵉʳ janv.* – **Repas** *(fermé après 20 h)* 43 – **15 ch** ⮀ 48/115 – ½ P 83/93.

HAARLEM 🄿 Noord-Holland ⎃⎂⎃ ⑩ – 149 315 h. – 🕾 0 23.
Voir Grand-Place★ (Grote Markt) BY – Grande église ou église St-Bavon★ (Grote- of St. Bavokerk) :
grille★ du chœur, orgues★ BCY – Hôtel de Ville★ (Stadhuis) BY H – Halle aux viandes★ (Vlee-
shal) BY.
Musées : Frans Hals★★★ BZ – Teyler : dessins★ CY M¹.
Env. Champs de fleurs★★★ par ③ : 7,5 km – Parc de Keukenhof★★★ (fin mars à mi-mai), passerelle
du moulin ≤★★ par ③ : 13 km – Ecluses★ d'IJmuiden N : 16 km par ⑦.
⅛ 🄵 à Velsen-Zuid par ⑦ : 10 km, Recreatieoord Spaarnwoude, Het Hoge Land 3, ⊠ 1981 LT,
ℰ (0 23) 38 27 08.
🛪 à Amsterdam-Schiphol SE : 14 km par ⑤ ℰ (0 20) 601 91 11.
🚆 (départs de 's-Hertogenbosch) ℰ 34 01 16 et 31 73 11.
🖸 Stationsplein 1, ⊠ 2011 LR, ℰ 31 90 59, Fax 34 05 37.
◆Amsterdam 24 ⑥ – ◆Den Haag 59 ⑤ – ◆Rotterdam 79 ⑤ – ◆Utrecht 54 ⑤.

HAARLEM

Anegang	BCY
Barteljorisstr.	BY 9
Grote Houtstr.	BYZ
Kruisstr.	BY
Zijlstr.	BY
Amerikaweg	AV 3
Amsterdamse Vaart	AU 4
Bakenessergracht	CY 6
Barrevoetestr.	BY 7
Binnenweg	AV 10
Bloemendaalseweg	ATU 12
Botermarkt	BYZ 13
Cesar Francklaan	AV 15
Cruquiusweg	AV 16
Damstr.	CY 18
Donkere Spaarne	CY 19
Duinlustweg	AU 21
Europaweg	AV 22
Fonteinlaan	AV 24
Frans Halsstr.	CX 25
Friese Varkenmarkt	CXY 27
Gasthuisvest	BZ 28
Ged. Voldersgracht	BY 30
Gierstr.	BZ 31
Groot Heiligland	BZ 33
Hagestr.	CZ 34
Hartenlustlaan	AT 36
Hoge Duin en Daalseweg	AT 37
Hoogstr.	CZ 39
Jacobstr.	BY 40
Julianapark	AT 42
Kamperlaan	AV 43
Keizerstr.	BY 45
Kennemerweg	AT 46
Klokhuispl.	CY 48
Koningstr.	BY 49
Lanckhorstlaan	AV 51
van Merlenlaan	AV 52
Nassaustr.	AV 54
Nieuwe Groenmarkt	BY 55
Ostadestr.	BX 57
Oude Groenmarkt	BCY 58
Paviljoenslaan	AV 60
Prins Bernhardlaan	AU 61
Raadhuisstr.	AV 63
Schoterweg	AV 64
Smedestr.	BY 66
Spaarndamseweg	CX 67
Spaarnwouderstr.	CZ 69
Spanjaardslaan	AV 70
Tuchthuisstr.	BZ 72
Verspronckweg	AU 73
Verwulft	BYZ 75
Westergracht	AV 76
Zandvoortselaan	AV 78
Zijlsingel	AU 79
Zijlweg	AU 81
Zomerzorgerlaan	AT 82
Zuiderhoutlaan	AV 84

🏨🏨 **Carlton Square,** Baan 7, ⊠ 2012 DB, ℰ 31 90 91, Telex 41685, Fax 32 98 53, 🏠 – 🛗 ⇆ 🗺 🕽 🕿 🅿 – 🔬 25 à 200. 🖭 ① 🗉 𝘝𝘐𝘚𝘈. 🛠 rest BZ **c**
Repas Lunch 38 – carte env. 60 – 🖵 38 – **106 ch** 260/295.

🏨 **Lion d'Or,** Kruisweg 34, ⊠ 2011 LC, ℰ 32 17 50, Fax 32 95 43 – 🛗 🕽 🕿 – 🔬 25 à 120 🖭 ① 🗉 𝘝𝘐𝘚𝘈 𝘑𝘊𝘉. 🛠 rest BCX **c**
Repas carte env. 75 – **36 ch** 🖵 175/250 – ½ P 150/163.

🏨 **Haarlem-Zuid,** Toekanweg 2, ⊠ 2035 LC, ℰ 36 75 00, Fax 36 79 80, 𝗟𝟨, 🈳 – 🛗 🕽 🕿 🕽 💪 🅿 – 🔬 25 à 1000. 🖭 ① 🗉 𝘝𝘐𝘚𝘈. AV **k**
Repas (ouvert jusqu'à minuit) 43/70 – 🖵 11 – **295 ch** 90, 6 suites.

XXX **De Componist,** Korte Veerstraat 1, ⊠ 2011 CL, ℰ 32 88 53, Fax 32 73 00, 🏠, « Déco style Art Nouveau » – 🗏. 🖭 ① 🗉 𝘝𝘐𝘚𝘈 CZ **s**
fermé 31 déc. – **Repas** (dîner seult) 60/80.

XX **Peter Cuyper,** Kleine Houtstraat 70, ⊠ 2011 DR, ℰ 32 08 85, Fax 34 33 85, 🏠, « Demeure du 17ᵉ s. » – 🖭 ① 🗉 𝘝𝘐𝘚𝘈 BZ **s**
fermé dim., lundi, 2 dern. sem. août et prem. sem. janv. – **Repas** Lunch 55 – carte env. 70

X **De Gekroonde Hamer,** Breestraat 24, ⊠ 2011 ZZ, ℰ 31 22 43, Fax 31 22 43, 🏠 – 🗏 🖭 ① 🗉 𝘝𝘐𝘚𝘈 BZ **y**
fermé dim. – **Repas** dîm. – **Repas** (dîner seult)

X **Napoli,** Houtplein 1, ⊠ 2012 DD, ℰ 32 44 19, Fax 32 02 38, 🏠, Cuisine italienne – 🖭 ① 🗉 𝘝𝘐𝘚𝘈 BZ **x**
fermé 24 et 31 déc. – **Repas** carte 52 à 73.

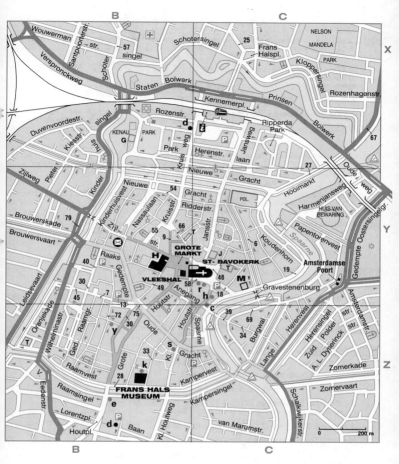

%   **De Vroome Poort,** Nieuw Heiligland 10, ☒ 2011 EM, ℘ 31 72 85 – ᴀᴇ ⓞ ᴇ 𝖵𝖨𝖲𝖠   BZ **k**
    fermé lundi, mardi, 23 juil.-13 août et 24 déc.-8 janv. – **Repas** (dîner seult) 45/75.

%   **Wisma Hilda,** Wagenweg 214, ☒ 2012 NM, ℘ 31 28 71, Fax 32 86 28, Cuisine indoné-
    sienne – ▤, ᴇ 𝖵𝖨𝖲𝖠   AV **f**
    Repas carte env. 45.

%   **Haarlem aan Zee,** Oude Groenmarkt 10, ☒ 2011 HL, ℘ 31 48 84, Produits de la mer,
    ouvert jusqu'à 23 h – ᴀᴇ ⓞ ᴇ 𝖵𝖨𝖲𝖠   BCY **r**
    fermé dim. midi et 31 déc. – **Repas** 50/60.

%   **Wilma en Albèrt,** Oude Groenmarkt 6, ☒ 2011 HL, ℘ 32 12 56, Fax 31 87 54, Grillades
    – ▤, ᴀᴇ ⓞ ᴇ 𝖵𝖨𝖲𝖠, ⫽⫽   BCY **r**
    fermé 3 sem. en juil. et dern. sem. déc. – **Repas** (dîner seult jusqu'à minuit) carte env. 50.

%   **De Eetkamer van Haarlem,** Lange Veerstraat 45, ☒ 2011 DA, ℘ 31 22 61 – ᴀᴇ ⓞ ᴇ
↑   𝖵𝖨𝖲𝖠   CY **h**
    fermé mardi et août – **Repas** (dîner seult jusqu'à 23 h) 43/55.

à Bloemendaal NO : 4 km – 17 024 h. – ✆ 0 23 :

%% **Aub. Le Gourmand,** Brederodelaan 80, ☒ 2061 JS, ℘ 25 11 07, Fax 26 05 09, 斎 – ᴇ
    𝖵𝖨𝖲𝖠   AT **a**
    fermé lundi, mardi, dern. sem. janv.-prem. sem. fév. et 2 dern. sem. sept – **Repas** 45/55.

%   **Terra Cotta,** Kerkplein 16a, ☒ 2061 JD, ℘ 27 79 11, Fax 25 13 32, 斎 – ᴀᴇ ᴇ   AT **g**
    fermé mardi et merc. – **Repas** 45/55.

8   365

à *Heemstede* S : 4 km – 26 412 h. – ✪ 0 23 :

XX **Landgoed Groenendaal,** Groenendaal 3 (1,5 km par Heemsteedse Dreef), ⊠ 2104 WP, ℘ 28 15 55, Fax 29 18 41, 佘, « Dans les bois » – ❶. 🆎 ⓞ Ⓔ 𝚅𝙸𝚂𝙰. ⅍
fermé lundi – **Repas** 49/60.

XX **Le Cheval Blanc,** Jan van Goyenstraat 29, ⊠ 2102 CA, ℘ 29 31 73, Fax 29 61 73, 佘 – AV **y**
🆎 ⓞ Ⓔ 𝚅𝙸𝚂𝙰. ⅍
fermé merc. et 2e quinz. sept – **Repas** Lunch 50 – carte 61 à 82.

à *Overveen* O : 4 km 𝕔 Bloemendaal 17 024 h. – ✪ 0 23 :

XXX ❀❀ **De Bokkedoorns,** Zeeweg 53 (par ① : 2 km), ⊠ 2051 EB, ℘ 26 36 00, Fax 27 31 43, 佘, « Terrasse, ≤ lac au milieu de dunes boisées » – ▤ ❶. 🆎 ⓞ Ⓔ 𝚅𝙸𝚂𝙰. ⅍
fermé lundi, sam. midi, 24 déc., 27 déc. midi et 31 déc.-9 janv. – **Repas** Lunch 63 – carte 135 à 158
Spéc. St-Jacques au ragoût de homard, Waterzooï de turbot aux herbes du jardin, Faisan rôti et mousseline de pommes de terre truffée (15 oct.-15 janv.).

XXX **Les Pyramides,** Zeeweg 80 (par ① : 7 km), ⊠ 2051 EC, ℘ 25 73 25, Fax 27 73 57, Avec brasserie, « ≤ dominant plage et mer » – ❶. 🆎 ⓞ Ⓔ 𝚅𝙸𝚂𝙰
fermé dim. – **Repas** Lunch 58 – 68/88.

XXX **Amazing Asia,** Zeeweg 3, ⊠ 2051 EB, ℘ 25 60 57, Fax 25 34 32, 佘, Cuisine chinoise, « Terrasse sur jardin avec pièce d'eau » – ▤ ❶. 🆎 ⓞ Ⓔ 𝚅𝙸𝚂𝙰. ⅍ AU **m**
fermé 31 déc. et 1er janv. – **Repas** carte 49 à 80.

XX **Kraantje Lek,** Duinlustweg 22, ⊠ 2051 AB, ℘ 24 12 66, Fax 24 82 54, 佘, Avec crêperie, « Petite auberge historique adossée à la dune » – ❶. 🆎 ⓞ Ⓔ 𝚅𝙸𝚂𝙰 AU **x**
fermé 31 déc. – **Repas** Lunch 45 – carte env. 55.

Voir aussi : *Spaarndam* NE : 11 km

HAELEN Limburg 𝟤𝟣𝟤 ⑳ et 𝟦𝟢𝟪 ⑲ – 9 870 h. – ✪ 0 4759.
♦Amsterdam 176 – ♦Maastricht 54 – ♦Eindhoven 48 – Roermond 10 – Venlo 23.

XXX **De Vogelmolen,** Kasteellaan 15, ⊠ 6081 AN, ℘ 42 00, Fax 52 00, 佘 – ❶. 🆎 ⓞ Ⓔ 𝚅𝙸𝚂𝙰
fermé sam. midi et 31 juil.-16 août – **Repas** 59.

HANDEL Noord-Brabant 𝟤𝟣𝟤 ⑨ et 𝟦𝟢𝟪 ⑲ – voir à Gemert.

HARDENBERG Overijssel 𝟦𝟢𝟪 ⑬ – 32 902 h. – ✪ 0 5232.
🅱 (fermé dim.) Badhuisweg 2, ⊠ 7772 XA, ℘ 6 20 00, Fax 6 65 95.
♦Amsterdam 149 – ♦Zwolle 39 – Assen 59 – ♦Enschede 58.

à *Diffelen* SO : 7 km 𝕔 Hardenberg – ✪ 0 5235 :

X **De Gloepe,** Rheezerweg 84a, ⊠ 7795 DA, ℘ 12 31, 佘 – ❶. Ⓔ
fermé lundi, mardi et 2 prem. sem. fév. – **Repas** Lunch 55 – carte env. 60.

à *Heemse* SO : 1 km 𝕔 Hardenberg – ✪ 0 5232 :

🏨 **Herberg De Rustenbergh,** Hessenweg 7, ⊠ 7771 CH, ℘ 6 15 04, Fax 6 74 73, 佘 – 📳 🅃🆅 ☎ ❶ – 🔬 25 à 150. 🆎 ⓞ Ⓔ 𝚅𝙸𝚂𝙰 𝙹𝙲𝙱
fermé 27 déc.-15 janv. – **Repas** voir rest *De Bokkepruik* ci-après – **Brasserie** Lunch 35 – 45 – **23 ch** ⊒ 98/135 – ½ P 100/148.

XXX ❀ **De Bokkepruik** (Istha) - H. Herbergh De Rustenbergh, Hessenweg 7, ⊠ 7771 CH, ℘ 6 15 04, Fax 6 74 73, 佘 – ❶. 🆎 ⓞ Ⓔ 𝚅𝙸𝚂𝙰 𝙹𝙲𝙱
fermé lundi, mardi et 27 déc.-15 janv. – **Repas** (dîner seult) 98 carte 84 à 115
Spéc. Cassoulet de foie de canard, Oursin gratiné aux champignons, coquillages et crustacés (sept-mars), Magret avec sauce à l'estragon (mai-août).

HARDERWIJK Gelderland 𝟦𝟢𝟪 ⑪ – 36 636 h. – ✪ 0 3410.
Voir Dolfinarium★.
Exc. Polders de l'Est et Sud Flevoland★ (Oostelijk en Zuidelijk Flevoland).
🏌 O : à Zeewolde, Golflaan 1 ℘ (0 3242) 21 03 et 🏌 Pluvierenweg 7, ⊠ 3898 LL, ℘ (0 3200) 8 81 16.
🅱 Havendam 58, ⊠ 3841 AA, ℘ 2 66 66, Fax 2 77 13.
♦Amsterdam 72 – ♦Arnhem 71 – ♦Apeldoorn 32 – ♦Utrecht 54 – ♦Zwolle 42.

🏨 **Baars,** Smeepoortstraat 52, ⊠ 3841 EJ, ℘ 1 20 07, Fax 1 87 22 – 📳 🅃🆅 ☎ ⇌ – 🔬 25 à 40. 🆎 ⓞ Ⓔ 𝚅𝙸𝚂𝙰
Repas (fermé dim. du 15 sept au 15 mars) 43 – **43 ch** ⊒ 125/157.

🏨 **Klomp,** Markt 8, ⊠ 3841 CE, ℘ 1 30 32, Fax 1 30 32, 佘 – 🅃🆅 ☎ ⇌ ❶. 🆎 ⓞ Ⓔ 𝚅𝙸𝚂𝙰 ⅍
Repas carte env. 45 – ⊒ 9 – **26 ch** 54/76 – ½ P 63/110.

XX **'t Nonnetje,** Vismarkt 38, ⊠ 3841 BG, ℰ 1 58 48 – ᴁ ⓘ ⴹ 𝗩𝗜𝗦𝗔. ❀
fermé mardi et 23 oct.-9 nov. – **Repas** (dîner seult) 55/78.

XX **Da Gabriele,** Vismarkt 31, ⊠ 3841 BE, ℰ 1 44 00, Cuisine italienne – ▤. ᴁ ⓘ ⴹ 𝗩𝗜𝗦𝗔
fermé lundi, mardi, 2 sem. fin fév. et dern. sem. août-2 prem. sem. sept – **Repas** (dîner seult)
carte 43 à 65.

X **Zeezicht,** Strandboulevard 2, ⊠ 3841 CS, ℰ 1 20 58, Fax 2 14 90 – ᴁ ⓘ ⴹ 𝗩𝗜𝗦𝗔
fermé 26 déc.-2 janv. – **Repas** carte 43 à 80.

à Hierden NE : 3 km Ⓒ Harderwijk – ⓧ 0 3413 :

XX **De Zwaluwhoeve,** Zuiderzeestraatweg 108, ⊠ 3848 RG, ℰ 19 93, Fax 29 21, ☂, « Ferme
du 18ᵉ s. » – ⓟ. ᴁ ⓘ ⴹ 𝗩𝗜𝗦𝗔
fermé lundis non fériés – **Repas** Lunch 55 – carte 64 à 99.

HARDINXVELD-GIESSENDAM Zuid-Holland 𝟐𝟏𝟐 ⑥ et 𝟒𝟎𝟖 ⑰ – 17 423 h. – ⓧ 0 1846.
◆Amsterdam 78 – ◆Den Haag 58 – ◆Arnhem 87 – ◆Breda 45 – ◆Rotterdam 32.

XX **Kampanje,** Troelstrastraat 5, ⊠ 3371 VJ, ℰ 1 26 13, Fax 1 19 53, ☂, Ouvert jusqu'à 23 h
– ⓟ. ᴁ ⓘ ⴹ 𝗩𝗜𝗦𝗔
fermé dim. – **Repas** carte 84 à 104.

HAREN Groningen 𝟒𝟎𝟖 ⑥ – 18 442 h. – ⓧ 0 50.
👟 à Glimmen S : 2 km, Pollselaan 5, ⊠ 9756 GJ, ℰ (0 5906) 20 04.
◆Amsterdam 207 – ◆Groningen 8 – ◆Zwolle 99.

🏨 **Postiljon,** Emmalaan 33 (SO : 1 km sur A 28), ⊠ 9752 KS, ℰ 34 70 41, Fax 34 01 75, ☂
– 📵 ✆ ☎ ⓟ – 🔏 25 à 450. ᴁ ⓘ ⴹ 𝗩𝗜𝗦𝗔
Repas carte env. 50 – ⴺ 16 – **97 ch** 115/160 – ½ P 100/184.

XX **Herberg de Rietschans,** Meerweg 221 (O : 2 km), ⊠ 9752 XC, ℰ (0 5907) 9 13 65,
Fax (0 5907) 9 39 34, ☂, « Terrasse au bord du lac » – ⓟ. ᴁ ⓘ ⴹ 𝗩𝗜𝗦𝗔. ❀
Repas Lunch 63 – carte 53 à 96.

à Glimmen S : 2 km Ⓒ Haren – ⓧ 0 5906 :

XXX **Le Grillon,** Rijksstraatweg 10, ⊠ 9756 AE, ℰ 13 92, Fax 31 69, ☂, « Terrasse » – ⓟ. ᴁ
ⓘ ⴹ 𝗩𝗜𝗦𝗔
*fermé sam. midi, dim., jours fériés sauf Noël-Nouvel An, 2 sem. vacances bâtiment et du
7 au 21 janv.* – **Repas** Lunch 38 – carte 53 à 83.

HARICH Friesland – voir à Balk.

HARLINGEN Friesland 𝟒𝟎𝟖 ④ – 15 282 h. – ⓧ 0 5178.
Voir Noorderhaven★ (bassin portuaire).

🚢 vers Terschelling : Rederij Doeksen, Willem Barentzkade 21 à West-Terschelling ℰ (0 5620)
21 41, Fax 32 41. Durée de la traversée : 1 h 45. Prix AR : 38,90 Fl, voiture : 20,10 Fl par 0,50 m
de longueur. Il existe aussi un service rapide (pour passagers uniquement). Durée de la traversée :
45 min.

🚢 vers Vlieland : Rederij Doeksen, Willem Barentzkade 21 à West-Terschelling ℰ (0 5620) 21 41,
Fax 32 41. Durée de la traversée : 1 h 45. Prix AR : 38,40 Fl, bicyclette : 15,90 Fl. Il existe aussi un
service rapide. Durée de la traversée : 45 min.

🛈 Voorstraat 34, ⊠ 8861 BL, ℰ 1 72 22, Fax 1 51 76.
◆Amsterdam 113 – ◆Leeuwarden 28.

🏨 **Zeezicht,** Zuiderhaven 1, ⊠ 8861 CJ, ℰ 1 25 36, Fax 1 90 01 – 📺 ☎ ⓟ – 🔏 50. ᴁ ⓘ
ⴹ 𝗩𝗜𝗦𝗔
fermé du 28 au 31 déc. – **Repas** carte 43 à 74 – **25 ch** ⴺ 89/158 – ½ P 94/111.

🏨 **Anna Casparii,** Noorderhaven 69, ⊠ 8861 AL, ℰ 1 20 65, Fax 1 45 40 – 📺 ☎ – 🔏 40.
ᴁ ⓘ ⴹ 𝗩𝗜𝗦𝗔
Repas Lunch 32 – carte 53 à 78 – **15 ch** ⴺ 95/125 – ½ P 127.

HARMELEN Utrecht 𝟒𝟎𝟖 ⑩ – 7 973 h. – ⓧ 0 3483.
👟 à Haarzuilens N : 7 km, Parkweg 5, ⊠ 3451 RH, ℰ (0 3407) 7 28 60.
◆Amsterdam 44 – ◆Utrecht 11 – ◆Den Haag 54 – ◆Rotterdam 49.

🏨 **'t Wapen van Harmelen** (avec annexe - 15 ch), Dorpsstraat 14, ⊠ 3481 EK, ℰ 12 03,
Fax 41 54, ☂ – 📵 ☎ – 🔏 30 à 100. ᴁ ⓘ ⴹ 𝗩𝗜𝗦𝗔 𝗝𝗖𝗕
Repas *(fermé dim. et après 20 h 30)* carte env. 45 – **42 ch** ⴺ 95/150 – ½ P 95/120.

XX **De Kloosterhoeve,** Kloosterweg 2, ⊠ 3481 XC, ℰ 15 61, Fax 42 35, « Ferme du 13ᵉ s. »
– ⓟ. ᴁ ⓘ ⴹ 𝗩𝗜𝗦𝗔
fermé dim. et lundi – **Repas** Lunch 49 – 59/79.

HATTEM Gelderland 408 ⑫ - 11 540 h. - ✿ 0 5206.
◆Amsterdam 116 - Assen 83 - ◆Enschede 80 - ◆Zwolle 7.

XX **Herberg Molecaten** ⑤ avec ch, Molecaten 7, ⊠ 8051 PN, ℰ 4 69 59, Fax 4 68 49, 🏠 - 📺 ☎ 🅿. 🆎 🗲 𝕍𝕀𝕊𝔸. ✀
Repas Lunch 40 - carte 48 à 82 - **6 ch** ⊆ 125/140.

HAUTE VELUWE (Parc National de la) - voir Hoge Veluwe.

HAVELTE Drenthe 408 ⑤ - 6 015 h. - ✿ 0 5214.
Voir Hunebedden* (Dolmens).
🔓 Kolonieweg 1, ⊠ 7971 RA, ℰ 22 00.
🅰 Piet Soerplein 1, ⊠ 7971 CR, ℰ 12 22.
◆Amsterdam 145 - Assen 37 - ◆Groningen 61 - ◆Zwolle 35.

🏠 **Hoffman's Vertellingen,** Dorpsstraat 16, ⊠ 7971 CR, ℰ 23 06, Fax 27 28 - 📳 📺 ☎ 🕭 🅿. 🗲 𝕍𝕀𝕊𝔸. ✀
mars-oct. - **Repas** (fermé jeudi) carte 43 à 60 - **12 ch** ⊆ 80/130 - ½ P 90/105.

HAZERSWOUDE-RIJNDIJK Zuid-Holland 🄲 Rijnwoude 19 567 h. 408 ⑩ - ✿ 0 1714.
◆Amsterdam 48 - ◆Den Haag 25 - ◆Rotterdam 22 - ◆Utrecht 47.

🏠 **Groenendijk,** Rijndijk 96 (sur N 11), ⊠ 2394 AJ, ℰ 1 90 06, Fax 1 38 02, 🏠 - 📳 📺 ☎ 🕭 🅿 - 🔬 25 à 150. 🆎 🗲 𝕍𝕀𝕊𝔸
Repas (fermé 25 déc.) carte env. 50 - **53 ch** ⊆ 100/145 - ½ P 70/90.

HEELSUM Gelderland 🄲 Renkum 32 867 h. 408 ⑫ - ✿ 0 8373.
◆Amsterdam 90 - ◆Arnhem 13 - ◆Utrecht 52.

🏛 **Klein Zwitserland** ⑤, Klein Zwitserlandlaan 5, ⊠ 6866 DS, ℰ 1 91 04, Fax 1 39 43, 🕿, ▤, ✀ - 📳 📺 ☎ 🕭 🅿 - 🔬 25 à 200. 🆎 ⓞ 🗲 𝕍𝕀𝕊𝔸. ✀ rest
Repas De Kriekel Lunch 38 - 58/68 - **74 ch** ⊆ 205/315.

XXX ✿ **De Kromme Dissel,** Klein Zwitserlandlaan 5, ⊠ 6866 DS, ℰ 1 31 18, Fax 1 39 43, 🏠, « Ancienne ferme rustique » - 🅿. 🆎 ⓞ 🗲 𝕍𝕀𝕊𝔸. ✀
fermé sam. midi, dim. midi et lundi - **Repas** 100/115 carte env. 105
Spéc. Tartelette de saumon, St-Jacques, poireau et caviar, sauce au safran, Homard à l'armo-ricaine, Selle de chevreuil (en saison).

HEEMSE Overijssel 408 ⑬ - voir à Hardenberg.

HEEMSKERK Noord-Holland 408 ⑩ - 34 128 h. - ✿ 0 2510.
◆Amsterdam 30 - Alkmaar 18 - ◆Haarlem 18.

XX ✿ **De Vergulde Wagen** (Mme Nieuwenhuizen), Rijksstraatweg 161, ⊠ 1969 LE, ℰ 3 24 17, Fax 5 35 94, 🏠 - 🆎 ⓞ 🗲 𝕍𝕀𝕊𝔸. ✀ rest
fermé jeudi - **Repas** Lunch 55 - carte 83 à 98
Spéc. Terrine d'asperges et jambon à l'os, Cabillaud sauté sur sa peau, sauce aux oursins, Queue de filet de bœuf au Madère.

dans le domaine du château Marquette :

🏛 **Marquette** ⑤ sans rest, Marquettelaan 34, ⊠ 1968 JT, ℰ 4 14 14, Fax 4 55 08, « Environnement boisé » - 📺 ☎ 🕭 🅿. 🆎 ⓞ 🗲 𝕍𝕀𝕊𝔸
⊆ 20 - **65 ch** 205/255.

XXX **Marquette,** Marquettelaan 34, ⊠ 1968 JT, ℰ 4 14 14, Fax 4 55 08, « Environnement boisé » - 🅿. 🆎 ⓞ 🗲 𝕍𝕀𝕊𝔸. ✀
fermé du 6 au 19 août, 27 déc.-10 janv., lundi et mardi - **Repas** (dîner seult) 75/95.

HEEMSTEDE Noord-Holland 408 ⑩ - voir à Haarlem.

HEERENVEEN Friesland 408 ⑤ - 38 728 h. - ✿ 0 5130.
🅰 (fermé dim.) Van Kleffenslaan 6, ⊠ 8442 CW, ℰ 2 55 55.
◆Amsterdam 129 - ◆Leeuwarden 30 - ◆Groningen 58 - ◆Zwolle 62.

🏛 **Postiljon,** Schans 65 (N : 2 km sur A 7), ⊠ 8441 AC, ℰ 1 86 18, Fax 2 91 00 - 📳 ✀ 📺 ☎ 🕭 🅿 - 🔬 25 à 300. 🆎 ⓞ 🗲 𝕍𝕀𝕊𝔸
Repas carte env. 50 - ⊆ 16 - **55 ch** 105/145 - ½ P 100/169.

XX **Sir Sebastian,** Herenwal 186, ⊠ 8441 BG, ℰ 5 04 08, Fax 5 05 62 - 🆎 ⓞ 🗲 𝕍𝕀𝕊𝔸 🔠
fermé sam. midi, dim. midi, lundi et 2 prem. sem. vacances bâtiment - **Repas** Lunch 50 - 50/80.

XX **Azië,** Drachtpromenade 126, ⊠ 8442 BX, ℰ 2 43 72, Fax 2 55 28, Cuisine chinoise - ▤. 🆎 ⓞ 🗲 𝕍𝕀𝕊𝔸. ✀
fermé dim. et lundi - **Repas** carte 48 à 70.

à Katlijk E : 8 km 🄲 Heerenveen – 🕓 0 5135 :

XX **De Grovestins,** W.A. Nyenhuisweg 7, ⊠ 8455 JS, ℰ 4 19 93, Fax 4 18 84, 🍃, « Ancienne ferme » – 🄿, 🖭 ⓪ 🗲 *VISA*
fermé lundi, mardi et 2 prem. sem. janv. – **Repas** 50/70.

HEERHUGOWAARD Noord-Holland 🛯🛯🛭 ⑩ – voir à Alkmaar.

HEERLEN Limburg 🛯🛯🛭 ② et 🛯🛯🛭 ㉖ – 95 347 h. – 🕓 0 45.

🄫 à Brunssum N : 7 km, Rimburgerweg, ⊠ 6445 PA, ℰ (0 45) 27 09 68 - 🄫 à Voerendaal SO :
5 km, Hoensweg 17, ⊠ 6367 GN, ℰ (0 45) 75 33 00.
🄱 Honigmanstraat 100, ⊠ 6411 LM, ℰ 71 62 00, Fax 71 83 83.
◆Amsterdam 214 – ◆Maastricht 22 – Aachen 18 – Roermond 47.

🏨🏨 **Grand,** Groene Boord 23, ⊠ 6411 GE, ℰ 71 38 46, Fax 74 10 99 – |🛗| 🦮 ⊟ rest 🖭 ☎ 🄿
– 🅰 25 à 180. 🖭 ⓪ 🗲 *VISA*. 🛠 rest
Repas *Lunch 23* – carte env. 70 – **102 ch** � 265, 4 suites – ½ P 200/220.

🏨 **Motel Heerlen,** Terworm 10 (O : 3 km sur ring N 281), ⊠ 6411 RV, ℰ 71 94 50,
Fax 71 94 50, 🍃, 🛦, 🚣, 🔲 – |🛗| 🖭 ☎ 🕭 🄿 – 🅰 25 à 500. 🖭 ⓪ 🗲 *VISA*. 🛠
Repas *Lunch 15* – carte env. 45 – 15 – **147 ch** 90/110.

🏨 **Tulip Inn,** Wilhelminaplein 17, ⊠ 6411 KW, ℰ 71 33 33, Fax 71 54 91 – |🛗| 🖭 ☎ 🄿 – 🅰 25
à 120. 🖭 ⓪ 🗲 *VISA*. 🛠 rest
Repas (Brasserie) *Lunch 28* – carte 48 à 68 – **62 ch** ⊋ 90/150 – ½ P 118/148.

🏨 **de la Station,** Stationstraat 16, ⊠ 6411 NH, ℰ 71 90 63, Fax 71 18 82, 🍃, 🚣 – |🛗| 🦮
🖭 ☎ 🖭 ⓪ 🗲 *VISA*. 🛠
Repas *Lunch 48* – carte 51 à 77 – **40 ch** ⊋ 90/175 – ½ P 120/160.

🏨 **Bastion** sans rest, In de Cramer 199 (sur N 281 sortie Heerlen-Noord), ⊠ 6412 PM,
ℰ 75 45 40, Fax 75 45 44 – 🖭 ☎ 🄿. 🖭 ⓪ 🗲 *VISA*. 🛠
40 ch ⊋ 99/113.

XX **Geleenhof,** Valkenburgerweg 54, ⊠ 6419 AV, ℰ 71 80 00, Fax 71 80 86, 🍃, « Ferme du
18ᵉ s. » – 🄿. 🗲 *VISA*
fermé dim., lundi et fin déc.-2 janv. – **Repas** *Lunch 49* – carte env. 65.

XX **De Boterbloem,** Laanderstraat 27, ⊠ 6411 VA, ℰ 71 42 41, 🍃 – 🄿. ⓪ 🗲 *VISA*
fermé mardi, 2 sem. carnaval et 1ʳᵉ quinz. août – **Repas** *Lunch 59* – carte 54 à 72.

à Welten S : 2 km 🄲 Heerlen – 🕓 0 45 :

XX **In Gen Thùn,** Weltertuynstraat 31, ⊠ 6419 CS, ℰ 71 16 16, Fax 71 09 74 – ⊟ 🄿. 🖭 ⓪
🗲 *VISA*. 🛠
fermé dim., 26 fév.-5 mars et 17 juil.-6 août – **Repas** *Lunch 55* – carte env. 80.

HEEZE Noord-Brabant 🛯🛯🛭 ⑱ et 🛯🛯🛭 ⑱ – 9 430 h. – 🕓 0 4907.
◆Amsterdam 139 – ◆'s-Hertogenbosch 50 – ◆Eindhoven 11 – Roermond 42 – Venlo 50.

🏨🏨 **Host. Van Gaalen,** Kapelstraat 48, ⊠ 5591 HE, ℰ 6 35 15, Fax 6 38 76, 🍃, « Terrasse
et jardin » – 🖭 ☎ 🖙 🄿 – 🅰 25. 🖭 ⓪ 🗲 *VISA*
fermé sem. carnaval, 2 dern. sem. juil. et 27 déc.-5 janv. – **Repas** *(fermé lundi)* *Lunch 43* –
53/65 – ⊋ 18 – **13 ch** 125/150, 1 suite – ½ P 138/175.

HEILIG LAND-STICHTING Gelderland – voir à Nijmegen.

HEILLE Zeeland 🛯🛯🛭 ⑫ – voir à Sluis.

HEILOO Noord-Holland 🛯🛯🛭 ⑩ – 20 792 h. – 🕓 0 72.
◆Amsterdam 34 – Alkmaar 5 – ◆Haarlem 27.

🏨 **Heiloo,** Kennemerstraatweg 425, ⊠ 1851 PD, ℰ (0 2205) 22 44, Fax (0 2205) 37 66, 🔲 –
⊟ rest 🖭 ☎ 🄿 – 🅰 40 à 800. 🖭 ⓪ 🗲 *VISA*. 🛠
Repas (ouvert jusqu'à 23 h) *Lunch 30* – carte 57 à 72 – **42 ch** ⊋ 165 – ½ P 150.

HELDEN Limburg 🛯🛯🛭 ⑳ et 🛯🛯🛭 ⑲ – 18 529 h. – 🕓 0 4760.
◆Amsterdam 174 – ◆Maastricht 68 – ◆Eindhoven 46 – Roermond 24 – Venlo 15.

XX **Antiek** avec ch, Mariaplein 1, ⊠ 5988 CH, ℰ 7 13 52, Fax 7 75 99 – 🖭 ☎ 🄿. 🖭 ⓪ 🗲
VISA. 🛠
fermé du 16 au 31 juil., 27 déc.-8 janv. et dim. – **Repas** *Lunch 43* – 48/73 – **6 ch** ⊋ 85/130.

To obtain a general view of Benelux,
use the Michelin Map 🛯🛯🛵
Benelux (1 in : 6.30 miles).

Den HELDER Noord-Holland 408 ③ – 61 149 h. – ✿ 0 2230.

᛬ à Julianadorp S : 7 km, Ooghduyne 1, ✉ 1787 PS, ℘ (0 2230) 4 01 25.

᛬᛬᛬ vers Texel : Rederij Teso, Pontweg 1 à Den Hoorn (Texel) ℘ (0 2220) 6 96 00. Durée de la traversée : 20 min. Prix AR : 9,25 Fl (en hiver) et 11,15 Fl (en été), voiture : 41,15 Fl (en hiver) et 49,25 Fl (en été).

🛈 Julianaplein 30, ✉ 1781 HC, ℘ 2 55 44.

◆Amsterdam 79 – Alkmaar 40 – ◆Haarlem 72 – ◆Leeuwarden 90.

   à Huisduinen O : 2 km 🄲 Den Helder – ✿ 0 2230 :

🏩 Beatrix, Badhuisstraat 2, ✉ 1783 AK, ℘ 2 40 00, Telex 57360, Fax 2 73 24, ≤, 16, 全, 🔲 – 🛗 🖿 rest 📺 ☎ 🅿 – 🔏 25 à 75. �ិ
   50 ch, 2 suites.

HELLENDOORN Overijssel 408 ⑬ – 34 998 h. – ✿ 0 5486.

◆Amsterdam 142 – ◆Zwolle 35 – ◆Enschede 42.

🏠 **De Uitkijk** 🠒, Hellendoornsebergweg 8, ✉ 7447 PA, ℘ 5 41 17, Fax 5 40 26, 🌧, « Dans
➡ les bois » – ☎ 🅿 🅿 – 🔏 25 à 100. 🕮 ⓞ 🗲 🎟 🌧 rest
   Repas *(fermé après 20 h)* Lunch 25 – 43/125 – **19 ch** 🖛 50/110 – ½ P 78/113.

HELLEVOETSLUIS Zuid-Holland 212 ④ et 408 ⑯ ㉓ – 36 223 h. – ✿ 0 1883.

Env. Barrage du Haringvliet★★ (Haringvlietdam) O : 10 km.

◆Amsterdam 101 – ◆Den Haag 51 – ◆Breda 74 – ◆Rotterdam 33.

🏨 **Hazelbag**, Rijksstraatweg 151, ✉ 3222 KC, ℘ 1 22 10, Fax 1 26 77 – 🖿 🅿. 🕮 ⓞ 🗲 🎟
   🌧
   fermé lundi, mardi et fév. – **Repas** (dîner seult) 48/63.

HELMOND Noord-Brabant 212 ⑲ et 408 ⑲ – 71 528 h. – ✿ 0 4920.

Voir Château★ (Kasteel).

🛈 (fermé dim.) Markt 211, ✉ 5701 RJ, ℘ 4 31 55, Fax 4 68 66.

◆Amsterdam 124 – ◆'s-Hertogenbosch 39 – ◆Eindhoven 13 – Roermond 47.

🏩 **West-Ende**, Steenweg 1, ✉ 5707 CD, ℘ 2 41 51, Fax 4 32 95, 🌧 – 🛗 🖿 📺 ☎ 🅿 – 🔏 25
   à 100. 🕮 ⓞ 🗲 🎟 🌧 rest
   fermé Noël – **Repas** *(fermé dim.)* Lunch 25 – 50/67 – **28 ch** 🖛 130/198.

🏨🏨 **De Hoefslag**, Warande 2 (NO : 1 km), ✉ 5707 GP, ℘ 3 63 61, Fax 2 26 15, 🌧, « Terrasse
   avec ≤ parc et étang » – 🅿. 🕮 ⓞ 🗲 🎟 🌧
   fermé sam. midi, dim. midi et du 17 au 30 juil. – **Repas** Lunch 63 – 73/98.

🏨 **De Raymaert**, Mierloseweg 130, ✉ 5707 AR, ℘ 4 18 18, Fax 4 77 93, 🌧 – 🅿. 🗲 🎟
   🌧
   fermé lundis non fériés – **Repas** (dîner seult) 40/58.

🏨 **De Berckt**, Deurneseweg 7 (E : 2 km), ✉ 5709 AH, ℘ 1 37 37, Fax 1 53 74 – 🅿. 🕮 ⓞ
   🗲 🎟 🌧
   fermé sam. midi et dim. midi – **Repas** Lunch 35 – 43/55.

HELVOIRT Noord-Brabant 212 ⑦ et 408 ⑱ – 4 711 h. – ✿ 0 4118.

◆Amsterdam 98 – ◆'s-Hertogenbosch 9 – ◆Eindhoven 36 – ◆Tilburg 13.

🏨 **De Zwarte Leeuw**, Oude Rijksweg 20, ✉ 5268 BT, ℘ 12 66, Fax 22 51 – 🖿 🅿. 🕮 ⓞ
   🗲 🎟 🌧
   fermé merc. et 2ᵉ quinz. juil. – **Repas** Lunch 33 – 53/63.

HENDRIK-IDO-AMBACHT Zuid-Holland 212 ⑤ et 408 ⑰ – 19 694 h. – ✿ 0 1858.

◆Amsterdam 96 – Dordrecht 7 – ◆Rotterdam 17.

🏨 ❀ **De Brave Hendrik**, Kerkstraat 30, ✉ 3341 LE, ℘ 1 65 65, Fax 2 04 74, 🌧, « Terrasse »
   – 🕮 ⓞ 🗲 🎟 🌧
   fermé dim., lundi et fin déc.-prem. sem. janv. – **Repas** Lunch 49 – 59/90 carte 73 à 90
   Spéc. Crevettes de Stellendam en vinaigrette, Canard braisé aux épices (15 sept-mars), Filet de
   barbue grillé et légumes marinés.

HENGELO Overijssel 408 ⑬ – 77 270 h. – ✿ 0 74 – Ville industrielle.

᛬ Enschedesestraat 381, ✉ 7552 CV, ℘ 91 27 73.

᛬᛬ à Enschede-Twente NE : 6 km ℘ (0 53) 35 20 86.

᛬᛬ (départs de 's-Hertogenbosch) ℘ 42 56 67 et 50 10 25.

🛈 Brinkstraat 32, ✉ 7551 CD, ℘ 42 11 20, Fax 42 17 80.

◆Amsterdam 149 – ◆Zwolle 61 – ◆Apeldoorn 62 – ◆Enschede 9.

Hengelo, Bornsestraat 400 (près A 1, direction Borne), ⊠ 7556 BN, ℰ 55 50 55, Fax 55 50 10, 🍴 – 📶 📺 ☎ ♿ 🅿 – 🔬 25 à 1000. 🅰🅴 ① 🎴 𝘝𝘐𝘚𝘈
Repas (ouvert jusqu'à 23 h) *Lunch* 28 – 28/60 – ⌷ 13 – **140 ch** 100.

XXX **Mondriaan,** Beursstraat 2, ⊠ 7551 HV, ℰ 91 53 21, Fax 43 65 05, Ouvert jusqu'à 23 h – 🅰🅴 ① 🎴 𝘝𝘐𝘚𝘈 – **Repas** *Lunch* 45 – carte 56 à 108.

XX **'t Steerntje,** Deldenerstraat 305 (O : 1,5 km), ⊠ 7555 AG, ℰ 91 29 93, Fax 91 29 00, 🍴 – 🅿. 🅰🅴 ① 🎴 𝘝𝘐𝘚𝘈
fermé 24 et 31 déc. et lundis non fériés – **Repas** *Lunch* 33 – 53/98.

XX **De Bourgondiër,** Langestraat 29, ⊠ 7551 DX, ℰ 43 31 33, Fax 43 32 63, 🍴 – 🅿. 🅰🅴 ①
🎴 𝘝𝘐𝘚𝘈
fermé sam. midi, dim. midi et lundi – **Repas** *Lunch* 28 – 53.

à Beckum SO : 7 km 🄲 Hengelo – 😊 0 5406 :

XX **Het Wapen van Beckum,** Beckumerkerkweg 20, ⊠ 7554 PV, ℰ 7 65 65, Fax 7 66 48, 🍴 – 🅿. 🅰🅴 ① 🎴 𝘝𝘐𝘚𝘈
fermé lundi – **Repas** *Lunch* 20 – carte env. 70.

HENGEVELDE Overijssel 🄲 Ambt Delden 5 454 h. 🇭🇮🇭🇮 ⑬ – 😊 0 5473.
♦Amsterdam 135 – ♦Apeldoorn 53 – ♦Arnhem 32 – ♦Enschede 18 – ♦Zwolle 63.

🏠 **Pierik,** Goorsestraat 25 (sur N 347), ⊠ 7496 AB, ℰ 3 30 00, Fax 3 36 56 – 📺 ☎ 🅿 – 🔬 100.
🅰🅴 ① 🎴 𝘝𝘐𝘚𝘈. 🦌
fermé 19 déc.-9 janv. – **Repas** carte env. 45 – **31 ch** ⌷ 80/145 – ½ P 80/98.

HERKENBOSCH Limburg 🇭🇮🇭🇮 ⑳ et 🇭🇮🇭🇮 ⑲ – voir à Roermond.

HERTME Overijssel – voir à Borne.

's-HERTOGENBOSCH ou **Den BOSCH** 🅿 Noord-Brabant 🇭🇮🇭🇮 ⑦ ⑧ et 🇭🇮🇭🇮 ⑱ – 94 337 h. – 😊 0 73.

Voir Cathédrale St-Jean★★ (St. Janskathedraal) : retable★ Z.
Musée : du Brabant Septentrional★ (Noordbrabants Museum) Z **M¹**.
Env. NE : 3 km à Rosmalen, collection de véhicules★ dans le musée du transport Autotron – O : 25 km à Kaatsheuvel, De Efteling★ (parc récréatif).
🏌 à St-Michielsgestel par ④ : 10 km, Zegenwerp 12, ⊠ 5271 NC, ℰ (0 4105) 1 23 16.
✈ à Eindhoven-Welschap par ④ : 32 km ℰ (0 40) 51 61 42.
🚂 lignes directes France, Suisse, Italie, Autriche, Yougoslavie et Allemagne ℰ 14 50 55.
🏛 (fermé dim.) Markt 77, ⊠ 5211 JX, ℰ 12 30 71, Fax 12 89 30.
♦Amsterdam 83 ⑦ – ♦Eindhoven 35 ④ – ♦Nijmegen 47 ② – ♦Tilburg 23 ⑤ – ♦Utrecht 51 ⑦.

Plans pages suivantes

🏨 **Central,** Burg. Loeffplein 98, ⊠ 5211 RX, ℰ 12 51 51, Fax 14 56 99, 🍴 – 📶 ✙✙ 🍽 rest
📺 ☎ ⇔ – 🔬 25 à 320. 🅰🅴 ① 🎴 𝘝𝘐𝘚𝘈. 🦌 rest   Z **c**
Repas *Leeuwenborgh* carte env. 50 – ⌷ 26 – **124 ch** 175/225, 1 suite – ½ P 165.

🏨 **Cadettt,** Pettelaarpark 90, ⊠ 5216 PH, ℰ 87 46 74, Telex 50895, Fax 87 46 35, ≤, 🍴, 🦶,
🚏 – 📶 ✙✙ 🍽 📺 ☎ ♿ 🅿 – 🔬 25 à 85. 🅰🅴 ① 🎴 𝘝𝘐𝘚𝘈 🎴🎴. 🦌   X **a**
Repas *Lunch* 25 – carte env. 60 – ⌷ 19 – **92 ch** 159 – ½ P 112/129.

🏠 **Bastion** sans rest, Zandzuigerstraat 101, ⊠ 5231 XW, ℰ 44 14 00, Fax 44 13 37 – 📺 ☎
🅿. 🅰🅴 ① 🎴 𝘝𝘐𝘚𝘈. 🦌   V **v**
40 ch ⌷ 99/113.

🏠 **Eurohotel** sans rest, Hinthamerstraat 63, ⊠ 5211 MG, ℰ 13 77 77, Fax 12 87 95 – 📶 📺
☎ ⇔ – 🔬 25 à 150. 🅰🅴 ① 🎴 𝘝𝘐𝘚𝘈 🎴🎴. 🦌   Z **d**
fermé du 26 au 31 déc. – **41 ch** ⌷ 90/120.

🏠 **Campanile,** Goudbloemvallei 21 (Maaspoortweg), ⊠ 5237 MH, ℰ 42 25 25, Fax 41 00 48,
🍴 – 📺 ☎ ♿ 🅿 – 🔬 25 à 40. 🎴🎴   V **u**
Repas *Lunch* 15 – 39 – ⌷ 12 – **48 ch** 75/94 – ½ P 110/136.

XXXX **Chalet Royal,** Wilhelminaplein 1, ⊠ 5211 CG, ℰ 13 57 71, Fax 14 77 82, 🍴, « Terrasse
au bord de l'eau » – 🅿 – 🔬 25. 🅰🅴 ① 🎴 𝘝𝘐𝘚𝘈 🎴🎴   Z **f**
fermé sam. midi, dim., lundi, 18 juil.-14 août et 27 déc.-2 janv. – **Repas** carte 84 à 110.

XX **Aub. de Koets,** Korte Putstraat 23, ⊠ 5211 KP, ℰ 13 27 79, Fax 14 62 52, 🍴 – 🍽. 🅰🅴
① 🎴 𝘝𝘐𝘚𝘈   Z **h**
fermé carnaval – **Repas** *Lunch* 45 – 65/83.

XX **De Veste,** Uilenburg 2, ⊠ 5211 EV, ℰ 14 46 44, Fax 12 49 34, 🍴 – 🅰🅴 ① 🎴 𝘝𝘐𝘚𝘈 Z **k**
fermé dim., lundi midi et 24 juil.-14 août – **Repas** *Lunch* 35 – 48/75.

XX **Roxy's,** Hinthamerstraat 210, ⊠ 5211 MX, ℰ 14 71 90, Fax 14 71 90 – 🅰🅴 ① 🎴 𝘝𝘐𝘚𝘈 Z **r**
fermé mardi et 24 juil.-15 août – **Repas** (dîner seult) 50/70.

XX **De Raadskelder,** Markt 1a, ⊠ 5211 JV, ℰ 13 69 19, « Cave du 16ᵉ s. » – 🅰🅴 ① 🎴 𝘝𝘐𝘚𝘈.
🦌   Z **m**
fermé dim., lundi, 16 juil.-7 août et 24 déc.-1ᵉʳ janv. – **Repas** *Lunch* 25 – 50/93.

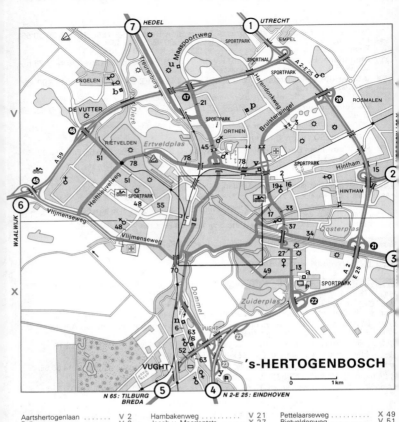

Aartshertogenlaan	V 2	Hambakenweg	V 21	Pettelaarseweg	X 49
Balkweg	V 3	Jacob v. Maerlantstr.	X 27	Rietveldenweg	V 51
Bosscheweg	X 6	Lagelandstr.	V 33	Rijksweg-West	V 52
Gestelseweg	X 13	Maastrichtseweg	X 34	Simon Stevinweg	V 55
Graafsebaan	V 15	Merwedelaan	X 37	Taalstr.	V 63
Graafseweg	V 16	Orthen	V 45	Vughterweg	V 70
van Grobbendoncklaan	V 19	Oude Vlijmenseweg	VX 48	Zandzuigerstr.	V 78

✗ **Het Nieuwe Oosten,** Rompert(winkel)centrum 7, ⊠ 5233 RG, ℰ 41 23 15, Cuisine chinoise – 🍽 **ₚ**, 🖭 ℰ 𝚅𝙸𝚂𝘼 𝙹𝙲𝘽   V **p**
Repas Lunch 19 – carte 43 à 78.

✗ **Shiro** 1ᵉʳ étage, Uilenburg 4, ⊠ 5211 EV, ℰ 14 46 44, Fax 12 49 34, Cuisine japonaise – 🖭 ℰ 𝚅𝙸𝚂𝘼 𝙹𝙲𝘽   Z **k**
fermé du 26 au 28 fév., du 1ᵉʳ au 14 août, 31 déc.-2 janv. et dim. – **Repas** (dîner seult) 76/92.

✗ **Da Peppone,** Kerkstraat 77, ⊠ 5211 KE, ℰ 14 78 94, Cuisine italienne – 🖭 ⓞ ℰ 𝚅𝙸𝚂𝘼   Z **q**
Repas (dîner seult) 43/60.

à **Engelen** NO : 3 km Ⓒ 's-Hertogenbosch – ✪ 0 73 :

✗✗ **Petit Village,** Graaf van Solmsweg 85, ⊠ 5221 BM, ℰ 31 16 07, <, 🏤 – 🖭 ⓞ ℰ 𝚅𝙸𝚂𝘼   V **b**
fermé lundi et 24 juil.-15 août – **Repas** Lunch 43 – 48.

à **Rosmalen** E : 3 km – 27 197 h. – ✪ 0 4192 :

🏨 **Postiljon,** Burg. Burgerslaan 50 (près A 2), ⊠ 5245 NH, ℰ 1 91 59, Fax 1 62 15, <, 🏤 🚗 – ⧆ ↯ 🍽 rest 📺 ☎ ⅙ 🅟 – 🕿 25 à 200. 🖭 ⓞ ℰ 𝚅𝙸𝚂𝘼   V **e**
Repas carte env. 50 – ☰ 16 – **82 ch** 110/156 – ½ P 100/180.

✗✗✗ **Die Heere Sewentien,** Sparrenburgstraat 9, ⊠ 5244 JC, ℰ 1 77 44, 🏤, « Terrasse et jardin » – 🅟. 🖭 ⓞ ℰ 𝚅𝙸𝚂𝘼
fermé lundi et carnaval – **Repas** 48/85.

's-HERTOGENBOSCH

Hinthamerstr.	Z		Emmaplein	Y 10	Oranje Nassaulaan	Z 43
Hoge Steenweg	Z 25		Geert van Woustr.	Y 12	Orthenstr.	Y 46
Schapenmarkt	Z 54		Graafseweg	Y 16	Sint-Jacobstr.	Z 57
Visstraat	Z 67		Havensingel	Y 22	Sint-Josephstr.	Z 58
Vughterstr.	Z		Hinthamereinde	Y 24	Spinhuiswal	Z 60
			Jan Heinsstr.	Y 28	Stationsweg	YZ 61
Bethaniestr.	Z 4		Kerkstr.	Z 30	Torenstr.	Z 66
de Bossche Pad	Z 7		Koninginnenlaan	Y 31	Vlijmenseweg	Z 69
Burg. Loeffpl.	YZ 9		Maastrichtseweg	Y 34	Vughterweg	Z 70
			Muntelbolwerk	Y 39	van der Weeghensingel	Y 73
			van Noremborghstr.	Y 40	Wilhelminaplein	Z 75
			Oostwal	Z 42	Willemsplein	Z 76

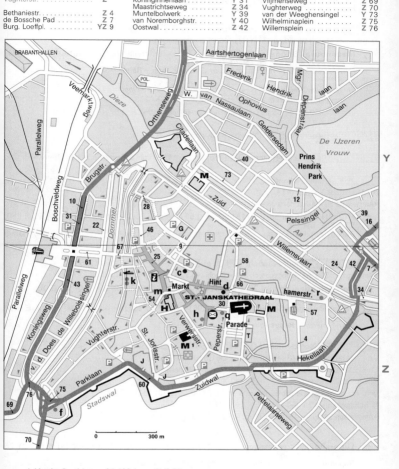

à Vught S : 4 km – 24 432 h. – ✆ 0 73 :

Motel Vught, Bosscheweg 2, ⊠ 5261 AA, ✆ 57 90 40, Fax 56 81 20, ≤, 佘, Fᴗ, ≘s, ⊠,
⁂ – |≢| ▤ rest ⊤ ☎ & ❷ – 益 25 à 500. 🖭 ① ㉠ *VISA*. ⁂   X **n**
Repas (ouvert jusqu'à 23 h 30) 43/80 – ⊇ 11 – **109 ch** 115, 8 suites.

Kasteel Maurick, Maurick 3 (sur N 2), ⊠ 5261 NA, ✆ 57 91 08, Fax 56 04 40, 佘,
« Terrasse et jardin » – ❷ – 益 25 à 120. 🖭 ① ㉠ *VISA*. ⁂   X **y**
fermé dim. et jours fériés – **Repas** Lunch 49 – 63/100.

Van Ouds Gansoyen, Taalstraat 64, ⊠ 5261 BG, ✆ 56 39 09, Fax 57 02 67, 佘, Rustique
– ▤ ❷ 🖭 ① ㉠ *VISA*   X **s**
fermé lundi et sem. carnaval – **Repas** (dîner seult) carte env. 60.

Les cartes Michelin sont constamment tenues à jour.

HEUSDEN Noord-Brabant 212 ⑦ et 408 ⑱ – 6 039 h. – 🕾 0 4162.

🖪 (avril-oct.) Engstraat 4, ✉ 5256 ZG, 𝒫 21 00.

◆Amsterdam 96 – ◆'s-Hertogenbosch 19 – ◆Breda 43 – ◆Rotterdam 67.

XXX **In den Verdwaalde Koogel** avec ch, Vismarkt 1, ✉ 5256 BC, 𝒫 19 33, Fax 12 95, 🎏, « Maison du 17ᵉ s. » – 📺 🕾 – 🛎 30. 🖭 ⓞ 🗲 🖭
Repas Lunch 48 – 65/93 – **11 ch** ☷ 115/145, 1 suite – ½ P 140.

HEIJEN Limburg 🅲 Gennep 16 558 h. 212 ⑩ et 408 ⑲ – 🕾 0 8851.

◆Amsterdam 140 – ◆Eindhoven 67 – ◆Maastricht 115 – ◆Nijmegen 26 – Venlo 38.

XX **Mazenburg,** Boxmeerseweg 61 (SO : 3 km, Zuidereiland), ✉ 6598 MX, 𝒫 1 71 71, Fax 1 87 87, ≤, 🎏 – ❷. 🖭 ⓞ 🗲 🖭 🛠
fermé sam. midi, dim. midi, merc. et 2ᵉ quinz. oct. – **Repas** 75/95.

The Michelin Map no 408 (scale 1 : 400 000) covers the whole of the Netherlands in one sheet.

In addition there are detailed insets of Amsterdam and Rotterdam and an index of places.

HIERDEN Gelderland 408 ⑪ – voir à Harderwijk.

HILLEGERSBERG Zuid-Holland 212 ⑤ et 408 ⑩ ㉕ – voir à Rotterdam, périphérie.

HILLEGOM Zuid-Holland 408 ⑩ – 19 834 h. – 🕾 0 2520.

🖪 Mariastraat 4, ✉ 2181 CT, 𝒫 1 57 72.

◆Amsterdam 30 – ◆Den Haag 33 – ◆Haarlem 12.

🏨 **Flora,** Hoofdstraat 55, ✉ 2181 EB, 𝒫 1 51 00, Fax 2 93 14 – 🛗 📺 🕾 ❷ – 🛎 25 à 250. 🖭 ⓞ 🗲 🖭 🛠 rest
Repas (fermé dim. midi) Lunch 40 – carte env. 50 – **26 ch** (fermé 24, 25 et 30 déc. et 1ᵉʳ janv.) ☷ 70/160.

HILVARENBEEK Noord-Brabant 212 ⑰ et 408 ⑱ – 9 959 h. – 🕾 0 4255.

◆Amsterdam 120 – ◆'s-Hertogenbosch 31 – ◆Eindhoven 30 – ◆Tilburg 12 – ◆Turnhout 33.

XXX **De Egelantier,** Vrijthof 26, ✉ 5081 CB, 𝒫 45 04, Fax 39 82, 🎏 – ❷. 🖭 🗲 🖭
fermé lundi – **Repas** 70/100.

XX **Pieter Bruegel,** Gelderstraat 7, ✉ 5081 AA, 𝒫 17 58, Fax 46 77 – 🍽. 🖭 ⓞ 🗲 🖭 🛠
fermé mardi – **Repas** (dîner seult) carte 69 à 92.

HILVERSUM Noord-Holland 408 ⑪ – 84 545 h. – 🕾 0 35.

Voir Hôtel de ville★ (Raadhuis) ⋎ H – Le Gooi★ (Het Gooi).

Env. Étangs de Loosdrecht★★ (Loosdrechtse Plassen) par ④ : 7 km.

🖼 Soestdijkerstraatweg 172, ✉ 1213 XJ, 𝒫 85 70 60.

🚂 (départs de 's-Hertogenbosch) 𝒫 25 94 00 et (0 30) 33 25 55.

🖪 Schapenkamp 25, ✉ 1211 NV, 𝒫 21 16 51.

◆Amsterdam 34 ⑤ – ◆Apeldoorn 65 ① – ◆Utrecht 20 ③ – ◆Zwolle 87 ①.

Plan page ci-contre

🏨 **Lapershoek,** Utrechtseweg 16, ✉ 1213 TS, 𝒫 23 13 41, Fax 28 43 60 – 🛗 📺 🕾 ❷ – 🛎 25 à 300. 🖭 ⓞ 🗲 🖭   X e
Repas (fermé 1ᵉʳ janv.) Lunch 15 – carte env. 50 – **62 ch** ☷ 180/245 – ½ P 225/245.

XX **Nusantara** 1ᵉʳ étage, Vaartweg 15a, ✉ 1211 JD, 𝒫 23 23 67, Fax 23 70 72, Cuisine indo-nésienne – 🍽. 🖭 ⓞ 🗲 🖭 🛠   Z f
fermé juil., 25, 26 et 31 déc. et 1ᵉʳ janv. – **Repas** (dîner seult) carte 51 à 85.

XX **Chablis,** Mauritsstraat 1, ✉ 1211 KE, 𝒫 24 66 55 – 🖭 ⓞ 🗲 🖭 🛠   Z n
fermé mardi et merc. – **Repas** (dîner seult) 73/80.

XX **Spandershoeve,** Bussumergrintweg 46, ✉ 1217 BS, 𝒫 21 11 30, Fax 23 51 53, 🎏, Cui-sine indonésienne – 🍽 ❷. 🖭 ⓞ 🗲 🖭 🛠   V s
fermé 25, 26 et 31 déc. – **Repas** Lunch 19 – carte 43 à 78.

X **Joffers,** Vaartweg 33, ✉ 1211 JD, 𝒫 21 45 56, Fax 24 41 21, 🎏 – ❷. 🖭 ⓞ 🗲 🖭   Z b
fermé dim., 31 déc. et 1ᵉʳ janv. – **Repas** 40/80.

à 's-Graveland par ④ : 7 km – 9 093 h. – 🕾 0 35 :

XX **Berestein,** Zuidereinde 208, ✉ 1243 KR, 𝒫 56 10 30 – 🖭 🗲 🖭
fermé lundi et mardi – Repas (dîner seult) 50.

374

HILVERSUM

Groest . . . . Z
Havenstr. . . . . Z
Kerkstr. . . . . YZ
Leeuwenstr. . . . . . . Y 28
Schoutenstr. . . . . . Y 47

Achterom . . . . Z 2
Berkenlaan . . . . . . X 3
Bosdrift . . . . X 4
Bussumergrintweg . V 7
Eikenlaan . . . . X 8
Geert van
    Mesdagweg . . . . X 9
van Ghentlaan . . . . X 12
Godelindeweg . . . . V 13
Hilvertsweg . . . . . X 14
Hoge Naarderweg . X 17
Insulindelaan . . . . . V 18
Jan
    van der Heijdenstr. V 19
Kolhornseweg . . . . X 22
Krugerweg . . . . . . X 23
Lage Naarderweg . . V 24
Langestr. . . . . V 26
Larenseweg . . . . . X 27
Loosdrechtse bos . . X 29
Loosdrechtseweg . . X 32
Minckelersstr. . . . . V 34
Noorderweg . . . . . V 37
Oostereind . . . . . . X 38
Oosterengweg . . . . X 39
Prins Bernhardstr. . Z 42
Prof. Kochstr. . . . . Y 43
Schapenkamp . . . . YZ 44
Soestdijkerstraatweg X 48
Spoorstr. . . . . Y 49
Stationsstr. . . . . . . Y 53
Vaartweg . . . . Z 53
Veerstr. . . . . Z 54
Vreelandseweg . . . X 57
Zuiderweg . . . . . . YZ 58

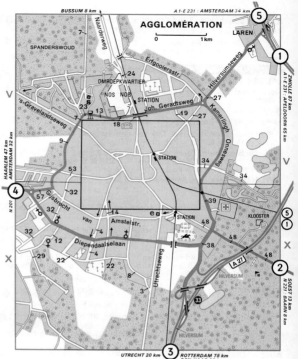

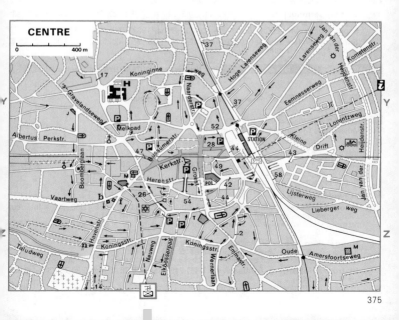

HINDELOOPEN (HYLPEN) Friesland © Nijefurd 10 323 h. 408 ④ – ✿ 0 5142.
◆Amsterdam 118 – ◆Leeuwarden 47 – ◆Zwolle 86.

XX **De Gasterie,** Kalverstraat 13, ⊠ 8713 KV, ℘ 19 86 – ஊ ◑ ᴇ
avril-6 nov. ; fermé lundi – **Repas** (dîner seult) 53.

HOEK VAN HOLLAND Zuid-Holland © Rotterdam 596 023 h. 408 ⑨ ㉓ – ✿ 0 1747.
🚗 (départs de 's-Hertogenbosch) ℘ 0 6-92 96 et (0 30) 33 25 55.
🚢 vers Harwich : Stena Line, ℘ 8 41 40. Prix AR : 216,00 Fl, voiture 220,00 Fl et 312 Fl (21 juin-4 sept).
🛈 (fermé dim.) Hoekse Brink 23, ⊠ 3151 GB, ℘ 8 24 56, Fax 8 64 51.
◆Amsterdam 80 – ◆Den Haag 24 – ◆Rotterdam 26.

🏠 **Fosters Inn** sans rest, Dirk van den Burgweg 69, ⊠ 3151 XM, ℘ 8 22 73, Fax 8 52 14 –
 ᵀⱽ ☎. ◑ ᴇ 𝚅𝙸𝚂𝙰 – **7 ch** ⊆ 90/150.

XX **De Blaasbalg,** Zeekant 125, Strand (O : 1,5 km), ⊠ 3151 HW, ℘ 8 25 03, Fax 8 54 67, �,
 « ‹ estuaire et trafic maritime » – ஊ ◑ ᴇ 𝚅𝙸𝚂𝙰
 fermé lundi – **Repas** Lunch 50 – carte env. 75.

XX **Het Jagershuis,** Badweg 1 (O : 1 km), ⊠ 3151 HA, ℘ 8 50 27, Fax 8 27 67, � – 🅿. ஊ
 ◑ ᴇ 𝚅𝙸𝚂𝙰 – **Repas** 50/63.

HOENDERLOO Gelderland © Apeldoorn 149 504 h. 408 ⑫ – ✿ 0 5768.
◆Amsterdam 88 – ◆Apeldoorn 14 – ◆Arnhem 17.

🏠 Résidence Victoria, ⑩, Woeste Hoefweg 80 (E : 6,5 km), ⊠ 7351 TP, ℘ (0 5766) 28 28,
 Fax (0 5766) 16 05, « Parc », ⟺, 🔲, 🐎, 🎾 – 🍴 ᵀⱽ ☎ 🅿 – 🔬 25 à 100
 112 ch.

🏠 **Buitenlust,** Apeldoornseweg 30, ⊠ 7351 AB, ℘ 13 62, Fax 17 29, � – 🅿. ᴇ 𝚅𝙸𝚂𝙰. 🎇 rest
 fermé 27 déc.-15 fév. et mardi et merc. de nov. à fév. – **Repas** Lunch 21 – carte 51 à 67
 – **15 ch** ⊆ 78/110 – ½ P 83/88.

HOENSBROEK Limburg © Heerlen 95 347 h. 212 ② et 408 ㉖ – ✿ 0 45.
◆Amsterdam 210 – ◆Maastricht 22 – Aachen 27 – Sittard 11.

XXX **Kasteel Hoensbroek,** Klinkertstraat 110, ⊠ 6433 PB, ℘ 21 39 76, Fax 23 15 72, �,
 « Dans les dépendances du château » – 🅿. ஊ ◑ ᴇ 𝚅𝙸𝚂𝙰
 fermé lundi et 27 déc.-2 janv. – **Repas** Lunch 53 – carte 68 à 85.

HOEVELAKEN Gelderland 408 ⑪ – 8 612 h. – ✿ 0 3495.
🏌 à Voorthuizen E : 10 km, Hunnenweg 16, ⊠ 3781 NN, ℘ (0 3429) 16 61.
◆Amsterdam 50 – ◆Arnhem 57 – Amersfoort 8 – ◆Apeldoorn 42 – ◆Zwolle 66.

🏨 **De Klepperman,** Oosterdorpsstraat 11, ⊠ 3871 AA, ℘ 3 41 20, Fax 3 74 34, �, 𝗟🌡, ⟺
 – 🍴 🦽 ᵀⱽ ☎ 🅿 – 🔬 25 à 225. ஊ ◑ ᴇ 𝚅𝙸𝚂𝙰
 Repas (fermé dim.) carte 78 à 103 – ⊆ 23 – **79 ch** 198/275 – ½ P 165/283.

X **Schep,** Amersfoortsestraat 10 (O : 1 km), ⊠ 3871 BS, ℘ 3 42 25, Fax 3 76 06 – 🅿. ஊ ᴇ
 fermé 1ᵉʳ janv. – **Repas** 35.

De HOGE VELUWE (Nationaal Park) (Parc National de la HAUTE VELUWE)★★★ Gelderland 408 ⑫
G. Hollande.

HOLLUM Friesland 408 ④ – voir à Waddeneilanden (Ameland).

HOLTEN Overijssel 408 ⑬ – 8 689 h. – ✿ 0 5483.
Voir Musée (Bos Museum)★ sur le Holterberg.
🛈 (fermé dim.) Dorpstraat 27, ⊠ 7451 BR, ℘ 6 15 33, Fax 6 48 43.
◆Amsterdam 124 – ◆Zwolle 40 – ◆Apeldoorn 40 – ◆Enschede 42.

🏠 **AC Hotel,** Langstraat 22 (près A 1), ⊠ 7451 ND, ℘ 6 26 80, Fax 6 45 50, � – 🍴 ᵀⱽ ☎
 🦽 🅿 – 🔬 25 à 400. ஊ ◑ ᴇ 𝚅𝙸𝚂𝙰
 Repas Lunch 23 – carte env. 60 – ⊆ 13 – **58 ch** 100, 2 suites – ½ P 143.

 sur le Holterberg :

🏠 **'t Lösse Hoes** ⑩, Holterbergweg 14, ⊠ 7451 JL, ℘ 6 33 33, Fax 6 47 90, �, « Intérieur
 bien aménagé », 🐎 – ᵀⱽ ☎ 🅿 – 🔬 25. ஊ ◑ ᴇ 𝚅𝙸𝚂𝙰. 🎇 rest
 fermé fin déc.-début janv. – **Repas** (dîner seult) carte 75 à 93 – **28 ch** ⊆ 85/150 –
 ½ P 90/105.

XX **Hoog Holten** ⑩ avec ch, Forthaarsweg 7, ⊠ 7451 JS, ℘ 6 13 06, Fax 6 30 75, �, « Dans
 les bois », 🐎 – ᵀⱽ ☎ 🅿 – 🔬 30. ஊ ◑ ᴇ 𝚅𝙸𝚂𝙰. 🎇 rest
 Repas (fermé dim.) Lunch 55 – 65/85 – ⊆ 18 – **18 ch** 110/155 – ½ P 130/180.

X **Bistro De Holterberg,** Forthaarsweg 1, ⊠ 7451 JS, ℘ 6 38 49, Fax 6 30 75, � – 🅿. ஊ
 ◑ ᴇ 𝚅𝙸𝚂𝙰. 🎇
 fermé lundi et mardi – **Repas** (dîner seult sauf dim.) 45.

HOOFDDORP Noord-Holland © Haarlemmermeer 102 781 h. 408 ⑩ – 😊 0 2503.

🛈 Raadhuisplein 5, ⌧ 2131 ZM, 𝓟 3 33 90.

◆Amsterdam 21 – ◆Den Haag 45 – ◆Haarlem 12 – ◆Rotterdam 62 – ◆Utrecht 42.

🏨 **Holiday Inn Crowne Plaza,** Planeetbaan 2, ⌧ 2132 HZ, 𝓟 5 00 00, Telex 41111, Fax 5 05 21, 𝕃𝕤, 🚗, 🔲, ⚽ 🠖 📺 📻 ❾ – 🔏 25 à 300. 🆎 ⓞ 🕒 𝒱𝘐𝘚𝘈 𝘑𝘊𝘉
Repas *La Vie en Rose* (ouvert jusqu'à 23 h) Lunch 25 – carte 58 à 83 – ⌸ 33 – **241 ch** 395/450, 2 suites.

🏨 **Barbizon Schiphol,** Kruisweg 495 (près A 4 - De Hoek), ⌧ 2132 NA, 𝓟 (0 20) 655 05 50, Telex 74546, Fax (0 20) 653 49 99, 🍴, 𝕃𝕤, 🚗, 🔲, ⚽ – 🔱 🠖 📺 rest 📻 ❾ 🕭 ❾ – 🔏 30 à 250. 🆎 ⓞ 🕒 𝒱𝘐𝘚𝘈
Repas Lunch 35 – carte 62 à 80 – ⌸ 30 – **244 ch** 350/395, 2 suites.

🏨 **Schiphol A 4,** Rijksweg A 4 n° 3 (S : 4 km), ⌧ 2132 MA, 𝓟 (0 2526) 7 53 35, Fax (0 2526) 8 69 78, 🍴, 🔲 – 🔱 📺 📻 ❾ – 🔏 25 à 350. 🆎 ⓞ 🕒 𝒱𝘐𝘚𝘈
Repas (ouvert jusqu'à 23 h) Lunch 40 – carte 43 à 84 – ⌸ 13 – **238 ch** 125 – ½ P 90/103.

🏨 **De Beurs,** Kruisweg 1007, ⌧ 2131 CR, 𝓟 3 42 34, Fax 1 68 00, 🍴 – 🔱 📻 rest 📺 📻 ❾ – 🔏 200. 🆎 ⓞ 🕒 𝒱𝘐𝘚𝘈. 🚿
Repas Lunch 35 – carte 52 à 67 – **44 ch** ⌸ 140/185 – ½ P 105/143.

🏨 **Bastion Schiphol** sans rest, Adrianahoeve 8 (O : 5 km près N 201), ⌧ 2131 MN, 𝓟 2 36 32, Fax 2 28 48 – 📺 📻 ❾. 🆎 ⓞ 🕒 𝒱𝘐𝘚𝘈. 🚿 – **40 ch** ⌸ 119/133.

🍴🍴 **Marktzicht,** Marktplein 31, ⌧ 2132 DA, 𝓟 1 24 11, Fax 3 72 91, 🍴 – 🆎 ⓞ 🕒 𝒱𝘐𝘚𝘈
fermé Noël – **Repas** carte env. 80.

HOOGELOON Noord-Brabant © Hoogeloon, Hapert en Casteren 8 239 h. 212 ⑰ et 408 ⑱ – 😊 0 4978.

◆Amsterdam 141 – ◆Antwerpen 73 – ◆Eindhoven 21 – ◆'s-Hertogenbosch 52.

🍴🍴 **De Landorpse Hoeve,** Landrop 2 (SO : 2 km), ⌧ 5528 RA, 𝓟 (0 4977) 8 37 07, Fax (0 4977) 8 46 13, 🍴, « Cadre champêtre » – ❾. 🆎 🕒 𝒱𝘐𝘚𝘈
fermé lundi et du 1er au 15 août – **Repas** Lunch 39 – 55/63.

HOOGERHEIDE Noord-Brabant © Woensdrecht 10 046 h. 212 ⑭ ⑮ et 408 ⑯ ⑰ – 😊 0 1646.

◆Amsterdam 148 – ◆'s-Hertogenbosch 96 – ◆Antwerpen 33 – Bergen op Zoom 10 – ◆Breda 46.

🍴🍴 **La Castelière,** Nijverheidsstraat 28, ⌧ 4631 KS, 𝓟 1 26 12, Fax 2 00 71, 🍴, « Cadre champêtre » – ❾. 🆎 ⓞ 🕒 𝒱𝘐𝘚𝘈
fermé sam. midi, dim., lundi, dern. sem. janv.-prem. sem. fév. et 29 juil.-15 août – **Repas** carte 45 à 74.

HOOGEVEEN Drenthe 408 ⑬ – 46 524 h. – 😊 0 5280.

🛈 Raadhuisplein 3, ⌧ 7901 BP, 𝓟 6 30 03, Fax 2 11 35.

◆Amsterdam 155 – Assen 34 – Emmen 32 – ◆Zwolle 45.

🏨 **Hoogeveen,** Mathijsenstraat 1 (SO : 2 km sur A 28), ⌧ 7909 AP, 𝓟 6 33 03, Fax 6 49 25 🠔 – 📻 rest 📺 📻 ❾, – 🔏 25 à 300. 🆎 ⓞ 🕒 𝒱𝘐𝘚𝘈. 🚿
fermé 31 déc. et 1er janv. – **Repas** Lunch 28 – 43 – ⌸ 18 – **39 ch** 85/115 – ½ P 97/127.

🍴🍴 **De Herberg,** Hoogeveenseweg 27 (N : 2 km), ⌧ 7931 TD, 𝓟 7 59 83, Fax 2 07 30, 🍴 – ❾. 🆎 ⓞ 🕒 𝒱𝘐𝘚𝘈
fermé 31 déc. – **Repas** Lunch 50 – 55/75.

🍴 **Spaarbankhoeve** avec ch, Hoogeveenseweg 5 (N : 2 km), ⌧ 7931 TD, 𝓟 6 21 89, Fax 7 58 12, 🍴 – 📻 rest 📺 📻 ❾ – 🔏 25 à 80. 🆎 ⓞ 🕒 𝒱𝘐𝘚𝘈
fermé lundi et 27 déc.-1er janv. – **Repas** (fermé après 20 h 30) Lunch 35 – 50 – **4 ch** ⌸ 90/110 – ½ P 113.

🍴 **De Tortel,** Alteveerstraat 1, ⌧ 7906 CA, 𝓟 7 82 66 – 🆎 ⓞ 🕒 𝒱𝘐𝘚𝘈
fermé mardi et 31 déc.-5 janv. – **Repas** (dîner seult) 60/65.

HOOG-SOEREN Gelderland 408 ⑫ – voir à Apeldoorn.

HOORN Noord-Holland 408 ⑩ ⑪ – 59 959 h. – 😊 0 2290.

Voir Le vieux quartier★ YZ – Rode Steen★ Z – Façade★ du musée de la Frise Occidentale (Westfries Museum) Z **M¹** – Veermanskade★ Z.

⛳ à Westwoud NE : 8 km, Zittend 19, ⌧ 1617 KS, 𝓟 (0 2286) 34 44.

🚗 (départs de 's-Hertogenbosch) 𝓟 4 21 35.

🛈 Statenpoort, Nieuwstraat 23, ⌧ 1621 EA, 𝓟 0 6-34 03 10 55, Fax 1 50 23.

◆Amsterdam 43 ② – Alkmaar 26 ② – Enkhuizen 19 ① – Den Helder 52 ③.

Plan page suivante

🏨 **Bastion** sans rest, Lepelaar 1, ⌧ 1628 CZ, 𝓟 4 98 44, Fax 4 95 40 – 📺 📻 ❾. 🆎 ⓞ 🕒 𝒱𝘐𝘚𝘈. 🚿 – **40 ch** ⌸ 99/113.   X **b**

🏨 **Petit Nord,** Kleine Noord 53, ⌧ 1621 JE, 𝓟 1 27 50, Fax 1 57 45 – 🔱 📺 📻 – 🔏 70. 🆎 ⓞ 🕒 𝒱𝘐𝘚𝘈 – **Repas** carte env. 60 – **34 ch** ⌸ 110/150 – ½ P 125/145.   Y **r**

HOORN

Breed .... Y
Gedempte Turfhaven .... Y 9
Gouw .... Y
Grote Noord .... YZ
Lange Kerkstraat .... Z 26
Nieuwsteeg .... Y 32

Slapershaven .... Z 42
Spoorsingel .... Y 44
Stationplein .... Y 45
Veermanskade .... Z 47

Westerdijk .... Z 48
Wijdebrugsteen .... Z 50
Zon .... Z 51
Zwaagmergouw .... X 53

Achterstraat .... Y 2
Berkhouterweg .... X 3
Bierkade .... Z 5
Breestraat .... Z 6
van Dedemstraat ...... X 8
Hoge Vest .... Y 10
Joh. Messchaerstr. .... Y 12
Joh. Poststraat .... Y 14
Keern .... Y 15
Kerkplein .... Z 17
Kerkstraat .... Z 18
Koepoortsplein .... Y 20
Koepoortsweg .... X 21
Korenmarkt .... Z 23
Korte Achterstr. ...... Y 24
Liornestraat .... X 27
Muntstraat .... Y 29
Nieuwendam .... Z 30
Nieuwstraat .... YZ 33
Noorderstraat .... Y 35
Noorderveemarkt ...... Y 36
Onder de Boompjes .... Y 38
Oude Doelenkade ..... Z 39
Scharloo .... Y 41

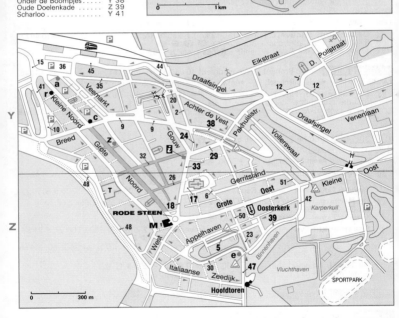

XXX **L'Oasis de la Digue,** De Hulk 16, ⌂ 1622 DZ, ℰ (0 2295) 33 44, Fax (0 2295) 31 64, ≤, 余, « Ancienne installation de pompage » – ℗. ᴬᴱ ⓞ ᴇ 𝚅𝙸𝚂𝙰   par Westerdijk   X
fermé sam. midi, dim. midi et 2 sem. après Noël – **Repas** *Lunch* 48 – 55/90.

XX ✿✿ **De Oude Rosmolen** (Fonk), Duinsteeg 1, ⌂ 1621 ER, ℰ 1 47 52, Fax 1 49 38 – ▣. ᴬᴱ
ⓞ ᴇ 𝚅𝙸𝚂𝙰   Y z
fermé jeudi, 2 sem. en fév., 2 sem. en août et 27 déc.-4 janv. – **Repas** (dîner seult, nombre
de couverts limité - prévenir) carte 103 à 133
Spéc. Profiteroles à la mousse de foie gras, Canard nantais et ses abats, Pâtisseries maison.

XX **Bontekoe,** Nieuwendam 1, ⌂ 1621 AP, ℰ 1 73 24, Fax 3 78 44, 余, Ouvert jusqu'à minuit,
↠ « Entrepôt du 17ᵉ s. » – ᴬᴱ ⓞ ᴇ 𝚅𝙸𝚂𝙰   Z e
fermé lundi et du 2 au 16 janv. – **Repas** *Lunch* 30 – 40/70.

X **Azië,** Veemarkt 49, ⌂ 1621 JB, ℰ 1 85 55, Fax 4 96 04, Cuisine chinoise – ▣. ᴬᴱ ⓞ ᴇ
𝚅𝙸𝚂𝙰 – **Repas** *Lunch* 26 – 55/75.   Y a

HOORN (HOARNE) Friesland **408** ④ – voir à Waddeneilanden (Terschelling).

Den HOORN Noord-Holland **408** ③ – voir à Waddeneilanden (Texel).

HORN Limburg **212** ⑳ et **408** ⑲ – voir à Roermond.

HORST Limburg **212** ⑳ et **408** ⑲ – 18 287 h. – ✿ 0 4709.
◆Amsterdam 160 – ◆Maastricht 86 – ◆Eindhoven 53 – Roermond 41 – Venlo 13.

  XX **Het Groene Woud,** Jacob Merlostraat 6, ⊠ 5961 AB, ℘ 8 38 20, Fax 8 77 55, « Jardin d'hiver » – **AE** **E**
    fermé merc., sam. midi, dim. midi, 2 sem. carnaval et prem. sem. mai – **Repas** *Lunch 45* – carte 56 à 83.

HOUTEN Utrecht **408** ⑪ – 29 508 h. – ✿ 0 3403.
◆Amsterdam 38 – ◆Rotterdam 63 – ◆Utrecht 13.

  XX **De Hofnar,** Plein 22 (Oude Dorp), ⊠ 3991 DL, ℘ 7 37 44, Fax 7 32 33 – ▤ **℗**. **AE** **①** **E** **VISA** **JCB**
    fermé dim. et 17 juil.-1er août – **Repas** *Lunch 50* – 55/73.

HUISDUINEN Noord-Holland – voir à Den Helder.

HUISSEN Gelderland **408** ⑫ – 15 360 h. – ✿ 0 85.
◆Amsterdam 113 – ◆Arnhem 7 – ◆Nijmegen 15.

  XX **Boerderij de Zilverkamp,** Korte Loostraat 58, ⊠ 6851 MZ, ℘ 25 33 81, 🍸, « Terrasse » – **℗**. **AE** **①** **E**. ⅌
    Repas 45/69.

  XX **De Keulse Pot,** Vierakkerstraat 42, ⊠ 6851 BG, ℘ 25 22 95 – ▤. **AE** **①** **E**
    fermé lundi – **Repas** *Lunch 40* – carte env. 70.

HULST Zeeland **212** ⑭ et **408** ⑯ – 18 699 h. – ✿ 0 1140.
🅱 Houtmarkt 6, ⊠ 4561 CX, ℘ 8 90 00.
◆Amsterdam (bac) 183 – ◆Middelburg (bac) 52 – ◆Antwerpen 32 – Sint-Niklaas 16.

  🏠 **L'Aubergerie,** van der Maelstedeweg 4a, ⊠ 4561 GT, ℘ 1 98 30, Fax 1 14 31, 🍸 – **TV**
    ☎. **AE** **①** **E** **VISA** **JCB**. ⅌ rest
    Repas *(fermé dim.)* (dîner seult) carte env. 45 – **23 ch** ⊒ 93/135 – ½ P 95.

  X **Napoleon,** Stationsplein 10, ⊠ 4561 GC, ℘ 1 37 91, 🍸 – **AE** **①** **E** **VISA**
    fermé merc. et du 15 au 30 juin – **Repas** *Lunch 48* – 70.

HUMMELO Gelderland © Hummelo en Keppel 4 382 h. **408** ⑫ – ✿ 0 8348.
🏌 à Hoog-Keppel O : 3 km, Oude Zutphenseweg 15, ⊠ 6997 CH, ℘ (0 8348) 14 16.
◆Amsterdam 126 – ◆Arnhem 28 – ◆Apeldoorn 37.

  XX **De Gouden Karper** avec ch, Dorpsstraat 9, ⊠ 6999 AA, ℘ 12 14, 🍸 – **TV** **☎** **℗** – 🔏 25
    à 250. **AE** **E** **VISA**
    Repas carte env. 70 – **15 ch** ⊒ 75/140.

HYLPEN Friesland – voir Hindeloopen.

IJ... – voir à Y.

JOURE (DE JOUWER) Friesland © Skarsterlân 25 001 h. **408** ⑤ – ✿ 0 5138.
🏌 à Oudehaske SE : 5 km, Jousterweg 140, ⊠ 8465 PN, ℘ (0 5130) 7 77 02.
◆Amsterdam 122 – ◆Leeuwarden 37 – Sneek 14 – ◆Zwolle 67.

  XX **'t Plein,** Douwe Egbertsplein 1a, ⊠ 8501 AB, ℘ 1 70 70, Fax 1 72 21, 🍸 – **AE** **①** **E** **VISA**
    fermé du 3 au 9 oct., du 10 au 30 janv. et dim. – **Repas** *Lunch 25* – 75.

KAART Friesland – voir à Waddeneilanden (Terschelling).

KAATSHEUVEL Noord-Brabant © Loon op Zand 22 366 h. **212** ⑦ et **408** ⑱ – ✿ 0 4167.
Voir De Efteling★.
◆Amsterdam 107 – ◆Breda 25 – ◆'s-Hertogenbosch 26 – ◆Tilburg 12.

  🏨 **Efteling,** Horst 31, ⊠ 5171 RA, ℘ 8 20 00, Fax 8 15 15, 🍸 – 📳 ❄️ **TV** **☎** 🚻 **℗** – 🔏 25
    à 200. **AE** **①** **E** **VISA**. ⅌ rest
    Repas *Lunch 30* – carte 69 à 84 – **121 ch** ⊒ 140/295 – ½ P 135/193.

KAMERIK Utrecht **408** ⑩ – voir à Woerden.

Voir Rive droite de l'IJssel ≤★ Y – Ancien hôtel de ville (Oude Raadhuis) : cheminée★ dans la salle des échevins★ (Schepenzaal) Y **H** – Hanap★ dans le musée municipal (Stedelijk Museum) Y **M.**

🛈 Botermarkt 5, ⊠ 8261 GR, ℘ 1 35 00, Fax 2 89 00.

♦Amsterdam 115 ③ – ♦Zwolle 14 ② – ♦Leeuwarden 86 ①.

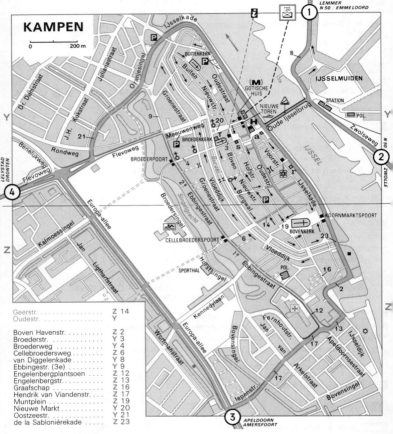

Geerstr.	Z 14
Oudestr.	Y
Boven Havenstr.	Z 2
Broederstr.	Y 3
Broederweg	Y 4
Cellebroedersweg	Z 6
van Diggelenkade	Y 8
Ebbingestr. (3e)	Y 9
Engelenbergplantsoen	Z 12
Engelenbergstr.	Z 13
Graafschap	Z 16
Hendrik van Viandenstr.	Z 17
Muntplein	Y 19
Nieuwe Markt	Y 20
Oostzeestr.	Y 21
de la Sablonièrekade	Z 23

🏠 **Van Dijk** sans rest, IJsselkade 30, ⊠ 8261 AC, ℘ 1 49 25, Fax 1 65 08 – 📺 ☎ – 🏛 25 à 80. 🖭 ┗ 𝘝𝘐𝘚𝘈
19 ch ⊡ 70/115.   Y **r**

🏠 **D'Olde Brugge,** IJsselkade 48, ⊠ 8261 AE, ℘ 1 26 45, Fax 2 78 14, ≤ – 🛗 📺 ☎ – 🏛 120. 🖭 ⓄⒺ ┗ 𝘝𝘐𝘚𝘈
Repas carte env. 50 – **16 ch** ⊡ 68/125 – ½ P 93/98.   Y **a**

XX **De Bottermarck,** Broederstraat 23, ⊠ 8261 GN, ℘ 1 95 42 – 🖭 ⓄⒺ ┗ 𝘝𝘐𝘚𝘈   Y **s**
fermé dim., sem. carnaval, vacances bâtiment, Noël, 31 déc. et 1ᵉʳ janv. – **Repas** Lunch 45 – 65/83.

X **Zuiderzee Lido,** Flevoweg 85 (par ④ : 5 km, à l'écluse), ⊠ 8264 PA, ℘ 1 53 58, Fax 3 03 61, ≤, � – ℗. 🖭 ┗
Repas carte env. 70.

Don't get lost, use **Michelin Maps** which are kept up to date.

380

KAMPERLAND Zeeland 🄲 Wissenkerke 3 223 h. 🗺️🔢 ② ③ et 🔢 ⑮ ⑯ – 🟢 0 1107.
◆Amsterdam 172 – ◆Middelburg 19 – Goes 18 – Zierikzee 27.

🏨 **Kamperduin,** Patrijzenlaan 1 (O : 3 km, lieu-dit De Banjaard), 🖂 4493 RA, 𝒫 14 66,
Fax 14 81 – 🖵 rest 📺 ☎ 🅟. 🆎 ⓸ 🇪 🆅🆂🅰
fermé Noël et Nouvel An – **Repas** carte env. 45 – **26 ch** ⇌ 50/120 – ½ P 75/85.

KAPELLE Zeeland 🗺️🔢 ⑬ et 🔢 ⑯ – 10 461 h. – 🟢 0 1102.
◆Amsterdam 177 – ◆Middelburg 28 – Bergen op Zoom 37 – Goes 7.

🏠 De Zwaan, Kerkplein 47, 🖂 4421 AB, 𝒫 4 36 10, Fax 4 19 74 – 🖵 rest ☎. ⚘
12 ch.

KATLIJK Friesland – voir à Heerenveen.

KATWIJK AAN ZEE Zuid-Holland 🄲 Katwijk 40 682 h. 🔢 ⑨ ⑩ – 🟢 0 1718.
🛈 Vuurbaakplein 11, 🖂 2225 JB, 𝒫 7 54 44, Fax 7 63 42.
◆Amsterdam 44 – ◆Den Haag 19 – ◆Haarlem 34.

🏨 **Noordzee,** Boulevard 72, 🖂 2225 AG, 𝒫 1 57 42, Fax 7 51 65, ≤ – |🛗| 🖵 📺 ☎. 🆎 ⓸ 🇪
🆅🆂🅰. ⚘ ch
fermé 23 déc.-10 janv. – **Repas** carte env. 70 – **46 ch** ⇌ 108/200 – ½ P 98/136.

🏠 **Parlevliet** sans rest, Boulevard 50, 𝒫 1 40 55, Fax 7 58 52 – 📺 ☎. ⚘
15 mars-1ᵉʳ nov. – **20 ch** ⇌ 65/140.

🍴 **De Zwaan,** Boulevard 111, 🖂 2225 HC, 𝒫 1 20 64, ≤, 🍽️ – 🆎 ⓸ 🇪 🆅🆂🅰
fermé lundi – **Repas** Lunch 45 – carte 48 à 64.

KERKRADE Limburg 🗺️🔢 ② et 🔢 ㉖ – 53 185 h. – 🟢 0 45.
Voir Abbaye de Rolduc★ (Abdij Rolduc) : chapiteaux★ de la nef.
🛈 Theaterpassage 2, 6461 DV, 𝒫 45 41 41.
◆Amsterdam 225 – ◆Maastricht 32 – Aachen 12 – Heerlen 12.

🏰 **Erenstein** ⚘, Oud Erensteinerweg 6, 🖂 6468 PC, 𝒫 46 13 33, Fax 46 07 48, « Ferme du
18ᵉ s. », ⅃⚘, 🈺 – 📺 ☎ 🅟 – 🔱 25 à 230. 🆎 ⓸ 🇪
Repas voir rest *Kasteel Erenstein* ci-après – ⇌ 28 – **44 ch** 160/350 – ½ P 195/255.

🍴🍴🍴 **Kasteel Erenstein** - H. Erenstein, Oud Erensteinerweg 6, 🖂 6468 PC, 𝒫 46 13 33,
Fax 46 07 48, 🍽️, « Château du 14ᵉ s. dans un parc » – 🅟. 🆎 ⓸ 🇪 🆅🆂🅰. ⚘
fermé sam. midi – **Repas** Lunch 75 – 80/125.

🍴🍴 **Anstelvallei,** Brughofweg 31, 🖂 6468 PB, 𝒫 45 60 79, Fax 45 60 79, 🍽️ – 🆎 ⓸ 🇪 🆅🆂🅰.
⚘
fermé sam. midi, dim. midi et lundi – **Repas** Lunch 40 – 58/85.

à Landgraaf NO : 6 km – 40 975 h. – 🟢 0 45 :

🏰 **Winseler Hof** ⚘, Tunnelweg 99, 🖂 6372 XH, 𝒫 46 43 43, Fax 35 27 11, 🍽️, « Ferme du
16ᵉ s. » – 📺 ☎ 🅟 – 🔱 25 à 120. 🆎 ⓸ 🇪 🆅🆂🅰. ⚘ rest
Repas *Pirandello* (cuisine italienne) carte 85 à 110 – ⇌ 28 – **49 ch** 160/350 – ½ P 195/220.

KESSEL Limburg 🗺️🔢 ⑳ et 🔢 ⑲ – 3 915 h. – 🟢 0 4762.
◆Amsterdam 178 – ◆Maastricht 65 – ◆Eindhoven 50 – Roermond 21 – Venlo 14.

🍴 **De Houtsnip,** Rijksweg 49 (NE : 2 km sur N 273), 🖂 5995 NT, 𝒫 16 20 – 🅟. 🆎 ⓸ 🇪 🆅🆂🅰
⟵ *fermé mardi et janv.* – **Repas** 38.

KETELHAVEN Flevoland 🔢 ⑫ – voir à Dronten.

KEUKENHOF ★★★ Zuid-Holland 🔢 ⑩ G. Hollande.

KINDERDIJK (Molens van) (Moulins de KINDERDIJK)★★ Zuid-Holland 🗺️🔢 ⑤ et 🔢 ⑰
G. Hollande.

KLARENBEEK Gelderland 🄲 Apeldoorn 149 504 h. 🔢 ⑫ – 🟢 0 5761.
◆Amsterdam 95 – ◆Arnhem 25 – ◆Apeldoorn 9 – Deventer 14.

🍴🍴 Pijnappel, Hoofdweg 55, 🖂 7382 BE, 𝒫 12 42, Fax 24 13 – 🅟. ⚘.

KLOOSTERZANDE Zeeland 🄲 Hontenisse 7 687 h. 🗺️🔢 ⑬ ⑭ et 🔢 ⑯ – 🟢 0 1148.
◆Amsterdam 173 – ◆Antwerpen 48 – ◆Breda 69 – ◆Middelburg 40.

🍴🍴 **Hof te Zande** avec ch, Hulsterweg 47, 🖂 4587 EA, 𝒫 13 20, Fax 12 52 – 🖵 rest 📺 ☎
🅟. 🆎 ⓸ 🇪 🆅🆂🅰
fermé lundi, 22 juil.-9 août et 28 déc.-9 janv. – **Repas** carte env. 80 – **5 ch** ⇌ 75/150 –
½ P 125.

De KOOG Noord-Holland 408 ③ – voir à Waddeneilanden (Texel).

KORTENHOEF Noord-Holland C 's-Graveland 9 093 h. 408 ⑪ – ✿ 0 35.
◆Amsterdam 25 – Hilversum 7.

  XX **De Nieuwe Zuwe** ⑤, 1er étage, Zuwe 20 (O : 2 km), ⊠ 1241 NC, ℘ 56 33 63, Fax 56 40 41,
    ≤, 😭 – **P**. AE ① E VISA
    fermé lundi – **Repas** Lunch 53 – 53/75.

KORTGENE Zeeland 212 ③ et 408 ⑯ – 3 485 h. – ✿ 0 1108.
◆Amsterdam 165 – Goes 11 – ◆Middelburg 26 – ◆Rotterdam 82.

  🏠 **Het Veerse Meer** ⑤ sans rest, Weststraat 2, ⊠ 4484 AA, ℘ 18 69 – **P**. 🎉
    fermé jeudi hors saison – **10 ch** ⊂ 70/125.

  XX **De Waardin,** Hoofdstraat 35, ⊠ 4484 CB, ℘ 17 09, 😭, « Terrasse fleurie » – AE ① E
    VISA
    fermé mardi et merc. sauf en juil.-août – **Repas** (dîner seult sauf week-end) 50/65.

KOUDEKERKE Zeeland 212 ⑫ et 408 ⑮ – voir à Vlissingen.

KRAGGENBURG Flevoland C Noordoostpolder 39 053 h. 408 ⑫ – ✿ 0 5275.
◆Amsterdam 96 – ◆Zwolle 32 – Emmeloord 16.

  🏠 **Van Saaze,** Dam 16, ⊠ 8317 AV, ℘ 23 53, Fax 25 59 – TV ☎ **P** – 🔏 40 à 200. AE E
    VISA
    Repas *(fermé après 20 h 30 et dim. de sept à mai)* carte env. 45 – **9 ch** ⊂ 70/120 –
    ½ P 88/108.

KRALINGEN Zuid-Holland 408 ㉕ – voir à Rotterdam, périphérie.

KRÖLLER-MÜLLER (Musée) ★★★ Gelderland 408 ⑫ G. Hollande.

KRUININGEN Zeeland C Reimerswaal 19 896 h. 212 ⑬ ⑭ et 408 ⑯ – ✿ 0 1130.
🚢 vers Perkpolder : Prov. Stoombootdiensten Zeeland ℘ 8 14 66 et 8 28 28. Durée de la traversée : 20 min. Prix passager : gratuit, voiture : 9,00 FL (en hiver) et 12,50 fl (en été).
◆Amsterdam 169 – ◆Middelburg 34 – ◆Antwerpen 56 – ◆Breda 67.

  🏨 **Le Manoir** ⑤, Zandweg 2 (O : 1 km), ⊠ 4416 NA, ℘ 8 17 53, Fax 8 17 63, ≤, 🚗 – TV
    ☎ **P**. AE ① E VISA
    fermé 2 sem. en janv. – **Repas** voir rest **Inter Scaldes** ci-après – ⊂ 28 – **8 ch** 275/450,
    2 suites.

  XXXX ✿✿ **Inter Scaldes** (Mme Boudeling) - H. Le Manoir, Zandweg 2 (O : 1 km), ⊠ 4416 NA,
    ℘ 8 17 53, Fax 8 17 63, 😭, « Terrasse-véranda ouvrant sur un jardin anglais » – **P**. AE ①
    E VISA
    fermé lundi, mardi et 2 sem. en janv. – **Repas** carte 148 à 195
    Spéc. Homard fumé, sauce au caviar, Bar légèrement fumé à la tomate, basilic et olives (mai-nov.),
    Turbot en robe de truffes et son beurre.

KUDELSTAART Noord-Holland – voir à Aalsmeer.

KIJKDUIN Zuid-Holland 408 ⑨ – voir à Den Haag.

LAAG-KEPPEL Gelderland C Hummelo en Keppel 4 382 h. 408 ⑫ – ✿ 0 8348.
📷 à Hoog-Keppel NO : 2 km, Oude Zutphenseweg 15, ⊠ 6997 CH, ℘ (0 8348) 14 16.
◆Amsterdam 125 – ◆Arnhem 27 – Doetinchem 5.

  🏠 **De Gouden Leeuw,** Rijksweg 91, ⊠ 6998 AG, ℘ 21 41, Fax 16 55 – 📶 TV ☎ **P** – 🔏 25
    à 100. AE E VISA. 🎉 ch
    Repas *(fermé après 20 h 30)* carte 48 à 75 – **20 ch** ⊂ 93/150 – ½ P 93/105.

LAGE-VUURSCHE Utrecht 408 ⑪ – voir à Baarn.

LANDGRAAF Limburg 212 ② et 408 ㉖ – voir à Kerkrade.

LANGWEER (LANGWAR) Friesland C Skarsterlân 25 001 h. 408 ④ – ✿ 0 5138.
◆Amsterdam 123 – ◆Leeuwarden 46 – ◆Zwolle 68.

  XX **'t Jagertje,** Buorren 7, ⊠ 8525 EB, ℘ 9 92 97, Fax 9 92 97, 😭 – ▣. AE ① E VISA
    fermé lundi et mardi de nov. à avril – **Repas** (dîner seult) carte 59 à 76.

LAREN Noord-Holland 408 ⑪ – 11 395 h. – ❸ 0 2153.

Env. O : Le Gooi★ (Het Gooi).

🏌 à Hilversum SO : 6 km, Soestdijkerstraatweg 172, ⌧ 1213 XJ, 𝒫 (0 35) 85 70 60.

◆Amsterdam 29 – ◆Apeldoorn 61 – Hilversum 6 – ◆Utrecht 25.

🏨 **De Witte Bergen,** Rijksweg 2 (S : 2 km sur A 1), ⌧ 3755 MV Eemnes, 𝒫 8 67 54, Fax 1 38 48, �花 – 📺 ☎ ❷ – 🔏 250. 🏧 E 𝚅𝙸𝚂𝙰
Repas (ouvert jusqu'à 23 h) carte env. 45 – ⌸ 10 – **100 ch** 80/95.

🍴🍴 **De Vrije Heere,** Naarderstraat 46, ⌧ 1251 BD, 𝒫 8 68 58, Fax 8 95 88, �花 – ❷. 🏧 ⓞ E 𝚅𝙸𝚂𝙰
fermé lundi, 31 déc. et 1ᵉʳ janv. – **Repas** (dîner seult) 49/58.

🍴 **De Gouden Leeuw,** Brink 20, ⌧ 1251 KW, 𝒫 8 33 57, Taverne-rest – 🏧 ⓞ E 𝚅𝙸𝚂𝙰
fermé lundi, 27 juin-18 juil. et 25 déc.-1ᵉʳ janv. – **Repas** Lunch 48 – carte 43 à 78.

LATTROP Overijssel 408 ⑬ – voir à Ootmarsum.

LEEK Groningen 408 ⑤ – 17 723 h. – ❸ 0 5945.

◆Amsterdam 170 – ◆Groningen 18 – ◆Leeuwarden 52.

🏨 **Leek,** Euroweg 1, ⌧ 9351 EM, 𝒫 1 88 00, Fax 1 74 55 – 📺 ☎ ❷ – 🔏 25 à 200. 🏧 ⓞ E 𝚅𝙸𝚂𝙰, 🍴 rest
Repas Lunch 24 – carte env. 55 – **35 ch** ⌸ 100/138 – ½ P 99.

LEENDE Noord-Brabant 212 ⑱ et 408 ⑱ – 4 070 h. – ❸ 0 4906.

🏌 Maarheezerweg N. 11, ⌧ 5595 ZG, 𝒫 18 18.

◆Amsterdam 139 – ◆'s-Hertogenbosch 51 – ◆Eindhoven 12 – Roermond 38 – Venlo 54.

🏨 **De Schammert,** Kerkstraat 2, ⌧ 5595 CX, 𝒫 15 90, Fax 11 30 – ☎ – 🔏 25 à 250. 🏧 ⓞ E 𝚅𝙸𝚂𝙰
fermé sam. midi et du 27 au 31 déc. – **Repas** Lunch 50 – 50/79 – **6 ch** ⌸ 75/90 – ½ P 105.

🍴🍴 **De Leender Hoeve,** Dorpstraat 99, ⌧ 5595 CG, 𝒫 25 63, �花 – ❷. 🏧 E 𝚅𝙸𝚂𝙰
fermé mardi, merc., 2 prem. sem. juil. et 2 prem. sem. janv. – **Repas** Lunch 40 – 55/73.

🍴🍴 **Herberg de Scheuter,** Dorpstraat 52, ⌧ 5595 CJ, 𝒫 16 86, Fax 14 24, 🌺 – 🏧 ⓞ E 𝚅𝙸𝚂𝙰
Repas Lunch 40 – 55/75.

LEENS Groningen ⓒ De Marne 11 245 h. 408 ⑤ – ❸ 0 5957.

◆Amsterdam 196 – Assen 51 – ◆Groningen 25 – ◆Leeuwarden 52.

🍴🍴 **Het Schathoes Verhildersum,** Wierde 42, ⌧ 9965 TB, 𝒫 22 04, Fax 26 07, 🌺, « Ancienne ferme » – ❷. 🏧 ⓞ E 𝚅𝙸𝚂𝙰
fermé lundi, mardi et 3 prem. sem. fév. – **Repas** (dîner seult) carte env. 50.

LEERSUM Utrecht 408 ⑪ – 6 909 h. – ❸ 0 3434.

🅱 (avril-sept et matins ; fermé sam. et dim.) Rijksstraatweg 42, ⌧ 3956 CR, 𝒫 5 47 77.

◆Amsterdam 67 – ◆Utrecht 29 – ◆Arnhem 42.

🍴🍴 **Darthuizen,** Rijksstraatweg 315, ⌧ 3956 CP, 𝒫 5 30 41, Fax 5 16 64 – ❷ – 🔏 25 à 80. 🏧 ⓞ E 𝚅𝙸𝚂𝙰, 🍴 ch
fermé lundi et 2 dern. sem. juil. – **Repas** Lunch 33 – 49/70.

LEEUWARDEN 🅿 Friesland 408 ⑤ – 86 783 h. – ❸ 0 58.
Musées : Frison★★ (Fries Museum) CY – Het Princessehof, Musée néerlandais de la céramique★★ (Nederlands Keramiek Museum) BY.

🚂 (départs de 's-Hertogenbosch) 𝒫 15 11 00.

🅱 Stationsplein 1, ⌧ 8911 AC, 𝒫 0 6-32 02 40 60, Fax 13 65 55.

◆Amsterdam 139 ④ – ◆Groningen 59 ① – Sneek 24 ③.

Plan page suivante

🏨 **Oranje,** Stationsweg 4, ⌧ 8911 AG, 𝒫 12 62 41, Fax 12 14 41 – 🛗 🍴 📺 ☎ 🚗 – 🔏 25 à 350. 🏧 ⓞ E 𝚅𝙸𝚂𝙰, 🍴 rest   BZ **a**
fermé 24, 25 et 26 déc. – **Repas** voir rest **L'Orangerie** ci-après – **76 ch** ⌸ 150/180 – ½ P 105/135.

🏨 **Van den Berg State** 🍃, Verlengde Schans 87, ⌧ 8932 NL, 𝒫 80 05 84, Fax 88 34 22, 🌺, « Hôtel de maître du 19ᵉ s. » – 🛗 📺 ☎ ❷ – 🔏 25 à 40. 🏧 ⓞ E 𝚅𝙸𝚂𝙰   AX **b**
fermé 31 déc. – **Repas** Lunch 53 – 77 – ⌸ 18 – **6 ch** 145/195 – ½ P 165.

🏨 **Eurohotel** sans rest, Europaplein 20 (NO : 1 km sur ring), ⌧ 8915 CL, 𝒫 13 11 13, Fax 12 59 27, 🚗 – 🛗 📺 ☎ – 🔏 40. 🏧 ⓞ E 𝚅𝙸𝚂𝙰   AV **t**
fermé dim. 25 déc.-2 janv. – **46 ch** ⌸ 105/140.

🏨 **Bastion** sans rest, Legedijk 6, ⌧ 8935 DG, 𝒫 89 01 12, Fax 89 05 12 – 📺 ☎ ❷. 🏧 ⓞ E 𝚅𝙸𝚂𝙰, 🍴   AX **u**
40 ch ⌸ 119/133.

LEEUWARDEN

Naauw	CZ	24
Nieuwestad	BZ	
Over de Kelders	CYZ	27
Peperstr.	CZ	28
Voorstreek	CY	
Wirdumerdijk	CZ	51
Bagijnestr.	BYZ	3
Blokhuispl.	CZ	4
de Brol	CZ	6
Drachtsterweg	AX	7
Druifstreek	CZ	9
Europaplein	AV	10
Franklinstr.	AX	12
Groningerstraatweg	CZ	13
Harlingersingel	BY	15
Harlingerstraatweg	BY	16
Hoeksterend	CY	18
Julianastr.	AX	19
Kleine Kerkstr.	BY	21
Monnikemuurstr.	CY	22
Nieuwe Kade	CY	25
Pieter		
Stuyvesantweg	AX	30
Prins Hendrikstr.	BZ	31
Prof. M. Gerbrandweg	AV	33
Schoenmakersperk	BY	34
St. Jacobsstr.	CY	36
Sophialaan	BZ	37
Speelmansstr.	CY	39
Stephenson		
viaduct	AX	40
Tesselschadestr.	BZ	42
Torenstr.	BY	43
Turfmarkt	BY	45
Tweebaksmarkt	CZ	46
Waagplein	CZ	48
Westerplantage	BYZ	49

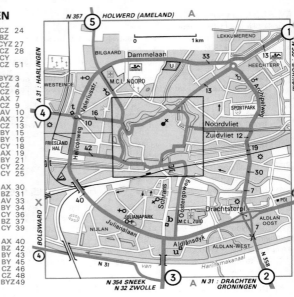

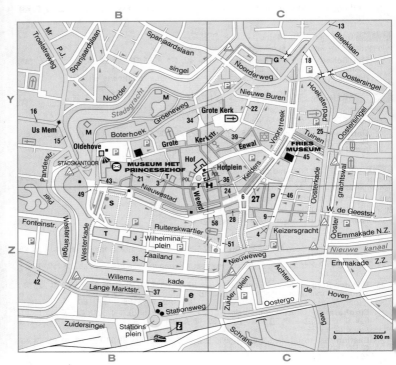

XXX **L'Orangerie** - H. Oranje, Stationsweg 4, ⊠ 8911 AG, ℰ 12 62 41, Fax 12 14 41 – ▤. 🆎
⓪ ⋿ 𝗩𝗜𝗦𝗔. ⋙ BZ **a**
fermé sam. midi, dim. midi et 25 et 26 déc. – **Repas** *Lunch* 50 – carte 63 à 80.

XX **De Mulderij,** Baljeestraat 19, ⊠ 8911 AK, ℰ 13 48 02 – 🆎 ⋿ 𝗩𝗜𝗦𝗔 BZ **e**
fermé dim. – **Repas** *Lunch* 70 – carte 66 à 90.

XX **Jamuna,** Weerd 26, ⊠ 8911 HM, ℰ 13 14 35, Cuisine indienne – 🆎 ⋿ BYZ **r**
↔ **Repas** (dîner seult jusqu'à 23 h) 43.

X **Kota Radja,** Groot Schavernek 5, ⊠ 8911 BW, ℰ 13 35 64, Fax 13 72 84, Cuisine asiatique
– ▤. 🆎 ⓪ ⋿ 𝗩𝗜𝗦𝗔. ⋙ BZ **s**
Repas carte env. 45.

à Oudkerk (Aldtsjerk) par ① : 12 km Ⓒ Tytsjerksteradiel 30 532 h. – ☎ 0 5103 :

🏨 **De Klinze** ⤳, Van Sminiaweg 32, ⊠ 9064 KC, ℰ 6 10 50, Fax 6 10 60, 🍸, « Demeure
du 17ᵉ s. dans un parc », ⇌, ☒ – ▐ 📺 ☎ 🄿 – 🕭 25 à 120. 🆎 ⓪ ⋿ 𝗩𝗜𝗦𝗔. ⋙ rest
Repas (cuisine italienne) carte env. 85 – ⊡ 25 – **26 ch** 190, 1 suite – ½ P 299.

▐ LEIDEN ▐ Zuid-Holland 𝟰𝟬𝟴 ⑩ – 113 838 h. – ☎ 0 71.

Voir La vieille ville et ses Musées★★ – Rapenburg★ CZ.
Musées : National d'Ethnologie★★ (Rijksmuseum voor Volkenkunde) CY **M¹** – Municipal (Stedelijk
Museum) De Lakenhal★★ DY **M²** – National des Antiquités★★ (Rijksmuseum van Oudhe-
den) CYZ **M³** – Boerhaave★ DY **M⁴.**

Env. Champs de fleurs★★★ par ⑥ : 10 km.

🚗 (départs de 's-Hertogenbosch) ℰ 12 77 22 et 0 6-92 96.

🖪 Stationsplein 210, ⊠ 2312 AR, ℰ 14 68 46, Fax 12 53 18.

♦Amsterdam 41 ⑤ – ♦Den Haag 19 ② – ♦Haarlem 32 ⑥ – ♦Rotterdam 34 ②.

Plans pages suivantes

🏨 **Holiday Inn,** Haagse Schouwweg 10 (près A 44), ⊠ 2332 KG, ℰ 35 55 55, Fax 35 55 53,
⇌, ☒, ⋙ – ▐ ⇌ ▤ 📺 ☎ 🕭 🄿 – 🕭 25 à 2000. 🆎 ⓪ ⋿ 𝗩𝗜𝗦𝗔. ⋙ rest AU **u**
Repas (dîner seult) carte 45 à 73 – ⊡ 23 – **200 ch** 175/290 – ½ P 215/308.

🏨 **Leiden,** Schipholweg 3, ⊠ 2316 XB, ℰ 22 11 21, Fax 22 66 75 – ▐ ⇌ 📺 ☎ 🄿 – 🕭 25.
🆎 ⓪ ⋿ 𝗩𝗜𝗦𝗔. ⋙ CX **c**
Repas *(fermé dim.)* carte env. 60 – **47 ch** ⊡ 145/275, 4 suites.

🏨 **Het Haagsche Schouw,** Haagse Schouwweg 14 (près A 44), ⊠ 2332 KG, ℰ 31 57 44,
Fax 76 24 22, 🍸 – ▐ 📺 ☎ 🄿 – 🕭 25 à 200. ⋙ ch AUV **p**
Repas *Lunch* 25 – carte env. 45 – ⊡ 10 – **63 ch** 100.

🏨 **Mayflower** sans rest, Beestenmarkt 2, ⊠ 2312 CC, ℰ 14 26 41, Fax 12 85 16 – 📺 ☎. 🆎
⓪ ⋿ 𝗩𝗜𝗦𝗔. ⋙ CY **e**
18 ch ⊡ 125/170.

🏨 De Doelen, sans rest, Rapenburg 2, ⊠ 2311 EV, ℰ 12 05 27, Fax 12 84 53 – 📺 ☎ CYZ **k**
16 ch.

🏨 **Bastion** sans rest, Voorschoterweg 8, ⊠ 2324 NE, ℰ 76 88 00, Fax 31 80 03 – 📺 ☎ 🄿.
🆎 ⓪ ⋿ 𝗩𝗜𝗦𝗔. ⋙ AV **b**
40 ch ⊡ 119/133.

XXX **Engelberthahoeve,** Hoge Morsweg 140, ⊠ 2332 HN, ℰ 76 50 00, Fax 32 37 80, 🍸,
« Ferme du 18ᵉ s. » – 🄿. 🆎 ⓪ ⋿ 𝗩𝗜𝗦𝗔 AV **s**
fermé lundi – **Repas** *Lunch* 52 – 68/85.

XX **La Cloche,** Kloksteeg 3, ⊠ 2311 SK, ℰ 12 30 53, Fax 14 60 51 – 🆎 ⓪ ⋿ 𝗩𝗜𝗦𝗔 CDZ **m**
fermé 25, 26 et 31 déc. – **Repas** (dîner seult) 65/75.

X **Fabers,** Kloksteeg 13, ⊠ 2311 SK, ℰ 12 40 12 – ▤. 🆎 ⓪ ⋿ 𝗩𝗜𝗦𝗔. ⋙ CDZ **n**
fermé 31 déc. et 1ᵉʳ janv. – **Repas** (dîner seult) 50/70.

à Leiderdorp SE : 2 km – 23 267 h. – ☎ 0 71 :

🏨 **Ibis,** Elisabethhof 4, ⊠ 2353 EZ, ℰ 41 41 41, Fax 89 19 33, 🍸 – ▐ ⇌ 📺 ☎ 🄿 – 🕭 40
↔ à 130. 🆎 ⓪ ⋿ 𝗩𝗜𝗦𝗔 BV **n**
Repas *Lunch* 23 – 43 – ⊡ 15 – **67 ch** 99 – ½ P 77/153.

XX **Elckerlyc,** Hoofdstraat 14, ⊠ 2351 AJ, ℰ 41 14 07, Fax 41 14 07, 🍸 – 🆎 ⓪ ⋿ 𝗩𝗜𝗦𝗔 BV **d**
fermé sam. midi, dim., lundi, 22 juil.-9 août, 31 déc. et 1ᵉʳ janv. – **Repas** *Lunch* 58 – 63/75.

XX **In Den Houtkamp,** Van Diepeningenlaan 2, ⊠ 2352 KA, ℰ 89 12 88, Fax 41 73 15, 🍸,
« Ferme du 19ᵉ s. » – 🄿. 🆎 ⓪ ⋿ 𝗩𝗜𝗦𝗔 BV **r**
fermé lundi et mardi – **Repas** (dîner seult) carte 55 à 84.

à Oegstgeest N : 3 km – 19 046 h. – ☎ 0 71 :

🏨 **Bastion** sans rest, Rijnzichtweg 97, ⊠ 2342 AX, ℰ 15 38 41, Fax 15 49 81 – 📺 ☎ 🄿. 🆎
⓪ ⋿ 𝗩𝗜𝗦𝗔. ⋙ – **40 ch** ⊡ 119/133. AU **a**

XXX ⛄ **De Beukenhof,** Terweeweg 2, ⊠ 2341 CR, ℰ 17 31 88, Fax 17 61 69, 🍸, « Terrasses
et jardin fleuris » – 🄿 – 🕭 25. 🆎 ⓪ ⋿ 𝗩𝗜𝗦𝗔 AU **h**
fermé sam. midi, dim. et jours fériés sauf Noël – **Repas** *Lunch* 50 – 110 carte 95 à 128
Spéc. Trio de homard, Turbot poché, foie gras et ragoût de champignons au beurre blanc, Entrecôte de bœuf et de veau aux herbes du jardin.

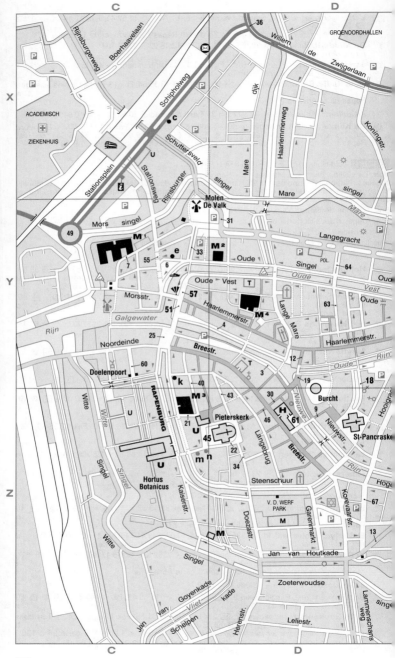

LEIDEN

Breestraat	DYZ
Donkersteeg	DY 12
Haarlemmerstr.	DEY
Aalmarkt	DY 3
Apothekersdijk	DY 4
Beestenmarkt	CY 6
Bernhardkade	EX
Binnenvestgracht	CY 7
Boerhaavelaan	CX
Burggravenlaan	EZ
Burgsteeg	DZ 9
Doezastr.	DZ
Evertsenstr.	EZ
Garenmarkt	DZ
Geregracht	DZ 13
Haarlemmerweg	DX
Haven	EY
Herensingel	EY
Herenstr.	EY
Hogerijndijk	EZ
Hogewoerd	DEZ
Hooglandse Kerkgracht	DYZ 18
Hoogstraat	DY 19
Hooigracht	DZ
Houtstraat	CZ 21
Jan van Goyenkade	CZ
Jan van Houtkade	DZ
Kaiserstr.	CZ
Kloksteeg	DZ 22
Koningstr.	DX
Kooilaan	EXY
Korevaarstr.	DZ
Kort Rapenburg	CY 25
de Laat de Kanterstr.	EZ
Lammenschansweg	DZ
Langebrug	DZ
Langegracht	DY
Langemare	DY
Leiliestr.	DY
Levendaal	EZ
Maarsmansteeg	CYZ 30
Maredijk	DX
Maresingel	DEX
Marnixstr.	EX
Molenstr.	EX
Molenwerf	CDY 31
Morssingel	CY
Morsstr.	CY
Nieuwe Beestenmarkt	CY 33
Nieuwerijn	EZ
Nieuwsteeg	DZ 34
Nieuwstr.	DZ
Noordeinde	CY
Oegstgeesterweg	DX 36
Ooesterkerkstr.	EZ
Oude Herengracht	EY 39
Oudesingel	DEY
Oudevest	DEY
Papengracht	CYZ 40
Pieterskerkgracht	DYZ 43
Pieterskerkhof	CDZ 45
Pieterskerkkoorsteeg	DZ 46
Plantagelaan	EZ 48
Plesmanlaan	CY 49
Prinsessekade	CY 51
Rapenburg	CZ
Rijnsburgersingel	CDX
Rijnsburgerweg	CX
Schelpenkade	CZ
Schipholweg	CX
Schuttersveld	CX
Sophiastr.	EX
Stationsplein	CX
Stationsweg	CX
Steenschuur	DZ
Steenstr.	CY 55
Trompstr.	EZ
Turfmarkt	CY 57
Uiterstegracht	EZ
Utrechtsebrug	EZ 58
Varkenmarkt	CY 60
Vismarkt	DZ 61
Vollersgracht	DY 63
Volmolengracht	DY 64
Watersteeg	DZ 67
Willem de Zwijgerlaan	DEX
Wittesingel	CZ
Zoeterwoudsesingel	DEZ

387

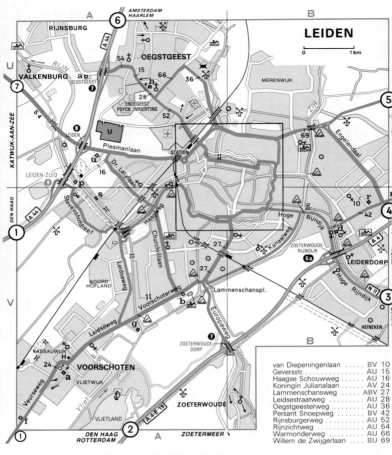

van Diepeningenlaan	BV 10
Geversstr.	AU 15
Haagse Schouwweg	AU 16
Koningin Julianalaan	AV 24
Lammenschansweg	ABV 27
Leidsestraatweg	AU 28
Oegstgeesterweg	AU 36
Persant Snoepweg	BV 42
Rijnsburgerweg	AU 52
Rijnzichtweg	AU 54
Warmonderweg	AU 66
Willem de Zwijgerlaan	BU 69

à Voorschoten SO : 5 km – 22 435 h. – 🕲 0 71 :

🏨 **Motel De Gouden Leeuw,** Veurseweg 180, ⊠ 2252 AG, 𝒫 61 59 16, Fax 61 27 94, 🍴 – 📺 ☎ 🅿 – 🕭 25 à 200. 🅰🅴 ⑩ 🅴 𝒱𝑰𝑺𝑨   AV **f**
Repas carte 48 à 80 – ⊇ 10 – **60 ch** 80.

XX **Allemansgeest,** Hofweg 55, ⊠ 2251 LP, 𝒫 76 41 75, Fax 31 55 54, ≤, 🍴, « Auberge rustique » – 🗏 🅿 🅰🅴 🅴 𝒱𝑰𝑺𝑨 🛇   AV **g**
fermé sam. midi, dim. et 24 déc.-1er janv. – **Repas** Lunch 59 – 75/113.

XX **Gasterij Floris V,** Voorstraat 12, ⊠ 2251 BN, 𝒫 61 84 70, « Ancienne maison de corporation du 17e s. » – 🅰🅴 ⑩ 🅴 𝒱𝑰𝑺𝑨   AV **a**
fermé dim., lundi, sem. carnaval, 31 juil.-14 août et 27 déc.-2 janv. – **Repas** (dîner seult) carte 56 à 79.

⎯⎯

LEIDERDORP Zuid-Holland 𝟦𝟢𝟪 ⑩ – voir à Leiden.

LEIDSCHENDAM Zuid-Holland 𝟦𝟢𝟪 ⑩ – voir à Den Haag, environs.

LEKKERKERK Zuid-Holland 🅒 Nederlek 14 673 h. 𝟤𝟣𝟤 ⑤ ⑥ et 𝟦𝟢𝟪 ⑩ – 🕲 0 1805.
♦Amsterdam 102 – ♦Rotterdam 21 – ♦Utrecht 45.

🏨 **De Witte Brug,** Kerkweg 138, ⊠ 2941 BP, 𝒫 33 44, Fax 13 35, 🍴, 🍴 – 📺 ☎ 🅿 – 🕭 50. 🅰🅴 ⑩ 🅴 𝒱𝑰𝑺𝑨
fermé 24 et 31 déc. – **Repas** 50/80 – **33 ch** ⊇ 125/150 – ½ P 98/125.

🇫🏄 Bosweg 98, ⊠ 8231 DZ, ℘ 3 00 77 - 🏄 à Zeewolde S : 20 km, Pluvierenweg 7, ⊠ 3898 LL, ℘ (0 3200) 8 81 16 et 🏄 Golflaan 1, ℘ (0 3242) 21 03.

🖪 (fermé sam. après-midi et dim.) Stationsplein 186, ⊠ 8232 VT, ℘ 4 34 44, Fax 8 02 18.

◆Amsterdam 57 – ◆Arnhem 96 – Amersfoort 55 – ◆Zwolle 49.

🏨 **Mercure,** Agoraweg 11, ⊠ 8224 BZ, ℘ 4 24 44, Fax 2 75 69, 📡 – |📱| ⇔ ≣ ch 📺 ☎ – 🛎 25 à 150. 🆎 ⓞ 🖪 𝘝𝘐𝘚𝘈. ❄ rest
Repas Lunch 18 – 35 – 🖙 18 – **86 ch** 93/160 – ½ P 155/205.

✗✗ **Flevo Marina,** IJsselmeerdijk 17 (NO : 8 km), ⊠ 8221 RC, ℘ 3 29 03, Fax 6 10 89, ≼, 📡 – 🅿. 🆎 ⓞ 🖪 𝘝𝘐𝘚𝘈
fermé 31 déc. et 1er janv. – **Repas** Lunch 50 – carte env. 85.

✗ **Raedtskelder,** Maerlant 14 (Centre Commercial), ⊠ 8224 AC, ℘ 2 23 25, Fax 2 80 32 – 🆎 ⓞ 🖪 𝘝𝘐𝘚𝘈
Repas Lunch 40 – 58/88.

🖪 Nieuwburen 1, ⊠ 8531 EE, ℘ 16 19, Fax 16 64.

◆Amsterdam 106 – ◆Leeuwarden 49 – ◆Zwolle 51.

🏨 **Iselmar,** Plattedijk 16 (NO : 2 km), ⊠ 8531 PC, ℘ 25 75, Fax 29 24, ≼, ☎s, 🔲, ❄ – |📱| 📺 🅿 – 🛎 80. 🖙 15 – **30 ch** 100 – ½ P 89.
Repas Lunch 25 – carte env. 50 – 🖙 15 – **30 ch** 100 – ½ P 89.

🏨 **De Wildeman,** Schulpen 6, ⊠ 8531 HR, ℘ 12 70, Fax 51 70 – 📺 ☎ 🅿 – 🛎 25 à 70. 🆎 ⓞ 🖪 𝘝𝘐𝘚𝘈
fermé dim. du 15 oct. à avril – **Repas** carte 43 à 62 – **18 ch** 🖙 58/140 – ½ P 85/125.

✗✗ **De Connoisseur,** Vuurtorenweg 15, ⊠ 8531 HJ, ℘ 55 59, Fax 53 49 – ≣ 🅿. 🆎 ⓞ 🖪 𝘝𝘐𝘚𝘈
fermé mardi et janv.-fév. ; de nov. à mars ouvert seult vend. soir, sam. soir et dim. soir – **Repas** Lunch 45 – carte 80 à 97.

🏄 Appelweg 4, ⊠ 3832 RK, ℘ 61 69 44.

◆Amsterdam 62 – Amersfoort 4 – ◆Utrecht 23.

🏨 **Den Treek** ⩾, Treekerweg 23 (SO : 5 km), ⊠ 3832 RS, ℘ (0 3498) 6 14 25, Fax (0 3498) 6 30 07, ≼, 📡, « Environnement boisé », 🌲 – |📱| 📺 ☎ 🅿 – 🛎 30. 🆎 ⓞ 🖪 𝘝𝘐𝘚𝘈
fermé 22 déc.-5 janv. – **Repas** (fermé après 20 h 30) Lunch 38 – carte 58 à 81 – **18 ch** 🖙 89/265 – ½ P 117/142.

✗✗✗ **Ros Beyaart,** Hamersveldseweg 55, ⊠ 3833 GL, ℘ 94 31 27, Fax 95 13 30, 📡 – 🅿. 🆎 ⓞ 🖪 𝘝𝘐𝘚𝘈
fermé sam. midi et dim. midi – **Repas** Lunch 18 – 45/60.

◆Amsterdam 80 – ◆Arnhem 46 – ◆Apeldoorn 24 – ◆Zwolle 38.

🏨 **Het Roode Koper** ⩾, Jhr. Sandbergweg 82, ⊠ 3852 PV Ermelo, ℘ 73 93, Fax 75 61, 📡, « Dans les bois », 🌲, 🌱, ❄, ❄ – 📺 ☎ 🅿 – 🛎 25 à 50. 🆎 ⓞ 🖪 𝘝𝘐𝘚𝘈. ❄ rest
Repas (fermé après 20 h 30) Lunch 33 – carte 64 à 85 – **26 ch** 🖙 125/256 – ½ P 135/203.

✗ **De Zwarte Boer,** Jhr. Sandbergweg 67, ⊠ 3852 PT Ermelo, ℘ 73 95, 📡 – 🅿. ❄
fermé 24, 26 et 31 déc. et après 20 h – **Repas** carte 50 à 91.

Voir Parc de Keukenhof★★★ (fin mars à mi-mai), passerelle du moulin ≼★★.

🖪 Grachtweg 53a, ⊠ 2161 HM, ℘ 1 42 62, Fax 1 86 39.

◆Amsterdam 34 – ◆Den Haag 29 – ◆Haarlem 16.

🏨 **De Nachtegaal,** Heereweg 10 (N : 2 km), ⊠ 2161 AG, ℘ 1 44 47, Telex 41122, Fax 1 03 32, 📡, ☎s, 🔲, ❄ – |📱| ≣ rest 📺 ☎ & 🅿 – 🛎 25 à 350. 🆎 ⓞ 🖪 𝘝𝘐𝘚𝘈
Repas Lunch 38 – carte env. 55 – **142 ch** 🖙 170/223, 2 suites – ½ P 125/150.

🏨 **De Duif,** Westerdreef 17, ⊠ 2161 EN, ℘ 1 00 76, Fax 1 09 99 – 📺 ☎ 🅿. 🆎 ⓞ 🖪 𝘝𝘐𝘚𝘈. ❄ rest
Repas (cuisine italienne) Lunch 23 – 43 – **27 ch** 🖙 100/195, 12 suites.

à *Buitenkaag* S : 3 km [C] Haarlemmermeer 102 781 h. – ☻ 0 2522 :

✗ **Puck,** Lisserdijk 96, ⊠ 2158 LW, ℘ 1 12 63, Fax 3 30 17, ≼, ⏚ – **℗**. 🖭 **⓪** **E** **VISA**
fermé lundi et mardi d'oct. à avril – **Repas** (dîner seult) carte 45 à 70.

à *Lisserbroek* E : 1 km [C] Haarlemmermeer 102 781 h. – ☻ 0 2521 :

✗✗✗ **Het Oude Dykhuys,** Lisserdijk 567, ⊠ 2165 AL, ℘ 1 39 05, Fax 2 10 92, ⏚ – **℗**. 🖭 **⓪**
E **VISA**
fermé 26 déc.-2 janv. – **Repas** Lunch 65 – 78/98.

LISSERBROEK Noord-Holland – voir à Lisse.

LOCHEM Gelderland 🄰🄾🄱 ⑬ – 18 416 h. – ☻ 0 5730.
🏌 Sluitdijk 4, ⊠ 7241 RR, ℘ 5 43 23.
🅱 Tramstraat 4, ⊠ 7241 CJ, ℘ 5 18 98, Fax 5 68 85.
◆Amsterdam 121 – ◆Arnhem 49 – ◆Apeldoorn 37 – ◆Enschede 42.

🏨 **De Scheperskamp** ⬍, Paasberg 3 (SO : 1 km), ⊠ 7241 JR, ℘ 5 40 51, Fax 5 71 50, ⏚,
« Environnement boisé », ≼s, ◪, ⋐ – |⌘| 🖭 ☎ **℗** – 🔬 25 à 70. 🖭 **E** **VISA**. ⌘ rest
Repas Lunch 30 – carte env. 65 – **46 ch** ⊇ 100/220.

🏨 **'t Hof van Gelre,** Nieuweweg 38, ⊠ 7241 EW, ℘ 5 33 51, Fax 5 42 45, ⏚, ◪, ⋐ – |⌘|
🖭 ☎ **℗** – 🔬 25 à 60. 🖭 **⓪** **E** **VISA**. ⌘ rest
Repas Lunch 23 – 43/65 – **49 ch** ⊇ 89/200.

🏨 **Alpha** ⬍, Paasberg 2 (SO : 1 km), ⊠ 7241 JR, ℘ 5 47 51, ≼, ⏚, ⋐ – |⌘|
🖭 ☎ **℗** – 🔬 25 à 100. 🖭 **⓪** **E** **VISA**. ⌘
Repas (fermé après 20 h) carte 62 à 79 – **40 ch** ⊇ 82/204 – ½ P 107/143.

🏨 De Lochemse Berg ⬍ sans rest, Lochemseweg 42 (SO : 2,5 km), ⊠ 7244 RS, ℘ 5 13 77,
Fax 5 82 24, ⋐ – |⌘| ☎ **℗**
15 ch.

🏨 De Vijverhof ⬍, Mar. Naefflaan 11, ⊠ 7241 GC, ℘ 5 10 24, ⋐ – |⌘| 🖭 ☎ **℗**. ⌘
avril-29 déc. – **Repas** (fermé mardi et merc.) – **15 ch**.

✗ **Mondani,** Graaf Ottoweg 6, ⊠ 7241 DG, ℘ 5 75 95, Fax 5 75 95, ⏚, Cuisine américaine,
« Terrasse » – **℗**. 🖭 **⓪** **E** **VISA** 🄹🄲🄱
fermé jeudi et fin déc.-mi-janv. – **Repas** (dîner seult) carte 44 à 81.

✗ **Kawop,** Markt 23, ⊠ 7241 AA, ℘ 5 33 42 – 🖭 **E**
fermé jeudi – **Repas** (dîner seult) 43/50.

LOENEN Utrecht 🄰🄾🄱 ⑩ – 8 417 h. – ☻ 0 2943.
◆Amsterdam 22 – ◆Utrecht 23 – Hilversum 14.

✗✗ **Tante Koosje,** Kerkstraat 1, ⊠ 3632 EL, ℘ 32 01, Fax 46 13, ⏚ – 🗏. 🖭 **E** **VISA**
fermé merc. et 31 déc. – **Repas** Lunch 50 – carte env. 75.

✗ **De Proeverij,** Kerkstraat 5a, ⊠ 3632 EL, ℘ 47 74
fermé lundi, mardi et 31 déc. – **Repas** (dîner seult) carte env. 55.

✗ **'t Amsterdammertje,** Rijksstraatweg 119, ⊠ 3632 AB, ℘ 48 48, Fax 21 68 – 🗏. ⌘
Repas (dîner seult) 43.

LOON OP ZAND Noord-Brabant 🄰🄹🄰 ⑦ et 🄰🄾🄱 ⑱ – 22 366 h. – ☻ 0 4166.
Env. N : Kaatsheuvel, De Efteling★.
◆Amsterdam 104 – ◆Breda 29 – ◆'s-Hertogenbosch 29 – ◆Tilburg 9.

✗✗ **Castellanie,** Kasteellaan 20, ⊠ 5175 BD, ℘ 12 51, ⏚, « Terrasse et jardin » – **℗**. 🖭 **⓪**
E **VISA**. ⌘
fermé lundi, mardi et 2 dern. sem. juil. – **Repas** Lunch 58 – carte 70 à 88.

LOOSDRECHT Utrecht 🄰🄾🄱 ⑪ – 8 789 h. – ☻ 0 2158.
Voir Étangs★★ (Loosdrechtse Plassen).
🅱 (fermé lundi sauf avril-sept, sam. après-midi et dim.) Oud Loosdrechtsedijk 198 à Oud-Loosdrecht,
⊠ 1231 NG, ℘ 2 39 58.
◆Amsterdam 27 – ◆Utrecht 27 – Hilversum 7.

à *Oud-Loosdrecht* [C] Loosdrecht – ☻ 0 2158 :

🏨 **Loosdrecht,** Oud Loosdrechtsedijk 253, ⊠ 1231 LZ, ℘ 2 49 04, Fax 2 48 74, ≼, ⏚ –
🗏 rest 🖭 ☎ **℗** – 🔬 25 à 50. 🖭 **⓪** **E** **VISA**
Repas (fermé sam. midi et dim. midi de nov. à mars) Lunch 28 – 40 – **68 ch** ⊇ 163/210.

✗✗ **Herberg De Vier Linden,** Oud Loosdrechtsedijk 226, ⊠ 1231 NG, ℘ 2 35 70, Fax 2 65 33,
⏚, Ouvert jusqu'à 23 h, « Intérieur vieil hollandais » – 🗏 **℗**. 🖭 **⓪** **E** **VISA**
Repas Lunch 40 – carte 55 à 82.

✗✗ **Host. 't Kompas** avec ch, Oud Loosdrechtsedijk 203, ⊠ 1231 LW, ℘ 2 32 00, Fax 2 45 88,
⏚ – 🗏 rest 🖭 ☎ **℗** – 🔬 40. 🖭 **⓪** **E** **VISA**
fermé du 25 au 31 déc. – **Repas** Lunch 40 – carte 62 à 79 – **21 ch** ⊇ 138/175 – ½ P 138/158.

LOPPERSUM Groningen 408 ⑥ – 11 185 h. – ✆ 0 5967.

Voir Fresques★ dans l'église.

◆Amsterdam 216 – Appingedam 8 – ◆Groningen 21.

XX **'t Regthuys,** Fromaweg 1 (SE : 3 km à Wirdum), ⊠ 9917 PK, ℘ 18 90, Fax 30 54, 😤 – 🅿. 🖭 ⑩ ㅌ 𝘝𝘐𝘚𝘈
fermé 31 déc.-10 janv. – **Repas** Lunch 36 – carte 57 à 77.

LUNTEREN Gelderland © Ede 97 230 h. 408 ⑪ – ✆ 0 8388.

🖪 Dorpsstraat 55, ⊠ 6741 AB, ℘ 25 86.

◆Amsterdam 69 – ◆Arnhem 24 – ◆Apeldoorn 43 – ◆Utrecht 46.

XX **Host. De Lunterse Boer** ⍀ avec ch, Boslaan 87, ⊠ 6741 KD, ℘ 36 57, Fax 55 21, « Dans les bois » – 📺 ☎ 🅿 – 🔬 25. 🖭 ⑩ ㅌ 𝘝𝘐𝘚𝘈
fermé du 1ᵉʳ au 14 janv. – **Repas** *(fermé lundi)* Lunch 19 – carte 58 à 89 – **16 ch** � 99/223 – ½ P 142/309.

De LUTTE Overijssel © Losser 22 702 h. 408 ⑬ ⑭ – ✆ 0 5415.

🖪 Plechelmusstraat 14, ⊠ 7587 AM, ℘ 5 17 77, Fax 5 22 11.

◆Amsterdam 165 – ◆Zwolle 78 – ◆Enschede 15.

🏨 **Bloemenbeek,** Beuningerstraat 6 (NE : 1 km), ⊠ 7587 LD, ℘ 5 12 24, Fax 5 22 85, 😤, 🛥, 🔲, 🖉, 🛎 – 📳 📺 ☎ 🅿 – 🔬 25 à 250. 🖭 ⑩ ㅌ 𝘝𝘐𝘚𝘈 🎀 rest
fermé 31 déc.-7 janv. – **Repas** Lunch 45 – 85/123 – **57 ch** ⊑ 125/365, 5 suites – ½ P 123.

🏨 **De Wilmersberg** ⍀, Rhododendronlaan 7, ⊠ 7587 NL, ℘ (0 5410) 1 32 34, Fax (0 5410) 2 31 13, ≤, 😤, « Terrasses et jardin », 🎀 – 📳 📺 ☎ 🅿 – 🔬 25 à 225. 🖭 ㅌ 𝘝𝘐𝘚𝘈 🎀
Repas Lunch 28 – 59/73 – ⊑ 20 – **32 ch** 150/195 – ½ P 133/175.

🏠 **'t Kruisselt,** Kruisseltlaan 3, ⊠ 7587 NM, ℘ 5 15 67, Fax 5 18 62, 😤, « Terrasse avec ≤ bois », 🛎, 🔲, 🖉 – 📺 ☎ 🅿 – 🔬 25 à 100. 🖭 ⑩ ㅌ 𝘝𝘐𝘚𝘈 🎀
fermé 28 déc.-14 janv. – **Repas** Lunch 25 – 43/78 – **43 ch** ⊑ 95/155 – ½ P 108/113.

🏠 **De Lutt,** Beuningerstraat 20 (NE : 2 km), ⊠ 7587 LD, ℘ 5 25 25, Fax 5 25 25, 😤, 🛎 – 📺 ☎ 🅿 – 🔬 25 à 100. 🖭 ⑩ ㅌ 𝘝𝘐𝘚𝘈 🎀
fermé 31 déc. et 1ᵉʳ janv. – **Repas** *(fermé après 20 h 30)* Lunch 35 – carte 50 à 65 – **20 ch** ⊑ 95/275 – ½ P 95/178.

XX **Berg en Dal,** avec ch, Bentheimerstraat 34, ⊠ 7587 NH, ℘ 5 12 02, Fax 5 15 79, 😤, 🎀 – 📺 ☎ 🅿 – **5 ch**.

MAARSBERGEN Utrecht © Maarn 5 655 h. 408 ⑪ – ✆ 0 3433.

🖫 Woudenbergseweg 13a, ⊠ 3953 ME, ℘ 13 30.

◆Amsterdam 63 – ◆Utrecht 25 – Amersfoort 12 – ◆Arnhem 38.

🏠 **Motel Maarsbergen,** Woudenbergseweg 44 (près A 12), ⊠ 3953 MH, ℘ 13 41, Fax 13 79 ← – 📺 ☎ 🕭 🅿 – 🔬 35. 🖭 ⑩ ㅌ 𝘝𝘐𝘚𝘈
Repas – **38 ch** ⊑ 95.

MAARSSEN Utrecht 408 ⑪ – 40 648 h. – ✆ 0 3465.

◆Amsterdam 32 – ◆Utrecht 9.

🏨 **Carlton President,** Floraweg 25 (S : 2 km près A 2), ⊠ 3608 BW, ℘ (0 30) 41 41 82, Telex 40745, Fax (0 30) 41 05 42, 🎦, 🛎 – 📳 📺 ☎ 🕭 🅿 – 🔬 25 à 300. 🖭 ⑩ ㅌ 𝘝𝘐𝘚𝘈
Repas (ouvert jusqu'à 23 h) carte 59 à 82 – ⊑ 34 – **172 ch** 265/305 – ½ P 243/328.

XXXX ❀ **De Wilgenplas** (van der Veer), Maarsseveensevaart 7a (E : 1,5 km), ⊠ 3601 CC, ℘ 6 15 90, Fax 7 51 40, 😤 – 🅿. 🖭 ⑩ ㅌ 𝘝𝘐𝘚𝘈
fermé sam. midi, dim. midi et lundi – **Repas** carte env. 100
Spéc. Tournedos farci de foie gras, béarnaise et sauce aux truffes, Filet de bar frit et julienne de poireaux au beurre de caviar, Paire de saumon fumé et de turbot, vinaigrette à l'aneth.

XX **Cobra,** Straatweg 144, ⊠ 3603 CS, ℘ 6 56 66, 😤, « Aménagement design » – 🅿. 🖭 ⑩ ㅌ 𝘝𝘐𝘚𝘈
fermé dim. – **Repas** carte env. 75.

XX **De Prins te Paard,** Breedstraat 4, ⊠ 3603 BA, ℘ 6 37 47, « Aménagement cossu » – 🗖. 🖭 ⑩ ㅌ 𝘝𝘐𝘚𝘈. 🎀 rest
fermé sam. midi et dim. midi – **Repas** Lunch 50 – 58/75.

X **De Nonnerie,** Langegracht 51, ⊠ 3601 AK, ℘ 6 22 01 – 🗖 🅿. 🖭 ㅌ
fermé lundi, sem. carnaval et 24 déc.-1ᵉʳ janv. – **Repas** (dîner seult) carte 56 à 73.

X **Le Marron,** Bolensteinsestraat 22, ⊠ 3603 AX, ℘ 6 11 66
fermé lundi, mardi et du 1ᵉʳ au 14 janv. – **Repas** (dîner seult) carte env. 60.

MAASBRACHT Limburg 212 ⑲ et 408 ⑲ – 13 627 h. – ✆ 0 4746.

◆Amsterdam 176 – ◆Eindhoven 48 – ◆Maastricht 39 – Venlo 40.

XX **Da Vinci,** Havenstraat 27, ⊠ 6051 CS, ℘ 59 79, Fax 66 11 – 🖭 ⑩ ㅌ 𝘝𝘐𝘚𝘈. 🎀
fermé lundi, sam. midi, 1 sem. carnaval, 3 sem. vacances bâtiment et 26 déc.-5 janv. –
Repas Lunch 50 – carte env. 85.

MAASDAM Zuid-Holland 🆋 Binnenmaas 18 700 h. 🔢 ⑤ et 🔢 ⑰ – ✪ 0 1856.

◆Amsterdam 100 – ◆Breda 35 – Dordrecht 14 – ◆Rotterdam 18.

🏠 **De Hoogt** 🦢, Raadhuisstraat 3, ✉ 3299 AP, 𝒫 18 11, Fax 47 25 – 🍽 rest 📺 ☎ 🅿. 🆎 ⓞ 🗲 🆅🆂🅰
fermé 27 déc.-1ᵉʳ janv. – **Repas** *(fermé sam. midi et dim. midi)* 45/58 – ⌷ 15 – **10 ch** 115/180.

MAASLAND Zuid-Holland 🔢 ④ et 🔢 ⑨ ㉓ – 6 511 h. – ✪ 0 1899.

◆Amsterdam 86 – ◆Den Haag 26 – ◆Rotterdam 18.

XXX **De Lickebaertshoeve,** Oostgaag 55 (N : 3 km), ✉ 3155 CE, 𝒫 1 51 75, Fax 2 42 00, 😤, « Ferme du 18ᵉ s., terrasse » – 🅿. 🆎 ⓞ 🗲 🆅🆂🅰
fermé lundi – **Repas** carte 77 à 111.

MAASSLUIS Zuid-Holland 🔢 ④ et 🔢 ⑨ ㉓ – 33 295 h. – ✪ 0 1899.

🚢 vers Rozenburg : Van der Schuyt-van den Boom-Stanfries B.V., Burg. v.d. Lelykade 4 𝒫 1 22 12. Durée de la traversée : 10 min. Prix : 0,65 Fl, voiture 6,00Fl.

◆Amsterdam 81 – ◆Den Haag 26 – ◆Rotterdam 19.

XX **De Ridderhof,** Sportlaan 2, ✉ 3141 XN, 𝒫 1 12 11, Fax 1 37 80, 😤, « Ferme du 17ᵉ s. » – 🅿. 🆎 🗲 🆅🆂🅰
fermé dim., lundi et 23 juil.-7 août – **Repas** *(dîner seult)* carte 70 à 90.

Die Preise	Einzelheiten über die in diesem Führer angegebenen Preise finden Sie in der Einleitung.

MAASTRICHT 🅿 Limburg 🔢 ① et 🔢 ㉖ – 118 285 h. – ✪ 0 43.

Voir La vieille ville★ - Basilique St-Servais★★ (St. Servaasbasiliek) : Portail royal★, chœur★, chapiteaux★, Trésor★★ (Kerkschat) CY B – Basilique Notre-Dame★ (O. L. Vrouwebasiliek) : chœur★★ CZ A – Remparts Sud★ (Walmuur) CZ – Carnaval★ - St. Pietersberg★ S : 2 km AX.
Musée : des Bons Enfants★ (Bonnefantenmuseum) CY M¹.

✈ à Beek par ① : 11 km 𝒫 (0 43) 66 66 80.

🚄 (départs de 's-Hertogenbosch) 𝒫 25 62 70.

🅱 (fermé dim. sauf 15 mai-oct.) Het Dinghuis, Kleine Staat 1, ✉ 6211 ED, 𝒫 25 21 21, Fax 21 37 46.

◆Amsterdam 213 ① – Aachen 36 ② – ◆Bruxelles 124 ⑤ – ◆Liège 33 ⑤ – Mönchengladbach 81 ①.

Plans pages suivantes

🏨 **Holiday Inn Crown Plaza,** De Ruiterij 1, ✉ 6221 EW, 𝒫 50 91 91, Fax 50 91 92, ≤, 😤, « Sur la rive droite du fleuve » – 🛗 ≒ 🍽 rest 📺 ☎ 🕭 🅿 – 🔬 25 à 300. 🆎 ⓞ 🗲 🆅🆂🅰 🎱 🏊 🛴 rest
DZ **c**
Repas *Au Bord de la Meuse* (dîner seult) carte 70 à 84 – *Kobe* (cuisine japonaise, teppan-yaki) carte 82 à 112 – ⌷ 35 – **109 ch** 255/360, 22 suites

🏨 **Barbizon,** Forum 110, ✉ 6229 GV, 𝒫 83 82 81, Telex 56711, Fax 61 58 62, ≋ – 🛗 ≒ 🍽 rest 📺 ☎ 🅿 – 🔬 25 à 300. 🆎 ⓞ 🗲 🆅🆂🅰 🛴 rest
BX **x**
Repas *(fermé sam. midi)* Lunch 48 – 53/65 – ⌷ 30 – **167 ch** 258/333, 2 suites

🏨 **Derlon,** O.L.Vrouweplein 6, ✉ 6211 HD, 𝒫 21 67 70, Fax 25 19 33, 😤, « Exposition de vestiges romains en sous-sol » – 🛗 🍽 rest 📺 ☎ 🚗 – 🔬 25 à 50. 🆎 ⓞ 🗲 🆅🆂🅰
CZ **e**
Repas 50/58 – ⌷ 40 – **42 ch** 315/435.

🏨 **Gd H. De l'Empereur,** Stationsstraat 2, ✉ 6221 BP, 𝒫 21 38 38, Fax 21 68 19, ≋, 🔷 – 🛗 🍽 📺 ☎ 🚗 – 🔬 25 à 100. 🆎 ⓞ 🗲 🆅🆂🅰 🎱 🛴
DY **b**
Repas *(fermé dim. midi)* Lunch 48 – 50/110 – **87 ch** ⌷ 175/195, 4 suites – ½ P 143/163.

🏨 **Novotel,** Sibemaweg 10, ✉ 6227 AH, 𝒫 61 18 11, Telex 56702, Fax 61 60 44, 😤, 🔷 – 🛗 ≒ 🍽 📺 ☎ 🕭 🅿 – 🔬 25 à 150. 🆎 ⓞ 🗲 🆅🆂🅰
BX **b**
Repas *(ouvert jusqu'à minuit)* Lunch 38 – carte 49 à 66 – ⌷ 23 – **92 ch** 188/205 – ½ P 163.

🏨 **Bergère,** Stationsstraat 40, ✉ 6221 BR, 𝒫 25 16 51, Fax 25 54 98 – 🛗 📺 ☎ 🕭 🅿. 🆎 ⓞ 🗲 🆅🆂🅰 🛴 ch
DY **y**
fermé 31 déc. et 1ᵉʳjanv. – **Repas** *(fermé dim.)* carte env. 60 – **50 ch** ⌷ 140/165 – ½ P 125.

🏨 **Pauw** sans rest, Boschstraat 27, ✉ 6211 AS, 𝒫 21 22 22, Fax 21 34 32 – 🛗 📺 ☎ 🕭 🚗 – 🔬 25 à 50. 🆎 ⓞ 🗲 🆅🆂🅰
CY **g**
120 ch ⌷ 149/193, 2 suites.

🏨 **Beaumont,** Wijcker Brugstraat 2, ✉ 6221 EC, 𝒫 25 44 33, Fax 25 36 55 – 🛗 🍽 rest 📺 ☎ 🅿 – 🔬 25 à 45. 🆎 ⓞ 🗲 🆅🆂🅰 🛴 rest
DY **e**
fermé 31 déc. et 1ᵉʳ janv. – **Repas** *(fermé dim. midi)* Lunch 40 – 50/60 – **78 ch** ⌷ 150/195 – ½ P 140.

🏨 **Du Casque** sans rest, Helmstraat 14, ✉ 6211 TA, 𝒫 21 43 43, Fax 25 51 55 – 🛗 📺 ☎ 🚗. 🆎 ⓞ 🗲 🆅🆂🅰
CY **m**
fermé 31 déc. et 1ᵉʳ janv. – **38 ch** ⌷ 185/265.

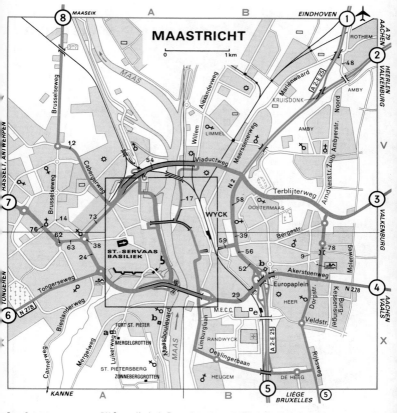

MAASTRICHT

Burg. Cortenstr.	BX 9	
Carl Smulderssingel	AV 12	
Dr. van Kleefstr.	AV 14	
Franciscus Romanusweg	ABV 17	
Hertogsingel	AX 24	
John Kennedysingel	BX 29	
Koningin Emmapl.	AX 38	
Koningspl.	BX 39	
Maastrichterweg	BV 48	
Nassaulaan	BX 52	
Noorderbrug	AX 54	
Oranjepl.	BX 56	
President Rooseveltlaan	BV 58	
St. Annadal	AX 62	
St. Annalaan	AX 63	
Statensingel	AV 73	
Via Regia	AV 76	
Vijverdalseweg	BX 78	

🏠 **Le Roi** sans rest, St-Maartenslaan 1, ⊠ 6221 AV, ✆ 25 38 38, Fax 21 08 35 – 📺 ☎. 🅰🅴 ① 🄴 _VISA_. ⬙
fermé 31 déc. et 1er janv. – **16 ch** ⊇ 132/155.
DY **w**

🏠 **In den Hoof,** Akersteenweg 218 (par ④ : 5 km), ⊠ 6227 AE, ✆ 61 06 00, Fax 61 80 40 –
📺 ☎ 🅿. 🅰🅴 ① 🄴 _VISA_
fermé 25, 26 et 31 déc. et 1er janv. – **Repas** (fermé après 20 h 30) Lunch 35 – carte env.
55 – **26 ch** ⊇ 55/160 – ½ P 85/140.

🍴🍴 ⊛ **Toine Hermsen,** St-Bernardusstraat 2, ⊠ 6211 HL, ✆ 25 84 00, Fax 25 83 73 – 🍽. 🅰🅴
① 🄴 _VISA_. ⬙
CZ **b**
fermé sam. midi, dim., lundi et carnaval – **Repas** 75/135
Spéc. Confit de canard et son foie, Bisque de homard à ma façon, Morue sautée sur la peau
aux champignons des bois et truffes.

🍴🍴 **Au Coin des Bons Enfants,** Ezelmarkt 4, ⊠ 6211 LJ, ✆ 21 23 59, Fax 25 82 52 – 🅰🅴 🄴
VISA. ⬙
CZ **h**
fermé dim., lundi, jours fériés, carnaval et dern. sem. août – **Repas** (dîner seult) 55/85.

🍴🍴 **'t Pakhoes,** Waterpoort 4, ⊠ 6221 GB, ✆ 25 70 00, Fax 25 59 61, 🏤 – 🅰🅴 ① 🄴 _VISA_
fermé mardi en juil.-août, merc., sam. midi, dim. midi et sem. carnaval – **Repas** carte 70
à 99.
DZ **a**

🍴🍴 **Au Premier** 1er étage, Brusselsestraat 15, ⊠ 6211 PA, ✆ 21 97 61, Fax 25 59 00, 🏤 – 🅰🅴
① 🄴 _VISA_. ⬙
CY **p**
fermé lundi et sam. midi – **Repas** 60/80.

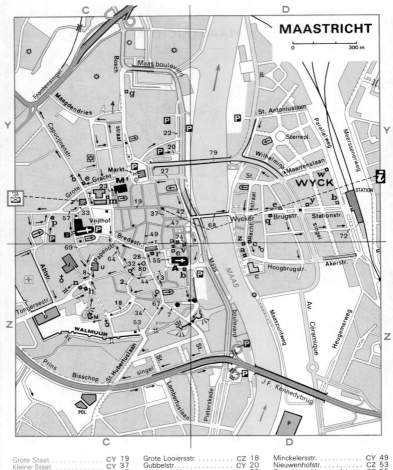

MAASTRICHT

0   300 m

Grote Staat	CY	19
Kleine Staat	CY	37
Maastr. Smedenstr.	CY	47
Stokstr.	CY	74
Wycker Brugstr.	DY	

Grote Looiersstr.	CZ	18
Gubbelstr.	CY	20
van Hasseltkade	CY	22
Helmstr.	CY	23
Hoenderstr.	CY	27
Hondstr.	CZ	28
Kapoenstr.	CZ	32
Keizer Karelpl.	CY	33
Kleine Looiersstr.	CZ	34
Maastr. Brugstr.	CY	42
Maastr. Heidenstr.	CZ	44

Minckelersstr.	CY	49
Nieuwenhofstr.	CZ	53
Onze Lieve Vrouweplein	CZ	55
Oude Tweebergenpoort	CY	57
St. Jacobstr.	CY	64
St. Pieterstr.	CZ	67
St. Servaasbrug	DY	68
St. Servaasklooster	CY	69
Spoorweglaan	DY	72
Wilhelminabrug	DY	79
Witmakersstr.	CZ	80

Achter de Molens	CZ	2
A. D. Barakken	CY	4
Begijnenstr.	CZ	7
Bouillonstr.	CZ	8
Cortenstr.	CZ	13

XX **Le Bon Vivant,** Capucijnenstraat 91, ⊠ 6211 RP, ℰ 21 08 16, Fax 25 37 82, « Salle voûtée » – 🍽. AE ⓞ E *VISA*   CY **e**
fermé lundi sauf à Pâques, sem. carnaval et 17 juil.-10 août – **Repas** (dîner seult) 55/75.

XX **'t Plenkske,** Plankstraat 6, ⊠ 6211 GA, ℰ 21 84 56, Fax 25 81 33, 🌤 – AE ⓞ E *VISA*. 🦌
fermé dim. et jours fériés – **Repas** carte env. 60.   CYZ **v**

XX **Jean La Brouche,** Tongersestraat 9, ⊠ 6211 LL, ℰ 21 46 09 – AE E   CZ **n**
fermé dim., lundi et 2 prem. sem. juil. – **Repas** (dîner seult) 70.

XX **'t Kläöske,** Plankstraat 20, ⊠ 6211 GA, ℰ 21 81 18, Fax 25 76 98, 🌤 – AE ⓞ E *VISA*
fermé dim. et jours fériés – **Repas** *Lunch* 38 – 45/60.   CYZ **a**

XX **Aub. La Caponnière,** Luikerweg 80 (S : 2 km, dans le Fort St-Pieter), ⊠ 6212 NH,
ℰ 21 71 33, Fax 25 69 00 – 🅿. AE E. 🦌   AX **a**
fermé lundi et mardi – **Repas** *Lunch* 50 – carte 63 à 90.

✗ **Mediterraneo,** Rechtstraat 73, ⊠ 6221 EH, ℰ 25 50 37, Fax 25 88 74, Cuisine italienne – ⬛ 📧 🆔 ᴇ 𝘝𝘐𝘚𝘈　　　　　　　　　　　　　　DY **c**
fermé merc. et carnaval – **Repas** (dîner seult jusqu'à 23 h) 65/89.

✗ **'t Drifke,** Lage Kanaaldijk 22, ⊠ 6212 AE, ℰ 21 45 81, 🏠 – ᴇ 𝘝𝘐𝘚𝘈　　　　　　AX **b**
fermé lundi, mardi et sem. avant carnaval – **Repas** (dîner seult) carte 45 à 67.

✗ **Les Marolles,** Rechtstraat 88a, ⊠ 6221 EL, ℰ 25 04 47, Ouvert jusqu'à 23 h – ᴇ 𝘝𝘐𝘚𝘈　　DYZ **z**
Repas (dîner seult jusqu'à 23 h) carte 56 à 85.

✗ **Bon Goût,** Wycker Brugstraat 17, ⊠ 6221 EA, ℰ 25 02 84, Fax 25 56 13, Cuisine au fromage – ⬛　　　　　　　　　　　　　　　　　　　　　　　　DY **q**
fermé lundi, mardi, sem. carnaval et 19 juil.-2 août – **Repas** (dîner seult) 55/85.

✗ **Sagittarius,** Bredestraat 7, ⊠ 6211 HA, ℰ 21 14 92, 🏠 – 📧 🆔 ᴇ 𝘝𝘐𝘚𝘈　　　　CZ **r**
fermé dim. et lundi – **Repas** (dîner seult) carte env. 60.

✗ **Le Vigneron,** Havenstraat 19, ⊠ 6211 GJ, ℰ 21 33 64, 🏠 – 📧 🆔 ᴇ 𝘝𝘐𝘚𝘈　　　CYZ **a**
fermé dim., lundi et jours fériés – **Repas** (dîner seult jusqu'à 23 h) 43/58.

au Sud : 5 km par Bieslanderweg :

XXX ⬦ **Château Neercanne,** Cannerweg 800, ⊠ 6213 ND, ℰ 25 13 59, Fax 21 34 06, 🏠,
« Château du 17ᵉ s., terrasses fleuries, ⩽ vallée et campagne » – 🅿. 📧 🆔 ᴇ 𝘝𝘐𝘚𝘈
fermé lundi et sam. midi – **Repas** *Lunch 100* – 115 carte 78 à 126
Spéc. Salade de turbotin grillé et vinaigrette de morilles, Estouffade de joue de veau aux truffes
et grains de sésame, Fromage régional fondant et sauce caramel à la bière.

✗ **L'Auberge,** Cannerweg 800, ⊠ 6213 ND, ℰ 25 13 59, Fax 21 34 06, 🏠, « Ancienne chapelle voûtée » – 🅿. 📧 🆔 ᴇ 𝘝𝘐𝘚𝘈. 🍽
fermé sam., dim. et jours fériés – **Repas** (déjeuner seult) carte env. 70.

à Berg en Terblijt par ③ : 7 km Ⓒ Valkenburg aan de Geul 17 904 h. – ☎ 0 4406 :

🏠 **Kasteel Geulzicht** 🌿, Vogelzangweg 2, ⊠ 6325 PN, ℰ 4 04 32, Fax 4 20 11, ⩽ vallée,
🏠 – 🛗 📺 ☎ 🅿. 📧 ᴇ 𝘝𝘐𝘚𝘈. 🍽 rest
Repas (résidents seult) – **9 ch** ⊆ 190/300 – ½ P 166/198.

🏠 **Holland,** Rijksweg 65, ⊠ 6325 AB, ℰ 4 05 25, Fax 4 26 15 – 🛗 📺 ☎ 🅿. 📧 🆔 ᴇ 𝘝𝘐𝘚𝘈.
🍽
fermé 28 déc.-15 janv. – **Repas** 25/45 – **22 ch** ⊆ 60/109 – ½ P 160/167.

à Margraten par ④ : 10 km – 13 593 h. – ☎ 0 4458 :

🏠 **Groot Welsden** 🌿, Groot Welsden 27, ⊠ 6269 ET, ℰ 13 94, Fax 23 55, « Jardin avec
pièce d'eau » – 📺 ☎ 🅿. 📧 ᴇ 𝘝𝘐𝘚𝘈. 🍽
fermé carnaval – **Repas** (résidents seult) – ⊆ 8 – **17 ch** 128/160.

🏠 **Wippelsdaal** 🌿, Groot Welsden 13, ⊠ 6269 ET, ℰ 18 91, Fax 27 15, « Cadre champêtre »
– 📺 ☎ 🅿. ᴇ. 🍽 rest
fermé 30 déc.-25 janv. – **Repas** (dîner pour résidents seult) – **14 ch** ⊆ 80/120 – ½ P 80/82.

MADE Noord-Brabant Ⓒ Made en Drimmelen 12 195 h. 🇵🇵🇵 ⑥ et 🇸🇸🇸 ⑰ – ☎ 0 1626.
♦Amsterdam 94 – ♦'s-Hertogenbosch 40 – Bergen op Zoom 45 – ♦Breda 13 – ♦Rotterdam 46.

🏠 **De Korenbeurs,** Kerkstraat 13, ⊠ 4921 BA, ℰ 8 21 50, Fax 8 21 50, 🏠 – 🛗 ⬛ rest 📺
☎ ও – 🅰️ 25 à 350. 📧 🆔 ᴇ 𝘝𝘐𝘚𝘈. 🍽
Repas *(fermé 24 déc. soir et 31 déc. soir)* carte env. 50 – **54 ch** ⊆ 105/195 – ½ P 109/137.

MARGRATEN Limburg 🇵🇵🇵 ① et 🇸🇸🇸 ㉖ – voir à Maastricht.

MARKELO Overijssel 🇸🇸🇸 ⑬ – 7 025 h. – ☎ 0 5476.
♦Amsterdam 125 – ♦Zwolle 50 – ♦Apeldoorn 41 – ♦Arnhem 59 – ♦Enschede 34.

✗✗ **In de Kop'ren Smorre** avec ch, Holterweg 20, ⊠ 7475 AW, ℰ 13 44, Fax 22 01, 🏠,
« Ancienne ferme, jardins » – 📺 🅿. 📧 🆔 ᴇ 𝘝𝘐𝘚𝘈. 🍽
fermé 31 déc. et 1ᵉʳ janv. – **Repas** *(fermé dim. midi et lundi) Lunch 35* – 48 – **8 ch** ⊆ 80/135
– ½ P 130/140.

MASTBOS Noord-Brabant 🇵🇵🇵 ⑥ – voir à Breda.

MECHELEN Limburg Ⓒ Wittem 7 780 h. 🇵🇵🇵 ② et 🇸🇸🇸 ㉖ – ☎ 0 4455.
🛅 Dalbissenweg 22, ⊠ 6281 NC, ℰ 13 97.
🅱 Hoofdstraat 79, ⊠ 6281 BC, ℰ 13 79.
♦Amsterdam 235 – ♦Maastricht 21 – Aachen 14.

🏠 **Brull,** Hoofdstraat 26, ⊠ 6281 BD, ℰ 12 63, Fax 23 00, 🌱 – 🛗 ☎ 🅿. ᴇ 𝘝𝘐𝘚𝘈. 🍽
avril-déc. ; fermé lundi, mardi et merc. en nov.-déc. – **Repas** (résidents seult) – **32 ch**
⊆ 63/220 – ½ P 98/110.

MEDEMBLIK Noord-Holland 408 ⑪ – 7 222 h. – ✪ 0 2274.

Voir Oosterhaven★.

◆Amsterdam 58 – Alkmaar 36 – Enkhuizen 21 – Hoorn 19.

🏨 **Het Wapen van Medemblik,** Oosterhaven 1, ⊠ 1671 AA, ℘ 38 44, Fax 23 97 – 🛗 📺
🕿 – 🕸 40 à 80. 🖽 ⑩ ⓔ 𝘝𝘐𝘚𝘈
fermé 31 déc. et 1er janv. – Repas Lunch 25 – 40 – **26 ch** ⊆ 100/175.

XX **De Twee Schouwtjes,** Oosterhaven 27, ⊠ 1671 AB, ℘ 19 56, Fax 11 67, « Maison du
16e s. » – 🖽 ⑩ ⓔ 𝘝𝘐𝘚𝘈
Repas (dîner seult) carte env. 55.

MEERKERK Zuid-Holland © Zederik 13 468 h. 212 ⑥ et 408 ⑩ ⑪ – ✪ 0 1837.

◆Amsterdam 55 – ◆Arnhem 76 – ◆Breda 46 – ◆Den Haag 80 – ◆Rotterdam 50.

🏨 **AC Hotel,** Energieweg 116 (près A 27), ⊠ 4231 DJ, ℘ 21 98, Fax 22 99 – 🛗 🛏 ▤ rest
📺 🕿 🕭 🅿 – 🕸 25 à 250. 🖽 ⑩ ⓔ 𝘝𝘐𝘚𝘈
Repas Lunch 22 – carte env. 50 – ⊆ 13 – **64 ch** 100.

MEGEN Noord-Brabant © Oss 52 647 h. 212 ⑧ et 408 ⑱ – ✪ 0 4122.

◆Amsterdam (bac) 103 – ◆'s-Hertogenbosch 30 – ◆Nijmegen 28.

XX **Den Uiver,** Torenstraat 3, ⊠ 5366 BJ, ℘ 25 48, Fax 30 41, �花, « Grange du 19e s. » – 🖽
ⓔ 𝘝𝘐𝘚𝘈
fermé lundi et 2 sem. carnaval – Repas carte 62 à 91.

MEPPEL Drenthe 408 ⑫ – 24 217 h. – ✪ 0 5220.

🚹 Kromme Elleboog 2, ⊠ 7941 KC, ℘ 5 28 88.

◆Amsterdam 135 – Assen 55 – ◆Groningen 82 – ◆Leeuwarden 68 – ◆Zwolle 25.

XX **'t Olde Koetshuus,** Steenwijkerstraatweg 10, ⊠ 7942 HP, ℘ 5 17 53, Fax 5 78 98 – ▤
🅿. 🖽 ⑩ ⓔ 𝘝𝘐𝘚𝘈. 🛇
fermé dim. et 2 sem. vacances bâtiment – Repas carte 56 à 73.

à De Wijk E : 7,5 km – 5 004 h. – ✪ 0 5224 :

XXX **Havesathe de Havixhorst** 🛇 avec ch, Schiphorsterweg 34, ⊠ 7957 NV, ℘ 14 87,
Fax 14 89, �花, « Demeure du 18e s., jardin » – 📺 🕿 🅿 – 🕸 75. 🖽 ⑩ ⓔ 𝘝𝘐𝘚𝘈. 🛇
Repas 60/73 – ⊆ 23 – **8 ch** 145/220 – ½ P 193.

MEIJEL Limburg 212 ⑲ et 408 ⑲ – 5 426 h. – ✪ 0 4766.

◆Amsterdam 162 – ◆Eindhoven 38 – Roermond 24 – Venlo 31.

🏠 **Meijel,** Raadhuisplein 4, ⊠ 5768 AR, ℘ 24 55, Fax 41 00, 🎋 – 📺 🕿. 🖽 ⑩ ⓔ 𝘝𝘐𝘚𝘈. 🛇
Repas *(fermé lundi et après 20 h)* carte 43 à 66 – **32 ch** ⊆ 45/100 – ½ P 68/80.

MIDDELBURG 🅿 Zeeland 212 ⑫ et 408 ⑮ – 40 105 h. – ✪ 0 1180.

Voir Hôtel de ville★ (Stadhuis) AYZ H – Abbaye★ (Abdij) ABY – Miniatuur Walcheren★ ABY.
Musée : de Zélande★ (Zeeuws Museum) AY M¹.

🚹 Markt 65a, ⊠ 4331 LL, ℘ 1 68 51.

◆Amsterdam 194 ① – ◆Antwerpen 91 ① – ◆Breda 98 ① – ◆Brugge (bac) 47 ② – ◆Rotterdam 106 ①.

Plan page ci-contre

🏨 **Arneville,** Buitenruststraat 22 (par ①), ⊠ 4337 EH, ℘ 3 84 56, Fax 1 51 54, �花 – 🛗 ▤ rest
📺 🕿 🅿 – 🕸 25 à 300. 🖽 ⑩ ⓔ 𝘝𝘐𝘚𝘈. 🛇 rest   BZ
fermé 27 déc.-7 janv. – Repas Lunch 40 – carte env. 70 – **43 ch** ⊆ 125/175 – ½ P 128/168.

🏠 **Le Beau Rivage** sans rest, Loskade 19, ⊠ 4331 HW, ℘ 3 80 60 – 📺 🕿. 🖽 ⑩ ⓔ 𝘝𝘐𝘚𝘈
🛇   BZ b
9 ch ⊆ 85/225.

🏠 **Roelant,** Koepoortstraat 10, ⊠ 4331 SL, ℘ 3 33 09, Fax 2 89 73, �花 – 📺. 🖽 ⑩ ⓔ 𝘝𝘐𝘚𝘈
◆ 🛇   BY c
Repas *(fermé dim.)* (dîner seult) 37 – **12 ch** ⊆ 50/90 – ½ P 75/87.

XX **Het Groot Paradijs,** Damplein 13, ⊠ 4331 GC, ℘ 2 67 64, Fax 3 91 82, �花 – 🖽 ⑩ ⓔ
𝘝𝘐𝘚𝘈   BY d
fermé sam. midi, dim., lundi, prem. sem. mars et 3 prem. sem. juil. – Repas Lunch 53 – 55/88

XX **Den Gespleten Arent,** Vlasmarkt 25, ⊠ 4331 PC, ℘ 3 61 22, Fax 3 61 22 – 🖽 ⑩ ⓔ 𝘝𝘐𝘚𝘈
fermé mardi et sem. carnaval – Repas (dîner seult) 45/68.   AZ e

XX **Rôtiss. Michel,** Korte Geere 19, ⊠ 4331 LE, ℘ 1 15 96 – 🖽 ⑩ ⓔ 𝘝𝘐𝘚𝘈   AZ f
fermé du 1er au 15 août, du 24 au 31 déc., sam. midi, dim. et lundi – Repas 48/78.

X **De Huifkar** avec ch, Markt 19, ⊠ 4331 LJ, ℘ 1 29 98, Fax 1 23 86, �花 – 📺. 🖽 ⑩ ⓔ 𝘝𝘐𝘚𝘈
◆ 🛇 ch   AZ g
fermé dim. de nov. à mars – Repas (Taverne-rest) 42 – **6 ch** ⊆ 105/135 – ½ P 89/114

MIDDELBURG

Lange Delft		ABZ
Langeviele		AZ
Markt		AZ
Nieuwe Burg		AZ 24
Plein 1940		AZ 30
Achter de Houttuinen		AZ 3
Bierkaai		BZ 4
Damplein		BY 6

Groenmarkt		AYZ 7
Hoogstr.		AZ 9
Houtkaai		BZ 10
Koepoortstr.		BY 12
Koestr.		AZ 13
Koorkerkstr.		BZ 15
Korte Burg		AY 16
Korte Delft		BYZ 18
Korte Noordstr.		AY 19
Lange Noordstr.		AY 21
Londensekaai		BZ 22
Nieuwe Haven		AZ 25

Nieuwe Vlissingseweg		AZ 27
Nieuwstr.		BZ 28
Rotterdamsekaai		BY 31
Segeerstr.		BZ 33
Sint Pieterstr.		BY 34
Stadhuisstr.		AY 36
Vismarkt		ABZ 37
Vlissingsestr.		AZ 39
Volderijlaagte		AY 40
Wagenaarstr.		AY 42
Walensingel		AYZ 43

Onze hotelgidsen, toeristische gidsen en wegenkaarten
vullen elkaar aan. Gebruik ze samen.

MIDDELHARNIS Zuid-Holland 212 ④ et 408 ⑯ – 16 010 h. – ✆ 0 1870.

🛈 Kade 9, ✉ 3241 CE, ℘ 8 48 70, Fax 8 78 15.

♦Amsterdam 133 – ♦Den Haag 83 – ♦Breda 65 – ♦Rotterdam 54 – Zierikzee 22.

🏨 **De Parel van de Delta,** Vingerling 51, ✉ 3241 EB, ℘ 8 20 04, ≤, 🏤 – 🛗 📺 🅿 – 🔬 25 à 80. 🅰🅴 ⓞ 🄴 𝑉𝐼𝑆𝐴
fermé 27 déc.-1er janv. et dim. sauf en juil.-août – **Repas** carte 45 à 70 – **19 ch** ⇆ 65/135 – ½ P 88/110.

XXX ❀ **De Hooge Heerlijkheid** (Kern), Voorstraat 21, ✉ 3241 EE, ℘ 8 32 64, Fax 8 53 29, 🏤, « Maisonnettes hollandaises du 17e s. avec terrasse » – 🅰🅴 ⓞ 🄴 𝑉𝐼𝑆𝐴
fermé lundis et mardis non fériés, sam. midi, 2e quinz. oct. et janv. – **Repas** Lunch 55 – 85 carte 83 à 105
Spéc. Tartare de saumon et hareng à l'huile vierge et caviar, Filets de rouget-barbet grillés, sauce antiboise, Grand dessert.

X **Brasserie 't Vingerling,** Vingerling 23, ✉ 3241 EB, ℘ 8 33 33, Fax 8 53 29, ≤, 🏤, « Entrepôt du 18e s. sur le port de plaisance »
fermé lundi sauf juin-août, jeudi, fév. et 16 oct.-16 nov. – Repas Lunch 35 – 45/55.

MIDDELSTUM Groningen © Loppersum 11 185 h. 408 ⑥ – ✪ 0 5955.
◆Amsterdam 201 – Appingedam 17 – ◆Groningen 20.

 ✕ **Herberg De Valk,** Burchtstraat 12, ⊠ 9991 AB, 𝄢 22 16, 🍴 – **P**. 𝐀𝐄 ⓞ 𝐄 𝘝𝘐𝘚𝘈
    fermé 27 déc.-4 janv. – **Repas** *Lunch* 45 – 45.

MIERLO Noord-Brabant 𝟤𝟣𝟤 ⑱ ⑲ et 408 ⑱ ⑲ – 10 220 h. – ✪ 0 4927.
◆Amsterdam 129 – ◆'s-Hertogenbosch 44 – ◆Eindhoven 12 – Helmond 5.

 🏨 **De Brug,** Arkweg 3, ⊠ 5731 PD, 𝄢 7 89 11, Fax 6 48 95, 🔲, 🍴 – |🛗| 🛏 rest 𝐓𝐕 ☎ **P** –
    🔏 25 à 850. 𝐀𝐄 ⓞ 𝐄 𝘝𝘐𝘚𝘈. 🍽
    fermé 27 déc.-1er janv. – **Repas** *Lunch* 35 – 48/68 – **149 ch** ⊂⊃ 190/230 – ½ P 115/150.

 ✕ **De Cuijt,** Burg. Termeerstraat 50 (NO : 1 km, direction Nuenen), ⊠ 5731 SE, 𝄢 6 13 23,
    Fax 6 57 41, 🍴, « Auberge rustique » – **P**. 𝐄. 🍽
    fermé du 16 au 31 juil., 24 déc.-1er janv., dim., lundi et jours fériés – **Repas** *Lunch* 44 – 57/69.

MILL Noord-Brabant © Mill en Sint Hubert 10 621 h. 𝟤𝟣𝟤 ⑨ et 408 ⑲ – ✪ 0 8859.
◆Amsterdam 123 – ◆'s-Hertogenbosch 41 – ◆Eindhoven 48 – ◆Nijmegen 25.

 ✕✕ **Aub. de Stoof,** Kerkstraat 14, ⊠ 5451 BM, 𝄢 5 11 37, Fax 5 39 22 – 𝐀𝐄 𝐄 𝘝𝘐𝘚𝘈
    fermé merc. – **Repas** (dîner seult) carte env. 50.

 ✕ **Het Centrum,** Kerkstraat 4, ⊠ 5451 BM, 𝄢 5 19 04 – 𝐄 𝘝𝘐𝘚𝘈. 🍽
    fermé sam., Pâques et vacances bâtiment – **Repas** carte env. 60.

MILLINGEN AAN DE RIJN Gelderland 𝟤𝟣𝟤 ⑩ et 408 ⑫ – 5 514 h. – ✪ 0 8813.
◆Amsterdam 134 – ◆Arnhem 33 – ◆Nijmegen 17.

 🏠 **Millings Centrum,** Heerbaan 186, ⊠ 6566 EW, 𝄢 12 04, Fax 27 19, 🍴 – 𝐓𝐕 ☎ **P** – 🔏 25
 ➡ à 300. 𝐄 𝘝𝘐𝘚𝘈
    Repas *(fermé lundi et après 20 h 30)* 43 – **28 ch** ⊂⊃ 60/100 – ½ P 77/88.

MONNICKENDAM Noord-Holland © Waterland 17 909 h. 408 ⑩ ⑪ ㉘ – ✪ 0 2995.
Env. Marken★ : village★, costumes traditionnels★ E : 8 km.
🅱 De Zarken 2, ⊠ 1141 BG, 𝄢 19 98.
◆Amsterdam 16 – Alkmaar 34 – ◆Leeuwarden 122.

 ✕✕ **De Posthoorn,** Noordeinde 41, ⊠ 1141 AG, 𝄢 14 71, Fax 14 71, « Intérieur
    vieil hollandais » – **P**. 𝐀𝐄 ⓞ 𝐄 𝘝𝘐𝘚𝘈. 🍽
    fermé lundi – **Repas** *Lunch* 25 – 43/87.

 ✕ **De Roef,** Noordeinde 40, ⊠ 1141 AN, 𝄢 18 60 – 🍽. 𝐀𝐄 ⓞ 𝐄 𝘝𝘐𝘚𝘈
 ➡ *fermé merc. sauf en juil.-août et 2 sem. en janv.* – **Repas** (dîner seult) 43/51.

MONSTER Zuid-Holland 408 ⑨ ㉓ – 19 376 h. – ✪ 0 1749.
◆Amsterdam 73 – ◆Den Haag 13 – ◆Rotterdam 32.

 🏨 **Elzenduin** 🐾, Strandweg 18 (N : 1 km à Terheyde aan Zee), ⊠ 2684 VT, 𝄢 1 42 00,
    Fax 1 42 04, 🍴 – |🛗| 🛏 rest 𝐓𝐕 ☎ **P** – 🔏 25. 𝐀𝐄 ⓞ 𝐄 𝘝𝘐𝘚𝘈
    fermé lundi midi, 24 déc. soir, 25 et 31 déc. et 1er janv. – **Repas** carte 53 à 89 – ⊂⊃ 10
    – **27 ch** 90/227 – ½ P 103/149.

MONTFOORT Utrecht 408 ⑩ – 12 744 h. – ✪ 0 3484.
◆Amsterdam 33 – ◆Den Haag 52 – ◆Rotterdam 48 – ◆Utrecht 15.

 ✕✕✕ **Kasteel Montfoort** 1er étage, Kasteelplein 1, ⊠ 3417 JG, 𝄢 7 27 27, Fax 7 27 28, 🍴 –
    🛏 **P**. 𝐀𝐄 ⓞ 𝐄 𝘝𝘐𝘚𝘈 𝐉𝐂𝐁
    fermé sam. midi et dim. – **Repas** *Lunch* 50 – 58/90.

 ✕✕ **De Schans,** Willeskop 87 (SO : 4,5 km), ⊠ 3417 MC, 𝄢 (0 3486) 23 09, Fax (0 3486) 46 65,
    🍴 – 🛏 **P**. 𝐀𝐄 ⓞ 𝐄 𝘝𝘐𝘚𝘈. 🍽
    fermé lundi, 27 juil.-16 août, 25 déc. et 1er janv. – **Repas** *Lunch* 43 – carte 75 à 90.

MOOK Limburg © Mook en Middelaar 7 379 h. 𝟤𝟣𝟤 ⑨ et 408 ⑲ – ✪ 0 8896.
🅱 D'Avillaweg 1, ⊠ 6585 KK, 𝄢 33 76.
◆Amsterdam 129 – ◆Maastricht 133 – ◆'s-Hertogenbosch 48 – ◆Nijmegen 12 – Venlo 54.

 🏨 **De Plasmolen,** Rijksweg 170 (SE : 3 km sur N 271), ⊠ 6586 AB, 𝄢 14 44, Fax 22 71, 🍴,
    « Jardins au bord de l'eau », ➡, 🍴 – 𝐓𝐕 ☎ **P** – 🔏 25 à 100. 𝐀𝐄 ⓞ 𝐄 𝘝𝘐𝘚𝘈. 🍽 rest
    Repas *Lunch* 48 – 59/95 – **36 ch** ⊂⊃ 119/172 – ½ P 121/163.

 🏨 **Motel De Molenhoek,** Rijksweg 1 (N : 1 km), ⊠ 6584 AA, 𝄢 (0 80) 58 01 55, Fax (0 80)
    58 21 75, 🍴, 🛋, ➡ – |🛗| 𝐓𝐕 ☎ **P** – 🔏 50 à 150. 𝐀𝐄 ⓞ 𝐄 𝘝𝘐𝘚𝘈. 🍽
    Repas (ouvert jusqu'à 23 h 30) carte env. 50 – **56 ch** ⊂⊃ 95/179.

 ✕✕✕ **Jachtslot de Mookerheide** 🐾 avec ch, Heumensebaan 2 (NE : 2 km), ⊠ 6584 CL,
    𝄢 (0 80) 58 30 35, Fax (0 80) 58 43 55, 🍴, « Dans un vaste parc, intérieur Art Nouveau »,
    🌳 – 𝐓𝐕 ☎ **P** – 🔏 25 à 150. 𝐀𝐄 ⓞ 𝐄 𝘝𝘐𝘚𝘈. 🍽
    Repas *Lunch* 48 – carte 67 à 105 – ⊂⊃ 19 – **7 ch** 195/295 – ½ P 195.

MUIDEN Noord-Holland 408 ⑪ – 6 811 h. – © 0 2942.

Voir Château★ (Muiderslot).

◆Amsterdam 13 – Hilversum 22.

- XX **De Doelen**, Sluis 1, ⌂ 1398 AR, ℰ 6 32 00, Fax 6 48 75, « Rustique » – ▤. 🕮 ⓞ 🅴 𝓥𝓘𝓢𝓐. ✀
  fermé sam. midi et dim. midi – **Repas** carte 76 à 95.
- X **De Muiderhof**, Herengracht 75, ⌂ 1398 AD, ℰ 6 45 07 – 🕮 🅴 𝓥𝓘𝓢𝓐
  Repas Lunch 40 – carte 60 à 79.

MUNSTERGELEEN Limburg 202 ① – voir à Sittard.

NAALDWIJK Zuid-Holland 408 ⑨ ㉓ – 28 259 h. – © 0 1740.

◆Amsterdam 77 – ◆Den Haag 13 – ◆Rotterdam 30.

- 🏨 **Carlton Flower**, Tiendweg 20, ⌂ 2671 SB, ℰ 4 01 77, Fax 4 01 77, ℐₛ, 🕾 – |≢| ⇔ ▤ rest
  ◆ ▣ ☎ 🅿 – 🏄 30 à 150. 🕮 ⓞ 🅴 𝓥𝓘𝓢𝓐. ✀ rest
  Repas 43/63 – **80 ch** ⌂ 160/195 – ½ P 195/260.

NAARDEN Noord-Holland 408 ⑪ – 16 516 h. – © 0 2159.

Voir Fortifications★ – 🛈 A. Dorstmanplein 1b, ⌂ 1411 RC, ℰ 4 28 36.

◆Amsterdam 21 – ◆Apeldoorn 66 – ◆Utrecht 30.

- 🏨 **Days Inn**, IJsselmeerweg 3 (N : 1,5 km près A 1, sortie Naarden-Vesting), ⌂ 1411 AA,
  ℰ 5 15 14, Fax 5 10 89, ℐₛ, 🕾 – |≢| ▣ ☎ & 🅿 – 🏄 25 à 66 – ⌂ 25 – **108 ch** 115/195.
  Repas *(fermé sam. midi et dim. midi)* Lunch 43 – carte 43 à 66 – ⌂ 25 – **108 ch** 115/195.
- XX **Aub. Le Bastion**, St. Annastraat 3, ⌂ 1411 PE, ℰ 4 66 05, 🏤 – 🕮 ⓞ 🅴 𝓥𝓘𝓢𝓐
  fermé sam. midi, dim. midi, lundi et du 1er au 14 janv. – **Repas** Lunch 50 – 60.
- XX **De Oude Smidse**, Marktstraat 30, ⌂ 1411 EA, ℰ 4 37 95, Fax 4 98 98, 🏤 – 🕮 ⓞ 🅴 𝓥𝓘𝓢𝓐.
  ✀ – **Repas** Lunch 60 – carte 68 à 85.
- X **De Gooische Brasserie**, Cattenhagestraat 9, ⌂ 1411 CR, ℰ 4 88 03, Fax 4 88 03, 🏤 –
  ◆ 🕮 ⓞ 🅴 𝓥𝓘𝓢𝓐 𝖩𝖢𝖡
  fermé sem. carnaval – **Repas** Lunch 30 – 38/68.

NECK Noord-Holland – voir à Purmerend.

NES Friesland 408 ④ ⑤ – voir à Waddeneilanden (Ameland).

NIEUWEGEIN Utrecht 408 ⑪ – 58 735 h. – © 0 3402.

🇫₉ Blokhoeve 7, ⌂ 3438 LC, ℰ 4 21 92.

◆Amsterdam 50 – ◆Rotterdam 65 – ◆Utrecht 17.

- 🏨 **Mercure**, Buizerdlaan 10 (O : 1 km), ⌂ 3435 SB, ℰ 4 48 44, Telex 76210, Fax 3 83 74, 🕾,
  ◥ – |≢| ⇔ ▣ ☎ ⟵ 🅿 – 🏄 25 à 450. 🕮 ⓞ 🅴 𝓥𝓘𝓢𝓐
  Repas *(fermé sam. et dim. midi)* (ouvert jusqu'à 23 h) carte 54 à 77 – ⌂ 20 – **78 ch** 190/205.
- XX **La Colombe**, Dorpsstraat 9 (E : 1,5 km, Vreeswijk), ⌂ 3433 CH, ℰ 6 19 67, Fax 6 13 90
  ◆ – 🕮 ⓞ 🅴 𝓥𝓘𝓢𝓐. ✀
  fermé lundi – **Repas** Lunch 40 – 40/70.
- X **De Bovenmeester**, Dorpsstraat 49 (E : 1,5 km, Vreeswijk), ⌂ 3433 CL, ℰ 6 66 22 – 🕮
  ⓞ 🅴 𝓥𝓘𝓢𝓐
  fermé lundi et 24 déc.-8 janv. – **Repas** Lunch 40 – carte 60 à 76.

NIEUWERKERK AAN DEN IJSSEL Zuid-Holland 408 ⑩ ㉕ – 18 576 h. – © 0 1803.

◆Amsterdam 53 – ◆Den Haag 42 – Gouda 12 – ◆Rotterdam 11.

- 🏨 **Nieuwerkerk a/d IJssel**, Parallelweg Zuid 185 (près A 20), ⌂ 2914 LE, ℰ 2 11 03,
  Telex 20586, Fax 2 11 84, 🏤 – |≢| ⇔ ▣ ☎ & 🅿 – 🏄 25 à 125. 🕮 ⓞ 🅴 𝓥𝓘𝓢𝓐. ✀ ch
  Repas carte env. 45 – ⌂ 18 – **104 ch** 100.

NIEUWESCHANS Groningen 🄲 Reiderland 7 089 h. 408 ⑦ – © 0 5972.

◆Amsterdam 243 – Assen 60 – ◆Groningen 49.

- 🏨 **Fontana**, Weg naar de Bron 7, ⌂ 9693 GA, ℰ 77 77, Fax 85 85, ✀ – |≢| ⇔ ▣ ☎ & 🅿
  – 🏄 30 à 70. 🕮 ⓞ 🅴 𝓥𝓘𝓢𝓐. ✀
  Repas carte 46 à 71 – **69 ch** ⌂ 120/160 – ½ P 114/154.

NIEUWKOOP Zuid-Holland 408 ⑩ – 11 042 h. – © 0 1725.

◆Amsterdam 49 – ◆Den Haag 47 – ◆Rotterdam 43 – ◆Utrecht 40.

à Noorden E : 5 km 🄲 Nieuwkoop – © 0 1724 :

- XX **De Watergeus** ⤳ avec ch, Simon van Capelweg 10, ⌂ 2431 AG, ℰ 83 98, Fax 92 15,
  ≤, 🏤, « Terrasse au bord de l'eau » – ▣ ☎ 🅿. 🕮 ⓞ 🅴 𝓥𝓘𝓢𝓐
  fermé 27 déc.-2 janv. – **Repas** *(fermé lundi)* Lunch 48 – 65 – **4 ch** ⌂ 90/140, 1 suite –
  ½ P 140/190.

NIEUW-VENNEP Noord-Holland C Haarlemmermeer 102 781 h. 408 ⑩ - ✆ 0 2526.
◆Amsterdam 28 - ◆Den Haag 36 - ◆Haarlem 17.

De Rustende Jager, Venneperweg 471, ✉ 2153 AD, ✆ 8 73 51, Fax 7 22 27, ☂ - |♦| ▤ rest TV ☎ P - 🏄 25 à 300. AE ⓪ E VISA. ✱
Repas *Lunch 25* - carte 47 à 78 - **45 ch** ▭ 110/140 - ½ P 100/113.

NIEUWVLIET Zeeland C Oostburg 17 869 h. 212 ⑫ et 408 ⑮ - ✆ 0 1171.
◆Amsterdam 212 - ◆Middelburg (bac) 15 - ◆Antwerpen 92 - ◆Brugge 30 - Knokke-Heist 19.

Saint Pierre ⛵, Zouterik 2, ✉ 4504 RX, ✆ 20 20, Fax 20 07, Lб, ≘s, 🏊, ✂ - |♦| TV ☎ P - 🏄 25 à 70. AE ⓪ E VISA
Repas *Lunch 35* - carte env. 100 - **34 ch** ▭ 135/190 - ½ P 143/298.

NOORBEEK Limburg C Margraten 13 593 h. 212 ① et 408 ㉖ - ✆ 0 4457.
i Bovenstraat 14, ✉ 6255 AV, ✆ 12 06.
◆Amsterdam 225 - ◆Maastricht 15 - Aachen 26.

Bon Repos, Bovenstraat 17, ✉ 6255 AT, ✆ 13 38, Fax 16 26, ☂, ☀ - |♦| ☎ P. ✱
Pâques-1er nov. et du 21 au 31 déc. - **Repas** *(fermé après 20 h) Lunch 20* - carte env. 65 - **33 ch** ▭ 85/150 - ½ P 140.

NOORDBEEMSTER Noord-Holland - voir à Purmerend.

NOORDEN Zuid-Holland 408 ⑩ - voir à Nieuwkoop.

NOORDGOUWE Zeeland C Brouwershaven 3 747 h. 212 ③ et 408 ⑯ - ✆ 0 1112.
◆Amsterdam 150 - ◆Rotterdam 74 - Zierikzee 10.

Van der Weijde, Brouwerijstraat 1, ✉ 4317 AC, ✆ 14 91, ☂, ☀ - TV - 🏄 25 à 65. AE ⓪ E VISA. ✱
Repas *Lunch 40* - carte 45 à 69 - **7 ch** ▭ 65/110 - ½ P 85/95.

NOORDWIJK AAN ZEE Zuid-Holland C Noordwijk 25 545 h. 408 ⑩ - ✆ 0 1719 - Station balnéaire.
18 à Noordwijkerhout NE : 5 km, Randweg 25, ✉ 2204 AL, ✆ (0 2523) 7 37 61.
i (fermé dim. sauf avril-août) De Grent 8, ✉ 2202 EK, ✆ 1 93 21, Fax 1 69 45.
◆Amsterdam 40 ① - ◆Den Haag 26 ① - ◆Haarlem 28 ①.

Plan page ci-contre

Gd H. Huis ter Duin ⛵, Koningin Astrid bd 5, ✉ 2202 BK, ✆ 1 92 20, Fax 1 94 01, ≤, ☂, « Dominant dunes, plage et mer », Lб, ≘s, 🏊, ✂ - |♦| ✈ TV ☎ ♿ 🚗 P - 🏄 25 à 1000. AE ⓪ E VISA. ✱ AX a
Repas voir rest ***Latour*** ci-après - ***la Terrasse*** carte env. 75 - ▭ 29 - **238 ch** 295/425, 23 suites.

Oranje en Boulevard, Koningin Wilhelmina bd 20, ✉ 2202 GV, ✆ 1 93 40, Telex 36975, Fax 2 06 42, ≤, Lб, ≘s, 🏊 - |♦| ▤ rest TV ☎ ♿ 🚗 P - 🏄 25 à 1200. AE ⓪ E VISA AX d
Repas voir rest ***De Palmentuin*** ci-après - ***De Orangerie*** 45/55 - **250 ch** ▭ 295/425 - ½ P 158/258.

Alexander, Oude Zeeweg 63, ✉ 2202 CJ, ✆ 1 89 00, Fax 1 78 82, ≘s, ✂ - |♦| ▤ rest TV ☎ 🚗 P - 🏄 50 à 200. AE ⓪ E VISA. ✱ AX b
Repas (résidents seult) - **62 ch** ▭ 160/240.

Beach, Koningin Wilhelmina bd 31, ✉ 2202 GW, ✆ 1 93 30, Fax 1 34 68, ≤, ☂ - |♦| TV ☎ ♿ P - 🏄 25 à 75. AE ⓪ E VISA AX e
Repas *Lunch 18* - 70 - **84 ch** ▭ 145/250 - ½ P 193/228.

Prominent Inn, Koningin Wilhelmina bd 4, ✉ 2202 GR, ✆ 1 22 53, Fax 1 13 65, ≤, ☂ - |♦| TV ☎ ♿. AE ⓪ E VISA AX m
Repas *Lunch 25* - 43/55 - **25 ch** ▭ 110/195 - ½ P 95/135.

Zonne, Rembrandtweg 17, ✉ 2202 AT, ✆ 1 96 00, Fax 2 06 02, 🏊, ✂ - TV ☎ P - 🏄 50. AE ⓪ E VISA. ✱ AZ n
fermé 21 déc.-6 janv. - **Repas** *(fermé après 20 h) Lunch 28* - 45/65 - **27 ch** ▭ 98/190 - ½ P 118/133.

Fiankema ⛵, Julianastraat 32, ✉ 2202 KD, ✆ 2 03 40, Fax 2 03 70, Lб, ≘s - TV ☎. ✱ AX f
15 mars-15 oct. - **Repas** (dîner pour résidents seult) - **30 ch** ▭ 120/180 - ½ P 85/100.

De Witte Raaf ⛵, Duinweg 117 (NE : 4,5 km), ✉ 2204 AT, ✆ (0 2523) 7 59 84, Fax (0 2523) 7 75 78, ☂, 🏊, ☀, ✂ - |♦| TV ☎ P - 🏄 25 à 100. AE ⓪ E VISA. ✱ BY
fermé 31 déc. - **Repas** *Lunch 45* - 50/78 - **35 ch** ▭ 135/205 - ½ P 130/180.

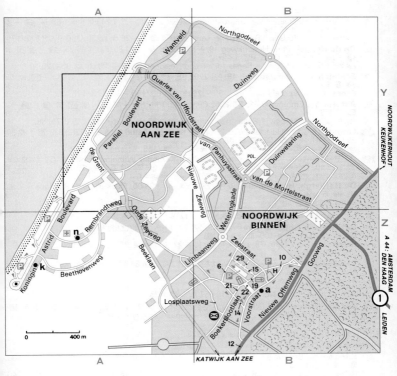

Bomstraat	AX	4
Hoofdstraat	AX	
Kerkstraat	BZ	15
Tramsteeg	BZ	29
Heilige Geestweg	BZ	10
Herenweg	BZ	12
Kroonsplein (Jan)	AX	17
Limburg Stirumstraat (van)	BZ	19
Lindenhofstraat	BZ	21
Lindenplein	BZ	22
Palaceplein	AX	25
Royenstraat		
(Abraham van)	AX	27
Tappenbeckweg (Rudolf)	AX	29

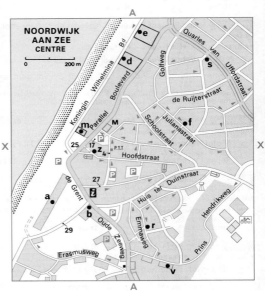

Aux Pays-Bas,
le petit déjeuner est
généralement inclus
dans le prix
de la chambre.

In Nederland
is het ontbijt
in het algemeen
bij de kamerprijs
inbegrepen.

🏨 **De Admiraal,** Quarles van Uffordstraat 81, ⊠ 2202 ND, ℘ 1 24 60, Fax 1 68 14, ⇔s – |₿|
   📺 ☎ 🅿. 🆋 ⓞ 🗲 💳. ℀ ch   AX s
   fermé 15 déc.-10 janv. – **Repas** (dîner seult) carte 43 à 71 – **26 ch** � 83/150 – ½ P 112/179.

🏨 **Op de Hoogte,** Prins Hendrikweg 19, ⊠ 2202 EC, ℘ 1 24 89, Fax 1 25 25, ⇔s – |₿| 📺 ☎
   🅿 – 🔬 25 à 100. 🆋 🗲 💳. ℀ rest   AX v
   fermé 25 déc.-15 janv. – **Repas** (dîner pour résidents seult) – **29 ch** ☞ 85/125.

🏨 **Edelman,** Koningin Astrid bd 48, ⊠ 2202 BE, ℘ 1 31 24, Fax 1 07 73, <, 斎 – 📺 ☎. 🆋
   ⓞ 🗲 💳   AZ k
   Repas *(fermé fin déc.)* Lunch 22 – 50 – **26 ch** ☞ 100/150 – ½ P 75/125.

🏨 **Astoria** ⬡, Emmaweg 13, ⊠ 2202 CP, ℘ 1 00 14, Fax 1 66 44 – |₿| 📺 ☎ 🅿 – 🔬 30.
   🆋 🗲 💳. ℀   AX r
   fermé 23 déc.-3 janv. – **Repas** (résidents seult) – **37 ch** ☞ 95/135 – ½ P 75/88.

XXX **Latour** - H. Gd H. Huis ter Duin, 1er étage, Koningin Astrid bd 5, ⊠ 2202 BK, ℘ 1 92 20,
   Fax 1 94 01, < – 🅿. 🆋 ⓞ 🗲 💳. ℀   AX a
   fermé dim. de sept à avril – **Repas** Lunch 53 – 85/125.

XXX **De Palmentuin** - H. Oranje en Boulevard, Koningin Wilhelmina bd 24, ⊠ 2202 GV,
   ℘ 1 93 40, Telex 36975, Fax 2 06 42, <, 斎 – ☰ 🅿. 🆋 ⓞ 🗲 💳. ℀ rest   AX d
   fermé sam. midi et dim. midi de sept à mai – **Repas** carte 89 à 110.

X **De Herbergh,** Hoofdstraat 129, ⊠ 2202 EX, ℘ 1 39 00, Fax 4 91 35, « Rustique » – ☰.
   🆋 ⓞ 🗲 💳   AX z
   Repas (dîner seult) 48.

à Noordwijk-Binnen 🅒 Noordwijk – ❸ 0 1719 :

🏨 **Het Hof van Holland,** Voorstraat 79, ⊠ 2201 HP, ℘ 1 22 55, Fax 2 06 01, 斎 – ☰ rest
   📺 ☎ 🅿 – 🔬 25 à 100. 🆋 ⓞ 🗲 💳   BZ a
   Repas Lunch 50 – carte 78 à 114 – ☞ 13 – **22 ch** *(fermé 29 déc.-début janv.)* 125/250 –
   ½ P 150/175.

XX **Cleyburch,** Herenweg 225 (S : 2 km), ⊠ 2201 AG, ℘ 4 84 48, Fax 4 63 66, 斎, « Ancienne
   ferme à fromages » – 🅿. 🆋 ⓞ 🗲 💳   BZ
   Repas Lunch 53 – carte 70 à 89.

à Noordwijkerhout NE : 5 km – 15 057 h. – ❸ 0 2523 :

XX **Zegers,** Herenweg 78 (NE : 1,5 km), ⊠ 2211 CD, ℘ 7 25 88, 斎 – ☰ 🅿. 🆋 ⓞ 🗲 💳
   fermé lundi, mardi et du 2 au 20 janv. – **Repas** Lunch 35 – 48/55.

NORG Drenthe 🔢 ⑥ – 6 967 h. – ❸ 0 5928.
♦Amsterdam 197 – Assen 14 – ♦Groningen 24.

🏨 **Karsten** ⬡, Brink 6, ⊠ 9331 AA, ℘ 1 34 84, Fax 1 22 16, 斎 – 📺 ☎ 🅿 – 🔬 50 à 100.
   🆋 ⓞ 🗲 💳. ℀ rest
   fermé du 3 au 31 janv. – **Repas** Lunch 15 – carte 43 à 63 – **16 ch** ☞ 90/160 – ½ P 90/140.

NUENEN Noord-Brabant 🅒 Nuenen, Gerwen en Nederwetten 21 334 h. 🔢 ⑱ et 🔢 ⑱ –
❸ 0 40.
♦Amsterdam 125 – ♦Eindhoven 8 – ♦'s-Hertogenbosch 39.

XX ✿ **De Lindehof** (Wollerich), Beekstraat 1, ⊠ 5671 CS, ℘ 83 73 36, Fax 84 01 16 – ☰. 🆋
   🗲 💳. ℀
   fermé mardi, merc., 2 prem. sem. juil. et 2 prem. sem. janv. – **Repas** (dîner seult) 70/80
   carte env. 85
   Spéc. Sandre et langoustines en risotto au jus de homard, Saumon fumé minute, sauce ciboulette,
   Ris de veau croquant, sauce à l'estragon et basilic.

NULAND Noord-Brabant 🅒 Maasdonk 10 768 h. 🔢 ⑧ et 🔢 ⑱ – ❸ 0 4102.
♦Amsterdam 94 – ♦'s-Hertogenbosch 12 – ♦Nijmegen 36.

🏨 **Motel Nuland,** Rijksweg 25, ⊠ 5391 LH, ℘ 2 22 31, Fax 2 28 60, 斎, 🔥, ⇔s, 🖳 – |₿| ℀
   📺 ☎ 🅿 – 🔬 25 à 500. 🆋 ⓞ 🗲 💳
   Repas (ouvert jusqu'à minuit) carte env. 50 – ☞ 9 – **124 ch** 80 – ½ P 138.

NUNSPEET 🔢 ⑫ – 25 716 h. – ❸ 0 3412.
🚏 🚏 Plesmanlaan 30, ⊠ 8072 PT, ℘ 5 80 34 – 🚉 Stationsplein 1, ⊠ 8071 CH, ℘ 5 30 41.
♦Amsterdam 84 – ♦Arnhem 59 – ♦Apeldoorn 36 – ♦Utrecht 66 – ♦Zwolle 28.

🏨 **Het Roode Wold,** Elspeterweg 24, ⊠ 8071 PA, ℘ 6 01 34, Fax 5 65 08, 斎, « Terrasse
   et jardin », ℀ – 📺 ☎ 🅿 – 🔬 25 à 45. 🆋 🗲 💳
   Repas Lunch 50 – carte env. 55 – **15 ch** ☞ 138/155 – ½ P 138/175.

NUTH Limburg 🔢 ① et 🔢 ㉖ – 16 799 h. – ❸ 0 45.
♦Amsterdam 207 – ♦Maastricht 18 – Aachen 24 – Heerlen 8.

XX **Pingerhof,** Pingerweg 11, ⊠ 6361 AL, ℘ 24 17 99, 斎, « Rustique, terrasse et jardin »
   – 🅿. 🆋 ⓞ 🗲 💳
   fermé merc. et du 17 au 30 juin – **Repas** Lunch 45 – 85/93.

NIJKERK Gelderland 408 ⑪ – 26 515 h. – ✪ 0 3494.

◆Amsterdam 60 – ◆Apeldoorn 53 – ◆Utrecht 45 – ◆Zwolle 57.

🏦 **Het Ampt van Nijkerk,** Berencamperweg 4, ⊠ 3861 MC, ℘ 6 22 22, Fax 6 20 00, 🍃,
⬜ 🍃, ⬜ – 📶 ⇆ 📺 ☎ 🔥 🅿 – 🔬 25 à 250. ◭ ⓪ 🖻 𝖵𝖨𝖲𝖠
Repas Lunch 48 – 58/83 – **61 ch** 🖙 115/255 – ½ P 160/410.

🏮 **De Salentein,** Putterstraatweg 7 (NE : 1,5 km), ⊠ 3862 RA, ℘ 5 41 14, Fax 6 20 18, 🍃
– 🅿. ◭ 🖻 𝖵𝖨𝖲𝖠
fermé dim. et 16 juil.-8 août – **Repas** carte 75 à 95.

NIJMEGEN Gelderland 212 ⑨ et 408 ⑲ – 146 993 h. – ✪ 0 80 – Casino Y , Waalkade 68
℘ 60 00 00, Fax 60 16 02.

Voir Poids public★ (Waag) BC – Chapelle St-Nicolas★ (St. Nicolaaskapel) C **R.**

🛗 et 🛗 à Groesbeek SE : 9 km, Postweg 17, ⊠ 6561 KJ, ℘ (0 8891) 7 66 44.

🚃 (départs de 's-Hertogenbosch) ℘ 22 24 30.

🎫 St-Jorisstraat 72, ⊠ 6511 TD, ℘ 22 54 40, Fax 60 14 29.

◆Amsterdam 119 ① – ◆Arnhem 19 ① – Duisburg 114 ②.

Plan page suivante

🏨 **Belvoir** sans rest, Graadt van Roggenstraat 101, ⊠ 6522 AX, ℘ 23 23 44, Fax 23 99 60,
🍃, ⬜ – 📶 📺 ☎ 🅿 – 🔬 25 à 350. ◭ ⓪ 🖻 𝖵𝖨𝖲𝖠   C **p**
64 ch 🖙 190/230, 10 suites.

🏨 **Mercure,** Stationsplein 29, ⊠ 6512 AB, ℘ 23 88 88, Telex 48670, Fax 24 20 90, 𝕃ₛ, 🍃
– 📶 ⇆ 📺 ☎ 🅿 – 🔬 25 à 90. ◭ ⓪ 🖻 𝖵𝖨𝖲𝖠   B **r**
Repas Lunch 25 – 43 – **100 ch** 🖙 145/185.

🏮 **Bastion** sans rest, Neerbosscheweg 614, ⊠ 6544 LL, ℘ 73 01 00, Fax 73 03 73 – 📺 ☎
🅿. ◭ ⓪ 🖻 𝖵𝖨𝖲𝖠. 🕸   A **e**
40 ch 🖙 119/133.

XX **Chalet Brakkestein,** Driehuizerweg 285, ⊠ 6525 PL, ℘ 55 39 49, Fax 56 46 19, 🍃, « Villa
18ᵉ s., parc » – 🅿. ◭ 🖻 𝖵𝖨𝖲𝖠   A **n**
fermé lundi et sem. carnaval – **Repas** (dîner seult) 53/79.

XX **Belvédère,** 2ᵉ étage, Kelfkensbos 60, ⊠ 6511 TB, ℘ 22 68 61, Fax 60 01 06, ≤, 🍃, « Dans
une tour du 16ᵉ s. » – ◭ ⓪ 🖻 𝖵𝖨𝖲𝖠   C **s**
fermé dim. et 1 sem. en juil. – **Repas** Lunch 63 – 80/100.

XX **'t Poortwachtershuys,** Kelfkensbos 57, ⊠ 6511 TB, ℘ 23 50 24, Fax 23 50 24, 🍃 – ▤.
◭ ⓪ 🖻 𝖵𝖨𝖲𝖠   C **a**
fermé sam. midi et dim. – **Repas** Lunch 55 – 88/120.

XX **Hoo Wah,** Plein 1944 n° 52, ⊠ 6511 JE, ℘ 22 01 52, Cuisine asiatique – ▤. ◭ ⓪ 🖻 𝖵𝖨𝖲𝖠
fermé lundi de carnaval et mardis non fériés – **Repas** Lunch 19 – carte 43 à 60.   B **m**

X **Het Heimwee,** Oude Haven 76, ⊠ 6511 XH, ℘ 22 22 56, Fax 23 26 13, 🍃 – ◭ ⓪ 🖻
𝖵𝖨𝖲𝖠. 🕸   B **c**
Repas (dîner seult) 65/100.

X **De Steiger,** Regulierstraat 59, ⊠ 6511 DP, ℘ 22 90 77, Produits de la mer – ◭ ⓪ 🖻 𝖵𝖨𝖲𝖠
Repas (dîner seult) carte 47 à 68.   B **k**

X **Claudius,** Bisschop Hamerstraat 12, ⊠ 6511 NB, ℘ 22 14 56, Fax 55 56 04, 🍃, Grillades
– ◭ ⓪ 🖻 𝖵𝖨𝖲𝖠   B **f**
fermé lundi – **Repas** carte env. 65.

X **Les Entrées,** Kelfkensbos 30, ⊠ 6511 TB, ℘ 24 16 27, Fax 22 02 15, 🍃 – ▤. ◭ ⓪ 🖻
𝖵𝖨𝖲𝖠 𝖩𝖢𝖡   C **u**
Repas (dîner seult jusqu'à minuit) 58/80.

à Beek par ② : 5 km ⓒ Ubbergen 9 425 h. – ✪ 0 8895 :

🏮 **'t Spijker,** Rijksstraatweg 191, ⊠ 6573 CP, ℘ 4 12 95, Fax 4 33 97 – 📶 ☎ 🅿 – 🔬 25 à
100. 🕸
fermé 28 déc.-10 janv. – **Repas** (résidents seult) – **39 ch** 🖙 66/110 – ½ P 86.

à Berg en Dal ⓒ Groesbeek 18 428 h. – ✪ 0 8895 :

🏨 **Val-Monte** 🕸, Oude Holleweg 5, ⊠ 6572 AA, ℘ 4 17 04, Fax 4 33 53, ≤, « Jardin », ⬜
– 📶 ⇆ 📺 ☎ 🅿 – 🔬 25 à 140. ◭ ⓪ 🖻 𝖵𝖨𝖲𝖠. 🕸   A **y**
Repas Lunch 44 – carte 43 à 68 – **103 ch** 🖙 90/195, 1 suite – ½ P 110/130.

🏨 **Erica** 🕸, Molenbosweg 17, ⊠ 6571 BA, ℘ 4 35 14, Fax 4 36 13, « Environnement boisé »,
🍃, ⬜, 🌳 – 📶 📺 ☎ 🔥 🅿 – 🔬 25 à 250. ◭ ⓪ 🖻 𝖵𝖨𝖲𝖠. 🕸 rest   A **x**
fermé 31 déc. et 1ᵉʳ janv. – **Repas** (fermé après 19 h 30) carte env. 60 – **59 ch** 🖙 120/180
– ½ P 183/275.

à Beuningen par ⑤ : 7 km – 23 047 h. – ✪ 0 8897 :

X **De Prins,** Van Heemstraweg 79, ⊠ 6641 AB, ℘ 7 12 17, Fax 7 81 26 – 🅿. ◭ ⓪ 🖻 𝖵𝖨𝖲𝖠.
🕸
fermé lundi – **Repas** Lunch 25 – carte 50 à 86.

NIJMEGEN

Augustinenstr. . . . . B 4
Bloemerstr. . . . . B
Broerstr. . . . . BC
Burchtstr. . . . . B
Lange Hezelstr. . . . . B
Molenstr. . . . . B
Passage
  Molenpoort . . . . B 45
Plein 1944 . . . . B
Ziekerstr. . . . . BC

Almarasweg . . . . A 3
Barbarossastr. . . . . C 6
van Berchenstr. . . . . B 7
in de Betouwstr. . . . . B 9
Bisschop
  Hamerstr. . . . . B 10
van Broeckhuysen
  straat . . . . C 12
van Demerbroeck
  straat . . . . B 13
Gerard Noodstr. . . . . C 15
Graadt Roggenstr. . . . . . . B 16
Groesbeekseweg . . . . B 18
Grote Markt . . . . B 19
Grotestr. . . . . C 21
Heyendaalseweg . . . . A 22
Houtlaan . . . . A 24
Industrieweg . . . . A 25
Jonkerbospl. . . . . C 27
Julianapl. . . . . C 28
Keizer
  Traianusplein . . . . C 30
Kelfkenbos . . . . C 31
Kwakkenbergweg . . . . A 33
Mr. Frankenstr. . . . . C 34
Muntweg . . . . A 36
Nassausingel . . . . B 37
Nieuwe
  Ubbergseweg . . . . A 39
Nonnenstr. . . . . B 40
van Oldenbarnevelt
  straat . . . . B 42

Oude Kleefse Baan . . . . . . A 43
Prins
  Bernhardstr. . . . . C 46
Prins
  Hendrikstr. . . . . C 48
Regulierstr. . . . . B 49
van Schevichaven
  straat . . . . C 51
Sionsweg . . . . A 52

Slotemaker
  de Brüineweg . . . . A 54
Stationspl. . . . . B 55
Stikke Hezelstr. . . . . B 57
van Triestr. . . . . B 58
Tunnelweg . . . . B 60
Tweede Walstr. . . . . B 61
Weg door Jonkerbos . . . . . A 63
Wilhelminasingel . . . . B 64

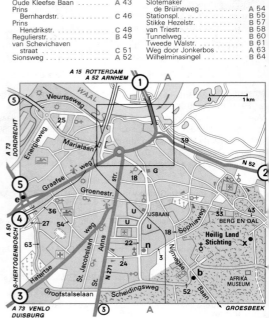

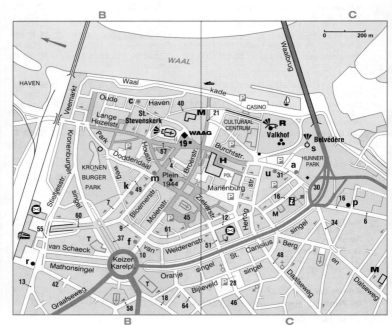

404

à Groesbeek SE : 9 km par Nijmeegsebaan A – 18 428 h. – 0 8891 :

De Wolfsberg, Mooksebaan 12, ✉ 6562 KB, ✆ 7 13 27, Fax 7 74 74, ≤, « Environnement boisé », – TV ☎ P – 50. AE E VISA. rest
Repas Lunch 19 – carte env. 75 – **19 ch** 89/140 – ½ P 97/103.

à Heilig Land-Stichting C Groesbeek 18 428 h. – 0 80 :

Sionshof, Nijmeegsebaan 53, ✉ 6564 CC, ✆ 22 77 27, Fax 22 62 23 – TV ☎ P – 25 à 80. AE E VISA. rest A **b**
Repas *(fermé après 20 h 30)* Lunch 22 – carte env. 65 – **22 ch** 95/175 – ½ P 103/175.

OCHTEN Gelderland C Echteld 6 685 h. 212 ⑧ et 408 ⑪ – 0 3444.
◆Amsterdam 90 – ◆Arnhem 34 – ◆Nijmegen 30 – Tiel 12.

De Waal, Waalbandijk 37, ✉ 4051 CJ, ✆ 12 90, ≤, – VISA.
fermé lundi, 19 déc.-8 janv. et après 20 h – **Repas** Lunch 36 – 44.

ODOORN Drenthe 408 ⑥ – 12 391 h. – 0 5919.
◆Amsterdam 185 – Assen 32 – Emmen 8 – ◆Groningen 49.

De Oringer Marke, Hoofdstraat 9, ✉ 7873 BB, ✆ 1 28 88, Fax 1 28 11 – TV ☎ P – 30 à 150. AE E VISA
Repas carte env. 45 – **36 ch** 95/120.

De Stee, Hoofdstraat 24, ✉ 7873 BC, ✆ 1 22 63 – P. E VISA.
fermé 31 déc. et 1er janv. – **Repas** *(fermé après 20 h 30)* Lunch 28 – 90 – **11 ch** 75/120.

OEGSTGEEST Zuid-Holland 408 ⑩ – voir à Leiden.

Den OEVER Noord-Holland C Wieringen 8 207 h. 408 ③ – 0 2271.
◆Amsterdam 77 – Alkmaar 49 – Den Helder 25 – ◆Leeuwarden 67 – ◆Haarlem 80.

Zomerdijk, Zwinstraat 65, ✉ 1779 BE, ✆ 12 06, Fax 14 04 – P – 80. AE O E VISA. rest
Repas carte 61 à 80 – **11 ch** 70/90 – ½ P 70/100.

OHÉ en LAAK Limburg C Maasbracht 13 627 h. 212 ⑲ et 408 ⑲ – 0 4755.
◆Amsterdam 182 – ◆Einhoven 56 – ◆Maastricht 29 – Roermond 14.

Lakerhaof, Walburgisstraat 3, ✉ 6109 RE, ✆ 16 54, Fax 21 44, – TV ☎ P. AE O E VISA
fermé du 27 au 31 déc. – **Repas** *(fermé sam. midi)* Lunch 25 – carte 43 à 63 – **8 ch** 70/130 – ½ P 90/105.

OIRSCHOT Noord-Brabant 212 ⑦ ⑧ ⑰ ⑱ et 408 ⑱ – 11 484 h. – 0 4997.
◆Amsterdam 117 – ◆'s-Hertogenbosch 28 – ◆Eindhoven 17 – ◆Tilburg 21.

De Kroon, Rijkesluisstraat 6, ✉ 5688 ED, ✆ 7 10 95, Fax 7 57 85 – TV ☎. AE O E VISA
Repas carte env. 50 – **13 ch** 92/108 – ½ P 116/157.

XXX **De Zwaan**, Markt 4, ✉ 5688 AJ, ✆ 7 13 12, Fax 7 47 18, – AE O E VISA
fermé merc. et sam. midi – **Repas** Lunch 53 – 70/93.

XX **La Fleurie**, Rijkesluisstraat 4, ✉ 5688 ED, ✆ 7 41 36, Fax 7 49 68, – AE O E VISA.
fermé lundi, carnaval et du 2 au 16 janv. – **Repas** Lunch 40 – 50/70.

OISTERWIJK Noord-Brabant 212 ⑦ et 408 ⑱ – 18 927 h. – 0 4242.
Voir Site★.
(fermé dim.) De Lind 57, ✉ 5061 HT, ✆ 8 23 45.
◆Amsterdam 106 – ◆'s-Hertogenbosch 17 – ◆Tilburg 10.

De Swaen, De Lind 47, ✉ 5061 HT, ✆ 1 90 06, Fax 8 58 60, « Terrasse et jardin fleuri » – TV ☎ P – 25. AE O E VISA
fermé carnaval et du 12 au 17 juil. – **Repas** voir rest *De Swaen* ci-après – **Repas** *Aub. De Jonge Swaen (fermé mardi, sam. midi et dim. midi)* Lunch 45 – 55/75 – **18 ch** 245/285.

Bos en Ven, Klompven 26, ✉ 5062 AK, ✆ 8 88 56, Fax 8 68 10, ≤, « Terrasse » – TV ☎ P – 25 à 150. AE O E VISA
Repas Lunch 40 – carte env. 80 – **31 ch** 180/235 – ½ P 165.

Landgoed De Rosep, Oirschotsebaan 15 (SE : 3 km), ✉ 5062 TE, ✆ 8 88 25, Fax 8 56 61, « Terrasse et pièce d'eau », – TV ☎ P – 25 à 350. AE O E VISA. rest
Repas Lunch 35 – 50/85 – **57 ch** 150/205 – ½ P 145/155.

Bosrand, Gemullehoekenweg 60, ⊠ 5062 CE, ℘ 1 90 15, Fax 8 63 66, 余 – 📺 ☎ ℗ – 🏄 25 à 45. ⅭⅭ ⓞ Ⅿ 瓸 🛠 rest
fermé 29 déc.-4 janv. – **Repas** (dîner pour résidents seult) – **25 ch** ⊊ 90/135 – ½ P 87/95.

De Blauwe Kei ⟨, Rosepdreef 4 (SE : 3 km), ⊠ 5062 TB, ℘ 8 23 14, Fax 8 22 21, 余,
« Dans les bois » – ☎ ℗, ⅭⅭ Ⅿ 瓸 🛠 ch
fermé 2 sem. en janv. et lundi de nov. à mars – **Repas** Lunch 35 – carte 61 à 78 – **11 ch**
⊊ 70/140 – ½ P 80/90.

✗✗✗✗ ✿ **De Swaen** (Spijkers) - H. De Swaen, De Lind 47, ⊠ 5061 HT, ℘ 1 90 06, Fax 8 58 60,
⩽, 余 – 🗐 ℗, ⅭⅭ ⓞ Ⅿ 瓸
fermé lundi, carnaval et du 12 au 17 juil. – **Repas** Lunch 65 – 140/185 carte 120 à 170
Spéc. Salades "De Swaen", Coquelet à la vapeur de truffes, Tête de veau à ma façon.

✗✗ **De Jonge Hertog**, Moergestelseweg 123 (SO : 3 km), ⊠ 5062 SP, ℘ 8 22 20, Fax 8 73 16,
⩽, 余 – ℗, ⅭⅭ Ⅿ 瓸 🛠
fermé 27 déc.-1ᵉʳ janv. – **Repas** Lunch 43 – carte env. 75.

✗✗ **De Parel** ⟨, avec ch, Scheibaan 17 (SE : 4,5 km), ⊠ 5062 TM, ℘ 8 25 25, Fax 8 54 14, 余,
⩬, 🏊, 余, 🛠 – 🗐 rest 📺 ☎ ℗ – 🏄 25 à 100. ⅭⅭ ⓞ Ⅿ 瓸 ch
Repas *(fermé 31 déc.)* Lunch 25 – 55/80 – **7 ch** ⊊ 125/145 – ½ P 125/165.

✗ **Roberto**, Burg. Verwielstraat 11, ⊠ 5061 JA, ℘ 8 23 12, 余, Cuisine italienne – ⅭⅭ Ⅿ
fermé lundi et 2 sem. carnaval – **Repas** (dîner seult) carte env. 55.

✗ **'t Kleine Verschil**, De Lind 59, ⊠ 5061 HT, ℘ 8 44 10, 余 – 🗐. Ⅿ
fermé lundi, 6 mars et du 11 au 29 sept – **Repas** Lunch 13 – carte env. 50.

OLDENZAAL Overijssel 408 ⑬ – 30 349 h. – ✪ 0 5410.

🎫 (fermé dim.) Ganzenmarkt 3, ⊠ 7571 CD, ℘ 1 40 23.

◆Amsterdam 161 – ◆Zwolle 74 – ◆Enschede 11.

Ter Stege, Markt 1, ⊠ 7571 ED, ℘ 1 21 02, Fax 2 12 08 – 📺 ☎ – 🏄 25 à 450. ⅭⅭ ⓞ
Ⅿ 瓸
Repas (Taverne-rest) *(fermé après 20 h 30 et mardi midi en hiver)* carte 45 à 66 – ⊊ 13
– **16 ch** 85/130 – ½ P 70/118.

De Kroon, Steenstraat 17, ⊠ 7571 BH, ℘ 1 24 02, Fax 2 06 30 – ▮♦▮ 📺 ☎ – 🏄 30. ⅭⅭ ⓞ
Ⅿ 瓸
Repas (dîner pour résidents seult) – **26 ch** ⊊ 90/150 – ½ P 95.

OLTERTERP Friesland – voir à Beetsterzwaag.

OMMEN Overijssel 408 ⑬ – 18 262 h. – ✪ 0 5291.

🏌 à Arriën NE : 2 km, Hessenweg Oost 3a, ⊠ 7735 KP, ℘ (0 5291) 5 59 99.

🎫 (fermé dim. matin) Markt 1, ⊠ 7731 DB, ℘ 5 16 38.

◆Amsterdam 134 – ◆Zwolle 24 – Assen 59 – ◆Enschede 59.

Paping, Stationsweg 29, ⊠ 7731 AX, ℘ 5 19 45, Fax 5 47 82, 余, ⩬, 🏊, 余 – ▮♦▮ 📺 ☎
℗ – 🏄 50. ⅭⅭ ⓞ Ⅿ 瓸 🛠 rest
fermé 27 déc.-4 janv. – **Repas** Lunch 20 – carte 43 à 63 – **37 ch** ⊊ 83/135 – ½ P 118.

✗✗✗ **De Zon** avec ch, Voorbrug 1, ⊠ 7731 BB, ℘ 5 55 50, Fax 5 62 35, ⩽, 余, « Terrasse en
bordure de rivière », 余 – ▮♦▮ 📺 ☎ ℗ – 🏄 30 à 100. ⅭⅭ ⓞ Ⅿ 瓸
fermé 1ᵉʳ janv. – **Repas** Lunch 43 – 43/55 – **25 ch** ⊊ 115/160 – ½ P 125/170.

OMMOORD Zuid-Holland 212 ⑤ et 408 ㉕ – voir à Rotterdam, périphérie.

OOSTBURG Zeeland 212 ⑫ et 408 ⑮ – 17 869 h. – ✪ 0 1170.

🏌 Brugse Vaart 10, ⊠ 4501 NE, ℘ 5 34 10.

◆Amsterdam (bac) 217 – ◆Middelburg (bac) 20 – ◆Brugge 29 – Knokke-Heist 18.

✗✗ **De Eenhoorn**, Markt 1, ⊠ 4501 CJ, ℘ 5 27 28, 余 – ⅭⅭ ⓞ Ⅿ 瓸
fermé du 1ᵉʳ au 23 janv. et vend. soir et sam. sauf en juil.-août – **Repas** Lunch 60 – 85/88.

OOSTERBEEK Gelderland ⓒ Renkum 32 867 h. 408 ⑫ – ✪ 0 85.

🎫 Utrechtseweg 216, ⊠ 6862 AZ, ℘ 33 31 72.

◆Amsterdam 97 – ◆Arnhem 4.

De Bilderberg ⟨, Utrechtseweg 261, ⊠ 6862 AK, ℘ 34 08 43, Fax 33 46 51,
« Environnement boisé », ⩬, 🏊, 🛠 – ▮♦▮ 📺 ☎ ℗ – 🏄 25 à 200. ⅭⅭ ⓞ Ⅿ 瓸 🛠 rest
fermé 31 déc.-4 janv. – **Repas** Lunch 55 – 55/75 – **144 ch** ⊊ 155/295 – ½ P 125/145.

Strijland, Stationsweg 6, ⊠ 6861 EG, ℘ 34 30 34, Fax 34 20 11, ⩬, 🏊, 余 – ▮♦▮ 📺 ☎
℗ – 🏄 25 à 60. ⅭⅭ ⓞ Ⅿ 瓸 🛠 rest
fermé 27 déc.-10 janv. – **Repas** *(fermé dim. de nov. à mars)* Lunch 38 – carte 51 à 68 –
28 ch ⊊ 165/225 – ½ P 150/150.

✗ **Klein Hartenstein**, Utrechtseweg 226, ⊠ 6862 AZ, ℘ 34 21 21, Fax 33 28 21, 余 – ℗,
ⅭⅭ ⓞ Ⅿ 瓸
fermé 3 sem. vacances bâtiment et fin déc. – **Repas** (dîner seult) 43.

`OOSTEREND` (AASTEREIN) Friesland 408 ④ – voir à Waddeneilanden (Terschelling).

`OOSTEREND` Noord-Holland 408 ③ – voir à Waddeneilanden (Texel).

`OOSTERHOUT` Gelderland © Valburg 12 682 h. 212 ⑨ et 408 ⑫ – ۞ 0 8818.
◆Amsterdam 113 – ◆Arnhem 16 – ◆Nijmegen 8.

XX **De Grote Altena,** Waaldijk 38, ⊠ 6678 MC, ℘ 21 96, ≤, 龠 – ℗. 逼 ⓸ ┗. 缫
fermé mardi de nov. à fév., lundi, 3 sem. en juil. et du 2 au 14 janv. – **Repas** (dîner seult)
carte env. 70.

`OOSTERHOUT` Noord-Brabant 212 ⑥ et 408 ⑰ – 49 655 h. – ۞ 0 1620.
⌞ Dukaatstraat 21, ⊠ 4903 RN, ℘ 5 87 59.
🖸 (fermé dim.) Bouwlingplein 1, ⊠ 4901 KZ, ℘ 5 44 59, Fax 3 10 48.
◆Amsterdam 92 – ◆Breda 8 – ◆'s-Hertogenbosch 38 – ◆Rotterdam 58.

🏨 **AC Hotel,** Beneluxweg 1 (S : 2 km, près A 27), ⊠ 4904 SJ, ℘ 5 36 43, Fax 3 46 62 – 🛗
🔟 ☎ ὅ ℗ – ▵ 25 à 250. 逼 ⓸ ┗ 𝓥𝓘𝓢𝓐
Repas Lunch 22 – carte env. 50 – ⊆ 13 – **63 ch** 100.

🏨 **Oosterhout,** Waterloopplein 50, ⊠ 4901 EN, ℘ 5 20 03, Fax 3 50 03, 🚡 – 🛗 🔟 ☎ – ▵ 25
à 300. 逼 ⓸ ┗ 𝓥𝓘𝓢𝓐. 缫 rest
Repas Lunch 20 – 38 – **39 ch** ⊆ 130/169, 2 suites – ½ P 125.

XX **Le Bouc,** Markt 3, ⊠ 4901 EP, ℘ 5 08 88 – 逼 ⓸ ┗ 𝓥𝓘𝓢𝓐. 缫
fermé lundi, sem. carnaval, du 14 au 28 août et 27 déc.-8 janv. – **Repas** Lunch 40 – 47.

`OOSTERSCHELDEDAM` (Barrage de l'ESCAUT ORIENTAL)★★★ Zeeland 212 ② ③ et 408 ⑮ ⑯
G. Hollande.

`OOSTERWOLDE` Friesland © Ooststellingwerf 24 968 h. 408 ⑤ – ۞ 0 5160.
◆Amsterdam 194 – ◆Leeuwarden 46 – Assen 30.

🏨 **De Zon,** Stationsstraat 1, ⊠ 8431 ET, ℘ 1 24 30, Fax 1 30 68 – 🛗 🔟 ☎ ℗ – ▵ 25 à 150.
逼 ⓸ ┗ 𝓥𝓘𝓢𝓐. 缫 rest
Repas (fermé après 20 h) Lunch 20 – carte 50 à 85 – ⊆ 10 – **30 ch** 85/110 – ½ P 105/110.

XX **De Kienstobbe,** Houtwal 4, ⊠ 8431 EW, ℘ 1 55 55, Fax 1 55 55, Rustique – ▤. ┗
fermé merc., sam. midi, dim. midi et fin août-début sept – **Repas** Lunch 45 – 50/64.

`OOSTKAPELLE` Zeeland © Domburg 3 943 h. 212 ② et 408 ⑮ – ۞ 0 1188.
◆Amsterdam 186 – ◆Middelburg 12 – ◆Rotterdam 107.

🏨 **Villa Magnolia** ⑤ sans rest, Oude Domburgseweg 20, ⊠ 4356 CC, ℘ 19 80 – ⇥ 🔟
☎ ℗. 缫
fév.-nov. – **15 ch** ⊆ 65/130.

`OOST-VLIELAND` Friesland 408 ③ – voir à Waddeneilanden (Vlieland).

`OOSTVOORNE` Zuid-Holland © Westvoorne 13 749 h. 212 ④ et 408 ⑨ ㉒ – ۞ 0 1815.
◆Amsterdam 106 – ◆Den Haag 43 – Brielle 6 – ◆Rotterdam 41.

🏨 **'t Wapen van Marion** ⑤, Zeeweg 60, ⊠ 3233 CV, ℘ 93 99, Fax 47 15, ≤, 龠, ⊠, 缫
– 🛗 🔟 ☎ ℗ – ▵ 40 à 100. 逼 ┗ 𝓥𝓘𝓢𝓐
Repas Lunch 30 – carte 43 à 65 – **80 ch** ⊆ 105/148.

🏨 **Duinoord,** Zeeweg 23, ⊠ 3233 CV, ℘ 20 44, Fax 57 26 – 🛗 🔟 ☎ ℗. 逼 ⓸ ┗ 𝓥𝓘𝓢𝓐. 缫 rest
fermé Noël – **Repas** Lunch 25 – 43 – **28 ch** ⊆ 55/135.

XXX **Parkzicht,** Stationsweg 61, ⊠ 3233 CS, ℘ 22 84, Fax 56 16 – ▤. 逼 ⓸ ┗ 𝓥𝓘𝓢𝓐
fermé sam. soir et dim. – **Repas** Lunch 58 – 58/88.

`OOTMARSUM` Overijssel 408 ⑬ – 4 283 h. – ۞ 0 5419.
Voir Village★ – 🖸 Markt 1, ⊠ 7631 BW, ℘ 9 21 83, Fax 9 18 84.
◆Amsterdam 165 – ◆Zwolle 67 – ◆Enschede 28.

🏰 **De Wiemsel** ⑤, Winhofflaan 2 (E : 1 km), ⊠ 7631 HX, ℘ 9 21 55, Fax 9 32 95, 龠,
« Terrasse et jardin fleuris », 🚡, ⊠, 缫, – ⇥ rest 🔟 ☎ ὅ ℗ – ▵ 25 à 90. 逼
⓸ ┗ 𝓥𝓘𝓢𝓐. 缫 rest – **Repas** Lunch 65 – 80/130 – ⊆ 30 – **52 ch** 250/310 – ½ P 240/270.

🏨 **Twents Gastenhoes,** Molenstraat 22, ⊠ 7631 AZ, ℘ 9 30 85, Fax 9 20 67, ⌞ᵴ, ⊠, 龠
– 🔟 ☎ ℗ – ▵ 30. 逼 ⓸ ┗ 𝓥𝓘𝓢𝓐. 缫
fermé janv. – **Repas** carte env. 60 – **38 ch** ⊆ 67/122 – ½ P 76/104.

🏨 **Van der Maas,** Grotestraat 7, ⊠ 7631 BT, ℘ 9 12 81, Fax 9 34 62 – ▤ rest 🔟 ☎ – ▵ 30
à 100. 逼 ⓸ ┗ 𝓥𝓘𝓢𝓐. 缫
fermé du 6 au 16 mars et du 1ᵉʳ au 25 nov. – **Repas** (fermé après 20 h) Lunch 28 – carte
env. 60 – **20 ch** ⊆ 75/140.

🏨 **De Rozenstruik,** Denekamperstraat 15, ⊠ 7631 AA, ℘ 9 23 21, 龠 – 🔟 ☎ ℗. ┗. 缫
Repas (dîner pour résidents seult) – **10 ch** ⊆ 103.

XXX ❀ **De Wanne,** Stobbenkamp 2, ⊠ 7631 CP, ℘ 9 12 70, Fax 9 32 95, 🏠, « Terrasse et jardin » – **☻**, 🎟 ⓪ **�E** 𝐕𝐈𝐒𝐀
fermé dim. et lundis non fériés, 31 janv.-13 fév. et du 3 au 17 juil. – **Repas** 100/140 carte env. 115
Spéc. Terrine de foie d'oie aux truffes et olives, Tempura de sole et anguille fumé et risotto aux fines herbes, Selle d'agneau rôtie aux herbes, sauce aux morilles.

XX **Vos** avec ch, Almelosestraat 1, ⊠ 7631 CC, ℘ 9 12 77, Fax 9 29 52 – 🖸 ☎ ☻ – 🔏 25.
🔺 ⚫ **E** 𝐕𝐈𝐒𝐀. 🍴 rest
fermé fév. – **Repas** Lunch 40 – 43/73 – **10 ch** ⊆ 115/160 – ½ P 100/113.

à Lattrop NE : 6 km ⓒ Denekamp 12 261 h. – ❀ 0 5412 :

🏨 **De Holtweijde** 🦢, Spiekweg 7, ⊠ 7635 LP, ℘ 2 92 34, Fax 2 94 45, 🏠, « Environnement campagnard boisé », 𝐋𝐨, 𝐬̃, 🔲, 🖈, 🍴 – |🛗| ▤ rest 🖸 ☎ ☻ – 🔏 25 à 150. 🔺 ⚫ **E**
𝐕𝐈𝐒𝐀. 🍴
Repas Lunch 38 – 69/90 – ⊆ 23 – **36 ch** 165/260, 35 suites – ½ P 145/195.

OSS Noord-Brabant 𝟚𝟙𝟚 ⑧ et 𝟜𝟘𝟠 ⑱ – 52 647 h. – ❀ 0 4120.
🛈 (fermé dim.) Spoorlaan 24, ⊠ 5348 KB, ℘ 3 36 04, Fax 5 20 93.
◆Amsterdam 102 – ◆'s-Hertogenbosch 20 – ◆Eindhoven 51 – ◆Nijmegen 29.

🏨 **City,** Raadhuislaan 43, ⊠ 5341 GL, ℘ 3 33 75 – |🛗| 🖸 ☎ ☻ – 🔏 25 à 130. 🔺 ⚫ **E** 𝐕𝐈𝐒𝐀
𝐉𝐂𝐁. 🍴 ch
fermé 31 déc. et 1er janv. – **Repas** Lunch 28 – 58/68 – ⊆ 15 – **45 ch** 100/130.

XXX **De Amsteleindse Hoeve,** Amsteleindstraat 15 (NO : 3 km par Raadhuislaan), ⊠ 5345 HA,
℘ 3 26 00, Fax 3 00 24, 🏠, « Rustique » – ▤ ☻. 🔺 ⚫ **E** 𝐕𝐈𝐒𝐀. 🍴
fermé dim., jours fériés et 27 déc.-7 janv. – **Repas** Lunch 60 – carte 73 à 97.

XX **De Pepermolen,** Peperstraat 22, ⊠ 5341 CZ, ℘ 2 56 99 – 🔺 ⚫ **E** 𝐕𝐈𝐒𝐀
fermé merc. et 2e quinz. juil. – **Repas** (dîner seult) carte env. 70.

OTTERLO Gelderland ⓒ Ede 97 230 h. 𝟜𝟘𝟠 ⑫ – ❀ 0 8382.
Voir Parc National de la Haute Veluwe★★★ (Nationaal Park De Hoge Veluwe) : Musée Kröller-Müller★★★ – Parc à sculptures★★ (Beeldenpark) E : 1 km.
🛈 Arnhemseweg 14, ⊠ 6731 BS, ℘ 12 54.
◆Amsterdam 79 – ◆Arnhem 29 – ◆Apeldoorn 22.

🏨 **Sterrenberg,** Houtkampweg 1, ⊠ 6731 AV, ℘ 12 28, Fax 16 93, 🏠, 𝐬̃, 🔲, 🖈 – |🛗| 🖸
☎ ☻ – 🔏 25 à 35. 🔺 ⚫ **E** 𝐕𝐈𝐒𝐀. 🍴
Repas Lunch 40 – carte 55 à 72 – **28 ch** ⊆ 95/170 – ½ P 119/129.

🏨 **Jagersrust,** Dorpsstraat 19, ⊠ 6731 AS, ℘ 12 31, Fax 10 06 – 🖸 ☎ ☻ – 🔏 30. 🔺 ⚫
E 𝐕𝐈𝐒𝐀
fermé 28 déc.-8 janv. – **Repas** Lunch 25 – carte 57 à 75 – **17 ch** ⊆ 93/160 – ½ P 118.

🏠 **Carnegie's Cottage** 🦢, Onderlangs 35, ⊠ 6731 BK, ℘ 12 20, ≤, 🏠, « En bordure du Parc National » – ☻. 🍴 ch
fermé janv. – **Repas** (fermé après 20 h) Lunch 19 – carte env. 60 – ⊆ 10 – **12 ch** 90/130 – ½ P 100/165.

OUDDORP Zuid-Holland ⓒ Goedereede 10 781 h. 𝟚𝟙𝟚 ③ et 𝟜𝟘𝟠 ⑯ – ❀ 0 1878.
🛈 (fermé dim.) Bosweg 2, ⊠ 3253 XA, ℘ 17 89, Fax 37 83.
◆Amsterdam 118 – ◆Den Haag 56 – ◆Middelburg 51 – ◆Rotterdam 52.

XX **Beau Rivage,** Kabbelaarsbank 2 (Port Zélande SO : 10 km), ⊠ 3253 ME, ℘ (0 1117) 15 57,
Fax (0 1117) 24 77, ≤, 🏠 – ▤. 🔺 ⚫ **E** 𝐕𝐈𝐒𝐀
fermé lundi de sept à juin – **Repas** Lunch 40 – carte env. 85.

X **Havenzicht,** Ouddorpse Haven 13 (S : 2 km), ⊠ 3253 LM, ℘ 17 67, Fax 22 94, 🏠, ≤ –
🔺 **E** 𝐕𝐈𝐒𝐀
fermé 3 prem. sem. fév., mardi sauf 15 juin-15 août et merc. du 15 sept au 14 avril –
Repas Lunch 50 – carte 52 à 70.

OUDERKERK AAN DE AMSTEL Noord-Holland 𝟜𝟘𝟠 ⑩ ㉘ – voir à Amsterdam, environs.

OUDESCHANS Groningen ⓒ Bellingwedde 9 375 h. 𝟜𝟘𝟠 ⑦ – ❀ 0 5977.
◆Amsterdam 224 – ◆Groningen 46 – Winschoten 10.

X **De Piekenier,** Voorstraat 21, ⊠ 9696 XG, ℘ 370, Fax 216, 🏠 – 🔺 **E**
fermé lundi et 2 sem. en août – Repas (dîner seult) 50/80.

OUDESCHILD Noord-Holland 𝟜𝟘𝟠 ③ – voir à Waddeneilanden (Texel).

OUDKERK (ALDTSJERK) Friesland 𝟜𝟘𝟠 ⑤ – voir à Leeuwarden.

OUD-LOOSDRECHT Utrecht 𝟜𝟘𝟠 ⑪ – voir à Loosdrecht.

OVERLOON Noord-Brabant C Vierlingsbeek 8 115 h. 212 ⑨ ⑩ et 408 ⑲ – ☎ 0 4781.
◆Amsterdam 157 – ◆'s-Hertogenbosch 72 – ◆Eindhoven 47 – ◆Nijmegen 42.

XX **De Vier Jaargetijden,** Venrayseweg 5, ✉ 5825 AA, ☏ 4 17 33, Fax 4 23 46 – P. AE ⓓ E VISA
fermé sam. midi, dim. midi, lundi, sem. carnaval et 19 août-2 sept – **Repas** *Lunch 33* – carte env. 60.

XX **Onder de Boompjes,** Irenestraat 1, ✉ 5825 CA, ☏ 4 22 27, Fax 4 23 60, 希 – P. AE E VISA
fermé mardi, 1 sem. carnaval et 2 sem. en août – **Repas** *Lunch 53* – 68/98.

OVERVEEN Noord-Holland 408 ⑩ – voir à Haarlem.

PAPENDRECHT Zuid-Holland 212 ⑤ ⑥ et 408 ⑰ – voir à Dordrecht.

PATERSWOLDE Drenthe 408 ⑥ – voir à Groningen.

PHILIPPINE Zeeland C Sas van Gent 8 687 h. 212 ⑬ et 408 ⑯ – ☎ 0 1159.
◆Amsterdam (bac) 204 – ◆Middelburg (bac) 34 – ◆Gent 35 – Sint-Niklaas 43.

Au Port sans rest, Waterpoortstraat 1, ✉ 4553 BG, ☏ 18 55, Fax 17 65 – TV ☎ – 25 à 350. AE ⓓ E VISA
fermé 22 déc.-6 janv. – **7 ch** ☐ 95/130.

XX **Aub. des Moules,** Visserslaan 3, ✉ 4553 BE, ☏ 12 65, Fax 16 56, Produits de la mer – ▤ P. AE ⓓ E VISA
fermé lundi, 16 mai-6 juin et 18 déc.-2 janv. – **Repas** 48/73.

X **De Fijnproever,** Visserslaan 1, ✉ 4553 BE, ☏ 13 13, Moules en saison – ▤ P. AE ⓓ E VISA
fermé merc. soir, jeudi, 2 dern. sem. juin et 2 dern. sem. janv. – **Repas** carte 51 à 73.

PRINCENHAGE Noord-Brabant 212 ⑥ et 408 ⑰ – voir à Breda.

PURMEREND Noord-Holland 408 ⑩ – 63 752 h. – ☎ 0 2990.
18 9 Westerweg 60, ✉ 1445 AD, ☏ 4 46 46 - 9 à Wijdewormer (Wormerland) SO : 5 km, Zuiderweg 68, ✉ 1456 NH, ☏ (0 2990) 2 15 46.
B Kaasmarkt 20, ✉ 1441 BG, ☏ 5 25 25.
◆Amsterdam 24 – Alkmaar 25 – ◆Leeuwarden 117.

XX **Sichuan Food,** Tramplein 9, ✉ 1441 GP, ☏ 2 64 50, Cuisine chinoise – ▤. AE ⓓ E VISA.
fermé 31 déc. et 1er janv. – **Repas** (dîner seult) carte 49 à 70.

à Neck SO : 2 km C Wormerland 14 206 h. – ☎ 0 2990 :

X **Mario,** Neck 15, ✉ 1456 AA, ☏ 2 39 49, Fax 2 37 62, 希, Cuisine italienne – ▤. AE ⓓ E.
fermé lundi et mardi – **Repas** (dîner seult) 65/90.

à Noordbeemster N : 10 km direction Hoorn C Beemster 7 933 h. – ☎ 0 2999 :

XX **De Beemster Hofstee,** Middenweg 48, ✉ 1463 HC, ☏ 522, Fax 15 98, 希, « Terrasse » – P. AE ⓓ E VISA
fermé lundi et dern. sem. juil.-prem. sem. août – **Repas** carte 64 à 80.

à Zuidoostbeemster N : 2 km C Beemster 7 933 h. – ☎ 0 2990 :

Beemsterpolder, Purmerenderweg 232, ✉ 1461 DN, ☏ 3 68 58, Fax 3 69 54 – ▤ rest TV ☎ P. AE ⓓ E VISA
Repas (Brasserie) carte env. 60 – **19 ch** ☐ 95/125 – ½ P 85/95.

XX **La Ciboulette,** Kwadijkerweg 7 (ancienne forteresse), ✉ 1461 DW, ☏ (0 2998) 35 85, Fax 35 85, 希 – P. AE ⓓ E VISA
fermé lundi – **Repas** *Lunch 55* – 65/85.

Sur la route :
la signalisation routière est rédigée
dans la langue de la zone linguistique traversée.

Dans ce guide,
les localités sont classées selon leur nom officiel :
Antwerpen pour Anvers, **Mechelen** pour Malines.

PUTTEN Gelderland 408 ⑪ – 21 545 h. – ✪ 0 3418.

🛈 Kerkplein 5, ✉ 3881 BH, ✆ 5 17 77, Fax 5 30 40.

♦Amsterdam 66 – ♦Arnhem 52 – ♦Apeldoorn 41 – ♦Utrecht 48 – ♦Zwolle 49.

🏤 **Postiljon,** Strandboulevard 3 (O : 4 km sur A 28), ✉ 3882 RN, ✆ 5 64 64, Fax 5 85 16, ≼, ₣₸ – ⫯⫯ ⇆ ☰ rest �📺 ☎ ₺ ⊕ – 🕍 25 à 400. ⒶⒺ ⓞ Ⓔ 𝗩𝘐𝘚𝘈
Repas carte env. 50 – ☲ 16 – **86 ch** 125/170 – ½ P 100/194.

PUTTERSHOEK Zuid-Holland © Binnenmaas 18 700 h. 212 ⑤ et 408 ⑰ – ✪ 0 1856.

♦Amsterdam 103 – Dordrecht 17 – ♦Rotterdam 21.

XX **De Wijnzolder** 1er étage, Schouteneinde 60, ✉ 3297 AV, ✆ 18 32, Fax 35 42 – ⊕. ⒶⒺ ⓞ Ⓔ 𝗩𝘐𝘚𝘈 – fermé 17 juil.-4 août – **Repas** Lunch 49 – 60/85.

RAALTE Overijssel 408 ⑫ – 27 765 h. – ✪ 0 5720.

🛈 Varkensmarkt 8, ✉ 8102 EG, ✆ 5 24 06.

♦Amsterdam 124 – ♦Zwolle 21 – ♦Apeldoorn 35 – ♦Enschede 50.

🏤 **De Zwaan,** Kerkstraat 2, ✉ 8102 EA, ✆ 5 31 22, Fax 5 73 24, ₣₸, ⇌, 🗔 – �📺 ☎ ⊕ – 🕍 25 à 60. ⒶⒺ ⓞ Ⓔ 𝗩𝘐𝘚𝘈 𝗝𝗖𝗕. ⅜ ch
Repas carte 51 à 83 – **21 ch** ☲ 105/250 – ½ P 85/145.

RAVENSTEIN Noord-Brabant 212 ⑧ ⑨ et 408 ⑱ ⑲ – 8 212 h. – ✪ 0 8867.

♦Amsterdam 110 – ♦Nijmegen 17 – ♦'s-Hertogenbosch 31.

XX **Rôtiss. De Ravenshoeve,** Mgr. Zwijsenstraat 5, ✉ 5371 BS, ✆ 28 03, Fax 44 96, ₣₸, « Ferme du 19e s. » – ⊕. ⒶⒺ ⓞ Ⓔ 𝗩𝘐𝘚𝘈
fermé lundi et carnaval – **Repas** (dîner seult) 50/65.

REEUWIJK Zuid-Holland 408 ⑩ – voir à Gouda.

RENESSE Zeeland © Westerschouwen 5 737 h. 212 ③ et 408 ⑯ – ✪ 0 1116.

🛈 De Zoom 17, ✉ 4325 BG, ✆ 21 20.

♦Amsterdam 140 – Goes 38 – ♦Rotterdam 68.

🏤 **De Zeeuwse Stromen** ⑤, Duinwekken 5, ✉ 4325 GL, ✆ 20 40, Fax 20 65, ₣₸, « En bordure des dunes », ⇌, 🗔 – �📺 ☎ ⊕ – 🕍 25 à 500. ⒶⒺ ⓞ Ⓔ 𝗩𝘐𝘚𝘈
Repas Lunch 43 – carte 71 à 90 – **110 ch** ☲ 140/250 – ½ P 115/130.

RENKUM Gelderland 408 ⑫ – 32 867 h. – ✪ 0 8373.

♦Amsterdam 89 – ♦Arnhem 13 – ♦Utrecht 52.

XX **Campman,** Hartenseweg 23 (NO : 1,5 km), ✉ 6871 NB, ✆ 1 22 21, Fax 1 74 33, ₣₸, ⫯ « Environnement boisé » – ⊕ – 🕍 50 à 75. ⒶⒺ ⓞ Ⓔ 𝗩𝘐𝘚𝘈 𝗝𝗖𝗕. ⅜
fermé 24, 25 et 26 déc. – **Repas** 40/60.

RETRANCHEMENT Zeeland 212 ⑪ ⑫ et 408 ⑮ – voir à Sluis.

REUSEL Noord-Brabant 212 ⑰ et 408 ⑱ – 8 068 h. – ✪ 0 4976.

♦Amsterdam 135 – ♦Antwerpen 63 – ♦Eindhoven 25 – ♦'s-Hertogenbosch 45.

XX **De Nieuwe Erven,** Mierdseweg 69, ✉ 5541 EP, ✆ 4 33 76, ₣₸, « Terrasse fleurie » – ⊕. ⒶⒺ ⓞ Ⓔ 𝗩𝘐𝘚𝘈
fermé lundi – **Repas** (dîner seult) Lunch 33 – 53/77.

RHEDEN Gelderland 408 ⑫ – 44 963 h. – ✪ 0 8309.

♦Amsterdam 110 – ♦Arnhem 12 – ♦Apeldoorn 34 – ♦Enschede 80.

🏤 **De Roskam,** Arnhemsestraatweg 62, ✉ 6991 JG, ✆ 5 48 41, Fax 5 29 25, ₣₸, ₧, ⇌, 🗔, ⅜ – ⫯⫯ �📺 ☎ ⊕ – 🕍 25 à 200. ⒶⒺ ⓞ Ⓔ 𝗩𝘐𝘚𝘈 ⅜ rest
Repas carte 59 à 84 – **57 ch** ☲ 198/235 – ½ P 335.

XX **De Bronckhorst,** Arnhemsestraatweg 251, ✉ 6991 JG, ✆ 5 22 07, ₣₸ – ▤ ⊕. ⒶⒺ ⓞ fermé sam. midi, dim. midi et lundi – **Repas** Lunch 50 – 65.

RHENEN Utrecht 408 ⑪ – 16 860 h. – ✪ 0 8376.

🛈 (fermé sam. après-midi et dim.) Fred. v.d. Paltshof 46, ✉ 3911 LB, ✆ 1 23 33.

♦Amsterdam 79 – ♦Utrecht 41 – ♦Arnhem 24 – ♦Nijmegen 33.

🏤 **'t Paviljoen,** Grebbeweg 103, ✉ 3911 AV, ✆ 1 90 03, Fax 1 72 13, ₣₸, ₧, ⇌, ₧ – ⫯⫯ �📺 ☎ ⊕ – 🕍 25 à 80. ⅜ rest
fermé 27 déc.-2 janv. – **Repas** Lunch 45 – 60 – ☲ 15 – **32 ch** 138/165 – ½ P 120/140.

XX **'t Kalkoentje,** Utrechtsestraatweg 143 (NO : 2 km), ✉ 3911 TS, ✆ 1 23 44, Fax 1 65 00, ≼, ₣₸, « Terrasse au bord de l'eau » – ⊕. ⒶⒺ ⓞ Ⓔ 𝗩𝘐𝘚𝘈
fermé sam. midi, dim. et 3 prem. sem. janv. – **Repas** Lunch 55 – 78/93.

RHOON Zuid-Holland 212 ⑤ et 408 ⑰ ㉔ - voir à Rotterdam, environs.

RIIS Friesland - voir Rijs.

RINSUMAGEEST (RINSUMAGEAST) Friesland C Dantumadeel 19 485 h. 408 ⑤ - ☎ 0 5111.

◆Amsterdam 161 - ◆Groningen 58 - ◆Leeuwarden 22.

X **Het Rechthuis,** Rechthuisstraat 1, ✉ 9105 KH, ✆ 31 00, 🏖 - E
fermé du 7 au 11 août, du 2 au 6 janv. et mardi - **Repas** *Lunch 22* - 40/62.

ROCKANJE Zuid-Holland C Westvoorne 13 749 h. 212 ③ ④ et 408 ⑯ ㉕ - ☎ 0 1814.

◆Amsterdam 111 - ◆Den Haag 48 - Hellevoetsluis 10 - ◆Rotterdam 46.

Duneshotel, Tweede Slag 1 (O : 1 km), ✉ 3235 CR, ✆ 17 55, Fax 39 33, 🏖, , , - TV ☎ P - 25 à 75. AE ⓓ E VISA
Repas carte env. 55 - ☕ 15 - **58 ch** 90/146.

NEDERLAND
Een groene Michelingids, Nederlandstalige uitgave

Beschrijvingen van bezienswaardigheden
Landschappen, toeristische routes
Aardrijkskundige gegevens
Geschiedenis, Kunst
Plattegronden van steden en gebouwen

RODEN Drenthe 408 ⑤ ⑥ - 18 379 h. - ☎ 0 5908.

Oosteinde 7a, ✉ 9301 ZP, ✆ 1 51 03.

◆Amsterdam 205 - ◆Groningen 15 - ◆Leeuwarden 56 - ◆Zwolle 94.

Langewold, Ceintuurbaan-Noord 1, ✉ 9301 NR, ✆ 1 38 50, Fax 1 38 18, - TV ☎ P - 25 à 200. AE ⓓ E VISA.
Repas *(fermé sam. midi et dim. midi) Lunch 25* - carte env. 55 - ☕ 18 - **31 ch** 168/175 - ½ P 125.

XX **De Bitse,** Brink 1a, ✉ 9301 JK, ✆ 1 64 52, Fax 1 39 17 - AE ⓓ E VISA
fermé lundi et 19 sept-2 oct. - **Repas** *Lunch 35* - carte env. 65.

ROERMOND Limburg 212 ⑳ et 408 ⑲ - 42 744 h. - ☎ 0 4750.

à Herkenbosch SE : 10 km, Stationsweg 100, ✉ 6075 CD, ✆ (0 4752) 14 58.

✈ à Beek par ④ : 34 km ✆ (0 43) 66 66 80.

Kraanpoort 1, ✉ 6041 EG, ✆ 3 32 05.

◆Amsterdam 178 ⑤ - ◆Maastricht 47 ④ - Düsseldorf 65 ② - ◆Eindhoven 50 ⑤ - Venlo 25 ①.

Plan page suivante

Kasteeltje Hattem, Maastrichterweg 25, ✉ 6041 NZ, ✆ 1 92 22, Fax 1 92 92, 🏖, « Elégante rotonde avec ← parc », - TV ☎ P - 40. AE ⓓ E VISA. rest Z a
fermé carnaval et 31 déc. - **Repas** *Lunch 55* - 70/100 - **11 ch** ☕ 175/225.

Landhotel Cox, Maalbroek 102 (par ② sur N 68, à la frontière), ✉ 6042 KN, ✆ 2 99 66, Fax 2 51 42 - rest TV ☎ P - 25 à 100. AE ⓓ E VISA. rest
Repas *Lunch 28* - 43/80 - **54 ch** ☕ 125/185 - ½ P 160/180.

De la Station (annexe Oranje - 26 ch ☕ 105/150), Stationsplein 9, ✉ 6041 GN, ✆ 1 65 48, Fax 3 51 56 - TV ☎ P - 25 à 40. AE ⓓ E VISA. Z n
Repas (résidents seult) - **28 ch** ☕ 100/180 - ½ P 120/130.

XX **La Cascade,** Luifelstraat, ✉ 6041 EJ, ✆ 1 92 74, 🏖, Avec cuisine thaïlandaise, « Patio avec fontaine » Y r
fermé sam. midi, dim. midi et lundi - **Repas** *Lunch 63* - 80.

à Herkenbosch 6 km par Keulsebaan Z C Roerdalen 10 145 h. - ☎ 0 4752 :

XXX **Kasteel Daelenbroeck** avec ch, Kasteellaan 2, ✉ 6075 EZ, ✆ 24 65, Fax 60 30, 🏖, « Château-ferme, douves » - P - 40. AE ⓓ E VISA. rest
fermé 2 prem. sem. janv. - **Repas** *(fermé lundi) Lunch 50* - carte env. 80 - **13 ch** ☕ 220/265 - ½ P 160/195.

à Horn par ⑤ : 3 km C Haelen 9 870 h. - ☎ 0 4758 :

Abelène sans rest, Kerkpad 5, ✉ 6085 BA, ✆ 12 54, Fax 27 50, - TV P. E.
31 ch ☕ 50/135.

à Vlodrop 8 km par Keulsebaan Z C Roerdalen 10 145 h. - ☎ 0 4752 :

Boshotel , Boslaan 1 (près de la frontière), ✉ 6063 NN, ✆ 49 59, Fax 45 80, 🏖, , - rest TV ☎ P - 25 à 300. AE ⓓ E VISA. rest
Repas *Lunch 50* - carte 65 à 83 - **60 ch** ☕ 120/180 - ½ P 120/148.

ROERMOND

Bergstr.	Y 2
Brugstr.	Y
Hamstr.	Z
Markt	Y
Munsterpl.	Z
Neerstr.	Z
Steenweg	Y 32
Varkensmarkt	Y 35

Dr. Leursstr.	Z 5
Julianalaan	Y 6
Kapellerpoort	Z 7
Kloosterwandstr.	Z 9
Kraanpoort	Y 10
Leliestr.	YZ 12
Lindanusstr.	Y 14
Marktstr.	Y 15
Molenstr.	Z 16
Mgr. Driessenstr.	Z 18
Mgr. Evertsstr.	Z 19

Notenboomlaan	YZ 21
Parédisstr.	Z 22
Pollartstr.	Y 23
Roerkade	Y 25
Roersingel	Z 26
St. Christoffelstr.	Z 28
Slachthuisstr.	Y 29
Spoorlaan-Zuid	Z 30
Steegstr.	Y 31
Thorbeckestr.	Y 33

Die **Michelin-Karten** werden laufend auf dem neuesten Stand gehalten.

412

Noord-Brabant © Roosendaal en Nispen 62 115 h. 2|1|2 ⑤ ⑮ et 4|0|8 ⑰ –
🌀 0 1650.

🚆 Vondellaan 8, ☒ 4707 AE, 𝒫 5 27 89.

🚗 (départs de 's-Hertogenbosch) 𝒫 2 99 88.

🔋 (fermé dim.) Dr. ♦Brabersstraat 9, ☒ 4701 AT, 𝒫 5 44 00, Fax 6 75 22.

♦Amsterdam 127 – ♦'s-Hertogenbosch 75 – ♦Antwerpen 44 – ♦Breda 25 – ♦Rotterdam 56.

🏨 **Goderie,** Stationsplein 5b, ☒ 4702 VX, 𝒫 5 54 00, Fax 6 06 60 – |💲| 📺 ☎ – 🔬 25 à 200.
🔳 ⓪ 🄴 *VISA*. ⫽
Repas 70 carte 55 à 75 – ⌲ 20 – **49 ch** 145/175 – ½ P 220/250.

🏨 **Central,** Stationsplein 9, ☒ 4702 VZ, 𝒫 3 56 57, Fax 6 92 94 – 📺 ☎ – 🔬 25. 🔳 ⓪ 🄴
VISA. ⫽
Repas *(fermé 1ᵉʳ janv.)* 78/90 – **15 ch** ⌲ 128/170 – ½ P 165.

🏠 **Bastion** sans rest, Bovendonk 23 (SE : 2 km), ☒ 4707 ZH, 𝒫 4 94 19, Fax 4 96 54 – 📺
☎ 🅿. 🔳 ⓪ 🄴 *VISA*. ⫽
40 ch ⌲ 109/123.

XX **Van der Put,** Bloemenmarkt 9, ☒ 4701 JA, 𝒫 3 35 04, Fax 4 61 61, Collection de pendules
➡ anciennes – 🔳 🄴
fermé lundi et 2 dern. sem. juil. – **Repas** 39/80.

Limburg © Susteren 13 183 h. 2|1|2 ⑲ et 4|0|8 ⑲ – 🌀 0 4499.
♦Amsterdam 186 – ♦Eindhoven 57 – ♦Maastricht 31 – Roermond 18.

🏨 **De Roosterhoeve** 🦢, Hoekstraat 29, ☒ 6116 AW, 𝒫 31 31, Fax 44 00, 🍴, 🔲, 🍷 – |💲|
📺 ☎ 🅿 – 🔬 25 à 100. 🔳 ⓪ 🄴 *VISA*. ⫽
Repas *Lunch 36* – carte 61 à 78 – **34 ch** ⌲ 110/175 – ½ P 98/125.

Noord-Brabant 2|1|2 ⑧ et 4|0|8 ⑱ – voir à 's-Hertogenbosch.

Rotterdam

Zuid-Holland 🔲🔲🔲 ⑤ et 🔲🔲🔲 ⑩ ⑰ ㉔ ㉕ – 596 023 h. – ☎ 0 10.

Casino JY, Weena 624 ☎ 414 77 99, Fax 414 92 33.

Voir Lijnbaan★ JKY – Intérieur★ de l'Église St-Laurent (Grote- of St-Laurenskerk) KY – Euromast★ (✳★★, ≤★) JZ – Le port★★ (Haven) ⚓ KZ.

Musées : Historique (Historisch Museum) Het Schielandshuis★ KY **M⁴** – Boymans-van Beuningen★★★ JZ – Historique « De Dubbelde Palmboom »★ EV.

Env. Moulins de Kinderdijk★★ par ④ : 7 km.

🛫 Kralingseweg 200 ⊠ 3062 CG (DS) ☎ 422 15 85 – 🛫 's Gravenweg 311 ⊠ 2905 LB à Capelle aan den ijssel (DR) ☎ (0 10) 442 24 85 – 🛫 Veerweg 2a ⊠ 3161 EX à Rhoon (AT) ☎ (0 1890) 1 80 58.

✈ Zestienhoven (BR) ☎ 446 34 44.

🚂 (départs de 's-Hertogenbosch) ☎ 404 85 56 et 0 6-92 96.

🚢 Europoort vers Kingston-upon-Hull : North Sea Ferries ☎ (0 1819) 5 55 00, Fax (0 1819) 5 52 15 (renseignements) et 5 55 55 (réservations).

🛈 (fermé dim. sauf avril-sept.) Coolsingel 67, ⊠ 3012 AC, ☎ 0 6-34 03 40 65, Fax 413 01 24 et Centraal Station, Stationsplein 1, ⊠ 3013 AJ, ☎ 0 6-34 03 40 65 – à Schiedam (AS), Buitenhavenweg 9, ⊠ 3113 BC, ☎ (0 10) 473 30 00, Fax 473 66 95.

◆Amsterdam 76 ② – ◆Den Haag 24 ② – ◆Antwerpen 103 ④ – ◆Bruxelles 148 ④ – ◆Utrecht 57 ③.

Plans de Rotterdam	
Agglomération	p. 2 et 3
Rotterdam Centre	p. 4 et 5
Agrandissement partie centrale	p. 6
Répertoire des rues	p. 6 et 7
Nomenclature des hôtels et des restaurants	
Ville	p. 8 et 9
Périphérie et environs	p. 9

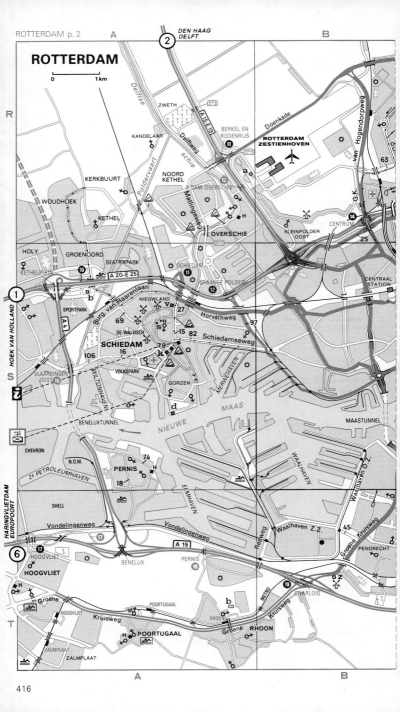

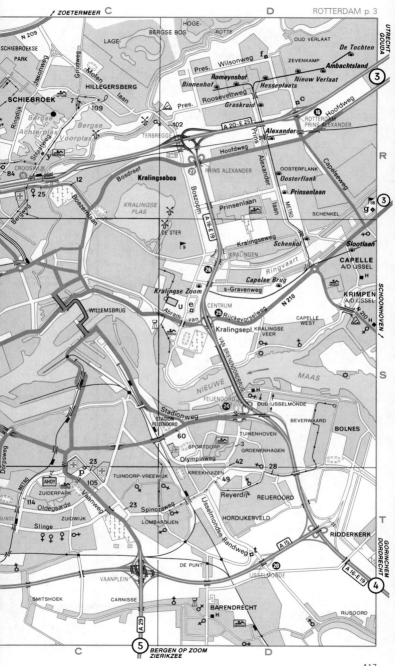

N 209

SCHIEBROEKSE
PARK

HOGE-
BERGSE BOS
ROTTE

OUD VERLAAT

LAGE-

Molen
Grindweg
Jasonweg
Grindweg

HILLEGERSBERG

SCHIEBROEK

7

109

Pres. Wilsonweg

Romeynshof

Binnenhof

Pres. Rooseveltweg

Graskruid

Hesseplaats

Nieuw Verlaat

f

ZEVENKAMP

De Tochten

Ambachtsland

3

Hoofdweg

ROTTERDAM
PRINS ALEXANDER

c

16

UTRECHT
GOUDA

Bergse
Achterplas

Voorplas

Bergse

Sikkelweg

102

TERBREGGE

A 20-E 25

Prins

Alexander

Hoofdweg

R

CROOSWIJK

84

12

Bosdreef

Kralingsebos

27

PRINS ALEXANDER

Prins

Alexander

laan

Capelseweg

OOSTERFLANK

Oosterflank

Prinsenlaan

3

18

g

Bergweg

25

Boezemlaan

KRALINGSE
PLAS

Boszoom

A 16-E 19

Prinsenlaan

METRO

SCHENKEL

DE STER

9

Kralingseweg

Schenkel

Slootlaan

CAPELLE
A/D IJSSEL

KRALINGEN

Ringvaart

26

Capelse Brug

H

KRIMPEN
A/D IJSSEL

SCHOONHOVEN

Kralingse Zoom

Abram

u

e

van

s-Gravenweg

CENTRUM

25

Rijckevorselweg

N 210

CAPELLE
WEST

N 210 H

WILLEMSBRUG

Kralingsepl.

KRALINGSE
VEER

S

van

Brienenoordbrug

MAAS

NIEUWE

FEIJENOORD

H

OUD IJSSELMONDE

24

Stadionweg

STADION
FEIJENOORD

BEVERWAARD

BOLNES

Dorpsweg

60

SPORTDORP

Olympiaweg

TUINENHOVEN

GROENENHAGEN

42

28

23

AHOY

METRO

105

p

TUINDORP-VREEWIJK

KREEKHUIZEN

49

Reyerdijk

REIJEROORD

114

ZUIDERPARK

Oldegaarde

Vlaanweg

23

Spinozaweg

HORDIJKERVELD

IJsselmondse
Randweg

RIDDERKERK

ZUIDWIJK

Slinge

SLINGE

LOMBARDIJEN

A 15

t

GORINCHEM
DORDRECHT

4

DE PUNT

IJSSELMONDE

20

A 16-E 19

VAANPLEIN

SMITSHOEK

CARNISSE

BARENDRECHT

H

RIJSOORD

A 29

5

BERGEN OP ZOOM
ZIERIKZEE

C D

417

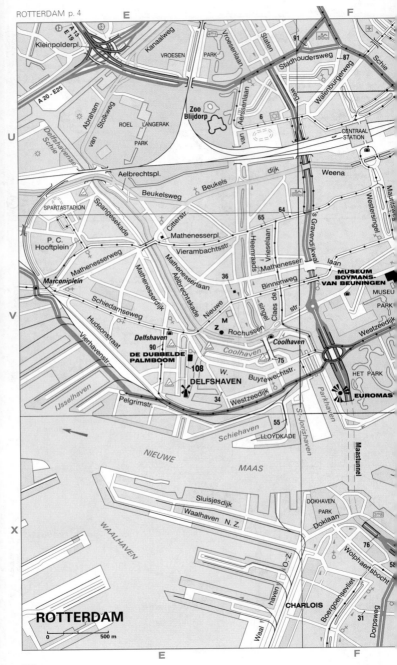

ROTTERDAM

0   500 m

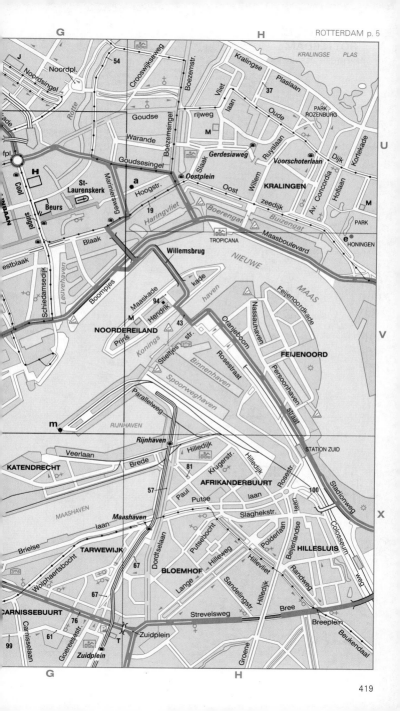

ROTTERDAM

RÉPERTOIRE DES RUES

Beursplein	p. 6	KY 9
Binnenweg	p. 6	JY 13
Botersloot	p. 6	JY
Coolsingel	p. 6	KY
Hoogstr.	p. 6	JY
Karel Doormanstr.	p. 6	JY
Korte Hoogstr.	p. 6	KY 46
Korte Lijnbaan	p. 6	KY 48
Lijnbaan	p. 6	JKY
Stadhuispl.	p. 6	KY 93

Abraham van Stockweg	p. 4	EU

Abram van Rijckevorselweg	p. 3	DS
Adrian Volkerlaan	p. 3	DS 3
Aelbrechtskade	p. 4	EV
Aelbrechtspl.	p. 4	EU
van Aerssenlaan	p. 4	EU
Aert van Nesstr.	p. 6	JKY 4
Beergoensevliet	p. 4	FX
Beijerlandselaan	p. 5	HX
Bentincklaan	p. 4	EU 6
Bergse Dorpsstr.	p. 3	CR 7
Bergweg	p. 3	CRS
Beukelsdijk	p. 4	EU
Beukelsweg	p. 4	EU
Beukendaal	p. 5	HX
Binnenwegpl.	p. 6	KY 10
Blaak	p. 6	KY

Boezembocht	p. 3	CR 12
Boezemlaan	p. 3	CR
Boezemstr.	p. 5	HU
Boezmsingel	p. 5	HU
Boompjes	p. 6	KZ
Boompjeskade	p. 6	KZ
Bosdreef	p. 3	CR
Boszoom	p. 3	DR
Brede Hilledijk	p. 5	HX
Bree	p. 5	HX
Breeplein	p. 5	HX
Brielselaan	p. 5	GX
Burg. van Esstr.	p. 2	AS 18
Burg. van Walsumweg	p. 5	HU 19
Capelseweg	p. 3	DR
Carnisselaan	p. 5	GX
Churchillpl.	p. 6	KY

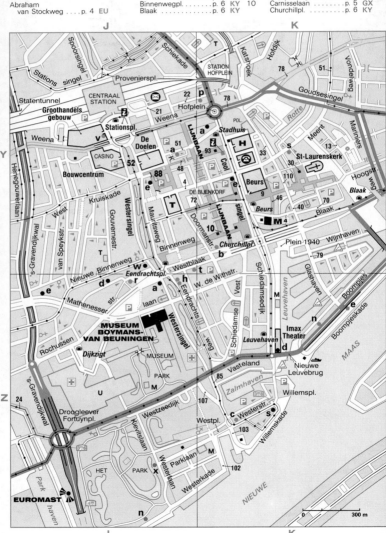

van Citterstr. . . . . p.4 EV
Claes de Vrieslaan . . . p.4 EV
Colosseumweg . . . . . p.5 HX
Concordia av. . . . . . . p.5 HU
Crooswijkseweg . . . . p.5 HU
Delftsepl. . . . . p.6 JY 21
Delftsestr. . . . . p.6 JY 22
Delftweg . . . . p.2 AR
Doenkade . . . . p.2 BR
Doklaan . . . . p.4 EX
Dordtselaan . . . . p.5 HX
Dordtsestraatweg . . . p.3 CT 23
Dorpsweg . . . . p.4 FX
Drooglever Fortuynpl. . p.6 JZ
Eendrachtspl. . . . . . . p.6 JYZ
Eendrachtsweg . . . . . p.6 JKZ
Feijenoordkade . . . . . p.5 HV
G.J. de Jonghweg . . . p.6 JZ 24
G.K. van
 Hogendorpweg . . . p.2 BR
Gerdesiaweg . . . . . . p.5 HU
Glashaven . . . . p.6 KYZ
Goereesestr. . . . . p.5 GX
Gordelweg . . . . p.2 BCR 25
Goudse Rijweg . . . . . p.5 HU
Goudsesingel . . . . . . p.6 KY
Gouvernestr. . . . . p.6 JY
's-Gravendijkwal . . . . p.6 JYZ
's-Gravenweg . . . . . . p.3 DS
Grindweg . . . . p.3 CR
Groene Hilledijk . . . . . p.5 HX
Groene Kruisweg . . . . p.2 ABT
Groeninx
 van Zoelenlaan . . . p.3 DST 28
Grotekerkpl. . . . . p.6 KY 30
Gruttostr. . . . . p.4 FX 31
Haagseveer . . . . p.6 KY 33
Havenstr. . . . . p.4 EV 34
Heemraadsingel . . . . p.4 EV
Heemraadspl. . . . . . . p.4 EV 36
Henegouwerlaan . . . . p.6 JY
Hilledijk . . . . p.5 HX
Hillevliet . . . . p.5 HX
Hofdijk . . . . p.6 KY
Hoflaan . . . . p.5 HU
Hofplein . . . . p.6 JKY
Hoofdweg . . . . p.3 DR
Horvathweg . . . . p.2 AS
Hudsonstr. . . . . p.4 EV
IJsselmondse
 Randweg . . . . p.3 DT
Jasonweg . . . . p.3 CR
Jericholaan . . . . p.5 HU 37
Jonker Fransstr. . . . . p.6 KY 39
Kanaalweg . . . . p.4 EU
Katshoek . . . . p.6 KY
Keizerstr. . . . . p.6 KY 40
Kievitslaan . . . . p.6 JZ
Klein Nieuwland . . . . p.3 DT 42
Kleinpolderpl. . . . . . . p.4 EU
Koninginnebrug . . . . . p.5 HV 43
Korperweg . . . . p.2 BT 45
Kortekade . . . . p.5 HU
Kralingse Plaslaan . . . p.5 HU
Kralingse Zoom . . . . . p.3 DS
Kralingsepl. . . . . p.5 HU
Kralingseweg . . . . . . p.3 DS
Kreekhuizenlaan . . . . p.3 DT 49
Kruiskade . . . . p.6 JKY 51
Kruisplein . . . . p.6 JY 52
Lange Hilleweg . . . . . p.5 HX
Linker Rottekade . . . . p.5 GU 54
Lloydstr. . . . . p.4 EX 55

Maasboulevard . . . . . p.5 HU
Maashaven O.Z. . . . . p.5 HX 57
Maaskade . . . . p.5 HV
Maastunnel . . . . p.4 FX
Maastunnelpl. . . . . . . p.4 FGX 58
Marathonweg . . . . . . p.3 DS 60
Marconiplein . . . . p.4 EV
Mariniersweg . . . . . . p.6 KY
Markerstr. . . . . p.5 GX 61
Mathenesserdijk . . . . p.4 EV
Mathenesserlaan . . . . p.6 JZ
Mathenesserpl. . . . . . p.4 EV
Mathenesserweg . . . . p.4 EV
Matlingeweg . . . . p.2 AR
Mauritsweg . . . . p.6 JY
Meent . . . . p.6 KY
Melanchtonweg . . . . . p.2 BR 63
Middellandstr. (1e) . . . p.4 EV 64
Middellandstr. (2e) . . . p.4 EV 65
Mijnsherenlaan . . . . . p.5 GHX 67
Molenlaan . . . . p.3 CR
Nassauhaven . . . . . . p.5 HV
Nieuwe Binnenweg . . p.6 JYZ
Nieuwe Leuvebrug . . . p.6 KZ
Nieuwestr. . . . . p.6 KY 70
Noordpl. . . . . p.5 GU
Noordsingel . . . . p.5 GU
Oldegaarde . . . . p.3 CT
van Oldenbarneveltstr. . p.6 JKY 72
Olimpiaweg . . . . p.3 DS
Oostplein . . . . p.5 HU
Oostzeedijk . . . . p.5 HU
Oranjeboomstr. . . . . . p.5 HV
Oude Dijk . . . . p.5 HU
P.C. Hooftpl. . . . . p.4 EV
Parallelweg . . . . p.5 HV
Parklaan . . . . p.6 JZ
Pastoriedijk . . . . p.2 AS 74
Paul Krugerstr. . . . . . p.5 HX
Pelgrimstr. . . . . p.4 EV
Persoonhaven . . . . . . p.5 HV
Pieter de Hoochweg . . p.4 EV 75
Plein 1940 . . . . p.6 KY
Pleinweg . . . . p.4 FGX 76
Polderlaan . . . . p.5 HX
Pompenburg . . . . p.6 KY 78
Posthoornstr. . . . . . . p.6 KY 79
Pres. Rooseveltweg . . p.3 DR
Pres. Wilsonweg . . . . p.3 DR
Pretorialaan . . . . p.5 HX 81
Prins Alexanderlaan . . p.3 DR
Prins Hendrikkade . . . p.5 HV
Prinsenlaan . . . . p.3 DR
Provenierspl. . . . . p.6 JY
Putsebocht . . . . p.5 HX
Putselaan . . . . p.5 HX
Randweg . . . . p.5 HX
Reeweg . . . . p.2 BT
Reyerdijk . . . . p.3 DT
Ringdijk . . . . p.3 CR
Rochussenstr. . . . . . . p.6 JZ
Rosestraat . . . . p.5 HVX
Rozenlaan . . . . p.3 CR 84
Ruyslaan . . . . p.5 HU
Sandelingstr. . . . . p.5 HX
Scheeps-
 timmermanslaan . . p.6 KZ 85
Schepenstr. . . . . p.4 FU 87
Schiedamsedijk . . . . . p.6 KYZ
Schiedamsevest . . . . p.6 KZ
Schiedamseweg . . . . p.4 EV
Schiekade . . . . p.4 FGU
Schouwburgplein . . . . p.6 JY 88

Slaak . . . . p.5 HU
Slaghekstr. . . . . p.5 HX
Slinge . . . . p.3 CT
Sluisjesdijk . . . . p.4 EX
Spangesekade . . . . . p.4 EUV
Spanjaardstr. . . . . . . p.4 EV 90
van Speykstr. . . . . . . p.6 JY
Spinozaweg . . . . p.3 CDT
Spoorsingel . . . . p.6 JY
Stadhouderspl. . . . . . p.4 FU 91
Stadhoudersweg . . . . p.4 EFU
Stadionweg . . . . p.5 HX
Statentunnel . . . . p.6 JY
Statenweg . . . . p.4 EFU
Stationssingel . . . . . . p.6 JY
Stationspl. . . . . p.6 JY
Stieltjesstr. . . . . p.5 HV
Straatweg . . . . p.3 CR
Strevelsweg . . . . p.5 HX
van der Takstr. . . . . . . p.5 HV 94
Terbregseweg . . . . . . p.3 DR 96
Tjalklaan . . . . p.2 ABS 97
Utenhagestr. . . . . p.5 GX 99
Vaanweg . . . . p.3 CT
Varkenoordsebocht . . p.5 HX 100
Vasteland . . . . p.6 KZ
Veerhaven . . . . p.6 KZ 102
Veerkade . . . . p.6 KZ 103
Vierambachtsstr. . . . . p.4 EV
Vierhavenstr. . . . . p.4 EV
Vinkenbaan . . . . p.3 CT
Vlietlaan . . . . p.5 HU 226
van Vollenhovenstr. . . p.6 KZ 107
Vondelingenweg . . . . p.2 AT
Vondelweg . . . . p.6 KY
Voorhaven . . . . p.4 EV 108
Voorschoterlaan . . . . p.5 HU
Vroesenlaan . . . . p.4 EU
Waalhaven N.Z. . . . . p.4 EX
Waalhaven O.Z. . . . . p.4 EX
Waalhaven Z.Z. . . . . . p.2 BT
Walenburgerweg . . . . p.4 FU
Warande . . . . p.5 HU
Weena . . . . p.6 JY
Weissenbruchlaan . . . p.3 CR 109
West Kruiskade . . . . . p.6 JY
Westblaak . . . . p.6 JKY
Westerkade . . . . p.6 JKZ
Westerlaan . . . . p.6 JZ
Westewagenstr. . . . . . p.6 KY 110
Westplein . . . . p.6 KZ
Westsingel . . . . p.6 JYZ
Wetzeedijk . . . . p.6 JZ
Wijnhaven . . . . p.6 KY
Willem Buytewechtstr. . p.4 EV
Willemsbrug . . . . p.5 HV
Willemskade . . . . p.6 KZ
Willemspl. . . . . p.6 KZ
Witte de Withstr. . . . . . p.6 KZ 112
Wolphaertsbocht . . . . p.4 FGX
Zuiderparkweg . . . . . p.3 CT 114
Zuidplein . . . . p.5 HX

SCHIEDAM

Broersvest . . . . p.2 AS 15
Burg. van Haarenlaan . p.2 AS
Burg. Knappertlaan . . p.2 AS 16
Churchillweg . . . . p.2 ARS
's-Gravelandseweg . . p.2 AS 27
Nieuwe Damlaan . . . . p.2 AS 69
Oranjestr. . . . . p.2 AS 73
Rotterdamsedijk . . . . p.2 AS 82
Vlaardingerdijk . . . . . p.2 AS 106

Sur la route :

la signalisation routière est rédigée

dans la langue de la zone linguistique traversée.

Dans ce guide,

les localités sont classées selon leur nom officiel :

Antwerpen pour Anvers, **Mechelen** pour Malines.

421

Quartiers du Centre - plan p. 6 sauf indication spéciale :

🏨🏨 **Parkhotel,** Westersingel 70, ⊠ 3015 LB, ℰ 436 36 11, Telex 22020, Fax 436 42 12, *ℑ₅*, ⫩
– |≉| ⤡ ⊡ ☎ ❷ – 🔏 25 à 70. 🖭 ⓸ 🗉 *VISA* 🗀 . ⚖ JZ **a**
Repas *Lunch 40* – 53/68 – **187 ch** ⊆ 250/380, 2 suites.

🏨🏨 **Hilton,** Weena 10, ⊠ 3012 CM, ℰ 414 40 44, Fax 411 88 84 – |≉| ⤡ 🗉 rest ⊡ ☎ ⑤ ⬥
– 🔏 25 à 350. 🖭 ⓸ 🗉 *VISA* 🗀 . ⚖ KY **i**
Repas *(fermé sam. midi et août) Lunch 45* – carte 53 à 74 – ⊆ 40 – **246 ch** 395/495, 8 suites.

🏨 Holiday Inn, Schouwburgplein 1, ⊠ 3012 CK, ℰ 433 38 00, Telex 21640, Fax 414 54 82 –
|≉| ⤡ ⊡ ☎ – 🔏 25 à 300. ⚖ JY **e**
Repas (en juil.-août dîner seult) – **97 ch**, 3 suites.

🏨 **Atlanta,** Aert van Nesstraat 4, ⊠ 3012 CA, ℰ 411 04 20, Telex 21595, Fax 413 53 20 – |≉|
⤡ ⊡ ☎ ⟵ – 🔏 25 à 400. 🖭 ⓸ 🗉 *VISA* KY **e**
Repas (dîner seult) 43 – ⊆ 23 – **163 ch** 240/265, 1 suite.

🏛 **New York,** Koninginnehoofd 1, ⊠ 3072 AD, ℰ 439 05 00, Fax 484 27 01, ≤, ⌇, « Ancien
⬥ siège de la compagnie maritime Holland-America Line » – |≉| ⊡ ☎ ❷ – 🔏 25 à 200. GV **m**
⓸ 🗉 *VISA* plan p. 5
Repas (ouvert jusqu'à 23 h) *Lunch 35* – 35 – ⊆ 13 – **72 ch** 135/250.

🏛 **Inntel,** Leuvehaven 80, ⊠ 3011 EA, ℰ 413 41 39, Fax 413 32 22, ≤, *ℑ₅*, 🗉, – |≉| ⤡
⬥ 🗉 rest ⊡ ☎ ❷ – 🔏 25 à 220. 🖭 ⓸ 🗉 *VISA* KZ **d**
Repas *Lunch 23* – 43/70 – ⊆ 23 – **150 ch** 135/295 – ½ P 180/420.

🏛 **Zuiderparkhotel,** Dordtsestraatweg 285, ℰ 485 00 55, Fax 485 63 04, ⫩, 🗉
– |≉| ⊡ ☎ ❷ – 🔏 25 à 300. 🖭 ⓸ 🗉 *VISA* ⚖ rest plan p. 3 CT **p**
Repas (dîner seult) 55/83 – ⊆ 18 – **117 ch** 148/215, 3 suites.

🏛 **Pax** sans rest, Schiekade 658, ⊠ 3032 AK, ℰ 466 33 44, Fax 467 52 78 – |≉| ⊡ ☎ ❷. 🖭
⓸ 🗉 *VISA* 🗀 – **45 ch** ⊆ 135/250. plan p. 4 FU **m**

🏛 **Van Walsum,** Mathenesserlaan 199, ⊠ 3014 HC, ℰ 436 32 75, Telex 20010, Fax 436 44 10
– |≉| ⊡ ☎ ❷. 🖭 ⓸ 🗉 *VISA*. ⚖ rest JZ **e**
fermé 24 déc.-2 janv. – **Repas** (résidents seult) – **25 ch** ⊆ 125/200 – ½ P 90/125.

🏛 **Savoy,** Hoogstraat 81, ⊠ 3011 PJ, ℰ 413 92 80, Telex 21525, Fax 404 57 12 – |≉| ⊡ ☎.
🖭 ⓸ ☎ ❷. ⚖ rest HU **i**
Repas *(fermé sam. et dim.)* (dîner seult) carte 43 à 73 – ⊆ 25 – **94 ch** 167/175 –
½ P 160/217.

🏛 **Scandia,** Willemsplein 1, ⊠ 3016 DN, ℰ 413 47 90, Fax 412 78 90, ≤ – |≉| ⤡ 🗉 rest ⊡
☎ – 🔏 25 à 70. 🖭 ⓸ 🗉 *VISA*. ⚖ rest KZ **s**
fermé 25 déc.-1er janv. – **Repas** carte 51 à 69 – ⊆ 10 – **104 ch** 135/170 – ½ P 168/193.

🏠 **Emma** sans rest, Nieuwe Binnenweg 6, ⊠ 3015 BA, ℰ 436 55 33, Telex 25320,
Fax 436 76 58 – |≉| ⊡ ☎ ❷. 🖭 ⓸ 🗉 *VISA* JY **w**
24 ch ⊆ 125/150.

🏠 **Breitner,** Breitnerstraat 23, ⊠ 3015 XA, ℰ 436 02 62, Fax 436 40 91 – |≉| ⊡ ☎ ⟵. 🖭
⓸ 🗉 *VISA*. ⚖ rest JZ **d**
Repas (dîner pour résidents seult) – **30 ch** ⊆ 100/130.

🏠 **Baan** sans rest, Rochussenstraat 345, ⊠ 3023 DH, ℰ 477 05 55, Fax 476 94 50 – ⊡ ☎.
🗉 *VISA* ⚖ plan p. 4 EV **z**
14 ch ⊆ 75/110.

XXXX ⚙⚙ **Parkheuvel** (Helder), Heuvellaan 21, ⊠ 3016 GL, ℰ 436 05 30, Fax 436 71 40, ⌇,
« Terrasse et ≤ trafic maritime » – ❷. 🖭 ⓸ 🗉 *VISA* JZ **r**
fermé dim. et 27 déc.-2 janv. – **Repas** 88 carte 88 à 121
Spéc. Estouffade de bœuf, saucisses, foie de canard et chou vert, Ravioli de champignons des
bois aux petits légumes, Lotte poêlée aux asperges, tomates et vinaigrette de basilic (15 avril-
21 juin).

XXX **Old Dutch,** Rochussenstraat 20, ⊠ 3015 EK, ℰ 436 03 44, Fax 436 78 26, ⌇ – 🔳. 🖭 ⓸
🗉 *VISA* JZ **r**
fermé dim. et jours fériés – **Repas** *Lunch 49* – 63/79.

XXX **Radèn Mas** 1er étage, Kruiskade 72, ⊠ 3012 EH, ℰ 411 72 44, Fax 411 97 11, Cuisine
indonésienne, « Décor exotique » – 🔳. 🖭 ⓸ 🗉 *VISA* JY **a**
fermé sam. midi et dim. midi – **Repas** *Lunch 48* – carte env. 80.

XX **Brasserie La Vilette,** Westblaak 160, ⊠ 3012 KM, ℰ 414 86 92, Fax 414 33 91 – 🔳. 🖭
⓸ 🗉 *VISA* JKY **t**
fermé sam. midi, dim., jours fériés et 3 sem. vacances bâtiment – Repas 55/70.

XX **La Bourgogne,** Delftsestraat 6, ⊠ 3013 CJ, ℰ 411 55 75 – 🔳 ❷. 🖭 ⓸ 🗉 *VISA* JKY **p**
fermé dim. – **Repas** *Lunch 45* – carte env. 55.

XX **De Castellane,** Eendrachtsweg 22, ⊠ 3012 LB, ℰ 414 11 59, Fax 214 08 97, ⌇ – 🖭 ⓸
🗉 *VISA* JZ **h**
fermé dim., jours fériés, 30 juil.-9 août et 24 déc.-6 janv. – **Repas** *Lunch 45* – 68/75.

XX **Brancatelli,** Boompjes 264, ⊠ 3011 XD, ℰ 411 41 51, Fax 404 57 34, Cuisine italienne,
ouvert jusqu'à 23 h – 🔳. 🖭 ⓸ 🗉 *VISA* KZ **n**
fermé sam. midi et dim. midi – **Repas** *Lunch 60* – carte env. 75.

XX **de Eenhoorn,** Westerstraat 75, ⊠ 3016 DG, ℰ 414 21 14, Fax 413 14 76 – 🖭 ⓸ 🗉 *VISA* 🗀
fermé sam. midi, dim., lundi et dern. sem. juil.-prem. sem. août – **Repas** *Lunch 45* – 58. KZ **c**

XX **Koreana,** Westblaak 27, ✉ 3012 KD, ☎ 404 97 44, Fax 436 48 84, Cuisine coréenne – ▤. AE ⓞ E VISA. ✂ KY **b**
fermé sam. midi et dim. midi – **Repas** *Lunch 26* – carte 65 à 84.

XX **Boompjes,** Boompjes 701, ✉ 3011 XZ, ☎ 413 60 70, Fax 413 70 87, ← Nieuwe Maas (Meuse) – ▤. AE ⓞ E VISA. ✂ KZ **e**
fermé sam. midi et dim. – **Repas** *Lunch 55* – 70/83.

X **De Engel,** Eendrachtsweg 19, ✉ 3012 LB, ☎ 413 82 56, Fax 412 51 96 – AE ⓞ E VISA
Repas (dîner seult jusqu'à minuit) carte 61 à 82. JZ **h**

X **Chalet Suisse,** Kievitslaan 31, ✉ 3016 CG, ☎ 436 50 62, Fax 436 54 62, 🍽, « Terrasse au bord de l'eau » – ▤. AE ⓞ E VISA JZ **x**
Repas *Lunch 34* – carte 51 à 90.

X **Silhouet** Tour Euromast, Parkhaven 20, ✉ 3016 GM, ☎ 436 48 11, Fax 436 22 80, ✳ ville et port – ▤. AE ⓞ E VISA. ✂ JZ
fermé dim. et lundi – **Repas** (dîner seult) 75/84.

X **Anak Mas,** Meent 72a, ✉ 3011 JN, ☎ 414 84 87, Fax 412 44 74, Cuisine indonésienne – ▤. AE ⓞ E VISA KY **s**
fermé dim. – **Repas** (dîner seult) 48.

X **Engels,** Stationsplein 45, ✉ 3013 AK, ☎ 411 95 50, Fax 413 94 21, Cuisines de différentes nationalités – ▤ P – 🏛 25 à 800. AE ⓞ E VISA JY **v**
fermé 31 déc. – **Repas** carte env. 55.

Périphérie - plans p. 2 et 3 sauf indication spéciale :

à l'Aéroport – ☎ 0 10 :

🏨 **Airport,** Vliegveldweg 59, ✉ 3043 NT, ☎ 462 55 66, Fax 462 22 66 – |♦| ⇆ TV ☎ ♿ P – 🏛 25 à 300. AE ⓞ E VISA AR **a**
Repas 50 – **96 ch** ☐ 125/260, 2 suites.

au Sud – ☎ 0 10 :

🏨 **Bastion** sans rest, Driemanssteenweg 5 (près A 15), ✉ 3084 CA, ☎ 410 10 00, Fax 410 31 94 – TV ☎ P. AE ⓞ E VISA. ✂ BT **z**
40 ch ☐ 139/153.

à Hillegersberg © Rotterdam – ☎ 0 10 :

XX **Lommerrijk,** Straatweg 99, ✉ 3054 AB, ☎ 422 00 11, Fax 422 64 96, ←, 🍽 – ▤ P – 🏛 250. AE ⓞ E VISA CR **y**
fermé lundi et 24 et 31 déc. – **Repas** carte 52 à 71.

à Kralingen © Rotterdam – ☎ 0 10 :

🏨 **Novotel Brainpark,** K.P. van der Mandelelaan 150 (près A 16), ✉ 3062 MB, ☎ 453 07 77, Telex 24109, Fax 453 15 03 – |♦| ⇆ ▤ TV ☎ ♿ P – 🏛 25 à 625. AE ⓞ E VISA DS **e**
fermé sam. midi et dim. midi – **Repas** (ouvert jusqu'à 23 h) *Lunch 38* – carte env. 65 – ☐ 23 – **196 ch** 159.

XXX **In den Rustwat,** Honingerdijk 96, ✉ 3062 NX, ☎ 413 41 10, Fax 404 85 40, 🍽, « Maison du 16e s. » – P. AE ⓞ E VISA plan p. 5 HV **e**
fermé sam. midi, dim. et jours fériés – **Repas** *Lunch 56* – 83.

à Ommoord © Rotterdam – ☎ 0 10 :

XXX **Keizershof,** Martin Luther Kingweg 7, ✉ 3069 EW, ☎ 455 13 33, Fax 456 80 23, 🍽 – P. AE ⓞ E VISA – *fermé 24 et 31 déc.* – **Repas** *Lunch 40* – carte env. 50. DR **f**

Zone Europoort par ⑥ : 25 km – ☎ 0 1819 :

🏨 **De Beer Europoort,** Europaweg 210 (N 15), ✉ 3198 LD, ☎ 6 23 77, Fax 6 29 23, ←, 🍽, 🏊, ✂ – |♦| TV ☎ P – 🏛 25 à 180. AE ⓞ E VISA
Repas *Lunch 28* – carte 59 à 76 – **78 ch** ☐ 150/190 – ½ P 128/183.

Environs

à Barendrecht - plan p. 3 – 20 768 h. – ☎ 0 1806 :

🏨 **Bastion** sans rest, Van der Waalsweg 27 (près A 15), ✉ 2991 XN, ☎ (0 10) 479 22 04, Fax (0 10) 479 23 85 – TV ☎ P. AE ⓞ E VISA. ✂ – **40 ch** ☐ 119/133. DT **t**

à Capelle aan den IJssel - plan p. 3 – 59 057 h. – ☎ 0 10 :

🏨 **Barbizon,** Barbizonlaan 2 (près A 20), ✉ 2908 MA, ☎ 456 44 55, Telex 26514, Fax 456 78 58, ←, 🍽 – |♦| ⇆ TV ☎ P – 🏛 30 à 250. AE ⓞ E VISA. ✂ DR **c**
Repas *(fermé sam. midi et dim. midi) Lunch 33* – 40/83 – ☐ 25 – **99 ch** 225/275, 2 suites – ½ P 150/202.

X **Johannahoeve,** 's Gravenweg 347, ✉ 2905 LB, ☎ 450 38 00, Fax 442 07 34, 🍽, « Ferme du 17e s. » – ▤ P. AE E. ✂ – *fermé 31 déc.* – **Repas** *Lunch 60* – 70. DR **g**

à Rhoon - plan p. 2 - © Albrandswaard 14 350 h. – ☎ 0 1890 :

XX **Het Kasteel van Rhoon,** Dorpsdijk 63, ✉ 3161 KD, ☎ 1 88 84, Fax 1 24 18, ←, 🍽, « Dans les dépendances du château » – P. AE ⓞ E VISA. ✂ AT **b**
fermé sam. midi et 25 et 26 déc. – **Repas** 65/93.

à *Schiedam* - plan p. 2 – 71 875 h. – ✿ 0 10 :

🏦 **Novotel,** Hargalaan 2 (près A 20), ⊠ 3118 JA, ℰ 471 33 22, Telex 22582, Fax 470 06 56, 🚗, 🛴, 🌤 – 🌤 🛏 rest 🔟 ☎ 🕭 🕭 ❶ – 🔬 25 à 150. 🖭 ❶ 🗉 ᵛ𝐼𝑆𝐴 AS **b**
Repas Lunch 18 – carte env. 50 – � 23 – **133 ch** 149.

🕱🕱🕱 **La Duchesse,** Maasboulevard 9, ⊠ 3114 HB, ℰ 426 46 26, Fax 473 25 01, ≤ Nieuwe Maas (Meuse), 🌤 – 🕭 ❶. 🖭 ❶ 🗉 ᵛ𝐼𝑆𝐴 AS **d**
fermé sam. midi, dim. et 31 déc. – **Repas** Lunch 53 – 65/105.

🕱🕱🕱 **Aub. Hosman Frères** 1ᵉʳ étage, Korte Dam 10, ⊠ 3111 BG, ℰ 426 40 96, Fax 473 00 08, Collection de flacons de spiritueux – 🖃. 🖭 ❶ 🗉 ᵛ𝐼𝑆𝐴 AS **s**
fermé sam. midi, dim., lundi, Pâques, Pentecôte, 24 et 31 déc. et 1ᵉʳ janv. – **Repas** Lunch 50 – carte 81 à 103.

🕱🕱 **Schlumberger,** 's-Gravelandseweg 622, ⊠ 3119 NA, ℰ 426 18 88, Fax 426 18 94 – 🖃. 🖭 ❶ 🗉 ᵛ𝐼𝑆𝐴 AS **v**
fermé dim., lundi, 17 juil.-7 août et 27 déc.-3 janv. – **Repas** Lunch 40 – 50/65.

🕱 **Le Pêcheur,** Nieuwe Haven 97, ⊠ 3116 AB, ℰ 473 33 41, Fax 273 11 55, 🌤, « Entrepôt du 19ᵉ s. » – 🖭 ❶ 🗉 ᵛ𝐼𝑆𝐴 AS **k**
fermé sam. midi, dim. midi, 31 déc. et 1ᵉʳ janv. – **Repas** Lunch 43 – carte 69 à 109.

Voir aussi : **Vlaardingen** par ① : 12 km

RUINEN Drenthe 𝟜𝟘𝟠 ⑤ – 7 051 h. – ✿ 0 5221.
🛈 Brink 3, ⊠ 7963 AA, ℰ 17 00, Fax 30 45.
◆Amsterdam 154 – Assen 36 – Emmen 51 – ◆Zwolle 41.

🏠 **De Stobbe,** Westerstraat 84, ⊠ 7963 BE, ℰ 12 24, Fax 27 47, ☎, 🛴 – 🛗 🔟 ☎ 🕭 ❶. 🛠 rest
Repas carte 45 à 65 – **24 ch** ⊑ 90/135 – ½ P 133.

RIJEN Noord-Brabant 🅲 Gilze en Rijen 23 296 h. 𝟚𝟙𝟚 ⑥ et 𝟜𝟘𝟠 ⑰ – ✿ 0 1612.
🛤 à Gilze S : 5 km, Bavelseweg 153, ⊠ 5126 NM, ℰ (0 1613) 15 31.
◆Amsterdam 99 – ◆'s-Hertogenbosch 40 – ◆Breda 11 – ◆Tilburg 13.

🏠 **De Herbergh,** Rijksweg 202, ⊠ 5121 RC, ℰ 2 43 18, Fax 2 23 27 – 🔟 ☎ ❶ – 🔬 25 à 140. 🖭 ❶ 🗉 ᵛ𝐼𝑆𝐴. 🛠
fermé 21 déc.-2 janv. – **Repas** carte env. 50 – **44 ch** ⊑ 75/130 – ½ P 95/120.

De RIJP Noord-Holland 🅲 Graft-De Rijp 5 968 h. 𝟜𝟘𝟠 ⑩ – ✿ 0 2997.
◆Amsterdam 34 – Alkmaar 17.

🕱🕱🕱 **Vivaldi,** Oosteinde 33, ⊠ 1483 AC, ℰ 15 23, Fax 44 16, 🌤 – 🖃 ❶. 🖭 ❶ 🗉 ᵛ𝐼𝑆𝐴
Repas (dîner seult sauf dim.) carte 60 à 83.

🕱🕱 **De Blaasbalg,** Grote Dam 2, ⊠ 1483 BK, ℰ 13 50, Fax 48 31, 🌤, Rustique – 🖭 ❶ 🗉 ᵛ𝐼𝑆𝐴
fermé lundi et mardi – **Repas** (dîner seult jusqu'à 23 h) carte env. 80.

RIJS (RIIS) Friesland 🅲 Gaasterlân-Sleat 9 380 h. 𝟜𝟘𝟠 ④ – ✿ 0 5148.
◆Amsterdam 124 – ◆Leeuwarden 50 – Lemmer 18 – Sneek 26.

🏦 **Jans** 🦞, Mientwei 1, ⊠ 8572 WB, ℰ 12 50, Fax 16 41, 🌤, « Cadre champêtre », ☎ – 🔟 ☎ ❶ – 🔬 25 à 40. 🖭 ❶ 🗉 ᵛ𝐼𝑆𝐴
fermé lundi et mardi de nov. à avril – **Repas** Lunch 25 – 50/65 – **40 ch** ⊑ 88/165 – ½ P 103/148.

🏠 **Gaasterland,** Marderleane 21, ⊠ 8572 WG, ℰ 17 41, Fax 15 79 – 🛗 🔟 ☎ 🕭 ❶ – 🔬 250. 🗉 ᵛ𝐼𝑆𝐴
Repas *(fermé après 20 h)* 45 – **40 ch** ⊑ 150 – ½ P 85/103.

RIJSOORD Zuid-Holland 🅲 Ridderkerk 46 279 h. 𝟚𝟙𝟚 ⑤ et 𝟜𝟘𝟠 ⑰ ㉕ – ✿ 0 1804.
◆Amsterdam 90 – ◆Den Haag 40 – ◆Breda 39 – ◆Rotterdam 14.

🕱🕱🕱 **'t Wapen van Rijsoord,** Rijksstraatweg 67, ⊠ 2988 BB, ℰ 2 09 96, Fax 3 33 03, 🌤, « Au bord de l'eau » – 🖃 ❶. 🖭 ❶ 🗉 ᵛ𝐼𝑆𝐴
fermé lundi, jours fériés, fin juil.-début août et 25 déc.-1ᵉʳ janv. – **Repas** carte 83 à 105.

RIJSSEN Overijssel 𝟜𝟘𝟠 ⑬ – 24 662 h. – ✿ 0 5480.
🛈 (fermé mardi après-midi, sam. après-midi et dim.) Oranjestraat 131, ⊠ 7461 DK, ℰ 2 00 11.
◆Amsterdam 131 – ◆Zwolle 40 – ◆Apeldoorn 45 – ◆Enschede 36.

🏨 **Rijsserberg** 🦞, Burg. Knottenbeltlaan 77 (S : 2 km sur rte de Markelo), ⊠ 7461 PA, ℰ 1 69 00, Fax 2 02 30, 🌤, « Dans les bois », ☎, 🛴, 🌳, 🕱 – 🛗 🌤 🔟 ☎ 🕭 ❶ – 🔬 25 à 120. 🖭 ❶ 🗉 ᵛ𝐼𝑆𝐴. 🛠 rest
Repas Lunch 50 – carte env. 70 – **50 ch** ⊑ 188/250, 4 suites – ½ P 150.

🕱🕱 **Brodshoes,** Bouwstraat 41, ⊠ 7462 AX, ℰ 1 38 88, Fax 2 22 20, 🌤 – 🖭 ❶ 🗉. 🛠
fermé dim. et 22 juil.-10 août – **Repas** 48.

LE GUIDE MICHELIN DU PNEUMATIQUE

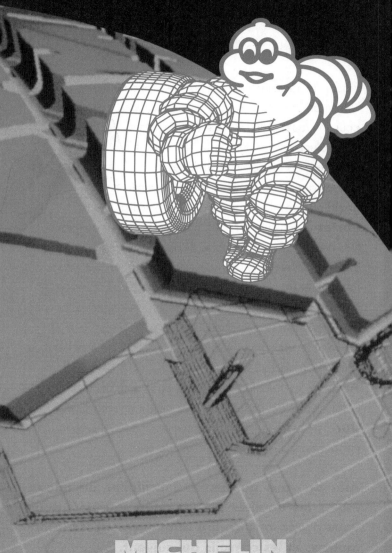

MICHELIN

QU'EST-CE QU'UN PNEU ?

Produit de haute technologie, le pneu constitue le seul point de liaison de la voiture avec le sol. Ce contact correspond, pour une roue, à une surface équivalente à celle d'une carte postale. Le pneu doit donc se contenter de ces quelques centimètres carrés de gomme au sol pour remplir un grand nombre de tâches souvent contradictoires:

Porter le véhicule à l'arrêt, mais aussi résister aux transferts de charge considérables à l'accélération et au freinage.

Transmettre la puissance utile du moteur, les efforts au freinage et en courbe.

Rouler régulièrement, plus sûrement, plus longtemps pour un plus grand plaisir de conduire.

Guider le véhicule avec précision, quels que soient l'état du sol et les conditions climatiques.

Amortir les irrégularités de la route, en assurant le confort du conducteur et des passagers ainsi que la longévité du véhicule.

Durer, c'est-à-dire, garder au meilleur niveau ses performances pendant des millions de tours de roue.

Afin de vous permettre d'exploiter au mieux toutes les qualités de vos pneumatiques, nous vous proposons de lire attentivement les informations et les conseils qui suivent.

Le pneu est le seul point de liaison de la voiture avec le sol.

Comment lit-on un pneu ?

(1) «Bib» repérant l'emplacement de l'indicateur d'usure.

(2) Marque enregistrée. **(3)** Largeur du pneu: $\simeq$ 185 mm.

(4) Série du pneu H/S: 70 **(5)** Structure: R (radial).

(6) Diamètre intérieur: 14 pouces (correspondant à celui de la jante). **(7)** Pneu: MXV. **(8)** Indice de charge: 88 (560 kg).

(9) Code de vitesse: H (210 km/h).

(10) Pneu sans chambre: Tubeless. **(11)** Marque enregistrée.

Codes de vitesse maximum:

Q : 160 km/h

R : 170 km/h

S : 180 km/h

T : 190 km/h

H : 210 km/h

V : 240 km/h

W: 270 km/h

ZR : supérieure à 240 km/h.

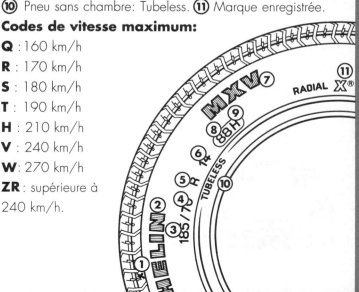

GONFLEZ VOS PNEUS, MAIS GONFLEZ-LES BIEN

POUR EXPLOITER AU MIEUX LEURS PERFORMANCES ET ASSURER VOTRE SECURITE.

Contrôlez la pression de vos pneus, sans oublier la roue de secours, dans de bonnes conditions:
Un pneu perd régulièrement de la pression. Les pneus doivent être contrôlés, une fois toutes les 2 semaines, à froid, c'est-à-dire une heure au moins après l'arrêt de la voiture ou après avoir parcouru 2 à 3 kilomètres à faible allure.

En roulage, la pression augmente; ne dégonflez donc jamais un pneu qui vient de rouler: considérez que, pour être correcte, sa pression doit·être au moins supérieure de 0,3 bar à celle préconisée à froid.

Le surgonflage: si vous devez effectuer un long trajet à vitesse soutenue, ou si la charge de votre voiture est particulièrement importante, il est généralement conseillé de majorer la pression de vos pneus. Attention; l'écart de pression avant-arrière nécessaire à l'équilibre du véhicule doit être impérativement respecté. Consultez les tableaux de gonflage Michelin chez tous les professionnels de l'automobile et chez les spécialistes du pneu, et n'hésitez pas à leur demander conseil.

Le sous-gonflage: lorsque la pression de gonflage est

 insuffisante, les flancs du pneu travaillent anormalement, ce qui entraîne une fatigue excessive de la carcasse, une élévation de température et une usure anormale.

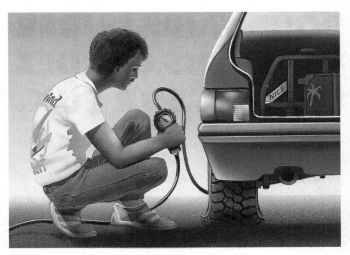

Vérifiez la pression de vos pneus régulièrement et avant chaque voyage.

Le pneu subit alors des dommages irréversibles qui peuvent entraîner sa destruction immédiate ou future.

En cas de perte de pression, il est impératif de consulter un spécialiste qui en recherchera la cause et jugera de la réparation éventuelle à effectuer.

Le bouchon de valve: en apparence, il s'agit d'un détail; c'est pourtant un élément essentiel de l'étanchéité. Aussi, n'oubliez pas de le remettre en place après vérification de la pression, en vous assurant de sa parfaite propreté.

Voiture tractant caravane, bateau...

Dans ce cas particulier, il ne faut jamais oublier que le poids de la remorque accroît la charge du véhicule. Il est donc nécessaire d'augmenter la pression des pneus arrière de votre voiture, en vous conformant aux indications des tableaux de gonflage Michelin. Pour de plus amples renseignements, demandez conseil à votre revendeur de pneumatiques, c'est un véritable spécialiste.

POUR FAIRE DURER VOSPNEUS, GARDEZ UN OEIL SUR EUX.

Afin de préserver longtemps les qualités de vos pneus, il est impératif de les faire contrôler régulièrement, et avant chaque grand voyage. Il faut savoir que la durée de vie d'un pneu peut varier dans un rapport de 1 à 4, et parfois plus, selon son entretien, l'état du véhicule, le style de conduite et l'état des routes ! L'ensemble roue-pneumatique doit être parfaitement équilibré pour éviter les vibrations qui peuvent apparaître à partir d'une certaine vitesse. Pour supprimer ces vibrations et leurs désagréments, vous confierez l'équilibrage à un professionnel du pneumatique car cette opération nécessite un savoir-faire et un outillage très spécialisé.

Les facteurs qui influent sur l'usure et la durée de vie de vos pneumatiques:

les caractéristiques du véhicule (poids, puissance...), le profil des routes (rectilignes, sinueuses), le revêtement (granulométrie: sol lisse ou rugueux), l'état mécanique du véhicule (réglage des trains avant, arrière, état des suspensions et des freins...), le style de conduite (accélérations, freinages, vitesse de passage en

Une conduite sportive réduit la durée de vie des pneus.

courbe...), la vitesse (en ligne droite à 120 km/h un pneu s'use deux fois plus vite qu'à 70 km/h), la pression des pneumatiques (si elle est incorrecte, les pneus s'useront beaucoup plus vite et de manière irrégulière).

D'autres événements de nature accidentelle (chocs contre trottoirs, nids de poule...), en plus du risque de déréglage et

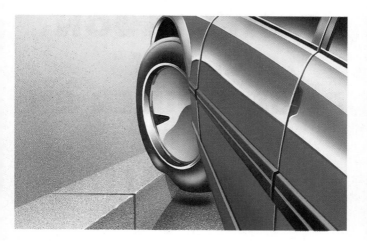

Les chocs contre les trottoirs, les nids de poule... peuvent endommager gravement vos pneus.

de détérioration de certains éléments du véhicule, peuvent provoquer des dommages internes au pneumatique dont les conséquences ne se manifesteront parfois que bien plus tard. Un contrôle régulier de vos pneus vous permettra donc de détecter puis de corriger rapidement les anomalies (usure anormale, perte de pression...). A la moindre alerte, adressez-vous immédiatement à un revendeur spécialiste qui interviendra pour préserver les qualités de vos pneus, votre confort et votre sécurité.

SURVEILLEZ L'USURE DE VOS PNEUMATIQUES:

Comment ? Tout simplement en observant la profondeur de la sculpture. C'est un facteur de sécurité, en particulier sur sol mouillé. Tous les pneus possèdent des indicateurs d'usure de 1,6 mm d'épaisseur. Ces indicateurs sont repérés par un Bibendum situé aux «épaules» des pneus Michelin. Un examen visuel suffit pour connaître le niveau d'usure de vos pneumatiques. Attention: même si vos pneus n'ont pas encore atteint la limite d'usure légale (en France, la profondeur restante de la sculpture doit être supérieure à 1,6 mm sur l'ensemble de la bande de roulement), leur capacité à évacuer l'eau aura naturellement diminué avec l'usure.

FAITES LE BON CHOIX POUR ROULER EN TOUTE TRANQUILLITE.

Le type de pneumatique qui équipe d'origine votre véhicule a été déterminé pour optimiser ses performances. Il vous est cependant possible d'effectuer un autre choix en fonction de votre style de conduite, des conditions climatiques, de la nature des routes et des trajets effectués.

Dans tous les cas, il est indispensable de consulter un spécialiste du pneumatique, car lui seul pourra vous aider à trouver la solution la mieux adaptée à votre utilisation.

Montage, démontage, équilibrage du pneu; c'est l'affaire d'un professionnel:

un mauvais montage ou démontage du pneu peut le détériorer et mettre en cause votre sécurité.

Sauf cas particulier et exception faite de l'utilisation provisoire de la roue de secours, les pneus montés sur un essieu donné doivent être identiques. Il est conseillé de monter les pneus neufs ou les moins usés à l'AR pour assurer la meilleure tenue de route en situation difficile (freinage d'urgence ou courbe serrée) principalement sur chaussée glissante.

En cas de crevaison, seul un professionnel du pneu saura effectuer les examens nécessaires et décider de son éventuelle réparation.

Il est recommandé de changer la valve ou la chambre à chaque intervention.

Il est déconseillé de monter une chambre à air dans un ensemble tubeless.

L'utilisation de pneus cloutés est strictement réglementée; il est important de s'informer avant de les faire monter.

Attention: la capacité de vitesse des pneumatiques Hiver «M+S» peut être inférieure à celle des pneus d'origine. Dans ce cas, la vitesse de roulage devra être adaptée à cette limite inférieure.

INNOVER POUR ALLER PLUS LOIN

En 1889, Edouard Michelin prend la direction de l'entreprise qui porte son nom. Peu de temps après, il dépose le brevet du pneumatique démontable pour bicyclette. Tous les efforts de l'entreprise se concentrent alors sur le développement de la technique du pneumatique. C'est ainsi qu'en 1895, pour la première fois au monde, un véhicule automobile baptisé «l'Eclair» roule sur pneumatiques. Testé sur ce véhicule lors de la course Paris-Bordeaux-Paris, le pneumatique démontre immédiatement sa supériorité sur le bandage plein.

Créé en 1898, le Bibendum symbolise l'entreprise qui, de recherche en innovation, du pneu vélocipède au pneu avion, impose le pneumatique à toutes les roues.

En 1946, c'est le dépôt du brevet du pneu radial ceinturé acier, l'une des découvertes majeures du monde du transport.

Cette recherche permanente de progrès a permis la mise au point de nouveaux produits. Ainsi, depuis 1991, le pneu dit "vert" ou "basse résistance au roulement", est devenu une réalité. Ce concept contribue à la protection de l'environnement, en permettant une diminution de la consommation de carburant du véhicule, et le rejet de gaz dans l'atmosphère.

Concevoir les pneus qui font tourner chaque jour 2 milliards de roues sur la terre, faire évoluer sans relâche plus de 3 500 types de pneus différents, c'est le combat permanent des 4 500 chercheurs Michelin.

Leurs outils : les meilleurs supercalculateurs, des laboratoires à la pointe de l'innovation scientifique, des centres de recherche et d'essais installés sur 6 000 hectares en France, en Espagne, aux Etats-Unis et au Japon. Et c'est ainsi que quotidiennement sont parcourus plus d'un million de kilomètres, soit 25 fois le Tour du Monde.

Leur volonté : écouter, observer puis optimiser chaque fonction du pneumatique, tester sans relâche, et recommencer.

C'est cette volonté permanente de battre demain le pneu d'aujourd'hui pour offrir le meilleur

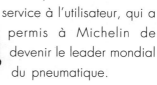

service à l'utilisateur, qui a permis à Michelin de devenir le leader mondial du pneumatique.

RENSEIGNEMENTS UTILES.

Vous avez des observations, vous souhaitez des précisions concernant l'utilisation de vos pneumatiques Michelin, écrivez-nous ou téléphonez-nous à:

BELGIQUE
Michelin, 33, quai de Willebroekkaai 33,
B 1210 BRUXELLES - BRUSSEL
Tel. 02 - 218 61 00 - Fax 02 - 218 20 58

PAYS-BAS
Michelin, Huub Van Doorneweg 2,
5151 DT DRUNEN
Telefoon 04163-84100 – Telefax 04163-84126

FRANCE
Manufacture Française des Pneumatiques Michelin
F 63040 CLERMONT FERRAND CEDEX
Assistance Michelin Itinéraires :
Minitel : 3615 code Michelin

DATE	CHIFFRE COMPTEUR	OPERATIONS

Zuid-Holland 408 ⑨ – voir à Den Haag, environs.

SANTPOORT Noord-Holland 🄒 Velsen 62 828 h. 408 ⑩ – 🕲 0 23.

◆Amsterdam 26 – ◆Haarlem 7.

🏨 **De Weyman** sans rest, Hoofdstraat 248, ⊠ 2071 EP, ℰ 37 04 36, Fax 37 06 53 – 🛗 📺
🕿. 🖭 ⓸ ⋿ 𝘝𝘐𝘚𝘈
20 ch ⟳ 110/135.

🏠 **Bastion** sans rest, Vlietweg 20, ⊠ 2071 KW, ℰ 38 74 74, Fax 38 43 34 – 📺 🕿 🅿. 🖭 ⓸
⋿ 𝘝𝘐𝘚𝘈
40 ch ⟳ 119/133.

XX **Lécheur**, Hagelingerweg 50, ⊠ 2071 CK, ℰ 37 71 50 – 🖭 ⓸ ⋿ 𝘝𝘐𝘚𝘈 𝘑𝘊𝘉
fermé mardi, merc. et du 1er au 15 fév. – **Repas** (dîner seult) carte env. 70.

SASSENHEIM Zuid-Holland 408 ⑩ – 14 616 h. – 🕲 0 2522.

◆Amsterdam 32 – ◆Den Haag 25 – ◆Haarlem 20.

🏨 **Motel Sassenheim,** Warmonderweg 8 (près A 44), ⊠ 2171 AH, ℰ 1 90 19, Fax 1 68 29,
▬ 🏖 – 📺 🕿 🅿 – 🔬 25 à 300. 🖭 ⓸ ⋿ 𝘝𝘐𝘚𝘈
Repas Lunch 25 – 43 – ⟳ 20 – **72 ch** 100.

SAS VAN GENT Zeeland 212 ⑬ et 408 ⑯ – 8 687 h. – 🕲 0 1158.

◆Amsterdam (bac) 202 – ◆Middelburg (bac) 49 – ◆Antwerpen 49 – ◆Brugge 46 – ◆Gent 25.

🏨 **Royal** (avec annexe), Gentsestraat 12, ⊠ 4551 CC, ℰ 5 18 53, Fax 5 17 96, 🖙, 🆇 – 🍴 rest
📺 🕿. 🖭 ⓸ ⋿ 𝘝𝘐𝘚𝘈
Repas (fermé sam. et 26 déc.-1er janv.) 65/75 – **30 ch** ⟳ 95/135 – ½ P 130/160.

SCHAARSBERGEN Gelderland 408 ⑫ – voir à Arnhem.

SCHAGEN Noord-Holland 408 ⑩ – 17 027 h. – 🕲 0 2240.

◆Amsterdam 64 – Alkmaar 19 – Den Helder 23 – Hoorn 29.

🏨 **Igesz**, Markt 22, ⊠ 1741 BS, ℰ 1 48 24, 🏖 – 📺 🕿 – 🔬 25 à 250. 🖭 ⓸ ⋿ 𝘝𝘐𝘚𝘈
Repas Lunch 55 – 78/90 – **21 ch** ⟳ 95/140 – ½ P 120/145.

🏠 **De Roode Leeuw,** Markt 15, ⊠ 1741 BS, ℰ 1 25 37, Fax 1 78 96 – 🔬 100. 🛠
fermé 25, 26 et 31 déc. et 1er janv. – **Repas** (fermé après 20 h 30) carte env. 60 –
13 ch ⟳ 65/110 – ½ P 70/88.

SCHAIJK Noord-Brabant 🄒 Landerd 7 924 h. 212 ⑧ ⑨ et 408 ⑱ – 🕲 0 8866.

◆Amsterdam 99 – ◆'s-Hertogenbosch 25 – ◆Nijmegen 21.

XX **De Peppelen**, Schutsboomstraat 43, ⊠ 5374 CB, ℰ 35 48, 🏖 – 🅿. 🖭 ⓸ ⋿ 𝘝𝘐𝘚𝘈
fermé 2 sem. en fév. et mardi et merc. sauf en juil.-août – **Repas** Lunch 38 – 50/89.

SCHERPENISSE Zeeland 🄒 Tholen 19 605 h. 212 ④ et 408 ⑯ – 🕲 0 1666.

◆Amsterdam 148 – Bergen op Zoom 17 – ◆Breda 56 – ◆Rotterdam 72.

X **De Gouden Leeuw** avec ch, Hoge Markt 8, ⊠ 4694 CG, ℰ 39 01, 🏖 – 📺 🖭 ⓸ ⋿ 𝘝𝘐𝘚𝘈
Repas (fermé dim.) carte 55 à 100 – **6 ch** ⟳ 65/110 – ½ P 90.

SCHERPENZEEL Gelderland 408 ⑪ – 8 895 h. – 🕲 0 3497.

◆Amsterdam 64 – Amersfoort 13 – ◆Arnhem 34.

🏨 **De Witte Holevoet,** Holevoetplein 282, ⊠ 3925 CA, ℰ 13 36, Fax 26 13, 🏖, 🚗 – 🍴 📺
🕿 🅿 – 🔬 25 à 300. 🖭 ⓸ ⋿ 𝘝𝘐𝘚𝘈. 🛠
Repas (fermé sam. midi et dim.) Lunch 48 – 88 – **22 ch** ⟳ 135/175 – ½ P 125.

SCHEVENINGEN Zuid-Holland 408 ⑨ – voir à Den Haag (Scheveningen).

SCHIEDAM Zuid-Holland 212 ⑤ et 408 ⑩ ㉔ – voir à Rotterdam, environs.

SCHIERMONNIKOOG (Ile de) Friesland 408 ⑤ – voir à Waddeneilanden.

SCHIPHOL Noord-Holland 408 ⑩ ㉗ – voir à Amsterdam, environs.

SCHOONEBEEK Drenthe 408 ⑬ – 7 629 h. – 🕲 0 5243.

◆Amsterdam 165 – Assen 48 – ◆Groningen 73 – ◆Zwolle 56.

🏠 **De Wolfshoeve,** Europaweg 132, ⊠ 7761 AL, ℰ 24 24, Fax 12 02 – 📺 🕿 🅿 – 🔬 50
à 300. 🖭 ⓸ ⋿ 𝘝𝘐𝘚𝘈
Repas (fermé dim. et après 20 h) Lunch 25 – carte env. 50 – **22 ch** ⟳ 60/135 – ½ P 89/110.

SCHOONHOVEN Zuid-Holland 408 ⑩ – 11 977 h. – ✆ 0 1823.

Voir Collection d'horloges murales★ dans le musée d'orfèvrerie et d'horlogerie (Nederlands Goud-, Zilver- en Klokkenmuseum) – route de digue de Gouda à Schoonhoven : parcours★.

🛈 Stadhuisstraat 1, ✉ 2871 BR, ✆ 8 50 09, Fax 8 74 46.

◆Amsterdam 62 – ◆Den Haag 55 – ◆Rotterdam 28 – ◆Utrecht 29.

× **Brasserie De Hooiberg,** Van Heuven Goedhartweg 1 (E : 1 km), ✉ 2871 AZ, ✆ 8 36 01,
↔ Fax 8 63 40, 🍽 – **Ø**. AE ⓞ E VISA
fermé lundi – **Repas** 43/70.

SCHOORL Noord-Holland 408 ⑩ – 6 666 h. – ✆ 0 2209.

🛈 Duinvoetweg 1, ✉ 1871 EA, ✆ 15 04.

◆Amsterdam 49 – Alkmaar 10 – Den Helder 32.

🏡 **Merlet,** Duinweg 15, ✉ 1871 AC, ✆ 36 44, Fax 14 06, 🖙, 🔲 – 🛗 TV ☎ **Ø** – 🔏 25. AE
ⓞ E VISA – **Repas** Lunch 55 – 74/98 – **18 ch** ⊑ 115/180 – ½ P 135/145.

XXX **De Schoorlse Heeren,** Heereweg 215, ✉ 1871 EG, ✆ 13 80, Fax 42 04, 🍽 – **Ø**. AE ⓞ
E VISA
fermé lundi et prem. sem. août – **Repas** Lunch 60 – carte env. 80.

SCHUDDEBEURS Zeeland 212 ③ et 408 ⑯ – voir à Zierikzee.

SEROOSKERKE (Schouwen) Zeeland 🅒 Westerschouwen 5 737 h. 212 ③ et 408 ⑯ –
✆ 0 1117.

◆Amsterdam 137 – ◆Middelburg 54 – ◆Rotterdam 69.

XX **De Waag,** Dorpsplein 6, ✉ 4327 AG, ✆ 15 70, Fax 15 70, 🍽 – **Ø**. AE ⓞ E VISA. ❀
fermé 27 déc.-5 janv., lundi de sept à mai et mardi d'oct. à mai – **Repas** (dîner seult en hiver)
50/70.

SEVENUM Limburg 212 ⑳ et 408 ⑲ – 6 951 h. – ✆ 0 4767.

◆Amsterdam 172 – ◆Eindhoven 44 – ◆Maastricht 80 – Venlo 12.

🏡 **AC Hotel,** Kleefsedijk 29 (SO : 5 km près A 67), ✉ 5975 NV, ✆ 20 02, Fax 30 85 – 🛗 ✛✛
↔ TV ☎ ὲ **Ø** – 🔏 25 à 250. AE ⓞ E VISA
Repas Lunch 22 – carte env. 50 – ⊑ 13 – **63 ch** 100, 2 suites.

SINT ANNA TER MUIDEN Zeeland 212 ⑪ et 408 ⑮ – voir à Sluis.

SINT-OEDENRODE Noord-Brabant 212 ⑧ et 408 ⑱ – 16 785 h. – ✆ 0 4138.

🦅 Schootsedijk 18, ✉ 5491 TB, ✆ 7 30 11.

◆Amsterdam 107 – ◆Eindhoven 15 – ◆Nijmegen 48.

XXX **De Rooise Boerderij,** Schijndelseweg 2, ✉ 5491 TB, ✆ 7 49 01, Fax 7 65 65, 🍽 – **Ø**.
AE ⓞ E VISA
fermé lundi et 31 déc.-10 janv. – **Repas** Lunch 50 – carte 75 à 106.

XX **De Coevering,** Veghelseweg 70 (NE : 2,5 km), ✉ 5491 AJ, ✆ 7 71 64, 🍽 – **Ø**. AE ⓞ
E VISA. ❀
fermé sam. midi, dim. midi et lundi – **Repas** Lunch 40 – 56/75.

SITTARD Limburg 212 ① et 408 ⑲ – 46 578 h. – ✆ 0 46.

✈ à Beek S : 8 km ✆ (0 43) 66 66 80.

🛈 Wilhelminastraat 16, ✉ 6131 KN, ✆ 52 41 44, Fax 58 05 55.

◆Amsterdam 194 – ◆Maastricht 23 – Aachen 36 – ◆Eindhoven 66 – Roermond 27.

🏡 **De Prins,** Rijksweg Zuid 25, ✉ 6131 AL, ✆ 51 50 41, Fax 51 46 41 – TV ☎ **Ø** – 🔏 25
↔ à 40. AE ⓞ E VISA. ❀ rest – **Repas** (fermé dim.) 38/60 – **23 ch** ⊑ 93/150 – ½ P 125/130.

🏡 **De Limbourg** sans rest, Markt 22, ✉ 6131 EK, ✆ 51 81 51, Fax 52 34 86 – TV ☎ **Ø** – 🔏 25
à 45. AE ⓞ E VISA. ❀ – **10 ch** ⊑ 90/135.

XX **Le Caribou,** Molenweg 56 (près du parc public), ✉ 6133 XN, ✆ 51 03 65, 🍽 – **Ø**. AE ⓞ
E.
fermé dim., lundi, carnaval et fin juil.-début août – **Repas** Lunch 50 – carte env. 80.

× **De Koning,** Markt 4, ✉ 6131 EK, ✆ 51 68 15, 🍽 – AE ⓞ E VISA. ❀
fermé sam. midi et dim. midi et mardi – **Repas** Lunch 40 – carte 46 à 78.

à Doenrade S : 6 km par N 276 🅒 Schinnen 13 955 h. – ✆ 0 4492 :

🏨 **Kasteel Doenrade** ⑤, Limpensweg 20 (Klein-Doenrade), ✉ 6439 BE, ✆ 41 41, Fax 40 30,
🍽, « Environnement champêtre », 🖙, ❀ – 🛗 TV ☎ **Ø** – 🔏 25 à 50. AE ⓞ E VISA. ❀
Repas Lunch 50 – 65/95 – **23 ch** ⊑ 150/225, 1 suite – ½ P 163/215.

à Limbricht NO : 3 km 🄲 Sittard - ☎ 0 46 :

XX **In de Gouden Koornschoof** avec ch, Allee 1, ✉ 6141 AV, ℘ 51 44 44, Fax 52 97 00, 🏠, « Dans les dépendances du château » - **P** - 🏛 25 à 200. AE ⓓ E VISA. ✗
fermé carnaval et 31 déc. - **Repas** *(fermé lundi)* (dîner seult) 39/70 - **10 ch** ☕ 55/95 - ½ P 113/133.

à Munstergeleen S : 3 km 🄲 Sittard - ☎ 0 46 :

X **Zelissen,** Houbeneindstraat 4, ✉ 6151 CR, ℘ 51 90 27 - AE E VISA
fermé mardi, merc., carnaval et 17 juil.-7 août - **Repas** *Lunch 38* - 43/53.

SLEAT Friesland - voir Sloten.

SLENAKEN Limburg 🄲 Wittem 7 780 h. 212 ① et 408 ㉖ - ☎ 0 4457.
Voir Route de Epen ≤★.
🅸 Dorpsstraat 24, ✉ 6277 NE, ℘ 33 04.
◆Amsterdam 230 - ◆Maastricht 20 - Aachen 20.

Klein Zwitserland 🐎, Grensweg 11, ✉ 6277 NA, ℘ 32 91, Fax 32 94, ≤ campagne, 🌳 - |‡| 📺 ☎ **P**. ✗
fermé 15 nov.-15 déc. sauf week-end et 2 janv.-1er mars - **Repas** (résidents seult) - **20 ch** ☕ 182/214.

't Gulpdal, Dorpsstraat 40, ✉ 6277 NE, ℘ 33 15, Fax 33 16, Ꝉ6, 🌳, ✂ - |‡| 📺 ☎ **P**. AE ⓓ E VISA. ✗ rest
fermé 3 janv.-fév. - **Repas** (dîner pour résidents seult) - **19 ch** ☕ 145/220 - ½ P 103/155.

La Bonne Auberge, Dorpsstraat 1, ✉ 6277 NC, ℘ 35 41, Fax 35 48, ≤, 🏠 - |‡| 📺 ☎ **P** - 🏛 25 à 50. AE ⓓ E VISA. ✗
fermé janv.-fév. - **Repas** carte env. 75 - **20 ch** ☕ 90/175 - ½ P 90/120.

Berg en Dal, Dorpsstraat 19, ✉ 6277 NC, ℘ 32 01, 🏠 - **P**. AE ⓓ E. ✗ ch
fermé 25 sept-15 oct., Noël et merc. de nov. à avril - **Repas** *(fermé après 19 h 30) Lunch 28* - 39/45 - **18 ch** ☕ 75/98 - ½ P 57/69.

SLIEDRECHT Zuid-Holland 212 ⑥ et 408 ⑰ - 23 282 h. - ☎ 0 1840.
◆Amsterdam 83 - ◆Den Haag 53 - ◆Breda 50 - ◆Rotterdam 27 - ◆Utrecht 50.

XX **Bellevue,** Merwestraat 55, ✉ 3361 HK, ℘ 1 22 37, Fax 1 26 31, ≤, 🏠 - ▤. E
fermé dim. et après 20 h 30 - **Repas** carte 50 à 65.

SLOCHTEREN Groningen 408 ⑥ - 14 130 h. - ☎ 0 5982.
◆Amsterdam 198 - ◆Groningen 22.

XX **De Boerderij Fraeylemaborg,** Hoofdweg 28, ✉ 9621 AL, ℘ 19 40, Fax 19 40, 🏠, « Ferme du 18e s. » - **P**. AE ⓓ E VISA
Repas carte 72 à 105.

SLOTEN (SLEAT) Friesland 🄲 Gaasterlân-Sleat 9 380 h. 408 ④ - ☎ 0 5143.
Voir Ville fortifiée★.
◆Amsterdam 119 - ◆Groningen 78 - ◆Leeuwarden 50 - ◆Zwolle 63.

X **De Zeven Wouden,** Voorstreek 120, ✉ 8556 XV, ℘ 12 70, Fax 15 96, 🏠 - AE ⓓ E VISA JCB
avril-15 oct. : fermé mardi et merc. sauf juin-août - **Repas** *Lunch 40* - 55.

SLUIS Zeeland 212 ⑪ ⑫ et 408 ⑮ - 2 819 h. - ☎ 0 1178.
🅸 St-Annastraat 15, ✉ 4524 JB, ℘ 6 17 00.
◆Amsterdam (bac) 225 - ◆Middelburg (bac) 29 - ◆Brugge 20 - Knokke-Heist 9.

De Dikke van Dale, St. Annastraat 46, ✉ 4524 JE, ℘ 6 19 20, Fax 6 12 66, 🏠, ✂ - |‡| 📺 ☎ **P** - 🏛 25 à 125. AE ⓓ E VISA. ✗ rest
Repas *Lunch 35* - carte env. 75 - **23 ch** ☕ 100/150 - ½ P 115.

XX ✿ **Oud Sluis** (Herman), Beestenmarkt 2, ✉ 4524 EA, ℘ 6 12 69, Fax 6 30 05, 🏠, Produits de la mer - AE ⓓ E VISA
fermé jeudi soir, vend., 2 dern. sem. juin, 2 dern. sem. oct. et fin déc. - **Repas** *Lunch 65* - 75 carte env. 120
Spéc. Assortiment de cinq foies gras, Turbot grillé et béarnaise de homard, Gaufre de Bruxelles, glace vanille et sauce au chocolat.

X **Gasterij Balmoral,** Kaai 16, ✉ 4524 CK, ℘ 6 14 98, Fax 6 18 07, 🏠 - AE ⓓ E VISA
fermé vend. - **Repas** 45/95.

X **Lindenhoeve,** Beestenmarkt 4, ✉ 4524 EH, ℘ 6 18 10, Fax 6 26 00, 🏠, Taverne-rest, « Jardin » - ▤ **P**
fermé du 1er au 15 fév. et après 19 h - **Repas** *Lunch 30* - 35/54.

à Heille SE : 5 km 🅒 Sluis – 🕿 0 1177 :

XX **De Schaapskooi,** Zuiderbruggeweg 23, ⊠ 4524 KH, 𝒫 16 00, Fax 22 19, 🏡, « Ancienne bergerie dans cadre champêtre » – **🅿** 🝾 🕦 **E** 𝘝𝘐𝘚𝘈
fermé lundi soir, mardi, 2 prem. sem. oct. et 1 sem. en janv. – **Repas** carte 68 à 104.

à Retranchement N : 6 km 🅒 Sluis – 🕿 0 1179 :

X **De Witte Koksmuts,** Kanaalweg 8, ⊠ 4525 NA, 𝒫 16 87, <, 🏡 – **🅿** 🝾 **E**
fermé du 20 au 31 mars, 25 sept-13 oct., merc. sauf en juil.-août et jeudi – **Repas** carte 64 à 84.

à Sint Anna ter Muiden NO : 2 km 🅒 Sluis – 🕿 0 1178 :

🏠 **D'Ouwe Schuure,** St. Annastraat 191, ⊠ 4524 JH, 𝒫 6 22 32, 🏡, 🛋 – **🅿**. 🝾 🕦 **E** 𝘝𝘐𝘚𝘈
Repas *Lunch* 30 – 43/70 – **8 ch** ⊆ 85/105.

XX **De Vijverhoeve,** Greveningseweg 2, ⊠ 4524 JK, 𝒫 6 13 94, 🏡, « Terrasse dans cadre champêtre » – **🅿** 🝾 **E** 𝘝𝘐𝘚𝘈
fermé merc. soir et jeudi – **Repas** *Lunch* 60 – 75/115.

SNEEK Friesland 🟦🟦🟦 ④ – 29 234 h. – 🕿 0 5150.

Voir Porte d'eau★ (Waterpoort) A **A.**

Exc. Circuit en Frise Méridionale★ : Sloten (ville fortifiée★) par ④.

◆Amsterdam 125 ④ – ◆Leeuwarden 24 ① – ◆Groningen 78 ② – ◆Zwolle 74 ③.

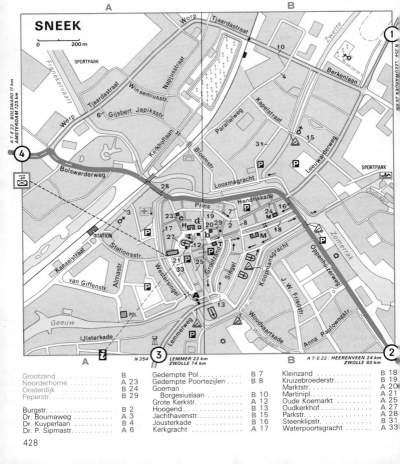

Grootzand	B	Gedempte Pol	B 7	Kleinzand	B 18
Noorderhorne	B	Gedempte Poortezijlen	B 8	Kruizebroederstr.	B 19
Oosterdijk	B 24	Goeman		Marktstr.	A 20
Peperstr.	B 29	Borgesiuslaan	B 10	Martinipl.	A 21
		Grote Kerkstr.	A 12	Oude Koemarkt	A 25
Burgstr.	B 2	Hoogend	B 13	Oudekerkhof	A 27
Dr. Boumaweg	A 3	Jachthavenstr.	B 15	Parkstr.	A 28
Dr. Kuyperlaan	B 4	Jousterkade	B 16	Steenklipstr.	B 31
Dr. P. Sipmastr.	A 6	Kerkgracht	A 17	Waterpoortsgracht	A 33

De Wijnberg, Marktstraat 23, ✉ 8601 CS, ☎ 1 24 21 – rest TV ☎ – 🏛 75. AE E VISA A d
fermé dim. d'oct. à avril – **Repas** Lunch 25 – carte 48 à 77 – **23 ch** ☕ 75/145 – ½ P 88.

XX **Hanenburg** avec ch, Wijde Noorderhorne 2, ✉ 8601 EB, ☎ 1 25 70, Fax 2 58 95 – TV – 🏛 40 à 200. AE ⓓ E VISA. ✻ A e
Repas Lunch 33 – carte 62 à 80 – **12 ch** ☕ 85/125 – ½ P 120.

X **Onder de Linden,** Marktstraat 30, ✉ 8601 CV, ☎ 1 26 54, Fax 2 77 15 – E VISA B b
fermé lundi et 27 déc.-11 janv. – **Repas** Lunch 25 – 43.

SOEST Utrecht 408 ⑪ – 41 785 h. – ☎ 0 2155.

ℹ (fermé sam. après-midi et dim.) Steenhoffstraat 9a, ✉ 3764 BH, ☎ 1 20 75.

♦Amsterdam 42 – ♦Utrecht 23 – Amersfoort 7.

Het Witte Huis, Birkstraat 138 (SO : 3 km sur N 221), ✉ 3768 HN, ☎ (0 33) 61 71 47, Fax (0 33) 65 05 66 – |‡| TV ☎ P – 🏛 25 à 150. AE ⓓ E VISA
fermé 24 déc.-2 janv. – **Repas** carte 49 à 74 – **68 ch** ☕ 160/245 – ½ P 115/160.

XX **Darthuizen,** Prins Hendriklaan 1, ✉ 3761 DS, ☎ 1 38 07, Fax 2 69 46, 🏖, « Terrasse » – P. AE ⓓ E VISA
fermé lundi et 17 juil.-7 août – **Repas** (dîner seult) 48/60.

XX **Van den Brink,** Soesterbergsestraat 122, ✉ 3768 EL, ☎ 1 27 06, Fax 1 97 18, 🏖 – P. AE ⓓ E VISA. ✻
fermé lundi, vacances bâtiment et du 27 au 31 déc. – **Repas** Lunch 48 – 58/71.

à Soestdijk C Soest – ☎ 0 2155 :

XX **'t Spiehuis,** Biltseweg 45, ✉ 3763 LD, ☎ (0 2156) 82 36, Fax (0 2156) 84 76, 🏖, « Auberge en lisière des bois » – P. AE ⓓ E VISA
fermé mardi, 18 juil.-10 août et 27 déc.-7 janv. – **Repas** Lunch 58 – 85.

SOMEREN Noord-Brabant 212 ⑲ et 408 ⑲ – 17 492 h. – ☎ 0 4937.

♦Amsterdam 151 – ♦'s-Hertogenbosch 52 – ♦Eindhoven 23 – Helmond 13 – Venlo 37.

XX **De Zeuve Meeren** avec ch, Wilhelminaplein 14, ✉ 5711 EK, ☎ 9 27 28 – TV ☎. AE ⓓ E VISA. ✻ rest
Repas Lunch 43 – carte 44 à 61 – **5 ch** ☕ 80/115 – ½ P 150/250.

SON Noord-Brabant C Son en Breugel 14 457 h. 212 ⑧ et 408 ⑱ – ☎ 0 4990.

♦Amsterdam 114 – ♦Eindhoven 8 – Helmond 17 – ♦Nijmegen 53.

La Sonnerie, Nieuwstraat 45, ✉ 5691 AB, ☎ 6 02 22, Fax 6 09 75, 🏖 – |‡| TV ☎ – 🏛 25 à 100. AE ⓓ E VISA. ✻
Repas *(fermé du 18 au 20 fév. et 1er mars)* Lunch 45 – 58/79 – ☕ 18 – **24 ch** 125/250 – ½ P 125/185.

SPAARNDAM Noord-Holland C Haarlemmerliede en Spaarnwoude 5 279 h. 408 ⑩ – ☎ 0 23.

18 9 à Velsen-Zuid N : 8 km, Het Hoge Land 3, ✉ 1981 LT, Recreatieoord Spaarnwoude ☎ (0 23) 38 27 08.

♦Amsterdam 18 – Alkmaar 28 – ♦Haarlem 11.

X **'t Stille Water,** Oostkolk 19, ✉ 2063 JV, ☎ 37 13 94 – AE ⓓ E VISA
fermé lundi, mardi et 27 déc.-15 janv. – **Repas** (dîner seult) carte 63 à 86.

SPAKENBURG Utrecht 408 ⑪ – voir à Bunschoten-Spakenburg.

SPIER Drenthe 408 ⑥ – voir à Beilen.

SPIERDIJK Noord-Holland C Wester-Koggenland 12 875 h. 408 ⑩ – ☎ 0 2296.

♦Amsterdam 41 – Alkmaar 22 – Hoorn 12.

X **Karrewiel,** Noord Spierdijkerweg 173, ✉ 1643 NM, ☎ 12 01, Fax 12 01, 🏖 – P. AE ⓓ E VISA
fermé lundi et mardi – **Repas** (dîner seult) 43/70.

SPIJKENISSE Zuid-Holland 212 ④ et 408 ⑯ ㉔ – 70 102 h. – ☎ 0 1880.

♦Amsterdam 92 – ♦Rotterdam 17.

Carlton Oasis, Curieweg 1 (S : 1 km), ✉ 3208 KJ, ☎ 2 52 22, Telex 29666, Fax 1 10 94, Fō, ≘s, 🏊 – |‡| ✈ TV ☎ P – 🏛 40 à 250. AE ⓓ E VISA
Repas Lunch 28 – carte env. 60 – ☕ 25 – **79 ch** 145/295.

X **'t Ganzengors,** Oostkade 4, ✉ 3201 AM, ☎ 1 25 78, Fax 1 77 32, 🏖 – P. AE ⓓ E VISA
fermé du 1er au 22 août, du 27 au 31 déc., dim. et lundi – **Repas** Lunch 38 – 45/70.

STAPHORST Overijssel **408** ⑫ – 14 160 h. – ✦ 0 5225.

Voir Ville typique★ : fermes★, costume traditionnel★.

✦Amsterdam 128 – ✦Zwolle 18 – ✦Groningen 83 – ✦Leeuwarden 74.

🏨 **Waanders,** Rijksweg 12, ⊠ 7951 DH, ℰ 18 88, Fax 10 93 – 📶 ▤ rest 📺 ☎ ❷ – 🔏 25 à 350. 🖭 ⓵ ☰ ᴠɪ🇸🇦
Repas (ouvert jusqu'à 23 h) 60/73 – **24 ch** ⌧ 100/150.

XX **Het Boerengerecht,** Middenwolderweg 2, ⊠ 7951 EC, ℰ 19 67, Fax 11 66, �, « Ferme du 17ᵉ s. » – ▤ ❷. 🖭 ⓵ ☰ ᴠɪ🇸🇦
fermé 31 déc.-6 janv. – **Repas** Lunch 50 – carte env. 80.

STEENSEL Noord-Brabant ⓒ Eersel 12 471 h. **212** ⑱ et **408** ⑱ – ✦ 0 4970.

✦Amsterdam 132 – ✦'s-Hertogenbosch 43 – ✦Eindhoven 12 – Roermond 60 – ✦Turnhout 32.

🏨 **Motel Steensel,** Eindhovenseweg 43a, ⊠ 5524 AP, ℰ 1 23 16, Fax 1 48 81 – ▤ rest 📺 ☎ ❷ – 🔏 25. 🖭 ⓵ ☰ ᴠɪ🇸🇦. 🌸
Repas carte env. 60 – **39 ch** ⌧ 95/123 – ½ P 120.

STEENWIJK Overijssel **408** ⑤ – 21 301 h. – ✦ 0 5210.

🛈 Markt 60, ⊠ 8331 HK, ℰ 1 20 10.

✦Amsterdam 148 – ✦Zwolle 38 – Assen 55 – ✦Leeuwarden 54.

🏨 **De "Eese"** 🍃, Duivenslaagte 2 (De Bult, N : 5,5 km direction Frederiksoord), ⊠ 8346 KH, ℰ 1 14 54, Fax 1 13 16, �, 🍴, 🌊, 🎾 – 📶 📺 ☎ ❷ – 🔏 80 à 125. 🖭 ⓵ ☰ ᴠɪ🇸🇦. 🌸 ch
Repas Lunch 25 – carte 52 à 82 – **55 ch** ⌧ 110/190 – ½ P 115/155.

XX **De Gouden Engel** avec ch, Tukseweg 1, ⊠ 8331 KZ, ℰ 1 24 36, Fax 1 32 87 – ▤ rest 📺 ☎. 🖭 ⓵ ☰ ᴠɪ🇸🇦
Repas carte 50 à 80 – **15 ch** ⌧ 95/145 – ½ P 90/100.

X **Patijntje,** Scholestraat 15, ⊠ 8331 HS, ℰ 1 44 25, Fax 1 44 25 – ⓵. 🌸
fermé lundi, mardi, fév., 2ᵉ quinz. sept et Noël – **Repas** (dîner seult jusqu'à 20 h 30) carte env. 55.

X **'t Geveltien,** Markt 76, ⊠ 8331 HK, ℰ 1 05 41, Fax 1 01 33, � – 🖭 ⓵ ☰ ᴠɪ🇸🇦. 🌸
Repas Lunch 25 – carte 61 à 81.

STEIN Limburg **212** ① et **408** ⑲ ㉖ – 26 781 h. – ✦ 0 46.

✦Amsterdam 197 – ✦Maastricht 18 – Aachen 36 – Roermond 30.

XX **François,** Mauritsweg 96, ℰ 6171 AK, ℰ 33 14 52, Fax 33 28 06 – 🖭 ⓵ ☰ ᴠɪ🇸🇦
fermé mardi, merc. et 23 fév.-16 mars – **Repas** carte env. 60.

à Urmond N : 3 km ⓒ Stein – ✦ 0 46 :

🏨 **Motel Stein-Urmond,** Mauritslaan 65 (près A 2), ⊠ 6129 EL, ℰ 33 85 73, Fax 33 86 86, � – 📶 📺 ☎ ❷ – 🔏 25 à 400. 🖭 ⓵ ☰ ᴠɪ🇸🇦
Repas carte 43 à 69 – ⌧ 15 – **161 ch** 85/175.

SUSTEREN Limburg **212** ① et **408** ⑲ – 13 183 h. – ✦ 0 4499.

✦Amsterdam 184 – ✦Maastricht 32 – Aachen 47 – ✦Eindhoven 58 – Roermond 19.

XX **La Source,** Oude Rijksweg Noord 21, ⊠ 6114 JA, ℰ 31 50 – ❷. 🖭 ⓵ ☰ ᴠɪ🇸🇦. 🌸
fermé lundi, mardi et 17 juil.-7 août – **Repas** Lunch 43 – 53/70.

TEGELEN Limburg **212** ⑳ et **408** ⑲ – voir à Venlo.

TERBORG Gelderland ⓒ Wisch 19 786 h. **408** ⑬ – ✦ 0 8350.

✦Amsterdam 135 – ✦Arnhem 37 – ✦Enschede 58.

XX **'t Hoeckhuys,** Stationsweg 16, ⊠ 7061 CT, ℰ 2 39 33, � – ❷. 🖭 ⓵ ☰ ᴠɪ🇸🇦
fermé merc. et 2 dern. sem. juil.-prem. sem. août – **Repas** Lunch 50 – carte env. 70.

TERNEUZEN Zeeland **212** ⑬ et **408** ⑯ – 35 429 h. – ✦ 0 1150.

✦Amsterdam (bac) 196 – ✦Middelburg (bac) 39 – ✦Antwerpen 56 – ✦Brugge 58 – ✦Gent 39.

🏨 **Churchill,** Churchilllaan 700, ⊠ 4532 JB, ℰ 2 11 20, Fax 9 73 93, ≼, �, 🍴, 🌊 – 📶 ▤ 📺 ☎ ❷ 🔏 – 🔏 25 à 125. 🖭 ⓵ ☰ ᴠɪ🇸🇦. 🌸 rest
Repas carte env. 65 – **49 ch** ⌧ 160/195 – ½ P 198/263.

🏨 **L'Escaut,** Scheldekade 65, ⊠ 4531 EJ, ℰ 9 48 55, Fax 2 09 81 – 📶 🌊 📺 ☎ – 🔏 25 à 80. 🖭 ⓵ ☰ ᴠɪ🇸🇦. 🌸 rest
fermé 31 déc. et 1ᵉʳ janv. – **Repas** (fermé sam. midi) Lunch 45 – 45/75 – **23 ch** ⌧ 165/190 – ½ P 118/143.

🏨 **Triniteit,** Kastanjelaan 2 (angle Axelsestraat), ⊠ 4537 TR, ℰ 1 41 50, Fax 1 44 69 – 📺 ☎ ❷. 🖭 ⓵ ☰ ᴠɪ🇸🇦. 🌸
Repas (résidents seult) – **11 ch** ⌧ 105/155 – ½ P 140.

XX **De Kreek,** Noteneeweg 28 (Otheense Kreek), ⊠ 4535 AS, ℰ 2 08 17, ≼, �, « Terrasse au bord de l'eau » – ❷. 🖭 ⓵ ☰ ᴠɪ🇸🇦
fermé mardi, sam. midi et du 1ᵉʳ au 10 mars – **Repas** Lunch 45 – carte 51 à 77.

430

TERSCHELLING (Ile de) Friesland 408 ④ – voir à Waddeneilanden.

TETERINGEN Noord-Brabant 212 ⑥ et 408 ⑰ – voir à Breda.

TEXEL (Ile de) Noord-Holland 408 ③ – voir à Waddeneilanden.

THOLEN Zeeland 212 ④ ⑭ et 408 ⑯ – 19 605 h. – ✪ 0 1660.
◆Amsterdam 133 – Bergen op Zoom 9 – ◆Breda 51 – ◆Rotterdam 56.

  ✗ **Hof van Holland,** Kaaij 1, ⊠ 4691 EE, ℰ 25 90, Fax 43 58, 佘 – 匨 ① ᴇ 𝑉𝐼𝑆𝐴. ℛ
    fermé lundi de sept à avril – **Repas** Lunch 33 – carte 63 à 115.

THORN Limburg 212 ⑲ et 408 ⑲ – 2 635 h. – ✪ 0 4756.
Voir Bourgade★.
🄱 Hofstraat 10, ⊠ 6017 AK, ℰ 27 61.
◆Amsterdam 172 – ◆Maastricht 44 – ◆Eindhoven 44 – Venlo 35.

  🏨 **Host. La Ville Blanche,** Hoogstraat 2, ⊠ 6017 AR, ℰ 23 41, Fax 28 28, 佘 – 🛋 ⅣⅤ ☎
    🄿 – 🔏 25 à 90. 匨 ① ᴇ 𝑉𝐼𝑆𝐴. ℛ rest
    Repas Lunch 43 – carte env. 70 – **23 ch** ⊇ 110/160 – ½ P 110/140.

  🏠 **Crasborn,** Hoogstraat 6, ⊠ 6017 AR, ℰ 12 81, Fax 22 33, 佘 – 匨 ① ᴇ 𝑉𝐼𝑆𝐴
  ◆ *mars-oct.* – **Repas** 43/65 – ⊇ 15 – **11 ch** 90/135 – ½ P 95.

TIEL Gelderland 212 ⑧ et 408 ⑪ ⑱ – 32 928 h. – ✪ 0 3440.
🄸₈ à Zoelen NO : 4 km, Oost Kanaalweg 1, ⊠ 4011 LA, ℰ (0 3440) 2 43 70.
🄱 Korenbeursplein 4, ⊠ 4001 KX, ℰ 1 64 41, Fax 1 56 49.
◆Amsterdam 80 – ◆Arnhem 44 – ◆'s-Hertogenbosch 38 – ◆Nijmegen 41 – ◆Rotterdam 76.

  ✗✗ **Lotus,** Westluidensestraat 49, ⊠ 4001 NE, ℰ 1 57 02, Fax 2 07 65, Cuisine chinoise – 🍽.
    匨 ① ᴇ 𝑉𝐼𝑆𝐴. ℛ
    Repas Lunch 23 – 45/75.

TILBURG Noord-Brabant 212 ⑦ et 408 ⑱ – 162 398 h. – ✪ 0 13.
Env. Domaine récréatif de Beekse Bergen★ SE : 4 km par ②.
✈ à Eindhoven-Welschap par ② : 32 km ℰ (0 40) 51 61 42.
🚊 (départs de 's-Hertogenbosch) ℰ 42 24 42.
🄱 (fermé dim.) Stadhuisplein 128, ⊠ 5038 TC, ℰ 35 11 35, Fax 35 37 95.
◆Amsterdam 110 ① – ◆'s-Hertogenbosch 23 ① – ◆Breda 22 ④ – ◆Eindhoven 36 ②.

Plan page suivante

  🏨 **De Postelse Hoeve,** Dr. Deelenlaan 10, ⊠ 5042 AD, ℰ 63 63 35, Fax 63 93 90, 佘 – 🔋
    🍽 rest ⅣⅤ ☎ 🄿 – 🔏 25 à 200. 匨 ① ᴇ 𝑉𝐼𝑆𝐴
    Repas Lunch 35 – 45/80 – **35 ch** ⊇ 140/180 – ½ P 135.   V **v**

  🏨 **Mercure,** Heuvelpoort 300, ⊠ 5038 DT, ℰ 35 46 75, Telex 52722, Fax 35 58 75 – 🔋 ⇄⇆
    ⅣⅤ ☎ ⇐⇒ – 🔏 25 à 500. 匨 ① ᴇ 𝑉𝐼𝑆𝐴. ℛ rest   Y **b**
    Repas carte 43 à 63 – **61 ch** ⊇ 125/160, 2 suites – ½ P 185/210.

  🏠 **De Lindeboom** sans rest, Heuvelring 126, ⊠ 5038 CL, ℰ 35 13 55 – 🔋 ⅣⅤ ☎. 匨 ① ᴇ
    𝑉𝐼𝑆𝐴   Y **c**
    18 ch ⊇ 135.

  🏠 **Ibis,** Dr. Hub. van Doorneweg 105, ⊠ 5026 RB, ℰ 63 64 65, Fax 68 16 24 – 🔋 🍽 rest ⅣⅤ
    ☎ ♿ 🄿 – 🔏 25 à 200. 匨 ① ᴇ 𝑉𝐼𝑆𝐴   X **p**
    Repas Lunch 19 – carte env. 45 – ⊇ 15 – **71 ch** 99 – ½ P 134.

  ✗✗ **La Colline,** Heuvel 39, ⊠ 5038 CS, ℰ 43 11 32, Fax 42 54 65 – 🍽. 匨 ① ᴇ 𝑉𝐼𝑆𝐴   Y **a**
    fermé du 1er au 8 mars, 19 juil.-2 août et merc. – **Repas** Lunch 45 – 55/89.

  ✗✗ **Valentijn,** Heuvel 43, ⊠ 5038 CS, ℰ 43 33 86, Fax 44 14 19 – 🍽. 匨 ① ᴇ 𝑉𝐼𝑆𝐴   Y **a**
    fermé sam. midi et dim. midi – **Repas** Lunch 50 – 60/80.

  ✗ **Den Schout,** Oranjestraat 4, ⊠ 5038 WC, ℰ 43 45 12 – 🍽. 匨 ① ᴇ 𝑉𝐼𝑆𝐴. ℛ   Z **f**
    fermé jeudi, carnaval et 15 juil.-1er août – **Repas** Lunch 43 – 53/85.

  ✗ **La Petite Suisse,** Heuvel 41, ⊠ 5038 CS, ℰ 42 67 31 – 🍽. 匨 ᴇ 𝑉𝐼𝑆𝐴   Y **a**
    Repas Lunch 63 – carte 80 à 99.

  ✗ **Osaka,** NS Plein 38, ⊠ 5014 DC, ℰ 42 11 75, Fax 44 37 24, Cuisine japonaise, teppan-yaki
    – 匨 ① ᴇ 𝑉𝐼𝑆𝐴. ℛ   V **d**
    Repas Lunch 35 – carte 44 à 73.

  à Goirle par ③ : 3 km – 19 097 h. – ✪ 0 13 :

  ✗✗✗ **Boschlust,** Tilburgseweg 193, ⊠ 5051 AE, ℰ 42 30 95, Fax 43 74 45, 佘, « Terrasse et
    jardin » – 🄿. 匨 ① ᴇ 𝑉𝐼𝑆𝐴. ℛ
    fermé lundi du 1er juil. au 12 août, mardi, sam. midi et dim. midi – **Repas** Lunch 40 – 50.

  ✗✗✗ **De Hovel,** Tilburgseweg 37, ⊠ 5051 AA, ℰ 34 54 74 – 🄿. 匨 ① ᴇ 𝑉𝐼𝑆𝐴
    fermé dim. midi et lundi – **Repas** Lunch 55 – carte 75 à 92.

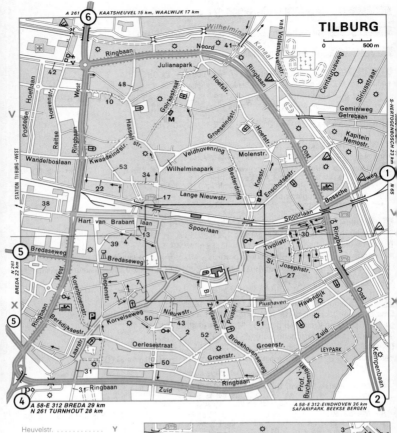

TILBURG

0   500 m

A 261 KAATSHEUVEL 15 km, WAALWIJK 17 km

A 58-E 312 BREDA 29 km
N 261 TURNHOUT 28 km

A 58-E 312 EINDHOVEN 36 km
SAFARIPARK, BEEKSE BERGEN

Heuvelstr.	Y
Juliana van Stolbergstr.	Y 21
Koningspl.	Z 24
Piuspl.	Z 37
Schouwburgring	Z
Abel Tasmanstr.	X 2
Besterdring	Y 3
Boomstr.	Y 4
Capucijnenstr.	Z 7
Dillenburglaan	V 10
Elzenstr.	VY 13
Emmapassage	Z 14
Enschotsestr.	Y 16
Gasthuisring	VY 17
Heuvel	Z 20
Keldermansstr.	V 22
Kloosterstr.	Z 23
Korte Schijfstr.	Y 25
Lanciersstr.	X 27
Lange Schijfstr.	Z 28
Nazarethstr.	Z 29
Nieuwe Bosscheweg	V 30
Oude Goirleseweg	X 31
Oude Markt	Z 32
Paleisring	Z 33
Philips Vingboonstr.	V 34
Pieter Vreedepl.	V 36
Prof. Cobbenhagenlaan	V 38
Prunusstr.	VX 39
Quirijnstoklaan	V 41
Rueckertbaan	V 42
de Ruijterstr.	X 43

St. Josephstr.	Y 45
Textielpl.	Y 48
Tivolistr.	Y 49
Trouwlaan	X 50
Vendeliersstr.	X 51
Voltstr.	X 52
Waterhoefstr.	V 55
Zomerstr.	V 58

TUBBERGEN Overijssel 408 ⑬ – 18 979 h. – ✆ 0 5493.

🛃 Grotestraat 58, ✉ 7650 CK, ℘ 16 27, Fax 36 40.

◆Amsterdam 162 – ◆Zwolle 28 – Nordhorn 28.

🏠 **Droste**, Uelserweg 95 (NE : 2 km), ✉ 7651 KV, ℘ 12 64, Fax 28 28 – 🗏 rest 📺 ☎ 🅿 –
🔬 30. 🆎 ⋿ 𝗩𝗜𝗦𝗔 ⱼ𝒸𝒷. ⁓ rest
fermé 30 déc.-3 janv. – **Repas** *Lunch* 30 – carte env. 75 – **14 ch** ⌑ 90/170 – ½ P 95/120.

TWELLO Gelderland 408 ⑫ – voir à Apeldoorn.

TWIJZEL (TWIZEL) Friesland © Achtkarspelen 27 762 h. 408 ⑤ – ✆ 0 5115.

Voir Fermes★.

◆Amsterdam 164 – ◆Groningen 37 – ◆Leeuwarden 23.

XXX **La Ferme,** Tsjerkebuorren 42 (NO : 2 km sur N 355), ✉ 9286 GC, ℘ 4 21 04, Fax 4 21 13,
🏡, « Terrasse et pièce d'eau » – 🅿. 🆎 ⋿ 𝗩𝗜𝗦𝗔
fermé lundi et 3 sem. en août – **Repas** *(dîner seult)* 60/80.

X **La Fermette,** Tsjerkebuorren 42 (NO : 2 km sur N 355), ✉ 9286 GC, ℘ 4 21 04, Fax 4 21 13,
🏡 – 🅿. 🆎 ⑩ ⋿ 𝗩𝗜𝗦𝗔
fermé lundi – **Repas** *Lunch* 30 – carte env. 50.

UBACHSBERG Limburg © Voerendaal 13 154 h. 212 ② et 408 ㉖ – ✆ 0 45.

◆Amsterdam 218 – Aachen 16 – ◆Eindhoven 88 – ◆Maastricht 24.

XX **De Leuf,** Dalstraat 2, ✉ 6367 JS, ℘ 75 02 26, Fax 75 35 08, 🏡, « Ancienne ferme avec
décor contemporain, cour intérieure » – 🅿. 🆎 ⑩ ⋿ 𝗩𝗜𝗦𝗔
fermé dim., lundi, sem. carnaval et dern. sem. juil.-2 prem. sem. août – **Repas** *Lunch* 50 –
75/115.

UDDEL Gelderland © Apeldoorn 149 504 h. 408 ⑫ – ✆ 0 5770.

◆Amsterdam 80 – ◆Arnhem 46 – ◆Apeldoorn 16 – ◆Zwolle 42.

XX **Uddelermeer,** Uddelermeer 5, ✉ 3852 NR, ℘ 12 02, Fax 12 05 – 🅿. 🆎 ⑩ ⋿ 𝗩𝗜𝗦𝗔. ⁓
fermé lundi – **Repas** *Lunch* 45 – 45/85.

UDEN Noord-Brabant 212 ⑧ ⑨ et 408 ⑱ ⑲ – 36 690 h. – ✆ 0 4132.

🛃 Mondriaanplein 14a, ✉ 5401 HX, ℘ 5 07 77.

◆Amsterdam 113 – ◆'s-Hertogenbosch 28 – ◆Eindhoven 30 – ◆Nijmegen 33.

🏠 **Arrows,** St. Janstraat 14, ✉ 5401 BB, ℘ 6 85 55, Fax 6 16 15 – 📲 📺 ☎ 🅿. 🆎 ⑩ ⋿ 𝗩𝗜𝗦𝗔. ⁓
fermé 24 déc.-1ᵉʳ janv. – **Repas** *(fermé vend. et sam.)* *(dîner seult)* carte env. 70 –
38 ch ⌑ 135/180.

XXX **De Druiventros,** Boekelsedijk 17 (S : 2 km), ✉ 5404 NK, ℘ 6 01 01, Fax 5 18 93, 🏡,
« Ferme du 19ᵉ s. » – 🅿. 🆎 ⑩ ⋿ 𝗩𝗜𝗦𝗔. ⁓
fermé mardi et 27 déc.-9 janv. – **Repas** *Lunch* 50 – 60/95.

UDENHOUT Noord-Brabant 212 ⑦ et 408 ⑱ – 9 141 h. – ✆ 0 4241.

◆Amsterdam 103 – ◆'s-Hertogenbosch 16 – ◆Eindhoven 36 – ◆Tilburg 10.

🏠 **Wilshof** sans rest, Kreitenmolenstraat 17, ✉ 5071 BA, ℘ 19 94, Fax 39 20, 🌿 – 📺 ☎.
🆎 ⋿ 𝗩𝗜𝗦𝗔. ⁓
fermé 25, 26 et 31 déc. et 1ᵉʳ janv. – **6 ch** ⌑ 98/150.

X **L'Abeille,** Kreitenmolenstraat 59, ✉ 5071 BB, ℘ 36 12, 🏡 – 🆎 ⑩ ⋿ 𝗩𝗜𝗦𝗔. ⁓
fermé lundi – **Repas** *Lunch* 49 – 65/79.

UITHOORN Noord-Holland 408 ⑩ – 23 589 h. – ✆ 0 2975.

◆Amsterdam 19 – ◆Den Haag 54 – ◆Haarlem 23 – ◆Utrecht 31.

X **La Musette,** Dorpsstraat 19 (transfert prévu Wilhelminakade 39), ✉ 1421 AR, ℘ 6 09 00
– 🆎 ⑩ ⋿ 𝗩𝗜𝗦𝗔
fermé lundi, mardi et fin déc.-début janv. – **Repas** *(dîner seult)* 40/65.

ULFT Gelderland © Gendringen 20 536 h. 408 ⑬ – ✆ 0 8356.

◆Amsterdam 140 – ◆Arnhem 42 – Deventer 48.

XX **Smithuus,** Bongersstraat 90, ✉ 7071 CR, ℘ 8 13 19, Fax 8 33 64, 🏡 – 🗏 🅿. 🆎 ⋿ 𝗩𝗜𝗦𝗔
fermé merc. – **Repas** 43/65.

URK Flevoland 408 ⑪ – 13 870 h. – ✆ 0 5277.

Voir Site★.

🚢 vers Enkhuizen : Rederij F.R.O. ℘ 17 37. Renseignements à Enkhuizen ℘ (0 2280) 1 31 64.
Durée de la traversée : 1 h 30. Prix AR : 18,00 Fl, bicyclette : 10,00 Fl.

🛃 (fermé sam. après-midi et dim.) Wijk 2 n° 2, ✉ 8321 EP, ℘ 40 40.

◆Amsterdam 84 – ◆Zwolle 42 – Emmeloord 12.

✕ **De Kaap** avec ch, Wijk 1 n° 5b, ⌧ 8321 EK, ℰ 15 09, ≼, 🍴, Produits de la mer – 📺. 🝐
  ⑩ 🝐 *VISA*
fermé 25, 26 et 31 déc. et 1ᵉʳ janv. – **Repas** *Lunch* 20 – carte env. 55 – **10 ch** ⌸ 50/100,
3 suites – ½ P 75/95.

✕ **'t Achterhuis,** Boven de visafslag 2, ⌧ 8321 EH, ℰ 27 96, Fax 18 00, ≼, Produits de la
mer – 🍽 **☮**. 🝐
Pâques-1ᵉʳoct. et vend., sam. soir et lundi ; fermé sam. midi et dim. – **Repas** carte 50 à 75.

URMOND Limburg 🔢🔢 ① et 🔢🔢🔢 ⑲ – voir à Stein.

USSELO Overijssel 🔢🔢🔢 ⑬ – voir à Enschede.

UTRECHT 🄿 🔢🔢🔢 ⑪ – 234 170 h. – 🕭 0 30.
Voir La vieille ville★★ – Tour de la Cathédrale★★ (Domtoren) ☀★★ BY – Ancienne cathédrale★
(Domkerk) BY D – Vieux canal★ (Oudegracht) : ≼★ ABXY – Bas reliefs★ et crypte★ dans l'église
St-Pierre (Pieterskerk) BY – Maison (Huis) Rietveld Schröder★★ CY.
Musées : (Rijksmuseum) Het Catharijneconvent★★ BY – Central★★ (Centraal Museum) BZ – National ''de l'horloge musicale à l'orgue de Barbarie''★ (Nationaal Museum van Speelklok tot Piere-
ment) – BY M¹.
Env. Château de Haar : collections★ (mobilier, tapisseries, peinture) par ⑥ : 10 km.
🔞 à Bosch en Duin par ② : 13 km, Amersfoortseweg 1, ⌧ 3735 LJ, ℰ (0 3404) 5 52 23 - 🔞 à
Haarzuilens O : 8 km, Parkweg 5, ⌧ 3451 RH, ℰ (0 3407) 7 28 60.
🛫 à Amsterdam-Schiphol par ⑥ : 37 km ℰ (0 20) 601 91 11.
🚗 (départs de 's-Hertogenbosch) ℰ 33 25 55 et 33 35 17.
🛈 (fermé dim.) Vredenburg 90, ⌧ 3511 BD, ℰ 0 6-34 03 40 85.
♦Amsterdam 36 ⑥ – ♦Den Haag 61 ⑤ – ♦Rotterdam 57 ⑤.

Plans pages suivantes

🏨 **Holiday Inn,** Jaarbeursplein 24, ⌧ 3521 AR, ℰ 91 05 55, Fax 94 39 99, ≼, ⌸, 🖳 – 🛗 ✆
  📺 📺 🕭 &. – 🕭 25 à 70. 🝐 ⑩ 🝐 *VISA* *JCB*   AY **s**
Repas *Lunch* 40 – 43/50 – ⌸ 28 – **275 ch** 295/385, 1 suite.

🏨 **Scandic Crown,** Westplein 50, ⌧ 3531 BL, ℰ 92 52 00, Telex 40354, Fax 92 51 99, ⌸
  – 🛗 ✆ 🍽 📺 🕭 **☮** – 🕭 25 à 200. 🝐 ⑩ 🝐 *VISA*   AY **b**
Repas 58/68 – ⌸ 35 – **120 ch** 285/325.

🏨 **Smits,** Vredenburg 14, ⌧ 3511 BA, ℰ 33 12 32, Fax 32 84 51 – 🛗 ✆ 📺 **☮** – 🕭 25 à
45. 🝐 ⑩ 🝐 *VISA*   AX **c**
Repas (dîner seult) carte 49 à 63 – **85 ch** ⌸ 180/248 – ½ P 162/218.

🏨 **Mitland,** Ariënslaan 1, ⌧ 3573 PT, ℰ 71 58 24, Fax 71 90 03, ≼, 🍴, ⌸, 🖳, 🏊, 🐎 –
⬦ 🛗 📺 🕭 **☮** – 🕭 25 à 70. 🝐 ⑩ 🝐 *VISA*   CX **t**
Repas *Lunch* 43 – 43 – **82 ch** ⌸ 120/165 – ½ P 123/143.

🏨 **Malie** ⑤ sans rest, Maliestraat 2, ⌧ 3581 SL, ℰ 31 64 24, Fax 34 06 61 – 🛗 📺 **☮**. 🝐
  ⑩ 🝐 *VISA*. 🏊   CX **e**
29 ch ⌸ 140/200.

🏨 **Ibis,** Bizetlaan 1, ⌧ 3533 KC, ℰ 91 03 66, Telex 47843, Fax 94 20 66 – 🛗 ✆ 📺 🕭 & **☮**
⬦ – 🕭 60 à 75. 🝐 ⑩ 🝐 *VISA*   FV **n**
Repas *Lunch* 25 – 42 – ⌸ 16 – **80 ch** 135 – ½ P 100.

🏨 **Bastion** sans rest, Mauritiuslaan 1 (angle Europalaan), ⌧ 3526 LD, ℰ 87 14 00,
Fax 87 10 12 – 📺 🕭 **☮**. 🝐 ⑩ 🝐 *VISA*. 🏊   GV **a**
40 ch ⌸ 119/133.

✕✕✕ **Wilhelminapark,** Wilhelminapark 65, ⌧ 3581 NP, ℰ 51 06 93, Fax 54 07 64, ≼, 🍴
  « Terrasse » – 🝐 ⑩ 🝐 *VISA*   CY **t**
fermé dim., jours fériés, dern. sem. juil.-2 prem. sem. août et 24 déc.-1ᵉʳ janv. –
Repas *Lunch* 60 – 80.

✕✕ **Jean d'Hubert,** Vleutenseweg 228, ⌧ 3532 HP, ℰ 94 59 52, Fax 96 48 35 – 🍽. 🝐 ⑩ 🝐 *VISA*
fermé sam. midi et dim. – **Repas** *Lunch* 55 – 55/90.   FU **d**

✕✕ **D'Coninck van Poortugael,** Voorstraat 14, ⌧ 3512 AN, ℰ 32 27 75, « Maison du 17ᵉ s. »
  – 🝐 ⑩ 🝐 *VISA*. 🏊   BX **k**
fermé dim., lundi et 16 juil.-15 août – **Repas** (dîner seult) 55/73.

✕✕ **Sardegna,** Massegast 1a, ⌧ 3511 AL, ℰ 31 15 90, Fax 31 15 90, 🍴, Cuisine italienne –
🍽. 🝐. 🏊   BY **m**
fermé dim., 3 dern. sem. juil. et 2 dern. sem. déc. – **Repas** (dîner seult) carte 49 à 79.

✕✕ **Bistro Chez Jacqueline,** Korte Koestraat 4, ⌧ 3511 RP, ℰ 31 10 89, Fax 32 18 55 – 🝐
  ⑩ 🝐 *VISA*   AX **n**
fermé dim. et jours fériés – **Repas** *Lunch* 26 – 50/55.

✕ **Kaatje's,** A. van Ostadelaan 67a, ⌧ 3583 AC, ℰ 51 11 82   CZ **x**
fermé sam., dern. sem. juil.-prem. sem. août et fin déc. – **Repas** (dîner seult) 53.

✕ **Cosmopole,** Zakkendragerssteeg 25, ⌧ 3511 AA, ℰ 31 15 40, 🍴 – 🝐 ⑩ 🝐 *VISA* AXY **h**
fermé lundi, 24 juil.-6 août et du 27 au 31 déc. – **Repas** (dîner seult) carte env. 55.

434

UTRECHT

Ahornsr. . . . . FU 7
Antonius Matthaeuslaan . . GU 9
Biltse Rading . . . . GU 13
Biltsestraatweg . . . . GU 15
Blauwkapelseweg . . . . GU 18
Brailledreef . . . . GU 24
Burg. van Tuyllkade . . . . . FU 27
Carnegiedreef . . . . GU 28
Cartesiusweg . . . . FU 30
Damstr. . . . . FUV 34
Darwindreef . . . . GU 36
Ds. Martin Luther
  Kinglaan . . . . FV 42

't Goy laan . . . . GV 45
Graadt van Roggenweg . . FV 46
Herculeslaan . . . . GV 48
van Hoornekade . . . . FU 51
J. M. de Muinck
  Keizerlaan . . . . FU 52
Joseph Haydnlaan . . . . . . FU 58
Koningin Wilhelminalaan . . FV 64
Laan van Chartroise . . . . . FU 72
Lessinglaan . . . . FU 81
Marnixlaan . . . . FU 85
Omloop . . . . GU 94
Oudenoord . . . . GU 96
Overste den Oudenlaan . . FV 99
Pieter Nieuwlandstr. . . . . . GU 102
Pijperlaan . . . . FV 105

Prins Bernhardlaan . . . . . . FU 109
Rio Brancodreef . . . . FU 112
Royaards van den
  Hamkade . . . . FU 114
Sint Josephlaan . . . . FU 118
Socrateslaan . . . . GV 120
Spinozaweg . . . . FU 121
Sweder van Zuylenweg . . FU 123
Talmalaan . . . . GU 124
Thomas à Kempisweg . . . FU 126
Verlengde Vleutenseweg . FU 132
W. A. Vultostr. . . . . GV 136
Weg der Verenigde
  Naties . . . . FV 138
Weg tot de Wetenschap . . GV 139
Zamenhofdreef . . . . GU 147

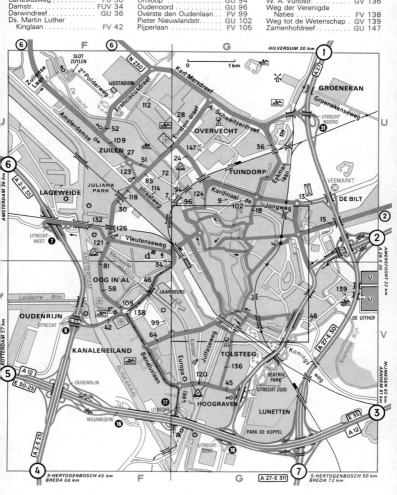

Ne confondez pas :

Confort des hôtels	:	🏨🏨🏨 … 🏠, ⌂
Confort des restaurants	:	XXXXX … X
Qualité de la table	:	✿✿✿, ✿✿, ✿

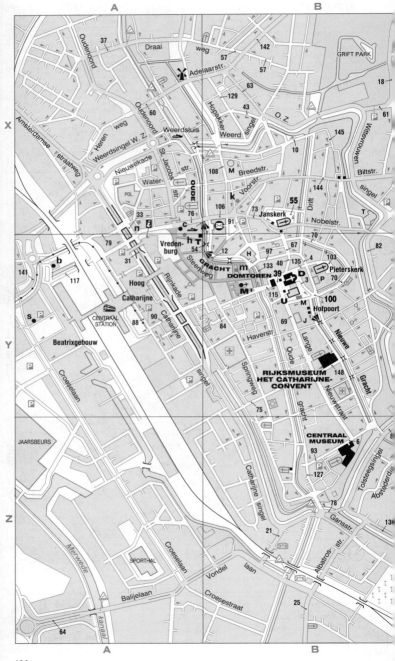

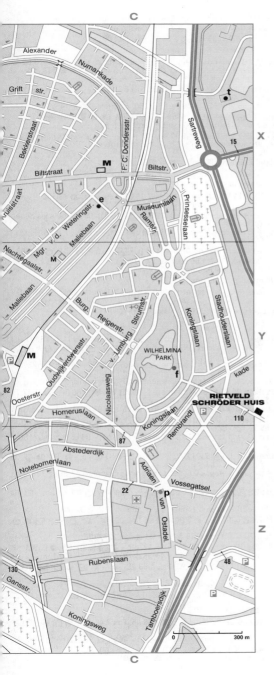

UTRECHT

Lange Viestr.	AX 76
Nachtegaalstr.	CY
Oudegracht	BXYZ
Steenweg	ABY
Voorstr.	BX
Vredenburg	AY
Achter de Dom	BY 3
Achter St. Pieter	BY 4
Agnietenstr.	BZ 6
van Asch van Wijckskade	BX 10
Bakkerbrug	BY 12
Biltsestraatweg	CX 15
Blauwkapelseweg	BX 18
Bleekstr.	BZ 21
Bosboomstr.	CZ 22
Briljantlaan	BZ 25
Catharijnebaan	AY 31
Catharijnekade	AX 33
Dav. van Mollemstr.	AX 37
Domplein	BY 39
Domstr.	BY 40
Duifstr.	BX 43
Herculeslaan	CZ 48
Jansbrug	ABY 54
Janskerkhof	BX 55
Johannes de Bekastr.	BX 57
Kaatstr.	AX 60
Kleinesingel	BX 61
Koekoekstr.	BX 63
Koningin Wilhelminalaan	AZ 64
Korte Jansstr.	BY 67
Korte nieuwstr.	BY 69
Kromme Nieuwegracht	BY 70
Lange Jansstr.	BX 73
Lange Smeestr.	BY 75
Ledig Erf	BZ 78
Leidseveer	AXY 79
Maliesingel	BCYZ 82
Mariaplaats	BY 84
Mecklenburglaan	CYZ 87
Moreelselaan	AY 88
Moreelsepark	AY 90
Neude	BXY 91
Nicolaasstr.	BZ 93
Oudkerkhof	BY 97
Pausdam	BY 100
Pieterskerkhof	BY 103
Potterstr.	BX 106
Predikherenkerkhof	BX 108
Prins Hendriklaan	CY 110
Servetstr.	BY 115
van Sijpesteijnkade	AY 117
Twijnstr.	BZ 127
Valkstr.	BX 129
Venuslaan	BCZ 130
Vismarkt	BY 133
Voetlusstr.	BY 135
Westplein	AY 141
Willem van Noortstr.	BX 142
Wittevrouwenstr.	BX 144
Wolvenplein	BX 145
Zuilenstr.	BY 148

437

VAALS Limburg 212 ② et 408 ㉖ - 10 945 h. - 0 4454.

Voir Drielandenpunt★, ≤★, de la tour Baudouin ★ (Boudewijntoren) S : 1,5 km.

(fermé dim.) Maastrichterlaan 73a, ✉ 6291 EL, ☎ 6 29 18, Fax 6 44 00.

◆Amsterdam 229 - ◆Maastricht 28 - Aachen 4.

Kasteel Bloemendal ⑤, Bloemendalstraat 26, ✉ 6291 CM, ☎ 6 66 00, Fax 6 66 12, « Château du 18ᵉ s. sur jardin », - ⓟ - 25 à 60. AE ⓓ E VISA.
Repas carte 60 à 85 - 13 - **73 ch** 125/175, 3 suites - ½ P 115.

Vaalsbroek ⑤, Vaalsbroek 1, ✉ 6291 NH, ☎ 6 49 55, Fax 6 53 53, « Terrasse au bord de l'eau », - ⓟ. AE E VISA. rest
Repas Lunch 43 - carte env. 65 - 24 - **45 ch** 135/260, 5 suites - ½ P 148/198.

Ambiente, Lindenstraat 1, ✉ 6291 AE, ☎ 6 59 39, - AE ⓓ E VISA.
fermé lundi et 2 sem. en fév. - **Repas** (dîner seult) carte 68 à 81.

Schatull, Akenerstraat 31, ✉ 6291 BA, ☎ 6 17 40, - - *fermé lundi, mardi et carnaval* - **Repas** (dîner seult sauf dim. jusqu'à 2 h du matin) carte env. 75.

VAASSEN Gelderland Ⓒ Epe 33 675 h. 408 ⑫ - 0 5788.

J. Mulderstraat 18, ✉ 8171 CD, ☎ 7 22 00.

◆Amsterdam 98 - ◆Arnhem 36 - ◆Apeldoorn 10 - ◆Zwolle 33.

De Leest, Kerkweg 1, ✉ 8171 VT, ☎ 7 13 82, Fax 7 13 82, - AE ⓓ E VISA
fermé lundi et mardi - **Repas** Lunch 45 - 50/85.

't Koetshuis, Maarten van Rossumplein 2, ✉ 8171 EB, ☎ 7 15 01, « Dans les dépendances du château » - ⓟ. AE ⓓ E
fermé lundi, 23 déc.-6 janv. et après 20 h 30 - **Repas** Lunch 36 - carte 57 à 90.

VALKENBURG Limburg Ⓒ Valkenburg aan de Geul 17 904 h. 212 ① et 408 ㉖ - 0 4406 - Station thermale - Casino Y, Odapark 1 ☎ 1 55 50, Fax 1 47 75.

Musée : de la mine★ (Steenkolenmijn Valkenburg) Z.

Exc. Circuit Zuid-Limburg★ (Limbourg Méridional).

(fermé sam. après-midi et dim ; sauf mi-avril-mi-oct. et dim. après-midi) Th. Dorrenplein 5, ✉ 6301 DV, ☎ 1 33 64, Fax 1 67 25.

◆Amsterdam 212 ① - ◆Maastricht 14 ① - Aachen 26 ① - ◆Liège 40 ③.

Plan page ci-contre

✿✿ **Prinses Juliana** (annexe Residentie ⑤ - 3 ch et 5 suites), Broekhem 11, ✉ 6301 HD, ☎ 1 22 44, Fax 1 44 05, « Terrasse et jardin fleuri » - rest ⓟ - 50. AE ⓓ E VISA. rest Y **m**
Repas *(fermé sam. midi)* Lunch 63 - 90/165 carte env. 125 - 30 - **17 ch** 225/275 - ½ P 210/260
Spéc. Bouillabaisse à notre façon, Carré d'agneau au romarin, Pigeon fermier à l'estragon.

Thermaetel Ⓜ ⑤, Cauberg 25 (Domaine thermal), ✉ 6301 BT, ☎ 1 60 50, Fax 1 47 77, ≤, - ⓟ. AE ⓓ E VISA. Z **c**
fermé 31 déc. et 1ᵉʳ janv. - **Repas** (dîner seult) 55/85 - **60 ch** 285/360 - ½ P 225/275.

Parkhotel Rooding, Neerhem 68, ✉ 6301 CJ, ☎ 1 32 41, Fax 1 32 40, - ⓟ - 25 à 140. AE ⓓ E VISA. Z **n**
14 avril-28 oct. - **Repas** *(fermé après 20 h)* Lunch 35 - 48/70 - **93 ch** 140/180 - ½ P 96/160.

Gd H. Voncken, Walramplein 1, ✉ 6301 DC, ☎ 1 28 41, Fax 1 62 45 - ⓟ. AE ⓓ E VISA Z **s**
fermé carnaval et 31 déc.-7 janv. - **Repas** voir rest ***Les Cupidos*** ci-après - **42 ch** 125/220, 1 suite - ½ P 125/175.

Tummers, Stationstraat 21, ✉ 6301 EZ, ☎ 1 37 41, Fax 1 36 47 - AE ⓓ E VISA. Y **e**
Repas Lunch 28 - carte 56 à 76 - **27 ch** 150/195, 1 suite - ½ P 113/148.

Walram, Walramplein 37, ✉ 6301 DC, ☎ 1 30 47, Fax 1 42 00, - ⓟ. AE ⓓ E VISA. Z **x**
Repas (dîner seult jusqu'à 20 h 30) carte 45 à 80 - **81 ch** 124/200 - ½ P 90/135.

Riche, Neerhem 26, ✉ 6301 CH, ☎ 1 29 65, Fax 1 28 97, - ⓟ. AE ⓓ E VISA.
fermé 28 déc.-22 janv. - **Repas** (dîner seult) 45 - **48 ch** 70/150 - ½ P 95/136. Z **e**

Atlanta, Neerhem 20, ✉ 6301 CH, ☎ 1 21 93, Fax 1 53 29, - ⓟ. AE E VISA. rest Z **y**
Repas (dîner pour résidents seult) - **33 ch** 140 - ½ P 95/105.

Botterweck, Bogaardlaan 4, ✉ 6301 CZ, ☎ 1 47 50, Fax 1 67 56 - ⓟ. AE ⓓ E VISA. Z **v**
Repas (résidents seult) - **25 ch** 75/110 - ½ P 73/83.

Gd H. Monopole, Nieuweweg 22, ✉ 6301 ET, ☎ 1 35 45, Fax 1 47 11 - ⓟ. E VISA. Y **b**
avril-20 oct. et du 23 au 27 déc. - **Repas** (résidents seult) - **46 ch** 80/120 - ½ P 70/75.

Kasteelsteeg, Grendelplein 15, ✉ 6301 BS, ☎ 1 28 20, - . ch Z **z**
fermé janv. - **Repas** Lunch 15 - carte env. 55 - **12 ch** 110.

Berkelstr. . . . . **Z** 3
Grendelpl. . . . . **Z** 7
Grotestr. . . . . **Z** 9
Louis van der
  Maessenstr. . . . . **Y** 18
Muntstr. . . . . **Z** 19

Plenkertstr. . . . . **YZ**
Theodoor Dorrenpl. . . . . . . **Y** 28
Wilhelminalaan . . . . **YZ**

Dr. Erensstr. . . . . **Y** 4
Emmalaan . . . . **Y** 6
Halderstr. . . . . **Z** 10
Hekerbeekstr. . . . . **Z** 12
Jan Dekkerstr. . . . . **Y** 13

Kerkstr. . . . . **Z** 15
Kloosterweg . . . . **Y** 16
Oranjelaan . . . . **Y** 21
Palankastr. . . . . **Z** 22
Poststr. . . . . **Y** 24
Prinses Margrietlaan . . . . . **Y** 25
Sittarderweg . . . . **Y** 27
Walrampl. . . . . **Z** 30
Walravenstr . . . . **Z** 31

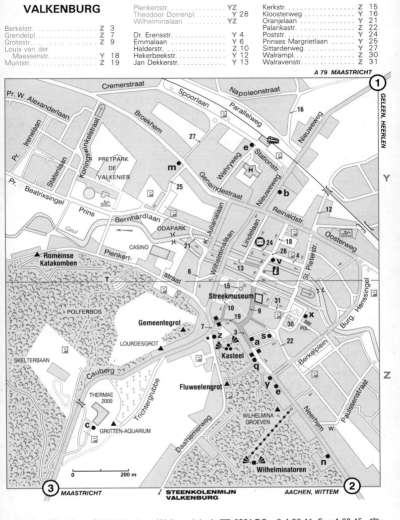

%%% **Les Cupidos** - Gd H. Voncken, Walramplein 1, ⊠ 6301 DC, 𝄞 1 28 41, Fax 1 62 45, 🌧
– 🅿. 🆊 ⓞ 🅴 𝑽𝑰𝑺𝑨. 🦘
  fermé carnaval, du 2 au 23 juil. et 31 déc.-7 janv. – **Repas** *Lunch* 45 – carte 84 à 105.
                                                                   Z **s**

%%% **Lindenhorst,** Broekhem 130 (NO : 2 km), ⊠ 6301 HL, 𝄞 1 34 44, Fax 1 00 17 – 🍴. 🆊 ⓞ
🅴 𝑽𝑰𝑺𝑨
  fermé lundi, carnaval, 24 août-3 sept et 31 déc.-6 janv. – **Repas** (dîner seult) 63/95.
                                                                   Y

%% **'t Mergelheukske** 1ᵉʳ étage, Berkelstraat 13a, ⊠ 6301 CB, 𝄞 1 63 50, Fax 1 63 50, 🌧
◄– 🅿. 🆊 🅴 𝑽𝑰𝑺𝑨. 🦘 – *fermé sam. midi, dim. midi, lundi, 2 sem. après carnaval et dern.*
sem. sept-2 prem. sem. oct. – **Repas** 40/75.
                                                                    Z **a**

% **De la Ruïne** avec ch, Neerhem 2, ⊠ 6301 CH, 𝄞 1 29 92, 🌧 📺. ⓞ 🅴 𝑽𝑰𝑺𝑨. 🦘 ch
mars-oct. – **Repas** carte env. 65 – **7 ch** ⊇ 75/110 – ½ P 53/73.
                                                                    Z **q**

  à Vilt par ③ : 4 km Ⓒ *Valkenburg aan de Geul* – ✆ 0 4406 :

% **Jacques Zeguers,** Meesweg 2, ⊠ 6325 BG, 𝄞 4 19 47, 🌧 – 🅿. 🦘
  Repas *Lunch* 35 – carte env. 80.

VALKENSWAARD Noord-Brabant 212 ⑱ et 408 ⑱ – 30 586 h. – ✆ 0 4902.

📖 Eindhovenscheweg 300, ⌂ 5553 VB, ℘ 1 27 13.

🖼 (fermé sam. sauf avril-sept et dim.) Markt 23, ⌂ 5554 CA, ℘ 1 51 15, Fax 8 36 00.

◆Amsterdam 135 – ◆'s-Hertogenbosch 46 – ◆Eindhoven 9 – ◆Turnhout 41 – Venlo 58.

XXX **Normandie,** Leenderweg 4, ⌂ 5554 CL, ℘ 1 88 80, Fax 4 75 66, 🍽 – 🅰🅴 ⑩ 🄴 𝒱𝐼𝑆𝐴. 🎄
fermé sam. midi, dim. midi, carnaval, du 17 au 31 juil., 31 déc. et 1ᵉʳ janv. – **Repas** *Lunch* 53 – carte env. 90.

VASSE Overijssel © Tubbergen 18 979 h. 408 ⑬ – ✆ 0 5418.

◆Amsterdam 163 – Almelo 15 – Oldenzaal 16 – ◆Zwolle 62.

🏠 **Tante Sien,** Denekamperweg 210, ⌂ 7661 RM, ℘ 8 02 08, Fax 8 01 22, 🍽, 🚲 – ☎ ℗ – 🍴 30 à 200. 🎄
fermé du 2 au 14 janv. – **Repas** carte env. 45 – **16 ch** ⊃ 78/130 – ½ P 94/100.

VEENDAM Groningen 408 ⑥ – 28 260 h. – ✆ 0 5987.

◆Amsterdam 213 – Assen 33 – ◆Groningen 29.

🏠 **Parkzicht,** Winkler Prinsstraat 3, ⌂ 9641 AD, ℘ 2 64 64, Fax 1 90 37 – |📶 🆃🆅 ☎ ℗ – 🍴 25 à 160. 🅰🅴 ⑩ 🄴 𝒱𝐼𝑆𝐴. 🎄
Repas *Lunch* 25 – carte 43 à 62 – **50 ch** ⊃ 93/140 – ½ P 90/118.

VEENENDAAL Utrecht 408 ⑪ – 51 951 h. – ✆ 0 8385.

🖼 (fermé dim.) Kerkewijk 10, ⌂ 3901 EG, ℘ 2 98 00.

◆Amsterdam 74 – ◆Utrecht 36 – ◆Arnhem 29.

🏠 Ibis, Vendelier 8, ⌂ 3905 PA, ℘ 2 22 22, Fax 2 20 38 – |📶 ⇆ 🆃🆅 ☎ ℗ – 🍴 30 à 80
41 ch.

XXX **De Vendel,** Vendelseweg 69, ⌂ 3905 LC, ℘ 2 55 06, Fax 2 25 02, 🍽, « Ferme du 17ᵉ s. » – ℗, 🅰🅴 ⑩ 🄴 𝒱𝐼𝑆𝐴
fermé dim. – **Repas** *Lunch* 53 – carte 65 à 113.

VEERE Zeeland 212 ② et 408 ⑮ – 4 977 h. – ✆ 0 1181.

Voir Maisons écossaises★ (Schotse Huizen) **A** – Ancien hôtel de ville★ (Oude stadhuis) **B**.

🖼 Oudestraat 28, ⌂ 4351 AV, ℘ 13 65.

◆Amsterdam 181 ② – ◆Middelburg 7 ① – Zierikzee 38 ②.

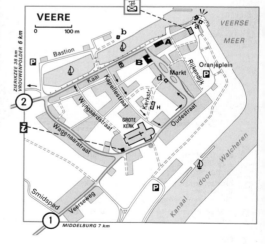

🏠 **'t Waepen van Veere,** Markt 23, ⌂ 4351 AG, ℘ 12 31, Fax 12 61 – 🆃🆅. 🅰🅴 ⑩ 🄴 𝒱𝐼𝑆𝐴 **d**
fermé janv.-15 fév. et lundi et mardi du 15 nov. à déc. – **Repas** *Lunch* 38 – 45/65 – **10 ch** ⊃ 90/128 – ½ P 90/105.

XXX **D'Ouwe Werf,** Bastion 2, ⌂ 4351 BG, ℘ 14 93, 🍽, « Terrasse et jardin avec ≤ port de plaisance » – 🍽 ℗. 🅰🅴 ⑩ 🄴 𝒱𝐼𝑆𝐴 **b**
fermé dim. de nov. à mars, lundi, 3 sem. en fév. et prem. sem. nov. – **Repas** *Lunch* 40 – 50.

XX **De Campveerse Toren** avec ch, Kade 2, ⌂ 4351 AA, ℘ 12 91, Fax 16 95, ≤, « Bastion du 15ᵉ s. » – 🅰🅴 ⑩ 🄴 𝒱𝐼𝑆𝐴 **a**
Repas *(fermé lundis et mardis non fériés de nov. à mars)* *Lunch* 35 – 60/110 – **14 ch** ⊃ 100/200, 2 suites – ½ P 150/170.

X **In den Struyskelder,** Kade 27, ⌂ 4351 AA, ℘ 13 92, 🍽, Taverne-rest, Dans une cave – 🅰🅴 🄴 𝒱𝐼𝑆𝐴 **A**
avril-oct. – **Repas** *Lunch* 35 – carte env. 65.

VEGHEL Noord-Brabant 🔲🔢 ⑧ et 🔲🔢 ⑱ – 27 037 h. – ✪ 0 4130.
◆Amsterdam 104 – ◆Eindhoven 25 – ◆Nijmegen 39 – ◆'s-Hertogenbosch 21.

XX **Gasterij Jilesen,** Markt 3, ⊠ 5461 JJ, ℘ 4 09 70, 斎 – 🝙 ⑩ 🗲 🖭
   fermé lundi et du 1er au 14 août – **Repas** 40/68.

VELDHOVEN Noord-Brabant 🔲🔢 ⑱ et 🔲🔢 ⑱ – voir à Eindhoven.

VELP Gelderland 🔲🔢 ⑫ – voir à Arnhem.

VELSEN Noord-Holland 🔲🔢 ⑩ – voir à IJmuiden.

   *Die im **Michelin-Führer***
   *verwendeten Zeichen und Symbole haben - **fett** oder dünn*
   *gedruckt, in Rot oder **Schwarz** - jeweils eine andere Bedeutung.*

   Lesen Sie daher die Erklärungen aufmerksam durch.

   In this guide,
   *a symbol or a character, printed in red or **black**, in **bold** or light type,*
   does not have the same meaning.

   Please read the explanatory pages carefully.

VENLO Limburg 🔲🔢 ⑳ et 🔲🔢 ⑲ – 65 172 h. – ✪ 0 77.
Voir Mobilier★ de l'église St-Martin (St. Martinuskerk) Y.
🛝 à Geysteren par ⑦ : 30 km, Het Spekt 2, ⊠ 5862 AZ, ℘ (0 4784) 18 09.
🚂 (départs de 's-Hertogenbosch) ℘ 54 62 60.
🎫 Koninginneplein 2, ⊠ 5911 KK, ℘ 54 38 00, Fax 54 06 33.
◆Amsterdam 181 ⑥ – ◆Maastricht 73 ④ – ◆Eindhoven 51 ⑥ – ◆Nijmegen 65 ⑧.

Plan page suivante

🏨 **De Bovenste Molen** 🦢, Bovenste Molenweg 12, ⊠ 5912 TV, ℘ 59 14 14, Fax 54 82 57,
   斎, « Terrasse et pièce d'eau », 🛱, 🏊, 🐎, 🎾 – 🛗 🌣 📺 ☎ 🅿 – 🕍 30 à 80. 🝙 ⑩
   🗲 🖭. 🎆 rest   X v
   Repas Lunch 35 – 80 – **82 ch** ⊑ 215/295.

🏨 **Motel Venlo,** Nijmeegseweg 90 (N : 4 km près A 67), ⊠ 5916 PT, ℘ 54 41 41, Fax 54 31 33,
   斎 – 🛗 🌣 📺 ☎ 🅿 – 🕍 25 à 200. 🝙 ⑩ 🗲 🖭   V s
   Repas (ouvert jusqu'à 23 h 30) Lunch 25 – 68 – **87 ch** ⊑ 95/115.

🏨 **Wilhelmina,** Kaldenkerkerweg 1, ⊠ 5913 AB, ℘ 51 62 51, Fax 51 22 52 – 🛗 📺 ☎ 🅿 –
   🕍 25 à 150. 🝙 ⑩ 🗲 🖭. 🎆   Z a
   fermé 31 déc. – **Repas** Lunch 30 – 45/68 – ⊑ 10 – **34 ch** 95/183 – ½ P 113/138.

🏨 **Campanile,** Noorderpoort 5, ⊠ 5916 PJ, ℘ 51 05 30, Fax 54 80 57, 斎 – 🌣 📺 ☎ 🖢 🅿
   – 🕍 30. 🝙 ⑩ 🗲 🖭   V d
   Repas Lunch 38 – 43 – ⊑ 12 – **50 ch** 94 – ½ P 80/90.

XXX **Valuas** avec ch, St. Urbanusweg 9, ⊠ 5914 CA, ℘ 54 11 41, Fax 54 70 22, ≤, « Terrasse
   au bord de la Meuse (Maas) » – 🛗 📺 ☎ 🅿 – 🕍 25 à 125. 🝙 ⑩ 🗲 🖭. 🎆   V r
   Repas (fermé sam. midi, dim., 17 juil.-6 août et 28 déc.-3 janv.) Lunch 53 – 69/88 – **17 ch**
   ⊑ 125/175.

XXX **La Mangerie,** Nieuwstraat 58, ⊠ 5911 JV, ℘ 51 79 93, Fax 51 72 61 – 🅿. 🝙 ⑩ 🗲 🖭
   🎆   Z b
   fermé sam. midi, dim., lundi, jours fériés, 1 sem. carnaval et fin juil.-début août – **Repas**
   Lunch 55 – carte 67 à 103.

XX **Chez Philippe,** Parade 61, ⊠ 5911 CB, ℘ 54 89 01 – 🝙 ⑩ 🗲 🖭   Z c
   fermé dim., 25 fév.-5 mars et 23 juil.-13 août – **Repas** Lunch 40 – carte env. 75.

   à Blerick Ⓒ Venlo – ✪ 0 77 :

XX **Domaine de Provence,** Venrayseweg 16, ⊠ 5921 KJ, ℘ 82 68 24, Fax 82 19 77 – 🅿. 🝙
   🖭   X h
   fermé lundi, mardi soir, merc. soir et sem. carnaval – **Repas** Lunch 50 – carte env. 75.

   à Tegelen par ④ : 5 km – 19 223 h. – ✪ 0 77 :

🏨 **Château Holtmühle** 🦢, Kasteellaan 10 (SE : 1,5 km), ⊠ 5932 AG, ℘ 73 88 00,
   Fax 74 05 00, ≤, 斎, « Demeure du 14e s. réaménagée, douves et jardin anglais », 🛱, 🏊,
   🎾 – 🛗 📺 ☎ 🅿 – 🕍 25 à 135. 🝙 ⑩ 🗲 🖭
   Repas *Die Alde Heerlickheijt* (fermé sam. midi et dim. midi) Lunch 55 – 85/110 – ⊑ 25 –
   65 ch 175/300, 1 suite – ½ P 175/215.

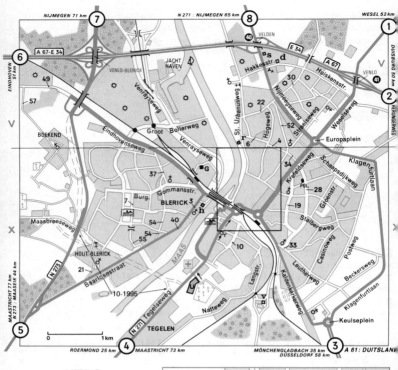

VENLO

Gasthuisstr.	Y	12
Grote Kerkstr.	Y	16
Klaastr.	Z	24
Koninginnesingel	Z	27
Lomstr.	Y	31
Parade	Z	51
Sint-Jorisstr.	Y	
Vleesstr.	Z	

Antoniuslaan	X	3
Bisschop Schrijnenstr.	V	4
Dr. Blumenkampstr.	V	6
Drie Decembersingel	X	7
Eindhovenseweg	X	9
Emmastr.	X	10
Goltziusstr.	Y	13
Grote Beekstr.	Z	15
Havenkade	Y	18
Hertog Reinoudsingel	X	19
Holleweg	X	21
Karbinderstr.	V	22
Koninginnepl.	Z	25
Laaghuissingel	X	28
L. Janszoon Costerstr.	X	30
Maagdenbergweg	X	33
Molenstr.	X	34
Nassaustr.	Z	36
Nieuwborgstr.	X	37
Peperstr.	Y	39
Pontanusstr.	Z	40
Prinsessesingel	Z	42
Prof. Gelissensingel	Z	43
Puteanusstr.	Y	45
Roermondsepoort	Z	46
Roermondsestr.	Z	48
Sevenumseweg	V	49
Veldenseweg	V	52
Vliegenkampstr.	X	54
Willem de Zwijgerstr.	X	55
2è Romerweg	V	57

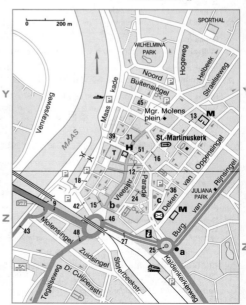

VENRAY Limburg 🔢 ⑩ et 🔢 ⑲ – 34 857 h. – ✆ 0 4780.

🛅 Grote Markt 23, ✉ 5801 BL, ✆ 1 05 05, Fax 1 27 36.

◆Amsterdam 157 – ◆Eindhoven 42 – ◆'s-Hertogenbosch 67 – ◆Nijmegen 47.

🏨 **Asteria,** Maasheseweg 80a (NE : 2 km près A 73), ✉ 5804 AD, ✆ 1 14 66, Fax 1 23 00, �
   – 📱 🍴 📺 ☎ 🅿 – 🔬 25 à 450. 🆎 ⓞ 🗲 𝒱𝐼𝑆𝐴
   Repas Lunch 33 – 35/75 – **40 ch** ⌑ 110/135 – ½ P 88/130.

🏨 **Wieënhof,** Leunseweg 20, ✉ 5802 CH, ✆ 8 93 93, Fax 8 00 26 – 📺 ☎ 🅿 – 🔬 25. 🆎
   ⓞ 🗲 𝒱𝐼𝑆𝐴 ❄
   Repas (fermé vend.) (dîner seult) carte env. 60 – ⌑ 15 – **23 ch** 85/113, 14 suites –
   ½ P 130/158.

🏨 **de Zwaan,** Grote Markt 2a, ✉ 5801 BL, ✆ 1 34 00, Fax 1 35 33 – 📺 ☎. 🆎 ⓞ 🗲 𝒱𝐼𝑆𝐴
   Repas (femé lundi) carte env. 45 – **10 ch** ⌑ 85/165.

VIANEN Zuid-Holland 🔢 ⑪ – 19 347 h. – ✆ 0 3473.

◆Amsterdam 48 – ◆Den Haag 66 – ◆Breda 56 – ◆'s-Hertogenbosch 40 – ◆Rotterdam 59 – ◆Utrecht 15.

🏨 **Motel Vianen,** Prins Bernhardstraat 75 (O : 1 km sur A 2), ✉ 4132 XE, ✆ 7 24 84,
   Fax 7 55 06, 🌸 – 📱 rest 📺 ☎ 🅿 – 🔬 25 à 250. 🆎 ⓞ 🗲 𝒱𝐼𝑆𝐴
   Repas (ouvert jusqu'à minuit) carte env. 50 – ⌑ 13 – **140 ch** 95/120, 10 suites.

🍴 **De Graaf van Brederode,** Voorstraat 26, ✉ 4132 AR, ✆ 7 38 34, Fax 2 07 88 – 🆎 ⓞ 🗲
   𝒱𝐼𝑆𝐴 𝐽𝐶𝐵
   fermé lundi et dern. sem. juil.-prem. sem. août – **Repas** Lunch 50 – 50/60.

VIERHOUTEN Gelderland 🇨 Nunspeet 25 716 h. 🔢 ⑫ – ✆ 0 5771.

🛅 Dorphuis Horsterhoek, Elspeterbosweg 26, ✉ 8076 RC, ✆ 14 00.

◆Amsterdam 88 – ◆Arnhem 53 – ◆Apeldoorn 27 – ◆Zwolle 34.

🏨 **De Mallejan,** Nunspeterweg 70, ✉ 8076 PD, ✆ 12 41, Fax 16 29, 🌸, 🈴, ❄ – 📱 📺 ☎
   🅿 – 🔬 25 à 60. 🆎 ⓞ 🗲 𝒱𝐼𝑆𝐴 ❄
   Repas Lunch 53 – 70/80 – **41 ch** ⌑ 150/195.

VILT Limburg 🔢 ① – voir à Valkenburg.

VINKEVEEN Utrecht 🇨 De Ronde Venen 32 843 h. 🔢 ⑩ – ✆ 0 2972.

🛅 (fermé après-midis sauf avril-15 sept et dim.) Herenweg 111, ✉ 3645 DJ, ✆ 6 46 00.

◆Amsterdam 21 – ◆Utrecht 22 – ◆Den Haag 61 – ◆Haarlem 32.

🏨 **Résidence Vinkeveen,** Groenlandsekade 1 (E : 3 km près A 2), ✉ 3645 BA, ✆ (0 2949)
   30 66, Fax (0 2949) 31 01, ≤, 🈴, 🗔 – 📺 ☎ 🅿 – 🔬 25 à 80. 🆎 ⓞ 🗲 𝒱𝐼𝑆𝐴
   Repas voir rest **Le Canard Sauvage** ci-après – **59 ch** ⌑ 195/325 – ½ P 188/340.

🍽️ **Le Canard Sauvage** - H. Résidence Vinkeveen, Groenlandsekade 1 (E : 3 km près A 2),
   ✉ 3645 BA, ✆ (0 2949) 30 66, Fax (0 2949) 31 01, ≤, 🌸 – 📱 🅿. 🆎 ⓞ 🗲 𝒱𝐼𝑆𝐴 ❄
   fermé sam. midi et dim. midi – **Repas** Lunch 55 – 85/95.

🍴 **Buitenlust,** Herenweg 75, ✉ 3645 DG, ✆ 6 13 60, 🌸, « Terrasse et jardin » – 🆎 ⓞ 🗲
   𝒱𝐼𝑆𝐴 ❄
   fermé lundi, 2 prem. sem. août et prem. sem. janv. – **Repas** Lunch 50 – carte 75 à 100.

🍴 **De Lokeend** avec ch, Groenlandsekade 61 (E : 3 km près A 2), ✉ 3645 BB, ✆ (0 2949)
   15 44, Fax (0 2949) 30 01, 🌸 – 📺 ☎ 🅿. 🆎 ⓞ 🗲 𝒱𝐼𝑆𝐴 ❄ rest
   Repas Lunch 50 – carte 65 à 86 – **7 ch** ⌑ 130/150.

🍴 **Belle Rive,** Baambrugse Zuwe 127a, ✉ 3645 AD, ✆ 6 24 65, Fax 6 31 17, 🌸 – 📱 🅿. 🆎
   ⓞ 🗲 𝒱𝐼𝑆𝐴 – **Repas** (déjeuner seult) carte 86 à 102.

VISVLIET Groningen 🇨 Zuidhorn 17 372 h. 🔢 ⑤ – ✆ 0 5947.

◆Amsterdam 215 – Assen 51 – ◆Groningen 25 – ◆Leeuwarden 34.

🍽️ **Visvliet** 🍴 avec ch, Heirweg 13, ✉ 9845 AA, ✆ 4 95 55, Fax 4 94 59, 🌸 – 🅿. 🆎 ⓞ 🗲 𝒱𝐼𝑆𝐴
   fermé mardi d'oct. à avril – **Repas** Lunch 35 – 55/65 – **8 ch** ⌑ 70/90 – ½ P 85/105.

VLAARDINGEN Zuid-Holland 🔢 ④ et 🔢 ⑨ ⑩ ㉔ – 73 774 h. – ✆ 0 10.

🛥 Watersportweg 100, ✉ 3138 HD, ✆ 474 81 40. 🛅 Markt 12, ✉ 3131 CR, ✆ 434 66 66.

◆ Amsterdam 78 – ◆Den Haag 28 – ◆Rotterdam 12.

🏨 **Delta,** Maasboulevard 15, ✉ 3133 AK, ✆ 434 54 77, Fax 434 95 25, ≤ Meuse (Maas) – 📱
   🖐 📺 ☎ 🅿 – 🔬 25 à 150. 🆎 ⓞ 🗲 𝒱𝐼𝑆𝐴 ❄
   Repas 40/70 – ⌑ 28 – **78 ch** 140/180 – ½ P 206.

🏨 **Ibis,** Westlandseweg 270, ✉ 3131 HX, ✆ 460 20 50, Fax 460 40 59, 🌸 – 📱 🖐 📺 ☎ 🕭
   🅿 – 🔬 25 à 180. 🆎 ⓞ 🗲 𝒱𝐼𝑆𝐴 ❄ rest
   Repas Lunch 21 – 43 – ⌑ 15 – **90 ch** 99 – ½ P 140.

🏨 **Campanile,** Kethelweg 220 (près A 20, sortie Schiedam-Noord), ✉ 3135 GP, ✆ 470 03 22,
   Fax 471 34 30, 🌸 – 📺 ☎ 🅿 – 🔬 35. 🆎 ⓞ 🗲 𝒱𝐼𝑆𝐴
   Repas Lunch 19 – 43 – ⌑ 12 – **48 ch** 94.

🍽️ **Taveerne D'Ouwe Haven,** Westhavenkade 10, ✉ 3131 AB, ✆ 435 30 00 – 📱. 🆎 ⓞ 🗲 𝒱𝐼𝑆𝐴
   fermé lundi – **Repas** Lunch 50 – 68.

VLEUTEN Utrecht © Vleuten-De Meern 15 306 h. 🔲🔲🔲 ⑩ – ✪ 0 3407.

◻ à Haarzuilens NO : 2 km, Parkweg 5, ⊠ 3451 RH, 🖉 (0 3407) 7 28 60.

◆Amsterdam 32 – ◆Den Haag 63 – ◆Rotterdam 49 – ◆Utrecht 9.

× **'t Claeverblat,** Schoolstraat 15, ⊠ 3451 AA, 🖉 7 47 70, Fax 7 47 24, ☞ – 🆎 ◉ 🗲 𝗩𝗜𝗦𝗔
fermé lundi, mardi, Pâques, Pentecôte, dern. sem. juil.-2 prem. sem. août et 19 déc.-2 janv
– **Repas** (dîner seult) 50/75.

VLIELAND (Ile de) Friesland 🔲🔲🔲 ③ – voir à Waddeneilanden.

VLISSINGEN Zeeland 🔲🔲🔲 ⑫ et 🔲🔲🔲 ⑮ – 44 179 h. – ✪ 0 1184.

⚓ vers Breskens : Prov.◆Stoombootdiensten Zeeland, Prins Hendrikweg 10 🖉 6 59 05 et 7 88 99. Durée de la traversée : 20 min. Prix passager : gratuit (en hiver) et 1,00 Fl (en été) ; voiture 9,00 Fl (en hiver) et 12,50 Fl (en été).

🖪 Nieuwendijk 15, ⊠ 4381 BV, 🖉 1 23 45.

◆Amsterdam 205 – ◆Middelburg 6 – ◆Brugge (bac) 43 – Knokke-Heist (bac) 32.

🏨 Britannia-Watertoren, Boulevard Evertsen 244, ⊠ 4382 AG, 🖉 1 32 55, Fax 1 47 98, ≤, ☞
– 🛗 📺 ☎ 🅿 – 🔬 25 à 450. 🛇
35 ch.

×× **De Bourgondiër,** Boulevard Bankert 280, ⊠ 4382 AC, 🖉 1 38 91, Fax 1 61 85, ≤, ☞ –
🅿. 🆎 ◉ 🗲 𝗩𝗜𝗦𝗔
fermé 25, 26 et 31 déc. – **Repas** carte 72 à 102.

×× **Valentijn,** Nieuwendijk 14, ⊠ 4381 BX, 🖉 1 64 50, ☞, « Terrasse avec ≤ port de plaisance » – 🆎 ◉ 🗲 𝗩𝗜𝗦𝗔
fermé sam. midi, dim. midi, lundi et 27 déc.-2 prem. sem. janv. – **Repas** Lunch 43 – carte env. 75.

×× **De Gevangentoren** 1er étage, Boulevard de Ruyter 1a, ⊠ 4381 KA, 🖉 1 70 76, « Dans une tour du 15e s. » – 🆎 ◉ 🗲 𝗩𝗜𝗦𝗔
Repas carte 58 à 80.

à Koudekerke NO : 3 km © Valkenisse 6 042 h. – ✪ 0 1185 :

🏨 **Westduin** 🦢, Westduin 1 (Dishoek), ⊠ 4371 PE, 🖉 25 10, Fax 27 76, 𝕁♠, 😩ₛ, 🏊, ⚒ –
🛗 📺 ☎ 🅿 – 🔬 25 à 80. 🆎 ◉ 🗲 𝗩𝗜𝗦𝗔. 🛇
Repas Lunch 50 – carte env. 85 – **80 ch** ⊃ 125/195 – ½ P 120/130.

VLODROP Limburg 🔲🔲🔲 ⑳ et 🔲🔲🔲 ⑲ – voir à Roermond.

VLIJMEN Noord-Brabant 🔲🔲🔲 ⑦ et 🔲🔲🔲 ⑱ – 16 007 h. – ✪ 0 4108.

◆Amsterdam 94 – ◆'s-Hertogenbosch 8 – ◆Breda 40.

🏨 **Prinsen** 🦢, Julianastraat 21, ⊠ 5251 EC, 🖉 1 91 31, Fax 1 79 75, ☞, « Terrasse et jardin » – 📺 ☎ 🅿 – 🔬 25 à 200. 🆎 🗲 𝗩𝗜𝗦𝗔. 🛇 ch
Repas Lunch 30 – carte env. 60 – ⊃ 14 – **29 ch** 95/120 – ½ P 128.

VOLENDAM Noord-Holland © Edam-Volendam 25 242 h. 🔲🔲🔲 ⑪ – ✪ 0 2993.
Voir Costume traditionnel★.

◆Amsterdam 21 – Alkmaar 33 – ◆Leeuwarden 121.

🏨 **Motel Katwoude,** Wagenweg 1 (O : 3 km), ⊠ 1145 PW, 🖉 6 56 56, Fax 6 83 19, ☞, 😩ₛ,
🏊, ⚒ – 📺 ☎ 🅿 – 🔬 40 à 300. 🆎 ◉ 🗲 𝗩𝗜𝗦𝗔
Repas (ouvert jusqu'à 23 h) Lunch 18 – carte env. 45 – ⊃ 15 – **86 ch** 81/92.

🏨 **Spaander,** Haven 15, ⊠ 1131 EP, 🖉 6 35 95, Fax 6 96 15, « Collection de tableaux », 𝕁♠,
😩ₛ, 🏊 – 🛗 📺 ☎ 🅿 – 🔬 70. 🆎 ◉ 🗲 𝗩𝗜𝗦𝗔. 🛇 rest
Repas Lunch 48 – carte env. 55 – **80 ch** ⊃ 85/210 – ½ P 95/115.

×× **Van Diepen** avec ch, Haven 35, ⊠ 1131 EP, 🖉 6 37 05, Fax 6 45 29, ☞ – 📺 🅿. 🆎 ◉
🗲 𝗩𝗜𝗦𝗔. 🛇
fermé lundi et mardi de nov. à mi-mars – **Repas** Lunch 43 – carte env. 70 – **17 ch** ⊃ 100/160
– ½ P 100/115.

VOLLENHOVE Overijssel © Brederwiede 12 157 h. 🔲🔲🔲 ⑫ – ✪ 0 5274.

◆Amsterdam 103 – ◆Zwolle 26 – Emmeloord 14.

× **Seidel,** Kerkplein 3, ⊠ 8325 BN, 🖉 12 62, « Dans l'ancien hôtel de ville du 17e s. » – ◉
🗲
fermé lundi et fév. – **Repas** Lunch 55 – carte 73 à 95.

VOORBURG Zuid-Holland 🔲🔲🔲 ⑨ ⑩ – voir à Den Haag, environs.

VOORSCHOTEN Zuid-Holland 🔲🔲🔲 ⑩ – voir à Leiden.

VOORST Gelderland 🔲🔲🔲 ⑫ – voir à Apeldoorn.

VORDEN Gelderland 408 ⑫ ⑬ – 8 391 h. – ✆ 0 5752.

🏛 Kerkstraat 6, ✉ 7251 BC, 𝒫 32 22.

◆Amsterdam 117 – ◆Arnhem 44 – ◆Apeldoorn 31 – ◆Enschede 51.

🏨 **Bakker** (annexe), Dorpsstraat 24, ✉ 7251 BB, 𝒫 13 12, Fax 37 40, 🏡 – ▤ rest 📺 ☎ 🅿 – 🔬 25 à 200. 🆎 Ⓔ 𝘝𝘐𝘚𝘈
   Repas carte env. 60 – **12 ch** � 90/145 – ½ P 70/110.

🏛 **Bloemendaal,** Stationsweg 24, ✉ 7251 EM, 𝒫 12 27, Fax 38 55, ⇆s, 🏊, 🎾 – ☎. Ⓔ 𝘝𝘐𝘚𝘈
   🕸
   Repas (dîner pour résidents seult) – **13 ch** ⊂ 78/110.

VREELAND Utrecht ℂ Loenen 8 417 h. 408 ⑩ ⑪ – ✆ 0 2943.

◆Amsterdam 21 – ◆Utrecht 22 – Hilversum 11.

XXX **De Nederlanden** ⏴⏵ avec ch, Duinkerken 3, ✉ 3633 EM, 𝒫 23 26, Fax 14 07, ⩽, 🏡 –
   📺 ☎ 🅿 – 🔬 30. 🆎 ⓞ Ⓔ 𝘝𝘐𝘚𝘈
   fermé 24 juil.-14 août et 27 déc.-9 janv. – **Repas** (fermé sam. midi et dim. midi) Lunch 53
   – 66/79 – **6 ch** ⊂ 285/365.

VROUWENPOLDER Zeeland ℂ Veere 4 977 h. 212 ② et 408 ⑮ – ✆ 0 1189.

Exc. Barrage de l'Escaut oriental★★★ (Oosterscheldedam) NE : 11 km.

🏛 Dorpsdijk 19, ✉ 4354 AA, 𝒫 15 77.

◆Amsterdam 178 – ◆Middelburg 12 – Zierikzee 33.

X **Vrouwenpolder,** Veersegatdam 81, ✉ 4354 ND, 𝒫 19 00, Fax 19 65, ⩽, 🏡 –
   fermé janv. et lundi et mardi sauf en nov.-déc. – **Repas** Lunch 30 – carte env. 50.

VUGHT Noord-Brabant 212 ⑦ et 408 ⑱ – voir à 's-Hertogenbosch.

VIJFHUIZEN Noord-Holland ℂ Haarlemmermeer 102 781 h. 408 ⑩ – ✆ 0 2508.

🏌 Cruquiusdijk 122, ✉ 2141 EV, 𝒫 31 24.

◆Amsterdam 22 – ◆Haarlem 5.

XXX **De Ouwe Meerpaal,** Vijfhuizerdijk 3, ✉ 2141 BA, 𝒫 12 89, Fax 36 92 – ▤ 🅿. 🆎 ⓞ Ⓔ
   𝘝𝘐𝘚𝘈
   fermé lundi et 27 déc.-15 janv. – **Repas** Lunch 48 – 55/110.

De WAAL Noord-Holland 408 ③ – voir à Waddeneilanden (Texel).

WAALRE Noord-Brabant 212 ⑱ et 408 ⑱ – 15 513 h. – ✆ 0 4904.

◆Amsterdam 128 – ◆Eindhoven 7 – ◆Turnhout 47 – Venlo 56.

XXX **De Treeswijkhoeve,** Valkenswaardseweg 14, ✉ 5582 VB, 𝒫 1 55 93, Fax 1 75 32, 🏡,
   « Terrasse et jardin » – 🅿. 🆎 ⓞ Ⓔ 𝘝𝘐𝘚𝘈
   fermé lundi, sam. midi, dern. sem. juil. et prem. sem. janv. – **Repas** Lunch 40 – 68/85.

WAALWIJK Noord-Brabant 212 ⑦ et 408 ⑱ – 29 412 h. – ✆ 0 4160.

🏛 (fermé dim.) Grotestraat 271, ✉ 5141 JT, 𝒫 3 22 28, Fax 5 13 13.

◆Amsterdam 100 – ◆'s-Hertogenbosch 18 – ◆Breda 30 – ◆Tilburg 17.

🏨 **Waalwijk,** Burg. van de Klokkenlaan 55, ✉ 5141 EG, 𝒫 3 29 74, Fax 3 59 68, 🏡, 🎾 –
   🛗 ✼ ▤ 📺 ☎ 🅿 – 🔬 25 à 240. 🆎 ⓞ Ⓔ 𝘝𝘐𝘚𝘈. 🕸
   Repas 40/50 – **61 ch** ⊂ 140/180 – ½ P 170/190.

🏛 **De Heibloem,** St-Antoniusstraat 5, ✉ 5144 AA, 𝒫 3 31 61, Fax 3 60 20 – 📺 ☎ 🅿 – 🔬 25
   à 120. 🆎 Ⓔ 𝘝𝘐𝘚𝘈. 🕸 rest
   Repas (résidents seult) – **14 ch** (fermé merc.) ⊂ 75/120 – ½ P 83/98.

XX **Aub. Chez André,** Olympiaweg 8, ✉ 5143 NA, 𝒫 3 26 08, Fax 4 34 00, 🏡 – ▤ 🅿. 🆎
   ⓞ Ⓔ 𝘝𝘐𝘚𝘈. 🕸
   fermé sam. midi et dim. midi – **Repas** Lunch 40 – carte 55 à 75.

X **De Pepermolen,** Stationsstraat 89, ✉ 5141 GD, 𝒫 3 93 08, Fax 3 93 08 – 🆎 ⓞ Ⓔ 𝘝𝘐𝘚𝘈.
   🕸
   fermé 24 et 31 déc. – **Repas** Lunch 40 – 40/60.

Bijzonder aangename hotels of restaurants
worden in de gids met een rood teken aangeduid.

U kunt helpen door ons attent te maken
op bedrijven, waarvan U uit ervaring weet dat zij
uitstekend zijn.

Uw **Michelin**gids zal dan nog beter zijn.

🏛🏛🏛 ... 🏛

XXXXX ... X

WADDENEILANDEN (ILES DES WADDEN)★★ Friesland - Noord-Holland 408 ③ à ⑥ G. Hollande

La plupart des hôteliers ne louent qu'à partir de 2 nuitées.

De meeste hotelhouders verhuren maar vanaf 2 overnachtingen.

AMELAND Friesland 408 ④ ⑤ – 3 289 h. – 😊 0 5191.

⚓ vers Holwerd : Wagenborg Passagiersdiensten B.V., Reeweg 4 à Nes ℰ 4 61 11. Durée de la traversée : 45 min. Prix AR : 15,10 Fl (en hiver) et 16,00 Fl (en été), voiture de 79,20 Fl à 113,20 Fl (en hiver) et de 84,25 Fl à 120,45 Fl (en été).

◆Amsterdam (bac) 169 – ◆Leeuwarden (bac) 30 – Dokkum (bac) 14.

Nes .

🅱 (fermé dim.) Rixt van Doniaweg 2, ⊠ 9163 GR, ℰ 4 20 20, Fax 4 29 32.

🏠 **Hofker** sans rest, Johannes Hofkerweg 1, ⊠ 9163 GW, ℰ 4 20 02, Fax 4 28 65, ₣₅, ⌷, ⌷, ⨯ – ⌷ ⌷ ☎ 🅿 – 🔬 25 à 50. ⌷
40 ch ⌷ 88/165.

🏠 **Ameland,** Strandweg 48 (N : 1 km), ⊠ 9163 GN, ℰ 4 21 50, Fax 4 31 06 – 🅿. ⌷
mars-oct. – **Repas** (résidents seult) – **22 ch** ⌷ 63/130 – ½ P 70/85.

🏠 **Töben** sans rest, Strandweg 11, ⊠ 9163 GK, ℰ 4 21 63, Fax 4 21 63 – ⌷ ☎ 🅿. ⌷
13 ch ⌷ 130.

✗ De Klimop, Johannes Hofkerweg 2, ⊠ 9163 GW, ℰ 4 22 96, ⌷, « Taverne rustique » –
🅿.

Ballum .

🏨 **Nobel** ⌷, Gerrit Kosterweg 12, ⊠ 9162 EN, ℰ 5 41 57, Fax 5 45 15, ⌷, « Dans un village à architecture typique locale 18ᵉ s. » – ⌷ ☎ 🅿 – 🔬 25. ⌷ ⌷ ☰ ⌷. ⌷
Repas Lunch 18 – carte 43 à 75 – **17 ch** ⌷ 82/138 – ½ P 91/98.

Buren .

✗ **De Klok** avec ch, Hoofdweg 11, ⊠ 9164 KL, ℰ 4 21 81, Fax 4 24 97, ₣₅, ⌷ – ⌷ 🅿. ⌷
☰ ⌷. ⌷ rest
Repas Lunch 35 – carte env. 50 – **9 ch** ⌷ 53/140 – ½ P 69/109.

Hollum .

🛏 Oosterhiemweg 1, ⊠ 9160 AA, ℰ 5 46 46.

🏨 **d'Amelander Kaap,** Oosterhiemweg 1, ⊠ 9161 CZ, ℰ 5 46 46, Fax 5 48 09, ⌷, ⌷, ⌷
⌷ – ⌷ ⌷ ☎ 🅿 – 🔬 40 à 250. ⌷ ⌷ ☰ ⌷. ⌷
fermé 4 et 5 déc. – **Repas** Lunch 23 – 43/67 – **40 ch** ⌷ 115/190 – ½ P 120/130.

SCHIERMONNIKOOG Friesland 408 ⑤ – 941 h. – 😊 0 5195.

Voir Het Rif★, ≤★.

⚓vers Lauwersoog : Wagenborg Passagiersdiensten B.V., Zeedijk 9 à Lauwersoog ℰ (0 5193) 4 90 50. Durée de la traversée : 45 min. Prix AR : 15,60 Fl (en hiver) et 16,50 Fl (en été), bicyclette 7,05 Fl (en hiver) et 7,50 Fl (en été).

◆Amsterdam (bac) 181 – ◆Leeuwarden (bac) 42 – ◆Groningen (bac) 42.

Schiermonnikoog .

🅱 (fermé dim. et jours fériés) Reeweg 5, ⊠ 9166 PW, ℰ 3 12 33, Fax 3 13 25.

🏨 **Duinzicht** ⌷, Badweg 17, ⊠ 9166 ND, ℰ 3 12 18, Fax 3 14 25, ⌷, ⌷ – ⌷ ☎ – 🔬 30, ⌷ ch
Repas Lunch 18 – carte 43 à 83 – **32 ch** ⌷ 150 – ½ P 75/98.

🏠 **Zonneweelde,** Langestreek 94, ⊠ 9166 LG, ℰ 3 11 33, Fax 3 11 99, ⌷ – ⌷
avril-sept, vacances scolaires et week-end – **Repas** (résidents seult) – **24 ch** ⌷ 53/95 – ½ P 65/80.

🏠 **Van der Werff,** Reeweg 2, ⊠ 9166 PX, ℰ 3 12 03, Fax 3 17 48, ⌷ – ⌷ ☎ ⌷ ☰ ⌷
⌷ rest
Repas Lunch 45 – carte 43 à 73 – **58 ch** ⌷ 73/165 – ½ P 100/110.

TERSCHELLING Friesland 408 ④ – 4 591 h. – 😊 0 5620.

Voir Site★ – De Boschplaat★ (réserve d'oiseaux).

⚓ vers Harlingen : Rederij Doeksen, Willem Barentszkade 21 à West-Terschelling ℰ 21 41, Fax 32 41. Durée de la traversée : 1 h 45. Prix AR : 38,90 Fl, voiture : 20,10 Fl par 0,50 m de longueur. Il existe aussi un service rapide (pour passagers uniquement). Durée de la traversée : 45 min.

◆Amsterdam (bac) 115 – ◆Leeuwarden (bac) 28 – (distances de West-Terschelling).

West-Terschelling (West-Skylge).

🛈 (fermé dim.) Willem Barentszkade 19a, ⊠ 8881 EC, 𝒫 30 00, Fax 28 75.

🏥 **Schylge,** Burg. van Heusdenweg 37, ⊠ 8881 ED, 𝒫 21 11, Fax 28 00, ≤, 🌇, « Dominant la Waddenzee et le port de plaisance », Ⅰ₅, ≘s, 🔲 – 🛗 🔟 ☎ ♿ ➡ – 🛎 25 à 200. 🎟 ⓪ Ε 𝘝𝘐𝘚𝘈. ⋘
fermé mi-janv.-mi-fév. – **Repas** Lunch 18 – carte 64 à 83 – **97 ch** ⊆ 152/345, 1 suite – ½ P 142/208.

🏦 **Nap,** Torenstraat 55, ⊠ 8881 BH, 𝒫 32 10, Fax 33 15, 🌇 – 🔟 ☎. 🎟 ⓪ Ε 𝘝𝘐𝘚𝘈
Repas Lunch 29 – carte 44 à 76 – **28 ch** ⊆ 110/184, 1 suite – ½ P 102/121.

🏠 **Oepkes,** De Ruyterstraat 3, ⊠ 8881 AM, 𝒫 20 05, Fax 33 45 – 🅟 – 🛎 40. 🎟 ⓪ Ε 𝘝𝘐𝘚𝘈. ⋘ rest
fermé 7 janv.-1er mars – **Repas** *(fermé après 20 h 30)* Lunch 29 – carte env. 50 – **20 ch** ⊆ 60/160 – ½ P 85/105.

🍴🍴 **De Brandaris,** Boomstraat 3, ⊠ 8881 BS, 𝒫 25 54, Fax 25 54, Taverne-rest – 🍽. 🎟 ⓪ ❤ Ε 𝘝𝘐𝘚𝘈
fermé 6 janv.-mi-fév. – **Repas** Lunch 24 – 36/50.

Kaart.

🏠 **De Horper Wielen** ⑤, Kaart 4, ⊠ 8883 HD, 𝒫 82 00, Fax 82 45, 🌳 – 🅟
fermé 5 déc.-janv. – **Repas** (résidents seult) – **12 ch** ⊆ 100/125 – ½ P 75/88.

Lies.

🏦 **De Walvisvaarder** ⑤, Lies 23, ⊠ 8895 KP, 𝒫 90 00, Fax 86 77, ≘s, 🌳 – 🔟 ☎ 🅟. ⋘
mi-mars-mi-nov. et sem. Noël – **Repas** (résidents seult) – **41 ch** ⊆ 95/150 – ½ P 75/115.

Hoorn (Hoarne).

🍴 **De Millem,** Dorpsstraat 58, ⊠ 8896 JG, 𝒫 84 24, « Ancienne ferme régionale » – 🅟. ⋘
fermé janv.-fév. et lundi sauf juin-sept – **Repas** Lunch 30 – carte env. 55.

Oosterend (Aasterein).

🍴 ✿ **De Grië,** Hoofdstraat 43, ⊠ 8897 HX, 𝒫 84 99, Fax 83 22, 🌇 – 🅟. 🎟 Ε
26 mars-4 janv. ; fermé lundi et merc. du 1er nov. au 23 déc. et mardi – **Repas** (dîner seult) carte env. 65
Spéc. St-Jacques et gnocchi au safran, Tournedos de faisan aux chanterelles (mai-oct.), Beignets de pommes aux coulis de mûres.

TEXEL Noord-Holland 🔢🔢🔢 ③ – 13 006 h. – ✿ 0 2220.

Voir Site★★ – Réserves d'oiseaux★ – De Slufter ≤★.

⛴ vers Den Helder : Rederij Teso, Pontweg 1 à Den Hoorn 𝒫 6 96 00. Durée de la traversée : 20 min. Prix AR : 9,25 Fl (en hiver) et 11,15 Fl (en été), voiture 41,15 Fl (en hiver) et 49,25 Fl (en été).

♦Amsterdam (bac) 85 – ♦Haarlem (bac) 78 – ♦Leeuwarden (bac) 96 – (distances de Den Burg).

Den Burg.

🛈 Emmalaan 66, ⊠ 1791 AV, 𝒫 1 47 41, Fax 1 00 54.

🏦 **De Smulpot,** Binnenburg 5, ⊠ 1791 CG, 𝒫 1 27 56 – 🔟 ☎. 🎟 Ε 𝘝𝘐𝘚𝘈. ⋘ ch
Repas Lunch 19 – carte 52 à 71 – **7 ch** ⊆ 90/155 – ½ P 118.

🍴🍴 **Het Vierspan,** Gravenstraat 3, ⊠ 1791 CJ, 𝒫 1 31 76, Fax 1 31 76 – 🎟 Ε 𝘝𝘐𝘚𝘈
fermé merc. – **Repas** (dîner seult) carte env. 80.

🍴 **Het Kleine Verschil,** Gravenstraat 16, ⊠ 1791 CK, 𝒫 1 52 62, Fax 1 59 31
fermé mardi et fév. – **Repas** (dîner seult) carte 45 à 63.

De Cocksdorp.

🏦 **Nieuw Breda,** Postweg 134 (SO : 4 km), ⊠ 1795 JS, 𝒫 1 12 37, Fax 1 16 01, ≘s, 🔲, ⋘ – 🔟 ☎ 🅟 – 🛎 25. 🎟 Ε 𝘝𝘐𝘚𝘈. ⋘
Repas (résidents seult) – **21 ch** ⊆ 126/158 – ½ P 94/104.

Den Hoorn.

🍴🍴 **Het Kompas,** Herenstraat 7, ⊠ 1797 AE, 𝒫 1 93 60, Fax 1 93 56 – 🎟 ⓪ Ε 𝘝𝘐𝘚𝘈
fermé 15 janv.-15 fév., lundi et mardi en hiver et jeudi en été – **Repas** carte env. 70.

De Koog.

🏥 **Opduin** ⑤, Ruyslaan 22, ⊠ 1796 AD, 𝒫 1 74 45, Fax 1 77 77, ≘s, 🔲, ⋘ – 🛗 ⇄ 🔟 ☎ 🅟 – 🛎 25 à 120. 🎟 ⓪ Ε 𝘝𝘐𝘚𝘈. ⋘ rest
fermé 5 janv.-16 fév. (fermé 5 janv.-16 fév., 24 nov.-15 déc. et après 20 h 30) Lunch 33 – carte 49 à 90 – **100 ch** ⊆ 156/258, 3 suites – ½ P 179/242.

🏦 **Boschrand,** Bosrandweg 225, ⊠ 1796 NA, 𝒫 1 72 81, Fax 1 74 59, 🌳 – 🔟 ☎ 🅟. ⋘ rest
fermé déc.-janv. – **Repas** (dîner pour résidents seult) – **27 ch** ⊆ 120/150 – ½ P 80/90.

447

🏠 **Zeerust,** Boodtlaan 5, ⊠ 1796 BD, ℰ 1 72 61, Fax 1 78 39 – ☎ ❷. **E.** ⅍
15 fév.-15 nov. – **Repas** (dîner pour résidents seult) – **16 ch** ⊇ 63/112 – ½ P 77/79.

🏠 **Alpha,** Boodtlaan 84, ⊠ 1796 BG, ℰ 1 76 77, Fax 1 72 75 – 📺 ☎ ❷. ⅍
mi-fév.-début nov. – **Repas** (dîner pour résidents seult) – **12 ch** ⊇ 55/57 – ½ P 80.

🏠 **'t Jachthuis** sans rest, Boodtlaan 38, ⊠ 1796 BG, ℰ 1 77 58, Fax 1 72 23, ⇘ – ☎ ❷. ⅍
15 fév.-oct. – **14 ch** ⊇ 75/95.

▮ Oosterend ▮.

XX **Rôtiss.'t Kerckeplein,** Oesterstraat 6, ⊠ 1794 AR, ℰ 1 89 50 – ❷. 🅰🎗 ⑩ **E** 𝖵𝖨𝖲𝖠
fermé merc. et 15 janv.-15 fév. – **Repas** (dîner seult sauf en saison) carte env. 70.

▮ Oudeschild ▮.

X **'t Pakhuus,** Haven 8, ⊠ 1792 AE, ℰ 1 35 81, ≤, Produits de la mer, « Ancien entrepôt »
– 🅰🎗 **E** 𝖵𝖨𝖲𝖠
Repas carte 54 à 81.

▮ De Waal ▮.

🏠 **Rebecca,** Hogereind 39, ⊠ 1793 AE, ℰ 1 27 45, Fax 1 58 47, ⅍ – ☎ ❷. **E** 𝖵𝖨𝖲𝖠. ⅍
fermé 11 nov.-25 déc. – **Repas** (résidents seult) – **20 ch** ⊇ 61/172 – ½ P 81.

🏠 **De Weal,** Hogereind 28, ⊠ 1793 AH, ℰ 1 32 82 – 📺 ❷. 🅰🎗. ⅍ rest
Repas (résidents seult) – **18 ch** ⊇ 75/135 – ½ P 65.

VLIELAND Friesland 🮰🮰🮰 ③ – 1 090 h. – ✪ 0 5621.

⇚vers Harlingen : Rederij Doeksen, Willem Barentzkade 21 à West-Terschelling ℰ (0 5620) 21 41,
Fax 32 41. Durée de la traversée : 1 h 45. Prix AR : 38,40 Fl, bicyclette : 15,90 Fl. Il existe aussi un
service rapide. Durée de la traversée : 45 min.

🮰 Havenweg 10, ⊠ 8899 BB, ℰ 11 11, Fax 13 61.

◆Amsterdam (bac) 115 – ◆Leeuwarden (bac) 28.

▮ Oost-Vlieland ▮.

Voir Phare (Vuurtoren) ≤★.

🏨 **Strandhotel Seeduyn** ⅍ avec appartements, Badweg 3 (N : 2 km), ⊠ 8899 BV, ℰ 15 77,
Fax 11 15, ≤, « Dominant dunes et mer », ℐ𝕤, ≋s, 🮰, ⅍, 🮰 – 🛗 📺 ☎ ⅟ – 🮰 25 à
240. 🅰🎗 ⑩ **E** 𝖵𝖨𝖲𝖠. ⅍
fermé mi-janv.-mi-fév. – **Repas** Lunch 18 – carte 66 à 90 – **90 ch** ⊇ 143/245, 4 suites –
½ P 138/162.

🏨 **De Wadden,** Dorpsstraat 61, ⊠ 8899 AD, ℰ 12 98, « Aménagement cossu », ⇘ – 📺
☎. ⑩ **E** 𝖵𝖨𝖲𝖠. ⅍
avril-début janv. – **Repas** (dîner seult) carte 51 à 72 – **19 ch** ⊇ 93/185 – ½ P 100/120.

🏨 **Geertzen** ⅍, Berkenlaan 18, ⊠ 8899 BP, ℰ 14 08, Fax 10 25, « Terrasses fleuries », ≋s,
⇘ – 📺 ☎. ⅍
fermé déc.-6 janv. – **Repas** (résidents seult) – **21 ch** ⊇ 92/144 – ½ P 92/112.

🏠 **Bruin,** Dorpsstraat 88, ⊠ 8899 AL, ℰ 13 01 – 📺 ☎. 🅰🎗 ⑩ **E** 𝖵𝖨𝖲𝖠
Repas carte env. 60 – **31 ch** ⊇ 180 – ½ P 105/140.

🏠 **Zeezicht,** Havenweg 1, ⊠ 8899 BB, ℰ 13 24, Fax 11 99, ≤, ⇙ – 📺 ☎. ⅍ ch
avril-1ᵉʳ nov. – **Repas** carte env. 50 – **17 ch** ⊇ 107/183 – ½ P 105/115.

X **Oosterbaan,** Dorpsstraat 12, ⊠ 8899 AH, ℰ 15 95, Fax 17 16, Produits de la mer – 🅰🎗 ⑩
E 𝖵𝖨𝖲𝖠
Repas Lunch 23 – carte 43 à 66.

▮ WADDINXVEEN ▮ Zuid-Holland 🮰🮰🮰 ⑩ – 25 653 h. – ✪ 0 1828.

◆Amsterdam 46 – ◆Den Haag 29 – ◆Rotterdam 24 – ◆Utrecht 37.

XX **De Gouwe Dis,** Zuidkade 22, ⊠ 2741 JB, ℰ 1 20 26, Fax 1 09 99 – 🅰🎗 ⑩ **E** 𝖵𝖨𝖲𝖠
fermé dim., lundi et jours fériés – **Repas** Lunch 50 – 60/70.

XX **Bibelot,** Limaweg 54, ⊠ 2743 CD, ℰ 1 66 95, Fax 3 09 55, ⇙ – ▤ ❷. 🅰🎗 ⑩ **E** 𝖵𝖨𝖲𝖠
fermé lundi – **Repas** Lunch 45 – carte 54 à 71.

XX **'t Baarsje,** Zwarteweg 6, ⊠ 2741 LC, ℰ (0 1829) 44 60, Fax (0 1829) 27 47, ⇙ – ▤ ❷.
🅰🎗 ⑩ **E** 𝖵𝖨𝖲𝖠
fermé mardi, merc., 25 juil.-18 août et 27 déc.-11 janv. – **Repas** Lunch 55 – 55/83.

▮ WAGENINGEN ▮ Gelderland 🮰🮰🮰 ⑪ ⑫ – 32 591 h. – ✪ 0 8370.

🮰 Plantsoen 3, ⊠ 6701 AS, ℰ 1 07 77.

◆Amsterdam 85 – ◆Arnhem 17 – ◆Utrecht 47.

🏨 **Nol in't Bosch** ⅍, Hartenseweg 60 (NE : 2 km), ⊠ 6704 PA, ℰ (0 8373) 1 91 01,
Fax (0 8373) 1 36 11, « Dans les bois », ⇘, ⅍ – 🛗 📺 ☎ ❷ – 🮰 25 à 150. 🅰🎗 ⑩ **E** 𝖵𝖨𝖲𝖠.
⅍ rest
Repas *(fermé après 20 h 30)* Lunch 23 – carte 52 à 68 – **33 ch** ⊇ 108/175 – ½ P 110/150.

WAHLWILLER Limburg 🔲🔲🔲 ② – voir à Wittem.

WANSSUM Limburg 🆑 Meerlo-Wanssum 7 084 h. 🔲🔲🔲 ⑩ et 🔲🔲🔲 ⑲ – ✆ 0 4784.
◆Amsterdam 159 – ◆Eindhoven 51 – ◆Maastricht 104 – ◆Nijmegen 48.

🏤 **Verstraelen,** Geysterseweg 7, ⌧ 5861 BK, ✆ 25 41, Fax 25 68 – 📺 ☎ 🅿 – 🔏 60. 🖭 E 🚾. 🛠
fermé dim. et 20 déc.-8 janv. – **Repas** carte env. 60 – **15 ch** ☷ 95/125 – ½ P 125.

🍴🍴 **De Kooy,** De Kooy 15, ⌧ 5861 EH, ✆ 12 27, Fax 26 30, 🏵 – 🅿. 🖭 ⓪ E 🚾. 🛠
fermé lundi, mardi et 3 sem. carnaval – **Repas** Lunch 60 – carte 76 à 95.

WARKUM Friesland – voir Workum.

WARMOND Zuid-Holland 🔲🔲🔲 ⑩ – 5 140 h. – ✆ 0 1711.
🗓 Dorpsstraat 106, ⌧ 2361 BN, ✆ 1 03 36.
◆Amsterdam 39 – ◆Den Haag 20 – ◆Haarlem 25.

🍴🍴 **De Stad Rome,** Baan 4, ⌧ 2361 GH, ✆ 1 01 44, Fax 1 25 17, Grillades – 🅿. 🖭 ⓪ E 🚾
fermé lundi et 22 août-4 sept – **Repas** (dîner seult) carte 58 à 76.

WARTENA (WARTEN) Friesland 🆑 Boarnsterhim 17 784 h. 🔲🔲🔲 ⑤ – ✆ 0 5105.
◆Amsterdam 157 – ◆Groningen 52 – ◆Leeuwarden 9.

🏠 De Brigantijn, Hoofdstraat 31, ⌧ 9003 LC, ✆ 5 13 44, Fax 5 29 70, 🏵 – 📺 ☎ 🅿
Repas *(fermé lundi et mardi de nov. à avril)* – **6 ch**.

WASSENAAR Zuid-Holland 🔲🔲🔲 ⑨ – voir à Den Haag, environs.

WEERT Limburg 🔲🔲🔲 ⑲ et 🔲🔲🔲 ⑲ – 41 053 h. – ✆ 0 4950.
🔟₈ Laurabosweg 8, ⌧ 6006 VR, ✆ 1 84 38.
🗓 Waag, Langpoort 5b, ⌧ 6001 CL, ✆ 3 68 00, Fax 4 14 94.
◆Amsterdam 156 – ◆Maastricht 57 – ◆Eindhoven 28 – Roermond 21.

🏤 **Jan van der Croon,** Driesveldlaan 99, ⌧ 6001 KC, ✆ 3 96 55, Fax 4 08 07 – 📗 📺 ☎ 🕭
🚗 – 🔏 25 à 300. 🖭 ⓪ E 🚾
Repas Lunch 25 – carte 48 à 66 – **60 ch** ☷ 110/148 – ½ P 95/135.

🏠 **De Brookhut,** Heugterbroekdijk 2 (N : 3 km à Laar), ⌧ 6003 RB, ✆ 3 13 91, Fax 4 33 05,
🏵 – 📺 ☎ 🅿 – 🔏 30. 🖭 ⓪ E 🚾. 🛠 rest
fermé du 15 au 30 janv. – **Repas** 50 – **8 ch** ☷ 95/125 – ½ P 130.

🍴🍴 ❀❀ **L'Auberge** (Mertens), Parallelweg 101 (transfert prévu), ⌧ 6001 HM, ✆ 3 10 57,
Fax 3 10 57 – 🅿. 🖭 E 🚾. 🛠
fermé dim., lundi, dern. sem. juil.-2 prem. sem. août et fin déc. – **Repas** 69/105 carte 97 à 117
Spéc. Langoustines aux coquilles St-Jacques marinées (oct.-mai), Lièvre à la royale au gratin d'endives et de truffes (oct.-janv.), Tartelettes régionales.

WEESP Noord-Holland 🔲🔲🔲 ⑩ ⑪ – 17 948 h. – ✆ 0 2940.
◆Amsterdam 21 – Hilversum 15 – ◆Utrecht 35.

🍴 **De Tapperij,** Achteromstraat 8, ⌧ 1381 AV, ✆ 1 49 71, Fax 1 71 13, 🏵, « Ancienne brasserie » – 🖭 E 🚾. 🛠
fermé merc., dim. et 27 déc.-2 janv. – **Repas** Lunch 55 – 75/90.

WELL Limburg 🆑 Bergen 13 047 h. 🔲🔲🔲 ⑩ et 🔲🔲🔲 ⑲ – ✆ 0 4783.
◆Amsterdam 156 – ◆Maastricht 99 – ◆Nijmegen 42 – Venlo 24.

🍴🍴 **Het Ankertje,** Grotestraat 38, ⌧ 5855 AN, ✆ 12 34, 🏵, « Jardin d'hiver » – 🍽. 🖭 ⓪ E 🚾
fermé lundi, mardi midi, carnaval et fin août – **Repas** Lunch 45 – 67.

🍴 **De Vossenheuvel,** Vossenheuvel 4 (NO : 3,5 km, dans les bois), ⌧ 5855 EE, ✆ 18 89, Fax 27 13, 🏵, « Jardin d'hiver » – 🅿. 🖭 E 🚾. 🛠
fermé mardi et merc. midi de sept à mai – **Repas** Lunch 30 – 70/73.

WELLERLOOI Limburg 🆑 Bergen 13 047 h. 🔲🔲🔲 ⑩ et 🔲🔲🔲 ⑲ – ✆ 0 4783.
◆Amsterdam 160 – ◆Maastricht 95 – ◆Eindhoven 54 – ◆Nijmegen 46 – Venlo 20.

🍴🍴🍴🍴 **Host. de Hamert** 🕊 avec ch, Hamert 2 (rte Nijmegen-Venlo), ⌧ 5856 CL, ✆ (0 4703) 12 60, Fax (0 4703) 25 03, « Au bord de l'eau, ≤ Meuse (Maas) et campagne », 🚣 – 🍽 ch
📺 ☎ 🚗 🅿 – 🔏 35. 🖭 ⓪ E 🚾. 🛠
fermé 27 déc.-5 janv. et mardi et merc. de nov. à avril – **Repas** Lunch 63 – 90/110 – **10 ch** ☷ 175/240 – ½ P 210.

WELTEN Limburg 🔲🔲🔲 ② – voir à Heerlen.

449

WENUM-WIESEL Gelderland 🔲🔲🔲 ⑫ – voir à Apeldoorn.

WERKENDAM Noord-Brabant 🔲🔲🔲 ⑥ et 🔲🔲🔲 ⑰ – 18 894 h. – 😊 0 1835.
◆Amsterdam 76 – ◆'s-Hertogenbosch 43 – ◆Breda 35 – ◆Rotterdam 46 – ◆Utrecht 43.

XX **De Brabantse Biesbosch,** Spieringsluis 6 (SO : 10 km, près Kop van 't Land), ⊠ 4251 MR, ℘ 42 48, Fax 56 73 – 🅿. 🕮 ⓪ 🖪 𝘝𝘐𝘚𝘈
fermé lundi et après 20 h 30 – **Repas** Lunch 25 – carte env. 80.

WESTERBROEK Groningen Ⓒ Hoogezand-Sappemeer 34 031 h. 🔲🔲🔲 ⑥ – 😊 0 5904.
◆Amsterdam 193 – ◆Groningen 11.

🏨 **Motel Westerbroek,** Rijksweg W. 11, ⊠ 9608 PA, ℘ 22 05, Fax 25 78 – 📺 😊 🅿 – 🔏 30 à 200. 🕮 ⓪ 🖪 𝘝𝘐𝘚𝘈
Repas (ouvert jusqu'à 23 h) Lunch 17 – carte env. 45 – ⊑ 10 – **46 ch** 83.

WESTKAPELLE Zeeland 🔲🔲🔲 ⑫ et 🔲🔲🔲 ⑮ – 2 690 h. – 😊 0 1187.
◆Amsterdam 219 – ◆Middelburg 18.

🏨 **Zuiderduin** 🦩, De Bucksweg 2 (S : 3 km), ⊠ 4361 SM, ℘ (0 1186) 18 10, Fax (0 1186) 22 61, 🛋, 🏊, 🦶, 🎾 – 📺 🕿 🅿 – 🔏 25 à 240. 🕮 ⓪ 🖪 𝘝𝘐𝘚𝘈. 🍴 rest
fermé 28 déc.-10 janv. – **Repas** Lunch 25 – 54/75 – **67 ch** ⊑ 125/225 – ½ P 134/184.

X **Badmotel,** Grindweg 2, ⊠ 4361 JG, ℘ 13 58, Fax 13 59, ≼, 🏤, « Au bord de l'eau » – 🅿
Pâques-1er nov. ; fermé lundi et mardi – **Repas** (dîner seult) carte env. 65.

WEST-TERSCHELLING (WEST-SKYLGE) Friesland 🔲🔲🔲 ④ – voir à Waddeneilanden (Terschelling).

WESTZAAN Noord-Holland Ⓒ Zaanstad 131 785 h. 🔲🔲🔲 ⑩ ㉗ – 😊 0 75.
◆Amsterdam 20 – Alkmaar 22 – ◆Haarlem 20.

XX **De Prins** avec ch, Kerkbuurt 31, ⊠ 1551 AB, ℘ 28 19 72, Fax 28 91 36 – 📺 🕿 – 🔏 25 à 100. 🕮 ⓪ 🖪 𝘝𝘐𝘚𝘈. 🍴
Repas Lunch 43 – carte 46 à 95 – **15 ch** ⊑ 103/133.

WILHELMINADORP Zeeland Ⓒ Goes 33 023 h. 🔲🔲🔲 ⑬ et 🔲🔲🔲 ⑯ – 😊 0 1100.
◆Amsterdam 163 – Goes 4 – ◆Middelburg 27.

XX **Katseveer,** Katseveerweg 2 (NO : 2,5 km près barrage), ⊠ 4475 PB, ℘ 2 79 55, Fax 3 20 47, ≼, 🏤 – 🅿. 🕮 🖪 𝘝𝘐𝘚𝘈. 🍴
fermé sam. midi, dim. et dern. sem. janv. – **Repas** Lunch 60 – 73/83.

WILLEMSTAD Noord-Brabant 🔲🔲🔲 ⑤ et 🔲🔲🔲 ⑰ – 3 377 h. – 😊 0 1687.
◆Amsterdam 117 – ◆'s-Hertogenbosch 97 – Bergen op Zoom 29 – ◆Breda 45 – ◆Rotterdam 38.

XX **Het Wapen van Willemstad** avec ch, Benedenkade 12, ⊠ 4797 AV, ℘ 34 50, Fax 37 05, 🏤 – 📺 🕿 – 🔏 25 à 60. 🕮 ⓪ 🖪 𝘝𝘐𝘚𝘈. 🍴
fermé janv. – **Repas** Lunch 28 – carte env. 85 – **6 ch** ⊑ 115/150.

WINSCHOTEN Groningen 🔲🔲🔲 ⑥ – 18 874 h. – 😊 0 5970.
🅱 (fermé sam. après-midi et dim.) Stationsweg 21a, ⊠ 9670 AC, ℘ 1 22 55, Fax 2 40 62.
◆Amsterdam 230 – ◆Assen 49.

🏨 **Royal York,** Stationsweg 21, ⊠ 9671 AL, ℘ 1 43 00, Fax 2 32 24 – 📳 📺 🕿 🅿 – 🔏 25 à 60. 🕮 ⓪ 🖪 𝘝𝘐𝘚𝘈
fermé 30 déc.-2 janv. – **Repas** Lunch 20 – carte 43 à 75 – **50 ch** ⊑ 98/135.

X **In den Stallen,** Oostereinde 10 (NE : 3 km, près A 7), ⊠ 9672 TC, ℘ 1 40 73, Fax 2 26 53, 🏤 – 🅿. 🕮 ⓪ 🖪 𝘝𝘐𝘚𝘈
fermé 31 déc. et 1er janv. – **Repas** Lunch 25 – carte 48 à 66.

WINTERSWIJK Gelderland 🔲🔲🔲 ⑬ – 27 969 h. – 😊 0 5430.
🏌 Henxel 33, ⊠ 7113 RG, ℘ 6 22 93.
🅱 Markt 17a, ⊠ 7101 DA, ℘ 1 23 02.
◆Amsterdam 152 – ◆Arnhem 67 – ◆Apeldoorn 66 – ◆Enschede 43.

🏨 **De Frerikshof,** Frerikshof 2 (NO : 2 km), ⊠ 7103 CA, ℘ 1 77 55, Fax 2 20 35, 🏤, 🛋, 🏊 – 📳 📺 🕿 🅿 – 🔏 25 à 200. 🍴 rest
Repas Lunch 35 – carte env. 60 – ⊑ 23 – **64 ch** 145/300, 2 suites – ½ P 120/140.

🏨 **Stad Munster,** Markt 11, ⊠ 7101 DA, ℘ 1 21 21, Fax 2 24 15, 🏤 – 📳 📺 🕿 🅿. 🕮 ⓪ 🖪 𝘝𝘐𝘚𝘈
fermé du 1er au 20 janv. – **Repas** (fermé dim. midi) Lunch 40 – 43/80 – **20 ch** ⊑ 80/170 – ½ P 110/125.

XX **De Beukenhorst,** Markt 27, ⊠ 7101 DA, ℘ 2 28 94, Fax 1 84 32, 🏤 – 🕮 🖪 𝘝𝘐𝘚𝘈
fermé 27 fév.-14 mars – **Repas** (dîner seult) Lunch 43 – carte env. 75.

WITTEM Limburg 🔲🔲 ② et 🔲🔲 ㉖ – 7 780 h. – ✪ 0 4450.
🏌 à Mechelen S : 2 km, Dalbissenweg 22, ✉ 6281 NC, ✆ (0 4455) 13 97.
◆Amsterdam 225 – ◆Maastricht 19 – Aachen 13.

🏠 **In den Roden Leeuw van Limburg,** Wittemer Allee 28, ✉ 6286 AB, ✆ 12 74, Fax 23 62, 🍴 – 📺 ☎ 🅿. 🖭 ⓞ 🝆 𝖵𝖨𝖲𝖠. ⅏ ch
Repas (fermé lundi et après 20 h) Lunch 19 – carte 43 à 61 – **10 ch** ⌧ 48/115.

ⵉⵉⵉ **Kasteel Wittem** ⚶, avec ch, Wittemer Allee 3, ✉ 6286 AA, ✆ 12 08, Fax 12 60, ≼, 🍴, « Château du 15ᵉ s. avec parc », 🍃 – 📺 ☎ 🅿. 🖭 ⓞ 🝆 𝖵𝖨𝖲𝖠. ⅏
Repas (dîner seult sauf les vend., sam. et dim.) Lunch 63 – 90/130 – **12 ch** ⌧ 180/230 – ½ P 195/228.

à Wahlwiller E : 1,5 km ⓒ Wittem – ✪ 0 4451 :

ⵉⵉⵉ ✿ **Der Bloasbalg** (Waghemans), Botterweck 3, ✉ 6286 DA, ✆ 13 64, Fax 25 15, 🍴, « Cadre champêtre » – ▤ 🅿. 🖭 ⓞ 🝆 𝖵𝖨𝖲𝖠. ⅏
fermé mardi, merc., 2 sem. carnaval et 24 déc. – **Repas** Lunch 63 – 90 carte 89 à 127
Spéc. Thon rouge marbré à la vinaigrette de tomates (juin-oct.), Rôti d'agneau limbourgeois à la sauce au thym, Gratin de fruits de saison et glace à la coriandre.

ⵉⵉⵉ **'t Klauwes,** Oude Baan 1, ✉ 6286 BD, ✆ 15 48, Fax 22 55, 🍴, « Ferme du 18ᵉ s. » – 🅿. 🖭 ⓞ 🝆 𝖵𝖨𝖲𝖠
fermé lundi et sam. midi – **Repas** Lunch 45 – 65/90.

WOERDEN Utrecht 🔲🔲 ⑩ – 35 361 h. – ✪ 0 3480.
🛈 (fermé dim.) Molenstraat 40, ✉ 3441 BA, ✆ 1 44 74.
◆Amsterdam 52 – ◆Den Haag 46 – ◆Rotterdam 41 – ◆Utrecht 19.

🏠 **Woerden,** Utrechtsestraatweg 33, ✉ 3445 AM, ✆ 1 25 15, Fax 2 18 53 – 📺 ☎ – 🔬 25 à 100. 🖭 ⓞ 🝆 𝖵𝖨𝖲𝖠. ⅏
Repas (fermé dim.) carte 43 à 60 – **67 ch** ⌧ 125.

🍴 **De Schutter,** Groenendaal 28, ✉ 3441 BD, ✆ 1 53 00, Fax 3 45 73, 🍴, « Collection d'instruments de musique » – 🖭 🝆 𝖵𝖨𝖲𝖠. ⅏
fermé dim., lundi, 1 sem. en fév. et 3 sem. vacances bâtiment – **Repas** Lunch 48 – carte 75 à 109.

🍴 **De Smidse,** Havenstraat 12, ✉ 3441 BJ, ✆ 1 77 77, Fax 1 77 77 – 🖭 ⓞ 🝆 𝖵𝖨𝖲𝖠. ⅏
fermé lundi, mardi et fév. – **Repas** (dîner seult) 43/63.

à Kamerik N : 4 km ⓒ Woerden – ✪ 0 3481 :

🍴 **De Herberg,** Van Teylingenweg 48, ✉ 3471 GC, ✆ 19 02, 🍴 – 🖭 ⓞ 🝆 𝖵𝖨𝖲𝖠
fermé lundi, mardi et prem. sem. janv. – **Repas** (dîner seult) carte env. 55.

WOLDENDORP Groningen 🔲🔲 ⑥ – voir à Delfzijl.

WOLFHEZE Gelderland ⓒ Renkum 32 867 h. 🔲🔲 ⑫ – ✪ 0 8308.
◆Amsterdam 93 – ◆Arnhem 8 – Amersfoort 41 – ◆Utrecht 57.

🏠🏠 **De Buunderkamp** ⚶, Buunderkamp 8, ✉ 6874 NC, ✆ 2 11 66, Fax 2 18 98, 🍴, « Dans les bois », ⬭, 🏊, 🍃, ⅏ – ▐ ▤ rest 📺 ☎ ⟺ 🅿 – 🔬 25 à 80. 🖭 ⓞ 🝆 𝖵𝖨𝖲𝖠. ⅏ rest
fermé 31 déc. et 1ᵉʳ janv. – **Repas** Lunch 40 – carte 84 à 103 – **51 ch** ⌧ 205/255, 24 suites – ½ P 175/205.

🏠🏠 **Wolfheze** ⚶, Wolfhezerweg 17, ✉ 6874 AA, ✆ (0 85) 33 78 52, Fax (0 85) 33 62 11, « Environnement boisé », ⬭, 🏊, ⅏ – ▐ ▤ rest 📺 ☎ 🅿 – 🔬 25 à 120. 🖭 ⓞ 🝆 𝖵𝖨𝖲𝖠. ⅏ rest
Repas Lunch 15 – carte env. 70 – **70 ch** ⌧ 205/305 – ½ P 135/170.

🍴 **Het Wolvenbosch,** Wolfhezerweg 87, ✉ 6874 AC, ✆ 2 12 02, 🍴 – 🅿. 🖭 ⓞ 🝆 𝖵𝖨𝖲𝖠
fermé lundi et du 8 au 24 janv. – **Repas** carte env. 50.

WOLPHAARTSDIJK Zeeland ⓒ Goes 33 023 h. 🔲🔲 ⑬ et 🔲🔲 ⑯ – ✪ 0 1198.
◆Amsterdam 186 – ◆Middelburg 26 – Goes 6.

ⵉⵉⵉ **'t Veerhuis,** Wolphaartsdijkseveer 1 (N : 2 km au bord du lac), ✉ 4471 ND, ✆ 13 26, Fax 10 92, ≼ – 🅿. 🖭 ⓞ 🝆 𝖵𝖨𝖲𝖠
fermé jeudi sauf en juil.-août et lundi – **Repas** Lunch 58 – 85/118.

WORKUM (WARKUM) Friesland ⓒ Nijefurd 10 323 h. 🔲🔲 ④ – ✪ 0 5151.
Env. SO : 6 km à Hindeloopen : Musée★ (Hidde Nijland Stichting).
🛈 Noard 5, ✉ 8711 AA, ✆ 4 13 00.
◆Amsterdam 124 – ◆Leeuwarden 41 – Bolsward 12 – ◆Zwolle 83.

ⵉⵉ **De Waegh,** Merk 18, ✉ 8711 CL, ✆ 4 19 00, Fax 4 25 95, Rustique – 🖭 ⓞ 🝆 𝖵𝖨𝖲𝖠
fermé mardi et fév. – **Repas** Lunch 19 – 50/53.

🍴 **De Petiele,** Noard 13, ✉ 8711 AA, ✆ 4 16 16, 🍴 – 🖭 ⓞ 🝆 𝖵𝖨𝖲𝖠
fermé lundi de déc. à mars – **Repas** Lunch 18 – carte 44 à 60.

WOUBRUGGE Zuid-Holland Ⓒ Jacobswoude 10 832 h. 🔢 ⑩ – ✪ 0 1729.
◆Amsterdam 36 – ◆Den Haag 31 – ◆Rotterdam 44 – ◆Utrecht 43.

XX **Het Oude Raedthuys,** Raadhuisstraat 2, ✉ 2481 BE, ℘ 81 03, ≤ – ⓟ. 🅰🅴 ⓞ ⴹ
fermé lundi et mardi – **Repas** *Lunch 50* – carte 62 à 78.

WOUDRICHEM Noord-Brabant 🔢 ⑥ ⑦ et 🔢 ⑰ ⑱ – 13 707 h. – ✪ 0 1833.
🄱 (mai-mi-sept) Kerkstraat 37, ✉ 4285 BA, ℘ 12 02.
◆Amsterdam 79 – ◆Breda 40 – ◆'s-Hertogenbosch 32 – ◆Rotterdam 48 – ◆Utrecht 46.

X **De Gevangenpoort,** Kerkstraat 3, ✉ 4285 BA, ℘ 20 34, « Tour du 16ᵉ s. » – 🅰🅴 ⓞ ⴹ
🆅🅸🆂🅰
fermé sam. midi, dim. midi et lundi – **Repas** *Lunch 44* – carte 55 à 74.

WIJCHEN Gelderland 🔢 ⑨ et 🔢 ⑲ – 35 328 h. – ✪ 0 8894.
🄱 Weg door de Berendonck 40, ✉ 6603 LP, ℘ 2 00 39.
◆Amsterdam 122 – ◆Arnhem 38 – ◆'s-Hertogenbosch 38 – ◆Nijmegen 10.

XX **'t Wichlant,** Kasteellaan 16, ✉ 6602 DE, ℘ 2 01 01, 🏡 – 🅰🅴 ⓞ ⴹ 🆅🅸🆂🅰, 🛇
➡ *fermé lundi, mardi, 2 sem. carnaval et du 11 au 21 sept* – **Repas** (dîner seult) 40/65.

In deze gids
heeft een zelfde letter of teken,
zwart of rood, dun of dik gedrukt
niet helemaal dezelfde betekenis.

Lees aandachtig de bladzijden met verklarende tekst.

De WIJK Drenthe 🔢 ⑫ – voir à Meppel.

WIJK AAN ZEE Noord-Holland Ⓒ Beverwijk 35 523 h. 🔢 ⑩ – ✪ 0 2517.
🄱 (Pâques-sept ; fermé dim.) Julianaplein 3, ✉ 1949 AT, ℘ 42 53, Fax 54 64.
◆Amsterdam 31 – Alkmaar 27 – ◆Haarlem 18.

🏠 **De Klughte** sans rest, Van Ogtropweg 2, ✉ 1949 BA, ℘ 43 04, Fax 52 24, « Villa début
du siècle en bordure des dunes », 🏡 – 📺 ☎ ⓟ. 🅰🅴 🆅🅸🆂🅰
fermé 23 déc.-3 janv. – **17 ch** ⴺ 80/130.

WIJK BIJ DUURSTEDE Utrecht 🔢 ⑪ – 16 818 h. – ✪ 0 3435.
🄱 (fermé dim.) Markt 24, ✉ 3961 BC, ℘ 7 59 95.
◆Amsterdam 62 – ◆Utrecht 24 – ◆Arnhem 54 – ◆'s-Hertogenbosch 48.

🏠 **De Oude Lantaarn** (ch en annexe), Markt 2, ✉ 3961 BC, ℘ 7 13 72, Fax 7 37 96 – 📺 ☎.
🅰🅴 ⓞ ⴹ 🆅🅸🆂🅰
fermé 24, 25, 26 et 31 déc. et 1ᵉʳ janv. – **Repas** *(fermé lundi, dern. sem. juil., 24, 25, 26
et 31 déc. et 1ᵉʳ janv.) Lunch 35* – carte env. 65 – **18 ch** ⴺ 125/145, 2 suites.

XX ❀ **Duurstede** (van Loo), Maleborduurstraat 7, ✉ 3961 BE, ℘ 7 29 46, Fax 7 46 14, 🏡,
« Entrepôt du 14ᵉ s. » – 🅰🅴 ⓞ ⴹ 🆅🅸🆂🅰
fermé mardi et 27 déc.-3 janv. – **Repas** (nombre de couverts limité - prévenir) *Lunch 55* –
95 carte 93 à 118
Spéc. Ravioli de poulet de Bresse aux langoustines sautées, Filets de sole grillée Mont d'Or
(sept-mai), Soupe de fruits rouges de saison (mai-oct.).

YERSEKE Zeeland Ⓒ Reimerswaal 19 896 h. 🔢 ⑭ et 🔢 ⑯ – ✪ 0 1131.
◆Amsterdam 173 – ◆Middelburg 35 – Bergen op Zoom 35 – Goes 14.

XXX ❀ **Nolet-Het Reymerswale,** Burg. Sinkelaan 5, ✉ 4401 AL, ℘ 16 42, Fax 25 05, Huîtres,
produits de la mer, « Aquarium avec faune aquatique de la mer du Nord » – 🅰🅴 ⓞ ⴹ 🆅🅸🆂🅰
fermé mardis et merc. non fériés, 30 janv.-3 mars et du 6 au 23 juin – **Repas** carte 107
à 134
Spéc. Huîtres au Champagne et caviar (oct.-avril), Homard à la nage, Turbot grillé.

XX **Het Wapen van Yerseke,** Wijngaardstraat 16, ✉ 4401 CS, ℘ 14 42, Huîtres, produits de
la mer – 🅰🅴 ⓞ ⴹ 🆅🅸🆂🅰. 🛇
fermé mardi – **Repas** *Lunch 49* – carte env. 60.

X **Nolet,** Lepelstraat 7, ✉ 4401 EB, ℘ 13 09, Fax 43 48, Huîtres, produits de la mer – 🅰🅴 ⴹ
🆅🅸🆂🅰
fermé lundis non fériés – **Repas** *Lunch 48* – 48/114.

X **Nolet's Vistro,** Burg. Sinkelaan 6, ✉ 4401 AL, ℘ 21 01, Fax 25 05, Produits de la mer –
▤
fermé du 2 au 19 mai, 27 déc.-27 janv. et lundis non fériés sauf en juil.-août –
Repas *Lunch 49* – 49/59.

IJMUIDEN Noord-Holland ⓒ Velsen 62 828 h. 408 ⑩ – ✿ 0 2550.

Voir Écluses★.

🚣 à Velsen-Zuid, Het Hoge Land 3, ✉ 1981 LT, Recreatieoord Spaarnwoude 🏌 (0 23) 38 27 08.

⛴ vers Göteborg (mars-oct.) et vers Kristiansand (6 juin-6 sept) : Scandinavian Seaways, Felison Terminal, Sluisplein 33 🏌 3 45 46, Fax 3 53 49.

🛈 Marktplein 42, ✉ 1972 GC, 🏌 1 56 11.

◆Amsterdam 29 – Alkmaar 26 – ◆Haarlem 14.

🏠 **Augusta,** Oranjestraat 98 (direction Sluizen), ✉ 1975 DD, 🏌 1 42 17, Fax 3 47 03 – 📺 ☎.
🄰🄴 E 💳. 🍽
Repas (fermé 2 sem. vacances bâtiment et 2 sem. Noël) Lunch 39 – carte env. 70 –
13 ch (fermé 25 et 26 déc.) 🖃 90/135.

XX **Imko's** 3ᵉ étage, Halkade 9c (port de pêche), ✉ 1976 DC, 🏌 1 75 26, Fax 1 92 64, ≤,
Produits de la mer – 🄰🄴 ⑩ E 💳
Repas Lunch 48 – 55/85.

à Velsen-Zuid sortie IJmuiden sur A 9 ⓒ Velsen – ✿ 0 2550 :

XX **Het Roode Hert,** Zuiderdorpstraat 15, ✉ 1981 BG, 🏌 1 57 97, « Auberge du 16ᵉ s. » – ▤.
🄰🄴 ⑩ E 💳. 🍽
fermé dim., lundi et 25 juil.-14 août – **Repas** Lunch 53 – carte 74 à 93.

X **Beeckestijn,** Rijksweg 136, ✉ 1981 LD, 🏌 1 44 69, Fax 1 12 66, ≤, 🌿, « Dans les dépendances d'une résidence du 18ᵉ s., parc » – 🅿. 🄰🄴 ⑩ E 💳
fermé lundi, mardi et après 20 h 30 – **Repas** carte env. 65.

IJSSELSTEIN Utrecht 408 ⑪ – 22 011 h. – ✿ 0 3408.

◆Amsterdam 47 – ◆Utrecht 14 – ◆Breda 61 – ◆'s-Hertogenbosch 45 – ◆Rotterdam 60.

🏠 **Epping,** Utrechtsestraat 44, ✉ 3401 CW, 🏌 8 31 14, Fax 7 01 04 – 📺 ☎ – 🔦 30. 🄰🄴 ⑩ E 💳
fermé 25 et 26 déc. et 1ᵉʳ janv. – **Repas** (fermé dim.) carte 43 à 68 – **40 ch** 🖃 60/90 –
½ P 85/113.

XXX **Les Arcades,** Weidstraat 1, ✉ 3401 DL, 🏌 8 39 01, Fax 7 15 74, « Cave voûtée du 16ᵉ s. »
– 🄰🄴 ⑩ E 💳 🝸
fermé sam. midi, dim. et dern. sem. juil.-prem. sem. août – **Repas** Lunch 55 – 55/75.

IJZENDIJKE Zeeland ⓒ Oostburg 17 869 h. 212 ⑫ et 408 ⑮ – ✿ 0 1176.

◆Amsterdam (bac) 218 – ◆Middelburg (bac) 21 – ◆Brugge 40 – Terneuzen 19.

XX **Hof van Koophandel,** Markt 23, ✉ 4515 BB, 🏌 12 34, Fax 21 27 – 🄰🄴 ⑩ E 💳
fermé lundi – **Repas** 59.

ZAANDAM Noord-Holland ⓒ Zaanstad 131 785 h. 408 ⑩ ㉗ – ✿ 0 75.

Voir La région du Zaan★ (Zaanstreek) – La redoute Zanoise★ (De Zaanse Schans).

🚣 à Wijdewormer (Wormerland) N : 5 km, Zuiderweg 68, ✉ 1456 NH, 🏌 (0 2990) 2 15 46.

🛈 Gedempte Gracht 76, ✉ 1506 CJ, 🏌 16 22 21, Fax 70 53 81.

◆Amsterdam 16 – Alkmaar 28 – ◆Haarlem 27.

🏠 **Inntel,** Provincialeweg 15, ✉ 1506 MA, 🏌 31 17 11, Fax 70 13 79 – 🛗 📺 ☎ 🅿 – 🔦 25
à 200. 🄰🄴 ⑩ E 💳. 🍽 rest
Repas Lunch 15 – carte env. 50 – 🖃 19 – **71 ch** 135 – ½ P 119/138.

🏠 **Bastion** sans rest, Wibautstraat 278, ✉ 1505 HR, 🏌 70 63 31, Fax 70 12 81 – 📺 ☎ 🅿.
🄰🄴 ⑩ E 💳. 🍽
40 ch 🖃 119/133.

XXXX ✿✿ **De Hoop Op d'Swarte Walvis,** Kalverringdijk 15 (Zaanse Schans), ✉ 1509 BT,
🏌 16 56 29, Fax 16 24 76, 🌿, « Maison du 18ᵉ s. dans un village musée » – ▤ 🅿. 🄰🄴 ⑩
E 💳
fermé sam. midi de janv. à mars et dim. – **Repas** Lunch 63 – 90/135 carte 89 à 113
Spéc. Langoustines rôties, tartelette aux St-Jacques, Daurade grillée au piment et artichaut croquant, Filet d'agneau rôti aux courgettes et tomates.

à Zaandijk ⓒ Zaanstad – ✿ 0 75 :

XXX **De Saense Schans** avec ch, Lagedijk 32, ✉ 1544 BG, 🏌 21 19 11, Fax 21 85 61, ≤, 🌿,
« Au bord de la rivière De Zaan » – 📺 ☎. 🄰🄴 ⑩ E 💳. 🍽
fermé 22 déc.-8 janv. – **Repas** (fermé sam.) Lunch 55 – carte env. 110 – **15 ch** 🖃 190/300
– ½ P 168/245.

ZAANDIJK Noord-Holland 408 ⑩ ㉗ – voir à Zaandam.

ZALTBOMMEL Gelderland 212 ⑦ et 408 ⑱ – 10 121 h. – ✿ 0 4180.

🛈 Markt 10, ✉ 5301 AL, 🏌 1 81 77.

◆Amsterdam 73 – ◆Arnhem 64 – ◆'s-Hertogenbosch 15 – ◆Utrecht 40.

XX **La Provence,** Gamersestraat 81, ✉ 5301 AR, 🏌 1 40 70 – 🅿. 🄰🄴 ⑩ E 💳
fermé dim., jours fériés, 3 sem. en juil. et 25 déc.-2 janv. – **Repas** Lunch 50 – 75/100.

ZANDVOORT Noord-Holland **408** ⑩ – 15 689 h. – ❊ 0 2507 – Station balnéaire★ – Casino AX, Badhuisplein 7 ℘ 1 80 44, Fax 1 62 26.

ⓕ₉ (3 parcours) Kennemerweg 78, ⊠ 2042 XT, par ② ℘ 1 28 36.

🅱 Schoolplein 1, ⊠ 2042 VD, ℘ 1 79 47, Fax 1 70 03.

◆Amsterdam 30 ① – ◆Den Haag 49 ② – ◆Haarlem 11 ①.

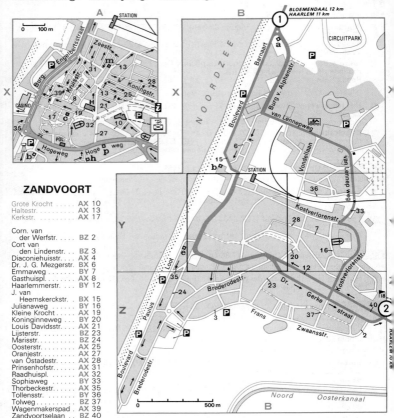

ZANDVOORT

Grote Krocht	AX 10
Haltestr.	AX 13
Kerkstr.	AX 17

Corn. van der Werfstr.	BZ 2
Cort van den Lindenstr.	BZ 3
Diaconiehuisstr.	AX 4
Dr. J. G. Mezgerstr.	BX 6
Emmaweg	BY 7
Gasthuispl.	AX 8
Haarlemmerstr.	BY 12
J. van Heemskerckstr.	BX 15
Julianaweg	BY 16
Kleine Krocht	AX 19
Koninginneweg	BY 20
Louis Davidsstr.	AX 21
Lijsterstr.	BZ 23
Marisstr.	BZ 24
Oosterstr.	AX 25
Oranjestr.	AX 27
van Ostadestr.	AX 28
Prinsenhofstr.	AX 31
Raadhuispl.	AX 32
Sophiaweg	BY 33
Thorbeckestr.	AX 35
Tollensstr.	BY 36
Tolweg	BZ 37
Wagenmakerspad	AX 39
Zandvoortselaan	BZ 40

🏨🏨 **Elysée Beach,** Burg. van Alphenstraat 63, ⊠ 2041 KG, ℘ 1 32 34, Fax 1 90 94, 🍽, 🔳s – 📶 📺 ☎ 🅿 – 🔏 25 à 250. 🖭 🅴 VISA. ✸ rest BX **a**
Repas Lunch 38 – carte 68 à 88 – **200 ch** ☲ 165/250, 15 suites – ½ P 178/225.

🏨 **Palace,** Burg. van Fenemaplein 2, ⊠ 2042 TA, ℘ 1 29 11, Fax 2 01 31, ≤ – 📶 📺 ☎ 🅿 – 🔏 140. 🖭 ⓞ 🅴 VISA. ✸ rest BX **b**
Repas Lunch 25 – carte 58 à 73 – **70 ch** ☲ 160/220, 15 suites.

🏨 **Triton,** Zuiderstraat 3, ⊠ 2042 GA, ℘ 1 91 05, Fax 1 86 13 – 📺 ☎ 🅿 – 🔏 60. 🖭 ⓞ 🅴 VISA. ✸ rest AX **h**
Repas (résidents seult) – **22 ch** ☲ 93/175 – ½ P 75/95.

🏨 **Hoogland,** Westerparkstraat 5, ⊠ 2042 AV, ℘ 1 55 41, Fax 1 42 00 – 📺 ☎. 🖭 ⓞ 🅴 VISA
✸ AX **b**
Repas (dîner seult) 43 – **25 ch** ☲ 90/170 – ½ P 100/120.

🏨 **Zuiderbad,** bd Paulus Loot 5, ⊠ 2042 AD, ℘ 1 26 13, Fax 1 31 90, ≤, 🍽 – 📺 ☎ 🅿. 🖭 🅴 VISA BY **e**
Repas (fermé 6 janv.-1er mars et 6 nov.-27 déc.) (dîner seult jusqu'à 20 h) 43 – **26 ch** (fermé 6 janv.-10 fév. et 6 nov.-27 déc.) ☲ 140/185 – ½ P 80/120.

🏨 **Amare** sans rest, Hogeweg 70, ⊠ 2042 GJ, ℘ 1 22 02, Fax 1 43 74 – 📺 ☎. 🖭 ⓞ 🅴 VISA
17 ch ☲ 75/110. AX **p**

X **Duivenvoorden,** Haltestraat 49, ⊠ 2042 LK, ℰ 1 22 61, Fax 1 28 24, Produits de la mer – ᴬᴱ ⓞ Ε ᵛⁱˢᵃ
AX **m**
fermé 2 sem. en janv. et mardi en hiver – **Repas** *Lunch 33* – carte env. 65.

X **Schut,** Kerkstraat 21, ⊠ 2042 JD, ℰ 1 21 21, 🍴, Produits de la mer – ᴬᴱ ⓞ Ε ᵛⁱˢᵃ. ✺
fermé merc. d'oct. à avril – **Repas** carte 49 à 88. AX **c**

à Bentveld par ② : 3 km Ⓒ Zandvoort – 🕿 0 23 :

XX **Klein Bentveld,** Zandvoortselaan 363, ⊠ 2116 EN, ℰ 24 00 29, 🍴 – 🔳 ℗. ᴬᴱ Ε ᵛⁱˢᵃ
fermé lundi et 1er janv. – **Repas** (dîner seult jusqu'à 23 h) carte env. 70.

ZEDDAM Gelderland Ⓒ Bergh 17 656 h. 408 ⑫ – 🕿 0 8345.
🖪 's-Heerenbergseweg 5a-1, ⊠ 7038 CA, ℰ 14 86.
♦Amsterdam 129 – ♦Arnhem 31 – Doetinchem 8 – Emmerich 8.

🏨 **Montferland** ⹑, Montferland 1, ⊠ 7038 EB, ℰ 14 44, Fax 26 75, 🍴, « Dans les bois », 🌳 – 📺 🕿 ℗ – 🔬 30. ᴬᴱ ⓞ Ε ᵛⁱˢᵃ. ✺
Repas carte env. 85 – **8 ch** ⊇ 150/210 – ½ P 135/175.

à Beek O : 5 km Ⓒ Bergh – 🕿 0 8363 :

XX **'t Hazenpad,** Arnhemseweg 11, ⊠ 7037 CX, ℰ 12 50, Fax 21 82 – 🔳 ℗. ᴬᴱ ⓞ Ε ᵛⁱˢᵃ. ✺
fermé lundi et 30 déc.-14 janv. – **Repas** *Lunch 40* – 50/70.

ZEEGSE Drenthe Ⓒ Vries 9 840 h. 408 ⑥ – 🕿 0 5921.
♦Amsterdam 203 – Assen 16 – ♦Groningen 21.

🏨 **Drenthe** ⹑, Schipborgerweg 8, ⊠ 9483 TL, ℰ 4 39 00, Fax 4 39 19, 🍴, « Environnement boisé », 🞔, 🔲 – 🛗 📺 🕿 🏸 ℗ – 🔬 25 à 200. ᴬᴱ ⓞ Ε ᵛⁱˢᵃ
Repas *Lunch 28* – carte env. 70 – **51 ch** ⊇ 160/280, 2 suites – ½ P 138/198.

ZEIST Utrecht 408 ⑪ – 59 096 h. – 🕿 0 3404.
🖪₈ à Bosch en Duin N : 2 km, Amersfoortseweg 1, ⊠ 3735 LJ, ℰ (0 3404) 5 52 23.
🖪 (fermé dim.) Het Rond 1, ⊠ 3701 HS, ℰ 1 91 64.
♦Amsterdam 55 – ♦Utrecht 10 – Amersfoort 17 – ♦Apeldoorn 66 – ♦Arnhem 50.

🏨 **Oud London,** Woudenbergseweg 52 (E : 3 km), ⊠ 3707 HX, ℰ (0 3439) 12 45, Fax (0 3439) 12 44, 🍴, 🞔, 🔲, ✼ – 🛗 🍽 rest 📺 🕿 🏸 ℗ – 🔬 25 à 200. ᴬᴱ ⓞ Ε ᵛⁱˢᵃ. ✺
Repas *La Fine Bouche* *Lunch 35* – 60 – ⊇ 24 – **67 ch** 180/230.

🏨 **'t Kerckebosch,** ⹑, Arnhemse Bovenweg 31 (SE : 1,5 km), ⊠ 3708 AA, ℰ 1 47 34, Fax 1 31 14, 🍴, « Demeure ancienne », ✼ – 🛗 📺 🕿 ℗ – 🔬 25 à 60. ᴬᴱ ⓞ Ε ᵛⁱˢᵃ.
✺ rest
⊇ 25 – **30 ch** 195/270 – ½ P 175/295.

à Bosch en Duin N : 2 km Ⓒ Zeist – 🕿 0 30 :

🏨 **Aub. De Hoefslag** ⹑, Vossenlaan 28, ⊠ 3735 KN, ℰ 25 10 51, Fax 28 58 21, ✼ – 🛗 🔳 📺 🕿 🏸 ℗ – 🔬 25. ᴬᴱ ⓞ Ε ᵛⁱˢᵃ
fermé 31 déc. et 1er janv. – **Repas** voir rest **De Hoefslag** ci-après – **Bistro De Ruif** (dîner seult) 40 – **34 ch** ⊇ 275/500, 4 suites.

XXXX ❀ **De Hoefslag,** Vossenlaan 28, ⊠ 3735 KN, ℰ 25 10 51, Fax 28 58 21, 🍴 – ℗. ᴬᴱ ⓞ Ε ᵛⁱˢᵃ
fermé dim., 31 déc. et 1er janv. – **Repas** *Lunch 63* – 95/125 carte env. 110
Spéc. Bouillabaisse de homard à notre façon, Cabillaud au four à la mousseline de céleri-rave, Carpaccio de bœuf au foie gras de canard.

ZELHEM Gelderland 408 ⑬ – 11 155 h. – 🕿 0 8342.
♦ Amsterdam 139 – ♦ Arnhem 39 – Enschede 52.

XX **'t Wolfersveen,** Ruurloseweg 38 (NE : 4 km), ⊠ 7021 HC, ℰ 13 75, Fax 35 06, 🍴 – ℗. ᴬᴱ ⓞ Ε ᵛⁱˢᵃ
fermé lundi, sam. midi et prem. sem. janv. – **Repas** *Lunch 38* – 55/68.

ZENDEREN Overijssel Ⓒ Borne 21 572 h. 408 ⑬ – 🕿 0 74.
♦Amsterdam 153 – ♦Zwolle 52 – Almelo 4 – Hengelo 10.

XX **'t Loar,** Hoofdstraat 26, ⊠ 7625 PE, ℰ 66 17 07, Fax 66 59 87 – ℗. ᴬᴱ ⓞ Ε ᵛⁱˢᵃ
fermé lundi et du 16 au 30 juil. – **Repas** *Lunch 13* – carte 43 à 90.

ZEVENAAR Gelderland 408 ⑫ – 26 806 h. – 🕿 0 8360.
♦Amsterdam 114 – ♦Arnhem 16 – Emmerich 21.

🏠 **Campanile,** Hunneveldweg 2a, ⊠ 6903 ZM, ℰ 2 81 11, Fax 3 12 32, 🍴 – 📺 🕿 🏸 ℗ – 🔬 25. ᴬᴱ ⓞ Ε ᵛⁱˢᵃ
Repas *Lunch 27* – 39 – ⊇ 12 – **53 ch** 94 – ½ P 126/145.

XX **Poelwijk,** Babberichseweg 2 (SE : 1 km), ⊠ 6901 JW, ℰ 2 34 20, 🍴 – ℗. ᴬᴱ ⓞ Ε ᵛⁱˢᵃ
fermé du 27 au 31 déc. – **Repas** *Lunch 35* – 35/45.

455

ZEVENBERGEN Noord-Brabant 212 ⑤ et 408 ⑰ – 16 187 h. – ☎ 0 1680.

◆Amsterdam 111 – Bergen op Zoom 30 – ◆Breda 17 – ◆Rotterdam 43.

XXX **De 7 Bergsche Hoeve,** Schansdijk 3, ✉ 4761 RH, ☎ 2 41 66, Fax 2 38 72, ☂, « Ancienne ferme » – Ⓟ. AE ⓓ E VISA. ✂
Repas *Lunch 54* – carte 75 à 99.

XX **La Sirène,** Noordhaven 68, ✉ 4761 DB, ☎ 2 88 44 – AE ⓓ E VISA
fermé lundi, sem. carnaval, 24 juil.-19 août et 27 déc.-5 janv. – **Repas** *Lunch 38* – carte env. 75.

ZEVENBERGSCHEN HOEK Noord-Brabant Ⓒ Zevenbergen 16 187 h. 212 ⑥ et 408 ⑰ – ☎ 0 1685.

◆Amsterdam 105 – ◆'s-Hertogenbosch 69 – ◆Breda 17 – ◆Rotterdam 36.

X **Brabant,** Oude Moerdijkseweg 20 (NO : 1 km près A 16), ✉ 4765 SN, ☎ 24 50, Fax 29 15, Taverne-rest. – Ⓟ. AE E VISA
Repas *Lunch 25* – 35/65.

Prijzen Nadere bijzonderheden omtrent de in deze gids vermelde prijzen, vindt U in de inleiding.

ZIERIKZEE Zeeland 212 ③ et 408 ⑯ – 10 018 h. – ☎ 0 1110.

Voir Noordhavenpoort★ Z **B.**

Env. Pont de Zélande★ (Zeelandbrug) par ③.

18 à Bruinisse E : 10 km, Oudendijk 2, ✉ 4311 NA, ☎ (0 1113) 26 50.

ℹ Havenpark 29, ✉ 4301 JG, ☎ 1 24 50.

◆Amsterdam 149 ② – ◆Middelburg 44 ③ – ◆Breda 81 ② – ◆Rotterdam 66 ②.

ZIERIKZEE

Appelmarkt	Z	2
Dam	Z	5
Meelstr.	Z	
Melkmarkt	Z	28
Poststr.	Z	
Basterstr.	Z	3
Fonteine	Z	7
Hoofdpoortstr.	Z	12
Julianastr.	Z	14
Karsteil	Z	16
Kerkhof N.Z.	Z	17
Kerkhof Z.Z.	Z	18
Klokstr.	Z	20
Korte Nobelstr.	Y	22
Lange Nobelstr.	Y	25
Lange St. Janstr.	Z	26
Minderbroederstr.	Z	30
Oude Haven	Z	32
P.D. de Vosstr.	Y	34
Ravestr.	Z	36
Schuitaven	Z	38
Schuurbeque Boeyestr.	Y	39
Verrenieuwstr.	Y	42
Watermolen	Y	44
Wevershoek	Z	45
Zevengetijstr.	Y	48
Zuidwellerstr.	Y	50

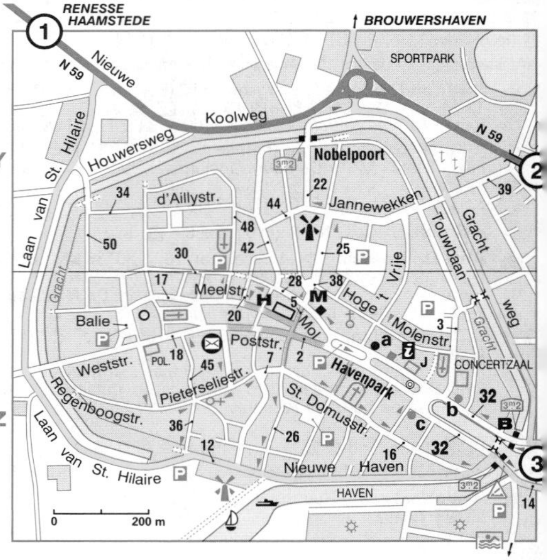

Les plans de villes sont orientés le Nord en haut.

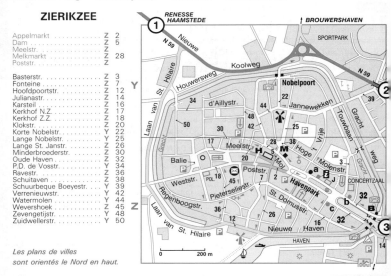

🏠 **Mondragon** sans rest, Havenpark 21, ✉ 4301 JG, ☎ 1 30 51, Fax 1 71 33 – TV ☎. AE ⓓ E VISA Z **a**
fermé 5 déc.-5 janv. – **8 ch** ☐ 100/195.

XX **Mondragon,** Oude Haven 13, ✉ 4301 JJ, ☎ 1 26 70, Fax 1 71 33 – AE ⓓ E VISA Z **b**
fermé dim. de sept à mars et dim. midi – **Repas** *Lunch 40* – 40/55.

X **De Drie Morianen,** Kraanplein 12, ✉ 4301 CH, ☎ 1 29 31, Fax 1 79 36, ☂ – AE ⓓ E VISA Z **c**
fermé mardi d'oct. à mars – **Repas** 40.

à Schuddebeurs N : 4 km Ⓒ Brouwershaven 3 747 h. – ☎ 0 1110 :

🏠 **Host. Schuddebeurs** ✇, Donkereweg 35, ✉ 4317 NL, ☎ 1 56 51, Fax 1 31 03, ☂, « Cadre de verdure », ☂ – ⧉ TV ☎ ♿ Ⓟ – 🏛 25 à 40. AE ⓓ E VISA
Repas *(fermé lundi et 15 déc.-15 janv.) Lunch 45* – 70/80 – **23 ch** ☐ 125/195, 1 suite.

ZOETERMEER Zuid-Holland 408 ⑩ – 102 937 h. – ✪ 0 79.

☐ Heuvelweg 3, ✉ 2701 SH, ℘ 51 33 51.

♦Amsterdam 64 – ♦Den Haag 14 – ♦Rotterdam 25.

🏨 **De Plaza** M, Danny Kayelaan 20 (près A 12, wijk 19), ✉ 2719 EH, ℘ 61 02 02, Fax 61 63 49 – |≡| ⇔ 📺 ⚌ 🅿 & ⇐ – 🔬 25 à 250. 🅰🅴 ⓪ 🄴 🅅🅸🅂🄰. 🛁 rest
Repas (Taverne-rest) Lunch 50 – 59 – ☲ 15 – **107 ch** 125/175.

🏨 **Zoetermeer**, Boerhaavelaan 2 (près A 12, wijk 13), ✉ 2713 HB, ℘ 21 92 28, Fax 21 15 01 – |≡| ⇔ 📺 ⚌ 🅿 – 🔬 30 à 200. 🅰🅴 ⓪ 🄴 🅅🅸🅂🄰
Repas 40 – **60 ch** ☲ 150/175, 10 suites.

%% **Ma Cuisine,** 1ᵉ Stationsstraat 39 (wijk 12), ✉ 2712 HB, ℘ 16 61 62, Fax 16 63 78, � –
≣ 🅿. 🅰🅴 🄴 🅅🅸🅂🄰
fermé dim. et lundi – **Repas** Lunch 50 – 50/70.

% **De Herbergier,** Petuniatuin 45 (dans centre commercial Seghwaert, wijk 24), ✉ 2724 NB, ℘ 41 25 66, Fax 42 30 14 – ≣. 🅰🅴 ⓪ 🄴 🅅🅸🅂🄰
fermé lundi – **Repas** (dîner seult) carte 69 à 90.

% **De Sniep,** Broekwegschouw 211 (wijk 26), ✉ 2726 LC, ℘ 41 24 81, Fax 42 04 21, � –
≣ 🅿. 🅰🅴 ⓪ 🄴 🅅🅸🅂🄰 – **Repas** carte 45 à 72.

ZOETERWOUDE-RIJNDIJK Zuid-Holland Ⓒ Zoeterwoude 8 500 h. 408 ⑩ – ✪ 0 1715.

♦Amsterdam 42 – ♦Den Haag 22 – Leiden 3.

% **Meerbourgh,** Hoge Rijndijk 123 (NE : 4 km sur N 11), ✉ 2382 AD, ℘ (0 71) 41 01 48, Fax (0 71) 41 01 48 – ≣ 🅿. 🅰🅴 ⓪ 🄴 🅅🅸🅂🄰
fermé sam. et dim. midi – **Repas** Lunch 43 – 43/63.

ZOUTELANDE Zeeland Ⓒ Valkenisse 6 042 h. 212 ⑫ et 408 ⑮ – ✪ 0 1186.

♦Amsterdam 213 – ♦Middelburg 12 – Vlissingen 13.

🏨 **De Distel,** Westkapelseweg 1, ✉ 4374 BA, ℘ 20 40, Fax 12 22, ⇔s, 🏊 – |≡| ≣ rest 📺 ⚌ 🅰🅴 ⓪ 🄴 🅅🅸🅂🄰. 🛁 rest
avril-oct. et week-end – **Repas** Lunch 20 – 32/110 – **31 ch** ☲ 185 – ½ P 85/123.

🏠 **Willebrord,** Smidsstraat 17, ✉ 4374 AT, ℘ 12 15, Fax 26 86, � – ☎ 🅿. 🄴 🅅🅸🅂🄰. 🛁
15 mars-15 nov., week-end et Noël – **Repas** Lunch 25 – 53 – **21 ch** ☲ 130 – ½ P 88/95.

ZUIDLAREN Drenthe 408 ⑥ – 11 149 h. – ✪ 0 5905.

Env. Eexterhalte : Hunebed★ (dolmen) SE : 13 km.

☐ à Glimmen (Haren) NO : 8 km, Pollselaan 5, ✉ 9756 GJ, ℘ (0 5906) 20 04.

🛈 Stationsweg 69, ✉ 9471 GL, ℘ 9 23 33.

♦Amsterdam 207 – Assen 18 – Emmen 42 – ♦Groningen 19.

🏨 **Brinkhotel,** Brink O.Z. 6, ✉ 9471 AE, ℘ 9 12 61, Fax 9 60 11, ⇔s – |≡| 📺 ☎ & 🅿 – 🔬 30 à 200. 🅰🅴 ⓪ 🄴 🅅🅸🅂🄰
Repas Lunch 25 – carte 43 à 63 – **50 ch** ☲ 98/179, 4 suites – ½ P 93/116.

%%% **De Vlindertuin,** Stationsweg 41, ✉ 9471 GK, ℘ 9 45 31, Fax 9 01 71, �, « Ferme du 19ᵉ s. » – ≣ 🅿. 🅰🅴 ⓪ 🄴 🅅🅸🅂🄰
fermé lundi, mardi et du 1ᵉʳ au 22 août – **Repas** (dîner seult) 55/80.

ZUIDOOSTBEEMSTER Noord-Holland – voir à Purmerend.

ZUIDWOLDE Drenthe 408 ⑬ – 9 840 h. – ✪ 0 5287.

♦Amsterdam 157 – Assen 38 – Emmen 38 – ♦Zwolle 36.

%%% **In de Groene Lantaarn,** Hoogeveenseweg 17 (N : 2 km), ✉ 7921 PC, ℘ 29 38, Fax 20 47, �, Ouvert jusqu'à 23 h, « Ferme du 18ᵉ s. » – 🅿. 🅰🅴 ⓪ 🄴 🅅🅸🅂🄰
fermé lundi – **Repas** Lunch 40 – 55.

ZUTPHEN Gelderland 408 ⑫ – 31 117 h. – ✪ 0 5750.

Voir La vieille ville★ – Bibliothèque★ (Librije) et lustre★ dans l'église Ste-Walburge (St. Walburgkerk) – Drogenapstoren★ – Martinetsingel ≤★.

🛈 Wijnhuis, Groenmarkt 40, ✉ 7201 HZ, ℘ 1 93 55, Fax 1 79 28.

♦Amsterdam 112 – ♦Arnhem 31 – ♦Apeldoorn 21 – ♦Enschede 58 – ♦Zwolle 53.

🏨 **Inntel,** De Stoven 37 (SE : 2 km sur A 48), ✉ 7206 AZ, ℘ 2 55 55, Fax 2 96 76, �, ⇔s, 🏊, 🛀 – |≡| ≣ rest 📺 ☎ & – 🔬 25 à 150. 🅰🅴 ⓪ 🄴 🅅🅸🅂🄰. 🛁 rest
Repas 40 – **67 ch** ☲ 165/180 – ½ P 100/130.

%% **Galantijn,** Stationsstraat 9, ✉ 7201 MC, ℘ 1 72 86 – 🅰🅴 ⓪ 🄴 🅅🅸🅂🄰
fermé dim. et lundis non fériés – **Repas** Lunch 45 – 58/90.

%% **André,** IJsselkade 22, ✉ 7201 HD, ℘ 1 44 36, Fax 4 38 96 – 🅰🅴 ⓪ 🄴 🅅🅸🅂🄰
fermé sam., dim. et 20 juil.-15 août – **Repas** Lunch 43 – carte env. 70.

%% **Jan van de Krent,** Burg. Dijckmeesterweg 27b, ✉ 7201 AJ, ℘ 4 30 98, Fax 4 17 76, Produits de la mer – ≣ 🅿. 🅰🅴 ⓪ 🄴 🅅🅸🅂🄰
fermé mardi, 2 dern. sem. juil. et fin déc.-début janv. – **Repas** Lunch 43 – 43/68.

ZWARTSLUIS Overijssel 408 ⑫ - 4 431 h. - ☏ 0 5208.
◆Amsterdam 123 - ◆Zwolle 16 - Meppel 12.

Zwartewater, De Vlakte 20, ✉ 8064 PC, ☎ 6 64 44, ≤, « Terrasse au bord de l'eau », ⛵, 🎾, ✂ - TV ☎ P - 🏛 25 à 350. AE ① E VISA
Repas *Lunch 25* - carte 43 à 68 - **51 ch** ⊇ 98/188 - ½ P 95/135.

Roskam, Stationsweg 1, ✉ 8064 DD, ☎ 6 70 70, Fax 6 63 93, 🌳 - TV ☎ P. AE ① E VISA. ✂
Repas *(fermé dim.) Lunch 35* - 48 - **10 ch** ⊇ 75/120 - ½ P 90/110.

ZWEELOO Drenthe 408 ⑥ - 2 839 h. - ☏ 0 5917.
⛳18 à Aalden SO : 2 km, Gebbeveenseweg 1, ✉ 7854 TD, ☎ (0 5917) 17 84.
◆Amsterdam 184 - Assen 34 - Emmen 13 - ◆Groningen 60.

XX **Idylle,** Kruisstraat 21, ✉ 7851 AE, ☎ 18 57, Fax 24 04, 🌳, « Ancienne ferme » - P. AE ① E VISA
fermé lundi, 21 fév.-6 mars et 22 août-4 sept - **Repas** *Lunch 43* - carte env. 80.

NETHERLANDS

A Michelin Green Guide :

Describes buildings, scenery and scenic routes.
Explains geography, history and art.
Includes plans of towns and buildings.

ZWOLLE P Overijssel 408 ⑫ - 98 318 h. - ☏ 0 38.
Voir Hôtel de ville (Stadhuis) sculptures★ du plafond dans la salle des Échevins (Schepenzaal) BYZ **H.**
Musée : de l'Overijssel★ (Provinciaal Overijssels Museum) BY **M.**
⛳9 à Hattem par ④ : 7 km, Veenwal 11, ✉ 8051 AS, ☎ (0 5206) 4 19 09.
🚗 (départs de 's-Hertogenbosch) ☎ 21 83 41.
ℹ Grote Kerkplein 14, ✉ 8011 PK, ☎ 21 39 00, Fax 22 26 79.
◆Amsterdam 111 ④ - ◆Apeldoorn 44 ④ - ◆Enschede 73 ② - ◆Groningen 102 ① - ◆Leeuwarden 94 ①.

Plan page ci-contre

Wientjes, Stationsweg 7, ✉ 8011 CZ, ☎ 25 42 54, Fax 25 42 60 - |♦| ⇋ TV ☎ ♿ P - 🏛 25 à 200. AE ① E VISA. ✂ rest — BZ **s**
Repas *(fermé sam. midi, dim. et 23 déc.-2 janv.) Lunch 35* - carte 64 à 91 - **57 ch** ⊇ 120/240 - ½ P 125/175.

Postiljon, Hertsenbergweg 1 (SO : 2 km), ✉ 8041 BA, ☎ 21 60 31, Fax 22 30 69 - |♦| ⇋ ▤ rest TV ☎ P - 🏛 25 à 450. E VISA — AX **a**
Repas carte env. 50 - ⊇ 16 - **72 ch** 125/166 - ½ P 100/190.

Fidder sans rest, Wilhelminastraat 6, ✉ 8019 AM, ☎ 21 83 95, Fax 23 02 98, 🌳 - TV ☎. AE ① E VISA — AX **b**
fermé 31 déc. - **30 ch** ⊇ 80/238.

Campanile, Schuttevaerkade 40, ✉ 8021 DB, ☎ 55 04 44, Fax 55 07 50, 🌳 - |♦| ⇋ ▤ rest TV ☎ ♿ P - 🏛 25 à 120. AE ① E VISA — BY **c**
Repas 39 - ⊇ 12 - **69 ch** 94.

XXX **De Handschoen,** Nieuwe Deventerweg 103 (par ③ : 3,5 km), ✉ 8014 AE, ☎ 65 04 37, Fax 66 12 72, 🌳, « Ferme du 18e s. » - P. AE ① E VISA
fermé sam. midi, dim. et 2 prem. sem. vacances bâtiment - **Repas** *Lunch 35* - 58/73.

XX **Tiën,** Eiland 42, ✉ 8011 XR, ☎ 21 35 75, Fax 23 17 56, Avec cuisine asiatique - AE ① E VISA — CY **d**
fermé lundi - **Repas** carte env. 55.

XX ✿ **De Librije** (Boer), Broerenkerkplein 13, ✉ 8011 TW, ☎ 21 20 83, Fax 23 23 29, « Partie d'un ancien cloître » - AE ① E VISA — CY **z**
fermé sam. midi, dim., dern. sem. juil.-2 prem. sem. août et fin déc. - **Repas** carte env. 80
Spéc. Tartelette de langoustines à l'avocat, Agneau régional, tarte à l'aubergine (mars-nov.), Pain perdu de brioche et glace aux clous de girofle (sept-fév.).

XX **Barbara,** Ossenmarkt 7, ✉ 8011 MR, ☎ 21 19 48, Fax 21 11 28 - ▤. AE ① E VISA JCB — BY **e**
fermé 27 déc.-2 janv. - **Repas** *Lunch 43* - 60/85.

X **Poppe,** Luttekestraat 66, ✉ 8011 LS, ☎ 21 30 50, Fax 21 60 74, Ouvert jusqu'à 23 h, « Ancienne forge » - ▤. AE ① E VISA — BZ **r**
fermé lundi et prem. sem. janv. - **Repas** *Lunch 28* - 43/55.

X **Pampus,** Kamperstraat 40, ✉ 8011 LM, ☎ 21 30 97 - E — BY **f**
fermé lundi - **Repas** (dîner seult) 40.

ZWIJNDRECHT Zuid-Holland 212 ⑤ et 408 ⑰ - voir à Dordrecht.

ZWOLLE

Diezerstr. . . . . CY
Grote Kerkplein . . . . BY 12
Luttekestr. . . . . BY 19
Roggenstr. . . . . BY 30
Sassenstr. . . . . BYZ 31

Achter de Broeren . . . . BCY 3
Assendorperlure . . . . . . AX 4
Bagijnesingel . . . . CY 6
Buitenkant . . . . BY 7
Deventerstraatweg . . . . AX 9
Diezerpoortenplas . . . . CY 10
Hanekamp . . . . AX 13
Harm Smeengekade . . . BZ 15
Ittersumallee . . . . AX 16
Kamperstr. . . . . BY 18
Meppelerstraatweg . . . . AX 21
Middelweg . . . . AX 22
Nieuwe Markt . . . . CYZ 24
Oude Vismarkt . . . . BY 25
Potgietersingel . . . . BZ 27
Rhijnvis Feithlaan . . . . . AX 28
Spolderbergweg . . . . . . AX 33
Ter Pelkwijkstr. . . . . . . CY 34
Thomas a Kempis
  straat . . . . CY 36
Voorsterweg . . . . AX 37
Voorstr. . . . . BY 39
van Wevelink
  Hovenstraat . . . . CY 40
Wipstrikkerallee . . . . . . AX 42
Zuidbroek . . . . AX 43

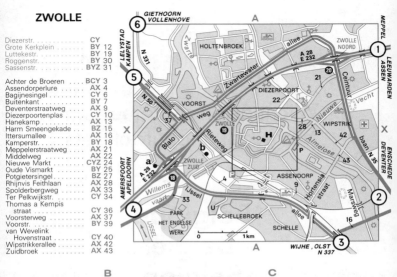

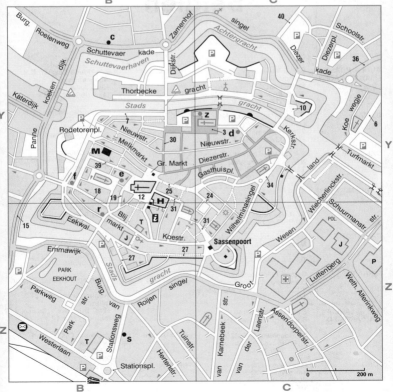

Principales marques automobiles
Belangrijkste auto-importeurs
Wichtigsten Automarken
Main car manufacturers

Belgique
België
Belgien

AUDI – PORSCHE – VOLKSWAGEN
S.A. D'Ieteren N.V.
Rue du Mail, 50
Maliestraat, 50
1050 Bruxelles – Brussel
Tél. : 02/536 51 11

B.M.W.
S.A. B.M.W. Belgium N.V.
Lodderstraat, 16
2880 Bornem
Tél. : 03/890 97 11

CHRYSLER
S.A. Chrysler Import Belgium
N.V. – Parc Industriel, 17
1440 Wauthier-Braine
Tél. : 02/366 03 70

CITROËN
S.B.A. Citroën
Place de l'Yser, 7
Ijzerplein, 7
1210 Bruxelles – Brussel
Tél. : 02/214 06 11

DAIHATSU
S.A. Daihatsu Belgium N.V.
Mechelsesteenweg, 309
1800 Vilvoorde
Tél. : 02/255 02 11

FERRARI
Garage Francorchamps
Lozenberg, 13
1932 Sint Stevens Woluwe
Tél. : 02/725 67 60

FIAT – LANCIA – ALFAROMEO
S.A. Fiat Belgio N.V.
Boulevard des Invalides, 210-220
Invalidenlaan, 210-220
1160 Bruxelles – Brussel
Tél. : 02/674 45 11

FORD
Ford Motor CY
Kanaaldok, 200-204
2030 Antwerpen
Tél. : 03/540 21 00

HONDA
S.A. Honda Belgium N.V.
Wijngaardveld, 1
9300 Aalst
Tél. : 053/72 51 11

HYUNDAI
S.A. Korean Motor CY N.V.
Pierstraat, 231
2550 Kontich
Tél. : 03/450 06 11

JAGUAR
Jaguar Belgium
Sint Bernardsesteenweg, 534
2660 Antwerpen
Tél. : 03/830 18 80

LADA
S.A. Scaldia-Volga N.V.
Rue M. Charlent, 53
M. Charlentstraat, 53
1160 Bruxelles – Brussel
Tél. : 02/660 89 50

MAZDA – SAAB
Beherman Auto
Industrieweg, 3
2880 Bornem
Tél. : 03/890 91 11

MERCEDES BENZ
S.A. Mercedes-Benz Belgium N.V.
Avenue du Péage, 68
Tollaan, 68
1200 Bruxelles – Brussel
Tél. : 02/724 12 11

MITSUBISHI
Moorkens Car Division
Pierstraat, 229
2550 Kontich
Tél. : 03/450 02 11

NISSAN
S.A. Nissan Belgium N.V.
Boomsesteenweg, 42
2630 Aartselaar
Tél. : 03/870 32 11

OPEL	Opel Marketing Division Noorderlaan, 75 2030 Antwerpen Tél. : 03/543 51 11
PEUGEOT	S.A. Peugeot Talbot Belgique N.V. Rue de l'Industrie, 22 1400 Nivelles Tél. : 067/88 02 11
RENAULT	S.A. Renault Belgique Luxembourg N.V. Avenue W.A. Mozart, 20 W.A.Mozartlaan, 20 1620 Drogenbos Tél. : 02/334 76 11
ROVER	S.A. Rover Belgium N.V. Lozenberg, 11 1932 Sint Stevens Woluwe Tél. : 02/723 99 11
SEAT	S.A. Iberauto N.V. Boulevard Industriel, 51 Industrielaan, 51 1070 Bruxelles – Brussel Tél. : 02/521 40 11
SKODA	S.A. Eskadif N.V. Avenue A. Giraud 29-35 A. Giraudlaan 29-35 1030 Bruxelles – Brussel Tél. : 02/215 92 20
SUBARU	S.A. Subaru Benelux N.V. Mechelsesteenweg, 588 d 1800 Vilvoorde Tél. : 02/254 75 11
SUZUKI	S.A. Suzuki Belgium N.V. Satenrozen, 2 2550 Kontich Tél. : 03/450 04 11
TOYOTA	S.A. International Motor CY N.V. Rue Colonel Bourg, 115 Kolonel Bourgstraat, 115 1140 Bruxelles – Brussel Tél. : 02/730 72 11
VOLVO	Volvo Cars Belgium Chaussée de Zellik, 30 Zelliksesteenweg, 30 1080 Bruxelles – Brussel Tél. : 02/464 12 11

Grand-Duché
de
Luxembourg

ALFA-ROMEO	Garage Jean Zahles Rue de Longwy 36 Helfent-Bertrange Tél. : 45 04 13	**KIA**	Multi-cars Jastrow Rte d'Arlon 23-25 Strassen Tél. : 45 39 39
BMW	Garage Arnold Kontz Rte de Thionville 184 Luxembourg Tél. : 49 19 41	**LADA**	Multi-cars Jastrow Rte d'Arlon 23-25 Strassen Tél. : 45 39 39
CITROËN	Etoile Garage SARL Rue Robert Stumper 3 Luxembourg Tél. : 40 22 66	**LANCIA**	Garage Intini Rte de Longwy 8b Bertrange Tél. : 45 00 47
CHRYSLER	Garage Norbert Bestgen SA Rue de Longwy 8 a Helfent-Bertrange Tél. : 45 25 26	**LAND ROVER**	Garage Nuss & Pleimling Rte d'Esch 294 Luxembourg Tél. : 48 71 01
DAIHATSU	Multi-cars Jastrow Rte d'Arlon 23-25 Strassen Tél. : 45 39 39	**MASERATI**	Garage Franco Bertoli Rue de Luxembourg 87 Bereldange Tél. : 33 08 13
FERRARI	Garage Winandy Frères Rue de Kaltgesbruck Luxembourg Tél. : 43 63 63	**MAZDA**	Garage Léon Pirsch SARL Rte d'Esch 164 Luxembourg Tél. : 48 26 32
FIAT	New Car Marketing Rte d'Arlon 113 Mamer Tél. : 31 89 91	**MERCEDES-BENZ**	Garage Meris & Cie Rue de Bouillon 45 Luxembourg Tél. : 44 21 21
FORD	Euro Motor S.E.C.S. Plt du Kirchberg Luxembourg Tél. : 43 30 30	**MITSUBISHI**	Garage Butroni Rue de Soleuvre 170 a Differdange Tél. : 58 94 28
G. M.	Muller Jean SARL Rte d'Esch 70 Luxembourg Tél. : 44 64 61-1	**NISSAN**	Garage Paul Lentz Rte d'Arlon 257 Luxembourg Tél. 44 45 45
HONDA	Garage Puraye Vic Rte de Thionville 185 Luxembourg Tél. : 49 57 25	**PEUGEOT-TALBOT**	Garage Rodenbourg Rue d'Arlon 54 Strassen Tél. : 45 20 11-1
HYUNDAI	Car Center SARL Rue du Commerce 2-4 Foetz Tél. : 57 26 85	**RENAULT**	Garage Renault SA Rue Robert Stumper 2 Luxembourg Tél. : 40 30 40-1
JAGUAR	Gd Garage de la Petrusse SA Rue des Jardiniers 13-15 Luxembourg Tél. : 22 66 4	**ROVER**	Garage Norbert Bestgen S.A. Rue de Longwy 8 a Helfent-Bertrange Tél. : 45 25 26
		SAAB	Garage Roberty Grun Rte d'Arlon 242 Strassen Tél. : 31 92 57

SUBARU	Garage Subaru Luxbg. S.A. Rte d'Arlon 1 Strassen Tél. : 45 75 36	V.A.G.	Garage M. Losch S.E.C.S. Rue de Thionville 88 Luxembourg Tél. : 48 81 21
TOYOTA	NS Gd Garage de Luxembourg Rte d'Arlon 293 Luxembourg Tél. : 44 60 60	VOLVO	Scancar Luxbg. S.A. Rue des Peupliers 18 Luxembourg-Hamm Tél. : 43 96 96

Nederland
Pays-Bas

BMW
BMW Nederland B.V.
Einsteinlaan 5
2289 CC Rijswijk
Tél. : 070-3956222

CITROËN
Citroën Nederland B.V.
Stadionplein 26-30
1076 CM Amsterdam
Tél. : 020-5701911

CHRYSLER
Chrysler Holland Import B.V.
Lange Dreef 12
4131 NH Vianen
Tél. 03473-63400

DAIHATSU
Daihatsu Holland B.V.
Witboom 2
4131 PL Vianen ZH
Tél. : 03473-70505

FERRARI
Kroymans B.V.
Soestdijkerstr. wg. 64
1213 XE Hilversum
Tél. : 035-855151

**FIAT-LANCIA
ALFA-ROMEO**
Hullenbergweg 1-3
1101 BW Amsterdam
Tél. : 020-6520700

FORD
Ford Nederland B.V.
Amsteldijk 217
1079 LK Amsterdam
Tél. : 020-5409911

HONDA
Honda Nederland B.V.
Nikkelstraat 17
2984 AM Ridderkerk
Tél. : 01804-57333

HYUNDAI
Greenib Car B.V.
H. v. Doorneweg 14
2171 KZ
Sassenheim
Tél. : 02522-13394

KIA
Kia Motors
Marconiweg 2
4131 PD Vianen
Tél. : 03473-74454

LADA
Gremi Auto-Import B.V.
Bornholmstraat 20
9723 AX Groningen
Tél. : 050-68 38 88

MAZDA
Autopalace De Binckhorst
B.V.
Binckhorstlaan 312-334
2516 BL Den Haag
Tél. : 070-3489400

MERCEDES
Mercedes-Benz Nederland
B.V.
Reactorweg 25
3542 AD Utrecht
Tél. : 030-47 19 11

MITSUBISHI
Hart Nibbrig & Greeve B.V.
Warmonderweg 12
2171 AH Sassenheim
Tél. : 02522-66111

NISSAN
Nissan Motor Nederland
B.V.
Vennestraat 13
2161 LE Lisse
Tél. : 02521-30111

OPEL
General Motors Nederland
B.V.
Baanhoek 188
3361 GN Sliedrecht
Tél. : 078-422100

PEUGEOT-TALBOT
Peugeot-Talbot Nederland
N.V.
Uraniumweg 25
3542 AK Utrecht
Tél. : 030-47 54 75

ROVER
Rover Nederland B.V.
Sportlaan 1
4131 NN Vianen ZH
Tél. : 03473-66600

RENAULT
Renault Nederland N.V.
Wibautstraat 224
1097 DN Amsterdam
Tél. : 020-5619191

SEAT
Seat Importeur Pon Car B.V.
Klepelhoek 2
3833 GZ Leusden
Tél. : 033-951550

SUZUKI
Nimag B.V.
Reedijk 9
3274 KE Heinenoord
Tél. : 01862-7911

TOYOTA
Louwman & Parqui
Steurweg 8
4941 VR Raamsdonksveer
Tél. : 01621-85900

VW – AUDI
Pon's Automobielhandel
Zuiderinslag 2
3833 BP Leusden
Tél. : 033-949944

VOLVO
Volvo Nederland B.V.
Stationsweg 2
4153 RD Beesd
Tél. : 03458-8888

Jours fériés en 1995
Feestdagen in 1995
Feiertage im Jahre 1995
Bank Holidays in 1995

Belgique – België – Belgien

1er janvier	Jour de l'An
16 avril	Pâques
17 avril	lundi de Pâques
1er mai	Fête du Travail
25 mai	Ascension
4 juin	Pentecôte
5 juin	lundi de Pentecôte
21 juillet	Fête Nationale
15 août	Assomption
1er novembre	Toussaint
11 novembre	Fête de l'Armistice
25 décembre	Noël

Grand-Duché de Luxembourg

1er janvier	Jour de l'An
27 février	lundi de Carnaval
16 avril	Pâques
17 avril	lundi de Pâques
1er mai	Fête du Travail
25 mai	Ascension
4 juin	Pentecôte
5 juin	lundi de Pentecôte
23 juin	Fête Nationale
15 août	Assomption
1er novembre	Toussaint
25 décembre	Noël
26 décembre	Saint-Étienne

Nederland – Pays-Bas

1er janvier	Jour de l'An
16 avril	Pâques
17 avril	lundi de Pâques
30 avril	Jour de la Reine
5 mai	Jour de la Libération
25 mai	Ascension
4 juin	Pentecôte
5 juin	lundi de Pentecôte
25 décembre	Noël
26 décembre	2e jour de Noël

Distances

QUELQUES PRÉCISIONS

Au texte de chaque localité vous trouverez la distance de sa capitale d'état et des villes environnantes. Lorsque ces villes sont celles du tableau ci-contre, leur nom est précédé d'un losange ✦. Les distances intervilles du tableau les complètent.

La distance d'une localité à une autre n'est pas toujours répétée en sens inverse : voyez au texte de l'une ou de l'autre. Utilisez aussi les distances portées en bordure des plans.

Les distances sont comptées à partir du centre-ville et par la route la plus pratique, c'est-à-dire celle qui offre les meilleures conditions de roulage, mais qui n'est pas nécessairement la plus courte.

TOELICHTING

In de tekst bij elke plaats vindt U de afstand tot de hoofdstad en tot de grotere steden in de omgeving. Als deze steden voorkomen op de lijst hiernaast, wordt hun naam voorafgegaan door een ruit ✦. De afstandstabel dient ter aanvulling.

De afstand tussen twee plaatsen staat niet altijd onder beide plaatsen vermeld ; zie dan bij zowel de ene als de andere plaats. Maak ook gebruik van de aangegeven afstanden rondom de plattegronden.

De afstanden zijn berekend vanaf het stadscentrum en via de gunstigste (niet altijd de kortste) route.

EINIGE ERKLÄRUNGEN

Die Entfernungen zur Landeshauptstadt und zu den nächstgrößeren Städten in der Umgebung finden Sie in jedem Ortstext. Sind diese in der nebenstehenden Tabelle aufgeführt, so wurden sie durch eine Raute ✦ gekennzeichnet. Die Kilometerangaben der Tabelle ergänzen somit die Angaben des Ortstextes.

Da die Entfernung von einer Stadt zu einer anderen nicht immer unter beiden Städten zugleich aufgeführt ist, sehen Sie bitte unter beiden entsprechenden Ortstexten nach. Eine weitere Hilfe sind auch die am Rande der Stadtpläne erwähnten Kilometerangaben.

Die Entfernungen gelten ab Stadtmitte unter Berücksichtigung der güngstigsten (nicht immer kürzesten) Streckte.

COMMENTARY

Each entry indicates how far the town or locality is from the capital and other nearby towns. The black diamond ✦ in the entry means that the town name given after it is in the table opposite. The distances in the table complete those given under individual town headings for calculating total distances.

To avoid excessive repetition some distances have only been quoted once. You may, therefore, have to look under both town headings. Note also that some distances appear in the margins of the town plans.

Distances are calculated from town centres and along the best roads from a motoring point of view – not necessarily the shortest.

Distances entre principales villes
Afstanden tussen de belangrijkste steden
Entfernungen zwischen den grösseren Städten
Distances between major towns

	Amsterdam	Antwerpen	Apeldoorn	Arlon	Arnhem	Bastogne	Breda	Brugge	Bruxelles/Brussel	Charleroi	Den Haag	Dinant	Eindhoven	Enschede	Gent	Groningen	Haarlem	Hasselt	's-Hertogenbosch	Kortrijk	Leeuwarden	Liège	Luxembourg	Maastricht	Mechelen	Middelburg	Mons	Namur	Nijmegen	Oostende	Rotterdam	Tilburg	Tournai	Turnhout	Utrecht
Antwerpen	155																																		
Apeldoorn	90	186																																	
Arlon	370	231	350																																
Arnhem	96	161	31	312																															
Bastogne	331	190	311	39	273																														
Breda	103	55	134	286	117	223																													
Brugge	262	101	293	291	268	250	162																												
Bruxelles/Brussel	210	55	240	185	215	144	110	96																											
Charleroi	257	102	288	171	263	129	157	149	61																										
Den Haag	61	130	133	361	122	313	79	216	185	232																									
Dinant	296	141	313	111	275	99	196	201	95	57	271																								
Eindhoven	122	87	127	243	98	204	63	192	127	156	142	165																							
Enschede	163	254	75	379	96	339	206	361	309	352	205	353	191																						
Gent	216	55	247	251	222	210	116	44	56	109	191	161	146	315																					
Groningen	186	310	146	488	169	448	258	417	365	413	240	452	264	153	371																				
Haarlem	24	172	108	387	113	348	120	261	227	275	48	314	139	180	233	203																			
Hasselt	191	78	196	169	167	130	94	176	77	102	184	103	62	217	136	333	208																		
's-Hertogenbosch	83	97	97	283	68	243	49	204	152	199	109	238	34	161	158	234	100	103																	
Kortrijk	259	98	289	279	264	238	159	48	93	119	234	168	188	358	47	414	276	177	201																
Leeuwarden	140	288	139	481	162	442	236	395	342	391	193	429	254	168	349	64	143	323	216	391															
Liège	244	118	224	128	186	89	134	195	95	93	224	94	117	264	155	362	261	41	157	191	355														
Luxembourg	389	257	369	29	331	70	312	317	211	197	387	137	262	362	277	506	406	198	301	305	500	159													
Maastricht	219	108	199	156	161	117	155	204	104	116	214	117	92	211	167	337	236	31	132	200	330	30	175												
Mechelen	181	26	212	204	187	163	81	107	28	75	156	114	98	280	61	336	198	78	123	103	314	108	230	109											
Middelburg	199	87	230	318	213	276	98	47	141	189	107	227	161	302	58	354	171	162	147	82	301	202	344	192	113										
Mons	269	114	300	202	275	160	169	126	65	41	244	90	187	368	83	424	286	138	211	77	402	124	228	147	87	201									
Namur	261	106	281	129	243	88	161	166	60	37	236	29	133	321	126	416	278	71	203	146	393	62	155	85	79	192	68								
Nijmegen	111	141	50	293	19	254	96	248	195	243	136	256	61	115	202	188	128	147	48	244	181	167	312	142	167	195	255	224							
Oostende	283	122	313	312	288	270	183	29	117	170	258	221	212	382	65	438	300	201	225	66	415	215	338	224	127	68	144	186	268						
Rotterdam	74	97	120	328	109	279	46	183	151	199	31	237	108	193	158	245	76	150	81	200	206	191	354	181	123	103	211	202	115	224					
Tilburg	112	72	117	257	88	217	22	179	127	174	101	213	39	181	133	254	129	88	24	176	244	129	282	131	98	120	186	178	68	200	67				
Tournai	283	122	313	250	288	208	183	77	86	89	258	138	212	382	71	438	300	165	225	28	415	172	276	195	115	110	48	116	268	95	224	200			
Turnhout	132	46	147	226	118	187	36	150	86	133	118	148	46	212	104	285	149	58	55	147	265	98	252	88	56	130	145	113	98	171	84	29	170		
Utrecht	38	121	67	353	59	299	69	228	176	224	65	263	90	139	182	191	55	159	52	225	165	213	357	188	147	165	235	228	74	249	53	78	248	98	
Zwolle	113	210	45	387	68	348	158	317	264	313	157	351	164	74	271	101	131	233	134	313	94	261	406	236	236	254	324	316	87	337	144	154	337	184	91

Gent - Rotterdam

158 km

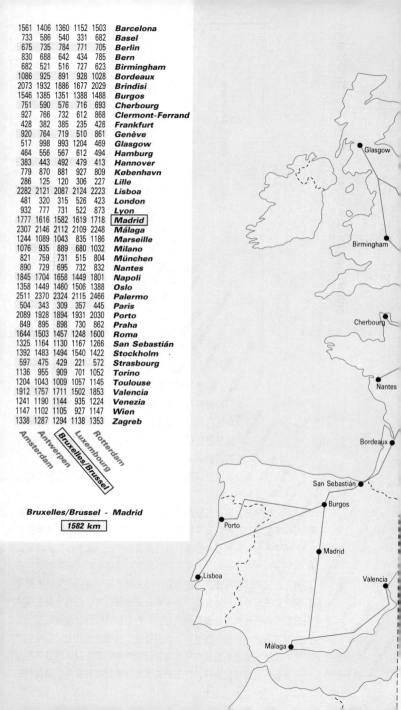

	Amsterdam	Antwerpen	Bruxelles/Brussel	Luxembourg	Rotterdam
Barcelona	1561	1406	1360	1152	1503
Basel	733	586	540	331	682
Berlin	675	735	784	771	705
Bern	830	688	642	434	785
Birmingham	682	521	516	727	623
Bordeaux	1086	925	891	928	1028
Brindisi	2073	1932	1886	1677	2029
Burgos	1546	1385	1351	1388	1488
Cherbourg	751	590	576	716	693
Clermont-Ferrand	927	766	732	612	868
Frankfurt	428	382	385	235	428
Genève	920	764	719	510	861
Glasgow	517	998	993	1204	469
Hamburg	464	556	567	612	494
Hannover	383	443	492	479	413
København	779	870	881	927	809
Lille	286	125	120	306	227
Lisboa	2282	2121	2087	2124	2223
London	481	320	315	526	423
Lyon	932	777	731	522	873
Madrid	1777	1616	1582	1619	1718
Málaga	2307	2146	2112	2109	2248
Marseille	1244	1089	1043	835	1186
Milano	1076	935	889	680	1032
München	821	759	731	515	804
Nantes	890	729	695	732	832
Napoli	1845	1704	1658	1449	1801
Oslo	1358	1449	1460	1506	1388
Palermo	2511	2370	2324	2115	2466
Paris	504	343	309	357	445
Porto	2089	1928	1894	1931	2030
Praha	849	895	898	730	862
Roma	1644	1503	1457	1248	1600
San Sebastián	1325	1164	1130	1167	1266
Stockholm	1392	1483	1494	1540	1422
Strasbourg	597	475	429	221	572
Torino	1136	955	909	701	1052
Toulouse	1204	1043	1009	1057	1145
Valencia	1912	1757	1711	1502	1853
Venezia	1241	1190	1144	935	1224
Wien	1147	1102	1105	927	1147
Zagreb	1338	1287	1294	1138	1353

Amsterdam
Antwerpen
Bruxelles/Brussel
Luxembourg
Rotterdam

Bruxelles/Brussel - Madrid

1582 km

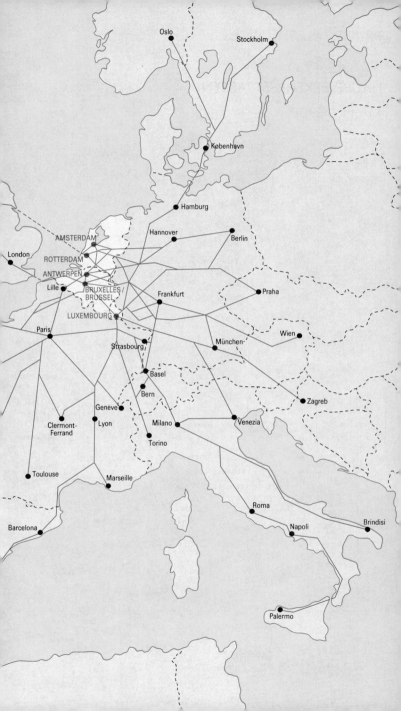

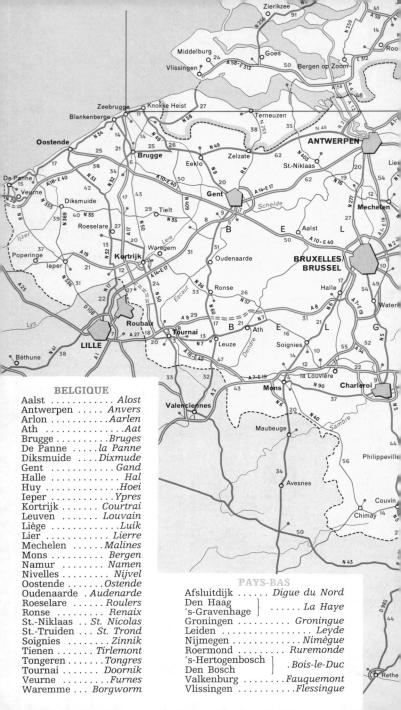

BELGIQUE

Aalst	Alost
Antwerpen	Anvers
Arlon	Aarlen
Ath	Aat
Brugge	Bruges
De Panne	la Panne
Diksmuide	Dixmude
Gent	Gand
Halle	Hal
Huy	Hoei
Ieper	Ypres
Kortrijk	Courtrai
Leuven	Louvain
Liège	Luik
Lier	Lierre
Mechelen	Malines
Mons	Bergen
Namur	Namen
Nivelles	Nijvel
Oostende	Ostende
Oudenaarde	Audenarde
Roeselare	Roulers
Ronse	Renaix
St.-Niklaas	St. Nicolas
St.-Truiden	St. Trond
Soignies	Zinnik
Tienen	Tirlemont
Tongeren	Tongres
Tournai	Doornik
Veurne	Furnes
Waremme	Borgworm

PAYS-BAS

Afsluitdijk	Digue du Nord
Den Haag / 's-Gravenhage	La Haye
Groningen	Groningue
Leiden	Leyde
Nijmegen	Nimègue
Roermond	Ruremonde
's-Hertogenbosch / Den Bosch	Bois-le-Duc
Valkenburg	Fauquemont
Vlissingen	Flessingue

Lexique
Woordenlijst
Lexikon
Lexicon

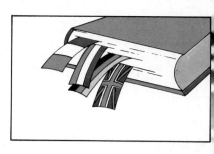

NOURRITURE et BOISSONS	SPIJZEN en DRANKEN	SPEISEN und GETRÄNKE	FOOD and DRINKS
agneau	lamsvlees	Lamm	lamb
aiglefin	schelvis	Schellfisch	haddock
ail	knoflook	Knoblauch	garlic
amandes	amandelen	Mandeln	almonds
ananas	ananas	Ananas	pineapple
anchois	ansjovis	Anchovis	anchovies
anguille (à l'étuvée)	paling (gestoofd)	Aal (gedünstet)	eel (stewed)
anguille fumée	gerookte paling	Räucheraal	smoked eel
artichaut	artisjok	Artischocke	artichoke
asperges	asperges	Spargel	asparagus
bécasse	houtsnip	Waldschnepfe	woodcock
betterave	biet	rote Rübe	beetroot
beurre	boter	Butter	butter
bière	bier	Bier	beer
bifteck	biefstuk	Beefsteak	beefsteak
biscotte	beschuit	Zwieback	rusk
bouillon	heldere soep	Fleischbrühe	clear soup
brochette	spies	kleiner Bratspieß	on a skewer
café au lait	koffie met melk	Milchkaffee	coffee and milk
café crème	koffie met room	Kaffee mit Sahne	coffee and cream
canard	eend	Ente	duck
câpres	kappers	Kapern	capers
carottes	wortelen	Karotten	carrots
carpe	karper	Karpfen	carp
carrelet	schol	Scholle	plaice
céleri	selderij	Sellerie	celery
cerf	hert	Hirsch	deer
cerises	kersen	Kirschen	cherries
champignons	champignons	Pilze	mushrooms
charcuterie	vleeswaren	Aufschnitt	pork-butchers' meats
chevreuil	ree	Reh	venison
chicorée, endive, chicon	witlof	Endivie	endive
chou	kool	Kraut, Kohl	cabbage
choucroute	zuurkool	Sauerkraut	sauerkraut
chou-fleur	bloemkool	Blumenkohl	cauliflower
choux de Bruxelles	spruitjes	Rosenkohl	Brussels sprouts
citron	citroen	Zitrone	lemon
concombre	komkommer	Gurke	cucumber
confiture	jam	Konfitüre	jam
coquillages	schelpdieren	Schalentiere	shell-fish
côte de porc	varkenskotelet	Schweinekotelett	pork chop
côte de veau	kalfsrib	Kalbskotelett	veal chop
côtelette	kotelet	Kotelett	chop, cutlet

crème	room	Sahne	cream
crème fouettée	slagroom	Schlagsahne	whipped cream
crevettes	garnalen	Garnelen	shrimps
croûtons	croûtons	geröstetes Brot	croûtons
crudités	rauwkost	Rohkost	raw vegetables
cuissot	...bout	...keule	haunch (of venison)
dattes	dadels	Datteln	dates
daurade	goudbrasem	Goldbrassen	dory
dinde	kalkoen	Truthenne	turkey
eau minérale	mineraalwater	Mineralwasser	mineral water
en daube, en sauce	gestoofd, met saus	geschmort, mit Sauce	stewed, with sauce
entrecôte	tussenrib	Rumpsteak	rib steak
épinards	spinazie	Spinat	spinach
escalope panée	wienerschnitzel	Wiener Schnitzel	escalope in breadcrumbs
escargots	slakken	Schnecken	snails
faisan	fazant	Fasan	pheasant
farci	gevuld	gefüllt	stuffed
fèves	bonen	dicke Bohnen	broad beans
filet de bœuf	ossehaas	Filetsteak	fillet of beef
filet de porc	varkenshaasje	Schweinefilet	fillet of pork
foie de veau	kalfslever	Kalbsleber	calf's liver
fraises	aardbeien	Erdbeeren	strawberries
frit	gebakken	gebraten (Pfanne)	fried
fromage	kaas	Käse	cheese
fumé	gerookt	geräuchert	smoked
gâteau	gebak	Kuchen	cake
genièvre	jenever	Wacholderschnaps	juniper, gin
gigot	lamsbout	Lammkeule	leg of mutton
gingembre	gember	Ingwer	ginger
glace	ijs	Speiseeis	ice-cream
grillé	geroosterd	gegrillt	grilled
groseilles	aalbessen	Johannisbeeren	currants
hachis	gehakt	gehackt	chopped
hareng (frais)	haring (nieuwe)	Hering (grün)	herring (fresh)
haricots blancs	witte bonen	weisse Bohnen	haricot beans
haricots verts	sperziebonen	grüne Bohnen	French beans
homard	kreeft	Hummer	lobster
huile	olie	Öl	olive oil
huîtres	oesters	Austern	oysters
jambon	ham	Schinken	ham
(cru ou cuit)	(rauwe of gekookte)	(roh oder gekocht)	(raw or cooked)
jus de fruit	vruchtensap	Fruchtsaft	fruit juice
lait	melk	Milch	milk
laitue	kropsla	Kopfsalat	lettuce
langouste	pantserkreeft – langoest	Languste	spiny lobster
langoustines	doornkreeften	Langustinen	crayfish
langue	tong	Zunge	tongue
lapin	konijn	Kaninchen	hare, rabbit
lièvre	haas	Hase	hare
mandarines	mandarijnen	Mandarinen	tangerines
maquereau	makreel	Makrele	mackerel
merlan, colin	wijting, koolvis	Weissling, Kohlfisch	whiting, coal fish
miel	honing	Honig	honey
morue fraîche, cabillaud	kabeljauw	Kabeljau, Dorsch	cod
morue séchée	stokvis	Stockfisch	dried cod
moules	mosselen	Muscheln	mussels
moutarde	mosterd	Senf	mustard
noisettes	hazelnoten	Haselnüsse	hazelnuts
noix	noten	Nüsse	walnuts

oie	gans	Gans	goose
oignons	uien	Zwiebeln	onions
œuf à la coque	zacht gekookt ei	weiches Ei	soft-boiled egg
œuf à la russe	Russisch ei	Russisches Ei	Russian egg
œuf dur	hard gekookt ei	hartes Ei	hard-boiled egg
oranges	sinaasappels	Orangen	oranges
pain	brood	Brot	bread
pâté de foie gras	ganzeleverpastei	Gänseleberpastete	goose liver pâté
pâté en croûte	pastei in korstdeeg	Pastete	meat pie
pâtisseries	banketgebak	Feingebäck, Süßigkeiten	pastries
pêches	perziken	Pfirsiche	peaches
perdrix, perdreau	patrijs	Rebhuhn	partridge
petits pois	doperwten	junge Erbsen	green peas
pigeon	duif	Taube	pigeon
pintade	parelhoen	Perlhuhn	guinea-hen
pistaches	pistache-nootjes	Pistazie	pistachio
poireau	prei	Lauch	leek
poires	peren	Birnen	pears
poivre	peper	Pfeffer	pepper
pommes	appels	Apfel	apples
pommes de terre (sautées)	aardappelen (gebakken)	Kartoffeln (gebraten)	potatoes (fried)
pot-au-feu	stoofpot	Rindfleischsuppe	boiled beef
poulet	kip	Hühnchen	chicken
primeurs	jonge groenten	Frühgemüse	early vegetables
prunes	pruimen	Pflaumen	plums
raie	rog	Rochen	skate, ray-fish
raisin	druiven	Traube	grapes
raisins secs	rozijnen	Rosinen	raisins
ris de veau	kalfszwezerik	Kalbsbries	sweetbreads
riz	rijst	Reis	rice
rognons	nieren	Nieren	kidneys
rôti (au four)	gebraden (in oven)	gebraten (Backofen)	roasted (in oven)
rouget	knorhaan, rode poon	Barbe, Rötling	red mullet
saignant	kort gebakken	englisch gebraten	rare
salade	sla	Salat	green salad
saucisse	saucijs	Würstchen	sausage
saucisson	worst	Wurst	salami sausage
saumon	zalm	Lachs	salmon
sel	zout	Salz	salt
sole	tong (vis)	Seezunge	sole
sucre	suiker	Zucker	sugar
tarte	taart	Torte	tart
thé	thee	Tee	tea
thon	tonijn	Thunfisch	tunny-fish
truffe	truffel	Trüffel	truffle
truite	forel	Forelle	trout
turbot	tarbot	Steinbutt	turbot
vinaigre	azijn	Essig	vinegar
vin blanc sec	droge witte wijn	herber Weisswein	dry white wine
vin rouge, rosé	rode wijn, rosé wijn	Rotwein, Rosé	red wine, rosé

MOTS USUELS	GEBRUIKELIJKE WOORDEN	ALLGEMEINER WORTSCHATZ	COMMON WORDS
acheter	kopen	kaufen	to buy
aéroport	vliegveld	Flughafen	airport
affluent	zijrivier	Nebenfluß	tributary
allumettes	lucifers	Zündhölzer	matches
à louer	te huur	zu vermieten	for hire
ancien, antique	oud	alt, ehemalig	old
annexe	bijgebouw	Nebengebäude	annex
antigel	anti-vries	Frostschutzmittel	antifreeze
août	augustus	August	August
archipel	archipel	Inselgruppe	archipelago
assistance	hulp	Hilfe	assistance
aujourd'hui	vandaag	heute	today
autodrome	autorenbaan	Autorennbahn	car racetrack
automne	herfst	Herbst	autumn
avion	vliegtuig	Flugzeug	plane
avril	april	April	April
bac	veerboot	Fähre	ferry
bagages	bagage	Gepäck	luggage
baie	baai	Bucht	bay
barque, canot	boot, roeiboot	Ruderboot	rowing boat
bateau à vapeur	stoomboot	Dampfer	steamer
bateau d'excursions	rondvaartboot	Ausflugsdampfer	pleasure boat
beau	mooi	schön	fine, lovely
bicyclette	fiets	Fahrrad	bicycle
bien, bon	goed	gut	good, well
billet d'entrée	toegangsbewijs	Eintrittskarte	admission ticket
blanchisserie	wasserij	Wäscherei	laundry
boulevard, avenue	laan	Boulevard, breite Strasse	boulevard, avenue
bouteille	fles	Flasche	bottle
boutique	winkel	Laden	shop
brasserie	café	Gastwirtschaft	pub
bureau de police	politiebureau	Polizeiwache	police station
bureau de tabac	sigarenwinkel	Tabakladen	tobacconist
bureau de voyages	reisbureau	Reisebüro	travel bureau
caisse	kas	Kasse	cash desk
campagne	platteland	Land	country
carte postale	briefkaart	Postkarte	postcard
casino	Kursaal, casino	Kurhaus	casino
chaire	preekstoel	Kanzel	pulpit
change	wisselkantoor	Geldwechsel	exchange
chapelle	kapel	Kapelle	chapel
chasseur	piccolo	Hotelbote	pageboy
château	kasteel	Burg, Schloß	castle
château d'eau	watertoren	Wasserturm	water tower
chœur	koor	Chor	choir
cimetière	begraafplaats	Friedhof	cemetery
cinéma	bioscoop	Kino	cinema
circuit	rondrit	Rundfahrt	round tour
clé	sleutel	Schlüssel	key
coiffeur	kapper	Friseur	hairdresser, barber
collection	verzameling	Sammlung	collection
collégiale	collegiale kerk	Stiftskirche	collegiate church
combien ?	hoeveel ?	wieviel ?	how much ?
commissariat	hoofdbureau van politie	Polizeirevier	police headquarters
côte	kust	Küste	coast
cour	binnenplaats	Hof	courtyard
couverture	deken	Decke	blanket
crevaison	lekke band	Reifenpanne	puncture
décembre	december	Dezember	December

477

défense de fumer	verboden te roken	Rauchen verboten	no smoking
défense d'entrer	verboden toegang	Zutritt verboten	no admittance
déjeuner, dîner	lunch, diner	Mittag-, Abendessen	lunch, dinner
demain	morgen	morgen	tomorrow
demander	vragen	bitten, fragen	to ask for
dentiste	tandarts	Zahnarzt	dentist
départ	vertrek	Abfahrt	departure
dimanche	zondag	Sonntag	Sunday
docteur	dokter	Arzt	doctor
édifice	gebouw	Bauwerk	building
église	kerk	Kirche	church
en construction	in aanbouw	im Bau	under construction
en cours d'aménagement	wordt verbouwd	im Umbau	in course of rearrangement
en plein air	in de openlucht	im Freien	outside
enveloppes	enveloppen	Briefumschläge	envelopes
environ... km	ongeveer... km	etwa... km	approx... km
environs	omgeving	Umgebung	surroundings
étage	verdieping	Stock, Etage	floor
été	zomer	Sommer	summer
exclus, non compris	niet inbegrepen	nicht inbegriffen	excluded
excursion	uitstapje	Ausflug	excursion
exposition	tentoonstelling	Ausstellung	exhibition
façade	gevel	Fassade	façade
février	februari	Februar	February
flèche	spits	Spitze	spire
fleurs	bloemen	Blumen	flowers
fleuve	stroom	Fluß	river
foire	jaarbeurs	Messe, Markt	...show, exhibition
fontaine	fontein	Brunnen	fountain
fonts baptismaux	doopvont	Taufbecken	font
forêt, bois	woud, bos	Wald, Wäldchen	forest, wood
forteresse	vesting	Festung	fortress
fouilles	opgravingen	Ausgrabungen	excavations
fresques	fresco's	Fresken	frescoes
garçon ! serveuse !	ober ! juffrouw !	Ober ! Fräulein !	waiter ! waitress !
gare	station	Bahnhof	station
gorge	bergengte, kloof	Schlucht	gorge
graissage, lavage	doorsmeren, wassen	Abschmieren, Waschen	greasing, car wash
grand magasin	warenhuis	Kaufhaus	department store
grand'place	grote markt	Hauptplatz	main square
grotte	grot	Höhle	cave
hameau	gehucht	Weiler	hamlet
hebdomadaire	wekelijks	wöchentlich	weekly
hier	gisteren	gestern	yesterday
hiver	winter	Winter	winter
hôpital	ziekenhuis	Krankenhaus	hospital
horloge	klok	Uhr	clock
hôtel de ville	stadhuis	Rathaus	town hall
île	eiland	Insel	island
janvier	januari	Januar	January
jardin, parc	tuin, park	Garten, Park	garden, park
jardin botanique	botanische tuin	botanischer Garten	botanical garden
jeudi	donderdag	Donnerstag	Thursday
jeux	spelen	Spiele	games
jour férié	feestdag	Feiertag	holiday
journal	krant	Zeitung	newspaper
juillet	juli	Juli	July
juin	juni	Juni	June
lac	meer	See	lake
librairie	boekhandel	Buchhandlung	bookshop, news agent

lit	bed	Bett	bed
lit d'enfant	kinderbed	Kinderbett	child's bed
lundi	maandag	Montag	Monday
mai	mei	Mai	May
maison	huis	Haus	house
manoir	landhuis, ridderhofstede	Herrensitz	manor house
mardi	dinsdag	Dienstag	Tuesday
mars	maart	März	March
mauvais	slecht	schlecht	bad
médiéval	middeleeuws	mittelalterlich	mediaeval
mer	zee	Meer	sea
mercredi	woensdag	Mittwoch	Wednesday
môle, quai	havenhoofd, kade	Mole, Kai	mole, quay
monastère	klooster	Kloster	monastery
montée	helling	Steigung	hill
moulin	molen	Mühle	windmill
navire	schip	Schiff	ship
nef	schip v. e. kerk	Kirchenschiff	nave
Noël	Kerstmis	Weihnachten	Christmas
note, addition	rekening	Rechnung	bill, check
novembre	november	November	November
octobre	oktober	Oktober	October
œuvre d'art	kunstwerk	Kunstwerk	work of art
office de tourisme	dienst voor toerisme, V.V.V.	Verkehrsverein	tourist information centre
ombragé	schaduwrijk	schattig	shady
oreiller	hoofdkussen	Kopfkissen	pillow
palais de justice	gerechtshof	Gerichtsgebäude	Law Courts
palais royal	koninklijk paleis	Königsschloß	royal palace
panne	pech	Panne	breakdown
papier à lettres	briefpapier	Briefpapier	writing paper
Pâques	Pasen	Ostern	Easter
parc d'attractions	pretpark	Vergnügungspark	amusement park
patron	eigenaar	Besitzer	owner
pavement	bevloering	Ornament-Fußboden	ornamental paving
payer	betalen	bezahlen	to pay
peintures, tableaux	schilderijen	Malereien, Gemälde	paintings
petit déjeuner	ontbijt	Frühstück	breakfast
phare	vuurtoren	Leuchtturm	lighthouse
pharmacien	apotheker	Apotheker	chemist
piétons	voetgangers	Fußgänger	pedestrians
pinacothèque	schilderijengalerij	Gemäldegalerie	picture gallery
pittoresque	schilderachtig	malerisch	picturesque
place du marché	marktplein	Marktplatz	market place
place publique	plein	Platz	square
plafond	zoldering	Zimmerdecke	ceiling
plage	strand	Strand	beach
plaine verdoyante, pré	weide	grüne Ebene, Wiese	green open country, meadow
pont	brug	Brücke	bridge
port	haven	Hafen	harbour
porteur	kruier	Gepäckträger	porter
poste restante	poste restante	postlagernd	poste restante
potager	groententuin, moestuin	Gemüsegarten	kitchen garden
pourboire	drinkgeld, fooi	Trinkgeld	tip
prêtre	priester	Geistlicher	priest
printemps	lente	Frühling	spring (season)
promenade	wandeling	Spaziergang, Promenade	walk, promenade
proximité	nabijheid	Nähe	proximity
quotidien	dagelijks	täglich	daily

recommandé	aangetekend	Einschreiben	registered
régime	dieet	Diät	diet
remorquer	wegslepen	abschleppen	to tow
renseignements	inlichtingen	Auskünfte	information
réparer	repareren	reparieren	to repair
repas	maaltijd	Mahlzeit	meal
repassage	strijkerij	Büglerei	pressing, ironing
retable	altaarstuk	Altaraufsatz	altarpiece, retable
roches, rochers	rotsen	Felsen	rocks
rôtisserie	rôtisserie	Rotisserie	grilled meat restaurant
rive, bord	kant, oever	Ufer	shore
rivière	rivier	Fluß	river
rue	straat	Straße	street
rustique	landelijk	ländlich	rustic
salle à manger	eetzaal	Speisesaal	dining room
salle de bain	badkamer	Badezimmer	bathroom
samedi	zaterdag	Samstag	Saturday
sanctuaire, mémorial	heiligdom, gedenkteken	Heiligtum, Gedenkstätte	shrine, memorial
sculptures	beeldhouwkunst	Schnitzwerk	carvings
sculptures sur bois	houtsnijwerk	Holzschnitzereien	wood carvings
septembre	september	September	September
service compris	inclusief bediening	Bedienung inbegriffen	service included
site, paysage	landschap	Landschaft	site, landscape
soir	avond	Abend	evening
sortie de secours	nooduitgang	Notausgang	emergency exit
source	bron	Quelle	source, stream
stalles	koorbanken	Chorgestühl	choirstalls
sur demande	op verzoek	auf Verlangen	on request
tapisseries	wandtapijten	Wandteppiche	tapestries
timbre-poste	postzegel	Briefmarke	stamp
toiles originales	originele doeken	Originalgemälde	original paintings
tombeau	grafsteen	Grabmal	tomb
tour	toren	Turm	tower
train	trein	Zug	train
tramway	tram	Straßenbahn	tram
transept	dwarsschip	Querschiff	transept
trésor	schat	Schatz	treasure, treasury
vedette	motorboot	Motorboot	motorboat
vendredi	vrijdag	Freitag	Friday
verre	glas	Glas	glass
verrière, vitrail	glazen dak ; glas-in-loodraam	Kirchenfenster	stained glass window
vignes, vignobles	wijnranken, wijngaarden	Reben, Weinberg	vines, vineyard
village	dorp	Dorf	village
voûte	gewelf	Gewölbe, Wölbung	arch

SUR LA ROUTE	OP DE WEG	**AUF DER STRASSE**	ON THE ROAD
accès	toegang	Zugang	access to...
à droite	rechts	nach rechts	to the right
à gauche	links	nach links	to the left
à la sortie de...	aan de uitgang van...	am Ausgang von...	on the way out from...
arrêt de tram	tramhalte	Haltestelle	tram stop
attention ! danger !	let op ! gevaar !	Achtung ! Gefahr !	caution ! danger !
autoroute	autosnelweg	Autobahn	motorway
bas-côté non stabilisé	zachte berm	nicht befestigter Seitenstreifen	soft shoulder

480

bifurcation	tweesprong	Gabelung	road fork
brouillard	mist	Nebel	fog
cédez le passage	voorrang geven	Vorfahrt beachten	give way
chaussée déformée	slecht wegdek	schlechte Wegstrecke	road subsidence
chaussée glissante	gladde weg	Rutschgefahr	slippery road
chemin privé	eigen weg	Privatweg	private road
danger !	gevaar !	Gefahr !	danger !
défense de doubler	inhaalverbod	Überholen verboten	no overtaking
dégâts causés par le gel	door vorst veroorzaakte schade	Frostschäden	road damage due to frost
descente	afdaling	Gefälle	steep hill
descente dangereuse	gevaarlijke afdaling	gefährliches Gefälle	dangerous hill
digue	dijk	Damm	dike
douane	douane, tol	Zoll	customs
en dessous	lager dan, onder	unter	below
entrée	ingang	Eingang	entrance
fermé	gesloten	geschlossen	closed
frontière	grens	Grenze	frontier
gravillons	steenslag	Rollsplitt	gravel
impasse	doodlopende weg	Sackgasse	no through road
interdit	verboden	verboten	prohibited
localité	plaats	Stadt	town
neige	sneeuw	Schnee	snow
ouvert	geopend	offen	open
passage à niveau non gardé	onbewaakte overweg	unbewachter Bahnübergang	unattended level crossing
péage	tol	Mautgebühr	toll
pont étroit	smalle brug	enge Brücke	narrow bridge
poste de secours	hulppost	Unfall-Hilfsposten	first aid station
raccordement	verbindingsweg	Zufahrtsstraße	access road
réservé aux piétons	alleen voor voetgangers	nur für Fußgänger	pedestrians only
roulez prudemment	voorzichtig rijden	vorsichtig fahren	drive carefully
route barrée	afgesloten rijweg	gesperrte Straße	road closed
route mauvaise sur 1 km	weg in slechte staat over 1 km	schlechte Wegstrecke auf 1 km	bad road for 1 km
route nationale	rijksweg	Staatsstraße	State road
route, rue en mauvais état	weg, straat met slecht wegdek	Weg, Straße in schlechtem Zustand	road, street in bad condition
rue de traversée	doorgaand verkeer	Durchgangsverkehr	through traffic
sortie	uitgang	Ausgang	exit
sortie de camions	uitrit vrachtwagens	Lkw-Ausfahrt	truck exit
station d'essence	benzinestation	Tankstelle	petrol station
stationnement interdit	parkeren verboden	Parkverbot	no parking
travaux en cours	werk in uitvoering	Straßenbauarbeiten	road works
traversée de piste cyclable	overstekende wielrijders	Radweg kreuzt	cycle track crossing
virage dangereux	gevaarlijke bocht	gefährliche Kurve	dangerous bend

Notes

Les cartes et les guides
Michelin sont
complémentaires,
utilisez-les ensemble.

Michelin maps and guides are
complementary publications.
Use them together.

Los mapas y las guías
Michelin se complementan,
utilícelos juntos.

Le carte e le guide Michelin
sono complementari :
utilizzatele insieme

De Michelin kaarten en
gidsen vullen elkaar aan.
Gebruik ze samen.

Die Karten, Reise- und
Hotelführer von Michelin
ergänzen sich. Benutzen
Sie sie zusammen.

MANUFACTURE FRANÇAISE DES PNEUMATIQUES MICHELIN

Société en commandite par actions au capital de 2 000 000 000 de francs

Place des Carmes-Déchaux – 63 Clermont-Ferrand (France)

R.C.S. Clermont-Fd B 855 200 507

© Michelin et Cie, Propriétaires-Éditeurs 1995

Dépôt légal 2-95 – ISBN 2-06-006059-1

Printed in the EC : 12-94-60

Photocomposition : MAURY Imprimeur S.A., Malesherbes

Impression : CASTERMAN, Tournai – KAPP, LAHURE, JOMBART, Evreux – Reliure : MAME, Imprimeur, Tours

Illustrations : Rodolphe Corbel p. 96, 270, 292.

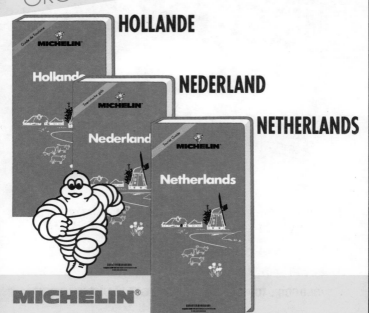

BELGIQUE-LUXEMBOURG
PAYS-BAS

1/200 000 : 212 BRUGGE - ROTTERDAM - ANTWERPEN
213 BRUXELLES - BRUSSEL - OOSTENDE - LIÈGE
214 MONS - DINANT - LUXEMBOURG
215 GRAND-DUCHÉ DE LUXEMBOURG

1/400 000 : 407 BENELUX - 408 NEDERLAND - PAYS-BAS

1/350 000 : 409 BELGIQUE - BELGIË - LUXEMBOURG